KT-446-804

Ami lecteur

C'est en 1898 que je suis né. Voici donc cent ans que, sous le nom de Bibendum, je vous accompagne sur toutes les routes du monde, soucieux du confort de votre conduite, de la sécurité de votre déplacement, de l'agrément de vos étapes.

L'expérience et le savoir-faire que j'ai acquis, c'est au Guide Rouge que je les confie chaque année.

Et dans cette 21ᵉ édition, pour trouver de bonnes adresses à petits prix, un conseil : suivez donc les nombreux restaurants que vous signale mon visage de "Bib Gourmand"!

N'hésitez pas à m'écrire…

Je reste à votre service pour un nouveau siècle de découvertes.

En toute confiance,

Bibendum

Sommaire

5   *Comment se servir du guide*

12   *Les cartes de voisinage*

51   *Les langues parlées au Benelux*

54   *La bière, les vins et les fromages*

62   *Les établissements à étoiles*

64   *"Bib Gourmand" (repas soignés à prix modérés)*

66   *Hôtels et restaurants particulièrement agréables*

69   *Belgique*

70   *Cartes des bonnes tables à étoiles (*❀*),*
des "Bib Gourmand" (☺*),*
des établissements agréables, isolés, très tranquilles

73   *Hôtels, restaurants, plans de ville, curiosités*

313   *Grand-Duché de Luxembourg*

341   *Pays-Bas*

540   *Principales Marques Automobiles*

545   *Jours fériés 1998*

546   *Indicatifs téléphoniques internationaux*

548   *Distances*

552   *Atlas des principales routes*

556   *Lexique*

567   *Cartes et Guides Michelin*

Le choix d'un hôtel, d'un restaurant

Ce guide vous propose une sélection d'hôtels et restaurants établie à l'usage de l'automobiliste de passage. Les établissements, classés selon leur confort, sont cités par ordre de préférence dans chaque catégorie.

Catégories

🏨	XXXXX	*Grand luxe et tradition*
🏨	XXXX	*Grand confort*
🏨	XXX	*Très confortable*
🏨	XX	*De bon confort*
🏨	X	*Assez confortable*
M		*Dans sa catégorie, hôtel d'équipement moderne*
sans rest.		*L'hôtel n'a pas de restaurant*
	avec ch.	*Le restaurant possède des chambres*

Agrément et tranquillité

Certains établissements se distinguent dans le guide par les symboles rouges indiqués ci-après. Le séjour dans ces maisons se révèle particulièrement agréable ou reposant.
Cela peut tenir d'une part au caractère de l'édifice, au décor original, au site, à l'accueil et aux services qui sont proposés, d'autre part à la tranquillité des lieux.

🏨 à 🏨		*Hôtels agréables*
XXXXX à X		*Restaurants agréables*
« Parc fleuri »		*Élément particulièrement agréable*
🌭		*Hôtel très tranquille ou isolé et tranquille*
🌭		*Hôtel tranquille*
≤ mer		*Vue exceptionnelle*
≤		*Vue intéressante ou étendue.*

Les localités possédant des établissements agréables ou très tranquilles sont repérées sur les cartes placées au début de chaque pays traité dans ce guide.
Consultez-les pour la préparation de vos voyages et donnez-nous vos appréciations à votre retour, vous faciliterez ainsi nos enquêtes.

L'installation

Les chambres des hôtels que nous recommandons possèdent, en général, des installations sanitaires complètes. Il est toutefois possible que dans les catégories 🏠🏠 et 🏠, certaines chambres en soient dépourvues.

30 ch	Nombre de chambres
🛗	Ascenseur
🗖	Air conditionné
TV	Télévision dans la chambre
⳾	Établissement en partie réservé aux non-fumeurs
☎	Téléphone dans la chambre, direct avec l'extérieur
♿	Chambres accessibles aux handicapés physiques
🍴	Repas servis au jardin ou en terrasse
⚕	Balnéothérapie, Cure thermale
🏋	Salle de remise en forme
🏊 🏊	Piscine : de plein air ou couverte
🛋 🌳	Sauna – Jardin de repos
⚓	Ponton d'amarrage
🎾 🐎	Tennis à l'hôtel – Chevaux de selle
🏛 25 à 150	Salles de conférences : capacité des salles
🚗	Garage dans l'hôtel (généralement payant)
℗	Parking (pouvant être payant)
🐕	Accès interdit aux chiens (dans tout ou partie de l'établissement)
Fax	Transmission de documents par télécopie
mai-oct.	Période d'ouverture, communiquée par l'hôtelier En l'absence de mention, l'établissement est ouvert toute l'année.
✉ 9411 KL	Code postal de l'établissement (Grand-Duché de Luxembourg et Pays-Bas en particulier)

La table

Les étoiles

*Certains établissements méritent d'être signalés
à votre attention pour la qualité de leur cuisine.
Nous les distinguons par les étoiles de bonne table.*

*Nous indiquons pour ces établissements,
trois spécialités culinaires et,
au Grand-Duché de Luxembourg des vins locaux,
qui pourront orienter votre choix.*

✿✿✿ Une des meilleures tables, vaut le voyage

*On y mange toujours très bien, parfois merveilleusement.
Grands vins, service impeccable, cadre élégant...
Prix en conséquence.*

✿✿ Table excellente, mérite un détour

*Spécialités et vins de choix...
Attendez-vous à une dépense en rapport.*

✿ Une très bonne table dans sa catégorie

*L'étoile marque une bonne étape sur votre itinéraire.
Mais ne comparez pas l'étoile d'un établissement de luxe
à prix élevés avec celle d'une petite maison où à prix
raisonnables, on sert également une cuisine de qualité.*

*Le nom du chef de cuisine figure après la raison
sociale lorsqu'il exploite personnellement l'établissement.
Exemple : ※※ ✿ **Panorama** (Martin)...*

⌘ Le "Bib Gourmand"

Repas soignés à prix modérés

*Vous souhaitez parfois trouver des tables
plus simples, à prix modérés ; c'est pourquoi
nous avons sélectionné des restaurants proposant,
pour un rapport qualité-prix particulièrement
favorable, un repas soigné.
Ces maisons sont signalées par le "Bib Gourmand" ⌘
et* Repas.

Repas : *environ 1 100 francs belges, 60 florins
ou 1 100 francs luxembourgeois.*

*Consultez les cartes des étoiles de bonne table
✿✿✿, ✿✿, ✿ et des "Bib Gourmand" ⌘
placées au début de chaque pays et les listes
signalées au sommaire.
Voir aussi ✍ page suivante.*

Les prix

Les prix que nous indiquons dans ce guide
ont été établis à l'automne 1997 et s'appliquent
à la **haute saison**. Ils sont susceptibles
de modifications, notamment en cas de variations
des prix des biens et services. Ils s'entendent taxes et
services compris. Aucune majoration ne doit figurer
sur votre note, sauf éventuellement une taxe locale.

Les hôtels et restaurants figurent en gros caractères
lorsque les hôteliers nous ont donné tous leurs prix
et se sont engagés, sous leur propre responsabilité,
à les appliquer aux touristes de passage porteurs
de notre guide.

Les week-ends et dans les grandes villes,
certains hôtels pratiquent des prix avantageux,
renseignez-vous lors de votre réservation.

Les exemples suivants sont donnés en francs belges.

Entrez à l'hôtel le Guide à la main, vous
montrerez ainsi qu'il vous conduit là en confiance.

Repas

⊜	Établissement proposant un menu simple à moins de 850 francs ou 45 florins.
Repas *Lunch* 700	Repas servi le midi et en semaine seulement.

Menus à prix fixe :

Repas 750/1200	Minimum 750 et maximum 1200 des menus servis aux heures normales (12 h à 14 h 30 et 19 h à 21 h 30 en Belgique – 12 h à 14 h et 17 h à 21 h aux Pays-Bas).
Repas 1500 (2 pers. min.)/ 2800	Premier prix de menu servi pour un minimum de 2 couverts.
bc	Boisson comprise (vin)

Repas à la carte :

Repas *carte* 800 à 1500	Le premier prix correspond à un repas normal comprenant : entrée, plat garni et dessert. Le 2e prix concerne un repas plus complet (avec spécialité) comprenant : deux plats et dessert.

Chambres ─────────────────────

☐ 150
Prix du petit déjeuner
(supplément éventuel si servi en chambre).

ch 1500/2500
Prix minimum (1500) *pour une chambre d'une personne*
prix maximum (2500) *pour une chambre*
de deux personnes.

suites
Se renseigner auprès de l'hôtelier.

29 ch ☐ 1200/2000
Prix des chambres petit déjeuner compris.

Demi-pension ─────────────────────

½ P 1600/1800
Prix minimum et maximum de la demi-pension
(chambre, petit déjeuner et l'un des deux repas)
par personne et par jour, en saison.
Il est indispensable de s'entendre par avance
avec l'hôtelier pour conclure un arrangement définitif.

Les arrhes ─────────────────────

Certains hôteliers demandent le versement d'arrhes.
Il s'agit d'un dépôt-garantie qui engage l'hôtelier
comme le client. Bien faire préciser les dispositions
de cette garantie.

Cartes de crédit ─────────────────────

AE ⓘ E ⓂⓄ VISA JCB
Cartes de crédit acceptées par l'établissement :
American Express – Diners Club – Eurocard (MasterCard)
– Visa – Japan Credit Bureau

Les villes

1000	Numéro postal à indiquer dans l'adresse avant le nom de la localité
✉ *4900 Spa*	Bureau de poste desservant la localité
P	Capitale de Province
C *Herve*	Siège administratif communal
210 *T 3* **409** ⑤	Numéro de la Carte Michelin et carroyage ou numéro du pli
G. Belgique-Lux.	Voir le guide vert Michelin Belgique-Luxembourg
4 283 h	Population (d'après chiffres du dernier recensement officiel publié)
BX **A**	Lettres repérant un emplacement sur le plan
🏌18	Golf et nombre de trous
✳, ≼	Panorama, point de vue
✈	Aéroport
🚗 ☎ *425214*	Localité desservie par train-auto Renseignements au numéro de téléphone indiqué
⛴	Transports maritimes
⛴	Transports maritimes pour passagers seulement
🛈	Information touristique

Les curiosités

Intérêt _____

★★★	Vaut le voyage
★★	Mérite un détour
★	Intéressant

Situation _____

Voir	Dans la ville
Env	Aux environs de la ville
N, S, E, O	La curiosité est située : au Nord, au Sud, à l'Est, à l'Ouest
②, ④	On s'y rend par la sortie ② ou ④ repérée par le même signe sur le plan du Guide et sur la carte
2 km	Distance en kilomètres

La voiture, les pneus

*Pour vos pneus, consultez les pages bordées de bleu
ou adressez-vous à l'une de nos Agences Régionales.
En fin de guide figure une liste des principales
marques automobiles pouvant éventuellement
vous aider en cas de panne.*

*Vous pouvez également consulter utilement
les principaux automobiles clubs du Benelux :*

Belgique *Royal Automobile Club de Belgique
(RACB),
FIA, rue d'Arlon 53 – Bte 3,
1040 Bruxelles
☏ (02) 287 09 00
Royal Motor Union
boulevard d'Avroy 254, 4000 Liège
☏ (04) 252 70 30
Touring Club Royal de Belgique (TCB)
AIT, rue de la Loi 44, 1040 Bruxelles
☏ (02) 233 22 11
Vlaamse Automobilistenbond
(VTB-VAB)
Sint-Jakobsmarkt 45, 2000 Antwerpen
☏ (03) 253 63 63*

Luxembourg *Automobile Club du Grand Duché
de Luxembourg (ACL)
FIA & AIT, route de Longwy 54,
8007 Bertrange
☏ 45 00 45 1*

Pays-Bas *Koninklijke Nederlandse Automobiel
Club (KNAC)
FIA, Wassenaarseweg 220,
2596 EC Den Haag
☏ (070) 383 16 12
Koninklijke Nederlandse Toeristenbond
(ANWB)
AIT, Wassenaarseweg 220,
2596 EC Den Haag
☏ (070) 314 71 47*

Vitesse : Limites autorisées (en km/h)

	Autoroute	Route	Agglomération
Belgique	120	90	50
GD Luxembourg	120	90	50
Pays-Bas	100/120	80	50

Les cartes de voisinage

Avez-vous pensé à les consulter ?

Vous souhaitez trouver une bonne adresse, par exemple, aux environs de Arnhem ?

Consultez la carte qui accompagne le plan de la ville.

La « carte de voisinage » (ci-contre) attire votre attention sur toutes les localités citées au Guide autour de la ville choisie, et particulièrement celles situées dans un rayon de 30 km (limite de couleur).

Les « cartes de voisinage » vous permettent ainsi le repérage rapide de toutes les ressources proposées par le Guide autour des métropoles régionales.

Nota :

Lorsqu'une localité est présente sur une « carte de voisinage », sa métropole de rattachement est imprimée en BLEU sur la ligne des distances de ville à ville.

Vous trouverez EDE sur la carte de voisinage de ARNHEM.

Exemple :

EDE *Gelderland* **408** *I 5 – 98 220 h.*

Env. *Parc National de la Haute Veluwe★★★*

Amsterdam 81 – Arnhem 19 – Apeldoorn 32 – Utrecht 43.

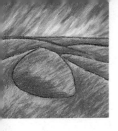

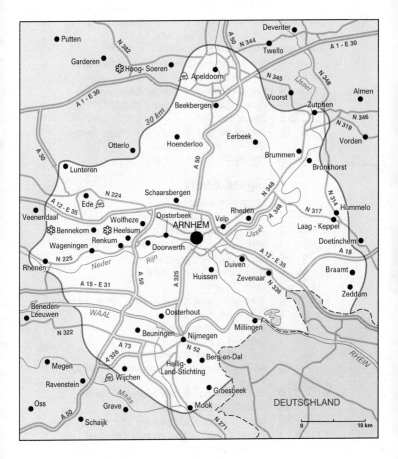

Toutes les « Cartes de voisinage » sont localisées sur l'Atlas en fin de Guide.

Les plans

☐ ●   *Hôtels*
■ ●   *Restaurants*

Curiosités

Bâtiment intéressant et entrée principale
Édifice religieux intéressant :
Cathédrale, église ou chapelle

Voirie

Autoroute, route à chaussées séparées
échangeur : complet, partiel
Grande voie de circulation
Sens unique – Rue impraticable, réglementée
Rue piétonne – Tramway
Pasteur **P**   *Rue commerçante – Parc de stationnement*
Porte – Passage sous voûte – Tunnel
Gare et voie ferrée
 (15)   *Passage bas (inf. à 4 m 20) – Charge limitée*
(inf. à 15 t.)
 B   *Pont mobile – Bac pour autos*

Signes divers

Information touristique
Mosquée – Synagogue
Tour – Ruines – Moulin à vent – Château d'eau
Jardin, parc – Bois – Cimetière – Calvaire
Stade – Golf – Hippodrome
Piscine de plein air, couverte
Vue – Panorama
Monument – Fontaine – Usine – Centre commercial
Port de plaisance – Phare
Aéroport – Station de métro
Transport par bateau :
passagers et voitures, passagers seulement
 (3)   *Repère commun aux plans et aux cartes Michelin*
détaillées
Bureau principal de poste restante, Téléphone
Hôpital – Marché couvert
Bâtiment public repéré par une lettre :
H   P   *- Hôtel de ville – Gouvernement Provincial*
J   *- Palais de justice*
M   T   *- Musée – Théâtre*
U   *- Université, grande école*
POL.   G   *- Police (commissariat central) – Gendarmerie*

Beste lezer

Ik ben Bibendum, het Michelinmannetje, en ik vier dit jaar mijn honderdste verjaardag. Sinds 1898 vergezel ik jullie over de hele wereld en bekommer ik me om jullie rij- en reiscomfort. Veilige verplaatsingen en degelijke hotels zijn mijn grootste zorg.

Daarom vertrouw ik mijn ervaring en kennis elk jaar toe aan de Rode Gids. In deze 21ste editie heb ik enkele leuke adresjes uitgezocht, waar jullie tegen een schappelijke prijs kunnen eten. Volg gewoon mijn rode **"Bib Gourmand"** *-hoofdje !*

En aarzel niet mij te schrijven, want ook de volgende honderd jaar blijf ik jullie verwennen.

Goede reis !

Bibendum _____

Inhoud

17   Het gebruik van deze gids

24   Omgevingskaarten

52   De talen in de Benelux

54   Bier, wijn en kaas

62   De sterrenrestaurants

64   **"Bib Gourmand"** : Verzorgde maaltijden voor een schappelijke prijs

66   Aangename hotels en restaurants

69   België

70   Kaart waarop de sterrenrestaurants (❀), **"Bib Gourmand"** 🍴 en de aangename, afgelegen en zeer rustige bedrijven zijn aangegeven

73   Hotels, restaurants, stadsplattegronden, bezienswaardigheden

313   Groothertogdom Luxemburg

341   Nederland

540   Belangrijkste Auto-Importeurs

545   Feestdagen in 1998

546   Internationale landnummers

548   Afstanden

552   Kaarten met de belangrijkste wegen

556   Woordenlijst

567   Michelinkaarten en -gidsen

Keuze van een hotel, van een restaurant

De selectie van hotels en restaurants in deze gids
is bestemd voor de automobilist op doorreis.
In de verschillende categorieën, die overeenkomen
met het geboden comfort, worden de bedrijven
in volgorde van voorkeur opgegeven.

Categorieën

🏨🏨🏨🏨	XXXXX	*Zeer luxueus, traditioneel*
🏨🏨🏨	XXXX	*Eerste klas*
🏨🏨	XXX	*Zeer comfortabel*
🏨🏨	XX	*Geriefelijk*
🏨	X	*Vrij geriefelijk*
M		*Moderne inrichting*
sans rest.		*Hotel zonder restaurant*
	avec ch.	*Restaurant met kamers*

Aangenaam en rustig verblijf

*Bepaalde bedrijven worden in de gids aangeduid
met de onderstaande rode tekens. Een verblijf
in die bedrijven is bijzonder aangenaam of rustig.
Dit kan enerzijds te danken zijn aan het gebouw,
aan de originele inrichting, aan de ligging,
aan de ontvangst en aan de diensten die geboden
worden, anderzijds aan het feit dat het er bijzonder
rustig is.*

🏨🏨🏨 tot 🏨	*Aangename hotels*
XXXXX tot X	*Aangename restaurants*
« Parc fleuri »	*Bijzonder aangenaam gegeven*
🐾	*Zeer rustig of afgelegen en rustig hotel*
🐾	*Rustig hotel*
≤ mer	*Prachtig uitzicht*
≤	*Interessant of weids uitzicht*

*Voorin elk gedeelte van de gids dat aan een
bepaald land gewijd is, staat een kaart met de
plaatsen met aangename of zeer rustige bedrijven.
Raadpleeg deze kaarten bij het voorbereiden
van uw reis en laat ons bij thuiskomst weten
wat uw ervaringen zijn. Op die manier kunt
u ons behulpzaam zijn.*

17

Inrichting

De hotelkamers die wij aanbevelen, beschikken in het algemeen over een volledige sanitaire voorziening. Het kan echter voorkomen dat deze bij sommige kamers in de hotelcategorieën 🏨 en 🏠 ontbreekt.

30 ch	Aantal kamers
🛗	Lift
▤	Airconditioning
TV	Televisie op de kamer
🍽	Bedrijf dat gedeeltelijk gereserveerd is voor niet-rokers
☎	Telefoon op de kamer met rechtstreekse buitenlijn
♿	Kamers toegankelijk voor lichamelijk gehandicapten
🍽	Maaltijden worden geserveerd in tuin of op terras
🛁	Balneotherapie, Thalassotherapie, Badkuur
⅃	Fitness
⊒ ⊠	Zwembad : openlucht of overdekt
⊜s 🌳	Sauna – Tuin
⊥	Aanlegplaats
⚒ 🐎	Tennis bij het hotel – Rijpaarden
🏛 25 à 150	Vergaderzalen : aantal plaatsen
🚗	Garage bij het hotel (meestal tegen betaling)
℗	Parkeerplaats (eventueel tegen betaling)
🐕	Honden worden niet toegelaten (in het hele bedrijf of in een gedeelte daarvan)
Fax	Telefonische doorgave van documenten
mai-oct.	Openingsperiode ; door de hotelhouder opgegeven
	Het ontbreken van deze vermelding betekent, dat het bedrijf het gehele jaar geopend is
✉ 9411 KL	Postcode van het bedrijf (in het bijzonder voor Groothertogdom Luxemburg en Nederland)

Keuken

Sterren

Bepaalde bedrijven verdienen extra aandacht vanwege de kwaliteit van hun keuken. Wij geven ze aan met één of meer sterren.

Bij deze bedrijven vermelden wij meestal drie culinaire specialiteiten en voor Luxemburg lokale wijnen. Wij adviseren u daaruit een keuze te maken, zowel voor uw eigen genoegen als ter aanmoediging van de kok.

✿✿✿ Uitzonderlijke keuken : de reis waard

Het eten is altijd zeer lekker, soms buitengewoon, beroemde wijnen, onberispelijke bediening, stijlvol interieur... Overeenkomstige prijzen.

✿✿ Verfijnde keuken : een omweg waard

Bijzondere specialiteiten en wijnen... Verwacht geen lage prijzen.

✿ Een uitstekende keuken in zijn categorie

De ster wijst op een goed rustpunt op uw route. Maar vergelijk niet de ster van een luxueus bedrijf met hoge prijzen met die van een klein restaurant dat ook een verzorgde keuken biedt tegen redelijke prijzen.

De naam van de chef-kok staat vermeld achter de naam van het bedrijf als hij zelf het etablissement uitbaat.

Voorbeeld : ✗✗ ✿ **Panorama** (Martin)...

De "Bib Gourmand"

Verzorgde maaltijden voor een schappelijke prijs

Soms wenst u iets eenvoudiger te eten, voor een schappelijke prijs. Om die reden hebben wij eetgelegenheden geselecteerd die bij een zeer gunstige prijs-kwaliteit verhouding, een goede maaltijd serveren.

Deze bedrijven worden aangeduid met de "Bib Gourmand" ☺ Repas.

Repas *: ongeveer 1 100 Belgische franken, 60 gulden of 1 100 Luxemburgse franken.*

Raadpleeg de kaarten van de sterren ✿✿✿, ✿✿, ✿ *en van de "Bib Gourmand"* ☺ *voorin elk gedeelte van deze gids dat aan een bepaald land gewijd is en de lijsten vermeld in de inhoud.*

Zie ook ☜ *op de volgende pagina.*

19

Prijzen

De prijzen in deze gids werden in het najaar 1997
genoteerd en zijn geldig tijdens **het hoogseizoen**. Zij
kunnen gewijzigd worden,
met name als de prijzen van goederen en diensten
veranderen. In de vermelde bedragen is alles
inbegrepen (bediening en belasting).
Op uw rekening behoort geen ander bedrag te
staan, behalve eventueel een plaatselijke belasting.
De naam van een hotel of restaurant is dik gedrukt
als de hotelhouder ons al zijn prijzen heeft
opgegeven en zich voor eigen verantwoording heeft
verplicht deze te berekenen aan toeristen die onze
gids bezitten.
Talrijke hotels hebben tijdens het weekend voordelige
prijzen (grote steden). Informeer U.
Onderstaande voorbeelden zijn in Belgische franken
gegeven.
Als u met de gids in de hand een hotel of
restaurant binnen gaat, laat u zien dat wij
u dat bedrijf hebben aanbevolen.

Maaltijden

Bedrijf dat een eenvoudig menu serveert van minder
dan 850 Belgische franken of 45 gulden.

Repas Lunch 700

Deze maaltijd wordt enkel 's middags geserveerd
en meestal alleen op werkdagen.

Vaste prijzen voor menu's :

Repas 750/1200

laagste (750) en hoogste (1200) prijs van menu's
die op normale uren geserveerd worden
(12-14.30 u. en 19-21.30 u. in België –
12-14 u. en 17-21 u. in Nederland).

Repas 1500 (2 pers. min.)/
2800

Eerste menu geserveerd voor minimum 2 personen.

bc

Drank inbegrepen (wijn)

Maaltijden « à la carte » :

Repas carte 800
à 1500

De eerste prijs betreft een normale maaltijd, bestaande
uit een voorgerecht, een hoofdgerecht en een dessert.
De tweede prijs betreft een meer uitgebreide maaltijd
(met een specialiteit) bestaande uit : twee gerechten,
en een dessert.

Kamers

☐ 150

ch 1500/2500

suites

29 ch ☐ 1200/2000

Prijs van het ontbijt (mogelijk wordt een extra bedrag gevraagd voor ontbijt op de kamer).
Laagste prijs (1500) *voor een eenpersoonskamer en hoogste prijs* (2500) *voor een tweepersoonskamer.*
Zich wenden tot de hotelhouder
Prijzen van de kamers met ontbijt.

Half pension

½ P 1600/1800

Laagste en hoogste prijs voor half pension (kamer, ontbijt en één van de twee maaltijden), per persoon en per dag, in het hoogseizoen. Het is raadzaam om van tevoren met de hotelhouder te overleggen en een goede afspraak te maken.

Aanbetaling

Sommige hotelhouders vragen een aanbetaling. Dit bedrag is een garantie, zowel voor de hotelhouder als voor de gast. Het is wenselijk te informeren naar de bepalingen van deze garantie.

Creditcards

AE ⓪ E ⓪⑨ *VISA* JCB

Creditcards die door het bedrijf geaccepteerd worden :
American Express – Diners Club – Eurocard (MasterCard)
– Visa – Japan Credit Bureau

Steden

1000	Postcodenummer, steeds te vermelden in het adres voor de plaatsnaam
✉ 4900 Spa	Postkantoor voor deze plaats
Ⓟ	Hoofdstad van de provincie
Ⓒ Herve	Gemeentelijke administratieve zetel
210 T 3 409 ⑤	Nummer van de Michelinkaart en graadnet of nummer van het vouwblad
G. Belgique-Lux.	Zie de groene Michelingids België-Luxemburg
4 283 h	Totaal aantal inwoners (volgens de laatst gepubliceerde, officiële telling)
BX A	Letters die de ligging op de plattegrond aangeven
18	Golf en aantal holes
☀, ≤	Panorama, uitzicht
✈	Vliegveld
🚗 ☎ 425214	Plaats waar de autoslaaptrein stopt. Inlichtingen bij het aangegeven telefoonnummer.
⛴	Bootverbinding
⛴	Bootverbinding (uitsluitend passagiers)
🛈	Informatie voor toeristen - VVV

Bezienswaardigheden

Classificatie

★★★	De reis waard
★★	Een omweg waard
★	Interessant

Ligging

Voir	In de stad
Env.	In de omgeving van de stad
N, S, E, O	De bezienswaardigheid ligt : ten noorden (N), ten zuiden (S), ten oosten (E), ten westen (O)
②, ④	Men komt er via uitvalsweg ② of ④, die met hetzelfde teken is aangegeven op de plattegrond in de gids en op de kaart
2 km	Afstand in kilometers

Auto en banden

*Raadpleeg voor uw banden de bladzijden
met blauwe rand of wendt u tot één
van de Michelin-filialen.*

*Achter in deze gids vindt u een lijst met
de belangrijkste auto-importeurs die u van dienst
zouden kunnen zijn.*

*U kunt ook de hulp inroepen
van een automobielclub in de Benelux :*

België
*Vlaamse Automobilistenbond
(VTB-VAB)
Sint-Jakobsmarkt 45, 2000 Antwerpen
℘ (03) 253 63 63
Koninklijke Automobiel Club van
België (KACB)
FIA, Aarlenstraat 53, – Bus 3,
1040 Brussel
℘ (02) 287 09 00
Royal Motor Union
boulevard d'Avroy 254, 4000 Liège
℘ (04) 252 70 30
Touring Club van België (TCB)
AIT, Wetstraat 44, 1040 Brussel
℘ (02) 233 22 11*

Luxemburg
*Automobile Club du Grand Duché de
Luxembourg (ACL)
FIA & AIT, route de Longwy 54,
8007 Bertrange
℘ 45 00 45 1*

Nederland
*Koninklijke Nederlandse Automobiel
Club (KNAC)
FIA, Wassenaarseweg 220,
2596 EC Den Haag
℘ (070) 383 16 12
Koninklijke Nederlandse Toeristenbond
(ANWB)
AIT, Wassenaarseweg 220,
2596 EC Den Haag
℘ (070) 314 71 47*

Maximumsnelheden (km/u)

	Autosnelwegen	Wegen	Bebouwde kom
België	120	90	50
Luxemburg	120	90	50
Nederland	100/120	80	50

23

Omgevingskaarten

Sla ze erop na!

Bent u op zoek naar een hotel of een restaurant in de buurt van bijvoorbeeld Arnhem ?

Gebruik dan de kaart die bij de stadsplattegrond hoort.

Deze kaart (zie hiernaast) geeft de in de Gids vermelde plaatsen aan die zich in de buurt van de geselecteerde stad bevinden.

De plaatsen die binnen een straal van 30 km liggen, bevinden zich binnen de blauwe lijn.

Aan de hand van deze kaarten kan men dadelijk de in de Gids geselecteerde bedrijven in de buurt van de verschillende regionale hoofdplaatsen terugvinden.

N.B. :

Wordt een gemeente of dorp op een kaart van de omgeving in de buurt van een stad aangegeven, dan wordt deze stad in het blauw vermeld.

Voorbeeld :

EDE staat vermeld op de kaart van de omgeving van ARNHEM.

EDE Gelderland 408 / 5 – 98 220 h.
Env. Parc National de la Haute Veluwe★★★
Amsterdam 81 – Arnhem 19 – Apeldoorn 32 – Utrecht 43.

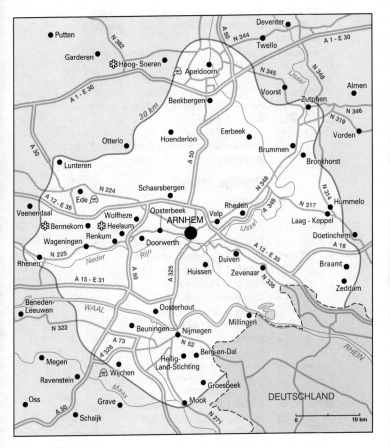

*Alle Kaarten
van de omgeving
in de buurt
van grote steden
worden achter
in de Atlas vermeld.*

Plattegronden

□ ● *Hotels*
■ ● *Restaurants*

Beziuenswaardigheden

Interessant gebouw met hoofdingang
Interessant kerkelijk gebouw :
Kathedraal, kerk of kapel

Wegen

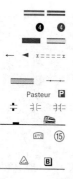

Autosnelweg, weg met gescheiden rijbanen
knooppunt/aansluiting : volledig, gedeeltelijk
Hoofdverkeersweg
Eenrichtingsverkeer – Onbegaanbare straat,
beperkt toegankelijk
Voetgangersgebied – Tramlijn
Pasteur *Winkelstraat – Parkeerplaats*
Poort – Onderdoorgang – Tunnel
Station spoorweg
Vrije hoogte (onder 4 m 20) –
Maximum draagvermogen (onder 15 t.)
Beweegbare brug – Auto-veerpont

Overige tekens

Informatie voor toeristen
Moskee – Synagoge
Toren – Ruïne – Windmolen – Watertoren
Tuin, park – Bos – Begraafplaats – Kruisbeeld
Stadion – Golfterrein – Renbaan
Zwembad : openlucht, overdekt
Uitzicht – Panorama
Gedenkteken, standbeeld – Fontein
Fabriek – Winkelcentrum
Jachthaven – Vuurtoren
Luchthaven – Metrostation
Vervoer per boot :
passagiers en auto's, uitsluitend passagiers
Verwijsteken uitvalsweg : identiek op plattegronden
en Michelinkaarten
Hoofdkantoor voor poste-restante – Telefoon
Ziekenhuis – Overdekte markt
Openbaar gebouw, aangegeven met een letter :
H   P   *- Stadhuis – Provinciehuis*
J   *- Gerechtshof*
M   T   *- Museum – Schouwburg*
U   *- Universiteit, hogeschool*
POL   *- Politie (in grote steden, hoofdbureau) –*
G   *- Marechaussee/rijkswacht*

Lieber Leser

Im Jahre 1898 habe ich das Licht der Welt erblickt. So bin ich schon seit hundert Jahren als Bibendum Ihr treuer Wegbegleiter auf all Ihren Reisen und sorge für Ihre Sicherheit während der Fahrt und für Ihre Bequemlichkeit bei Ihren Aufenthalten in Hotels und Restaurants.

Es sind meine Erfahrungen und mein Know how, die alljährlich in den Roten Hotelführer einfliessen.

Um in dieser 21. Ausgabe gute Restaurants mit kleinen Preisen zu finden, hier mein Typ : folgen Sie meinem fröhlichen **"Bib Gourmand"** *Gesicht, es wird Ihnen den Weg zu zahlreichen Restaurants mir besonders günstigem Preis-/Leistungsverhältnis weisen!*

Ihre Kommentare sind uns jederzeit herzlich willkommen.

Stets zu Diensten im Hinblick auf ein neues Jahrhundert voller Entdeckungen.

Mit freundlichen Grüssen.

Bibendum ———

Inhaltsverzeichnis

29   *Zum Gebrauch dieses Führers*

36   *Umgebungskarten*

52   *Die Sprachen im Benelux*

55   *Biere, Weine und Käse*

62   *Die Stern-Restaurants*

64   **"Bib Gourmand"** *: Sorgfältig zubereitete, preiswerte Mahlzeiten*

66   *Angenehme Hotels und Restaurants*

69   *Belgien*

70   *Karte : Stern-Restaurants (✿),* **"Bib Gourmand"** *(🍴), angenehme, sehr ruhige, abgelegene Häusern*

73   *Hotels, Restaurants, Stadtpläne, Sehenswürdigkeiten*

313   *Großherzogtum Luxemburg*

341   *Niederlande*

540   *Wichtigsten Automarken*

545   *Feiertage im Jahr 1998*

546   *Internationale Telefon-Vorwahlnummern*

548   *Entfernungen*

552   *Atlas der Hauptverkehrsstraßen*

556   *Lexikon*

567   *Michelin-Karten und -Führer*

Wahl eines Hotels, eines Restaurants

Die Auswahl der in diesem Führer aufgeführten Hotels und Restaurants ist für Durchreisende gedacht. In jeder Kategorie drückt die Reihenfolge der Betriebe (sie sind nach ihrem Komfort klassifiziert) eine weitere Rangordnung aus.

Kategorien

🏨	🗙🗙🗙🗙🗙	*Großer Luxus und Tradition*
🏨	🗙🗙🗙🗙	*Großer Komfort*
🏨	🗙🗙🗙	*Sehr komfortabel*
🏨	🗙🗙	*Mit gutem Komfort*
🏠	🗙	*Mit Standard Komfort*
M		*Moderne Einrichtung*
sans rest.		*Hotel ohne Restaurant*
	avec ch.	*Restaurant vermietet auch Zimmer*

Annehmlichkeiten

Manche Häuser sind im Führer durch rote Symbole gekennzeichnet (s. unten.) Der Aufenthalt in diesen ist wegen der schönen, ruhigen Lage, der nicht alltäglichen Einrichtung und Atmosphäre sowie dem gebotenen Service besonders angenehm und erholsam.

🏨 bis 🏠	*Angenehme Hotels*
🗙🗙🗙🗙🗙 bis 🗙	*Angenehme Restaurants*
« Parc fleuri »	*Besondere Annehmlichkeit*
⅏	*Sehr ruhiges, oder abgelegenes und ruhiges Hotel*
⅏	*Ruhiges Hotel*
⩽ mer	*Reizvolle Aussicht*
⩽	*Interessante oder weite Sicht*

Die den einzelnen Ländern vorangestellten Übersichtskarten, auf denen die Orte mit besonders angenehmen oder sehr ruhigen Häusern eingezeichnet sind, helfen Ihnen bei der Reisevorbereitung. Teilen Sie uns bitte nach der Reise Ihre Erfahrungen und Meinungen mit. Sie helfen uns damit, den Führer weiter zu verbessern.

Einrichtung

Die meisten der empfohlenen Hotels verfügen über Zimmer, die alle oder doch zum größten Teil mit Bad oder Dusche ausgestattet sind.
In den Häusern der Kategorien 🏨 und 🏠 kann diese jedoch in einigen Zimmern fehlen.

30 ch	Anzahl der Zimmer
🛗	Fahrstuhl
▤	Klimaanlage
TV	Fernsehen im Zimmer
🚭	Haus teilweise reserviert für Nichtraucher
☎	Zimmertelefon mit direkter Außenverbindung
🔥	Für Körperbehinderte leicht zugängliche Zimmer
🌳	Garten-, Terrassenrestaurant
♯	Badeabteilung, Thermalkur
🏋	Fitneßraum
🏊 🏊	Freibad – Hallenbad
⟅s 🛏	Sauna – Liegewiese, Garten
⚓	Bootssteg
🎾 🐎	Hoteleigener Tennisplatz – Reitpferde
🏛 25 à 150	Konferenzräume (Mindest- und Höchstkapazität)
🚗	Hotelgarage (wird gewöhnlich berechnet)
🅿	Parkplatz (manchmal gebührenpflichtig)
🐕	Hunde sind unerwünscht (im ganzen Haus bzw. in den Zimmern oder im Restaurant)
Fax	Telefonische Dokumentenübermittlung
mai-oct.	Öffnungszeit, vom Hotelier mitgeteilt Häuser ohne Angabe von Schließungszeiten sind ganzjährig geöffnet
✉ 9411 KL	Angabe des Postbezirks (bes. Niederlande und Großherzogtum Luxemburg)

Küche

Die Sterne

*Einige Häuser verdienen wegen ihrer
überdurchschnittlich guten Küche Ihre besondere
Beachtung. Auf diese Häuser weisen die Sterne hin.*

*Bei den mit « Stern » ausgezeichneten Betrieben
nennen wir drei kulinarische Spezialitäten (mit
Landweinen in Luxemburg), die Sie probieren sollten.*

✿✿✿ Eine der besten Küchen : eine Reise wert

*Man ißt hier immer sehr gut, öfters auch exzellent,
edle Weine, tadelloser Service, gepflegte Atmosphäre...
entsprechende Preise.*

✿✿ Eine hervorragende Küche : verdient einen Umweg

Ausgesuchte Menus und Weine... angemessene Preise.

✿ Eine sehr gute Küche : verdient Ihre besondere Beachtung

*Der Stern bedeutet eine angenehme Unterbrechung
Ihrer Reise.*

*Vergleichen Sie aber bitte nicht den Stern eines sehr
teuren Luxusrestaurants mit dem Stern eines kleineren oder
mittleren Hauses, wo man Ihnen zu einem annehmbaren
Preis eine ebenfalls vorzügliche Mahlzeit reicht.*

*Wenn ein Hotel oder Restaurant vom Küchenchef selbst
geführt wird, ist sein Name (in Klammern) erwähnt.
Beispiel : %% ✿ **Panorama** (Martin)...*

🍴 Der "Bib Gourmand"

Sorgfältig zubereitete, preiswerte Mahlzeiten

*Für Sie wird es interessant sein, auch solche Häuser
kennenzulernen, die eine etwas einfachere Küche
zu einem besonders günstigen Preis/Leistungs-
Verhältnis bieten.*

*Im Text sind die betreffenden Restaurants durch das
rote Symbol 🍴 "Bib Gourmand" und Repas vor dem
Menupreis kenntlich gemacht.*

Repas : *ungefähr 1 100 belgische Franc, 60 Gulden
oder 1 100 luxemburgische Franc.*

*Benützen Sie die Übersichtskarten für die Häuser mit
✿✿✿, ✿✿, ✿ und "Bib Gourmand" 🍴. Sie befinden
sich am Anfang des jeweiligen Landes. Eine
zusammenfassende Liste aller Länder finden Sie in der
Einleitung.*

Siehe auch ⊜ nächste Seite.

Preise

Die in diesem Führer genannten Preise wurden uns im Herbst 1997 angegeben, es sind **Hochsaisonpreise.** *Sie können sich mit den Preisen von Waren und Dienstleistungen ändern. Sie enthalten Bedienung und MWSt.*
Es sind Inklusivpreise, die sich nur noch durch eine evtl. zu zahlende lokale Taxe erhöhen können.
Zahlreiche Hotels im großen Städten bieten sehr günstige Wochenendtarife.
Die Namen der Hotels und Restaurants, die ihre Preise genannt haben, sind fettgedruckt. Gleichzeitig haben sich diese Häuser verpflichtet, die von den Hoteliers selbst angegebenen Preise den Benutzern des Michelin-Führers zu berechnen. Die folgenden Beispiele sind in belgischen Francs angegeben.
Halten Sie beim Betreten des Hotels den Führer in der Hand. Sie zeigen damit, daß Sie aufgrund dieser Empfehlung gekommen sind.

Mahlzeiten

⚉   *Restaurant, das ein einfaches Menu unter* 850 *belgischen Francs oder* 45 *Gulden anbietet.*

Repas *Lunch 700*   *Menu im allgemeine nur Werktags mittags serviert.*

Feste Menupreise :

Repas 750/1200   *Mindest-* 750 *und Höchstpreis* 1200 *für die Menus (Gedecke), die zu den normalen Tischzeiten serviert werden (12-14.30 Uhr und 19-21.30 Uhr in Belgien, 12-14 Uhr und 17-21 Uhr in den Niederlanden).*

Repas 1500 (2 pers. min.)/   *Das erste Menu wird ab 2 Personen serviert.*
2800

bc   *Getränke inbegriffen (Wein)*

Mahlzeiten « à la carte » :

Repas carte 800   *Der erste Preis entspricht einer einfachen Mahlzeit*
à 1500   *und umfaßt Vorspeise, Tagesgericht mit Beilage, Dessert. Der zweite Preis entspricht einer reichlicheren Mahlzeit (mit Spezialität) bestehend aus: zwei Hauptgängen, Dessert.*

Zimmer

☐ 150   *Preis des Frühstücks (wenn es im Zimmer serviert*
wird kann ein Zuschlag erhoben werden).

ch 1500/2500   *Mindestpreis (1500) für ein Einzelzimmer,*
Höchstpreis (2500) für ein Doppelzimmer.

suites   *Auf Anfrage*

29 ch ☐ 1200/2000   *Zimmerpreis inkl. Frühstück.*

Halbpension

½ P 1600/1800   *Mindestpreis und Höchstpreis für Halbpension*
(Zimmer, Frühstück und 1 Hauptmahlzeit)
pro Person und Tag während der Hauptsaison.
Es ist ratsam, sich beim Hotelier vor der Anreise
nach den genauen Bedingungen zu erkundigen.

Anzahlung

Einige Hoteliers verlangen eine Anzahlung.
Diese ist als Garantie sowohl für den Hotelier
als auch für den Gast anzusehen.
Es ist ratsam, sich beim Hotelier
nach den genauen Bestimmungen zu enkundigen.

Kreditkarten

AE ① Ε ⑩ *VISA* JCB   *Vom Haus akzeptierte Kreditkarten :*
American Express – Diners Club – Eurocard (MasterCard)
– Visa – Japan Credit Bureau

Städte

1000	Postleitzahl, bei der Anschrift vor dem Ortsnamen anzugeben
✉ 4900 Spa	Postleitzahl und zuständiges Postamt
P	Provinzhauptstadt
C Herve	Sitz der Kreisverwaltung
210 T 3 **409** ⑤	Nummer der Michelin-Karte mit Koordinaten bzw. Faltseite
G. Belgique-Lux.	Siehe Grünen Michelin-Reiseführer Belgique-Luxembourg
4 283 h	Einwohnerzahl (letzte offizielle Volkszählung)
BX **A**	Markierung auf dem Stadtplan
⌐₁₈	Golfplatz und Lochzahl
☀, ≤	Rundblick, Aussichtspunkt
✈	Flughafen
🚗 ☎ 425214	Ladestelle für Autoreisezüge. Nähere Auskünfte unter der angegebenen Telefonnummer
⛴	Autofähre
⛴	Personenfähre
🛈	Informationsstelle

Sehenswürdigkeiten

Bewertung

★★★	Eine Reise wert
★★	Verdient einen Umweg
★	Sehenswert

Lage

Voir	In der Stadt
Env.	In der Umgebung der Stadt
N, S, E, O	Im Norden (N), Süden (S), Osten (E), Westen (O) der Stadt
②, ④	Zu erreichen über die Ausfallstraße ② bzw ④, die auf dem Stadtplan und auf der Michelin-Karte identisch gekennzeichnet sind
2 km	Entfernung in Kilometern

Das Auto, die Reifen

Hinweise für Ihre Reifen finden Sie auf den blau umrandeten Seiten oder Sie bekommen Sie direkt in einer unserer Niederlassungen.
Am Ende des Führers finden Sie eine Adress-Liste der wichtigsten Automarken, die Ihnen im Pannenfalle eine wertvolle Hilfe leisten kann. Sie können sich aber auch an die wichtigsten Automobilclubs in den Beneluxstaaten wenden :

Belgien

Royal Automobile Club de Belgique (RACB)
FIA, rue d'Arlon 53 – Bte 3, 1040 Bruxelles
℡ (02) 287 09 00
Royal Motor Union
boulevard d'Avroy 254, 4000 Liège
℡ (04) 252 70 30
Touring Club Royal de Belgique (TCB)
AIT, rue de la Loi 44, 1040 Bruxelles
℡ (02) 233 22 11
Vlaamse Automobilistenbond (VTB-VAB)
Sint-Jakobsmarkt 45, 2000 Antwerpen
℡ (03) 253 63 63

Luxemburg

Automobile Club du Grand Duché de Luxembourg (ACL)
FIA & AIT, route de Longwy 54, 8007 Bertrange
℡ 45 00 45 1

Niederlande

Koninklijke Nederlandse Automobiel Club (KNAC)
FIA, Wassenaarseweg 220, 2596 EC Den Haag
℡ (070) 383 16 12
Koninklijke Nederlandse Toeristenbond (ANWB)
AIT, Wassenaarseweg 220, 2596 EC Den Haag
℡ (070) 314 71 47

Geschwindigkeitsbegrenzung (in km/h)

	Autobahn	Landstraße	Geschlossene Ortschaften
Belgien	120	90	50
Luxemburg	120	90	50
Niederlande	100/120	80	50

Umgebungskarten

Denken sie daran sie zu benutzen

Die Umgebungskarten sollen Ihnen die Suche eines Hotels oder Restaurants in der Nähe der größeren Städte erleichtern.

Wenn Sie beispielsweise eine gute Adresse in der Nähe von Arnhem brauchen, gibt Ihnen die Karte schnell einen Überblick über alle Orte, die in diesem Michelin-Führer erwähnt sind. Innerhalb der in Kontrastfarbe gedruckten Grenze liegen Gemeinden, die im Umkreis von 30 km sind.

Anmerkung :

Auf der Linie der Entfernungen zu anderen Orten erscheint im Ortstext die jeweils nächste größere Stadt mit Umgebungskarte in BLAU.

Beispiel :

Sie finden EDE auf der Umgebungskarte von ARNHEM.

EDE Gelderland 408 / 5 – 98 220 h.
Env. Parc National de la Haute Veluwe★★★
Amsterdam 81 – Arnhem 19 – Apeldoorn 32 – Utrecht 43.

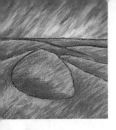

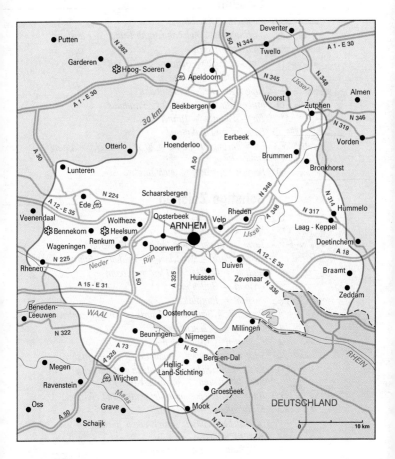

Alle Umgebungskarten sind schematisch im Kartenteil am Ende des Bandes eingezeichnet.

Stadtpläne

□ ● *Hotels*

■ ● *Restaurants*

Sehenswürdigkeiten

Sehenswertes Gebäude mit Haupteingang
Sehenswerter Sakralbau
Kathedrale, Kirche oder Kapelle

Straßen

Autobahn, Schnellstraße
Anschlußstelle : Autobahneinfahrt und/oder-ausfahrt,
Hauptverkehrsstraße
Einbahnstraße – Gesperrte Straße, mit
- Verkehrsbeschränkungen
Fußgängerzone – Straßenbahn
Pasteur **P** *Einkaufsstraße – Parkplatz, Parkhaus*
Tor – Passage – Tunnel
Bahnhof und Bahnlinie
(15) *Unterführung (Höhe bis 4,20 m) – Höchstbelastung*
(unter 15 t.)
B *Bewegliche Brücke – Autofähre*

Sonstige Zeichen

i *Informationsstelle*
Moschee – Synagoge
Turm – Ruine – Windmühle – Wasserturm
Garten, Park – Wäldchen – Friedhof – Bildstock
Stadion – Golfplatz – Pferderennbahn
Freibad – Hallenbad
Aussicht – Rundblick
Denkmal – Brunnen – Fabrik – Einkaufszentrum
Jachthafen – Leuchtturm
Flughafen – U-Bahnstation
Schiffsverbindungen : Autofähre – Personenfähre
(3) *Straßenkennzeichnung (identisch auf Michelin*
Stadtplänen und – Abschnittskarten)
Hauptpostamt (postlagernde Sendungen), Telefon
Krankenhaus – Markthalle
Öffentliches Gebäude, durch einen Buchstaben
gekennzeichnet :
H   P   *- Rathaus – Provinzregierung*
J   *- Gerichtsgebäude*
M   T   *- Museum – Theater*
U   *- Universität, Hochschule*
POL.   *- Polizei (in größeren Städten Polizeipräsidium)*
G   *- Gendarmerie*

Dear Reader

I was born in 1898. During my hundred years as Bibendum I have accompanied you all over the world, attentive to your safety while travelling and your comfort and enjoyment on and off the road.

The knowledge and experience I acquire each year is summarised for you in the Red Guide.

In this, the 21st edition, I offer some advice to help you find good food at moderate prices : look for the many restaurants identified by my red face, **"Bib Gourmand"**.

I look forward to receiving your comments...

I remain at your service for a new century of discoveries.

Bibendum _____

Contents

40 *How to use this guide*

48 *Local maps*

53 *Spoken languages in the Benelux*

55 *Beers, wines and cheeses*

62 *Starred establishments*

64 **"Bib Gourmand"** *: Good food at moderate prices*

66 *Particularly pleasant hotels and restaurants*

69 *Belgium*

70 *Maps of star-rated restaurants (%),* **"Bib Gourmand"** *(%) pleasant, secluded and very quiet establishments*

73 *Hotels, restaurants, town plans, sights*

313 *Grand Duchy of Luxembourg*

341 *Netherlands*

540 *Main Car Manufacturers*

545 *Bank Holidays in 1998*

546 *International dialling codes*

548 *Distances*

552 *Atlas of main roads*

556 *Lexicon*

567 *Michelin maps and guides*

Choosing
a hotel or restaurant

*This guide offers a selection of hotels
and restaurants to help the motorist on his travels.
In each category establishments are listed
in order of preference according to the degree
of comfort they offer.*

Categories

🏨	XXXXX	*Luxury in the traditional style*
🏨	XXXX	*Top class comfort*
🏨	XXX	*Very comfortable*
🏨	XX	*Comfortable*
🏨	X	*Quite comfortable*
M		*In its class, hotel with modern amenities*
sans rest.		*The hotel has no restaurant*
	avec ch.	*The restaurant also offers accommodation*

Peaceful atmosphere and setting

*Certain hotels and restaurants are distinguished
in the guide by the red symbols shown below.
Your stay in such establishments will be particularly
pleasant or restful, owing to the character
of the building, its decor, the setting,
the welcome and services offered, or simply
the peace and quiet to be enjoyed there.*

🏨 to 🏨	*Pleasant hotels*
XXXXX to X	*Pleasant restaurants*
« Parc fleuri »	*Particularly attractive feature*
🐾	*Very quiet or quiet, secluded hotel*
🐾	*Quiet hotel*
≤ mer	*Exceptional view*
≤	*Interesting or extensive view*

*The maps preceding each country indicate places
with such very peaceful, pleasant hotels
and restaurants.
By consulting them before setting out and sending
us your comments on your return you can help us
with our enquiries.*

Hotel facilities

In general the hotels we recommend have full bathroom and toilet facilities in each room. This may not be the case, however for certain rooms in categories ▥ and ▥.

30 ch	*Number of rooms*
▣	*Lift (elevator)*
▤	*Air conditioning*
🖵	*Television in room*
⇥⊁	*Hotel partly reserved for non-smokers*
☎	*Direct-dial phone in room*
♿	*Rooms accessible to disabled people*
⌂	*Meals served in garden or on terrace*
♨	*Hydrotherapy*
⅃ర	*Exercise room*
⅃ ◩	*Outdoor or indoor swimming pool*
⇔ᶳ ⇴	*Sauna – Garden*
⚓	*Landing stage*
✄ 🏇	*Hotel tennis court – Horse-riding*
⚐ **25 à 150**	*Equipped conference hall (minimum and maximum capacity)*
⇔	*Hotel garage (additional charge in most cases)*
℗	*Car park (a fee may be charged)*
🐕	*Dogs are excluded from all or part of the hotel*
Fax	*Telephone document transmission*
mai-oct.	*Dates when open, as indicated by the hotelier Where no date or season is shown, establishments are open all year round*
✉ 9411 KL	*Postal code (Netherlands and Grand Duchy of Luxembourg only)*

42

Cuisine

Stars

*Certain establishments deserve to be brought
to your attention for the particularly fine quality
of their cooking.* **Michelin stars** *are awarded
for the standard of meals served.
For such establishments we list 3 speciality
dishes (and some local wines in Luxembourg).
Try them, both for your pleasure and to encourage
the chef in his work.*

✿✿✿ Exceptional cuisine, worth a special journey

*One always eats here extremely well, sometimes
superbly. Fine wines, faultless service, elegant
surroundings. One will pay accordingly !*

✿✿ Excellent cooking, worth a detour

*Specialities and wines of first class quality.
This will be reflected in the price.*

✿ A very good restaurant in its category

*The star indicates a good place to stop on your journey.
But beware of comparing the star given
to an expensive « de luxe » establishment
to that of a simple restaurant where you can appreciate
fine cuisine at a reasonable price.*

*The name of the chef appears between brackets
when he is personally managing the establishment.
Example :* XX ✿ **Panorama** *(Martin)...*

ⓐ The "Bib Gourmand"

Good food at moderate prices

*You may also like to know of other restaurants
with less elaborate, moderately priced menus
that offer good value for money
and serve carefully prepared meals.
In the guide such establishments bear the*
"Bib Gourmand" ⓐ *and* Repas *just
before the price of the meals.*
Repas : *approximately 1 100 Belgian Francs,
60 Guilders or 1 100 Luxembourg Francs.*

Consult the maps of star-rated restaurants ✿✿✿, ✿✿,
✿ *and "Bib Gourmand"* ⓐ *preceding each country and
lists indicated in the summary.*
See also ⓢ *on next page.*

Prices

*Prices quoted are valid for autumn 1997
and apply to **high season**.
Changes may arise if goods and service costs are
revised. The rates include tax and service
and no extra charge should appear on your bill,
with the possible exception of a local tax.*

*Hotels and restaurants in bold type have supplied
details of all their rates and have assumed
responsibility for maintaining them for all travellers
in possession of this Guide.*

*Many hotels offer reduced prices at weekends
(large towns).*

*The following examples are given
in Belgian Francs.*

*Your recommendation is self evident if you always
walk into a hotel Guide in hand.*

Meals

🍴	*Establishment serving a simple menu for less than 850 Francs or 45 Guilders.*
Repas Lunch 700	*This meal is served at lunchtime and normally during the working week.*

Set meals

Repas 750/1200	*Lowest price 750 and highest price 1200 for set meals served at normal hours (noon to 2.30 pm and 7 to 9.30 pm in Belgium – noon to 2 pm and 5 to 9 pm in the Netherlands).*
Repas 1500 (2 pers. min.)/ 2800	*First menu served for a minimum of two people.*
bc	*Wine included*

« A la carte » meals

Repas carte 800 à 1500	*The first figure is for a plain meal and includes hors-d'œuvre, main dish of the day with vegetables and dessert. The second figure is for a fuller meal (with « spécialité ») and includes 2 main courses and dessert.*

Rooms

☕ 150

*Price of continental breakfast
(additional charge when served in the bedroom).*

ch 1500/2500

*Lowest price (1500) for a single room and highest price
(2500) for a double.*

suites

Ask the hotelier

29 ch ☕ 1200/2000

Price includes breakfast.

Half board

½ P 1600/1800

*Lowest and highest prices (room, breakfast
and one of two meals), per person,
per day in the season.
It is advisable to agree on terms with the hotelier
before arriving.*

Deposits

*Some hotels will require a deposit, which confirms
the commitment of customer and hotelier alike.
Make sure the terms of the agreement are clear.*

Credit cards

AE ⓘ Ⅎ ⑩ VISA JCB

*Credit cards accepted by the establishment
American Express – Diners Club – Eurocard (MasterCard)
– Visa – Japan Credit Bureau*

Towns

1000	Postal number to be shown in the address before the town name
✉ 4900 Spa	Postal number and name of the post office serving the town
P	Provincial capital
C Herve	Administrative centre of the "commune"
210 *T 3* **409** ⑤	Michelin map number, co-ordinates or fold
G. Belgique-Lux.	See Michelin Green Guide Belgique-Luxembourg
4 283 h	Population (as in publication of most recent official census figures)
BX **A**	Letters giving the location of a place on the town plan
🏌18	Golf course and number of holes
☀, ≼	Panoramic view, viewpoint
✈	Airport
🚗 ℰ 425214	Place with a motorail connection ; further information from telephone number listed
⛴	Shipping line
⛴	Passenger transport only
🛈	Tourist Information Centre

Sights

Star-rating

★★★	Worth a journey
★★	Worth a detour
★	Interesting

Location

Voir	Sights in town
Env.	On the outskirts
N, S, E, O	The sight lies north, south, east or west of the town
②, ④	Sign on town plan and on the Michelin road map indicating the road leading to a place of interest
2 km	Distance in kilometres

Car, tyres

For your tyres, refer to the pages bordered in blue
or contact one of the Michelin Branches.
A list of the main Car Manufacturers
with a breakdown service is to be found
at the end of the Guide.
The major motoring organisations in the Benelux
countries are :

Belgium Royal Automobile Club de Belgique
(RACB)
FIA, rue d'Arlon 53 – Bte 3,
1040 Bruxelles
℘ (02) 287 09 00
Royal Motor Union
boulevard d'Avroy 254, 4000 Liège
℘ (04) 252 70 30
Touring Club Royal de Belgique (TCB)
AIT, rue de la Loi 44, 1040 Bruxelles
℘ (02) 233 22 11
Vlaamse Automobilistenbond
(VTB-VAB)
Sint-Jakobsmarkt 45, 2000 Antwerpen
℘ (03) 253 63 63

Luxembourg Automobile Club du Grand Duché
de Luxembourg (ACL)
FIA & AIT, route de Longwy 54,
8007 Bertrange
℘ 45 00 45 1

Netherlands Koninklijke Nederlandse Automobiel
Club (KNAC)
FIA, Wassenaarseweg 220,
2596 EC Den Haag
℘ (070) 383 16 12
Koninklijke Nederlandse Toeristenbond
(ANWB)
AIT, Wassenaarseweg 220,
2596 EC Den Haag
℘ (070) 314 71 47

Maximum speed limits

	Motorways	All other roads	Built-up areas
Belgium	120 km/h (74 mph)	90 km/h (56 mph)	50 km/h (31 mph)
Luxembourg	120 km/h (74 mph)	90 km/h (56 mph)	50 km/h (31 mph)
Netherlands	100 km/h (62 mph) 120 km/h (74 mph)	80 km/h (50 mph)	50 km/h (31 mph)

Local maps

May we suggest
that you consult them _____

*Should you be looking for a hotel or restaurant not
too far from Arnhem, for example, you can now
consult the map along with the town plan.*

*The local map (opposite) draws your attention to
all places around the town or city selected,
provided they are mentioned in the Guide. Places
located within a range of 30 km are clearly identified
by the use of a different coloured background.*

*The various facilities recommended near
the different regional capitals can be located
quickly and easily.*

Note :

*Entries in the Guide provide information
on distances to nearby towns. Whenever a place
appears on one of the local maps, the name
of the town or city to which it is attached is
printed in BLUE.*

Example :

EDE *Gelderland* **408** *I 5 – 98 220 h.*
Env. *Parc National de la Haute Veluwe*★★★
*Amsterdam 81 – Arnhem 19 – Apeldoorn 32 –
Utrecht 43.*

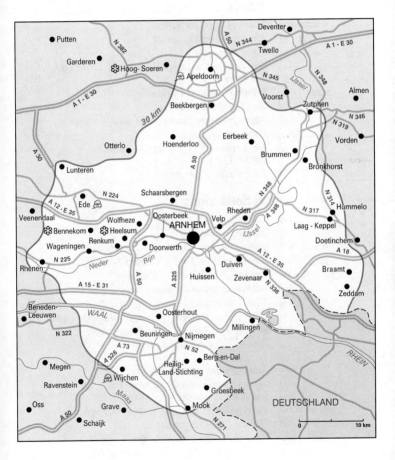

Putten
Garderen
Hoog- Soeren
Apeldoorn
N 382
A 50
N 344
Deventer
Twello
A 1 - E 30
N 345
IJssel
N 348
Voorst
Almen
A 1 - E 30
Beekbergen
Zutphen
N 346
30 km
Eerbeek
N 319
Vorden
Otterlo
Hoenderloo
A 50
Brummen
Bronkhorst
A 30
Lunteren
Schaarsbergen
N 224
N 348
N 314
Hummelo
Ede
Rheden
N 317
Veenendaal
Wolfheze
Oosterbeek
Velp
A 348
Laag - Keppel
Bennekom
Heelsum
ARNHEM
IJssel
Wageningen
Renkum
Doetinchem
N 225
Doorwerth
A 12 - E 35
A 18
Neder
Rijn
Rhenen
A 50
A 325
Duiven
Braamt
Huissen
Zevenaar
N 336
Zeddam
A 15 - E 31
Beneden-
Leeuwen
WAAL
Oosterhout
Millingen
N 322
Beuningen
Nijmegen
RHEIN
A 73
N 52
Berg-en-Dal
Megen
A 326
Wijchen
Heilig-
Land-Stichting
Ravenstein
Groesbeek
DEUTSCHLAND
Oss
Grave
Mook
A 50
Schaijk
N 271
0   10 km

All local maps
are located
on the Atlas
at the end
of the Guide.

Town plans

□ ● *Hotels*
■ ● *Restaurants*

Sights

Place of interest and its main entrance
Interesting place of worship :
Cathedral, church or chapel

Roads

Motorway, dual carriageway
❹ ❹ *Junction : complete, limited*
Major thoroughfare
← ◄ ⌐⌐⌐⌐⌐ *One-way street – Unsuitable for traffic or street subject*
- to restrictions
Pedestrian street – Tramway
Pasteur **P** *Shopping street – Car park*
Gateway – Street passing under arch – Tunnel
Station and railway
⌐⌐⌐ ⑮ *Low headroom (13 ft. max.) – Load limit*
(under 15 t.)
△ **B** *Lever bridge – Car ferry*

Various signs

🛈 *Tourist Information Centre*
ŏ ⊠ *Mosque – Synagogue*
● ○ ∴ ✲ ♨ *Tower – Ruins – Windmill – Water tower*
⬚ ⬚ ⸸ ⸸ ⸸ *Garden, park – Wood – Cemetery – Cross*
○ ⛳ ⚘ *Stadium – Golf course – Racecourse*
⩟ ⩟ *Outdoor or indoor swimming pool*
◄ ⟨⟨⟨ *View – Panorama*
■ ○ ✿ ⛟ *Monument – Fountain – Factory – Shopping centre*
⚓ ⚑ *Pleasure boat harbour – Lighthouse*
✈ ⊝ *Airport – Underground station*
⇒ ⇀ *Ferry services :*
passengers and cars, passengers only
③ *Refence number common to town plans*
and Michelin maps
🖃 ◎ ℗ ☎ *Main post office with poste restante – Telephone*
✚ ⊠ *Hospital – Covered market*
▨ ▢ *Public buildings located by letter :*
H P *- Town Hall – Provincial Government Office*
J *- Law Courts*
M T *- Museum – Theatre*
U *- University, College*
POL. *- Police (in large towns police headquarters)*
G *- Gendarmerie*

50

Les langues parlées au Benelux

Située au cœur de l'Europe, la Belgique est divisée en trois régions : la Flandre, Bruxelles et la Wallonie. Chaque région a sa personnalité bien marquée. Trois langues y sont utilisées : le néerlandais en Flandre, le français en Wallonie et l'allemand dans les cantons de l'Est. La Région de Bruxelles-Capitale est bilingue avec une majorité francophone. La frontière linguistique correspond à peu près aux limites des provinces. Ce « multilinguisme » a des conséquences importantes sur l'organisation politique et administrative du pays, devenu État Fédéral depuis 1993.

Au Grand-Duché, outre le « Lëtzebuergesch », dialecte germanique, la langue officielle est le français. L'allemand est utilisé comme langue culturelle.

Aux Pays-Bas le néerlandais est la langue officielle. Néanmoins dans la province de Frise, le frison se parle encore couramment.

Français-Frans-Französisch-French

Bilingue-Tweetalig-Zweisprachig-Bilingual

Néerlandais-Nederlands-Niederländisch-Dutch

Allemand-Duits-Deutsch-German

Mouscron Principales zones à minorité linguistique protégée
Gebieden met beschermde taalminderheden
Hauptsächliche Zonen sprachlich geschützter Minderheiten
Main areas with a protected linguistic minority

‒ ‒ ‒ ● Limite et chef-lieu de province
Provinciegrens en-hoofdplaats
Grenze und Provinzhauptstadt
Provincial boundaries and capital

De talen in de Benelux

In het hartje van Europa ligt België, verdeeld in Vlaanderen,
Brussel en Wallonië. Elke regio heeft zijn eigen karakter.
Er worden drie talen gesproken : Nederlands in Vlaanderen,
Frans in Wallonië en Duits in de Oostkantons. Het Brussels
Hoofdstedelijk Gewest is tweetalig met een meerderheid aan
Franstaligen. De taalgrens komt ongeveer overeen met de grenzen
van de provincies. Het feit dat België een meertalig land is,
heeft belangrijke gevolgen voor de politieke en bestuurlijke
organisatie. Dit leidde tot de vorming van een Federale Staat
in 1993.

In het Groot-Hertogdom wordt het « Lëtzebuergesch »,
een Duits dialect gesproken. De officiële taal is het Frans.
Het Duits is de algemene cultuurtaal.

De officiële taal in Nederland is het Nederlands.
In de provincie Friesland wordt nog Fries gesproken.

Die Sprachen im Benelux

Belgien, ein Land im Herzen von Europa, gliedert sich
in drei Regionen : Flandern, Brüssel und Wallonien. Jede dieser
Regionen hat ihre eigene Persönlichkeit. Man spricht hier
drei Sprachen : Niederländisch in Flandern, Französisch in
Wallonien und Deutsch in den östlichen Kantonen. Die Gegend
um die Haupstadt Brüssel ist zweisprachig, wobei die Mehrheit
Französisch spricht. Die Sprachengrenze entspricht in etwa den
Provinzgrenzen. Diese Vielsprachigkeit hat starke Auswirkungen
auf die politische und verwaltungstechnische Struktur des Landes,
das seit 1993 Bundesstaat ist.

Im Grossherzogtum wird ausser dem « Lëtzebuergesch », einem
deutschen Dialekt als offizielle Sprache französisch gesprochen.
Die deutsche Sprache findet als Sprache der Kultur Verwendung.

In den Niederlanden wird niederländisch als offizielle Sprache
gesprochen. Das Friesische wird jedoch in der Provinz Friesland
noch sehr häufig gesprochen.

Spoken languages in the Benelux

Situated at the heart of Europe, Belgium is divided
into three regions : Flanders, Brussels and Wallonia.
Each region has its own individual personality.
Three different languages are spoken : Dutch in Flanders,
French in Wallonia and German in the eastern cantons.
The Brussels-Capital region is bilingual, with the majority
of its population speaking French.
The linguistic frontiers correspond more or less to those
of the provinces. The fact that the country,
which has been a Federal State since 1993, is multilingual,
has important consequences on its political
and administrative structures.

In the Grand Duchy, apart from « Lëtzebuergesch »,
a German dialect, the official language is French.
German is used as a cultural language.

In the Netherlands Dutch is the official language.
However, Frisian is still widely spoken in the Friesland province.

La bière en Belgique

La Belgique est le pays de la bière par excellence.
On y brasse environ 400 bières différentes, commercialisées
sous plus de 800 appellations. Une partie se consomme
à la pression, dite « au tonneau ».

On distingue trois types de bières, selon leur procédé
de fermentation : les bières de fermentation spontanée
(type Lambic), haute (type Ale) et basse (type Lager).

Suite à une deuxième fermentation en bouteille, le Lambic
devient ce qu'on appelle la Geuze. La Kriek et la Framboise
ont une saveur fruitée due à l'addition de cerises et de framboises.
Ces bières sont caractéristiques de la région bruxelloise.

En Flandre, on trouve des bières blanches, brunes et rouges,
en Wallonie on brasse des bières spécifiques à certaines saisons.
Partout en Belgique, on trouve des Ales, des bières Trappistes
et des bières d'abbayes. Parmi les bières belges, les fortes dorées
et les régionales aux caractères typés occupent une place spéciale.
La Pils belge, une bière blonde, est une excellente bière de table.

Amères, aigrelettes, acides, fruitées, épicées ou doucerettes, les bières
belges s'harmonisent souvent avec bonheur à la gastronomie locale.

Het Belgische bier

België is het land van het bier bij uitstek. Men brouwt
er ongeveer 400 verschillende biersoorten. Zij worden
onder meer dan 800 benamingen op de markt gebracht.
Sommige bieren worden "van het vat" gedronken.

De bieren kunnen volgens hun gistingsproces in 3 groepen
worden onderverdeeld: bieren met een spontane gisting
(type Lambiek), hoge gisting (type Ale) en lage gisting (type Lager).
Geuze is een op flessen nagegiste Lambiek. Kriek en Framboise
hebben hun fruitige smaak te danken aan de toevoeging
van krieken (kersen) en frambozen. Deze bieren zijn typisch
voor de streek van Brussel.

Vlaanderen is rijk aan witte, bruine en rode bieren.
In Wallonië bereidt men seizoengebonden bieren. Overal in België
brouwt men ales, trappisten- en abdijbieren. De sterke blonde
bieren en de zogenaamde streekbieren nemen een speciale plaats
in onder de Belgische bieren. De Belgische pils, een blond bier,
is een uitstekend tafelbier.

Het Belgische bier met zijn bittere, rinse, zure, zoete smaak
of kruidig aroma, kan zonder problemen bij een gastronomisch
streekgerecht worden gedronken.

Das belgische Bier

Belgien ist das Land des Bieres schlechthin.
In Belgien werden ungefähr 400 verschiedene Biersorten gebraut,
die unter mehr als 800 Bezeichnungen vermarktet werden.
Ein Teil davon wird vom Faß getrunken.

Man unterscheidet drei Biertypen nach ihrer Gärmethode:
Bier mit spontaner Gärung (Typ Lambic), obergärig (Typ Ale)
und untergärig (Typ Lager). Nach einer zweiten Gärung
in der Flasche wird das Lambic zu Geuze. Das Kriek
und das Framboise haben einen fruchtigen Geschmack,
der durch den Zusatz von Kirschen und Himbeeren entsteht.
Diese Biere sind typisch für die Brüsseler Gegend.

In Flandern findet man helles, braunes und rotes Bier, während
die Saisonbiere typisch für Wallonien sind. Überall in Belgien
gibt es verschiedene Sorten Ale, Trappistenbier und Klosterbier.
Unter den belgischen Biersorten nehmen die goldbraunen
Starkbiere und die Biere mit speziellem regionalen Charakter
einen besonderen Platz ein. Das belgische Pils, ein helles Bier,
ist ein exzellentes Tafelbier.

Mit den Geschmacksrichtungen herb, leicht säuerlich, fruchtig,
würzig oder süßlich kann das belgische Bier ein deftiges
regionales Menü begleiten.

The beers of Belgium

Belgium is the country for beer "par excellence".
There are over 800 different brands on sale there today.
The breweries produce approximately 400 different beers.
In the flat country of the Ardennes beer is served
in 35,000 cafes. Some of it is on draught – "from the barrel".

There are three different types of beer dependent upon which
fermentation process is used: spontaneous fermentation (Lambic),
high (Ale) and low (Lager).

Following a second fermentation in the bottle, the Lambic
becomes what is called Geuze. Kriek and Framboise have
a fruity taste due to the addition of cherries and raspberries.
These beers are characteristic of the Brussels region.

In Flanders, pale ale, brown ale and bitter are found.
In Wallonie beers are brewed which are particular to each season.
Throughout Belgium there are Ales, Trappist beers
and Abbey beers. Of all the Belgian beers, the strong golden ones
and the regional ones with their own individual characters
are held in special regard.

Belgian Pils, a light ale, is excellent to have on the table.

Whether bitter, vinegarish, acidic, fruity, spicey or mild, Belgian
beers are the perfect accompaniment to local specialities.

Le vin au Luxembourg

*Le vignoble luxembourgeois produit essentiellement du vin blanc.
Depuis l'époque romaine, l'Elbling, cultivé sur les bords
de la Moselle, donne un vin sec et acidulé.*

*Ce cépage a été progressivement remplacé par l'Auxerrois,
le Pinot blanc, le Pinot gris, le Gewurztraminer ou le Rivaner.
Actuellement, le Pinot gris est le cépage le plus demandé.
Il donne le vin le plus moelleux et le plus aromatique
et permet une consommation jeune.*

*Le vignoble luxembourgeois couvre environ 1 345 ha.
dans la vallée de la Moselle. Quelques 850 viticulteurs sont groupés
en 5 caves coopératives, qui représentent 70 % de la production.
L'autre partie est vinifiée par une vingtaine de viticulteurs
indépendants. Les vins luxembourgeois sont toujours vendus
sous le nom du cépage ; l'étiquette de ceux bénéficiant
de l'Appellation d'Origine Contrôlée (A.O.C.) mentionne
en outre le nom du village, du lieu et du producteur.*

*Le canton de Remich (Schengen, Wintrange, Remich)
et le canton de Grevenmacher (Wormeldange, Ahn, Machtum,
Grevenmacher), ont droit à l'appellation "Moselle
Luxembourgeoise" et sont considérés comme étant les plus réputés.*

*Au Grand-Duché, on produit également des vins mousseux
et des crémants en quantité importante et quelques vins rosés
à partir du cépage Pinot noir.*

*Pratiquement partout, ces vins jeunes, servis au verre, en carafe
ou à la bouteille, vous feront découvrir un "petit" vignoble
qui mérite votre considération.*

De Luxemburgse wijn

*In Luxemburg wordt vooral witte wijn verbouwd. De Elbling,
die sinds de oudheid wordt verbouwd langs de oevers
van de Moezel, is een droge en lichtelijk zurige wijn.*

*Deze wijnstok werd geleidelijk aan vervangen door de Auxerrois,
de Pinot blanc, de Pinot gris, de Gewurztraminer
en de Rivaner. De Pinot gris is voor het ogenblik
de meest gevraagde wijn. Het is de meest volle en zachte wijn,
die jong kan worden gedronken.*

*Het Luxemburgse wijngebied beslaat in de Moezelvallei ongeveer
1345 ha. Ongeveer 850 wijnbouwers zijn gegroepeerd
in 5 coöperatieve wijnkelders. Zij nemen 70 % van de produktie
voor hun rekening. Een twintigtal onafhankelijke wijnbouwers
verbouwt de rest van de wijnproduktie. De Luxemburgse wijnen
worden steeds onder de naam van de wijnstok verkocht;
het etiket van de wijnen, die de benaming "Appellation d'Origine
Contrôlée" (gecontroleerde benaming van de wijn) dragen,
vermeldt bovendien de naam van het dorp, de plaats
en de wijnbouwer.*

*Het kanton Remich (Schengen, Wintrange, Remich)
en het kanton Grevenmacher (Wormeldange, Ahn, Machtum,
Grevenmacher) mogen de naam "Moselle luxembourgeoise" dragen.
Deze kantons worden beschouwd als de meest beroemde.*

*In het Groot-Hertogdom wordt ook een grote hoeveelheid
mousserende en licht mousserende wijnen bereid, evenals enkele
roséwijnen op basis van de wijnstok Pinot noir.*

*Deze jonge wijnen zijn praktisch overal per glas, karaf
of fles verkrijgbaar. Op die manier ontdekt u een "kleine"
wijnstreek, die meer dan de moeite waard is.*

Services et taxes

*En Belgique, au Grand-Duché de Luxembourg et aux Pays-Bas,
les prix s'entendent service et taxes compris.*

Der luxemburgische Wein

Im luxemburgischen Weinbaugebiet wird im wesentlichen Weißwein angebaut. Seit der Zeit der Römer ergibt der Elbling, der an den Ufern der Mosel wächst, einen trockenen und säuerlichen Wein.

Diese Rebsorte wurde nach und nach durch den Auxerrois, den Pinot blanc, den Pinot gris, den Gewürztraminer oder den Rivaner ersetzt. Zur Zeit ist der Pinot gris die gefragteste Rebsorte. Sie ergibt den lieblichsten und aromatischsten Wein, der schon jung getrunken werden kann.

Das luxemburgische Weinbaugebiet umfaßt zirka 1345 Hektar im Moseltal. Ungefähr 850 Winzer haben sich zu 5 Weinbaugenossenschaften zusammengeschlossen, die 70 % der Produktion vertreten. Der übrige Teil wird von etwa 20 Winzern produziert. Die luxemburgischen Weine werden immer unter dem Namen der Rebsorte verkauft, die besondere Appellation d'Origine Contrôlée (geprüfte Herkunftsbezeichnung) nennt auch das Dorf, die Lage und den Produzenten.

Nur das Gebiet des Kantons Remich (Schengen, Wintrange, Remich) und des Kantons Grevenmacher (Wormeldange, Ahn, Machtun, Grevenmacher) haben wegen ihrer besonderen Lage das Recht auf die Bezeichnung "Moselle Luxembourgiose".

Im Großherzogtum werden auch Sekt und Crémant in bedeutenden Mengen sowie einige Roseweine auf der Basis von Pinot noir produziert.

Fast überall lassen diese jungen Weine – im Glas, in der Karaffe oder in der Flasche serviert – Sie ein "kleines" Weinbaugebiet entdecken, das eine größere Bekanntheit verdient.

Halten Sie beim Betreten des Hotels oder des Restaurants den Führer in der Hand
Sie zeigen damit, daß Sie aufgrund dieser Empfehlung gekommen sind.

The wines of Luxembourg

Luxembourg is essentially a white wine producer.
The Elbling grape, grown on the banks of the Moselle,
has been yielding a dry acidic wine since Roman times.

However, this grape has been gradually replaced by the
Auxerrois, the Pinot blanc, the Pinot gris, the Gewurztraminer
and the Rivaner. The Pinot gris is currently the most popular.
It gives the most mellow, aromatic wine and can be drunk whilst
still young.

Vineyards cover approximately 1345 hectares of the Moselle
valley. Some 850 wine growers are grouped into 5 cooperative
"caves", which overall produce 70 % of the wine, the remainder being
made up by another 20 independent wine growers. Wines
from Luxembourg are always sold under the name of the grape.
The label, which bears the AOC ("Appellation d'Origine Contrôlée),
also gives the vintage, producer and location of the vine.

Wine produced in the cantons (districts) of Remich (Schengen,
Wintrange, Remich) and Grevenmacher (Warmeldange, Ahn,
Machtum, Grevenmacher) is the most reputed and has the right
to be called "Moselle Luxembourgeoise".

Sparkling wines and a large number of Crémants are also
produced in the Grand Duchy, as well as some rosés based
on Pinot noir.

These young wines, served by the glass, carafe or bottle,
will usually give you a taste of a little known wine
which is well worth trying.

Le fromage en Hollande

La Hollande produit 11 milliards de litres de lait par an
dont la moitié est transformée en fromage par environ
110 laiteries. Dans les provinces de Zuid-Holland et d'Utrecht,
quelques fermiers préparent encore de façon artisanale
le fromage. La fabrication du fromage est le fruit
d'une longue tradition, plusieurs musées en retracent l'histoire
(Alkmaar, Bodegraven, Arnhem, Wageningen).

Au moyen-âge déjà, le fromage aux Pays-Bas faisait l'objet
d'un commerce actif comme en témoignent encore aujourd'hui
les marchés pittoresques d'Alkmaar, Purmerend, Gouda,
Bodegraven, Woerden et Edam.

On peut distinguer plusieurs catégories de fromages : Le Gouda,
parfois aux grains de cumin, l'Edam, le Maasdam, le Leidse,
la Mimolette, le Friese aux clous de girofle et le Kernhem.

Selon la durée de la maturation qui va de 4 semaines
à plus de 3 ans, on distingue du fromage jeune, mi-vieux
et vieux. Quelques fromages de brebis (en général sur les îles)
et de chèvre complètent la gamme.

La majorité de ces fromages vous fera terminer un repas
en beauté.

De Hollandse kaas

Nederland produceert 11 miljard liter melk per jaar.
De helft wordt door zo'n 110 melkerijen bereid tot kaas.
In de provincies Zuid-Holland en Utrecht maken nog enkele boeren
op ambachtelijke wijze kaas. Het kaasmaken kent een lange
traditie, waarvan verschillende musea de geschiedenis illustreren
(Alkmaar, Bodegraven, Arnhem, Wageningen).

In de middeleeuwen werd in Nederland reeds druk kaas
verhandeld. Ook nu nog worden er in Alkmaar, Purmerend,
Gouda, Bodegraven, Woerden en Edam schilderachtige
kaasmarkten gehouden.

Er zijn verschillende soorten kaas: Gouda, soms met komijn,
Edam, Maasdam, Leidse kaas, Mimolette, Friese kaas met
kruidnagels en Kernhem.

Naargelang de duur van het rijpingsproces (van 4 weken tot
meer dan 3 jaren) onderscheidt men jonge, belegen en oude kaas.

Enkele schapekazen (vooral op de eilanden) en geitekazen
vervolledigen het assortiment.

Met de meeste van deze kazen kan u op passende wijze
de maaltijd beëindigen.

Der holländische Käse

Die Niederlande produzieren jährlich 11 milliarden Liter Milch, wovon die Hälfte in zirka 110 Molkereien zu Käse verarbeitet wird. In den Provinzen Zuid-Holland und Utrecht bereiten einige Bauern den Käse noch auf traditionelle Weise zu. Die Käseherstellung hat eine lange Tradition, die in mehreren Museen vergegenwärtigt wird (Alkmaar, Bodegraven, Arnhem, Wageningen).

Schon im Mittelalter wurde in den Niederlanden mit Käse gehandelt, wovon auch heute noch die folkloristischen Märkte in Alkmaar, Purmerend, Gouda, Bodegraven, Woerden und Edam zeugen.

Man unterscheidet verschiedene Käsearten: den Gouda, den es manchmal auch mit Kümmelkörnern gibt, den Edamer, den Maasdamer, den Leidse, den Mimolette, den Friese mit Nelken und den Kernhemer.

Je nach Reifezeit, die von 4 Wochen bis über 3 Jahre dauern kann, unterscheidet man jungen, mittelalten und alten Käse. Einige Sorten Schafs– (meist von den Inseln) und Ziegenkäse ergänzen die Palette.

Die meisten dieser Käsesorten werden für Sie der krönende Abschluß einer gelungenen Mahlzeit sein.

The cheeses of Holland

Holland produces 11 billion litres of milk a year, half of which is made into cheese by approximately 110 dairies. In the provinces of Zuid-Holland and Utrecht, some farmers still make cheese in the old-fashioned way. Cheese-making stems from an age-old tradition, the history of which is documented in several museums (Alkmaar, Bodegraven, Arnham, Wageningen).

In the Middle Ages there was already an active cheese trade in Holland and this can still be seen today in the quaint markets of Alkmaar, Purmerend, Gouda, Badegraven, Woerden and Edam.

There are several different categories of cheese: Gouda, sometimes made with cumin seeds, Edam, Maasdam, Leidse, Mimolette, Friese with cloves and Kernham.

According to the length of maturing, which varies from 4 weeks to more than 3 years, a cheese is identified as young, medium or mature. A few sheeps cheeses (generally on the islands) and goats cheeses complete the selection.

Most of these cheeses will round your meal off beautifully.

Les établissements à étoiles
De sterrenrestaurants
Die Stern-Restaurants
Starred establishments

{% raw %}❀ ❀ ❀{% endraw %}

Belgique / België

Brugge Q. Centre	*De Karmeliet*
Bruxelles	*Comme Chez Soi*

Bruxelles	
– Ganshoren	*Bruneau*

❀ ❀

Belgique / België

Antwerpen Q. Ancien	*'t Fornuis*
Bruxelles *Sea Grill (H. Radisson SAS)*	
– Q. des Sablons	*L'Ecailler*
	du Palais Royal
– Ganshoren	*Claude Dupont*
– Env. à Groot-Bijgaarden	*De*
	Bijgaarden
Hasselt à Stevoort	*Scholteshof*
Kruishoutem	*Hof van Cleve*
Namur à Lives-sur-Meuse *La Bergerie*	
Paliseul	*Au Gastronome*
Pepinster	*Host. Lafarque*
Sankt-Vith	*Zur Post*
Tongeren à Vliermaal	*Clos St. Denis*
Waregem	*'t Oud Konijntje*

Grand-Duché de Luxembourg

Echternach à Geyershaff	*La Bergerie*
	(H. De la Bergerie)

Nederland

Amsterdam Q. Centre	*La Rive*
	(H. Amstel)
Blokzijl	*Kaatje bij de Sluis*
Haarlem	*De Bokkedoorns*
à Overveen	
Hoorn	*De Oude Rosmolen*
Kruiningen	*Inter Scaldes*
	(H. Le Manoir)
Maastricht	*Toine Hermsen*
Rotterdam	*Parkheuvel*
Weert	*Host. E. Mertens*

❀

Belgique / België

Aalst	*Host. Mirage*
Amay *Jean-Claude Darquenne*	
Antwerpen Q. Ancien	*De Kerselaar*
–	*De Matelote*
– Env. à Boechout	*De Schone*
	van Boskoop
– à Kapellen	*De Bellefleur*
Arbre	*L'Eau Vive*
Baillonville	*Le Capucin*
	Gourmand
Beaumont à Solre-St-Géry	*Le Prieuré*
	Saint-Géry
Berlare	*'t Laurierblad*
– aux étangs	*Lijsterbes*
de Donkmeer	
Blaregnies	*Les Gourmands*
Bornem	*Eyckerhof*
Bouillon	*La Pommeraie*

Brugge Q. Centre	*De Snippe*
–	*Den Gouden Harynck*
–	*Hermitage*
– Env. à Varsenare	*Manoir*
	Stuivenberg
Bruxelles	
– Q. Grand'Place *La Maison du Cygne*	
	Les 4 Saisons
	(H. Royal Windsor)
– Q. Palais de Justice	*Maison*
	du Bœuf (H. Hilton)
– Q. Bois de la Cambre	
	Villa Lorraine
–	*La Truffe Noire*
– Q. Atomium	*Les Baguettes*
	Impériales
– Auderghem	*La Grignotière*
– Etterbeek	*Stirwen*
– Woluwé-St-Pierre	*Des 3 Couleurs*
–	*Le Vignoble de Margot*

Bruxelles
- Env. à Groot-Bijgaarden — *Michel*
- à Hoeilaart — *Aloyse Kloos*
- à Machelen — *André D'Haese*
- à Overijse — *Barbizon*

Corroy-le-Grand — *Le Grand Corroy*
Dendermonde — *'t Truffeltje*
Elewijt — *Kasteel Diependael*
Ellezelles — *Château du Mylord*
Fauvillers — *Le Château de Strainchamps*
Gembloux — *Le Prince de Liège*
Gent Q. Centre — *Jan Van den Bon*
Habay-La-Neuve — *Les Forges du Pont d'Oye*
Hamme — *De Plezanten Hof*
Hasselt à Lummen — *Kasteel St-Paul*
Heure — *Le Pré Mondain*
Houthalen — *De Barrier*
Keerbergen — *The Paddock*
Kortrijk — *Boxy's*
- *St. Christophe*
- au Sud — *Village Gastronomique du Château*
Lavaux-Ste-Anne
Leuven — *Belle Epoque*
- *Sire Pynnock*
Liège Env. à Neuville-en-Condroz — *Le Chêne Madame*
Mechelen — *D'Hoogh*
Montignies-St-Christophe — *La Villa Romaine*
Namur à Temploux — *L'Essentiel*
Nassogne — *La Gourmandine*
Ninove — *Hofter Eycken*
Noirefontaine — *Aub. du Moulin Hideux*
Oignies-en-Thiérache — *Au Sanglier des Ardennes*
Oostende — *Oostendse Compagnie*
Oostmalle — *De Eiken*
Opglabbeek — *Slagmolen*
De Panne — *Host. Le Fox*
Reninge — *'t Convent*
Ronse — *Host. Shamrock*
Soheit-Tinlot — *Le Coq aux Champs*
Spontin à Dorinne — *Le Vivier d'Oies*
Virton à Torgny — *Aub. de la Grappe d'Or*
Waasmunster — *De Snip*
Zeebrugge — *Maison Vandamme*
- *'t Molentje*
Zwevegem — *'t Ovenbuur*

Grand-Duché de Luxembourg

Diekirch — *Hiertz*
Esch-sur-Alzette — *Fridrici*
- *Domus*
Frisange — *Lea Linster*

Gaichel — *La Gaichel*
Luxembourg – Centre — *Clairefontaine*
- *St-Michel*
- Périph. patinoire — *Patin d'Or*
Kockelscheuer
- Env. à Hesperange — *L'Agath*
Moutfort — *Le Bouquet Garni*
Schouweiller — *La table des Guilloux*

Nederland

Amersfoort — *Mariënhof*
Amsterdam Q. Centre — *Vermeer (H. Barbizon Palace)*
- *Christophe*
- *Sichuan Food*
Apeldoorn
- à Hoog Soeren — *Het Jachthuis*
Bennekom — *Het Koetshuis*
Delft — *De Zwethheul*
Dordrecht à Zwijndrecht — *Hermitage*
Driebergen-Rijsenburg — *Lai Sin*
Eindhoven — *De Karpendonkse Hoeve*
Enschede — *Het Koetshuis Schuttersveld*
Etten-Leur — *De Zwaan*
Giethoorn — *De Lindenhof*
Groningen — *Muller*
- à Aduard — *Herberg Onder de Linden*
Den Haag — *'t Ganzenest*
- Env. à Leidschendam — *Villa Rozenrust*
- à Voorburg — *Savelberg*
Hardenberg à Heemse — *De Bokkepruik (H. Herbergh de Rustenbergh)*
Heelsum — *De Kromme Dissel*
's-Hertogenbosch — *Chalet Royal*
Hilversum — *Spandershoeve*
Loenen — *Tante Koosje*
Maarssen — *De Wilgenplas*
Maastricht — *Beluga*
- au Sud — *Château Neercanne*
Middelburg — *Het Groot Paradijs*
Oisterwijk — *De Swaen (H. De Swaen)*
Ootmarsum — *De Wanne (H. De Wiemsel)*
Rotterdam — *De Engel*
Sint-Oedenrode — *Wollerich*
Schoorl — *Merlet*
Sluis — *Oud Sluis*
Ubachsberg — *De Leuf*
Uden — *Helianthushof*
Valkenburg — *Prinses Juliana*
Vreeland — *De Nederlanden*
Waddeneilanden / Terschelling à Oosterend — *De Grië*
Wittem à Wahlwiller — *Der Bloasbalg*
Yerseke — *Nolet-Het Reymerswale*
Zeist à Bosch en Duin — *De Hoefslag (H. Aub. De Hoefslag)*
Zweeloo — *Idylle*
Zwolle — *De Librije*

63

"Bib Gourmand"

Repas soignés à prix modérés ____

Verzorgde maaltijden voor een schappelijke prijs ____

Sorgfältig zubereitete, preiswerte Mahlzeiten ____

Good food at moderate prices ____

🐧 Repas

Belgique / België ____

Barvaux	*La Poivrière*	Jalhay	*Au Vieux Hêtre*
Bastogne	*Léo*	Knokke-Heist	
Bellevaux-Ligneuville	*Du Moulin*	– à Knokke	*Ambassador*
Blankenberge	*Escapade*	–	*'t Kantientje*
Bouillon		Kortrijk	*Bistro Aubergine*
– à Corbion	*Ardennes*	– à Aalbeke	*St-Cornil*
Bruxelles		Lasne à Plancenoit	*Le Vert d'Eau*
–	*Astrid « Chez Pierrot »*	Leuven à Vaalbeek	*De Bibliotheek*
–	*J et B*	Leuze-en-Hainaut	*Le Châlet*
– Q. Grand'Place	*Aux Armes de Bruxelles*		*de la Bourgogne*
– Q. Ste-Catherine	*La Belle Maraîchère*	Liège – Vieille Ville	*Enoteca*
		– Périph. à Chênée	*Le Gourmet*
–	*Le Loup Galant*	Lier	*Numerus Clausus*
– Q. des Sablons	*La Clef des Champs*	Liers	*La Bartavelle*
		Malmédy	*Au Petit Louvain*
– Anderlecht	*Saint-Guidon*	Marche-	
– Auderghem	*La Citronelle*	en-Famenne	*Aux Menus Plaisirs*
– Ganshoren	*Cambrils*	Marcourt	*Le Marcourt*
– Ixelles	*La Pagode d'Or*	Marenne	*Les Pieds dans le Plat*
–	*Le Toulon'Co*	Mons	*Alter Ego*
– St-Gilles	*Les Capucines*	Mouscron	*Madame*
– St-Josse-ten-Noode	*Les Dames Tartine*	Namur	
		– à Bouge	*Les Alisiers*
– Schaerbeek	*Le Cadre Noir*	Oostduinkerke-Bad	*Eglantier*
– Uccle	*La Villa d'Este*		*(H. Hof ter Duinen)*
–	*Willy et Marianne*	Oostende	*La Crevette*
– Env. à Strombeek-Bever	*Val Joli*	Ottignies à Céroux-Mousty	
Charleroi			*La Cinquième Saison*
– à Montignies-		De Panne	*Host. Avenue*
sur-Sambre	*Le Gastronome*	–	*De Braise*
Comblain-la-Tour	*Au Repos des Pêcheurs*	Profondeville	*La Sauvenière*
		Rochefort	
Crupet	*Les Ramiers*	– à Belvaux	*Aub. des Pérées*
Dinant		St-Hubert	*Le Cor de Chasse*
– à Bouvignes	*Aub. de Bouvignes*	Sankt-Vith	*Pip Margraff*
– à Falmignoul	*Les Crétias*	Stoumont	*Zabonprés*
Durbuy	*Le Moulin*	Vielsalm	
Ecaussinnes-Lalaing	*Le Pilori*	– à Hébronval	*Le Val d'Hébron*
Genk	*'t Konijntje*	Vresse-sur-Semois	*Le Relais*
De Haan		Wavre	*Le Vert Délice*
– à Vlissegem	*Vijfweghe*	Wenduine	*Odette*

Grand-Duché de Luxembourg

Bourscheid-Plage	*Theis*	Luxembourg-Grund	*Kamakura*
Clervaux	*L'Ilot Sacré*	– Env. à Bridel	*Le Rondeau*
Frisange		– à Walferdange	*L'Etiquette*
– à Hellange	*Lëtzebuerger*	Wiltz	
	Kaschthaus	– à Winseler	*L'Aub. Campagnarde*

Nederland

Alkmaar	*Bios*	Haarlem à Bloemendaal	*Terra Cotta*
Almere à Almere-Haven	*Bestevaer*	Heerenveen	*Sir Sèbastian*
Alphen	*Bunga Melati*	Heeze	*Host. Van Gaalen*
Amersfoort	*Dorloté*	Helmond	*De Raymaert*
Amsterdam		Hindeloopen	*De Gasterie*
– Q. Centre	*Café Roux*	Holten	*Bistro De*
	(H. The Grand)	sur le Holterberg	*Holterberg*
–	*Tout Court*	Houten	*Coco Pazzo*
–	*Van Vlaanderen*	Joure	*'t Plein*
–	*De Gouden Reael*	Leiden	*Anak Bandung*
– Q. Sud et Ouest	*Pakistan*	–	*De Moerbei*
Amsterdam		Maasbracht	*Da Vinci*
Env. à Amstelveen	*De Jonge Dikkert*	Maastricht	*Gadjah Mas*
à Ouderkerk a/d Amstel	*'t Jagershuis*	Middelburg	*De Gespleten Arent*
–	*Het Kampje*	Middelharnis	*Brasserie 't Vingerling*
Apeldoorn	*Poppe*	Middelstum	*Herberg « In de Valk »*
Bennebroek	*De Jonge Geleerde Man*	Naarden	*Chef's*
Beverwijk	*'t Gildehuys*	Odoorn à Valthe	*De Gaffel*
Buren	*Brasserie Proeverijen*	Oeffelt	*'t Veerhuis*
	de Gravin	Oosterwolde	*De Kienstobbe*
Burgum	*Koriander*	Rinsumageest	*Het Rechthuis*
Delft	*L'Orage*	Rotterdam	*Brasserie La Vilette*
Edam	*De Fortuna*	Utrecht	*Kaatje's*
Ede	*Het Pomphuis*	Valkenburg	*'t Mergelheukske*
Egmond aan Zee	*La Châtelaine*	Wijchen	*'t Wichlant*
Enkhuizen	*De Drie Haringhe*	Wijk aan Zee	*Le Cygne*
Groningen	*De Pauw*	Yerseke	*Nolet's Vistro*
Den Haag		Zwolle	*'t Pestengasthuys*
– Env. à Voorburg	*Papermoon*		

Hôtels agréables
Aangename Hotels
Angenehme Hotels
Particularly pleasant Hotels

Nederland

Amsterdam Q. Centre   *Amstel*

Belgique / België

Bruxelles
- Q. Grand'Place   *Royal*
     Windsor
- Woluwé-St-Lambert   *Montgomery*

Nederland

Amsterdam Q. Centre   *Europe*
Beetsterzwaag   *Lauswolt*
Bergambacht   *De Arendshoeve*
Ootmarsum   *De Wiemsel*

Belgique / België

Antwerpen Q. Ancien   *De Witte Lelie*
Brugge Q. Centre   *De Tuilerieën*
  –   *Relais Oud Huis Amsterdam*
  –   *Die Swaene*
Bruxelles – St-Gilles   *Manos Stephanie*
Comblain-la-Tour   *Host. St-Roch*
Genval   *Le Manoir*
Habay-la-Neuve   *Les Ardillières*

Malmédy à Bévercé *Host. Trôs Marets*
Noirefontaine *Aub. du Moulin Hideux*
Reninge   *'t Convent*

Nederland

Kruiningen   *Le Manoir*
Ootmarsum à Lattrop   *De Holtweijde*
Valkenburg   *Prinses Juliana*

Belgique / België

Antwerpen Q. Sud   *Firean*
Ave et Auffe   *Host. Le Ry d'Ave*
Vieuxville   *Château de Palogne*

Nederland

Amsterdam Q. Centre   *Ambassade*
Blokzijl   *Kaatje bij de Sluis*

Belgique / België

Knokke-Heist au Zoute   *Villa Verdi*

Restaurants agréables
Aangename Restaurants
Angenehme Restaurants
Particularly pleasant Restaurants

XXXXX

Belgique / België

Bruxelles
  Q. Bois de la Cambre *Villa Lorraine*
  – Env. à Groot-Bijgaarden
    De Bijgaarden

Hasselt à Stevoort   *Scholteshof (avec ch)*
Tongeren à Vliermaal   *Clos St. Denis*

XXXX

Belgique / België

Bruxelles
  – Q. Grand'Place   *La Maison du Cygne*
  – Q. Palais de Justice   *Maison du Bœuf (H. Hilton)*
  – Env. à Overijse   *Barbizon*
Ellezelles   *Château du Mylord*
Essene   *Bellemolen*
Hasselt à Lummen   *Kasteel St-Paul*
Kortrijk à Marke   *Marquette (avec ch)*
Namur à Lives-sur-Meuse *La Bergerie*
Verviers   *Château Peltzer*
Waregem   *'t Oud Konijntje*

Grand-Duché de Luxembourg

Gaichel   *La Gaichel (avec ch)*

Nederland

Amsterdam Q. Centre   *La Rive (H. Amstel)*
Eindhoven   *De Karpendonkse Hoeve*
Kruiningen   *Inter Scaldes (H. Le Manoir)*
Oisterwijk   *De Swaen (H. De Swaen)*
Valkenburg   *Juliana (H. Prinses Juliana)*
Zaandam *De Hoop Op d'Swarte Walvis*
Zeist à Bosch en Duin   *De Hoefslag*

XXX

Belgique / België

Aalter à Lotenhulle *Den Ouwen Prins*
Brugge Q. Centre *De Snippe (avec ch)*
  – Env. à Varsenare   *Manoir Stuivenberg (avec ch)*
Bruxelles   *Comme Chez Soi*
  – Woluwé-St-Pierre *Des 3 Couleurs*
Dinant à Lisogne *Moulin de Lisogne (avec ch)*
Elewijt   *Kasteel Diependael*
Genval   *Le Trèfle à 4 (H. Château du Lac)*

Habay-la-Neuve *Les Forges (avec ch)*
Hasselt   *Figaro*
Kemmel *Host. Kemmelberg (avec ch)*
Kortrijk au Sud *Village Gastronomique (avec ch)*
Olen   *'t Doffenhof*
Pepinster *Host. Lafarque (avec ch)*
Ronse   *Host. Shamrock (avec ch)*
Spa à Creppe *Manoir de Lebioles (avec ch)*
Yvoir *Host. Henrotte – Au Vachter (avec ch)*

XXX

Grand-Duché de Luxembourg —
Echternach à Geyershaff *La Bergerie*
(H. De la Bergerie)

Nederland
Delft *De Zwethheul*
Groningen à Aduard *Herberg Onder de Linden (avec ch)*
Den Haag
– Env. à Voorburg *Savelberg (avec ch)*

Haarlem à Overveen *De Bokkedoorns*
's-Hertogenbosch *Chalet Royal*
Meppel à De Wijk *Havesathe de Havixhorst (avec ch)*
Ootmarsum *De Wanne (H. De Wiemsel)*
Vreeland *De Nederlanden (avec ch)*
Wittem *Kasteel Wittem (avec ch)*
Wittem à Wahlwiller *Der Bloasbalg*

XX

Belgique / België
Arbre *L'Eau Vive*
Ave et Auffe *Host. Le Ry d'Ave (avec ch)*
Beernem *di Coylde*
Bornem *Eyckerhof*
Brugge
– Périph. au Sud-Ouest *Herborist (avec ch)*
Crupet *Les Ramiers*
Geel *De Cuylhoeve*
Gent Q. Centre *Waterzooi*
Oudenburg à Roksem *Ten Daele*
Tielt *De Meersbloem*
Virton à Torgny *Aub. de la Grappe d'Or (avec ch)*

Grand-Duché de Luxembourg —
Schouweiler *A la table des Guilloux*

Nederland
Markelo *In de Kop'ren Smorre (avec ch)*
Nuth *Pingerhof*
Sluis *Oud Sluis*
Ubachsberg *De Leuf*
Wolphaartsdijk *'t Veerhuis*

X

Belgique/België
Gent Périphérie à Afsnee *'t Stoofpotje*

Nederland
Holten sur le Holterberg *Bistro de Holterberg*
Waddeneilanden / Terschelling à Oosterend *De Grië*

Belgique
België
Belgien

Les prix sont donnés en francs belges.
De prijzen zijn vermeld in Belgische franken.
Die Preise sind in belgischen Francs angegeben.

69

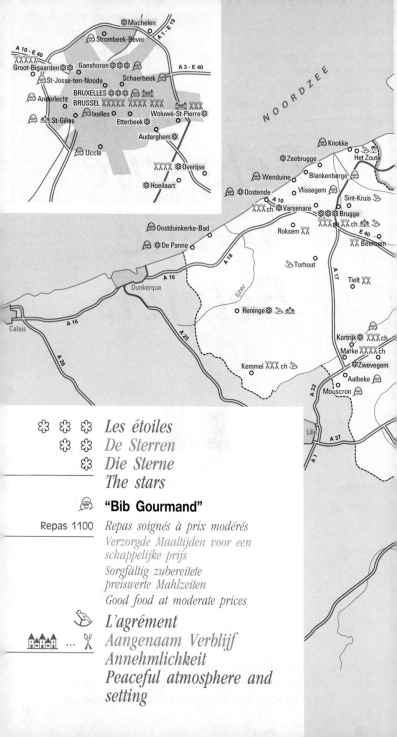

Machelen
Strombeek-Bever
A 1 - E 19
A 10 - E 40
Groot-Bigaarden **Ganshoren** A 3 - E 40
St-Josse-ten-Noode **Schaerbeek**
BRUXELLES
Anderlecht **BRUSSEL**
St-Gilles **Ixelles** **Woluwé-St-Pierre**
Etterbeek
Auderghem
Uccle
Overijse
Hoeilaart

NOORDZEE

Knokke
Zeebrugge **Het Zoute**
Wenduine **Blankenberge**
Oostende **Vlissegem**
ch **Varsenare** **Sint-Kruis**
Brugge ch
Oostduinkerke-Bad **Roksem**
De Panne **Torhout**
A 18 IJzer **Tielt**
A 16
Dunkerque
A 17
Reninge
Calais A 16
A 25 **Kortrijk** ch
Marke ch
Kemmel ch **Zwevegem**
A 22 **Aalbeke**
Mouscron
A 26
Lille A 27
A 1

🏵 🏵 🏵	*Les étoiles*
🏵 🏵	*De Sterren*
🏵	*Die Sterne*
	The stars

😋 **"Bib Gourmand"**

Repas 1100   *Repas soignés à prix modérés*
Verzorgde Maaltijden voor een schappelijke prijs
Sorgfältig zubereitete preiswerte Mahlzeiten
Good food at moderate prices

🦊 *L'agrément*
🏚 ... ✗ *Aangenaam Verblijf*
Annehmlichkeit
Peaceful atmosphere and setting

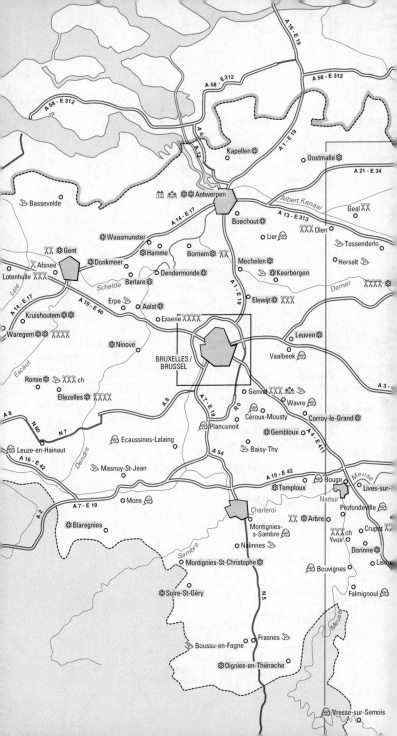

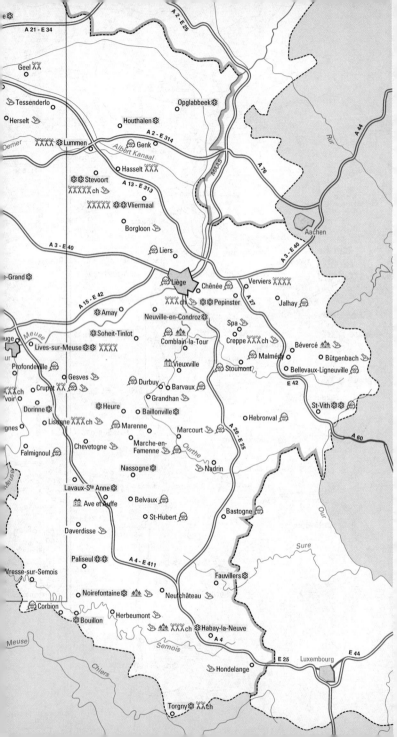

Les prix sont donnés en francs belges.
De prijzen zijn vermeld in Belgische franken.
Die Preise sind in belgischen Francs angegeben.

AALBEKE West-Vlaanderen 🟦🟦🟦 ⑮ et 🟦🟦🟦 C 3 – *voir à Kortrijk.*

AALST (ALOST) *9300 Oost-Vlaanderen* 🟦🟦🟦 ⑤ *et* 🟦🟦🟦 *F 3 – 76 179 h.*

Voir *Transept et chevet★, tabernacle★ de la collégiale St-Martin (Sint-Martinuskerk)*
BY **A**.

🛈 *au Beffroi (Belfort), Grote Markt 3 ☎ (0 53) 73 22 62, Fax (0 53) 78 21 99.*
Bruxelles 28 ④ – Gent 33 ⑦ – Antwerpen 52 ①.

AALST

Kattestraat	**BY**
Korte Zoutstraat	**BZ** 26
Lange Zoutstraat	**BY** 29
Molendries	**BY** 32
Molenstraat	**BY**
Nieuwstraat	**BY**

Albrechtlaan	**AZ** 2
Alfred Nichelsstraat	**BZ** 3
Burgemeesterspl.	**BZ** 5
Brusselsesteenweg	**AZ** 6
Dendermondsesteenweg	**AZ** 8
Dirk Martensstraat	**BY** 9
Esplanadepl.	**BY** 10
Esplanadestraat	**BY** 12
Frits de Wolfkaai	**BY** 13
Gentsesteenweg	**AZ** 15
Geraardsbergsestraat	**AZ** 16
de Gheeststraat	**BZ** 17
Graanmarkt	**BY** 19
Grote Markt	**BY** 20

Heilig Hartlaan	**AZ** 21
Houtmarkt	**BZ** 23
Josse Ringoirkaai	**BY** 24
Kapellestraat	**BY** 25
van Langenhovestraat	**BZ** 28
Leopoldlaan	**AZ** 30
Moorselbaan	**AZ** 33
Moutstraat	**BY** 34

Priester Daensplein	**BY** 35
Schoolstraat	**BY** 37
Vaartstraat	**BY** 38
Varkensmarkt	**BY** 39
Vlaanderenstraat	**BY** 41
Vredeplein	**BY** 42
Vrijheidstraat	**BY** 43
1 Meistraat	**BY** 45

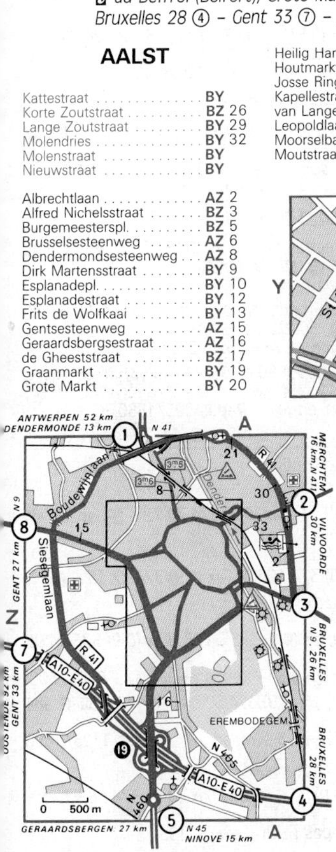

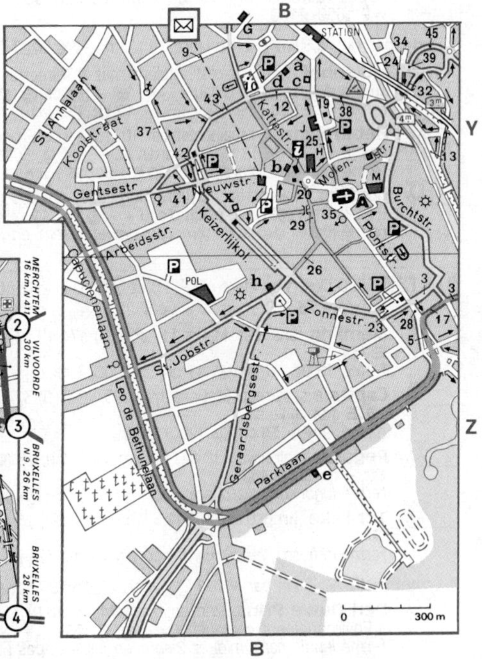

73

🏨 **Keizershof** Ⓜ sans rest, Korte Nieuwstraat 15, ℘ (0 53) 77 44 11, Fax (0 53) 78 00 97 – 📳 🗏 📺 ☎ ⇦ – 🛦 25 à 130. 🖭 ⓪ 🖻 𝘝𝘐𝘚𝘈. 🛠 BY **x** ⌸ 475 – **45 ch** 4500/5100.

🏨 **Station** sans rest, A. Liénartstraat 14, ℘ (0 53) 77 58 20, Fax (0 53) 78 14 69, « Demeure ancienne », ⩙ – 📳 🗏 📺 ☎. 🖭 ⓪ 🖻 𝘝𝘐𝘚𝘈. 🛠 BY **c** **15 ch** ⌸ 2200/3000.

🏨 **Graaf van Vlaanderen**, Stationsplein 37, ℘ (0 53) 78 98 51, Fax (0 53) 78 10 28 – 📳 📺 – 🛦 25 à 70. 🖭 🖻 𝘝𝘐𝘚𝘈. 🛠 BY **a** fermé sam. soir, dim. et 2 dern. sem. août – **Repas** Lunch 390 – 850/1500 – **9 ch** ⌸ 2395/3185 – ½ P 2785.

ⅩⅩⅩ **'t Overhamme**, Brusselsesteenweg 163 (par ③ : 3 km sur N 9), ℘ (0 53) 77 85 99, Fax (0 53) 78 70 94, 🪑, « Terrasse et jardin » – 🄿. 🖭 ⓪ 🖻 𝘝𝘐𝘚𝘈. 🛠 fermé sam. midi, dim. soir, lundi et 15 juil.-15 août – **Repas** Lunch 1200 – carte 1900 à 2250.

ⅩⅩⅩ **Host. Mirage** (Van Lierde) avec ch, Stationsstraat 21, ℘ (0 53) 77 41 60, Fax (0 53) 77 40 94, 🪑 – 📺 ☎ 🄿. 🖭 ⓪ 🖻 𝘝𝘐𝘚𝘈 BY **d** 🎖 **Repas** (fermé sam. midi, dim. soir, lundi, 1 sem. carnaval et 13 juil.-11 août) Lunch 1200 – 2000, carte 2200 à 3250 – ⌸ 400 – **7 ch** (fermé 1 sem. carnaval) 2350/2850 – ½ P 2700/4100 **Spéc.** Les sept délices du cochon (oct.-mars). Poularde en croûte de sel. Marbré de foie d'oie et magret de canard fumé aux figues.

ⅩⅩⅩ **Kelderman**, Parklaan 4, ℘ (0 53) 77 61 25, Fax (0 53) 78 68 05, 🪑, Produits de la mer, « Terrasse et jardin » – 🄿. 🖭 ⓪ 🖻 𝘝𝘐𝘚𝘈 BZ **e** fermé merc., jeudi et août – **Repas** Lunch 1550 bc – carte 1800 à 2600.

ⅩⅩ **Tang's Palace**, Korte Zoutstraat 51, ℘ (0 53) 78 77 77, Fax (0 53) 71 09 70, Cuisine chinoise, ouvert jusqu'à 23 h 30 – 🗏. 🖭 ⓪ 🖻 𝘝𝘐𝘚𝘈. 🛠 BZ **h** **Repas** Lunch 395 – carte 850 à 1750.

Ⅹ **Borse van Amsterdam**, Grote Markt 26, ℘ (0 53) 21 15 81, Fax (0 53) 21 24 80, 🪑, Taverne-rest, « Maison flamande du 17ᵉ s. » – 🖭 ⓪ 🖻 𝘝𝘐𝘚𝘈 BY **b** fermé merc. soir, jeudi, sem. carnaval et 3 prem. sem. sept. – **Repas** 995.

à Erondegem par ⑧ : 6 km 🄲 Erpe-Mere 19 106 h. – ✉ 9420 Erondegem :

🏨 **Host. Bovendael**, Kuilstraat 1, ℘ (0 53) 80 53 66, Fax (0 53) 80 54 26, 🪑 – 📺 ☎ 🄿 – 🛦 40. 🖭 🖻 𝘝𝘐𝘚𝘈. 🛠 rest **Repas** (dîner seult) (fermé vend. et dim. soir) 1095 – **12 ch** ⌸ 1650/2300 – ½ P 1650/2150.

à Erpe par ⑧ : 5,5 km 🄲 Erpe-Mere 19 106 h. – ✉ 9420 Erpe :

🏨 **Molenhof** 🛏 sans rest, Molenstraat 9 (direction Lede), ℘ (0 53) 80 39 61, « Parc ombragé avec pièce d'eau », 🛠, 🛠 – 📺 ☎ 🄿. 🖭 ⓪ 🖻 𝘝𝘐𝘚𝘈 fermé vacances Noël – ⌸ 250 – **12 ch** 1500/1900.

ⅩⅩ **Het Kraainest**, Kraaineststraat 107 (direction Erondegem O : 2 km), ℘ (0 53) 80 66 40, Fax (0 53) 80 66 38, 🪑, « Jardin » – 🄿 – 🛦 50. 🖭 ⓪ 🖻 𝘝𝘐𝘚𝘈 fermé lundi soir, mardi et fin août – **Repas** Lunch 995 bc – 1895/2600 bc.

ⅩⅩ **Cottem**, Molenstraat 13 (direction Lede), ℘ (0 53) 80 43 90, Fax (0 53) 80 36 26, ⩶, « Parc ombragé avec pièce d'eau » – 🄿. 🖭 ⓪ 🖻 𝘝𝘐𝘚𝘈. 🛠 fermé mardi, dim. soir, sem. carnaval et 3 sem. en juil. – **Repas** 995/1550.

AALTER 9880 Oost-Vlaanderen 𝟤𝟣𝟥 ③ et 𝟦𝟢𝟫 D 2 – 17 604 h. Bruxelles 73 – Brugge 28 – Gent 25.

🏨 **Memling** sans rest, Markt 11, ℘ (0 9) 374 10 13, Fax (0 9) 374 70 72 – 📺 ☎. 🖭 ⓪ 🖻 𝘝𝘐𝘚𝘈 fermé 18 déc.-6 janv. – **17 ch** ⌸ 2000/3000.

🏨 **Capitole** sans rest, Stationsstraat 95, ℘ (0 9) 374 10 29, Fax (0 9) 374 77 15 – 🄿. 🖭 ⓪ 🖻 𝘝𝘐𝘚𝘈 𝘑𝘊𝘉. 🛠 fermé janv. – **34 ch** ⌸ 1900/2400.

ⅩⅩ **Pegasus**, Aalterweg 10 (N : 5,5 km sur N 44), ℘ (0 9) 375 04 85, Fax (0 9) 375 04 95, 🪑 – 🄿. 🖭 🖻 𝘝𝘐𝘚𝘈 fermé lundi soir, mardi soir, merc. et 3 dern. sem. juil. – **Repas** Lunch 1150 – 950/2300.

ⅩⅩ **Ter Lake**, Brugstraat 182 (1,5 km sur N 499), ℘ (0 9) 374 59 34, 🪑 – 🄿. 🖭 🖻 𝘝𝘐𝘚𝘈. fermé dim. soir, lundi, mardi soir, dern. sem. fév. et 3 sem. en juil. – **Repas** 1125/1650.

à Lotenhulle S : 3 km par N 409 🄲 Aalter – ✉ 9880 Lotenhulle :

ⅩⅩⅩ **Den Ouwe Prins**, Prinsenstraat 14, ℘ (0 9) 374 46 66, Fax (0 9) 374 06 91, 🪑, « Environnement champêtre » – 🄿. 🖻 𝘝𝘐𝘚𝘈 fermé lundi, mardi midi et 2 sem. en juil. – **Repas** Lunch 1650 bc – 1950.

AARLEN Luxembourg belge – voir Arlon.

AARSCHOT 3200 Vlaams-Brabant 🔢 ⑧ et 🔢 H 3 – 27 118 h.

🏌 à Sint-Joris-Winge S : 10 km, Leuvensesteenweg 206 𝒫 (0 16) 63 40 53, Fax (0 16) 63 21 40.

Bruxelles 43 – Antwerpen 42 – Hasselt 41.

XX **De Gouden Muts,** Jan Van Ophemstraat 14, 𝒫 (0 16) 56 26 08, Fax (0 16) 57 14 14, 🍴 – 🎫 ⓪ 🗲 𝗩𝗜𝗦𝗔. 🈺
fermé mardi, merc., sam. midi et 17 août-10 sept. – **Repas** Lunch 950 – carte 1600 à 2100.

à Langdorp NE : 3,5 km 🅒 Aarschot – ✉ 3201 Langdorp :

XX **Gasthof Ter Venne,** Diepvenstraat 2, 𝒫 (0 16) 56 43 95, Fax (0 16) 56 79 53, « Environnement boisé » – 🍽 🄿. 🎫 ⓪ 🗲 𝗩𝗜𝗦𝗔. 🈺
fermé mardi, merc. et dim. soir – **Repas** Lunch 1000 – 2300/2950.

AARTSELAAR Antwerpen 🔢 ⑮ et 🔢 G 2 – voir à Antwerpen, environs.

AAT Hainaut – voir Ath.

ACHEL Limburg 🔢 ⑩ et 🔢 J 2 – voir à Hamont-Achel.

ACHOUFFE Luxembourg belge 🔢 ⑧ – voir à Houffalize.

AFSNEE Oost-Vlaanderen 🔢 ④ – voir à Gent, périphérie.

ALBERTSTRAND West-Vlaanderen 🔢 ⑪ et 🔢 C 1 – voir à Knokke-Heist.

ALLE 5550 Namur 🅒 Vresse-sur-Semois 2 753 h. 🔢 ⑮ et 🔢 H 6.
Bruxelles 163 – Namur 104 – Bouillon 22.

🏨 **Aub. d'Alle,** r. Liboichant 46, 𝒫 (0 61) 50 03 57, Fax (0 61) 50 00 66, 🍴, 🚗 – 📺 ☎
🄿 – 🛎 25. 🎫 ⓪ 🗲 𝗩𝗜𝗦𝗔. 🈺
fermé fév. sauf week-end, du 8 au 26 mars, du 19 au 23 avril, du 24 au 28 mai, du 21
au 25 juin, du 13 au 24 sept., du 25 au 29 oct., du 22 au 26 nov. et du 13 au 17 déc.
– **Repas** Lunch 850 – 1680/2180 – **12 ch** ☲ 1910/3300 – ½ P 2520/2830.

🏠 **La Charmille,** r. Liboichant 12, 𝒫 (0 61) 50 11 32, Fax (0 61) 50 15 61, « Jardin
ombragé » – ☎ 🄿. ⓪ 🗲 𝗩𝗜𝗦𝗔. 🈺
fermé 14 déc.-15 janv. – **Repas** (fermé après 20 h 30 et merc. non fériés sauf en saison)
carte 1150 à 1500 – **20 ch** ☲ 2100/2600 – ½ P 1750/1950.

🏠 **Fief de Liboichant,** r. Liboichant 44, 𝒫 (0 61) 50 03 33, Fax (0 61) 50 14 87, 🚗 –
🛗 📺 ☎ 🄿. 🎫 ⓪ 🗲 𝗩𝗜𝗦𝗔. 🈺 rest
fermé du 5 au 31 janv. ; en fév.-mars ouvert week-end seult – **Repas** 850/1400 – **25 ch**
☲ 2800 – ½ P 2400/2550.

ALOST Oost-Vlaanderen – voir Aalst.

ALVERINGEM 8690 West-Vlaanderen 🔢 ① et 🔢 B 2 – 4 740 h.
Bruxelles 144 – Brugge 59 – Ieper 26 – Oostende 37 – Veurne 10.

🏨 **Host. Petrus** 🦅, Oerenstraat 13, 𝒫 (0 58) 28 80 07, Fax (0 58) 28 93 81, 🍴, 🚗 –
🍽 rest, 📺 ☎ 🄿 – 🛎 25. 🎫 ⓪ 🗲 𝗩𝗜𝗦𝗔
fermé merc. et sem. carnaval – **Repas** carte 900 à 1200 – **14 ch** ☲ 2100/2500 –
½ P 2200/2500.

AMAY 4540 Liège 🔢 ㉑ et 🔢 I 4 – 12 834 h.
Voir Chasse★ et sarcophage mérovingien★ dans la Collégiale St-Georges.
Bruxelles 95 – Liège 25 – Huy 8 – Namur 40.

XX **Jean-Claude Darquenne,** r. Trois Sœurs 14a (N : 3,5 km par N 614), 𝒫 (0 85) 31 60 67,
🌸 Fax (0 85) 31 36 96, 🍴, « Terrasse de style Louisianne » – 🄿. 🎫 ⓪ 🗲 𝗩𝗜𝗦𝗔
fermé dim. soir, lundi, jeudi soir, 17 août-18 sept. et 21 déc.-2 janv. – **Repas** (nombre de
couverts limité - prévenir) Lunch 1295 – carte env. 2100
Spéc. Pot-au-feu de homard et dés de foie gras poêlés. Noisettes de chevreuil aux épices
(oct.-déc.). Homard grillé, beurre au St-Émilion.

AMBLÈVE (Vallée de l') ★★ Liège 213 ㉓, 214 ⑦ ⑧ 409 L 4 - K 4 G. Belgique-Luxembourg.

AMEL (AMBLÈVE) 4770 Liège 214 ⑨ et 409 L 4 – 4 897 h.
Bruxelles 174 – Liège 78 – Luxembourg 96 – Malmédy 21.

XX **Kreusch** avec ch, Auf dem Kamp 179, ℘ (0 80) 34 80 50, Fax (0 80) 34 03 69, 🐴, 🐎
– 📺 ☎ 🅿 – ⚙ 25 à 80. 🄴 𝑉𝐼𝑆𝐴. ⚡
fermé dern. sem. juin-prem. sem. juil., 2 prem. sem. déc. sauf week-end et dim. soirs et
lundis non fériés sauf en juil.-août – **Repas** Lunch 895 – 1650 (2 pers. min.)/1950 – ⊊ 300
– **12 ch** 1550/2500 – ½ P 2150/2600.

ANDENNE 5300 Namur 213 ㉑, 214 ⑤ et 409 I 4 – 23 364 h.
🏇 Ferme du Moulin, Stud 52 ℘ (0 85) 84 34 04, Fax (0 85) 84 34 04.
🅱 pl. des Tilleuls 48 ℘ (0 85) 84 62 72, Fax (0 85) 84 64 49.
Bruxelles 75 – Namur 22 – Liège 48.

XX **La Ferme Bekaert** avec ch, pl. F. Moinnil 330 (NO : 7 km, lieu-dit Petit-Waret), ℘ (0 85)
82 35 50, Fax (0 85) 82 35 60, 🐴, « Jardin » – 📺 ☎ – ⚙ 25 à 60. 🄴 ⓞ 🄴 𝑉𝐼𝑆𝐴
fermé 2ᵉ quinz. août et 2ᵉ quinz. janv. – **Repas** (fermé dim. soir et lundi) 975/1850 – **7 ch**
⊊ 1600/2000 – ½ P 1950.

XX **Le Manoir**, r. Frère Orban 29, ℘ (0 85) 84 38 87 – 🄰🄴 🄴 𝑉𝐼𝑆𝐴
fermé jeudis non fériés, dim. soir, lundi soir, 1 sem. carnaval et 3 prem. sem. juil. – **Repas**
Lunch 595 – 1250/1850.

ANDERLECHT Région de Bruxelles-Capitale 213 ⑱ et 409 F 3 - ㉑ S – voir à Bruxelles.

ANGLEUR Liège 213 ㉒ et 409 ⑱ S – voir à Liège, périphérie.

ANHÉE 5537 Namur 214 ⑤ et 409 H 5 – 6 606 h.
Env. O : Vallée de la Molignée★.
Bruxelles 85 – Namur 24 – Charleroi 51 – Dinant 7.

X **Les Jardins de la Molignée,** rte de Molignée 1, ℘ (0 82) 61 33 75, 🐴 – 🅿 – ⚙ 25
à 150. 🄰🄴 ⓞ 🄴 𝑉𝐼𝑆𝐴
fermé du 12 au 29 janv. et merc. de mi-oct. à mi-mars – **Repas** Lunch 550 – 995.

ANS Liège 213 ㉒ et 409 J 4 - ⑰ N – voir à Liège, environs.

ANSEREMME Namur 214 ⑤ et 409 H 5 – voir à Dinant.

ANTWERPEN – ANVERS

2000 ⓟ 𝟤𝟣𝟤 ⑮ *et* 𝟦𝟢𝟫 G 2 – ⑧ S – *455 852 h.*

Bruxelles 48 ⑩ *– Amsterdam 159* ④ *– Luxembourg 261* ⑨ *– Rotterdam 103* ④.

Plans d'Antwerpen	
Agglomération	p. 2 et 3
Antwerpen Centre	p. 4 et 5
Agrandissement partie centrale	p. 6
Liste alphabétique des hôtels et des restaurants	p. 7 et 8
Nomenclature des hôtels et des restaurants	
Ville	p. 9 à 12
Périphérie	p. 12 et 13
Environs	p. 13 et 14

OFFICES DE TOURISME

Grote Markt 15 ℘ *(03) 232 01 03, Fax (03) 231 19 37 – Fédération provinciale de tourisme, Karel Oomsstraat 11* ✉ *2018* ℘ *(03) 216 28 10, Fax (03) 237 83 65.*

RENSEIGNEMENTS PRATIQUES

🔦 🏌 *à Kapellen par* ② *: 15,5 km, G. Capiaulei 2* ℘ *(03) 666 84 56, Fax (03) 666 44 37*
🔦 *à Aartselaar par* ⑩ *: 10 km, Kasteel Cleydael, Cleydaellaan 36* ℘ *(03) 887 00 79, Fax (03) 887 00 15*
🔦 🏌 *à Wommelgem par* ⑥ *: 10 km, Uilenbaan 15* ℘ *(03) 355 14 30, Fax (03) 355 14 35*
🔦 *à Broechem par* ⑥ *: 13 km par N 116, Kasteel Bossenstein, Moor 16* ℘ *(03) 485 64 46, Fax (03) 485 78 41*
🏌 *à Brasschaat par* ② *et* ③ *: 11 km, Miksebaan 248* ℘ *(03) 653 10 84, Fax (03) 651 37 20*
🏌 *à Edegem par* ⑨ *: 9 km, Drie Eikenstraat 510* ℘ *(03) 440 64 30, Fax (03) 440 42 42*
🔦 🏌 *à 's Gravenwezel par* ⑤ *: 13 km, St-Jobsteenweg* ℘ *(03) 385 04 85, Fax (03) 384 29 33*

CURIOSITÉS

Voir *Autour de la Grand-Place et de la Cathédrale*★★★ *: Grand-Place*★ *(Grote Markt) FY, Vlaaikensgang*★ *FY, Cathédrale*★★★ *et sa tour*★★★ *FY, Maison des Bouchers*★ *(Vleeshuis) : instruments de musique*★ *FY **D** – Maison de Rubens*★★ *(Rubenshuis) GZ – Intérieur*★ *de l'église St-Jacques GY – Place Hendrik Conscience*★ *GY – Église St-Charles-Borromée*★ *(St-Carolus Borromeuskerk) GY – Intérieur de l'Église St-Paul (St-Pauluskerk) FY – Jardin zoologique*★ *(Dierentuin) DEU – Quartier Zurenborg*★ *EV – Le port (Haven)* ⛴ *FY.*

Musées *: de la Marine « Steen »*★ *(Nationaal Scheepvaartmuseum) FY – d'Etnographie*★ *(Etnografisch museum) FY **M¹** – Plantin-Moretus*★★★ *FZ – Mayer van den Bergh*★★ *: Margot l'enragée*★★ *(De Dulle Griet) GZ – Maison Rockox*★ *(Rockoxhuis) GY **M⁴** – Royal des Beaux-Arts*★★★ *(Koninklijk Museum voor Schone Kunsten) CV **M⁵** – de la Photographie*★ *(Museum voor Fotografie) CV **M⁶** – de Sculpture en plein air Middelheim*★ *(Openluchtmuseum voor Beeldhouwkunst) BS.*

ANTWERPEN

Antwerpsesteeweg	AS	
Antwerpsestr.	BS	7
Aug. van de Wielelei	BR	9
Autolei	BR	10
Beatrijslaan	BR	
Berkenlaan	BR	13
Bisschoppenhoflaan	BR	
Blancefloerlaan	AR	
Boomsesteenweg	BS	
Borsbeeksesteenweg	BS	
Bosuilbaan	BQ	18
Bredabaan	BQ	
de Bruynlaan	BS	28
Calesbergdreef	BQ	30
Charles de Costerlaan	ABR	
Churchilllaan	BQ	34
Delbekelaan	BQ	40
Deurnestr.	BS	42
Drakenhoflaan	BS	45
Edegemsestr.	BS	46
Eethuisstr.	BQ	48
Elisabethlaan	BS	49
Frans Beirenslaan	BS	
Gallifortlei	BS	61
Gitschotellei	BS	
Groenenborgerlaan	BS	73
Groenendaallaan	BQ	75
Groot Hagelkruis	BQ	76
Grotesteenweg	BS	
Guido Gezellelaan	BS	78
Herentalsebaan	BR	
Horstebaan	BQ	
Hovestr.	BS	85
IJzerlaan	BQ	87
Ing. Menneslaan	BS	88
Jan van Rijswijcklaan	BS	93
Jeurissensstr.	BS	94
Juul Moretuslei	BS	
Kapelsesteenweg	BQ	99
Kapelstr.	AS	100
Koningin Astridlaan	AR	108
Krijgsbaan	AR	
Lakborslei	BR	115
Langestr.	AS	
Liersesteenweg	BS	
Luitenant Lippenslaan	BR	126
Mechelsesteenweg (MORTSEL)	BS	
Merksemsebaan	BR	132
Mussenhoevelaan	BS	
Noorderlaan	BQ	
Oosterveldlaan	BS	139
Oude Barreellei	BQ	144
Oude Godstr.	BS	145
Pastoor Coplaan	AR	150
Prins Boudewijnlaan	BS	
Provinciesteenweg	BS	160
de Robianostr.	BS	169
Scheldelaan	AQ	
Schotensteenweg	BR	177
Sint-Bernardsesteenweg	ABS	
Statielei	BS	190
Statiestr.	AR	192
Stenenbrug	BR	195
Turnhoutsebaan (DEURNE)	BR	198
Veltwijcklaan	BQ	
Vordensteinstr.	BQ	210
Vredebaan	BS	211

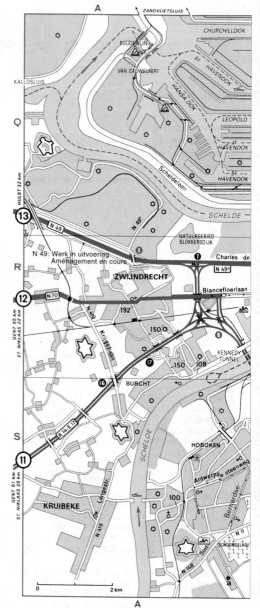

N 49: Werk in uitvoering
Aménagement en cours

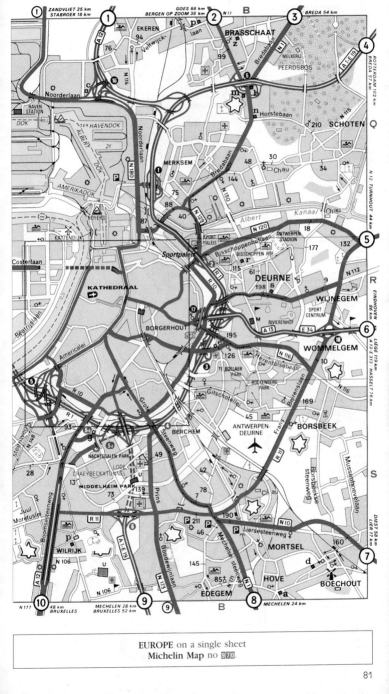

EUROPE on a single sheet
Michelin Map no 970.

ANTWERPEN

Carnotstr.	EU	3
Dambruggestr.	ETU	39
Gemeentestr.	DU	63
de Keyserlei	DU	103
Leysstr.	DU	123
Offerandestr.	EU	136
Pelikaanstr.	DU	151
Quellinstr.	DU	165
Turnhoutsebaan (BORGERHOUT)	EU	
van Aerdtstr.	DT	3
Amsterdamstr.	DT	4
Ankerrui	DT	6
Ballaerstr.	DV	12
Bolivarplaats	CV	15
Borsbeekbrug	EX	16
van Breestr.	DV	19
Brialmontlei	DV	21
Britselei	DV	22
Broederminstr.	CV	24
Brouwersvliet	DT	25
Brusselstr.	CV	27
Cassiersstr.	DT	31
Charlottalei	DV	33
Cockerillkaai	CV	36
Cuperusstr.	EV	37
Diksmuidelaan	EX	43
Emiel Banningstr.	CV	51
Emiel Vloorsstr.	CX	52
Emile Verhaerenlaan	CT	54
Erwtenstr.	ET	55
van Eycklei	DV	57
Falconplein	DT	58
Franklin Rooseveltpl.	DU	60
Gén. Armstrongweg	CX	64
Gérard Le Grellelaan	DX	66
de Gerlachekaai	CV	67
Gitschotellei	EX	70
Graaf van Egmontstr.	CV	72
Haantjeslei	CDV	79
Halenstr.	ET	81
Hessenplein	DT	84
Jan de Voslei	CX	90
Jan van Gentstr.	CV	91
Jezusstr.	DU	96
Justitiestr.	DV	97
Kasteelpleinstr.	DV	102
Kloosterstr.	CU	105
Kol. Silvertopstr.	CX	106
Koningin Astridplein	DEU	109
Koningin Elisabethlei	DX	110
Korte Winkelstr.	DTU	114
Lange Lobroekstr.	ET	117
Lange Winkelstr.	DT	118
Léopold de Waelplein	CV	120
Léopold de Waelstr.	CV	121
Londenstr.	DT	124
Maria-Henriettalei	DV	129
Mercatorstr.	DEV	130
Namenstr.	CV	133
van den Nestlei	EV	135
Ommeganckstr.	EU	138
Orteliuskaai	DT	141
Osystr.	DU	142
Oude Leeuwenrui	DT	148
Plantinkaai	CU	153
Ploegstr.	EU	154
Pluvierstr.	CU	156
Posthofbrug	EX	157
Prins Albertlei	DX	159
Provinciestr.	EUV	162
Pyckestr.	CX	163
Quinten Matsijslei	DUV	166
Rolwagenstr.	EV	171
Schijnpoortweg	ET	174
van Schoonhovestr.	DEU	175
Simonsstr.	DEV	178
Sint-Bernardse steenweg	CX	180
Sint-Gummarusstr.	DT	181
Sint-Jansplein	DT	183
Sint-Jozefsstr.	DV	186
Sint-Michielskaai	CU	187
Stuivenbergplein	ET	196
Viaduct Dam	ET	202
Visestr.	ET	204
Volkstr.	CV	207
Vondelstr.	DT	208

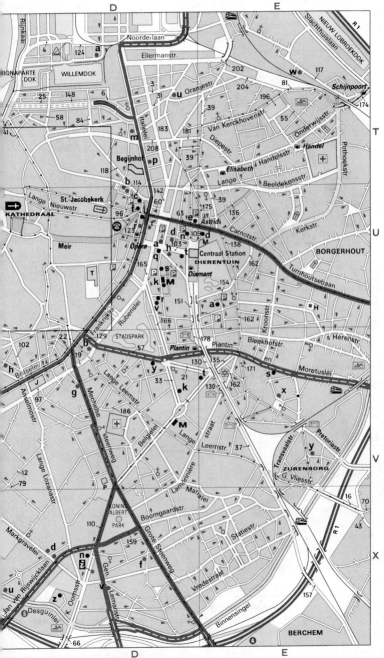

ANTWERPEN

Groenplaats . . . . **FZ**
Klapdorp . . . . **GY**
Meir . . . . **GZ**
Nationalestr. . . . . **FZ**
Paardenmarkt . . . . **GY**
Schoenmarkt . . . . **FZ**

Gildekamerstr. . . . . **FY** 69
Handschoenmarkt . . . . . . **FY** 82
Korte Gasthuisstr. . . . . . . **GZ** 112
Maria
  Pijpelinckxstr. . . . . . **GZ** 127
Oude Koornmarkt . . . . **FYZ** 147
Repenstr. . . . . **FY** 168
Rosier . . . . **FZ** 172
Sint-Jansvliet . . . . **FZ** 184

Sint-Rochusstr. . . . . **FZ** 189
Steenhouwersvest . . . . . . **FZ** 193
Twaalf Maandenstr. . . . . . **GZ** 199
Veemarkt . . . . **FY** 201
Vleeshouwersstr. . . . . . . **FY** 205
Vrijdagmarkt . . . . **FZ** 213
Wisselstr. . . . . **FY** 214
Zirkstr. . . . . **FY** 216
Zwartzusterstr. . . . . **FY** 217

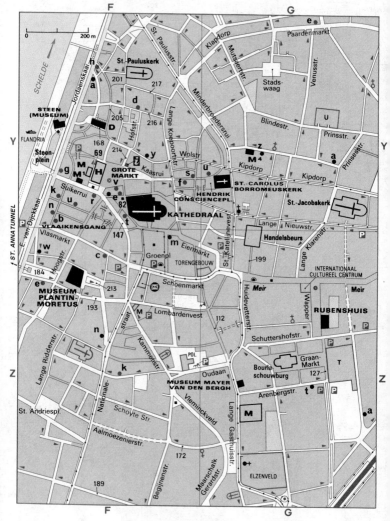

La **carte Michelin** 🆀🅾🅾 à 1/350 000 (1 cm = 3, 5 km)
donne, en une feuille, une image complète de la **Belgique** et du **Luxembourg**.

Elle présente en outre des agrandissements détaillés
des régions de Bruxelles, d'Anvers, de Liège et une nomenclature des localités.

Liste alphabétique des hôtels et restaurants
Alfabetische lijst van hotels en restaurants
Alphabetisches Hotel- und Restaurantverzeichnis
Alphabetical list of hotels and restaurants

A

11 Agora
11 Alfa Congress
10 Alfa De Keyser
11 Alfa Empire
9 Alfa Theater
11 Ambassador
9 Antigone
11 Antverpia
11 Astoria
11 Astrid Park Plaza
10 Atlanta

B

11 Barbarie (De)
14 Bellefleur (De)
14 Berkemei
13 Bistrot
11 Blue Phoenix
14 Bossenstein

C

9 Cammerpoorte
14 Carême
10 Carlton
12 Casa Julián
11 Christina
11 Colombus

D

10 Dock's Café
10 Don Carlos
12 Dua

E

11 Eden
14 Eet-Kafee
13 Euterpia

F

12 Firean
9 Fornuis ('t)
11 Fouquets

G

14 Glycine
12 Greens
10 Gulden Beer (De)

H

14 Halewijn
14 Hana
15 Heerenhuys ('t)
15 Henri IV
9 Hilton
12 Hippodroom
13 Hof de Bist
13 Holiday Inn
12 Holiday Inn Crowne Plaza
9 Huis De Colvenier
10 Hylitt

I

9 Ibis
10 In de Schaduw van de Kathedraal
12 Industrie

K

13 Kasteel Cleydael
13 Kasteelhoeve Groeninghe (Host.)
13 Kasteel Solhof
9 Kerselaar (De)
12 Klare Wijn
15 Kleine Barreel
12 Kommilfoo
12 Kuala Lumpur Satay House

85

L

11 Lammeke ('t)
11 Lepeleer (De)
12 Liang's Garden
12 Loncin
11 Luna (La)
10 Luwte (De)

M – N

13 Mangerie (De)
10 Manie (De)
13 Maritime
10 Matelote (De)
14 Molenhof
10 Neuze Neuze
10 Nieuwe Palinghuis (Het)
12 Novotel

P

10 Park Lane
14 Pauw (De)
11 Peerd ('t)
10 Peerdestal (De)
13 Périgord
10 Plaza
14 Poort (De)
12 Poterne (De)
9 P. Preud'homme
9 Prinse

R

9 Rade (La)
13 Reigershof
11 Residence
12 Rimini

12 River Kwai
10 Rooden Hoed
9 Rubens

S

9 Sandt ('t)
13 Schans XV
14 Schone van Boskoop (De)
9 Silveren Claverblat ('t)
12 Sofitel
10 Switel

T – U

13 Tafeljonker (De)
14 Ter Elst
15 Ter Vennen
15 Uilenspiegel

V

15 Villa Doria
9 Villa Mozart
14 Villa Verde
13 Violin (De)
14 Vogelenzang (De)
9 Vijfde Seizoen (Het)
(H. Hilton)

W – Y– Z

13 Willy
9 Witte Lelie (De)
12 Yamayu Santatsu
11 Zeste (De)
10 Zirk

Quartier Ancien - *plan p. 6 sauf indication spéciale :*

Hilton Ⓜ, Groenplaats, ℰ (0 3) 204 12 12, Fax *(0 3) 204 12 13,* « Façade ancien grand magasin début du siècle », 🛏, 🚗 – 📶 ⤜ 🔲 📺 ☎ 🚗 – 🅰 30 à 1000. ⒜ⓔ Ⓔ
FZ m
VISA **JCB**
Repas voir rest *Het Vijfde Seizoen* ci-après – ⌷ 775 – **199 ch** 5700/12200, 12 suites
– ½ P 7825.

Alfa Theater Ⓜ, Arenbergstraat 30, ℰ (0 3) 231 17 20, Fax (0 3) 233 88 58, 🚗 – 📶
⤜ 🔲 📺 ☎ – 🅰 25 à 50. ⒜ⓔ Ⓔ **VISA**. ✼ rest
GZ t
Repas *(fermé sam. midi, dim. et jours fériés)* Lunch 590 – 1350 bc/1950 bc – **122 ch**
⌷ 3400/6800, 5 suites – ½ P 4200.

De Witte Lelie 🐦 sans rest, Keizerstraat 16, ℰ (0 3) 226 19 66, Fax (0 3) 234 00 19,
« Ensemble de maisons du 17e s., patio » – 📶 📺 ☎ 🚗. ⒜ⓔ Ⓔ **VISA** **JCB** GY z
fermé 22 déc.-3 janv. – **7 ch** ⌷ 6500/15000, 3 suites.

't Sandt sans rest, Het Zand 17, ℰ (0 3) 232 93 90, Fax (0 3) 232 56 13, « Demeure du
19e s. de style rococo » – 📶 📺 ☎ 🚗 – 🅰 25 à 150. ⒜ⓔ Ⓔ **VISA** **JCB** FZ w
13 ch ⌷ 4500/8000, 1 suite.

Rubens Ⓜ 🐦 sans rest, Oude Beurs 29, ℰ (0 3) 222 48 48, Fax (0 3) 225 19 40, « Cour
intérieure fleurie » – 📶 📺 ☎ Ⓟ – 🅰 25 à 50. ⒜ⓔ Ⓔ **VISA**. ✼ FY y
35 ch ⌷ 4500/6500, 1 suite.

Prinse 🐦 sans rest, Keizerstraat 63, ℰ (0 3) 226 40 50, Fax (0 3) 225 11 48 – 📶 ⤜
📺 ☎ 👍 🚗 – 🅰 25 à 150. ⒜ⓔ Ⓔ **VISA**. ✼ GY a
34 ch ⌷ 3700/5100, 1 suite.

Villa Mozart, Handschoenmarkt 3, ℰ (0 3) 231 30 31, Fax (0 3) 231 56 85, 🍴, 🚗 –
FY e
📶 📺 ☎. ⒜ⓔ Ⓔ **VISA** **JCB**
Repas *(Taverne-rest)* Lunch 795 – carte env. 1300 – ⌷ 500 – **25 ch** 3500/5400 –
½ P 2850/3800.

Antigone sans rest, Jordaenskaai 11, ℰ (0 3) 231 66 77, Fax (0 3) 231 37 74 – 📶 📺
☎ Ⓟ – 🅰 30. ⒜ⓔ Ⓔ **VISA**. ✼ FY a
18 ch ⌷ 3000/3500.

Ibis sans rest, Meistraat 39 (Theaterplein), ℰ (0 3) 231 88 30, Fax (0 3) 234 29 21 – 📶
⤜ 📺 ☎ 👍 – 🅰 25 à 80. ⒜ⓔ Ⓔ **VISA** **JCB** GZ a
⌷ 200 – **150 ch** 2800/3000.

Cammerpoorte sans rest, Nationalestraat 40, ℰ (0 3) 231 97 36, Fax (0 3) 226 29 68
– 📶 📺 ☎ Ⓟ. ⒜ⓔ Ⓔ **VISA** **JCB** FZ n
39 ch ⌷ 2750/3250.

't Fornuis (Segers), Reyndersstraat 24, ℰ (0 3) 233 62 70, Fax (0 3) 233 99 03, « Maison
du 17e s., intérieur rustique » – ⒜ⓔ Ⓔ **VISA**. ✼ FZ c
fermé sam., dim., 3 dern. sem. août et 24 déc.-2 janv. – **Repas** (nombre de couverts
limité - prévenir) Lunch 2200 – carte 2200 à 2750
Spéc. Salade de crabe frais. Sandre et anguille aux salsifis. Langues d'agneau aux haricots
soissons, sauce Madère.

Het Vijfde Seizoen - H. Hilton, Groenplaats, ℰ (0 3) 204 12 29, Fax (0 3) 204 12 13
– 🍴. ⒜ⓔ Ⓔ **VISA** **JCB**. ✼ FZ m
fermé sam. midi et mi-juil.-mi-août – **Repas** carte env. 2300.

Huis De Colvenier, St-Antoniusstraat 8, ℰ (0 3) 226 65 73, Fax (0 3) 227 13 14, 🍴,
« Demeure fin 19e s. » – 🍴 Ⓟ. ⒜ⓔ Ⓔ **VISA**. ✼ FZ k
fermé sam. midi, dim. soir, lundi, 1 sem. carnaval et 3 sem. en août – **Repas** Lunch 1300 –
2750 bc/3450 bc.

La Rade 1er étage, E. Van Dijckkaai 8, ℰ (0 3) 233 37 37, Fax (0 3) 233 49 63, « Ancienne
loge maçonnique du 19e s. » – ⒜ⓔ Ⓔ **VISA** FY g
fermé sam. midi, dim., jours fériés, sem. carnaval et 3 dern. sem. juil. – **Repas** Lunch 1450
– carte 2400 à 3000.

De Kerselaar (Michiels), Grote Pieter Potstraat 22, ℰ (0 3) 233 59 69, Fax (0 3)
233 11 49 – 🍴. ⒜ⓔ Ⓔ **VISA** **JCB** FY n
fermé 3 au 13 avril, 24 juil.-9 août, sam. midi, dim. et lundi midi – **Repas** Lunch 1550 –
2950 bc, carte 2200 à 2500
Spéc. Carpaccio de foie gras en croûte d'épices et écrevisses au beurre pistaché. Langoustines rôties aux 10 épices. Gâteau chaud au chocolat, orangettes et sauce pistachée.

't Silveren Claverblat, Grote Pieter Potstraat 16, ℰ (0 3) 231 33 88, Fax (0 3)
231 31 46 – ⒜ⓔ Ⓔ **VISA**. ✼ FY k
fermé mardi et sam. midi – **Repas** Lunch 1000 – 2000 bc/2650 bc.

P. Preud'homme, Suikerrui 28, ℰ (0 3) 233 42 00, Fax (0 3) 233 42 00, 🍴, Ouvert
jusqu'à 23 h – 🍴. ⒜ⓔ Ⓔ **VISA** **JCB**. ✼ FY r
fermé janv. – **Repas** Lunch 1200 – carte 1550 à 2300.

XX **Het Nieuwe Palinghuis**, St-Jansvliet 14, ℰ (0 3) 231 74 45, *Fax (0 3) 231 50 53*, Produits de la mer – 🍽. 𝔸𝔼 Ⓞ 𝔼 *VISA*. ⁣ FZ e
fermé lundi, mardi et juin – **Repas** *Lunch 1150* – carte 1300 à 1900.

XX **De Gulden Beer**, Grote Markt 14, ℰ (0 3) 226 08 41, *Fax (0 3) 232 52 09*, 🍴, Avec
cuisine italienne – 🍽. 𝔸𝔼 Ⓞ 𝔼 *VISA*. ⁣⁣⁣ FY v
Repas *Lunch 980* – 1500 (2 pers. min.)/2200.

XX **Neuze Neuze**, Wijngaardstraat 19, ℰ (0 3) 232 27 97, *Fax (0 3) 225 27 38* – 𝔸𝔼 Ⓞ 𝔼
VISA 𝙅𝘾𝘽 FY s
fermé sam. midi, dim. et 2 dern. sem. juil. – **Repas** *Lunch 1000* – 1650/2500 bc.

XX **In de Schaduw van de Kathedraal**, Handschoenmarkt 17, ℰ (0 3) 232 40 14,
Fax (0 3) 226 88 14, 🍴, Moules en saison – 🍽. 𝔸𝔼 Ⓞ 𝔼 *VISA*. ⁣⁣⁣ FY e
fermé 10 janv.-13 fév. et lundi et mardi d'oct. à mai – **Repas** *Lunch 1095* – carte 1400 à
2000.

XX **De Matelote** (Garnich), Haarstraat 9, ℰ (0 3) 231 32 07, *Fax (0 3) 231 08 13*, Produits
🕄 de la mer – 🍽. 𝔸𝔼 Ⓞ 𝔼 *VISA*. ⁣⁣⁣ FY u
fermé sam. midi, dim., lundi midi, jours fériés, juil. et du 1er au 15 janv. – **Repas** carte 2200
à 2600
Spéc. Saumon sauvage mariné aux aromates. Barbue au risotto de limon et champignons.
Raie sauce au Champagne et échalotes.

XX **Zirk**, Zirkstraat 29, ℰ (0 3) 225 25 86, *Fax (0 3) 226 51 77* – 🄿. 𝔸𝔼 Ⓞ 𝔼 *VISA*. ⁣⁣⁣
fermé sam. midi, dim., lundi, 1 sem. en fév. et 3 sem. en août – **Repas** *Lunch 950* – carte
2000 à 2550. FY d

XX **De Manie**, H. Conscienceplein 3, ℰ (0 3) 232 64 38, *Fax (0 3) 232 64 38*, 🍴 – 𝔸𝔼 Ⓞ
𝔼 *VISA* GY u
fermé merc., dim. soir et 16 août-1er sept. – **Repas** carte 1500 à 1850.

X **Dock's Café**, Jordaenskaai 7, ℰ (0 3) 226 63 30, *Fax (0 3) 226 65 72*, 🍴, Brasserie-
écailler, ouvert jusqu'à minuit – 𝔸𝔼 Ⓞ 𝔼 *VISA* 𝙅𝘾𝘽. ⁣⁣⁣ FY h
fermé sam. midi – **Repas** *Lunch 350* – carte 1200 à 1600.

X **Rooden Hoed**, Oude Koornmarkt 25, ℰ (0 3) 233 28 44, *Fax (0 3) 232 82 34*, Moules
en saison, « Ambiance anversoise » – 𝔸𝔼 𝔼 *VISA* FY t
Repas 950.

X **De Luwte**, Grote Pieter Potstraat 15, ℰ (0 3) 233 13 34, *Fax (0 3) 231 39 68*, 🍴 – 𝔸𝔼
Ⓞ 𝔼 *VISA* FY b
fermé dim. et fév. – **Repas** (dîner seult jusqu'à minuit) 1385.

X **De Peerdestal**, Wijngaardstraat 8, ℰ (0 3) 231 95 03, *Fax (0 3) 226 64 06* – 𝔸𝔼 Ⓞ 𝔼
VISA 𝙅𝘾𝘽 FY f
Repas *Lunch 795* – carte 850 à 1400.

X **Don Carlos**, St-Michielskaai 34, ℰ (0 3) 216 40 46, Avec cuisine espagnole – ⁣⁣⁣
fermé lundi – **Repas** (dîner seult) carte env. 1200. plan p. 4 CU c

Quartiers du Centre - *plans p. 4 et 5 sauf indication spéciale :*

🏨 **Park Lane** Ⓜ, Van Eycklei 34, ⌧ 2018, ℰ (0 3) 285 85 85 et 285 85 80 (rest), *Fax (0 3)
285 85 86*, ≤, 𝐿6, ⇌, 🔲 – 🛗 ⁣⁣⁣ 🍽 📺 ☎ ⌂ – 🔏 25 à 450. 𝔸𝔼 Ⓞ 𝔼 *VISA* 𝙅𝘾𝘽.
⁣⁣⁣ DV y
Repas *Longchamps* (fermé sam. midi, dim., jours fériés et 15 juil.-20 août) *Lunch 1100*
- carte 1600 à 2300 – **166 ch** ⌑ 8200/9900, 12 suites.

🏨 **Astrid Park Plaza** Ⓜ, Koningin Astridplein 1, ⌧ 2018, ℰ (0 3) 203 12 34, *Fax (0 3)
203 12 51*, ≤, 𝐿6, ⇌, 🔲 – 🛗 ⁣⁣⁣ 🍽 📺 ☎ 👤 ⌂ 🄿 – 🔏 25 à 340. 𝔸𝔼 Ⓞ 𝔼 *VISA*
Repas 950/1500 – ⌑ 725 – **226 ch** 8050/9050, 3 suites. DEU e

🏨 **Carlton**, Quinten Matsijslei 25, ⌧ 2018, ℰ (0 3) 231 15 15, *Fax (0 3) 225 30 90*, ≤ –
🛗 ⁣⁣⁣ 🍽 📺 ☎ ⌂ – 🔏 25 à 100. 𝔸𝔼 Ⓞ 𝔼 *VISA* 𝙅𝘾𝘽. ⁣⁣⁣ rest DU v
Repas (fermé vend. soir, sam. midi, dim. soir, 15 juil.-15 août et 15 déc.-15 janv.) *Lunch 575*
- carte env. 1400 – **127 ch** ⌑ 4500/13600, 1 suite – ½ P 3325/5075.

🏨 **Alfa De Keyser** Ⓜ, De Keyserlei 66, ⌧ 2018, ℰ (0 3) 234 01 35, *Fax (0 3) 232 39 70*,
𝐿6, ⇌, 🔲 – 🛗 ⁣⁣⁣ 🍽 📺 ☎ – 🔏 25 à 160. 𝔸𝔼 Ⓞ 𝔼 *VISA* 𝙅𝘾𝘽 DU t
Repas *Lunch 550* – carte 1100 à 1500 – **120 ch** ⌑ 3200/5900, 3 suites – ½ P 2750/3750.

🏨 **Hylitt** Ⓜ sans rest, De Keyserlei 28 (accès par Appelmansstraat), ⌧ 2018,
ℰ (0 3) 202 68 00, *Fax (0 3) 202 68 90* – 🛗 ⁣⁣⁣ 🍽 📺 ☎ ⌂ – 🔏 30. 𝔸𝔼 Ⓞ 𝔼 *VISA*. ⁣⁣⁣
⌑ 550 – **24 ch** 4000/8500, 56 suites. DU q

🏨 **Plaza** sans rest, Charlottalei 43, ⌧ 2018, ℰ (0 3) 218 92 40, *Fax (0 3) 218 88 23* – 🛗
⁣⁣⁣ 🍽 📺 ☎ ⌂ – 🔏 25. 𝔸𝔼 Ⓞ 𝔼 *VISA* DV k
80 ch ⌑ 6500/9000.

🏨 **Switel**, Copernicuslaan 2, ⌧ 2018, ℰ (0 3) 231 67 80, *Fax (0 3) 233 02 90*, 𝐿6, ⇌, 🔲,
⁣⁣⁣ – 🛗 ⁣⁣⁣ 🍽 📺 ☎ ⌂ – 🔏 25 à 1000. 𝔸𝔼 Ⓞ 𝔼 *VISA* EU a
Repas (fermé sam., dim. midi et lundi midi) 895/1275 – ⌑ 260 – **296 ch** 5500, 2 suites
– ½ P 7000.

Residence sans rest, Molenbergstraat 9, ⊠ 2018, ℘ (0 3) 232 76 75, Fax (0 3) 233 73 28 – 🛗 📺 ☎ ⟺ – 🔏 40. 🖭 ⑩ ⋲ 𝘝𝘐𝘚𝘈. ⋘   DU c
48 ch ⊑ 3400/8000.

Alfa Empire sans rest, Appelmansstraat 31, ⊠ 2018, ℘ (0 3) 231 47 55 – 🛗 ⇆ ▤ 📺 ☎ 🅿 🖭 ⑩ ⋲ 𝘝𝘐𝘚𝘈 𝗃𝖼𝖻   DU s
70 ch ⊑ 3200/5000.

Astoria Ⓜ sans rest, Korte Herentalsestraat 5, ⊠ 2018, ℘ (0 3) 227 31 30, Fax (0 3) 227 31 34 – 🛗 ⇆ ▤ 📺 ☎ ⟺. 🖭 ⑩ ⋲ 𝘝𝘐𝘚𝘈 𝗃𝖼𝖻   DU r
66 ch ⊑ 3900/4400.

Colombus sans rest, Frankrijklei 4, ℘ (0 3) 233 03 90, Fax (0 3) 226 09 46, ↳, 🔲 – 🛗 📺 ☎. 🖭 ⑩ ⋲ 𝘝𝘐𝘚𝘈. ⋘   DU u
32 ch ⊑ 3300/3900.

Alfa Congress, Plantin en Moretuslei 136, ⊠ 2018, ℘ (0 3) 235 30 00, Fax (0 3) 235 52 31 – 🛗 ⇆ ▤ 📺 ☎ ⟺ 🅿 – 🔏 25 à 120. 🖭 ⑩ ⋲ 𝘝𝘐𝘚𝘈. ⋘   EV s
Repas (fermé sam. et dim.) Lunch 800 – carte env. 1400 – **66 ch** ⊑ 2600/3700 –
½ P 3400.

Ambassador sans rest, Belgiëlei 8, ⊠ 2018, ℘ (0 3) 281 41 61, Fax (0 3) 239 55 16 – 🛗 📺 ☎ ⟺ – 🔏 50. 🖭 ⑩ ⋲ 𝘝𝘐𝘚𝘈. ⋘   DEV t
77 ch 2350/6000.

Antverpia sans rest, Sint-Jacobsmarkt 85, ℘ (0 3) 231 80 80, Fax (0 3) 232 43 43 – 🛗 📺 ☎ ⟺ – 🔏 40. 🖭 ⑩ ⋲. ⋘   DU f
fermé 20 déc.-5 janv. – ⊑ 400 – **19 ch** 3500/5000.

Atlanta sans rest, Koningin Astridplein 14, ⊠ 2018, ℘ (0 3) 203 09 19, Fax (0 3) 226 37 37 – 🛗 ⇆ 📺 ☎ – 🔏 30. 🖭 ⑩ ⋲ 𝘝𝘐𝘚𝘈. ⋘   DEU d
60 ch ⊑ 2250/5000.

Eden sans rest, Lange Herentalsestraat 25, ⊠ 2018, ℘ (0 3) 233 06 08, Fax (0 3) 233 12 28 – 🛗 📺 ☎ ⟺. 🖭 ⑩ ⋲ 𝘝𝘐𝘚𝘈 𝗃𝖼𝖻   DU k
66 ch ⊑ 3600/3650.

Agora sans rest, Koningin Astridplein 43, ⊠ 2018, ℘ (0 3) 231 21 21, Fax (0 3) 232 12 02 – 🛗 📺 ☎ – 🔏 50. 🖭 ⑩ ⋲ 𝘝𝘐𝘚𝘈   DU n
27 ch ⊑ 2000/5000.

De Barbarie, Van Breestraat 4, ⊠ 2018, ℘ (0 3) 232 81 98, Fax (0 3) 231 26 78, 🏔 – 🖭 ⋲ 𝘝𝘐𝘚𝘈 𝗃𝖼𝖻   DV b
fermé sam. midi, dim., lundi, 28 avril-4 mai et du 1ᵉʳ au 14 sept. – **Repas** Lunch 1450 – carte 2050 à 2500.

De Lepeleer, Lange St-Annastraat 10, ℘ (0 3) 225 19 31, Fax (0 3) 231 31 24, « Ensemble de petites maisons dans une impasse du 16ᵉ s. » – 🅿. 🖭 ⑩ ⋲ 𝘝𝘐𝘚𝘈   DU b
fermé sam. midi, dim., jours fériés et 20 juil.-16 août – **Repas** Lunch 1500 bc – 2700 bc.

De Zeste, Lange Dijkstraat 36, ⊠ 2060, ℘ (0 3) 233 45 49, Fax (0 3) 232 34 18 – ▤. 🖭 ⑩ ⋲ 𝘝𝘐𝘚𝘈   DT u
fermé sam. midi et dim. – **Repas** Lunch 1200 – 2100.

Fouquets, De Keyserlei 17, ⊠ 2018, ℘ (0 3) 232 62 09, Fax (0 3) 226 16 88, 🏔, Ouvert jusqu'à minuit – ▤. 🖭 ⑩ ⋲ 𝘝𝘐𝘚𝘈. ⋘   DU a
Repas carte 900 à 1450.

Blue Phoenix, Frankrijklei 14, ℘ (0 3) 233 33 77, Fax (0 3) 233 88 46, Cuisine chinoise – ▤. 🖭 ⋲ 𝘝𝘐𝘚𝘈. ⋘   DU r
fermé lundi, sam. midi et août – **Repas** 850/1700.

't Peerd, Paardenmarkt 53, ℘ (0 3) 231 98 25, Fax (0 3) 231 59 40, 🏔 – ▤. 🖭 ⑩ ⋲ 𝘝𝘐𝘚𝘈 𝗃𝖼𝖻   plan p. 6 GY e
fermé mardi soir, merc., 2 sem. Pâques et 2 sem. en sept. – **Repas** Lunch 995 – carte env. 1600.

La Luna, Italiëlei 177, ℘ (0 3) 232 23 44, Fax (0 3) 232 24 41, Ouvert jusqu'à 23 h – ▤. 🖭 ⋲ 𝘝𝘐𝘚𝘈. ⋘   DT p
Repas 990.

't Lammeke, Lange Lobroekstraat 51 (face Abattoirs), ⊠ 2060, ℘ (0 3) 236 79 86, Fax (0 3) 271 05 16, 🏔 – ▤. 🖭 ⑩ ⋲ 𝘝𝘐𝘚𝘈   plan p. 5 ET w
fermé du 3 au 24 août, du 24 au 31 déc., sam. midi, dim. midi et lundi – **Repas** Lunch 925 – 1550.

Christina, Napoleonkaai 47, ℘ (0 3) 233 55 26, Moules en saison – 🖭 ⑩ ⋲ 𝘝𝘐𝘚𝘈 𝗃𝖼𝖻   DT a
fermé merc. soir, sam. midi, 10 juin-10 juil. et 22 déc.-3 janv. – **Repas** carte env. 1400.

X **Rimini,** Vestingstraat 5, ⊠ 2018, ℰ (0 3) 226 06 08, Cuisine italienne – 🗐. 🖭
VISA DU h
fermé merc. et août – **Repas** carte 1200 à 1550.

X **Klare Wijn,** Dageraadplaats 16, ⊠ 2018, ℰ (0 3) 236 13 82, Fax (0 3) 236 13 82 – 🖭
E VISA JCB EV x
fermé lundi soir, mardi, sam. midi et 15 juil.-15 août – **Repas** Lunch 575 –
1350/1750.

X **Greens,** Mechelsesteenweg 76, ⊠ 2018, ℰ (0 3) 238 51 51, Fax (0 3) 238 58 18, 🍽,
Brasserie, ouvert jusqu'à 23 h – **E VISA** DV g
fermé sam. midi et dim. midi – **Repas** Lunch 845 – carte env. 1300.

X **Kuala Lumpur Satay House,** Statiestraat 10, ⊠ 2018, ℰ (0 3) 225 14 33, 🍽,
Cuisine asiatique, ouvert jusqu'à minuit – 🗐. 🖭 ⓵ **E VISA JCB** DU d
Repas Lunch 450 – carte 850 à 1400.

X **Yamayu Santatsu,** Ossenmarkt 19, ℰ (0 3) 234 09 49, Fax (0 3) 234 09 49, Cuisine
japonaise – 🗐. 🖭 ⓵ **E VISA** DTU b
fermé dim. midi, lundi et 2 prem. sem. août – **Repas** Lunch 450 – 1500 (2 pers. min.).

X **Casa Julián,** Italiëlei 32, ℰ (0 3) 232 07 29, Fax (0 3) 233 09 53, Cuisine espagnole – 🗐.
🖭 ⓵ **E VISA**. 🛠 DT m
fermé lundi, sam. midi et mi-juil.-mi-août – **Repas** carte env. 1100.

Quartier Sud - plans p. 4 et 5 sauf indication spéciale :

🏨 **Holiday Inn Crowne Plaza,** G. Legrellelaan 10, ⊠ 2020, ℰ (0 3) 237 29 00, Fax (0 3)
216 02 96, 🍽, **⅃ₐ, ⅀ₛ, 🖾** – 🛗 ✇ 🖻 🛠 ☎ ☎ 🅿 – 🔬 25 à 800. 🖭 ⓵ **E VISA JCB.**
🛠 plan p. 3 BS g
Repas Lunch 995 – carte 1350 à 1750 – � 575 – **258 ch** 3600/5995, 4 suites.

🏨 **Sofitel,** Desguinlei 94, ⊠ 2018, ℰ (0 3) 244 82 11, Fax (0 3) 216 47 12, 🍽, **⅃ₐ, ⅀ₛ**
– 🛗 ✇ 🖻 🖾 🛠 ☎ ☎ 🅿 – 🔬 25 à 600. 🖭 ⓵ **E VISA JCB.** 🛠 rest DX z
Repas Tiffany's (fermé sam. midi, dim. midi et jours fériés midis) Lunch 750 -975 – ⊕ 650
– 210 ch 3600/6500, 5 suites.

🏠 **Firean** 🛠 sans rest, Karel Oomsstraat 6, ⊠ 2018, ℰ (0 3) 237 02 60, Fax (0 3)
238 11 68, « Demeure ancienne de style Art Déco » – 🛗 🖾 🖻 🛠 ☎ ☎. 🖭 ⓵ **E VISA**
JCB. 🛠 DX n
fermé 25 juil.-17 août et 23 déc.-11 janv. – **15 ch** ⊕ 4300/5800.

🏠 **Industrie** 🅼 sans rest, Emiel Banningstraat 52, ℰ (0 3) 238 66 00, Fax (0 3) 238 86 88
– 🖾 ☎. 🖭 ⓵ **E VISA**. 🛠 CV a
13 ch ⊕ 2500/3500.

XXX **Loncin,** Markgravelei 127, ⊠ 2018, ℰ (0 3) 248 29 89, Fax (0 3) 248 38 66, 🍽, Ouvert
jusqu'à minuit – 🗐 🅿. 🖭 ⓵ **E VISA** DX d
fermé sam. midi et dim. – **Repas** Lunch 1350 – carte 2000 à 2400.

XX **Liang's Garden,** Markgravelei 141, ⊠ 2018, ℰ (0 3) 237 22 22, Fax (0 3) 248 38 34,
Cuisine chinoise – 🗐. 🖭 ⓵ **E VISA** DX d
fermé dim., 2 sem. en juil. et 24 déc.-2 janv. – **Repas** Lunch 950 – carte 1150
à 1750.

XX **Kommilfoo,** Vlaamse Kaai 17, ℰ (0 3) 237 30 00, Fax (0 3) 237 30 00 – 🗐. 🖭 ⓵ **E**
VISA CV e
fermé du 8 au 26 juin – **Repas** Lunch 1100 – carte 1200 à 1600.

XX **De Poterne,** Desguinlei 186, ⊠ 2018, ℰ (0 3) 238 28 24, Fax (0 3) 248 59 67 – 🖭 ⓵
E VISA DX u
fermé sam. midi, dim., 21 juil.-16 août et 24 déc.-2 janv. – **Repas** Lunch 1350 – carte env.
2100.

XX **Dua,** Verbondsstraat 41, ℰ (0 3) 237 36 99, 🍽 – 🖭 **E VISA**. 🛠 DV h
fermé sam. midi, dim. et lundi midi – **Repas** 850/1495 bc.

X **Hippodroom,** Leopold de Waelplaats 10, ℰ (0 3) 238 89 36, Fax (0 3) 248 01 30, 🍽
– 🖭 **E VISA**. 🛠 CV g
fermé sam. midi et dim. – **Repas** Lunch 850 – carte 1300 à 1900.

X **River Kwai,** Vlaamse Kaai 14, ℰ (0 3) 237 46 51, Fax (0 3) 888 46 83, Cuisine thaïlandaise, ouvert jusqu'à 23 h – 🖭 ⓵ **E VISA**. 🛠 CV r
fermé merc. et 23 déc.-1er janv. – **Repas** carte 1000 à 1300.

Périphérie - plans p. 2 et 3 sauf indication spéciale :

au Nord – ⊠ 2030 :

🏠 **Novotel,** Luithagen-Haven 6, ℰ (0 3) 542 03 20, Fax (0 3) 541 70 93, 🍽, **⅃, 🛠** – 🛗
✇ 🖾 🖻 🛠 ☎ 🅿 – 🔬 25 à 180. 🖭 ⓵ **E VISA** BQ c
Repas (ouvert jusqu'à minuit) Lunch 1050 – carte 850 à 1300 – ⊕ 450 – **119 ch** 3500.

à Berchem Ⓒ *Antwerpen –* ⊠ *2600 Berchem :*

🍴🍴 **De Tafeljoncker,** Frederik de Merodestraat 13, ℰ (0 3) 281 20 34, *Fax (0 3) 281 20 34,*
🍴 – ▤ **❷**. 🆎 ⓪ 🅴 𝘝𝘐𝘚𝘈   plan p. 5   DX   **f**
fermé sam. midi, dim. soir, lundi, dern. sem. fév. et 2 sem. en juil. – **Repas** *Lunch* 1850 bc –
2100/2900 bc.

🍴🍴 **Euterpia,** Generaal Capiaumontstraat 2, ℰ (0 3) 235 02 02, *Fax (0 3) 235 58 64,* 🍴,
« Façade éclectique début du siècle »   plan p. 5   EV   **y**
fermé lundi, mardi, Pâques, 3 prem. sem. août et Noël-Nouvel An – **Repas** (dîner seult
jusqu'à 23 h) carte env. 1900.

🍴 **Willy,** Generaal Lemanstraat 54, ℰ (0 3) 218 88 07 – 🆎 🅴 𝘝𝘐𝘚𝘈. 🍴   plan p. 5   DX **v**
Repas *Lunch* 430 – carte 1100 à 1600.

à Berendrecht *par* ① *: 23 km au Nord* Ⓒ *Antwerpen –* ⊠ *2040 Berendrecht :*

🍴🍴 **Reigershof,** Reigersbosdreef 2, ℰ (0 3) 568 96 91, *Fax (0 3) 568 71 63 –* 🆎 ⓪ 🅴 𝘝𝘐𝘚𝘈
fermé dim., lundi, sem. carnaval et 3 dern. sem. juil. – **Repas** *Lunch* 1600 bc – 1750.

à Borgerhout Ⓒ *Antwerpen –* ⊠ *2140 Borgerhout :*

🏨 **Holiday Inn,** Luitenant Lippenslaan 66, ℰ (0 3) 235 91 91, *Fax (0 3) 235 08 96,* 🕾, 🔲
– |🛗| 🏋 ▤ 📺 ☎ **❷** – 🔬 25 à 230. 🆎 ⓪ 🅴 𝘝𝘐𝘚𝘈   BR **e**
Repas *(fermé dim. midi) Lunch* 990 – carte 1150 à 1600 – � 550 – **201 ch** 3250/4950,
3 suites – ½ P 4050/5750.

à Deurne Ⓒ *Antwerpen –* ⊠ *2100 Deurne :*

🍴🍴 De Violin, Bosuil 1, ℰ (0 3) 324 34 04, *Fax (0 3) 326 33 20,* 🍴, « Fermette » – **❷**. 🍴
       BR **r**

🍴🍴 **Périgord,** Turnhoutsebaan 273, ℰ (0 3) 325 52 00, *Fax (0 3) 325 52 00 –* **❷**. 🆎 ⓪ 🅴
𝘝𝘐𝘚𝘈. 🍴   BR **s**
fermé mardi, merc., sam. midi, 1 sem. carnaval et juil. – **Repas** *Lunch* 875 – 1450/2800 bc.

à Ekeren Ⓒ *Antwerpen –* ⊠ *2180 Ekeren :*

🍴🍴 **Hof de Bist,** Veltwijcklaan 258, ℰ (0 3) 664 61 30, *Fax (0 3) 664 67 24,* 🍴 – **❷**. 🆎
⓪ 🅴   BQ **p**
fermé dim., lundi, mardi, 2 sem. Pâques et 2 sem. Noël – **Repas** 2000.

🍴 **De Mangerie,** Kapelsesteenweg 469 (par ②), ℰ (0 3) 605 26 26, *Fax (0 3) 605 24 16,*
🍴 – **❷**. 🆎 ⓪ 🅴 𝘝𝘐𝘚𝘈   BQ
fermé sam. midi – **Repas** *Lunch* 980 – carte 1050 à 1800.

à Merksem Ⓒ *Antwerpen –* ⊠ *2170 Merksem :*

🍴🍴🍴 **Maritime,** Bredabaan 978, ℰ (0 3) 646 22 23, *Fax (0 3) 646 22 71,* 🍴, Produits de la
mer – **❷**. 🆎 ⓪ 🅴 𝘝𝘐𝘚𝘈   BQ **m**
fermé lundi – **Repas** *Lunch* 995 – 1950/2600.

à Wilrijk Ⓒ *Antwerpen –* ⊠ *2610 Wilrijk :*

🍴🍴 **Schans XV,** Moerelei 155, ℰ (0 3) 828 45 64, *Fax (0 3) 828 93 29,* 🍴, « Dans une
redoute du début du siècle » – 🆎 ⓪ 🅴 𝘝𝘐𝘚𝘈. 🍴   AS **a**
fermé jeudi soir, sam. midi, dim., jours fériés, 2 sem. en fév. et 2 sem. en juil. – **Repas**
Lunch 995 bc – carte 1850 à 2250.

🍴🍴 **Bistrot,** Doornstraat 186, ℰ (0 3) 829 17 29 – 🆎 ⓪ 🅴 𝘝𝘐𝘚𝘈   BS **p**
fermé lundi, mardi, sam. midi et fin juil.-fin août – **Repas** 895.

Environs

à Aartselaar *par* ⑩ *: 10 km – 14 390 h. –* ⊠ *2630 Aartselaar :*

🏰 **Kasteel Solhof** 🐾 sans rest, Baron Van Ertbornstraat 116, ℰ (0 3) 877 30 00, *Fax (0 3)*
877 31 31, « Terrasse sur parc public », �─ – |🛗| 📺 ☎ **❷** – 🔬 25 à 50. 🆎 ⓪ 🅴 𝘝𝘐𝘚𝘈.
🍴
� 600 – **24 ch** 4800/6000.

🍴🍴🍴🍴 **Host. Kasteelhoeve Groeninghe** avec ch, Kontichsesteenweg 78, ℰ (0 3)
457 95 86, *Fax (0 3) 458 13 68,* ≤, 🍴, « Ferme flamande restaurée », �─ – 📺 ☎ **❷**
– 🔬 25 à 150. 🆎 ⓪ 🅴 𝘝𝘐𝘚𝘈. 🍴
Repas *(fermé du 1er au 15 août, 20 déc.-3 janv., sam. midi et dim.) Lunch* 2000 bc – 2350/3600
– ⊳ district 500 – **7 ch** 3900/5250.

🍴🍴🍴 **Kasteel Cleydael** 🐾 avec ch, Cleydaellaan 36 (O : direction Hemiksem),
ℰ (0 3) 887 05 04, *Fax (0 3) 877 20 18,* « Château féodal restauré, entouré de douves »
– 📺 ☎ **❷** – 🔬 25 à 60. 🆎 ⓪ 🅴 𝘝𝘐𝘚𝘈. 🍴
fermé sam. midi, dim., lundi, jours fériés, 19 juil.-19 août et 20 déc.-6 janv. – **Repas** *Lunch*
1750 – carte 2250 à 2600 – **6 ch** ⊳ district 4950/10000, 1 suite.

XX **Villa Verde,** Kleistraat 175, ℰ (0 3) 887 56 85, Fax (0 3) 887 22 56, ≼, 🏤 – **①**. 🖭 ⑩
🖭 *VISA*. ⋙
fermé sam. midi, dim. soir, lundi, 12 juil.-4 août et du 1ᵉʳ au 15 janv. – **Repas** Lunch 1100
– 1750/2450.

XX **Berkemei,** Antwerpsesteenweg 27, ℰ (0 3) 877 25 13, Fax (0 3) 877 33 07, 🏤 – **①**.
🖭 ⑩ 🖭 *VISA* ᴊᴄʙ
fermé merc., dim., sem. carnaval et 20 juil.-7 août – **Repas** Lunch 995 bc – carte env. 1700.

X **Hana,** Antwerpsesteenweg 116, ℰ (0 3) 877 08 95, Fax (0 3) 877 08 95, Cuisine japonaise, teppan-yaki – 🖭 🖭 *VISA*. ⋙
fermé août – **Repas** carte 1400 à 2600.

à Boechout - plan p. 3 – 11 659 h. – ✉ 2530 Boechout :

XX **De Schone van Boskoop** (Keersmaekers), Appelkantstraat 10, ℰ (0 3) 454 19 31,
✿ Fax (0 3) 454 19 31, 🏤, « Terrasse avec pièce d'eau » – **①**. 🖭 🖭 *VISA*. BS d
fermé dim., lundi, 1 sem. Pâques, 3 dern. sem. août et fin déc.-début janv. – **Repas** Lunch
1500 – carte 2600 à 3000
Spéc. St-Jacques au ragoût de pâtes et tête de veau. Canard de Barbarie au foie d'oie
et truffes. Ravioli caramélisé au pain d'épices.

à Brasschaat - plan p. 3 – 36 874 h. – ✉ 2930 Brasschaat :

🏠 **Molenhof,** Molenweg 6 (par ② : 1 km, direction Kapellen), ℰ (0 3) 665 00 81, Fax (0 3)
605 17 44, 🏤 – 🖵 ☎ **①**. 🖭 ⑩ 🖭 *VISA*
Repas (ouvert jusqu'à 23 h) (fermé mardi d'oct. à fév.) Lunch 695 – carte 1250 à 1800 –
8 ch ☑ 2000/3000.

XXX **Halewijn,** Donksesteenweg 212 (Ekeren-Donk), ℰ (0 3) 647 20 10, Fax (0 3) 647 08 95,
🏤 – 🖭 *VISA* BQ z
Repas Lunch 980 bc – carte env. 1700.

XX **De Poort,** Bredabaan 131 (par ③ : 1 km), ℰ (0 3) 653 30 03, Fax (0 3) 653 35 91, 🏤,
« Jardin d'hiver » – **①**. 🖭 🖭 *VISA*. ⋙
fermé lundi, sam. midi, 2 prem. sem. juil. et prem. sem. janv. – **Repas** Lunch 475 – carte 1600
à 2000.

à Broechem par ⑥ : 15 km ⓒ Ranst 17 211 h. – ✉ 2520 Broechem :

🏰 **Bossenstein,** Moor 16 (E 313, sortie ⑲ - direction Ranst), ℰ (0 3) 485 64 46, Fax (0 3)
485 78 41, 🏤, « Parc avec golf autour d'un château médiéval », ⋙ – 🖵 ☎ **①** – 🔏 25.
🖭 ⑩ 🖭 *VISA*. ⋙
fermé 2 prem. sem. janv. – **Repas** (fermé lundi) 950/1680 – **16 ch** ☑ 4000/6000 –
½ P 5500/8000.

à Edegem - plan p. 3 – 22 800 h. – ✉ 2650 Edegem :

🏨 **Ter Elst,** Ter Elststraat 310 (par Prins Boudewijnlaan), ℰ (0 3) 450 90 00 et 450 90 80
(rest), Fax (0 3) 450 90 90, 🖫, ⛴, 🏊, ⋙ – 🛗 ↔, 🍽 rest, 🖵 ☎ 🛆 **①** – 🔏 25 à
500. 🖭 ⑩ 🖭 *VISA*. ⋙ BS
Repas (fermé mi-juil.-mi-août) Lunch 1295 – carte 1750 à 2400 – **53 ch** ☑ 2700/4200.

à 's Gravenwezel par ⑤ : 13 km ⓒ Schilde 19 386 h. – ✉ 2970 's Gravenwezel :

X **De Vogelenzang,** Wijnegemsteenweg 193, ℰ (0 3) 353 62 40, Fax (0 3) 353 33 83,
🏤, Taverne-rest – **①**. 🖭 ⑩ 🖭 *VISA*
fermé merc. – **Repas** carte 1000 à 1300.

à Hove - plan p. 3 – 8 267 h. – ✉ 2540 Hove :

X **Glycine,** St-Laureysplein 22, ℰ (0 3) 455 88 64, Fax (0 3) 455 88 64, 🏤 – *VISA*. ⋙
fermé mardi, merc. et du 1ᵉʳ au 15 juil. – **Repas** Lunch 1200 – 1600/2100. BS a

à Kapellen par ② : 15,5 km – 25 356 h. – ✉ 2950 Kapellen :

XXX **De Bellefleur** (Buytaert), Antwerpsesteenweg 253, ℰ (0 3) 664 67 19, Fax (0 3)
✿ 665 02 01, 🏤, « Véranda avec pergola entourée d'un jardin fleuri » – **①**. 🖭 ⑩ 🖭 *VISA*
fermé sam. midi, dim., lundi et juil. – **Repas** Lunch 1850 bc – 3850 bc, carte 2800 à 3450
Spéc. Fettuccini de homard, sauce au basilic et tomates confites. Lotte rôtie, sauce hollandaise à la moutarde. Carré de chevreuil aux baies de cassis et champignons des bois.

X **De Pauw,** Antwerpsesteenweg 48, ℰ (0 3) 664 22 82, 🏤 – 🖭 *VISA*
⊖ *fermé mardi et merc.* – **Repas** 550/1650.

à Kontich par ⑧ : 12 km – 19 443 h. – ✉ 2550 Kontich :

XXX **Carême,** Koning Astridlaan 114, ℰ (0 3) 457 63 04, Fax (0 3) 457 93 02, 🏤 – 🖿 **①**.
🖭 ⑩ 🖭 *VISA*
fermé sam. midi, dim., lundi et juil. – **Repas** Lunch 1095 – 1650/2350.

X **Eet-Kafee,** Mechelsesteenweg 318, ℰ (0 3) 457 26 31, Fax (0 3) 457 26 31, 🏤,
Taverne-rest – **①**. 🖭 ⑩ 🖭 *VISA*
Repas Lunch 695 – carte 1100 à 1500.

à Schilde par ⑤ : 13 km – 19 386 h. – ✉ 2970 Schilde :

XX **Henri IV,** Louis Mariënlaan 5, ✆ (0 3) 383 11 49, Fax (0 3) 383 11 49, 🏤 – 🔲 **🅿.** 🆎 ⓞ **E** 𝓥𝓘𝓢𝓐
fermé mardi, sam. midi, 31 août-24 sept. et 26 janv.-5 fév. – **Repas** Lunch 1625 bc – carte 1400 à 1950.

à Schoten - plan p. 3 – 31 912 h. – ✉ 2900 Schoten :

XX **Kleine Barreel,** Bredabaan 1147, ✆ (0 3) 645 85 84, Fax (0 3) 645 85 03 – 🔲 **🅿.** 🆎 ⓞ **E** 𝓥𝓘𝓢𝓐 JCB. ✖
Repas Lunch 1175 – 1250/1585.   BQ **n**

XX **Uilenspiegel,** Brechtsebaan 277 (3 km sur N 115), ✆ (0 3) 651 61 45, Fax (0 3) 652 08 08, 🏤, « Terrasse et jardin » – **🅿.** 🆎 **E** 𝓥𝓘𝓢𝓐
fermé lundi et mardi – **Repas** 975/1950.

XX **Villa Doria,** Bredabaan 1293, ✆ (0 3) 644 40 10, Fax (0 3) 644 44 55, Cuisine italienne – 🔲 **🅿.** 🆎 ⓞ **E** 𝓥𝓘𝓢𝓐. ✖   BQ **b**
fermé merc., 3 sem. en juil., Noël et Nouvel An – **Repas** Lunch 945 bc – carte 1300 à 1750.

à Wijnegem - plan p. 3 – 8 543 h. – ✉ 2110 Wijnegem :

XXX **Ter Vennen,** Merksemsebaan 278, ✆ (0 3) 326 20 60, Fax (0 3) 326 38 47, 🏤, « Terrasse » – **🅿.** 🆎 ⓞ **E** 𝓥𝓘𝓢𝓐   BQ **k**
Repas Lunch 1675 bc – 2045/2295 bc.

XX **'t Heerenhuys,** Turnhoutsebaan 313 (par ⑤ : 2 km), ✆ (0 3) 353 41 61, Fax (0 3) 354 03 35 – 🆎 ⓞ **E** 𝓥𝓘𝓢𝓐. ✖
fermé mardi soir, merc., sam. midi et sem. carnaval – **Repas** Lunch 950 – carte 1600 à 2300.

ARBRE 5170 Namur © Profondeville 10 269 h. 𝟤𝟣𝟦 ⑤ et 𝟦𝟢𝟫 H 4.
Env. E : 2 km à Attre : Château★.
Bruxelles 81 – Namur 19 – Dinant 16.

XX **L'Eau Vive** (Résimont), rte de Floreffe 37, ✆ (0 81) 41 11 51, Fax (0 81) 41 40 16, ≼, 🏤, « Terrasse en bordure de cascade dans un vallon boisé » – **🅿.** 🆎 ⓞ **E** 𝓥𝓘𝓢𝓐
✿ *fermé lundi soir, mardi, 2 sem. début fév., dern. sem. juin et 1ʳᵉ quinz. sept.* – **Repas** Lunch 900 – 1450, carte 1550 à 1950
Spéc. Truite du vivier au bleu. Carpaccio de foie gras à l'huile de noisettes (21 juin-21 sept.). Pigeonneau grillé sur pastilla aux abricots à la sauge.

ARCHENNES (EERKEN) 1390 Brabant Wallon © Grez-Doiceau 11 263 h. 𝟤𝟣𝟥 ⑲ et 𝟦𝟢𝟫 H 3.
Bruxelles 38 – Charleroi 52 – Leuven 17 – Namur 39.

X **l'Ecrin des Gourmets,** chaussée de Wavre 153, ✆ (0 10) 84 49 69 – **🅿.** 🆎 ⓞ **E** 𝓥𝓘𝓢𝓐. ✖
☜ *fermé merc. et dern. sem. juil.-prem. sem. août* – **Repas** 765/1545.

ARDOOIE 8850 West-Vlaanderen 𝟤𝟣𝟥 ③ et 𝟦𝟢𝟫 C 3 – 9 635 h.
Bruxelles 97 – Brugge 34 – Gent 45 – Roeselare 7.

X **Prinsenhof,** Prinsendreef 6, ✆ (0 51) 74 50 31, Fax (0 51) 74 80 74 – **🅿.** 🆎 ⓞ **E** 𝓥𝓘𝓢𝓐 JCB. ✖
fermé 12 juil.-3 août – **Repas** 1250.

ARLON (AARLEN) 6700 ℗ Luxembourg belge 𝟤𝟣𝟦 ⑱ et 𝟦𝟢𝟫 K 6 – 24 417 h.
Musée : Luxembourgeois★ : section lapidaire gallo-romaine★★ AY **M**.
Env. Victory Memorial Museum★ avec collection de véhicules de transport et de combat★★ par ⑤ : 6 km.
🏢 r. Faubourgs 2 ✆ (0 63) 21 63 60, Fax (0 63) 21 63 60.
Bruxelles 187 ① – Ettelbrück 34 ② – Luxembourg 26 ④ – Namur 126 ①.

Plan page suivante

🏨 **AC Arlux** ⋙, r. Lorraine (par ⑥ : 3 km), ✆ (0 63) 23 22 11, Fax (0 63) 23 22 48 – ✦✦ ☜ 📺 ☎ **🅿** – 🛗 25 à 200. 🆎 ⓞ **E** 𝓥𝓘𝓢𝓐. ✖ rest
Repas (fermé sam. midi) Lunch 595 – 850/995 – **78 ch** ⊑ 2300/2500 – ½ P 2895.

XXX **L'Arlequin** 1ᵉʳ étage, pl. Léopold 6, ✆ (0 63) 22 28 30, Fax (0 63) 22 28 30 – 🆎 **E** 𝓥𝓘𝓢𝓐
fermé lundis non fériés, jeudi soir, prem. sem. sept. et prem. sem. janv. – **Repas** 1250/1750 bc.   AZ **v**

XX **L'eau à la bouche,** rte de Luxembourg 317 (par ④ : 2,5 km), ✆ (0 63) 23 37 05, Fax (0 63) 24 00 56, 🏤, « Villa avec terrasse » – **🅿. E** 𝓥𝓘𝓢𝓐
fermé mardi soir, merc., sam. midi, 2 sem. Pâques, fin août-début sept. et début janv. – **Repas** Lunch 650 – carte env. 1600.

X **Arel,** pl. Didier 21, ✆ (0 63) 22 77 17, Moules en saison – 🔲 **E** 𝓥𝓘𝓢𝓐   AY **s**
fermé mardi soir et merc. – **Repas** carte 850 à 1300.

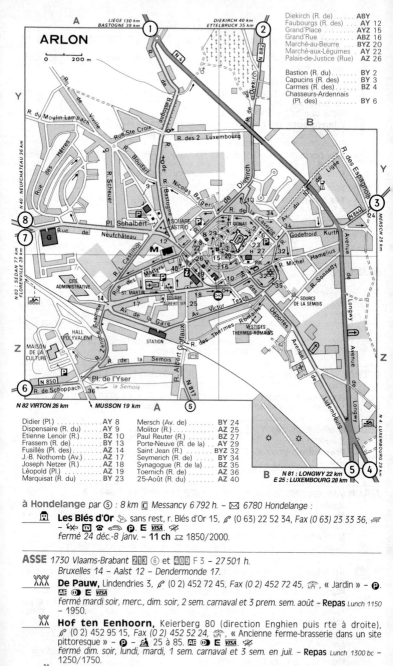

ARLON

LIÈGE 130 km
BASTOGNE 39 km

DIEKIRCH 40 km
ETTELBRUCK 35 km

0   200 m

Diekirch (R. de)	ABY
Faubourgs (R. des)	AY 12
Grand'Place	AYZ 15
Grand'Rue	ABZ 16
Marché-au-Beurre	BYZ 20
Marché-aux-Légumes	AY 22
Palais-de-Justice (Rue)	AZ 26

Bastion (R. du)	BY 2
Capucins (R. des)	BY 3
Carmes (R. des)	BZ 4
Chasseurs-Ardennais	
(Pl. des)	BY 6

N 40 NEUFCHÂTEAU 36 km
N 63 : SEDAN 77 km / FLORENVILLE 39 km
N 82 VIRTON 26 km — MUSSON 19 km
MERSCH 25 km
N 4 LUXEMBOURG 29 km
N 81 : LONGWY 22 km
E 25 : LUXEMBOURG 28 km

Didier (Pl.)	AY 8		Mersch (Av. de)	BY 24
Dispensaire (R. du)	AY 9		Molitor (R.)	AZ 25
Etienne Lenoir (R.)	BZ 10		Paul Reuter (R.)	BZ 27
Frassem (R. de)	BY 13		Porte-Neuve (R. de la)	AY 29
Fusillés (Pl. des)	AZ 14		Saint Jean (R.)	BYZ 32
J.-B. Nothomb (Av.)	AZ 17		Seymerich (R. de)	BY 34
Joseph Netzer (R.)	AZ 18		Synagogue (R. de la)	BZ 35
Léopold (Pl.)	AZ 19		Toernich (R. de)	AZ 36
Marquisat (R. du)	BY 23		25-Août (R. du)	AZ 40

à Hondelange par ⑤ : 8 km ⓒ Messancy 6 792 h. – ⌧ 6780 Hondelange :

Les Blés d'Or ⑤ sans rest, r. Blés d'Or 15, ☎ (0 63) 22 52 34, Fax (0 63) 23 33 36, ⅍
– ⇄ 🆃🆅 ☎ ⇦ �🅿. ⒠ 𝐕𝐈𝐒𝐀. ⅍
fermé 24 déc.-8 janv. – **11 ch** ⌁ 1850/2000.

ASSE 1730 Vlaams-Brabant 🔢 ⑥ et 🔢 F 3 – 27 501 h.
Bruxelles 14 – Aalst 12 – Dendermonde 17.

XXX **De Pauw**, Lindendries 3, ☎ (0 2) 452 72 45, Fax (0 2) 452 72 45, 🍴, « Jardin » – 🅿.
⒜ ① ⒠ 𝐕𝐈𝐒𝐀
fermé mardi soir, merc., dim. soir, 2 sem. carnaval et 3 prem. sem. août – **Repas** Lunch 1150
– 1950.

XX **Hof ten Eenhoorn**, Keierberg 80 (direction Enghien puis rte à droite),
☎ (0 2) 452 95 15, Fax (0 2) 452 52 24, 🍴, « Ancienne ferme-brasserie dans un site
pittoresque » – 🅿. – 🔏 25 à 85. ⒜ ① ⒠ 𝐕𝐈𝐒𝐀. ⅍
fermé dim. soir, lundi, mardi, 1 sem. carnaval et 3 sem. en juil. – **Repas** Lunch 1300 bc –
1250/1750.

X **Canteclaer**, Markt 6a, ☎ (0 2) 452 41 40, Fax (0 2) 452 36 95, 🍴 – ⒜ ① ⒠ 𝐕𝐈𝐒𝐀
fermé dim. soir, lundi, mardi et 2 dern. sem. juil. – **Repas** Lunch 850 – 950/1500.

ASSENEDE *9960 Oost-Vlaanderen* 213 ④ et 409 E 2 – *13 585 h.*

Bruxelles 88 – Brugge 41 – Gent 28 – Sint-Niklaas 38.

X **Den Hoed,** Kloosterstraat 3, ℘ (0 9) 344 57 03, Moules en saison – AE ⓓ E VISA
fermé lundi soir, mardi, sem. carnaval et 3 sem. en juin – **Repas** 1000.

ASTENE *Oost-Vlaanderen* 213 ④ – *voir à Deinze.*

ATH (AAT) *7800 Hainaut* 213 ⑯ et 409 E 4 – *24 954 h.*

Voir *Ducasse*★★ *(Cortège des géants).*

Env. *SO : 6 km à Moulbaix : Moulin de la Marquise*★ *– SE : 5 km à Attre*★ *: Château*★.

r. Nazareth 2 ℘ (0 68) 26 92 30, Fax (0 68) 26 92 39.

Bruxelles 57 – Mons 21 – Tournai 29.

Du Parc, r. Esplanade 13, ℘ (0 68) 28 69 77 et 28 54 85 (rest), *Fax (0 68) 28 57 63* – ☎ – 25 à 70. AE ⓓ E VISA. ch
fermé juil. – **Repas** *(fermé jeudi, dim. soir et jours fériés soirs)* 995/1600 – **11 ch** 1900/2800 – ½ P 1900/2400.

X **Le Saint-Pierre,** Marché aux Toiles 18, ℘ (0 68) 28 51 74 – AE ⓓ E VISA
Repas (déjeuner seult sauf sam.) 995.

à Ghislenghien *(Gellingen) NE : 8 km* C *Ath* – ✉ *7822 Ghislenghien :*

XX **Le Relais de la Diligence,** chaussée de Bruxelles 401 (N 7), ℘ (0 68) 55 12 41, *Fax (0 68) 55 12 41,* « Relais du 18e s. », – Ⓟ. AE ⓓ E VISA
fermé jeudi, sem. carnaval et 2 dern. sem. juil. – **Repas** (déjeuner seult sauf vend. et sam.) 800/1450.

X **Aux Mets Encore,** chaussée de Bruxelles 431 (N 7), ℘ (0 68) 55 16 07, *Fax (0 68) 55 16 07,* – Ⓟ. AE ⓓ E VISA
fermé mardi soir, merc. et fin janv.-début fév. – **Repas** Lunch 520 – 750.

AUDENARDE *Oost-Vlaanderen – voir Oudenaarde.*

AUDERGHEM (OUDERGEM) *Région de Bruxelles-Capitale* 213 ⑱ ⑲ et 409 G 3 - ㉒ S – *voir à Bruxelles.*

AVE ET AUFFE *5580 Namur* C *Rochefort 11 614 h.* 214 ⑥ et 409 I 5.

Bruxelles 114 – Namur 55 – Dinant 29 – Rochefort 10.

Host. Le Ry d'Ave, Sourd d'Ave 5, ℘ (0 84) 38 82 20, *Fax (0 84) 38 95 50,* ←, , « Cadre champêtre », , – ☎ Ⓟ. AE ⓓ E VISA
fermé 23 fév.-5 mars, du 14 au 16 avril, 29 juin-9 juil., du 5 au 8 oct. et du 5 au 22 janv. – **Repas** *(fermé mardis soirs non fériés hors saison et merc. non fériés)* 850/1850 – 360 – **12 ch** *(fermé mardis soirs et merc. non fériés sauf vacances scolaires)* 1600/2450 – ½ P 2850/3550.

AVELGEM *8580 West-Vlaanderen* 213 ⑮ et 409 D 3 – *9 113 h.*

Bruxelles 72 – Kortrijk 13 – Tournai 23.

X **Karekietenhof,** Scheldelaan 20 (derrière l'église), ℘ (0 56) 64 44 11, *Fax (0 56) 64 44 11,* ←, Anguilles – Ⓟ. E VISA
fermé mardi soir, merc. et du 16 au 31 août – **Repas** Lunch 850 – 1150/1450.

AWENNE *Luxembourg belge* 214 ⑥ ⑯ et 409 I 5 – *voir à St-Hubert.*

AYWAILLE *4920 Liège* 213 ㉓, 214 ⑦ et 409 K 4 – *9 723 h.*

(avril-sept.) r. Chalet ℘ (0 4) 384 51 91.

Bruxelles 123 – Liège 29 – Spa 16.

XXX **Host. Villa des Roses** avec ch, av. Libération 4, ℘ (0 4) 384 42 36, *Fax (0 4) 384 74 40,* – ☎ Ⓟ. AE ⓓ E VISA. ch
fermé 16 fév.-15 mars – **Repas** *(fermé lundis soirs et mardis non fériés)* Lunch 1000 – 1300/1600 – **9 ch** 2450/4050 – ½ P 2300/2800.

BAASRODE *9200 Oost-Vlaanderen* C *Dendermonde 42 847 h.* 213 ⑥ et 409 F 2.

Bruxelles 33 – Antwerpen 40 – Gent 39.

X **Gasthof Ten Briel,** Brielstraat 63, ℘ (0 52) 33 44 51, *Fax (0 52) 33 47 35,* – AE ⓓ E VISA
fermé lundi, sam. midi et 2 dern. sem. juil. – **Repas** 1575.

BACHTE-MARIA-LEERNE Oost-Vlaanderen 212 ④ et 409 D 2 – voir à Deinze.

BAILLONVILLE 5377 Namur © Somme-Leuze 3 793 h. 214 ⑥ et 409 J 5.
Bruxelles 107 – Bastogne 48 – Liège 50 – Namur 34.

XX ⟡ **Le Capucin Gourmand** (Mathieu) ⌾ avec ch, r. Centre 16 (Rabozée),
℘ (0 84) 31 51 80, Fax (0 84) 31 30 68, 🏠 – 🖵 ☎ 🅿 – 🖾 25. 🖭 ⓞ 🗲 VISA
Repas (fermé mardi soir sauf en juil.-août, merc., 23 août-11 sept. et du 6 au 23 janv.)
Lunch 1100 – 1550 bc/2850 bc, carte env. 2100 – ☲ 350 – **6 ch** (fermé du 6 au 23 janv.)
2500/2700 – ½ P 2800/3650
Spéc. Langoustines rôties aux épices, gâteau de carottes à l'orange. Poisson du jour grillé
à la fleur de sel et moëlle (avril-nov.). Tarte tiède au chocolat amer et banane caramélisée
aux épices.

BAISY-THY 1470 Brabant Wallon © Genappe 13 495 h. 213 ⑲ et 409 G 4.
🟤 🟤 à Ways N : 3 km, r. E. François 9 ℘ (0 67) 77 15 71, Fax (0 67) 77 18 33.
Bruxelles 32 – Charleroi 21 – Mons 53 – Namur 35.

XXX **Host. La Falise** ⌾ avec ch, r. Falise 7, ℘ (0 67) 77 35 11, Fax (0 67) 79 04 94, 🏠,
🚗 – 🖵 ☎ 🅿, 🖭 🗲 VISA
fermé du 15 au 30 sept. et du 2 au 16 janv. – **Repas** (fermé dim. soir et lundi) 950/1850
– **7 ch** ☲ 2400/3000 – ½ P 2450/3350.

BALEGEM 9860 Oost-Vlaanderen © Oosterzele 13 096 h. 213 ④ ⑤ et 409 E 3.
Bruxelles 49 – Aalst 27 – Gent 23 – Oudenaarde 20.

XXX **'t Parksken** avec ch, Geraardsbergsesteenweg 233 (à l'Est sur N 42), ℘ (0 9) 362 52 20,
Fax (0 9) 362 64 17, ≤, 🏠, « Jardin » – 🗏 rest, 🖵 ☎ 🅿 – 🖾 30. 🖭 ⓞ 🗲
VISA 🛇
fermé du 8 au 30 juil., du 1er au 11 janv., dim. soir, lundi et mardi – **Repas** 1150/2050
– **4 ch** ☲ 2850/4200 – ½ P 2750/4150.

BALMORAL Liège 213 ㉓ et 409 K 4 – voir à Spa.

BARAQUE DE FRAITURE Luxembourg belge 214 ⑧ et 409 K 5 – voir à Vielsalm.

BARBENÇON Hainaut 214 ③ et 409 F 5 – voir à Beaumont.

BARVAUX 6940 Luxembourg belge © Durbuy 9 325 h. 214 ⑦ et 409 J 4.
🟤 rte d'Oppagne 34 ℘ (0 86) 21 44 54, Fax (0 86) 21 44 49.
🇧 Complexe d'animation touristique "Le Moulin", Parc Juliénas 1 ℘ (0 86) 21 11 65,
Fax (0 86) 21 19 78.
Bruxelles 121 – Arlon 99 – Liège 47 – Marche-en-Famenne 19.

XX **La Poivrière,** Grand-rue 28, ℘ (0 86) 21 15 60, 🏠
🖭 ⓞ 🗲 VISA
fermé merc., jeudi et 2e quinz. déc. – **Repas** 990/2100.

X **Au Petit Chef,** r. Basse-Sauvenière 8, ℘ (0 86) 21 26 14, 🏠 – 🖭 ⓞ 🗲 VISA
fermé lundi, mardi, 1 sem. en juin, 1 sem. en sept. et janv. – **Repas** 795/1450.

à Bohon NO : 3 km © Durbuy – ✉ 6940 Barvaux :

🏠 **Le Relais de Bohon** ⌾, pl. de Bohon 50, ℘ (0 86) 21 30 49, Fax (0 86) 21 35 95, 🏠,
🚗 – 🖵 🅿, 🖭 🗲 VISA
fermé lundis soirs et mardis non fériés, mars, début sept. et fin nov. – **Repas** (Taverne-rest)
875/1495 – ☲ 250 – **16 ch** 2100 – ½ P 2100/3050.

BASSE-BODEUX Liège 214 ⑧ et 409 K 4 – voir à Trois-Ponts.

BASSEVELDE 9968 Oost-Vlaanderen © Assenede 13 585 h. 213 ④ et 409 E 2.
Bruxelles 90 – Brugge 41 – Gent 22 – Zelzate 12.

🏠 **'t Westkanterhof** ⌾, Oude Boekhoutestraat 18b, ℘ (0 9) 373 82 92, Fax (0 9)
373 53 33, « Environnement champêtre », 🚗 – 🖵 ☎ 🅿. VISA. 🛇
fermé sem. carnaval et vacances Noël – **Repas** (dîner pour résidents seult) – **7 ch**
☲ 2000/3300 – ½ P 1650.

BASTOGNE (BASTENAKEN) 6600 Luxembourg belge 🔢 ⑱ et 🔢 K 5 – 12 817 h.

Voir *Intérieur★* de l'église St-Pierre★ – Bastogne Historical Center★ – Le Mardasson★ E : 3 km.

Env. N : 17 km à Houffalize : *Site★*.

🛈 pl. Mac Auliffe 24 ℘ (0 61) 21 27 11.

Bruxelles 148 – Arlon 40 – Liège 88 – Namur 87.

🏨 **Melba** Ⓜ 🞂 sans rest, av. Mathieu 49, ℘ (0 61) 21 77 78, Fax (0 61) 21 55 68 – 🛗 📺 🕿 ➋ – 🔼 25 à 60. 🖭 🗉 𝘝𝘐𝘚𝘈
23 ch ☲ 2500/3000.

🏨 **Le Caprice** Ⓜ, pl. Mac Auliffe 25, ℘ (0 61) 21 81 40, Fax (0 61) 21 82 01, 🌳 – 🛗, 🗏 ch, 📺 🕿 ➾. 🖭 ➀ 🗉 𝘝𝘐𝘚𝘈 JCB
Repas (Moules en saison) *(fermé merc. sauf en juil.-août)* carte 850 à 1350 – **13 ch** ☲ 2250/2950.

✕ **Léo**, r. Vivier 6, ℘ (0 61) 21 14 41, Fax (0 61) 21 65 08, 🌳
🗉 𝘝𝘐𝘚𝘈
fermé lundi, 22 juin-3 juil. et 22 déc.-23 janv. – **Repas** Lunch 595 – 925.

When looking for a hotel or restaurant use the most efficient method.
Look for the names of towns underlined in red
*on the **Michelin Maps** 🔢 and 🔢*

But make sure you have an up-to-date map !

BATTICE 4651 Liège © Herve 16 182 h. 🔢 ㉓ et 🔢 K 4.
Bruxelles 117 – Maastricht 28 – Liège 27 – Verviers 9 – Aachen 31.

✕✕ **Aux étangs de la Vieille Ferme**, Maison du Bois 66 (SO : 7 km, lieu-dit Bruyères), ✉ 4650, ℘ (0 87) 67 49 19, Fax (0 87) 67 98 65, 🌳, « Environnement champêtre » – 🗏 ➋. 🖭 🗉 𝘝𝘐𝘚𝘈. 🞖
fermé lundi, mardi, merc. soir, jeudi soir, sem. Toussaint et prem. sem. janv. – **Repas** Lunch 1090 – 1450/1790.

✕✕ **Les Quatre Bras**, pl. du Marché 31, ℘ (0 87) 67 41 56, Fax (0 87) 67 41 56 – 🖭 ➀ 🗉 𝘝𝘐𝘚𝘈
fermé dim., lundi soir et 15 juil.-15 août – **Repas** Lunch 1050 – 1300/1650.

✕ **Au Vieux Logis**, pl. du Marché 25, ℘ (0 87) 67 42 53, Fax (0 87) 67 91 65 – 🖭 ➀ 🗉 𝘝𝘐𝘚𝘈
fermé dim., lundi soir, 2 dern. sem. juil. et prem. sem. janv. – **Repas** 1000 bc/1600 bc.

BAUDOUR Hainaut 🔢 ⑰, 🔢 ① ② et 🔢 E 4 – voir à Mons.

BEAUMONT 6500 Hainaut 🔢 ③ et 🔢 F 5 – 6 393 h.
🛈 Grand'Place 10 ℘ (0 71) 58 81 91.
Bruxelles 80 – Mons 32 – Charleroi 26 – Maubeuge 25.

✕ **Le Maleguemme**, chaussée F. Deliège 48, ℘ (0 71) 58 90 95, Fax (0 71) 58 94 83, 🌳 – ➋. 🗉 𝘝𝘐𝘚𝘈
fermé lundi soir, mardi, 3 prem. sem. sept. et 1 sem en janv. – **Repas** Lunch 680 – 1150/1500.

à Barbençon SE : 4 km © Beaumont – ✉ 6500 Barbençon :

✕✕ **Le Barbençon**, r. Couvent 11, ℘ (0 71) 58 99 27, Fax (0 71) 58 96 70 – ➋. 🗉 𝘝𝘐𝘚𝘈
fermé mardis soirs et merc. non fériés – **Repas** Lunch 850 – 1450.

à Grandrieu SO : 7 km © Sivry-Rance 4 576 h. – ✉ 6470 Grandrieu :

✕✕ **Le Grand Ryeu**, r. Goëtte 1, ℘ (0 60) 45 52 10, Fax (0 60) 45 62 25, 🌳, « Ancienne ferme » – ➋. 🖭 ➀ 🗉 𝘝𝘐𝘚𝘈
fermé mardis et merc. non fériés ; de janv. à mi-mars ouvert seult les sam., dim. midis et lundis – **Repas** 925/1925.

à Soire-St-Géry S : 4 km © Beaumont – ✉ 6500 Soire-St-Géry :

✕✕ **Host. Le Prieuré Saint-Géry** (Gardinal) 🞂 avec ch, r. Lambot 9, ℘ (0 71) 58 97 00, ✪ Fax (0 71) 58 96 98, 🌳, « Cour intérieure fleurie » – ➋. 🖭 ➀ 🗉 𝘝𝘐𝘚𝘈
fermé dim. soir – **Repas** Lunch 950 – 1950, carte 2150 à 2450 – **5 ch** ☲ 2500/3750 – ½ P 3700
Spéc. Rouget-barbet aux artichauts, vinaigrette à l'orange et huile d'olive. Filet d'agneau rôti, son parmentier aux légumes et jus à l'estragon. Noisettes de chevreuil, charlotte de choux rouge et pommes, glacé de boudin noir (oct.-déc.).

97

BEAURAING 5570 Namur 🎫 ⑤ et 🎫 H 5 – 7 952 h.

> **Voir** Lieu de pèlerinage★.
> Bruxelles 111 – Namur 48 – Dinant 20 – Givet 10.

🏠 **L'Aubépine**, r. Rochefort 27, ℰ (0 82) 71 11 59, Fax (0 82) 71 33 54 – 📶, 🍴 rest, ☎
🕸 **📶** – 🏛 25 à 180. 🅰🎫 ⓘ 🇪 𝓥𝓘𝓢𝓐
avril-déc. ; fermé lundi, mardi et merc. du 20 nov. au 31 déc. – **Repas** 850 – **66 ch**
🛏 1700/2250 – ½ P 1800.

BEAUVOORDE West-Vlaanderen 🎫 ① – voir à Veurne.

BEERNEM 8730 West-Vlaanderen 🎫 ③ et 🎫 D 2 – 14 338 h.

> Bruxelles 81 – Brugge 20 – Gent 36 – Oostende 37.

XX **di Coylde**, St-Jorisstraat 82 (direction Knesselare), ℰ (0 50) 78 18 18, Fax (0 50)
78 17 25, « Manoir entouré de douves » – **📶** – 🏛 40. 🅰🎫 ⓘ 🇪 𝓥𝓘𝓢𝓐 %
fermé sam. midi, dim. soir, lundi, sem. carnaval et 2ᵉ quinz. juil. – **Repas** Lunch 1100 bc
– 2250.

XX **Beverhof**, Kasteelhoek 37 (O : 4 km), ℰ (0 50) 78 90 72, Fax (0 50) 78 90 72, 🌳 – **📶**.
🅰🎫 ⓘ 🇪 𝓥𝓘𝓢𝓐
fermé mardi, merc., 15 fév.-4 mars et 24 août-4 sept. – **Repas** Lunch 2000 – carte 1350
à 1900.

à Oedelem N : 4 km © Beernem – ✉ 8730 Oedelem :

XX **Alain Meessen**, Bruggestraat 259, ℰ (0 50) 36 37 84, Fax (0 50) 36 37 84, 🌳 – **📶**.
ⓘ 🇪 𝓥𝓘𝓢𝓐
fermé sam. midi, dim., lundi midi, 1 sem. après Pâques et 3 sem. en déc. – **Repas** Lunch 1400
– carte 2000 à 2350.

BEERSE 2340 Antwerpen 🎫 ⑯ et 🎫 H 2 – 14 983 h.

> Bruxelles 80 – Antwerpen 40 – Breda 42 – Eindhoven 52 – Turnhout 6.

XX **Hof Van Eden**, Bisschopslaan 3, ℰ (0 14) 61 26 09, Fax (0 14) 61 26 09, 🌳,
« Terrasse » – **📶**. 🅰🎫 ⓘ 🇪 𝓥𝓘𝓢𝓐 𝗝𝗖𝗕
fermé sam. midi, dim. soir, lundi et 3 dern. sem. juil. – **Repas** 995/1650.

BEERSEL Vlaams-Brabant 🎫 ⑱ et 🎫 F 3 – ㉑ S – voir à Bruxelles, environs.

BEERVELDE Oost-Vlaanderen 🎫 ⑤ et 🎫 E 2 – voir à Gent, environs.

BELLEGEM West-Vlaanderen 🎫 ⑮ et 🎫 C 3 – voir à Kortrijk.

BELLEVAUX-LIGNEUVILLE 4960 Liège © Malmédy 10 739 h. 🎫 ⑨ et 🎫 L 4.

> Bruxelles 165 – Liège 65 – Malmédy 8,5 – Spa 27.

🏠 **St-Hubert**, Grand'Rue 43 (Ligneuville), ℰ (0 80) 57 01 22, Fax (0 80) 57 08 94 – 📺 ☎
🕸 **📶** – 🏛 60. 🇪 𝓥𝓘𝓢𝓐 % ch
fermé merc. non fériés sauf en été – **Repas** Lunch 595 – 850/1360 – **18 ch** 🛏 1850/2350
– ½ P 1950/2150.

XX **Du Moulin** avec ch, Grand'Rue 28 (Ligneuville), ℰ (0 80) 57 00 81, Fax (0 80) 57 07 88,
🌳, « Auberge du 19ᵉ s. », 🌿 – 📺 ☎ **📶**. 🅰🎫 🇪 𝓥𝓘𝓢𝓐
fermé 9 mars-2 avril, 1 sem. en juin, 1 sem. en sept. et 1 sem. en déc. – **Repas** 995/1950
– **14 ch** 🛏 1600/2600 – ½ P 2250/2500.

BELŒIL 7970 Hainaut 🎫 ⑯ et 🎫 E 4 – 13 142 h.

> **Voir** Château★★ : collections★★★, parc★, bibliothèque★.
> Bruxelles 70 – Mons 22 – Tournai 28.

Hôtels et restaurants voir : Mons SE : 22 km

BELVAUX Namur 🎫 ⑥ et 🎫 I 5 – voir à Rochefort.

BERCHEM Antwerpen 🎫 ⑮ et 🎫 G 2 – ⑨ S – voir à Antwerpen, périphérie.

BERCHEM-STE-AGATHE (SINT-AGATHA-BERCHEM) *Région de Bruxelles-Capitale* 📘🗺 ⑱ et 📙 F 3 - ㉑ N – *voir à Bruxelles.*

BERENDRECHT *Antwerpen* 📘🗺 ⑭ et 📙 F 1 - ⑧ N – *voir à Antwerpen, périphérie.*

BERGEN 🅿 *Hainaut* – *voir Mons.*

BERLARE 9290 *Oost-Vlaanderen* 📘🗺 ⑤ et 📙 F 2 – *13 270 h.*
Bruxelles 38 – Antwerpen 43 – Gent 26 – Sint-Niklaas 24.

ﾆﾆﾆ **'t Laurierblad** (Van Cauteren) avec ch, Dorp 4, ☏ (0 52) 42 48 01, Fax (0 52) 42 59 97,
✿ 🍽 « Terrasse avec pièce d'eau » – 🛗, 🔲 ch, 📺 ☎ 🅿 – 🔼 25 à 40. 🖭 ⑩
🈁 *VISA*
fermé 24 août-10 sept. et 26 déc.-5 janv. – **Repas** *(fermé lundi)* 1820/3665 bc, carte 2000
à 2700 – 🖭 410 – **5 ch** 2650/3900
Spéc. Fricassée de légumes aux herbes, croustillant de lard et œuf poché. Cabillaud
moutardé et persillé, beurre à la bière blanche. Charlotte aux pommes et à la frangipane.

aux étangs de Donkmeer *NO : 3,5 km :*

ﾆﾆﾆ **Lijsterbes** (Van Der Bruggen), Donklaan 155, ✉ 9290 Uitbergen, ☏ (0 9) 367 82 29,
✿ Fax (0 9) 367 85 50, « Terrasse fleurie » – 🔲 🅿. 🖭 ⑩ 🈁 *VISA*. ✠
fermé du 13 au 22 avril, 24 août-9 sept., sam. midi, dim. soir et lundi – **Repas** *Lunch* 1200
– 1950/2650, carte 2400 à 3000
Spéc. Salade de homard et coppa aux tomates séchées et romarin. Bar tartiné au "salsa
verde" et poivrons grillés. Tartare de St-Jacques au fenouil et brunoise de légumes au
crabe.

ﾆ **Malpertuus,** Donklaan 253, ✉ 9290 Overmere, ☏ (0 9) 367 50 23, ≼, 🍽, Anguilles
– 🅿. 🖭 ⑩ 🈁 *VISA*.
fermé mardi, merc. et déc. – **Repas** 950/1200.

BERTRIX 6880 *Luxembourg belge* 📘🗺 ⑯ et 📙 I 6 – *7 966 h.*
Bruxelles 149 – Arlon 54 – Bouillon 22 – Dinant 73.

🏠 **Les Tourelles,** rte de Bertrix-Neufchâteau 36 (SE : 5 km, lieu-dit Biourges), ☏ (0 61)
41 19 09, Fax (0 61) 41 45 32, « Ancienne demeure avec étang », 🐎 – 🅿 – 🔼 25. 🖭
⑩ 🈁 *VISA*. ✠ rest
fermé 25 juin-12 juil. et mardi et merc. hors saison – **Repas** *(résidents seult)* – 🖭 350
– **9 ch** 2550/2750 – ½ P 1725/2075.

ﾆ **Le Péché Mignon,** r. Victoire 1, ☏ (0 61) 41 47 17, Fax (0 61) 41 47 17 – 🅿. 🖭 ⑩
🈁 *VISA*
fermé lundi midi, merc., sem. carnaval et du 1er au 15 juil. – **Repas** 850/1250.

BÉVERCÉ *Liège* 📘🗺 ㉔, 📗🗺 ⑧ et 📙 L 4 – *voir à Malmédy.*

BEVEREN *West-Vlaanderen* 📘🗺 ② et 📙 C 3 – *voir à Roeselare.*

BEVEREN-LEIE 8791 *West-Vlaanderen* 🅲 *Waregem* 35 725 h. 📘🗺 ⑮ et 📙 C 3.
Bruxelles 89 – Brugge 49 – Gent 44 – Kortrijk 8.

ﾆﾆ **De Gastronoom,** Kortrijkseweg 215, ☏ (0 56) 70 11 10, Fax (0 56) 70 60 88, 🍽 – 🔲
🅿. 🖭 ⑩ 🈁 *VISA*
fermé dim. soir, lundi et 21 juil.-15 août – **Repas** *Lunch* 1300 bc – carte 1100 à 1800.

BEYNE-HEUSAY *Liège* 📘🗺 ㉒ ㉓ et 📙 J 4 - ⑱ N – *voir à Liège, environs.*

BILZEN 3740 *Limburg* 📘🗺 ㉒ et 📙 J 3 – *28 639 h.*
Bruxelles 97 – Maastricht 16 – Hasselt 17 – Liège 29.

ﾆﾆ **'t Vlierhof,** Hasseltsestraat 57a, ☏ (0 89) 41 44 18, Fax (0 89) 41 44 18, 🍽 – 🅿. 🖭
🈁 *VISA*. ✠
fermé lundi soir, merc., sam. midi et mi-juil.-début août – **Repas** *Lunch* 975 – 1200/1700.

ﾆﾆ **Bevershof,** Hasseltsestraat 72, ☏ (0 89) 41 23 01, Fax (0 89) 41 26 02, 🍽 – 🔲 🅿 –
🔼 25 à 250. 🖭 ⑩ 🈁 *VISA*. ✠
fermé lundi, mardi et du 6 au 23 oct. – **Repas** *Lunch* 1280 – carte 1350 à 2100.

BINCHE 7130 Hainaut **214** ③ et **409** F 4 – 32 499 h.

Voir *Carnaval*★★★ *(Mardi gras)* – *Vieille ville*★ Z.

Musée : *International du Carnaval et du Masque* : *masques*★★ Z **M**.

Env. *NE, 10 km par* ① : *Domaine de Mariemont*★★ : *parc*★, *musée*★★.

🛈 *Hôtel de Ville, Grand'Place* ℘ *(0 64) 33 67 27, Fax (0 64) 33 95 37.*

Bruxelles 62 ① – *Mons 16* ⑤ – *Charleroi 20* ② – *Maubeuge 24* ④.

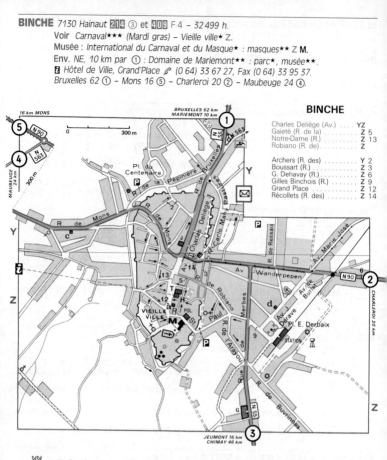

BINCHE

Charles Deliège (Av.) . . . . **YZ**
Gaieté (R. de la) . . . . **Z** 5
Notre-Dame (R.) . . . . **Z** 13
Robiano (R. de) . . . . **Z**

Archers (R. des) . . . . **Y** 2
Boussart (R.) . . . . **Z** 3
G. Dehavay (R.) . . . . **Z** 6
Gilles Binchois (R.) . . . . . . **Z** 9
Grand Place . . . . **Z** 12
Récollets (R. des) . . . . **Z** 14

XX **L'Aubade,** av. Jean Derave 13, ℘ (0 64) 34 22 73 – AE ⓪ E VISA   Z d
fermé dim. soirs, lundis et mardis soirs non fériés, sem. après carnaval, 12 juil.-4 août et prem. sem. janv. – **Repas** 895/1350.

X **China Town,** Grand'Place 12, ℘ (0 64) 33 72 22, Cuisine chinoise, ouvert jusqu'à 23 h 30 – 🍴 AE ⓪ E VISA   Z a
fermé merc. et août – **Repas** *Lunch* 480 – carte 850 à 1450.

à Waudrez *O : 2 km* 🄲 *Binche* – ⊠ *7131 Waudrez :*

X **Eric,** rte de Mons 190, ℘ (0 64) 33 25 35 – AE ⓪ E VISA   Y c
🍴 *fermé merc. non fériés et 3 prem. sem. juil.* – **Repas** *Lunch* 350 – 850/1695.

BLANDEN Vlaams-Brabant **213** ⑲ – *voir à Leuven.*

BLANKENBERGE 8370 West-Vlaanderen 🔢 ② et 🔢 C 2 – 17 266 h. – *Station balnéaire★* – Casino Kursaal A, Zeedijk 150, ℰ (0 50) 43 20 20, Fax (0 50) 41 98 40.
🛈 Leopold III-plein ℰ (0 50) 41 22 27, Fax (0 50) 41 61 39.
Bruxelles 111 ② – Brugge 15 ② – Knokke-Heist 12 ① – Oostende 21 ③.

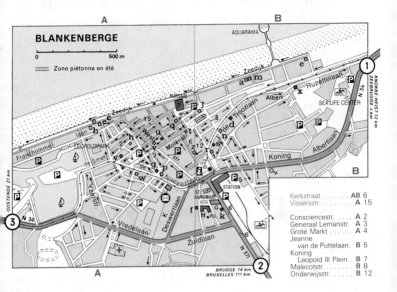

Kerkstraat . . . . **AB** 6
Vissersstr. . . . . **A** 15

Consciencestr. . . . . **A** 2
Generaal Lemanstr. **A** 3
Grote Markt . . . . . . **A** 4
Jeanne
 van de Puttelaan. **B** 5
Koning
 Leopold III Plein . **B** 7
Malecotstr. . . . . **B** 8
Onderwijsstr. . . . . . **B** 12

🏨 **Beach Palace** Ⓜ, Zeedijk 77, ℰ (0 50) 42 96 64, Fax (0 50) 42 60 49, ≤, « Dominant la plage », ℉⑤, ⇄⑤, 🔲 – 🛗, ▤ rest, 📺 ☎ 🚗 🅿 – 🔬 25 à 150. 🖭 ⓞ 🗷 𝘝𝘐𝘚𝘈.
A b
🍽 rest
Repas *(fermé mardi en hiver)* 1150/1950 – **67 ch** ☲ 2250/5870, 3 suites – ½ P 2700/3685.

🏨 **Azaert** (annexe Aazaert 2 - 21 ch), Molenstraat 31, ℰ (0 50) 41 15 99, Fax (0 50) 42 91 46, ⇄⑤, ▤ rest, 📺 ☎ 🚗 – 🔬 25 à 70. 🗷 𝘝𝘐𝘚𝘈. 🍽
A t
2 avril-4 nov. – Repas *(fermé merc. soir et après 20 h 30)* Lunch 875 – 850/1600 – **53 ch** ☲ 2650/4050 – ½ P 2300/2725.

🏨 **Helios** Ⓜ, Zeedijk 92, ℰ (0 50) 42 90 20, Fax (0 50) 42 86 66, ≤, « Aménagement design », ℉⑤, ⇄⑤, ▤ rest, 📺 ☎ 🚗 – 🔬 25 à 100. 🖭 ⓞ 🗷 𝘝𝘐𝘚𝘈. 🍽 A c
fermé 17 nov.-18 déc. – Repas *(fermé jeudi)* Lunch 695 – carte env. 1400 – **34 ch** ☲ 3400/5200 – ½ P 2850/3450.

🏨 **Riant Séjour**, Zeedijk 188, ℰ (0 50) 43 27 00, Fax (0 50) 42 75 54, ≤, « Dominant la plage », ℉⑤, ⇄⑤ – 🛗 📺 ☎ 🚗. 🖭 ⓞ 🗷 𝘝𝘐𝘚𝘈
B a
fermé 29 sept.-17 oct. – Repas *(fermé mardi soir et merc. d'oct. à fin mars et après 20 h)* carte env. 1200 – **30 ch** ☲ 4000/4200, 1 suite – ½ P 2600/2700.

🏨 **Ideal**, Zeedijk 244, ℰ (0 50) 42 86 00, Fax (0 50) 42 97 46, ≤, ℉⑤, 🔲 – 🛗 📺 ☎ 🚗 – 🔬 25 à 100. 🗷 𝘝𝘐𝘚𝘈. 🍽 rest
B e
30 mars-26 sept. et 30 oct.-3 nov. – Repas *(fermé mardi et après 20 h 30)* Lunch 535 – 850/1290 – **42 ch** ☲ 2770/4890 – ½ P 2550/3380.

🏨 **La Providence**, Zeedijk 191, ℰ (0 50) 41 11 98, Fax (0 50) 41 80 79, ≤, ℉⑤, ⇄⑤ – 🛗, ▤ rest, 📺 ☎. 🗷 𝘝𝘐𝘚𝘈. 🍽 ch
B m
19 fév.-8 nov. ; fermé du 3 au 26 mars – Repas *(fermé merc. et après 20 h)* Lunch 480 – 890/1295 – **24 ch** ☲ 2000/3700 – ½ P 1875/2275.

🏨 **Vivaldi**, Koning Leopold III-plein 8, ℰ (0 50) 42 84 37, Fax (0 50) 42 64 33, 🍴 – 🛗 📺 ☎. 🖭 ⓞ 🗷 𝘝𝘐𝘚𝘈. 🍽
B r
Repas (Taverne-rest) *(fermé mardi sauf vacances scolaires et après 20 h)* carte env. 900 – **28 ch** ☲ 2000/2800, 2 suites.

🏨 **St-Sauveur**, Langestraat 50, ℰ (0 50) 42 70 00, Fax (0 50) 42 97 38, ⇄⑤, 🔲 – 🛗 📺 ☎. 🖭 ⓞ 🗷 𝘝𝘐𝘚𝘈. 🍽
A q
fermé du 5 au 26 janv. – Repas Lunch 650 – carte 1200 à 1750 – **28 ch** ☲ 2200, 3 suites – ½ P 2300/2700.

Richmond Thonnon, de Smet de Naeyerlaan 54, *℘* (0 50) 42 96 92, *Fax (0 50) 42 98 72,*
≣≣ – ≣ 🔟 🖂 ⇦ – 🛦 25. ፴ ① 🖪 *VISA*. ✻
A p
Repas (résidents seult) – **38 ch** �़ 3615/4250 – ½ P 2810/3010.

Malecot, Langestraat 91, *℘* (0 50) 41 12 07, *Fax (0 50) 42 80 42*, 🛦 – ≣ 🔟 ☎ ⇦.
🖪 *VISA*. ✻ rest
B j
fermé 24 fév.-mars, 30 sept.-oct. et 12 nov.-janv. – **Repas** (résidents seult) – **34 ch**
�़ 2650 – ½ P 1600/2350.

Albatros sans rest, Consciencestraat 45, *℘* (0 50) 41 13 49, *Fax (0 50) 42 86 55*, ≣≣
– ≣ 🔟 ☎ 🅿. 🖪 *VISA*. ✻
A h
24 ch ⌱ 2100/3500.

Claridge sans rest, de Smet de Naeyerlaan 81bis, *℘* (0 50) 42 66 88, *Fax (0 50) 42 77 04*
– ≣ 🔟 ☎ 🅿. 🖪 *VISA*. ✻
A w
fermé du 20 au 30 avril, 14 nov.-23 déc. et 2 janv.-20 fév. – **15 ch** ⌱ 2300/2700.

Du Commerce, Weststraat 64, *℘* (0 50) 42 95 35, *Fax (0 50) 42 94 40* – ≣, ▤ rest,
🔟 ☎ ⇦. ፴ ① 🖪 *VISA*. ✻ rest
A v
20 fév.-8 nov. ; fermé 26 fév.-mars et du 1er au 29 oct. – **Repas** *(fermé après 20 h) Lunch*
500 – 750 – **29 ch** ⌱ 1735/2570 – ½ P 1775/1960.

Alfa Inn sans rest, Kerkstraat 92, *℘* (0 50) 41 81 72, *Fax (0 50) 42 93 24* – ≣ 🔟 – 🛦 25
à 150. *VISA*. ✻
AB z
16 fév.-11 nov. – **70 ch** ⌱ 1350/2400.

Strand sans rest, Zeedijk 86, *℘* (0 50) 41 16 71, *Fax (0 50) 42 58 67* – ≣ 🔟. ፴ ①
🖪 *VISA*
A e
fermé janv. – **17 ch** ⌱ 2600.

Marie-José, Marie-Josélaan 2, *℘* (0 50) 41 16 39 – ≣. ፴ ① 🖪 *VISA*. ✻
B n
avril-sept. – **Repas** *(fermé après 20 h) Lunch 450* – 850 – **36 ch** ⌱ 1800 – ½ P 1800/
2350.

Escapade J. De Troozlaan 39, *℘* (0 50) 41 15 97, *Fax (0 50) 42 88 64*, 🛋 – ፴ ① 🖪
VISA
B d
fermé lundi, 25 mars-5 avril et 1re quinz. juil. – **Repas** *Lunch 650* – 850/990.

't Zeigat, Notebaertstraat 20, *℘* (0 50) 41 32 15, *Fax (0 50) 41 32 15* – ፴ ①
🖪 *VISA*
A g
fermé mardi soir et merc. – **Repas** *Lunch 1200 bc* – 1100/1550.

't Karveeltje, Grote Markt 7, *℘* (0 50) 41 36 69, *Fax (0 50) 41 36 69*, 🛋 – ፴ ① 🖪
VISA
A y
fermé 26 fév.-11 mars et mardi soir et merc. sauf en juil.-août – **Repas** *900/*
1100.

St-Hubert, Manitobaplein 15, *℘* (0 50) 41 22 42, *Fax (0 50) 41 22 42* – ፴ 🖪 *VISA* A u
fermé mars et lundi soir et mardi sauf en juil.-août – **Repas** *carte 1100 à 1550.*

Joinville, J. De Troozlaan 5, *℘* (0 50) 41 22 69 – 🖪 *VISA*
B s
fermé merc. soir et jeudi hors saison – **Repas** *carte env. 1800.*

La Tempête avec ch, A. Ruzetelaan 37, *℘* (0 50) 42 94 28, *Fax (0 50) 42 79 17* – 🔟
🅿. ① 🖪 *VISA*. ✻ ch
B x
fermé janv.-4 fév., lundi et merc. de fin sept. à mi-juin et mardi – **Repas** *Lunch 695* –
1000/1595 – **9 ch** ⌱ 2200/3000 – ½ P 1700/2000.

Griffioen, Kerkstraat 163, *℘* (0 50) 41 34 05, Produits de la mer, ouvert jusqu'à minuit
– ፴ ① 🖪 *VISA*
B k
fermé janv. et lundi et mardi en hiver – **Repas** (dîner seult sauf sam. et dim. ; ouvert jusqu'à
minuit) 950.

Le Pot au Feu, Ontmijnersstraat 37, *℘* (0 50) 41 26 37, Bistrot – ፴ 🖪 *VISA* AB f
fermé dim. soir, lundi et mardi – **Repas** *carte env. 1300.*

à Zuienkerke par ② : 6 km – 2 766 h. – ✉ 8377 Zuienkerke :

Butler sans rest, Blankenbergsesteenweg 13a, *℘* (0 50) 42 60 72, *Fax (0 50) 42 61 35*
– 🔟 ☎ 🅿 – 🛦 25 à 50. ፴ 🖪 *VISA*
15 ch ⌱ 2000/2500.

De Zilveren Zwaan, Statiesteenweg 12 (E : près N 371), *℘* (0 50) 41 48 19,
Fax (0 50) 41 73 46, 🛋 – 🅿. ፴ ① 🖪 *VISA*
fermé lundi soir, mardi, 2 sem. après Pâques et 2 sem. Toussaint – **Repas** *Lunch 1700 bc* –
1650/2800 bc.

Hoeve Ten Doele, Nieuwesteenweg 1, *℘* (0 50) 41 31 04, *Fax (0 50) 42 63 11*, 🛋,
« Cadre champêtre » – 🅿. 🖪 *VISA*
fermé du 9 au 27 mars, 28 sept.-15 oct., lundi soir sauf mi-juil.-mi-août et mardi – **Repas**
1175/1750.

BLAREGNIES 7040 Hainaut © Quévy 7 400 h. 🔲🔲 ② et 🔲🔲 E 4.
Bruxelles 80 – Bavay 11 – Mons 13.

XX **Les Gourmands** (Bernard), r. Sars 15, ℘ (0 65) 56 86 32, Fax (0 65) 56 74 40 – **🅿**. **E**
❀ **VISA**
fermé dim. soirs non fériés, lundi, dern. sem. juil.-prem. sem. août et après 20 h 30 – **Repas**
Lunch 1400 bc – 1550/1990, carte 1800 à 2800
Spéc. Petits-gris en raviolis à l'ail doux. Poêlée de homard au beurre d'herbes. Ris de veau
croustillant à la réglisse.

BOCHOLT 3950 Limburg 🔲🔲 ⑩ et 🔲🔲 J 2 – 11 431 h.
Bruxelles 106 – Hasselt 42 – Antwerpen 91 – Eindhoven 38.

XXX **Kristoffel**, Dorpsstraat 28, ℘ (0 89) 47 15 91, Fax (0 89) 47 15 92, 😷 – 🔲. **AE** **①**
E **VISA**. ❀
fermé lundi, mardi, 13 juil.-4 août et du 1er au 12 janv. – **Repas** Lunch 1075 – 1375.

BOECHOUT Antwerpen 🔲🔲 ⑮ et 🔲🔲 G 2 – ⑱ N – voir à Antwerpen, environs.

BOHON Luxembourg belge 🔲🔲 ⑦ – voir à Barvaux.

BOIS DE LA CAMBRE Région de Bruxelles-Capitale 🔲🔲 ⑱ et 🔲🔲 ㉑ – voir à Bruxelles.

BOIS-DE-VILLERS 5170 Namur © Profondeville 10 269 h. 🔲🔲 ⑤ et 🔲🔲 H 4.
Bruxelles 74 – Namur 13 – Dinant 23.

X **Au Plaisir du Gourmet**, r. Elie Bertrand 75, ℘ (0 81) 43 44 12, Fax (0 81) 43 44 12,
😷 – **🅿**. **E** **VISA**
fermé fin août et mardis et merc. non fériés – **Repas** 950/1200.

BOKRIJK Limburg 🔲🔲 ⑩ et 🔲🔲 J 3 – voir à Genk.

BOLDERBERG Limburg 🔲🔲 ⑨ et 🔲🔲 I 3 – voir à Zolder.

BOMAL-SUR-OURTHE 6941 Luxembourg belge © Durbuy 9 325 h. 🔲🔲 ⑦ et 🔲🔲 J 4.
Bruxelles 125 – Arlon 104 – Liège 45 – Marche-en-Famenne 24.

à Juzaine E : 1,5 km © Durbuy – ✉ 6941 Bomal :
XX **Saint-Denis**, r. Ardennes 164, ℘ (0 86) 21 11 79, Fax (0 86) 21 46 74, 😷 , « Terrasse
⏺ et jardin au bord de l'Aisne » – 🔲 **🅿**. **AE** **①** **E** **VISA**. ❀
fermé lundi soir et mardi – **Repas** 850/1350.

BONHEIDEN Antwerpen 🔲🔲 ⑦ et 🔲🔲 G 2 – voir à Mechelen.

BOOITSHOEKE West-Vlaanderen 🔲🔲 ① – voir à Veurne.

BOOM 2850 Antwerpen 🔲🔲 ⑥ et 🔲🔲 G 2 – 14 589 h.
Bruxelles 30 – Antwerpen 17 – Gent 57 – Mechelen 16.

XX **Cheng's Garden**, Kol. Silvertopstraat 5, ℘ (0 3) 844 21 84, Fax (0 3) 844 54 46, Avec
cuisine chinoise – 🔲 **🅿**. **AE** **①** **E** **VISA**. ❀
Repas carte 900 à 1500.

BORGERHOUT Antwerpen 🔲🔲 ⑮ et 🔲🔲 G 2 – ⑨ S – voir à Antwerpen, périphérie.

BORGLOON (LOOZ) 3840 Limburg 🔲🔲 ㉑ et 🔲🔲 J 3 – 9 949 h.
Bruxelles 74 – Maastricht 29 – Hasselt 28 – Liège 29.

🏨 **Kasteel van Rullingen** 🦢, Rullingen 1 (O : 3 km à Kuttekoven), ℘ (0 12) 74 31 46,
Fax (0 12) 74 54 86, 😷 , « Style Renaissance mosane, ⬿ parc et vergers », 🌲 – 📺 ☎
🅿 – 🔬 25 à 100. **AE** **①** **E** **VISA**
Repas (fermé sam. midi, dim. soir, lundi, 19 juil.-4 août et du 1er au 6 janv.) Lunch 1250 –
1650/2350 – **11 ch** 😷 3500/5000 – ½ P 3250/5750.

X **Het Klaphuis** avec ch, Kortestraat 2, ℘ (0 12) 74 73 25, Fax (0 14) 30 99 28, 😷 – 📺
☎ – 🔬 25 à 60. **AE** **①** **E** **VISA**. ❀
fermé 2 sem. en sept. – **Repas** (Taverne-rest) (fermé jeudi) Lunch 450 – 850 – **8 ch**
😷 1800/2600 – ½ P 1575/1750.

BORGWORM Liège – voir Waremme.

BORNEM 2880 Antwerpen 🗺️ ⑥ et 🗺️ F 2 – 19 525 h.
Bruxelles 36 – Antwerpen 31 – Gent 46 – Mechelen 21.

※※ **Eyckerhof** (Debecker), Spuistraat 21 (Eikevliet), ℰ (0 3) 889 07 18, Fax (0 3) 889 94 05,
🍴, « Auberge dans cadre champêtre » – **P.** 🆎 ⑩ **E** 𝖵𝖨𝖲𝖠. ⚘
fermé du 6 au 31 juil., du 1ᵉʳ au 11 janv., sam. midi, dim. soir et lundi – **Repas** (nombre
de couverts limité - prévenir) Lunch 1200 – 2050, carte env. 2300
Spéc. Tian de champignons des bois, langoustines et foie d'oie. Risotto de ris de veau aux
truffes et parmesan. Brochette de filets de sole, champignons de Paris et radis roses.

※※ **De Notelaer** avec ch, Stationsplein 2, ℰ (0 3) 889 13 67, Fax (0 3) 899 13 36, 🍴 –
🍽️ rest, 📺 ☎. 🆎 ⑩ **E** 𝖵𝖨𝖲𝖠 𝖩𝖢𝖡. ⚘
Repas (fermé jeudi et sam. midi) Lunch 995 – 1495/1895 – **7 ch** ⚏ 1900/2600 –
½ P 2295/2895.

à **Mariekerke** SO : 4,5 km 🅒 Bornem – ✉ 2880 Mariekerke :

※ **De Ster,** Jan Hammeneckerstraat 141, ℰ (0 52) 33 22 89, Fax (0 52) 34 24 89, 🍴 –
P. 🆎 ⑩ **E** 𝖵𝖨𝖲𝖠
fermé du 2 au 9 avril, 20 août-10 sept., mardi et merc. – **Repas** 975/1520.

BOUGE Namur 🗺️ ⑳, 🗺️ ⑤ et 🗺️ H 4 – voir à Namur.

BOUILLON 6830 Luxembourg belge 🗺️ ⑯ et 🗺️ I 6 – 5 552 h.
Voir Château★★ Z : Tour d'Autriche ⩽★★.
Musée : Ducal★ Y **M.**
Env. Corbion : Chaire à prêcher ⩽★ par ③ : 8 km.
🛈 au Château fort, Esplanade Godefroy ℰ (0 61) 46 62 57, Fax (0 61) 46 82 85 – (en
saison) Pavillon, Porte de France ℰ (0 61) 46 62 89.
Bruxelles 161 ① – Arlon 64 ② – Dinant 63 ① – Sedan 18 ②.

BOUILLON

Collège (R. du)	**YZ**
Maladrerie (Q. de la)	**Y** 14
Maladrerie (R. de la)	**Y** 15
Rempart (Q. du)	**YZ**
Ange-Gardien (R. de l')	**Y** 2
Augustins (R. des)	**Y** 3
Brutz (R. du)	**Y** 4
Ducale (Pl.)	**Y** 5
Écoles (R. des)	**Y** 6
Faubourg de France	**Z** 7
France (Pt de)	**Z** 8
France (Pte de)	**Z** 9
Godefroi-de-Bouillon (Espl.)	**Y** 10
Hautes-Voies (R. des)	**Y** 11
Laitte (R. de)	**Z** 12
Liège (Pt de)	**Z** 13
Moulin (R. du)	**Z** 16
Nord (R. du)	**Z** 18
Paroisse (All. de la)	**Z** 19
Petit (R. du)	**Y** 20
Poste (R. de la)	**Y** 22
Poulie (Pt de la)	**Y** 23
Poulie (R. de la)	**Y** 24
Prison (R. de la)	**Y** 26
St. Arnould (Pl.)	**Y** 27
Sauls (Q. des)	**Y** 28

*Les plans de villes sont
disposés le Nord en haut.*

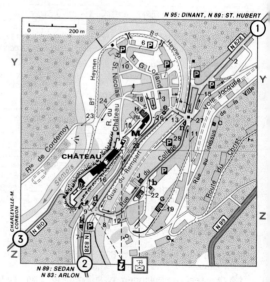

🏨 **Le Feuillantin,** r. au-dessus de la Ville 23, ℰ (0 61) 46 62 93, Fax (0 61) 46 80 74,
⩽ ville et château – 🛗, 🍽️ rest, 📺 ☎. 🆎 ⑩ **E** 𝖵𝖨𝖲𝖠. ⚘ rest   Y c
fermé merc. non fériés sauf en saison – **Repas** Lunch 980 – 1850 – **11 ch** ⚏ 1650/2500.

🏨 **La Porte de France,** Porte de France 1, ℰ (0 61) 46 62 66, Fax (0 61) 46 89 15, 🍴
– 🛗 📺 ☎ – 🔬 25 à 45. 🆎 ⑩ **E** 𝖵𝖨𝖲𝖠   Z d
fermé du 5 au 21 janv. – **Repas** Lunch 595 – 900/1290 – **29 ch** ⚏ 2200/3300 –
½ P 2250/2750.

🏠 **Aub. d'Alsace et H. de France,** Faubourg de France 1, 𝒫 (0 61) 46 65 88,
🍴 Fax (0 61) 46 83 21, ≤ – 🛗 📺 ☎. ⅍ ⓞ Ε 𝘝𝘐𝘚𝘈. ✕
Z k
fermé du 3 au 31 janv. – **Repas** Lunch 550 – 850 – **33 ch** ⊇ 2460 – ½ P 2050/2350.

🏠 **Poste,** pl. St-Arnould 1, 𝒫 (0 61) 46 65 06, Fax (0 61) 46 72 02, ≤ – 🛗 📺 ☎ 🚗. ⅍
🍴 ⓞ Ε 𝘝𝘐𝘚𝘈
Y n
Repas Lunch 495 – 695/1795 – **66 ch** ⊇ 2090/3100 – ½ P 2100/2570.

🏠 **Host. du Cerf,** rte de Florenville 1 (SE par ② : 9 km sur N 83), 𝒫 (0 61) 46 70 11,
🍴 Fax (0 61) 46 83 14, ⇗ – 📺 ☎ ⓟ. ⅍ Ε 𝘝𝘐𝘚𝘈. ✕ rest
fermé du 20 au 30 juin et du 20 au 30 sept. ; ouvert week-end seult du 1er nov. au 22 déc.
et du 2 janv. au 1er avril – **Repas** (fermé après 20 h 30) Lunch 590 – 750/1675 – **13 ch**
⊇ 1500/2300 – ½ P 1800/2150.

🏠 **le Mont Blanc,** Quai du Rempart 3, 𝒫 (0 61) 46 63 31, Fax (0 61) 46 82 74, ⇗ –
🍴 ▤ rest, 📺 ☎. ⅍ ⓞ Ε 𝘝𝘐𝘚𝘈. ✕ ch
Y e
fermé du 1er au 12 oct. et mardis non fériés sauf en juil.-août – **Repas** (Taverne-rest) Lunch
460 – 785 – **6 ch** ⊇ 1700/2200 – ½ P 1700.

𝑋𝑋𝑋 **La Pommeraie** ⌕ avec ch, r. Poste 2, 𝒫 (0 61) 46 90 17, Fax (0 61) 46 90 83, ≤,
✧ ⇗, « Ancienne demeure avec terrasses », 🌳 – 📺 ☎ ⓟ. ⅍ ⓞ Ε 𝘝𝘐𝘚𝘈.
✕ rest
Z b
fermé du 22 au 26 juin, 28 sept.-9 oct., 2 sem. en janv., mardis et merc. sauf en juil.-août
et jours fériés – **Repas** Lunch 900 – 1390/1950, carte env. 1700 – ⊇ 300 – **10 ch**
2400/3500 – ½ P 2200/2750
Spéc. Raviolis aux crustacés dans leur jus crémeux. Marbré de foie gras et aiguillettes de
bœuf en gelée de vieux Porto. Nougat glacé au coulis de fruits rouges.

à Corbion par ③ : 7 km ⓒ Bouillon – ⊠ 6838 Corbion :

🏠 **Ardennes** ⌕, r. Hate 1, 𝒫 (0 61) 46 66 21, Fax (0 61) 46 77 30, « Jardin ombragé avec
⌓ ≤ collines boisées », ✕ – 🛗, ▤ rest, 📺 ☎ ⓟ – ⛱ 30. ⅍ ⓞ Ε 𝘝𝘐𝘚𝘈
mi-mars-2 janv. ; fermé fin sept.-début oct. – **Repas** Lunch 850 – 985/1850 – **29 ch**
⊇ 2500/3600 – ½ P 2600/2900.

🏠 **Le Relais,** r. Abattis 5, 𝒫 (0 61) 46 66 13, Fax (0 61) 46 89 50, ⇗ – ☎. 𝘝𝘐𝘚𝘈
🍴 **Repas** (fermé après 20 h 30) 700/900 – **11 ch** ⊇ 2100 – ½ P 1800.

BOURG-LÉOPOLD Limburg – voir Leopoldsburg.

BOUSSU-EN-FAGNE Namur 🎟🎟 ⑭ et 🔢🔢 G 5 – voir à Couvin.

BOUVIGNES-SUR-MEUSE Namur 🎟🎟 ⑤ et 🔢🔢 H 5 – voir à Dinant.

BRAINE-L'ALLEUD (EIGENBRAKEL) 1420 Brabant Wallon 🎟🎟 ⑱ et 🔢🔢 G 3 – 34 190 h.
🏌 (2 parcours) 🏌 chaussée d'Alsemberg 1021 𝒫 (0 2) 353 02 46, Fax (0 2) 354 68 75.
Bruxelles 18 – Charleroi 37 – Nivelles 15 – Waterloo 4.

𝑋𝑋 **Jacques Marit,** chaussée de Nivelles 336 (près RO sortie 20 sur N 27),
𝒫 (0 2) 384 15 01, Fax (0 2) 384 10 42, ⇗, « Jardin » – ▤ ⓟ. ⅍ ⓞ Ε 𝘝𝘐𝘚𝘈
fermé lundi, mardi, 1 sem. après Pâques, août et prem. sem janv. – **Repas** Lunch 1200 –
1600/1950.

𝑋𝑋 **La Graignette,** r. Papyrée 39, 𝒫 (0 2) 385 01 09, Fax (0 2) 385 01 09, ≤, ⇗ – ⓟ. ⅍
ⓞ Ε 𝘝𝘐𝘚𝘈
fermé dim. soir, lundi, mardi soir et 3 prem. sem. août – **Repas** Lunch 650 – 950/
1650.

𝑋𝑋 **Le Saint Anne,** pl. Ste-Anne 17, 𝒫 (0 2) 387 15 74, Fax (0 2) 384 06 68, ⇗ – ⅍ ⓞ
Ε 𝘝𝘐𝘚𝘈
fermé dim. soir et lundi – **Repas** Lunch 490 – carte env. 1100.

BRAINE-LE-COMTE ('s-GRAVENBRAKEL) 7090 Hainaut 🎟🎟 ⑱ et 🔢🔢 F 4 – 18 268 h.
Bruxelles 34 – Mons 25.

𝑋 **Au Gastronome,** r. Mons 1, 𝒫 (0 67) 55 26 47, Fax (0 67) 55 26 47 – ⅍ ⓞ
🍴 Ε 𝘝𝘐𝘚𝘈
fermé dim. soir, lundi et fin juin-20 juil. – **Repas** Lunch 650 – 775/1250.

BRAS Luxembourg belge 🎟🎟 ⑰ et 🔢🔢 J 6 – voir à Libramont.

BRASSCHAAT Antwerpen 🎟🎟 ⑮ et 🔢🔢 G 2 - ⑨ N – voir à Antwerpen, environs.

BRECHT *2960 Antwerpen* 2️⃣1️⃣2️⃣ ⑮ *et* 4️⃣0️⃣9️⃣ *G 1 – 23597 h.*
Bruxelles 73 – Antwerpen 25 – Turnhout 25.

🏨 **Kasteelhoeve Nottebohm** ⤴, Brasschaatbaan 28 (SO : 6,5 km), ✆ (0 3) 633 11 66,
Fax (0 3) 663 70 40, ≼, 🍽, « Parc », 🛴, 🏊, 🚲 – 📺 ☎ 🅿 – 🔏 25. 🆎 ⓪ 🅴 *VISA*.
🍴
fermé 15 sept.-8 oct. – **Repas** *(fermé lundi et mardi)* 950/1550 – ⬚ 300 – **12 ch**
2600/3000 – ½ P 2500/3600.

🍴 **E 10 Hoeve,** Kapelstraat 8a (SO : 2 km sur N 115), ✆ (0 3) 313 82 85, Fax (0 3) 313 73 12,
🍽, Grillades, « Ferme aménagée » – 🅿 – 🔏 35 à 450. 🆎 ⓪ 🅴 *VISA* JCB. 🍴
Repas Lunch 975 – 1285/1300.

🍴 **Cuvee Hoeve,** Vaartdijk 4 (S : 2,5 km par rte de Westmalle), ✆ (0 3) 313 96 60, 🍽,
Ouvert jusqu'à minuit – 🍴 🅿. 🆎 ⓪ 🅴 *VISA* JCB
fermé lundi, mardi et fév. – **Repas** Lunch 970 – carte env. 1300.

BREDENE *8450 West-Vlaanderen* 2️⃣1️⃣3️⃣ ② *et* 4️⃣0️⃣9️⃣ *B 2 – 13020 h.*
🅱 *Kapellestraat 70* ✆ *(0 59) 32 09 98, Fax (0 59) 33 19 80.*
Bruxelles 112 – Brugge 23 – Oostende 6.

🏨 **Lusthof** ⤴, Zegelaan 18, ✆ (0 59) 33 00 34, Fax (0 59) 32 59 59, « Jardin », 🏊 – 📺
⊚ ☎ 🅿. 🅴 *VISA*. 🍴
Repas *(fermé merc. et dim. soir de sept. à mai)* lunch 395 – 850 – **13 ch** ⬚ 1600/2600
– ½ P 1450/1650.

🏨 **De Golf** sans rest, Kapellestraat 73, ✆ (0 59) 32 18 22, Fax (0 59) 33 17 36 – 📶 🅿. 🅴
VISA. 🍴
fermé fin déc.-début janv. – **16 ch** ⬚ 900/1800.

BREE *3960 Limburg* 2️⃣1️⃣3️⃣ ⑩ *et* 4️⃣0️⃣9️⃣ *J 2 – 13688 h.*
🅱 *Cobbestraat 3* ✆ *(0 89) 46 25 14, Fax (0 89) 46 25 14.*
Bruxelles 100 – Antwerpen 86 – Eindhoven 41 – Hasselt 33.

🍴🍴 **d'Itterpoort,** Opitterstraat 32, ✆ (0 89) 47 12 25 – 🍽. 🆎 ⓪ 🅴 *VISA*. 🍴
fermé mardi soir, merc. soir, 1 sem. carnaval et dern. sem. juil.-2 prem. sem. août – **Repas**
Lunch 1150 – carte env. 1900.

BROECHEM *Antwerpen* 2️⃣1️⃣2️⃣ ⑮ *et* 4️⃣0️⃣9️⃣ *G 2 – voir à Antwerpen, environs.*

BRUGGE — BRUGES

8000 🅿 *West-Vlaanderen* 🄔🄓🄖 ③ *et* 🄗🄘🄙 *C 2 – 115 815 h.*

Bruxelles 96 ③ *– Gent 45* ③ *– Lille 72* ④ *– Oostende 28* ⑤.

Liste alphabétique des hôtels et des restaurants	p. 2 et 3
Plans de Brugge	
Agglomération	p. 6
Brugge Centre	p. 7 et 8
Nomenclature des hôtels et des restaurants	
Ville	p. 4 à 11
Périphérie et environs	p. 11 à 12

OFFICES DE TOURISME

Burg 11 𝓟 *(050) 44 86 86, Fax (050) 44 86 00 et dans la gare, Stationsplein – Fédération provinciale de tourisme, Kasteel Tillegem* ✉ *8200 Sint-Michiels,* 𝓟 *(050) 38 02 96, Fax (050) 38 02 92.*

RENSEIGNEMENTS PRATIQUES

🏌18 *à Sijsele N E : 7 km, Doornstraat 16* 𝓟 *(050) 35 35 72, Fax (050) 35 89 25.*

CURIOSITÉS

Voir *La Procession du Saint-Sang*★★★ *(De Heilig Bloedprocessie) – Centre historique et canaux*★★★ *(Historisch centrum en grachten) : Grand-Place*★★ *(Markt) AU, Beffroi et Halles*★★★ *(Belfort en Hallen)* ≼★★ *du sommet AU, Place du Bourg*★★ *(Burg) AU, Basilique du Saint-Sang*★ *(Basiliek van het Heilig Bloed) : chapelle basse*★ *ou chapelle St-Basile (beneden-of Basiliuskapel) AU* **B**, *Cheminée du Franc de Bruges*★ *(schouw van het Brugse Vrije) dans le Palais du Franc de Bruges (Paleis van het Brugse Vrije) AU* **S**, *Quai du Rosaire (Rozenhoedkaai)* ≼★★ *AU 63, Dijver* ≼★★ *AU, Pont St-Boniface (Bonifatiusbrug) : cadre*★★ *AU, Béguinage*★★ *(Begijnhof) AV – Promenade en barque*★★★ *(Boottocht) AU – Église Notre-Dame*★ *(O.-L.-Vrouwekerk) : tour*★★*, statue de la Vierge et l'Enfant*★★*, tombeau*★★ *de Marie de Bourgogne*★★ *AU* **N**.

Musées : *Groeninge*★★★ *(Stedelijk Museum voor Schone Kunsten) AU – Memling*★★★ *(St-Janshospitaal) AV – Gruuthuse*★ *: buste de Charles Quint*★ *(borstbeeld van Karel V) AU* **M¹** *– Brangwyn*★ *AU* **M⁴** *– du Folklore*★ *(Museum voor Volkskunde) DY* **M².**

Env. *Zedelgem : fonts baptismaux*★ *dans l'église St-Laurent (St-Laurentiuskerk) par* ⑥ *: 10,5 km – Damme*★ *: 7.km au NE.*

Liste alphabétique des hôtels et restaurants
Alfabetische lijst van hotels en restaurants
Alphabetisches Hotel- und Restaurantverzeichnis
Alphabetical list of hotels and restaurants

A

5 Acacia
5 Adornes
9 Albert I
5 Alfa Dante
9 Anselmus
11 Apertje ('t)
5 Aragon
5 Azalea

B

11 bezemtje ('T)
10 Bhavani
5 Biskajer
11 Bloemenhof (het)
11 Boekeneute (De)
9 Botaniek
9 Bourgoensch Hof
10 Bourgoensche Cruyce ('t)
10 Braamberg (Den)
10 Brasserie Raymond
5 Bryghia

C

10 Cafedraal
11 Campanile
11 Casserole
5 Castillion (De)
4 Crowne Plaza

D

4 De' Medici
4 Die Swaene
10 Duc de Bourgogne
10 Dijver (Den)

E – F

9 Egmond
9 Fevery
5 Flanders

G

5 Gd H. Oude Burg
9 Gd H. du Sablon
9 Gouden Harynck (Den)
11 Gouden Korenhalm (De)

H – I

5 Hansa
10 Hemelryche
11 Herborist
10 Hermitage
10 Huyze Die Maene
9 Ibis

J

9 Jacobs
5 Jan Brito

K

10 Kardinaalshof
9 Karmeliet (De)
5 Karos

L

12 Leegendael (Host.)
10 Lotteburg (De)

M – N

12 Manderley
12 Manoir Stuivenberg
9 Maraboe
9 Montovani
5 Navarra
5 Novotel Centrum
11 Novotel Zuid

O – P

4 Orangerie (De)
5 Pandhotel
10 Pandreitje ('t)
11 Pannenhuis (Host.)
5 Park
10 Patrick Devos
9 Patritius
9 Pauw (De)
5 Portinari
10 Presidentje ('t)
5 Prinsenhof
9 Putje ('t)

R

4 Relais Oud Huis Amsterdam
10 René
11 Ronnie Jonkman

S

9 Snippe (De)
4 Sofitel
10 Spinola
11 Steenhuyse
10 Stil Ende ('t)
11 Stove (De)

T

10 Tanuki
9 Ter Brughe
5 Ter Duinen
12 Ter Leepe
12 Ter Talinge
4 Tuilerieën (De)

V – W

11 Watermolen (De)
11 Wilgenhof
10 Witte Poorte (De)

Z

11 Zilverberk (De)
12 Zuidwege

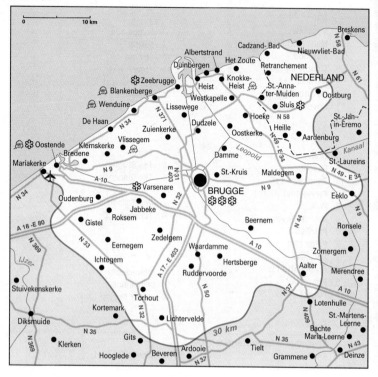

Quartiers du Centre - plans p. 7 et 8 :

Crowne Plaza ⑤, Burg 10, ℰ (0 50) 34 58 34, Fax (0 50) 34 56 15, ≼, « Importants vestiges et objets moyenâgeux en sous-sol », ⅃⊘, ⇔, 🔲 – 🛊 ⤬ ▤ 📺 ☎ ⅙ ☞ 🄿 – 🚗 25 à 400. 🆎 ⓪ ℰ 𝘝𝘐𝘚𝘈 𝙹𝘾𝘉. ⅗
AU a

Repas 't Kapittel *(fermé merc. soir, sam. midi et dim.)* Lunch 995 bc - 1250 bc/2155 bc – **De Linde** carte env. 1100 – 🖙 620 – **93 ch** 6900/7600, 3 suites.

de' Medici ⑤, Potterierei 15, ℰ (0 50) 33 98 33 et 44 31 31 (rest), Fax (0 50) 33 07 64 et 33 05 71 (rest), « Ambiance contemporaine », ⅃⊘, ⇔ – 🛊 ⤬ 📺 ☎ ⅙ ☞ 🄿 – 🚗 25 à 60. 🆎 ⓪ ℰ 𝘝𝘐𝘚𝘈 𝙹𝘾𝘉. ⅗ rest
CX g

Repas (cuisine japonaise, teppan-yaki) *(fermé lundi et mardi midi)* 850/1480 – **79 ch** 🖙 4000/6500.

De Tuilerieën sans rest, Dijver 7, ℰ (0 50) 34 36 91, Fax (0 50) 34 04 00, ≼, ⇔, 🔲 – 🛊 📺 ☎ 🄿 – 🚗 25 à 45. 🆎 ⓪ ℰ 𝘝𝘐𝘚𝘈 𝙹𝘾𝘉
AU c
fermé 2 sem. en déc. – **24 ch** 🖙 7100/12250.

Relais Oud Huis Amsterdam ⑤ sans rest, Spiegelrei 3, ℰ (0 50) 34 18 10, Fax (0 50) 33 88 91, ≼, « Demeure du 17ᵉ s., ancien comptoir commercial hollandais », ⭐ – 🛊 ⤬ 📺 ☎ 🚗 – 🚗 25. 🆎 ⓪ ℰ 𝘝𝘐𝘚𝘈 𝙹𝘾𝘉
AT d
28 ch 🖙 4100/6500.

de orangerie ⑤ sans rest, Kartuizerinnenstraat 10, ℰ (0 50) 34 16 49, Fax (0 50) 33 30 16, « Demeure ancienne en bordure de canal » – 🛊 📺 ☎ 🄿. 🆎 ⓪ ℰ 𝘝𝘐𝘚𝘈 𝙹𝘾𝘉
AU e
fermé 19 janv.-4 fév. – **19 ch** 🖙 6950/7950.

Die Swaene ⑤, Steenhouwersdijk 1, ℰ (0 50) 34 27 98, Fax (0 50) 33 66 74, ≼, « Ameublement de style », ⇔, 🔲 – 🛊 📺 ☎ 🄿 – 🚗 30. 🆎 ⓪ ℰ 𝘝𝘐𝘚𝘈 𝙹𝘾𝘉
Repas *(fermé merc., jeudi midi, 2 sem. en juil. et 2 sem. en janv.)* Lunch 1250 – 1950 (2 pers. min.)/2650 – **21 ch** 🖙 6000/9150, 1 suite.
AU p

Sofitel, Boeveriestraat 2, ℰ (0 50) 34 09 71, Fax (0 50) 34 40 53, ⇔, 🔲, ⭐ – 🛊 ⤬ ▤ 📺 ☎ – 🚗 25 à 150. 🆎 ⓪ ℰ 𝘝𝘐𝘚𝘈 𝙹𝘾𝘉
CZ b
Repas 1050/1700 – 🖙 550 – **155 ch** 5900/6900.

🏨 **Park** sans rest, Vrijdagmarkt 5, ℘ (0 50) 33 33 64, Fax (0 50) 33 47 63 – 🛗 📺 ☎ 🚗
– ⚐ 25 à 250. 🖭 ① 🗲 *VISA*   CY j
86 ch ⇌ 4280/5560.

🏨 **Acacia** sans rest, Korte Zilverstraat 3a, ℘ (0 50) 34 44 11, Fax (0 50) 33 88 17, ⇌, 🔲
– 🛗 📺 ☎ 🚗 🅿 – ⚐ 25 à 40. 🖭 ① 🗲 *VISA* 🇯🇨🇧 ⚘   AU n
fermé 3 prem. sem. janv. – **34 ch** ⇌ 3450/5450, 2 suites.

🏨 **Prinsenhof** ⚗ sans rest, Ontvangersstraat 9, ℘ (0 50) 34 26 90, Fax (0 50) 34 23 21,
« Aménagement cossu » – 🛗 📺 ☎ 🅿. 🖭 ① 🗲 *VISA* 🇯🇨🇧   CY s
16 ch ⇌ 3500/6800.

🏨 **Pandhotel** sans rest, Pandreitje 16, ℘ (0 50) 34 06 66, Fax (0 50) 34 05 56,
« Aménagement cossu » – 🛗 📺 ☎. 🖭 ① 🗲 *VISA* 🇯🇨🇧   AU u
24 ch ⇌ 4090/5090.

🏨 **Navarra** sans rest, St-Jakobsstraat 41, ℘ (0 50) 34 05 61, Fax (0 50) 33 67 90, ♿, ⇌,
🔲 – 🛗 📺 ☎ – ⚐ 25 à 110. 🖭 ① 🗲 *VISA*   AT n
88 ch ⇌ 3500/5250.

🏨 **Novotel Centrum** ⚗, Katelijnestraat 65b, ℘ (0 50) 33 75 33, Telex 81799,
Fax (0 50) 33 65 56, 🌤, 🔲, 🌳 – 🛗 ✦ 🍽 ☎ ♿ – ⚐ 50 à 400. 🖭 ① 🗲
VISA 🇯🇨🇧   AV h
Repas (diner seult) carte env. 1100 – ⇌ 450 – **126 ch** 3750/4100.

🏨 **Karos** sans rest, Hoefijzerlaan 37, ℘ (0 50) 34 14 48, Fax (0 50) 34 00 91, ⇌, 🔲 – 🛗
🍽 ☎ 🅿 🖭 *VISA*   BY f
fermé 2 janv.-15 fév. – **60 ch** ⇌ 2900/4800.

🏨 **Portinari** ⚗ sans rest, 't Zand 15, ℘ (0 50) 34 10 34, Fax (0 50) 34 41 80 – 🛗 ✦ 🍽
📺 ☎ ♿ 🚗 – ⚐ 25 à 80. 🖭 ① 🗲 *VISA* 🇯🇨🇧   CY k
fermé 2 janv.-1er fév. – **40 ch** ⇌ 3500/5200.

🏨 **Jan Brito** sans rest, Freren Fonteinstraat 1, ℘ (0 50) 33 06 01, Fax (0 50) 33 06 52,
« Façade avec pignons à redans, décoration intérieure 16, 17 et 18e s. », 🌳 – 🛗 🍽 📺
☎ 🅿. 🖭 ① 🗲 *VISA* 🇯🇨🇧   AU j
fermé 5 janv.-5 fév. – **18 ch** ⇌ 3200/6500.

🏨 **Alfa Dante,** Coupure 29a, ℘ (0 50) 34 01 94, Fax (0 50) 34 35 39, ≼ – 🛗 ✦ 📺 ☎.
🖭 ① 🗲 *VISA* 🇯🇨🇧. ⚘   DY m
Repas (cuisine végétarienne) (fermé dim. soir, lundi et mardi) carte env. 1100 – **22 ch**
⇌ 3150/4650.

🏨 **De Castillion,** Heilige Geeststraat 1, ℘ (0 50) 34 30 01, Fax (0 50) 33 94 75, 🌤, ⇌
– 📺 ☎ 🅿 – ⚐ 25 à 50. 🖭 ① 🗲 *VISA* 🇯🇨🇧. ⚘ rest   AU r
Repas (fermé dim. soirs, lundis midis et mardis midis non fériés) Lunch 995 – 1850/1975
– **20 ch** ⇌ 3500/7500 – ½ P 2750/3750.

🏨 **Ter Duinen** ⚗ sans rest, Langerei 52, ℘ (0 50) 33 04 37, Fax (0 50) 34 42 16, ≼ – 🛗
🍽 📺 ☎ 🚗 🅿. 🖭 ① 🗲 *VISA* 🇯🇨🇧. ⚘   CX x
fermé janv. – **20 ch** ⇌ 2400/4200.

🏨 **Hansa** sans rest, N. Desparsstraat 11, ℘ (0 50) 33 84 44, Fax (0 50) 33 42 05 – 🛗 📺
☎ 🚗 – ⚐ 30. 🖭 ① 🗲 *VISA* 🇯🇨🇧. ⚘   AT k
20 ch ⇌ 3500/5500.

🏨 **Flanders** sans rest, Langestraat 38, ℘ (0 50) 33 88 89, Fax (0 50) 33 93 45, 🔲 – 🛗 📺
☎ 🅿. 🖭 ① 🗲 *VISA* 🇯🇨🇧   DY a
6 mars-2 janv. – **16 ch** ⇌ 3500/4500.

🏨 **Gd H. Oude Burg** sans rest, Oude Burg 5, ℘ (0 50) 44 51 11, Fax (0 50) 44 51 00, 🌳
– 🛗 📺 ☎ 🚗 – ⚐ 25 à 210. 🖭 ① 🗲 *VISA* 🇯🇨🇧   AU i
138 ch ⇌ 4000/5000.

🏨 **Bryghia** sans rest, Oosterlingenplein 4, ℘ (0 50) 33 80 59, Fax (0 50) 34 14 30 – 🛗 📺
☎ 🚗. 🖭 ① 🗲 *VISA* 🇯🇨🇧. ⚘   AT t
fermé 5 janv.-15 fév. – **18 ch** ⇌ 3500/4500.

🏨 **Adornes** sans rest, St-Annarei 26, ℘ (0 50) 34 13 36, Fax (0 50) 34 20 85, ≼, « Caves
voûtées d'époque » – 🛗 📺 ☎ 🅿. 🖭 🗲 *VISA* 🇯🇨🇧   AT u
fermé janv.-13 fév. – **20 ch** ⇌ 2600/3600.

🏨 **Aragon** sans rest, Naaldenstraat 24, ℘ (0 50) 33 35 33, Fax (0 50) 34 28 05 – 🛗 📺 ☎
🚗. 🖭 🗲 *VISA*   AT v
15 mars-déc. – **39 ch** ⇌ 4000/4500.

🏨 **Biskajer** ⚗ sans rest, Biskajersplein 4, ℘ (0 50) 34 15 06, Fax (0 50) 34 39 11 – 🛗 📺
☎. 🖭 ① 🗲 *VISA*   AT w
17 ch ⇌ 3300/4150.

🏨 **Azalea** sans rest, Wulfhagestraat 43, ℘ (0 50) 33 14 78, Fax (0 50) 33 97 00, « Terrasse
en bordure de canal » – 🛗 📺 ☎ 🚗 🅿. 🖭 ① 🗲 *VISA* 🇯🇨🇧   CY y
fermé du 22 au 26 déc. – **25 ch** ⇌ 3200/5200.

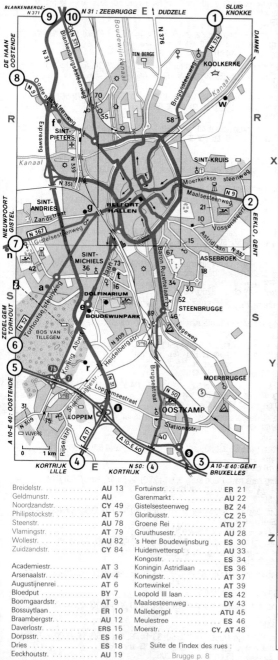

Breidelstr. . . . . **AU** 13
Geldmunstr. . . . . **AU**
Noordzandstr. . . . . **CY** 49
Philipstockstr. . . . . **AT** 57
Steenstr. . . . . **AU** 78
Vlamingstr. . . . . **AU** 79
Wollestr. . . . . **AU** 82
Zuidzandstr. . . . . **CY** 84

Academiestr. . . . . **AT** 3
Arsenaalstr. . . . . **AV** 4
Augustijnenrei . . . . **AT** 6
Bloedput . . . . **BY** 7
Boomgaardstr. . . . . **AT** 9
Bossuytlaan . . . . **ER** 10
Braambergstr. . . . . **AU** 12
Daverlostr. . . . . **ERS** 15
Dorpsstr. . . . . **ES** 16
Dries . . . . **ES** 18
Eeckhoutstr. . . . . **AU** 19

Fortuinstr. . . . . **ER** 21
Garenmarkt . . . . **AU** 22
Gistelsesteenweg . . . . . . **BZ** 24
Gloribusstr. . . . . **CZ** 25
Groene Rei . . . . **ATU** 27
Gruuthusestr. . . . . **AU** 28
's Heer Boudewijnsburg . . . **ES** 30
Huidenvetterspl. . . . . . . **AU** 33
Kongostr. . . . . **ES** 34
Koningin Astridlaan . . . . **ES** 36
Koningstr. . . . . **AT** 37
Kortewinkel . . . . **AT** 39
Leopold III laan . . . . **ES** 42
Maalsesteenweg . . . . . . **DY** 43
Mallebergpl. . . . . **ATU** 45
Meulestree . . . . **ES** 46
Moerstr. . . . . **CY, AT** 48

Suite de l'index des rues :
Brugge p. 8

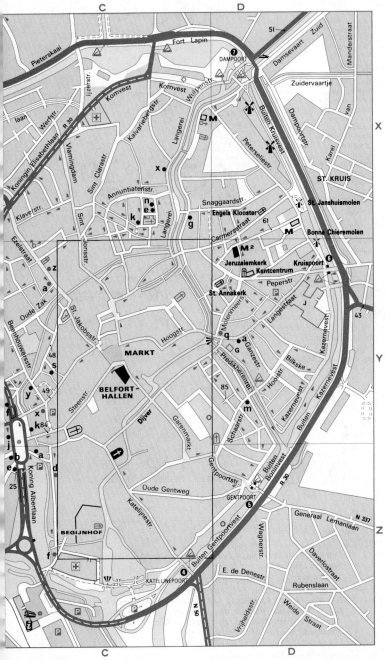

INDEX DES RUES
(fin)

Noorweegsekaai ...... **DX** 51
Odegenstr. .... **ES** 52
Oude Burg .... **AU** 54
Pathoekeweg .... **ER** 55
van Praetstr. .... **ER** 58
Predikherenstr. ...... **AU** 60
Rolweg .... **DX** 61
Rozenhoedkaai ...... **AU** 63
Simon Stevinpl. ..... **AU** 64
Sint-Jansstr. .... **AT** 66
Sint-Katarinastr. .... **ERS** 67
Sint-Michielstr. ...... **ES** 69
Sint-Pieterskerklaan .... **ER** 70
Spanjaardstr. .... **AT** 72
Spoorwegstr. .... **ES** 73
Steenhouwersdijk .... **AU** 76
Wijngaardstr. .... **AV** 81
Zwarte Leertouwersstr. . **DY** 85

OOSTKAMP

Kortrijkstr. .... **ES** 60

ZUIENKERKE

Heidelbergstr. .... **ES** 31
Stationstr. .... **ES** 75

*Si vous cherchez
un hôtel tranquille,
consultez d'abord les
cartes de l'introduction
ou repérez dans le texte
les établissements
indiqués
avec le signe* ⑤ *ou* ⑤

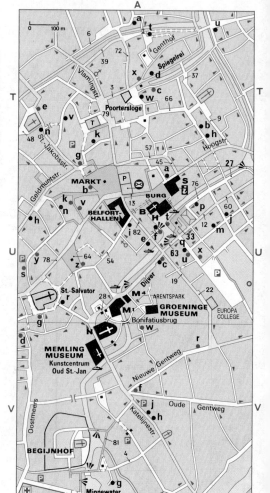

't Putje (avec annexe 🏠), 't Zand 31, ℰ (0 50) 33 28 47, Fax (0 50) 34 14 23, 🌧 –
🛗 📺 ☎ – 🏛 30. ☭ ⓞ Ε 𝗩𝗜𝗦𝗔 ᴊᴄ̇ʙ. ✼ ch   CZ a
Repas (Taverne-rest, grillades, ouvert jusqu'à minuit) Lunch 295 – 850/995 – **24 ch**
☲ 1700/3400 – ½ P 1925/3950.

Patritius sans rest, Riddersstraat 11, ℰ (0 50) 33 84 54, Fax (0 50) 33 96 34, 🌧 – 🛗
📺 ☎ ☁ ☞ ❷ – 🏛 25. ☭ ⓞ Ε 𝗩𝗜𝗦𝗔 ᴊᴄ̇ʙ   AT b
fermé janv.-15 fév. – **16 ch** ☲ 2400/4000.

Anselmus sans rest, Riddersstraat 15, ℰ (0 50) 34 13 74, Fax (0 50) 34 19 16 – 📺 ☎.
☭ Ε 𝗩𝗜𝗦𝗔   AT h
fermé janv. – **10 ch** ☲ 2700/2900.

Botaniek 🏠 sans rest, Waalsestraat 23, ℰ (0 50) 34 14 24, Fax (0 50) 34 59 39 – 🛗
📺 ☎ ❷. ☭ ⓞ Ε 𝗩𝗜𝗦𝗔 ᴊᴄ̇ʙ – **9 ch** ☲ 2500/2700.   AU m

Ter Brugge sans rest, Oost-Gistelhof 2, ℰ (0 50) 34 03 24, Fax (0 50) 33 88 73,
« Anciennes caves voûtées » – 📺 ☎ ☭ ⓞ Ε 𝗩𝗜𝗦𝗔   AT a
23 ch ☲ 2900/4400.

Egmond 🏠 sans rest, Minnewater 15, ℰ (0 50) 34 14 45, Fax (0 50) 34 29 40, ≤,
« Résidence début du siècle sur jardin » – 📺 ☎ ❷. ✼   AV g
fermé du 5 au 31janv. – **8 ch** ☲ 3400/3950.

Albert I sans rest, Koning Albert I-laan 2, ℰ (0 50) 34 09 30, Fax (0 50) 33 84 18 – 📺
☎ ☞, ☭ ⓞ Ε ✼   CZ e
fermé 22 déc.-15 janv. – **10 ch** ☲ 2600/3200.

Maraboe sans rest, Hoefijzerlaan 9, ℰ (0 50) 33 81 55, Fax (0 50) 33 29 28 – 📺 ☎ ☞.
☭ ⓞ Ε 𝗩𝗜𝗦𝗔 ᴊᴄ̇ʙ   CY f
9 ch ☲ 2000/3200.

Jacobs 🏠 sans rest, Baliestraat 1, ℰ (0 50) 33 98 31, Fax (0 50) 33 56 94 – 🛗 📺 ☎.
☭ ⓞ Ε 𝗩𝗜𝗦𝗔   CX k
fermé 31 déc.-1er fév. – **25 ch** ☲ 2100/2600.

Gd H. du Sablon, Noordzandstraat 21, ℰ (0 50) 33 39 02, Fax (0 50) 33 39 08,
« Hall début du siècle avec coupole Art Déco » – 🛗 📺 ☎ – 🏛 25 à 100. ☭ ⓞ Ε 𝗩𝗜𝗦𝗔
Repas (résidents seult) – **38 ch** ☲ 2950/3700 – ½ P 2300/2450.   AU h

Bourgoensch Hof, Wollestraat 39, ℰ (0 50) 34 63 78, ≤ canaux
et vieilles maisons flamandes, 🌧 – 🛗 📺 ☎ ☞ ❷. Ε 𝗩𝗜𝗦𝗔   AU f
fermé 10 janv.-15 fév. ; 18 nov.-15 mars ouvert week-end seult – **Repas** Lunch 1360 – carte
env. 1400 – **11 ch** ☲ 2450/5050 – ½ P 2550/3275.

Montovani 🏠 sans rest, Schouwvegerstraat 11, ℰ (0 50) 34 53 66, Fax (0 50)
34 53 67 – 📺 ☎. ☭ ⓞ Ε 𝗩𝗜𝗦𝗔. ✼   BY c
fermé 12 janv.-2 fév. – **13 ch** ☲ 1600/2600.

Fevery 🏠 sans rest, Collaert Mansionstraat 3, ℰ (0 50) 33 12 69, Fax (0 50) 33 17 91
– 🛗 📺 ☎ ❷. ☭ Ε 𝗩𝗜𝗦𝗔 ᴊᴄ̇ʙ. ✼   CX n
fermé janv. – **11 ch** ☲ 1800/2400.

De Pauw 🏠 sans rest, St-Gilliskerkhof 8, ℰ (0 50) 33 71 18, Fax (0 50) 34 51 40 – 📺
☎. ☭ ⓞ Ε 𝗩𝗜𝗦𝗔. ✼   CX e
fermé du 1er au 10 juil. et janv. – **8 ch** ☲ 1750/2350.

Ibis, Katelijnestraat 65a, ℰ (0 50) 33 75 75, Fax (0 50) 33 64 19 – 🛗 ✦ 📺 ☎ ☁. ☭
ⓞ Ε 𝗩𝗜𝗦𝗔 ᴊᴄ̇ʙ. ✼ rest   AV j
Repas (mars-nov.) 850 – ☲ 200 – **128 ch** 2200/3700 – ½ P 2295/2545.

De Karmeliet (Van Hecke), Langestraat 19, ℰ (0 50) 33 82 59, Fax (0 50) 33 10 11, 🌧,
« Ancienne maison patricienne, terrasse » – ❷. ☭ ⓞ Ε 𝗩𝗜𝗦𝗔 ᴊᴄ̇ʙ. ✼   DY q
fermé dim. midi en juin-août, dim. soir, lundi, 16 août-3 sept. et du 1er au 28 janv. – **Repas**
Lunch 2100 – 2600/3800, carte 2700 à 3700
Spéc. Suprêmes de pigeon rôti, ses cuisses confites et pied de porc en saucisson. Tuile
sucrée et salée aux grosses langoustines et chicons confits. Ravioli à la vanille et pommes
caramélisées en chaud-froid.

De Snippe (Huysentruyt) 🏠 avec ch, Nieuwe Gentweg 53, ℰ (0 50) 33 70 70,
Fax (0 50) 33 76 62, 🌧, « Maison du 18e s. avec décorations murales et terrasse
ombragée » – 🛗 📺 ☎ ❷. ☭ ⓞ Ε 𝗩𝗜𝗦𝗔   AV r
fermé 15 fév.-12 mars et 29 nov.-10 déc. – **Repas** (fermé dim. et lundi midi) Lunch 1950 bc
– 2500, carte 2900 à 3700 – **9 ch** (fermé dim. en hiver) ☲ 5000/5500
Spéc. Blanquette de crabe au Champagne. Filets d'anguilles de rivière à la vinaigrette
d'herbes. Ris de veau croustillant aux truffes et pointes vertes.

Den Gouden Harynck (Serruys), Groeninge 25, ℰ (0 50) 33 76 37, Fax (0 50) 34 42 70
– ❷. ☭ ⓞ Ε 𝗩𝗜𝗦𝗔 ᴊᴄ̇ʙ   AUV w
fermé dim., lundi, 1 sem. après Pâques, 2 dern. sem. juil.-prem. sem. août et dern. sem.
déc. – **Repas** Lunch 1300 – 2200, carte env. 2600
Spéc. Velouté de jeunes navets au foie gras poêlé. Homard vapeur à l'huile de noix et
gingembre. St-Pierre à la purée d'aubergines fumées et jus aux aromates.

XXXX **Duc de Bourgogne** avec ch, Huidenvettersplein 12, ☎ (0 50) 33 20 38, Fax (0 50) 34 40 37, ≤ canaux, « Cadre rustique et peintures murales de style fin Moyen Age » –
▤ rest, 🖵 ☎. ⏃ ⑩ Ɛ 𝘝𝘐𝘚𝘈 AU t
fermé 3 sem. en juil. et janv. – **Repas** (fermé lundi et mardi midi) Lunch 1250 – carte env. 2500 – **10 ch** ⌑ 3700/5300.

XXX **Den Braamberg,** Pandreitje 11, ☎ (0 50) 33 73 70, Fax (0 50) 33 99 73 – ⏃ Ɛ 𝘝𝘐𝘚𝘈
fermé jeudi et dim. – **Repas** carte 1650 à 2250. AU q

XXX **'t Pandreitje,** Pandreitje 6, ☎ (0 50) 33 11 90, Fax (0 50) 34 00 70 – ⏃ ⑩ Ɛ
𝘝𝘐𝘚𝘈 ᴊᴄʙ AU x
fermé merc., dim., 23 fév.-1er mars, du 5 au 22 juil. et du 1er au 8 nov. – **Repas** 1650/2350.

XXX **De Witte Poorte,** Jan Van Eyckplein 6, ☎ (0 50) 33 08 83, Fax (0 50) 34 55 60, 🛱,
« Salles voûtées, jardin intérieur clos de murs » – ⏃ ⑩ Ɛ 𝘝𝘐𝘚𝘈 ᴊᴄʙ AT x
fermé dim. et lundis non fériés, 2 sem. en juin et 2 sem. en janv. – **Repas** Lunch 1100 – 1700/1950.

XX **De Lotteburg,** Goezeputstraat 43, ☎ (0 50) 33 75 35, Fax (0 50) 33 04 04, 🛱, Produits de la mer – ▤. ⏃ 𝘝𝘐𝘚𝘈 ᴊᴄʙ. ⋘ AV d
fermé lundi, mardi, dern. sem. janv.-prem. sem. fév. et dern. sem. juil.-prem. sem. août –
Repas Lunch 1195 – 1695/1895.

XX **'t Stil Ende,** Scheepsdalelaan 12, ☎ (0 50) 33 92 03, Fax (0 50) 33 26 22, 🛱, « Intérieur moderne » – ▤. ⏃ ⑩ Ɛ 𝘝𝘐𝘚𝘈 BX a
fermé dim. soir, lundi, 2 sem. fin fév. et 2 sem. fin juil. – **Repas** 950/1950.

XX **'t Bourgoensche Cruyce** ⌂ avec ch, Wollestraat 41, ☎ (0 50) 33 79 26,
Fax (0 50) 34 19 68, ≤ canaux et vieilles maisons flamandes – |𝄢|, ▤ rest, 🖵 ☎. ⏃ ⑩ Ɛ 𝘝𝘐𝘚𝘈
Repas (fermé mardi, merc., prem. sem. juil. et 17 nov.-11 déc.) Lunch 1750 bc – 1800 – **8 ch**
(fermé 17 nov.-11 déc.) ⌑ 3400/4400 – ½ P 3500/4000. AU f

XX **Hermitage** (Dryepondt), Ezelstraat 18, ☎ (0 50) 34 41 73 – ⑩ Ɛ 𝘝𝘐𝘚𝘈 ᴊᴄʙ CY z
🕸 fermé dim., lundi et août – **Repas** (dîner seult) (nombre de couverts limité - prévenir) 2000
(2 pers. min.)/3000 bc, carte env. 2400
Spéc. Filet de rouget-barbet à la mousseline Soubise. Pot-au-feu de turbotin aux fines herbes. Éventail de magret au velouté de lentilles et salsifis confits.

XX **Kardinaalshof,** St-Salvatorskerkhof 14, ☎ (0 50) 34 16 91, Fax (0 50) 34 20 62, Produits de la mer – ⏃ ⑩ Ɛ 𝘝𝘐𝘚𝘈 AUV g
fermé merc., jeudi midi et 2 prem. sem. juil. – **Repas** 1100/1875.

XX **Patrick Devos,** Zilverstraat 41, ☎ (0 50) 33 55 66, Fax (0 50) 33 58 67, 🛱, « Intérieur
Belle Époque, patio » – ⏃ ⑩ Ɛ 𝘝𝘐𝘚𝘈 ᴊᴄʙ. ⋘ AU y
fermé dim., 21 juil.-8 août et du 24 au 30 déc. – **Repas** Lunch 1100 – 1700/2400.

XX **Bhavani,** Simon Stevinplein 5, ☎ (0 50) 33 90 25, Fax (0 50) 34 89 52, 🛱, Cuisine
indienne, ouvert jusqu'à 23 h – ⏃ ⑩ Ɛ 𝘝𝘐𝘚𝘈 ᴊᴄʙ AU z
Repas Lunch 550 – carte env. 1100.

XX **Den Dijver,** Dijver 5, ☎ (0 50) 33 60 69, Fax (0 50) 44 62 51, 🛱, Cuisine à la bière –
⏃ Ɛ 𝘝𝘐𝘚𝘈 AU c
fermé merc., 1 sem. fin fév., 1 sem. fin juin et 1 sem. fin août – **Repas** 1300 bc.

XX **Spinola,** Spinolarei 1, ☎ (0 50) 34 17 85, Fax (0 50) 34 13 71, « Rustique » – ⏃ ⑩ Ɛ
𝘝𝘐𝘚𝘈 ᴊᴄʙ AT c
fermé dim., lundi midi, 1 sem. fin mars, 2 sem. fin juin et 1 sem. fin janv. – **Repas** 1490/1850.

XX **Tanuki,** Oude Gentweg 1, ☎ (0 50) 34 75 12, Fax (0 50) 33 82 42, Cuisine japonaise,
teppan-yaki et sushi-bar – ▤. ⏃ Ɛ 𝘝𝘐𝘚𝘈 ᴊᴄʙ AV f
fermé lundi, mardi, 2 dern. sem. juil. et 2 dern. sem. janv. – **Repas** Lunch 430 – 1390/2100.

XX **Hemelrycke,** Dweersstraat 12, ☎ (0 50) 34 83 43, Fax (0 50) 34 83 43 – ⏃ ⑩ Ɛ 𝘝𝘐𝘚𝘈
⊜ fermé mardi, merc. et 1 sem. en sept. – **Repas** 795/1395. CY x

XX **'t Presidentje,** Ezelstraat 21, ☎ (0 50) 33 95 21, Fax (0 50) 34 65 23 – ⏃ ⑩
Ɛ 𝘝𝘐𝘚𝘈 CY a
fermé lundi, sam. midi, 1 sem. en juil. et 1 sem. en août – **Repas** Lunch 750 – 950/2000 bc.

X **Brasserie Raymond,** Eiermarkt 5, ☎ (0 50) 33 78 48, Fax (0 50) 33 78 48, 🛱, Ouvert
jusqu'à 23 h 30 – ⏃ ⑩ Ɛ 𝘝𝘐𝘚𝘈 ᴊᴄʙ AT g
fermé mardi, prem. sem. mars, 2 sem. en juil. et 1 sem. en nov. – **Repas** Lunch 475 – 995 bc.

X **Cafedraal,** Zilverstraat 38, ☎ (0 50) 34 08 45, Fax (0 50) 33 52 41, 🛱, Taverne-rest,
ouvert jusqu'à 23 h 30, « Demeure historique avec terrasse intérieur » – ⏃ ⑩ Ɛ 𝘝𝘐𝘚𝘈
ᴊᴄʙ AU s
fermé dim. et lundi – **Repas** Lunch 395 – carte 1250 à 1600.

X **Huyze Die Maene,** Markt 17, ☎ (0 50) 33 39 59, Fax (0 50) 33 44 60, Taverne-rest,
ouvert jusqu'à 23 h – ⏃ ⑩ Ɛ 𝘝𝘐𝘚𝘈 AU b
Repas Lunch 495 – 975.

X **René,** St-Jakobsstraat 58, ☎ (0 50) 34 12 24 – ⏃ Ɛ 𝘝𝘐𝘚𝘈. ⋘ AT e
fermé dim. soir, lundi et juil. – **Repas** 950/1295.

X **'T bezemtje,** Kleine Sint-Amandstraat 1, ℘ (0 50) 33 91 68 – 🆎 ⓪ 🅴 𝑉𝐼𝑆𝐴   AU v
fermé dim. soir, lundi, sem. carnaval et dern. sem. juil.-prem. sem. août – **Repas** *Lunch 1195 bc*
– 1395/2195 bc.

X **Steenhuyse,** Westmeers 29, ℘ (0 50) 33 32 24, Fax (0 50) 33 82 35, Grillades,
« Rustique » – 🆎 ⓪ 🅴 𝑉𝐼𝑆𝐴   CZ d
fermé merc. soir et jeudi – **Repas** *Lunch 1095 bc* – carte 1200 à 1600.

X **De Watermolen,** Oostmeers 130, ℘ (0 50) 34 33 48, Fax (0 50) 34 33 48, ≤, 🏠,
⊞ « Terrasse » – ⓟ. 🅴 𝑉𝐼𝑆𝐴   CZ f
*fermé lundi soir et jeudi soir d'oct. à avril, mardis soirs et merc. non fériés, 2 sem. en juin
et 2 sem. en oct.* – **Repas** *Lunch 450* – 825/1175.

X **De Stove,** Kleine Sint-Amandstraat 4, ℘ (0 50) 33 78 35, Fax (0 50) 33 79 32 – 🆎 ⓪
🅴 𝑉𝐼𝑆𝐴   AU k
*fermé jeudi de nov. à Pâques, jeudi midi de Pâques à nov., merc., 2e quinz. août et
2e quinz. janv.* – **Repas** 950/1350.

Périphérie - *plan p. 6 sauf indication spéciale :*

au Nord-Ouest – ✉ 8000 :

XX **De Gouden Korenhalm,** Oude Oostendsesteenweg 79a (Sint-Pieters),
℘ (0 50) 31 33 93, Fax (0 50) 31 18 96, 🏠, « Fermette de style flamand » – ⓟ. 🆎 ⓪
🅴 𝑉𝐼𝑆𝐴   ER f
fermé lundi, fin fév. et fin août – **Repas** *Lunch 995* – 1450/1950.

au Sud – ✉ 8200 :

🏨 **Novotel Zuid,** Chartreuseweg 20 (Sint-Michiels), ℘ (0 50) 40 21 40, Fax (0 50) 40 21 41,
⊞ 🔟 ☂, ≡ rest, 🔟 ☎ ♿ ⓟ – 🔏 25 à 200. 🆎 ⓪ 🅴 𝑉𝐼𝑆𝐴 𝐽𝐶𝐵   ES r
Repas *Lunch 590* – 850 – ⊑ 450 – **101 ch** 3000/3750 – ½ P 2875/3325.

🏨 **Campanile,** Jagerstraat 20 (Sint-Michiels), ℘ (0 50) 38 13 60, Fax (0 50) 38 45 42, 🏠
⊞ – ✦ 🔟 ☎ ♿ ⓟ – 🔏 35. 🆎 🅴 𝑉𝐼𝑆𝐴   ES e
Repas (avec buffet) *Lunch 325* – 850 – ⊑ 290 – **49 ch** 2200 – ½ P 1985.

XX **Casserole** (Établissement d'application hôtelière), Groene-Poortdreef 17 (Sint-Michiels),
℘ (0 50) 40 30 30, Fax (0 50) 40 30 35, 🏠, « Cadre de verdure » – ⓟ – 🔏 25. 🆎 ⓪
🅴 𝑉𝐼𝑆𝐴. ✀   ES t
fermé sam., dim. et vacances scolaires – **Repas** (déjeuner seult) *Lunch 950* – carte env. 1400.

au Sud-Ouest – ✉ 8200 :

🏨 **Host. Pannenhuis** ⌚, Zandstraat 2, ℘ (0 50) 31 19 07, Fax (0 50) 31 77 66, ≤, 🏠,
« Terrasse et jardin » – 🔟 ☎ ♿ ⓟ – 🔏 25. 🆎 ⓪ 🅴 𝑉𝐼𝑆𝐴 𝐽𝐶𝐵   ER g
Repas (fermé mardi soir, merc., 15 janv.-2 fév. et du 2 au 17 juil.) *Lunch 1300* – 1250/1750
– **18 ch** (fermé 15 janv.-2 fév.) ⊑ 3350/4080 – ½ P 2750/4450.

XX **Herborist** ⌚ avec ch, De Watermolen 15 (par ⑥ : 6 km puis à droite après E 40, Sint-
Andries), ℘ (0 50) 38 76 00, Fax (0 50) 39 31 06, 🏠, « Auberge dans cadre champêtre »,
🌳 – ≡ rest, 🔟 ☎ ⓟ. 🆎 🅴 𝑉𝐼𝑆𝐴. ✀ ch
fermé dim. soir, lundi, 22 mars-4 avril, 22 juin-4 juil., 22 sept.-4 oct. et 22 déc.-4 janv. –
Repas *Lunch 1750 bc* – 3150 bc/3650 bc – **4 ch** ⊑ 2850/3850.

X **De Boekeneute,** Torhoutsesteenweg 380 (Sint-Michiels), ℘ (0 50) 38 26 32 – 🆎 ⓪
🅴 𝑉𝐼𝑆𝐴   ES a
fermé dim. soir et lundi – **Repas** *Lunch 950* – 1700 bc/2100 bc.

à Dudzele *au Nord par N 376 : 9 km* ⓒ *Brugge* – ✉ 8380 Dudzele :

🏨 **het Bloemenhof** ⌚ sans rest, Damsesteenweg 96, ℘ (0 50) 59 81 34, Fax (0 50)
59 84 28, 🌳 – 🔟 ⓟ
7 ch ⊑ 1300/2600.

XX **De Zilverberk,** Westkapelsesteenweg 92, ℘ (0 50) 59 90 80, 🏠 – ⓟ. 🆎 ⓪ 🅴 𝑉𝐼𝑆𝐴.
✀
fermé dim. soir et lundi – **Repas** 1100/1950.

à Sint-Kruis *par ② : 6 km* ⓒ *Brugge* – ✉ 8310 Sint-Kruis :

🏨 **Wilgenhof** ⌚ sans rest, Polderstraat 151, ℘ (0 50) 36 27 44, Fax (0 50) 36 28 21, ≤,
« Cadre champêtre des polders », 🌳 – 🔟 ☎ ⓟ. 🆎 ⓪ 🅴 𝑉𝐼𝑆𝐴   ER w
fermé dern. sem. janv. – **6 ch** ⊑ 2500/4100.

XXX **Ronnie Jonkman,** Maalsesteenweg 438, ℘ (0 50) 36 07 67, Fax (0 50) 35 76 96, 🏠,
« Terrasses » – ⓟ. 🆎 ⓪ 🅴 𝑉𝐼𝑆𝐴 𝐽𝐶𝐵
fermé du 1er au 15 avril, du 15 au 30 juil., du 1er au 15 oct., dim. et lundi – **Repas** *Lunch
1850 bc* – carte 2100 à 2700.

X **'t Apertje,** Damse Vaart Zuid 223, ℘ (0 50) 35 00 12, Fax (0 50) 37 58 48, ≤, 🏠,
Taverne-rest – ⓟ
fermé lundi, dern. sem. juin-prem. sem. juil. et vacances Noël – **Repas** *Lunch 300* – carte 850
à 1150.

Environs

à Hertsberge *au Sud par N 50 : 12,5 km* Ⓒ *Oostkamp 21 008 h.* – ⊠ *8020 Hertsberge :*

XXX **Manderley,** Kruisstraat 13, ✆ (0 50) 27 80 51, Fax (0 50) 27 80 51, 佘, « Terrasse et jardin » – ❶. ⁰ ⓪ ⓔ 𝘝𝘐𝘚𝘈
fermé prem. sem. oct., 3 dern. sem. janv., jeudi soir en hiver, dim. soir et lundi – **Repas** *Lunch 1250* – 1750/2100.

à Ruddervoorde *au Sud par N 50 : 12 km* Ⓒ *Oostkamp 21 008 h.* – ⊠ *8020 Ruddervoorde :*

XX **Host. Leegendael** avec ch, Kortrijkstraat 498 (N 50), ✆ (0 50) 27 76 99, Fax (0 50) 27 58 80, « Demeure ancienne dans un cadre de verdure » – ▤ rest, 📺 ☎ ❶. ⁰ ⓪ ⓔ 𝘝𝘐𝘚𝘈
Repas *(fermé mardi, merc. et dim. soir)* *Lunch 990* – carte 1600 à 2000 – **6 ch** ⊑ 1750/2550.

à Varsenare - *plan p. 6 -* Ⓒ *Jabbeke 13 282 h.* – ⊠ *8490 Varsenare :*

XXX **Manoir Stuivenberg** (Scherrens frères) avec ch, Gistelsteenweg 27, ✆ (0 50)
❀ 38 15 02, Fax (0 50) 38 28 92, 佘 – ▮, ▤ rest, 📺 ☎ ❶ – 🅐 25 à 400. ⁰ ⓪ ⓔ 𝘝𝘐𝘚𝘈
❀   ERS n
fermé du 20 au 30 juil. – **Repas** *(fermé dim. soir et lundi)* *Lunch 1485* – 2450, carte 2150 à 3400 – **8 ch** ⊑ 4700/6750, 1 suite – ½ P 3960/4825
Spéc. Filets de rouget à la brunoise de câpres et citron. Poitrine de pigeon grillée en crapaudine. Soufflé chaud à la vanille, sauce au chocolat.

à Waardamme *au Sud par N 50 : 11 km* Ⓒ *Oostkamp 21 008 h.* – ⊠ *8020 Waardamme :*

XX **Ter Talinge,** Rooiveldstraat 46, ✆ (0 50) 27 90 61, Fax (0 50) 28 00 52, 佘, « Terrasse » – ❶. ⁰ ⓔ 𝘝𝘐𝘚𝘈
fermé merc., jeudi, 20 fév.-6 mars et 21 août-4 sept. – **Repas** *Lunch 1100* – carte 1400 à 1800.

à Zedelgem *par* ⑥ *: 10,5 km* – *21 381 h.* – ⊠ *8210 Zedelgem :*

🏠 **Zuidwege,** Torhoutsesteenweg 128, ✆ (0 50) 20 13 39, Fax (0 50) 20 17 39, 佘 – ⇔
📺 ☎ ❶ – 🅐 25. ⁰ ⓪ ⓔ 𝘝𝘐𝘚𝘈, ❀ ch
Repas (Taverne-rest) *(fermé sam., dim. midi et 20 déc.-5 janv.)* *Lunch 310* – carte 850 à 1300 – **17 ch** ⊑ 1850/2550 – ½ P 1485/3250.

XX **Ter Leepe,** Torhoutsesteenweg 168, ✆ (0 50) 20 01 97, Fax (0 50) 20 88 54 – ▤ ❶ – 🅐 220. ⁰ ⓪ ⓔ 𝘝𝘐𝘚𝘈
fermé du 22 au 28 fév., 2 dern. sem. juil., merc. soir et dim. – **Repas** *Lunch 1300 bc* – carte env. 1500.

Voir aussi : **Damme** *NE : 7 km,* **Lissewege** *par* ⑩ *: 10 km,* **Zeebrugge** *par* ⑩ *: 14 km*

BRUXELLES — BRUSSEL

1000 **P** *Région de Bruxelles-Capitale – Brussels Hoofdstedelijk Gewest* **213** ⑱
et **409** *G 3 –* ⑫ *S – 948 122 h.*

Paris 308 ⑥ *– Amsterdam 204* ⑪ *– Düsseldorf 222* ② *– Lille 116* ⑨ *–*
Luxembourg 219 ④.

Curiosités	p. 2 et 3
Situation géographique des communes	p. 4 et 5
Plans de Bruxelles	
Agglomération	p. 6 à 9
Bruxelles	p. 10 à 13
Agrandissements	p. 14 et 15
Répertoires des rues	p. 15 à 17
Liste alphabétique des hôtels et des restaurants	p. 18 à 21
Établissements à ❀, ❀❀, ❀❀❀	p. 22
La cuisine que vous recherchez	p. 23 et 24
Nomenclature des hôtels et des restaurants :	
Bruxelles ville	p. 25 à 31
Agglomération	p. 31 à 39
Environs	p. 39 à 43

OFFICES DE TOURISME

TIB Hôtel de Ville, Grand'Place ✉ *1000,* 📞 *(02) 513 89 40, Fax (02) 514 45 38.*
Office de Promotion du Tourisme (OPT), r. Marché-aux-Herbes 61, ✉ *1000,*
📞 *(02) 504 02 00, Fax (02) 513 69 50.*
Toerisme Vlaanderen, Grasmarkt 61, ✉ *1000,* 📞 *(02) 504 03 00, Fax (02) 513 88 03.*
Pour approfondir votre visite touristique, consultez le Guide Vert Bruxelles.

RENSEIGNEMENTS PRATIQUES

BUREAUX DE CHANGE

– *Principales banques : ferment à 16 h 30 et sam., dim.*
– *Près des centres touristiques il y a des guichets de change non-officiels.*

TRANSPORTS

Principales compagnies de Taxis :
Taxis Verts ℘ (02) 349 49 49
Taxis Oranges ℘ (02) 349 43 43
En outre, il existe les Taxis Tours faisant des visites guidées au tarif du taximètre. Se renseigner directement auprès des compagnies.

Métro :
STIB ℘ (02) 515 20 00 pour toute information.
Le métro dessert principalement le centre-ville, ainsi que certains quartiers de l'agglomération (Heysel, Anderlecht, Auderghem, Woluwé-St-Pierre). Aucune ligne de métro ne desservant l'aéroport, empruntez le train (SNCB) qui fait halte aux gares du Nord, Central et du Midi.
SNCB ℘ (02) 203 36 40.

Trams et Bus :
En plus des nombreux réseaux quadrillant toute la ville, le tram 94 propose un intéressant trajet visite guidée avec baladeur (3 h). Pour tout renseignement et réservation, s'adresser au TIB (voir plus haut).

🚗 *℘ (02) 203 36 40 et 203 28 80.*

COMPAGNIE BELGE DE TRANSPORT AÉRIEN

Sabena bureau, r. Marché-aux-Herbes 110, ✉ 1000, ℘ (02) 723 89 40, liaison directe avec l'aéroport, ℘ (02) 753 21 11.

CAPITALE VERTE

Parcs : de Bruxelles, Wolvendael, Woluwé, Laeken, Cinquantenaire, Duden. Bois de la Cambre. La Forêt de Soignes.

QUELQUES GOLFS

🏌 🏌 *à Tervuren par Tervurenlaan* (DN) : *14 km, Château de Ravenstein ℘ (02) 767 58 01, Fax (02) 767 28 41 –* 🏌 *à Melsbroek NE : 14 km, Steenwagenstraat 11 ℘ (02) 751 82 05, Fax (02) 751 84 25 –* 🏌 *à Anderlecht, Zone Sportive de la Pede* (AN)*, r. Scholle 1 ℘ (02) 521 16 87, Fax (02) 521 51 56 –* 🏌 *à Watermael-Boitsfort* (CN)*, chaussée de la Hulpe 53a ℘ (02) 672 22 22, Fax (02) 675 34 81 –* 🏌 *à Overijse par* ④ *: 16 km, Gemslaan 55 ℘ (02) 687 50 30, Fax (02) 687 37 68 –* 🏌 *à Itterbeek par* ⑧ *: 8 km, Kerkstraat 22 ℘ (02) 567 00 38, Fax (02) 567 02 23 –* 🏌 *à Kampenhout NE : 20 km, Wildersedreef 56 ℘ (016) 65 12 16, Fax (016) 65 16 80 –* 🏌 *à Duisburg E : 18 km, Hertswegenstraat 39 ℘ (02) 769 45 82, Fax (02) 767 97 52.*

CURIOSITÉS

BRUXELLES VU D'EN HAUT

Atomium★ BK – Basilique de Koekelberg★ ABL – Arcades du Musée royal de l'Armée et d'Histoire militaire★ HS M.

PERSPECTIVES CÉLÈBRES DE BRUXELLES

Palais de Justice ES – Cité administrative KY – Place Royale★ KZ.

QUELQUES MONUMENTS HISTORIQUES

Grand-Place★★★ JY – Théâtre de la Monnaie★ JY – Galeries St-Hubert★★ JY – Maison d'Erasme (Anderlecht)★★ AM – Maison Cauchie (Etterbeek)★ HSW – Château et parc de Gaasbeek (Gaasbeek)★★ (SO : 12 km par N 282 AN) – Serres royales (Laeken)★★ BK S[1] – Musée Horta (St-Gilles)★★ EFU M[10] – Maison Van Buuren (Uccle)★★ EFV M[13] – Old England★ KZ B.

ÉGLISES

Sts-Michel-et-Gudule★★ KY – *Église N.-D. de la Chapelle*★JZ – *Église N.-D. du Sablon*★ JZ – *Abbaye de la Cambre (Ixelles)*★★ FGV – *Sts-Pierre-et-Guidon (Anderlecht)*★ AM.

QUELQUES MUSÉES

Musée d'Art ancien★★★ KZ – *Musées Royaux d'Art et d'Histoire*★★★ HS **M⁷** – *Musée d'Art moderne*★★ KZ **M¹** – *Centre Belge de la BD*★★ KY **M⁵** – *Autoworld*★★ HS **M²³** – *Muséum des Sciences Naturelles*★★ GS **M⁹** – *Musée Instrumental*★★ JZ **M²** – *Musée Meunier (Ixelles)*★ FV **M¹²** – *Musée d'Ixelles (Ixelles)*★★ FGT **M¹¹** – *Musée Charlier*★ FR **M²¹** – *Bibliotheca Wittockiana (Woluwé-St-Pierre)*★ DM **B¹** – *Musée royal de l'Afrique centrale (Tervuren)*★★ (par ③).

ARCHITECTURE MODERNE

Atomium★ BK – *Centre Berlaymont* GR – *Parlement européen* GS – *Palais des Beaux Arts* KZ – *La Cité administrative* KY – *Les cités-jardins Le Logis et Floréal (Watermael-Boitsfort)* DN – *Les Cités-jardins Kapelleveld (Woluwé-St-Lambert)* DLM – *Campus de l'UCL (Woluwé-St-Lambert)* DL – *Palais Stoclet (Tervuren/Environs)* DM – *Swift (La Hulpe/Environs)* – *Vitrine P. Hankar*★ KY **F¹** – *Maison Communale d'Ixelles*★ FS **H¹** – *Hôtel Van Eetvelde*★ GR 187.

QUARTIERS PITTORESQUES

La Grand-Place★★★ JY – *Le Grand et le Petit Sablon*★★ JZ – *Les Galeries St-Hubert*★★ JY – *La place du Musée* KZ – *La place Ste-Catherine* JY – *Le vieux centre (Halles St-Géry – voûtement de la Senne – Église des Riches Claires)* ER – *Rue des Bouchers*★ JY – *Manneken Pis*★★ JZ – *Les Marolles* JZ – *La Galerie Bortier* JY.

LE SHOPPING

Grands Magasins : *Rue Neuve* JKY.

Commerces de luxe : *Avenue Louise* BMN, *Avenue de la Toison d'Or* KZ, *Boulevard de Waterloo* KZ, *rue de Namur* KZ.

Antiquités : *Le Sablon et alentours* JKZ.

Marché aux puces : *Place du Jeu de Balles* ES.

Galeries commerçantes : *Basilix, Westland Shopping Center, Woluwé Shopping Center, City 2, Galerie Louise.*

Les 19 communes bruxelloises

Bruxelles, capitale de la Belgique, est composée de 19 communes dont l'une, la plus importante, porte précisément le nom de "Bruxelles". Il existe également un certain nombre de "quartiers" dont l'intérêt historique, l'ambiance ou l'architecture leur ont acquis une renommée souvent internationale.

La carte ci-dessous vous indiquera la situation géographique de chacune de ces communes.

1 ANDERLECHT

2 AUDERGHEM

3 BERCHEM-SAINTE-AGATHE

4 BRUXELLES

5 ETTERBEEK

6 EVERE

7 FOREST

8 GANSHOREN

9 IXELLES

10 JETTE

11 KOEKELBERG

12 MOLENBEEK-SAINT-JEAN

13 SAINT-GILLES

14 SAINT-JOSSE-TEN-NOODE

15 SCHAERBEEK

16 UCCLE

17 WATERMAEL-BOITSFORT

18 WOLUWE-SAINT-LAMBERT

19 WOLUWE-SAINT-PIERRE

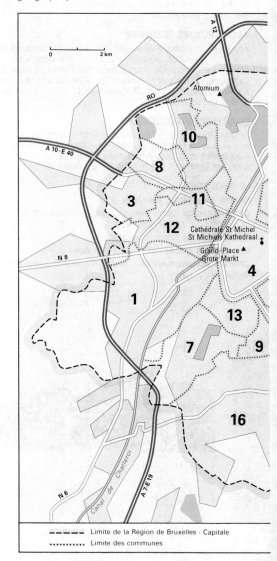

------- Limite de la Région de Bruxelles - Capitale

············ Limite des communes

De 19 Brusselse gemeenten

Brussel, hoofdstad van België, bestaat uit 19 gemeenten, waarvan de meest belangrijke de naam "Brussel" draagt. Daar zijn een aantal wijken, waar de geschiedenis, de sfeer en de architectuur gezorgd hebben voor de, vaak internationaal, verworven faam.

Onderstaande kaart geeft U een overzicht van de geografische ligging van elk van deze gemeenten.

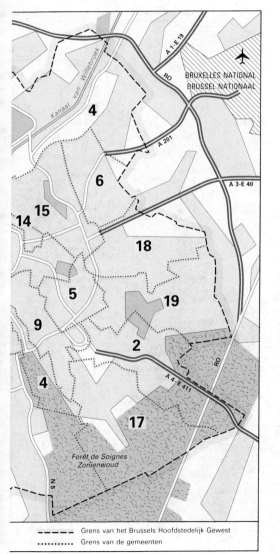

BRUXELLES NATIONAL
BRUSSEL NATIONAAL

Kanaal van Willebroek

Forêt de Soignes
Zoniënwoud

Grens van het Brussels Hoofdstedelijk Gewest
Grens van de gemeenten

Gemeente	Nr
ANDERLECHT	1
OUDERGEM	2
SINT-AGATHA-BERCHEM	3
BRUSSEL	4
ETTERBEEK	5
EVERE	6
VORST	7
GANSHOREN	8
ELSENE	9
JETTE	10
KOEKELBERG	11
SINT-JANS-MOLENBEEK	12
SINT-GILLIS	13
SINT-JOOST-TEN-NODE	14
SCHAARBEEK	15
UKKEL	16
WATERMAAL-BOSVOORDE	17
SINT-LAMBRECHTS-WOLUWE	18
SINT-PIETERS-WOLUWE	19

BRUXELLES
BRUSSEL

Broqueville (Av. de) . . . . . . **CM** 30
Charleroi (Chée de) . . . . . . **BM** 34
Croix-du-Feu (Av. des) . . . **BCK** 54
Démosthène
   Poplimont (Av.) . . . . **BL** 58

Edmond-Parmentier (Av.) **DM** 69
Emile-Bockstael (Bd) . . . . **BL** 75
Emile-Bossaert (Av.) . . . . **AL** 76
Emile-Vandervelde (Av.) . **DM** 82
France (R. de) . . . . **BM** 100
Houba de Strooper (Av.). **BK** 121
Jacques-Sermon (Av.) . . . **BL** 130
Jean-Sobieski (Av.) . . . . . **BK** 136
Jules van Praet (Av.) . . . . **BKL** 144

Madrid (Av. de) . . . . **BK** 166
Meysse (Av. de) . . . . **BK** 175
Port (Av. du) . . . . **BL** 198
Prince-de-Liège
   (Bd) . . . . **AM** 204
Robiniers (Av. des) . . . . . **BL** 211
Stockel (Chée de) . . . . . **DM** 232
Veeweyde (R. de) . . . . . **AM** 244
Vétérinaires (R. des) . . . . **BM** 247

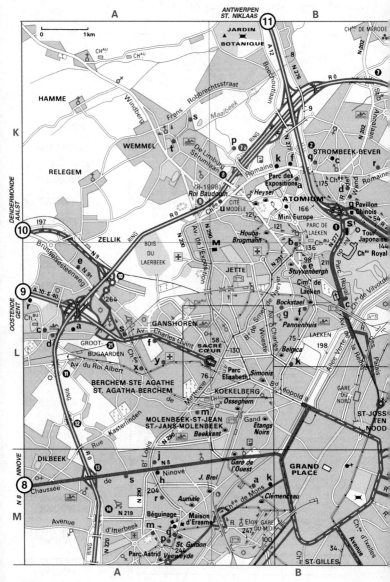

ENVIRONS

KRAAINEM

Wezembeek (Av. de) ... **DM** 259

STROMBEEK-BEVER

Antwerpselaan .... **BK** 9

VILVOORDE

Parkstraat .... **CK** 192
Stationlei .... **CK** 231
Vuurkruisenlaan .... **CK** 252

ZAVENTEM

Henneaulaan .... **DL** 115

ZELLIK

Pontbeeklaan .... **AK** 197
Zuiderlaan .... **AL** 264

Michelin n'accroche pas de panonceau aux hôtels et restaurants qu'il signale.

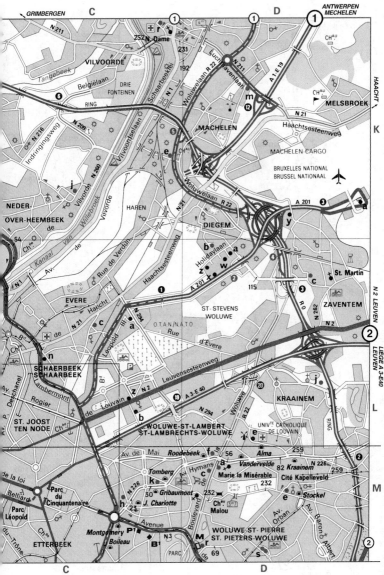

BRUXELLES
BRUSSEL

Alfred Madoux (Av.) ..... **DN** 6
Altitude 100 (Pl. de l') ... **BN** 7
Broqueville (Av. de) ...... **CM** 30
Charleroi (Chée de) ...... **BM** 34
Charroi (R. du) .... **ABN** 36
Delleur (Av.) .... **CN** 57

Edith Cavell (R.) .... **BN** 67
Edmond Parmentier (Av.) . **DM** 69
Emile Vandervelde (Av.) .. **DM** 82
Flagey (Pl.) .... **BN** 93
Fonsny (Av.) .... **BN** 94
Foresterie (Av. de la) .... **CN** 96
France (R. de) .... **BM** 100
Frans van Kalken (Av.) ... **AN** 103
Gén. Jacques (Bd) .... **CN** 109
Houzeau (Av.) .... **BN** 123
Louis Schmidt (Bd) ...... **CN** 162

Mérode (R. de) .... **BN** 174
Paepsem (Bd) .... **AN** 186
Parc (Av. du) .... **BN** 190
Plaine (Bd de la) .... **CN** 196
Prince-de-Liège (Bd) ..... **AM** 204
Stockel (Chée de) .... **DM** 232
Tervuren (Chée de) ...... **DN** 235
Th. Verhaegen (R.) ...... **BN** 237
Triomphe (Bd du) .... **CN** 240
Veeweyde (R. de) .... **AM** 244
Vétérinaires (R. des) .... **BM** 247

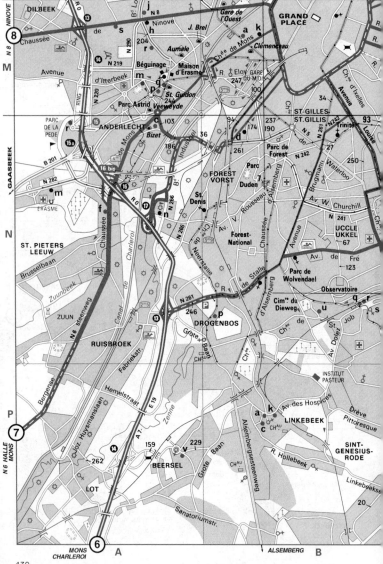

Vleurgat (Chée de) ...... **BN** 250
W. Ceuppens (Av.) ...... **BN** 261
2è Rég. de Lanciers
  (Av. du) .... **CN** 265

ENVIRONS

BEERSEL

Lotstraat .... **AP** 159
Schoolstraat .... **AP** 229

DROGENBOS

Verlengde
Stallestraat .... **AN** 246

KRAAINEM

Wezembeek (Av. de) .... **DM** 259

LOT

Zennestraat .... **AP** 262

ST-GENESIUS-RODE

Bevrijdingslaan .... **BP** 20
Zonienwoudlaan .... **CP** 263

*Le Guide change,
changez de guide
tous les ans.*

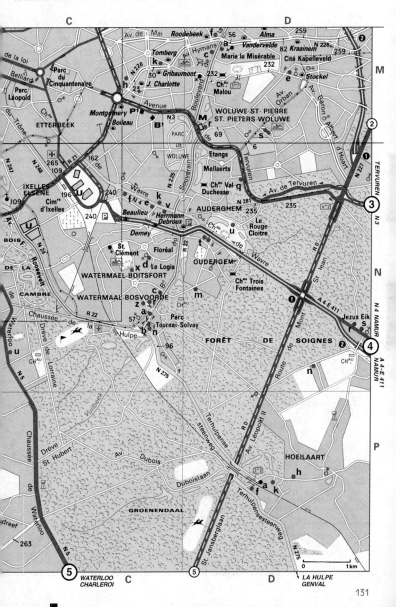

BRUXELLES
BRUSSEL

Louise (Galerie) .... **FS** 161
Midi (Bd du) .... **ES**

Baudouin (Bd) .... **EQ** 16
Bienfaiteurs (Pl. des) ... **GQ** 21
Brabançonne (Av. de la) . **GR** 28
Edouard de Thibault (Av.) . **HS** 72
Europe (Bd de l') .... **ES** 89
Frans Courtens (Av.) .... **HQ** 102
Frère-Orban (Sq.) .... **FR** 104

Froissart (R.) .... **GS** 106
Gén. Eisenhower (Av.) ... **GQ** 108
Hal (Porte de) .... **ES** 114
Henri Jaspar (Av.) ...... **ES** 117
Herbert Hoover (Av.) .... **HR** 118
Industrie (Quai de l') .... **ER** 126
Jan Stobbaerts (Av.) ..... **GQ** 133

132

Jardin Botanique (Bd du) . **FQ** 135
Jean Volders (Av.) . . . . . . **ET** 138
Jeu de Balle (Pl. du) . . . . . **ES** 139
Livourne (R. de) . . . . **FT** 158
Luxembourg (R. de) . . . . . **FS** 165
Marie-Louise (Sq.) . . . . . . **GR** 171
Méridien (R. du) . . . . **FQ** 173

Mons (Chée de) . . . . **ER** 177
Nerviens (Av. des) . . . . . . **GS** 181
Ninove (Chée de) . . . . . . **ER** 183
Palmerston (Av.) . . . . **GR** 187
Porte de Hal (Av. de la) . . **ES** 199
Prince Royal (R. du) . . . . . **FS** 202
Reine (Av. de la) . . . . **FQ** 208

Rogier (Pl.) . . . . **FQ** 213
Roi Vainqueur (Pl. du) . . . **HS** 216
Saint-Antoine (Pl.) . . . . . . **GT** 220
Scailquin (R.) . . . . **FR** 228
Victoria Regina (Av) . . . . **FQ** 249
Waterloo (Chée de) . . . . . **ET** 256
9è de Ligne (Bd du) . . . . **EQ** 271

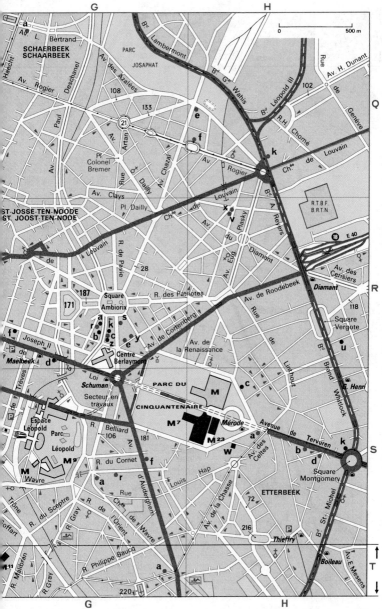

BRUXELLES
BRUSSEL

Américaine (R.) .... **FU** 8
Auguste Rodin (Av.) ...... **GU** 12
Besme (Av.) .... **EV** 18

Boendael (Drève de)...... **GX** 22
Cambre (Bd de la) .... **GV** 33
Coccinelles (Av. des) ..... **HX** 40
Congo (Av. du) .... **GV** 48
Copernic (R.) .... **FX** 51
Doronée (R.) .... **FV** 61
Dries .... **HX** 63

Emile de Beco (Av.) ...... **GU** 79
Emile De Mot (Av.) ...... **GV** 81
Eperons d'Or
  (Av. des) .... **GU** 85
Everard (av.) .... **EV** 91
Hippodrome
  (Av. de l') .... **GU** 120

Invalides (Bd des) .... **HV** 127
Jean Volders (Av.) ...... **ET** 138
Jos Stallaert (R.) .... **FV** 141
Juliette Wytsman (R.) .... **GU** 145
Kamerdelle (Av.) .... **EX** 147
Legrand (Av.) .... **FV** 153
Livourne (R. de) .... **FT** 158

Louis Morichar (Pl.) ..... **EU** 160
Mutualité (R. de la) ..... **EV** 180
Nouvelle (Av.) .... **GU** 184
Paul Stroobant (Av.) .... **EX** 193
Saint-Antoine (Pl.) ..... **GT** 220
Saisons (Av. des) ...... **GV** 223
Saturne (Av. de) .... **FX** 225

Savoie (R. de) .... **EU** 226
Tabellion (R. de) ...... **FU** 234
Washington (R.) ...... **FU** 253
Waterloo (Chée de) .... **ET** 256
2è Rég. de Lanciers
  (Av. du) .... **GHU** 265
7 Bonniers (Av. des) .... **EV** 270

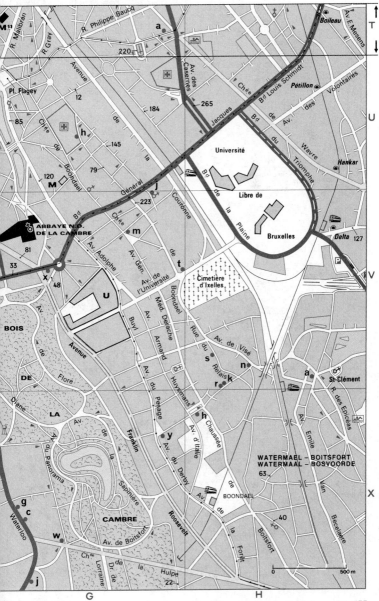

BRUXELLES
BRUSSEL

Adolphe Max (Bd) ...... **JY** 3
Anspach (Bd) .... **JY**
Beurre (Rue au) .... **JY** 19
Etuve (R. de l') .... **JZ** 88
Fripiers (R. des) ...... **JY** 105
Grand Sablon (Pl. du) ... **KZ** 112
Ixelles (Chée d') ...... **KZ** 129
Marché-aux-Herbes (R. du) **JY** 168
Marché-aux-Poulets
  (R. du) .... **JY** 169
Midi (R. du) .... **JYZ**
Neuve (Rue) .... **JY**
Reine (Galerie de la) ... **JY** 210
Roi (Galerie du) ...... **KY** 214
Toison d'Or (Av. de la) .. **KZ** 238

Albertine (Pl. de l') ..... **KZ** 4
Assaut (R. d') .... **KY** 10
Baudet (R.) .... **KZ** 15
Bortier (Galerie) ...... **JZ** 23
Bouchers
  (Petite rue des) ..... **JY** 24
Bouchers (R. des) ..... **JY** 25
Bourse (Pl. de la) ..... **JY** 27
Briques (Quai aux) .... **JY** 29
Chêne (R. du) .... **JZ** 39
Colonies (R. des) ..... **KY** 43
Comédiens (R. des) ... **KY** 45
Commerce (R. du) .... **KZ** 46
Croix-de-Fer
  (R. de la) .... **KY** 52
Duquesnoy (Rue) ..... **JYZ** 66
Ernest Allard (R.) ..... **JZ** 87
Europe (Carr. de l') ... **KY** 90
Fossé-aux-Loups (R.) .. **JIKY** 99
Impératrice (Bd de l') ... **KY** 124

Joseph Lebeau (R.) .... **JZ** 142
Laeken (R. de) .... **JY** 151
Louvain (R. de) ...... **KY** 163
Mercier (R. du Card.) ... **KY** 172
Montagne (Rue de la) ... **KY** 178
Musée (Pl. du) .... **KZ** 179
Nord (Passage du) .... **JY** 182
Petit Sablon (Sq. du) ... **KZ** 195
Presse (R. de la) ..... **KY** 201
Princes (Galeries des) ... **JY** 205
Ravenstein (R.) ...... **KY** 207
Rollebeek (R. de) ..... **JZ** 217
Ruysbroeck (R. de) ... **KZ** 219
Sainte-Catherine (Pl.) ... **JY** 221
Sainte-Gudule (Pl.) .... **KY** 222
Trône (R. du) .... **KZ** 241
Ursulines (R. des) .... **JZ** 243
Waterloo (Bd de) ..... **KZ** 255
6 Jeunes Hommes
  (R. des) .... **KZ** 268

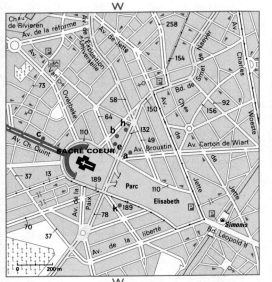

GANSHOREN
JETTE
KOEKELBERG

Basilique (Av. de la). . **W** 13
Château (Av. du). . . . **W** 37
Constitution (Av. de la) **W** 49
Démosthène
  Poplimont (Av.) . . . **W** 58
Duc Jean (Av. du). . . **W** 64
Edouard Bénes (Av.). . **W** 70
Eglise St-Martin (R. de l') **W** 73
Emile Bossaert (Av.). . **W** 78
Firmin Lecharlier (Av.) **W** 92
Gloires Nationales
  (Av. des) . . . . **W** 110
Jacques Sermon (Av.) **W** 132
Laeken (Av. de). . . . . **W** 154
Léon Théodore (R.) . . **W** 150
Levis Mirepoix (Av. de) **W** 156
Panthéon (Av. du) . . . **W** 189
Wemmel (Chée de) . **W** 258

RÉPERTOIRE DES RUES DU PLAN DE BRUXELLES

Adolphe-Max (Bd) . . p.14 **JY** 3
Anspach (Bd) . . . . . p.14 **JY**
Beurre (Rue au) . . . . p.14 **JY** 19
Etuve (R. de l') . . . . p.14 **JZ** 88
Fripiers (R. des) . . . . p.14 **JY** 105
Grand-Sablon (Pl. du) p.14 **KZ** 112
Louise (Galerie) . . . p.10 **FS** 161
Marché-aux-Herbes
  (R. du) . . . . p.14 **JY** 168
Marché-aux-Poulets
  (R. du) . . . . p.14 **JY** 169
Midi (Bd du) . . . . . . p.10 **ES**
Midi (R. du) . . . . . . p.14 **JYZ**
Neuve (Rue) . . . . . . p.14 **JY**
Reine
  (Galerie de la) . . p.14 **JY** 210
Roi (Galerie du) . . . p.14 **KY** 214
Toison d'Or (Av. de la) p.14 **KZ** 238

Abattoir (Bd de l') . . p.10 **ER**
Adolphe Buyl (Av.) . . p.13 **GV**
Adolphe-Dupuich (Av.) p.12 **EVX**
Albert (Av.) . . . . . . p.12 **EV**
Albertine (Pl. de l') . p.14 **KZ** 4
Alexiens (R. des) . . . p.14 **JZ**
Alfred-Madoux (Av.) p. 9 **DN** 6
Alsemberg (Chée d') . p. 8 **BNP**
Altitude 100
  (Pl. de l') . . . . . p. 8 **BN** 7
Ambiorix (Square) . . p.11 **GR**
Américaine (R.) . . . . p.12 **FU** 8
Antoine-Dansaert (R.) p.10 **ER**
Anvers (Bd d') . . . . p.10 **EQ**
Armand Huymans (Av.) p.13 **GV**
Artan (R.) . . . . p.11 **GQ**
van Artevelde (R.) . . p.10 **ER**
Arts (Av. des) . . . . . p.14 **KZ**
Assaut (R. d') . . . . . p.14 **KY** 10
Association (R. de l') p.14 **KY**
Audergem (Av. d') . . p.11 **GS**
Auguste Reyers (Bd) . p.11 **HR**
Auguste-Rodin (Av.) . p.13 **GU** 12
Azalées (Av. des) . . p.11 **GQ**
Baron-Albert-d'Huart
  (Av.) . . . . p. 7 **DM**
Barthélemy (Bd) . . . p.10 **ER**
Basilique (Av. de la) p.15 **W** 13
Baudet (R.) . . . . . . p.14 **KZ** 15

Baudouin (Bd) . . . . p.10 **EQ** 16
Belliard (R.) . . . . . . p.11 **GS**
Berckmans (R.) . . . . p.10 **EFT**
Berlaymont (Bd de) . p.14 **KY**
Besme (Av.) . . . . . . p.12 **EV** 18
Bienfaiteurs (Pl. des) p.11 **GQ** 21
Blaes (R.) . . . . p.10 **ES**
Boendael (Drève de) . p.13 **GX** 22
Boitsfort (Av. de) . . . p.13 **GX**
Boitsfort (Chée de) . . p.13 **HX**
Bolivar (Av.) . . . . . . p.10 **EFQ**
Boondael (Chée de) . p.13 **GUV**
Bortier (Galerie) . . . p.14 **JZ** 23
Bouchers
  (Petite rue des) . p.14 **JY** 24
Bouchers (R. des) . . p.14 **JY** 25
Bourse (Pl. de la) . . p.14 **JY** 27
Brabançonne
  (Av. de la) . . . . p.11 **GR** 28
Brabant (R. de) . . . . p.10 **FQ**
Brand-Whitlock (Bd) . p.11 **HRS**
Broqueville (Av. de) . p. 7 **CM** 30
Brouckère (Pl. de) . . p.14 **JY**
Broustin (Av.) . . . . . p.15 **W**
Brugmann (Av.) . . . . p.12 **EVX**
Cambre (Bd de la) . . p.13 **GV** 33
Canal (R. du) . . . . . p.10 **EQ**
Carton de Wiart (Av.) p.15 **W**
Casernes (Av. des) . . p.13 **GHU**
Celtes (Av. des) . . . . p.11 **HS**
Cerisiers (Av. des) . . p.11 **HR**
Charleroi (Chée de) . p.10 **EFU**
Charles Quint (Av.) . p. 6 **AL**
Charles Woeste (Av.) p. 6 **BL**
Charroi (R. du) . . . . p. 8 **ABN** 36
Chasse (Av. de la) . . p.11 **HS**
Château (Av. du) . . . p.15 **W** 37
Chazal (Av.) . . . . . . p.11 **GQ**
Chêne (R. du) . . . . . p.14 **JZ** 39
Clays (Av.) . . . . p.11 **GQ**
Coccinelles (Av. des) p.13 **HX** 40
Coghen (Av.) . . . . . p.12 **EVX**
Colonel-Bremer (Pl.) . p.11 **GQ**
Colonies (R. des) . . . p.14 **KY** 43
Comédiens (R. des) . p.14 **KY** 45
Commerce (R. du) . . p.14 **KZ** 46
Congo (Av. du) . . . . p.13 **GV** 48
Congrès (R. du) . . . . p.14 **KY**

Constitution
  (Av. de la) . . . . . . p.15 **W** 49
Copernic (R.) . . . . . . p.12 **FX** 51
Cortenberg (Av. de) . . p.11 **GR**
Couronne (Av. de la) . p.13 **GUV**
Croix-de-Fer (R. de la) p.14 **KY** 52
Croix-du-Feu (Av. des) p. 6 **BCK** 54
Dailly (Av.) . . . . p.11 **GQ**
Dailly (Pl.) . . . . p.11 **GR**
Defacqz (R.) . . . . p.12 **FU**
Delleur (Av.) . . . . . . p. 9 **CN** 57
Démosthène
  Poplimont (Av.) . . . p.15 **W** 58
Derby (Av. du) . . . . . p.13 **GX**
Diamant (Av. du) . . . . p.11 **HR**
Diane (Av. de) . . . . . p.13 **FGX**
Dolez (Av.) . . . . p. 8 **BN**
Doronée (R.) . . . . . . p.12 **FV** 61
Dries . . . . p.13 **HX** 63
Duc Jean (Av. du) . . . p.15 **W** 64
Ducale (Rue) . . . . . . p.14 **KZ**
Ducpétiaux (Av.) . . . . p.12 **EU**
Duquesnoy (Rue) . . . p.14 **JYZ** 66
Ecuyer (R. de l') . . . . p.14 **JKY**
Edith-Cavell (R.) . . . . p.12 **FX**
Edmond
  Parmentier (Av.) . . p. 7 **DM** 69
Edmont-Mesens (Av.) . p.11 **HT**
Edouard-Bénes (Av.) . p.15 **W** 70
Edouard de Thibault
  (Av.) . . . . p.11 **HS** 72
Eglise St-Martin
  (R. de l') . . . . p.15 **W** 73
Eloy (Rue) . . . . p. 6 **BM**
Emile-Bockstael (Bd) . p. 6 **BL** 75
Emile-Bossaert (Av.) . p. 6 **AL** 76
Emile-Bossaert (Av.) . p.15 **W** 78
Emile-de-Beco (Av.) . . p.13 **GU** 79
Emile-De-Mot (Av.) . . p.13 **GV** 81
Emile-Jacqmain (Bd) . p.10 **FQ**
Emile van Becelaere
  (Av.) . . . . p.13 **HX**
Emile Vandervelde
  (Av.) . . . . p. 7 **DM** 82
Empereur (Bd de l') . . p.14 **JZ**
Eperons d'Or
  (Av. des) . . . . p.13 **GU** 85
Epicéas (R. des) . . . . p.13 **HX**

Ernest Allard (R.) . . . .p.14 **JZ** 87
Eugène Plasky (Av.) . .p.11 **HR**
Europe (Bd de l') . . . .p.10 **ES** 89
Europe (Carr. de l') . .p.14 **KY** 90
Everard (av.) . . . . . . .p.12 **EV** 91
Exposition (Av. de l') . .p. 6 **AKL**
Exposition Universelle
(Av. de l') . . . . .p.15 **W**
Firmin Lecharlier
(Av.) . . . . .p.15 **W** 92
Flagey (Pl.) . . . . .p. 8 **BN** 93
Flore (R. de) . . . . . . .p.13 **GV**
Floride (Av. de la) . . .p.12 **FX**
Fonsny (Av.) . . . . . . .p. 8 **BN** 94
Foresterie (Av. de la) .p. 9 **CN** 96
Forêt (Av. de la) . . . .p.13 **HX**
Fossé-aux-Loups (R.) . .p.14 **JKY** 99
France (R. de) . . . . . .p. 6 **BM** 100
Franklin Roosevelt
(Av.) . . . . .p.13 **GVX**
Frans Courtens (Av.) .p.11 **HQ** 102
Frans van Kalken
(Av.) . . . . .p. 8 **AN** 103
Fré (Av. de) . . . . . . .p.10 **EFX**
Frère-Orban (Sq.) . . . .p.10 **FR** 104
Froissart (R.) . . . . . . .p.11 **GS** 106
Galilée (Av.) . . . . . . .p.14 **KY**
Gand (Chée de) . . . . .p. 6 **ABL**
Gén. Eisenhower
(Av.) . . . . .p.11 **GQ** 108
Gén. Jacques (Bd) . .p.13 **GHU**
Gén. Médecin
Derache (Av.) . . . .p.13 **GV**
Gén. Wahis (Bd) . . . .p.11 **HQ**
Genève (R. de) . . . . .p.11 **HQ**
Gloires Nationales
(Av. des) . . . . . . .p.15 **W** 110
Goffart (R.) . . . . .p.11 **FGS**
Grand Place . . . . . . .p.14 **JY**
Gray (R.) . . . . .p.11 **GST**
Haecht (Chée de) . . .p. 7 **CL**
Hal (Porte de) . . . . . .p.10 **ES** 114
Hamoir (Av.) . . . . . . .p.12 **FX**
Haute (R.) . . . . .p.10 **ES**
Henri Chomé (R.) . . .p.11 **HQ**
Henri Dunant (Av.) . .p.11 **HQ**
Henri Jaspar (Av.) . . .p.10 **ES** 117
Herbert Hoover (Av.) .p.11 **HR** 118
Hippodrome
(Av. de l') . . . . . . .p.13 **GU** 120
Hospices (Av. des) .p. 8 **BP**
Houba de Strooper
(Av.) . . . . .p. 6 **BK** 121
Houzeau (Av.) . . . . . .p.12 **FX**
la Hulpe (Chée de).p. 9 **CN**
Impératrice (Bd de l') .p.14 **KY** 124
Industrie (Quai de l') .p.10 **ER** 126
Industriel (Bd) . . . . . .p. 8 **AN**
Invalides (Bd des) . . .p.13 **HV** 127
Italie (Av. d') . . . . . .p.13 **GHX**
Itterbeck (Av. d') . . . .p. 6 **AM**
Ixelles (Chée d') . . . . .p.10 **FST**
Jacques Sermon (Av.) .p. 6 **BL** 130
Jacques Sermon (Av.) .p.15 **W** 132
Jan Stobbaerts (Av.) .p.11 **GQ** 133
Jardin Botanique
(Bd du) . . . . .p.10 **FQ** 135
Jean Baptiste Colyns
(R.) . . . . .p.12 **FV**
Jean Sobieski (Av.) .p. 6 **BK** 136
Jean Volders (Av.) . .p.10 **ET** 138
Jette (Av. de) . . . . . .p.15 **W**
Jette (Chée de) . . . . .p.15 **W**
Jeu de Balle
(Pl. du) . . . . .p.10 **ES** 139
Jos Stallaert (R.) . . . .p.12 **FV** 141
Joseph II (R.) . . . . . .p.11 **GR**
Joseph Lebeau (R.) .p.14 **JZ** 142
Jourdan (R.) . . . . .p.10 **ET**
Jubilé (Bd du) . . . . . .p.10 **EQ**
Jules van Praet (Av.) .p. 6 **BKL** 144
Juliette Wytsman (R.) .p.13 **GU** 145
Kamerdelle (Av.) . . . .p.12 **EX** 147
Kasterlinden (R.) . . . .p. 6 **AL**
Laeken (Av. de la) . . .p.15 **W** 150
Laeken (R. de) . . . . . .p.10 **EQ**
Laines (R. aux) . . . . .p.14 **JKZ**
Lambermont (Bd) . . .p. 7 **CL**
Legrand (Av.) . . . . . .p.12 **FV** 153
Lemonnier (Bd) . . . . .p.10 **ERS**
Léon Théodore (R.) . .p.15 **W** 154
Léon Vanderkindere
(R.) . . . . .p.10 **EFV**

Léopold II (Av.) . . . . .p. 9 **DP**
Léopold II (Bd) . . . . .p.10 **EQ**
Léopold III (Bd) . . . . .p. 7 **CL**
Lesbroussart (R.) . . . .p.12 **FU**
Levis Mirepoix
(Av.) . . . . .p.15 **W** 156
Liberté (Av. de la) . .p.15 **W**
Ligne (R. de) . . . . . . .p.14 **KY**
Linthout (R. de) . . . . .p.11 **HRS**
Livourne (R. de) . . . .p.10 **FT** 158
Loi (R. de la) . . . . . . .p.11 **GRS**
Lombard (R. du) . . . . .p.14 **JYZ**
Lorraine (Drève de) .p. 9 **CN**
Louis Bertrand (Av.) .p.11 **GQ**
Louis Hap (R.) . . . . . .p.11 **GHS**
Louis Lepoutre (Av.) .p.12 **FV**
Louis Mettewie (Bd) .p. 6 **ALM**
Louis Morichar (Pl.) .p.12 **EU** 160
Louis Schmidt (Bd) .p.13 **HU**
Louise (Av.) . . . . . . .p. 8**BMN**
Louvain (Chée de) . .p.11**GHQ**
Louvain (R. de) . . . . .p.14 **KY** 163
Luxembourg (R. de) .p.10 **FS** 165
Madrid (Av. de) . . . . .p. 6 **BK** 166
Mai (Av. de) . . . . . . .p. 7 **CM**
Malibran (R.) . . . . . . .p.11 **GT**
Marais (R. du) . . . . . .p.14 **KY**
Marie-Louise (Sq.) . .p.11 **GR** 171
Marnix (Av.) . . . . . . .p.14 **KZ**
Martyrs (Pl. des) . . . .p.14 **KY**
Mercier (R. du Card.) .p.14 **KY** 172
Méridien (R. du) . . . .p.10 **FQ** 173
Mérode (R. de) . . . . .p. 8 **BN** 174
Messidor (Av. de) . . .p.12 **EV**
Meysse (Av. de) . . . .p. 6 **BK** 175
Minimes (R. des) . . . .p.14 **JZ**
Molière (Av.) . . . . . . .p.10 **EFV**
Mons (Chée de) . . . .p. 6**AMN**
Mont Saint-Jean
(Route de) . . . . . .p. 9 **DN**
Montagne (Rue) . . . .p.14 **KY** 178
Montgoméry
(Square) . . . . .p.11 **HS**
Montjoie (Av.) . . . . . .p.12 **FV**
Musée (Pl. du) . . . . . .p.14 **KZ** 179
Mutualité (R. de la) . .p.12 **EV** 180
Namur (R. de) . . . . . .p.14 **KZ**
Neerstalle (Chée de) .p. 8 **AM**
Nerviens (Av. des) . .p.11 **GS** 181
Neuve (R.) . . . . .p.14 **JKY**
Nieuport (Bd) . . . . . .p.10 **EQ**
Ninove (Chée de) . . .p. 6 **AM**
Nord (Passage du) . .p.14 **JY** 182
Nouvelle (Av.) . . . . . .p.13 **GU** 184
Observatoire
(Av. de l') . . . . . . .p.12 **FX**
Orient (R. de l') . . . . .p.11 **GS**
van Overbeke (Av.) . .p.15 **W**
Pachéco (Bd) . . . . . . .p.14 **KY**
Paepsem (Bd) . . . . . .p. 8 **AN** 186
Paix (Av. de la) . . . . .p.15 **W**
Palais (Pl. des) . . . . .p.14 **KZ**
Palais (R. des) . . . . . .p.10 **FQ**
Palmerston (Av.) . . . .p.11 **GR** 187
Panorama (R. du) . . .p.13 **GX**
Panthéon (Av. du) . . .p.15 **W** 189
Parc (Av. du) . . . . . . .p.12 **EU**
Parc Royal (Av. du) .p. 6 **BL**
Patriotes (R. des) . . .p.11 **GR**
Paul Deschanel (Av.) .p.11 **GQ**
Paul Hymans (Av.) . .p. 7**CDM**
Paul Stroobant (Av.) .p.12 **EX** 193
Pavie (R. de) . . . . . . .p.11 **GR**
Pesage (Av. du) . . . .p.13 **GVX**
Petit Sablon (Sq. du) .p.14 **KZ** 195
Philippe Baucq (R.) . .p.11 **GT**
Picard (R.) . . . . .p.10 **EQ**
Piers (R. du) . . . . . . .p.10 **EQ**
Pittoresque (Drève) .p. 8 **BP**
Plaine (Bd de la) . . . .p.13 **HV**
Poelaert (Pl.) . . . . . . .p.14 **JZ**
Poincaré (Bd) . . . . . .p.10 **ERS**
Port (Av. du) . . . . . . .p.10 **EQ**
Porte de Hal
(Av. de la) . . . . . .p.10 **ES** 199
Presse (R. de la) . . . .p.14 **KY** 201
Prince Royal (R. du) .p.11 **FS** 202
Prince-de-Liège (Bd).p. 6 **AM** 204
Princes (Galeries des).p.14 **JY** 205
Progrès (R. du) . . . . .p.10 **FQ**
Ravenstein (R.) . . . . .p.14 **KZ** 207
Réforme (Av. de la) .p.15 **W**
Régence (R. de la) . .p.14 **JKZ**

Régent (Bd du) . . . . .p.14 **KZ**
Reine (Av. de la) . . .p. 6 **BL**
Relais (R. du) . . . . . .p.13 **HV**
Renaissance
(Av. de la) . . . . . .p.11 **HR**
Robiniers (Av. des) .p. 6 **BL** 211
Rogier (Av.) p.11**GHQ**
Rogier (Pl.) . . . . .p.10 **FQ** 213
Roi Albert (Av. du) .p. 6 **AL**
Roi Vainqueur (Pl. du).p.11 **HS** 216
Rollebeek (R. de) . . .p.14 **JZ** 217
Roodebeek (Av. de) .p.11 **HR**
Royale (R.) . . . . .p.10 **FQR**
Ruysbroeck (R. de) .p.14 **KZ** 219
Saint-Antoine (Pl.) . .p.11 **GT** 220
Saint-Hubert (Drève) .p. 9 **CP**
Saint-Hubert
(Galeries) . . . . . . .p.14 **JKY**
Saint-Job (Chée de) .p. 8 **BN**
Saint-Michel (Bd) . . .p.11 **HS**
Sainte-Catherine (Pl.).p.14 **JY** 221
Sainte-Gudule (Pl.) . .p.14 **KY** 222
Saisons (Av. des) . . .p.13 **GV** 223
Sapinière (Av. de la) .p.13 **GX**
Saturne (Av. de) . . . .p.12 **FX** 225
Savoie (R. de) . . . . . .p.12 **EU** 226
Scailquin (R.) . . . . . . .p.10 **FR** 228
Sceptre (R. du) . . . . .p.11 **GS**
de Smet de Naeyer
(Bd) . . . . .p. 6 **BL**
Stalingrad (Av. de) .p.10 **ERS**
Stalle (R. de) . . . . . . .p. 8 **BN**
Statuaires (Av. des) .p.12 **EX**
Stockel (Chée de) . . .p. 7 **DM** 232
Tabellion (R. du) . . . .p.12 **FU** 234
Tanneurs (R. des) . . .p.10 **ES**
Tervuren (Av. de) . . .p. 9**DMN**
Tervuren (Chée de) .p. 9 **DN** 235
Théodore Verhaegen
(R.) . . . . .p.10 **ET**
Trèves (R. de) . . . . . .p.11 **GS**
Triomphe (Bd du) . . .p.13 **HU**
Trône (R. du) . . . . . . .p.11 **FGS**
Université (Av. de l') .p.13 **GV**
Ursulines (R. des) . . .p.14 **JZ** 243
Veeweyde (R. de) . . .p. 6 **AM** 244
Verdun (Rue de) . . . .p. 7 **CL**
Vergote (Square) . . .p.11 **HR**
Vert Chasseur
(Av. du) . . . . .p.12 **FX**
Verte (Allée) . . . . . . .p. 6 **BL**
Verte (R.) . . . . .p.10 **FQ**
Vétérinaires (R. des) .p. 6 **BM** 247
Victoire (R. de la) . . .p.10 **ET**
Victor Rousseau (Av.).p. 8 **BN**
Victoria Regina (Av.) .p.10 **FQ** 249
Vilvorde (Av. de) . . . .p. 7 **CK**
Vilvorde (Chée de) . .p. 7 **BCL**
Visé (Av.) . . . . .p.13 **HV**
Vleurgat (Chée de) . .p.12 **FUV**
Volontaires (Av. des) .p.13 **HU**
Wand (R. de) . . . . . . .p. 6 **BK**
Washington (R.) . . . .p.12 **FU** 253
Waterloo (Bd de) . . .p.10 **FS**
Waterloo (Chée de) .p. 9 **BCN**
Wavre (Chée de) . . . .p. 9 **CDN**
Wemmel (Chée de) . .p.15 **W** 258
W. Ceuppens (Av.) .p. 8 **BN** 261
Willebroeck (Quai de).p.10 **EQ**
Winston Churchill
(Av.) . . . . .p.12 **FV**
Woluwe (Bd de la) . .p. 7 **DLM**
Wolwendael (Av. de) .p.12 **EX**
2è Rég. de Lanciers
(Av. du) p.13**GHU** 265
6 Jeunes Hommes
(R. des) . . . . .p.14 **KZ** 268
7 Bonniers (Av. des).p.12 **EV** 270
9è de Ligne (Bd du).p.10 **EQ** 271

ENVIRONS

ALSEMBERG

Sanatoriumstr. . . . . .p. 8 **AP**

BEERSEL

Alsembergse-
steenweg . . . . . . .p. 8 **BP**
Grotebaan . . . . .p. 8 **ABP**
Lotstraat . . . . .p. 8 **AP** 159
Schoolstraat . . . . . .p. 8 **AP** 229

DIEGEM

Haachtsesteenweg . p. 7 **CL**
Holidaylaan . . . . p. 7 **DL**
Woluwelaan . . . . . . p. 7 **DK**

DROGENBOS

Grotebaan . . . . p. 8 **ABN**
Verlengde Stallestraat . p. 8 **AN** 246

HOEILAART

Duboislaan . . . . p. 9 **DP**
Sint-Jansberglaan . . p. 9 **DP**
Terhulpensesteenweg . p. 9 **DP**

KRAAINEM

Wezembeek (Av. de) . p. 7 **DM** 259

LINKEBEEK

Alsembergses-
  teenweg . . . . p. 8 **BP**
Hollebeek . . . . p. 8 **BP**

LOT

Joz. Huysmanslaan . p. 8 **AP**
Zennestraat . . . . p. 8 **AP** 262

MACHELEN

Luchthavenlaan . . . . p. 7 **DK**
Woluwelaan . . . . . . p. 7 **DK**

MELSBROEK

Haachtsesteenweg . p. 7 **DK**
Ruisbroek . . . . p.
Fabriekstraat . . . . . p. 8 **AN**
Hemelstr. . . . . p. 8 **AP**

ST-GENESIUS-RODE

Dubois (Av.) . . . . . . p. 9 **CP**
Bevrijdingslaan . . . . p. 8 **BP** 20
Zonienwoudlaan . . . p. 9 **CP** 263
Linkebeeksedreef . . p. 8 **BCP**

ST-PIETERS-LEEUW

Bergensesteenweg . p. 8 **ANP**
Brusselbaan . . . . p. 8 **AN**

ST-STEVENS-WOLUWE

Evere (Rue d') . . . . . p. 7 **CDL**
Leuvensesteenweg . p. 7 **DL**

STROMBEEK-BEVER

Antwerpselaan . . . . p. 6 **BK** 9
Boechoutlaan . . . . . p. 6 **BK**

VILVOORDE

Belgiëlaan . . . . p. 7 **CK**
Indringingsweg . . . p. 7 **CK**
Parkstraat . . . . p. 7 **CK** 192
Schaarbeeklei . . . . . p. 7 **CK**
Sint-Annalaan . . . . p. 6 **BK**
Stationlei . . . . p. 7 **CK** 231
Vuurkruisenlaan . . . p. 7 **CK** 252

WEMMEL

De Limburg Stirumlaan . p. 6 **ABK**
Frans Robbrechtsstr. . p. 6 **ABK**
Windberg . . . . p. 6 **AK**

ZAVENTEM

Henneaulaan . . . . . p. 7 **DL** 115

ZELLIK

Brusselsesteenweg . p. 6 **AL**
Pontbeeklaan . . . . . . p. 6 **AK** 197
Zuiderlaan . . . . p. 6 **AL** 264

Liste alphabétique des hôtels et restaurants
Alfabetische lijst van hotels en restaurants
Alphabetisches Hotel- und Restaurantverzeichnis
Alphabetical list of hotels and restaurants

A

31 Abbaye de Rouge Cloître (L')
40 Abbey
34 Adrienne
30 Adrienne Atomium
29 Agenda
31 Alain Cornelis
25 Alban Chambon (L') (H. Métropole)
36 Albert Premier
28 Alfa Sablon
42 Alfa Rijckendael
40 Aloyse Kloos
42 Alter Ego (L')
36 Amandier (L')
37 A'mbriana
36 Amici miei
26 Amigo
36 Anak Timoer
41 André D'Haese
43 Angelus
28 Années Folles (Les)
39 Arconati (Host. d')
25 Arctia
25 Arenberg
34 Argus
26 Aris
42 Arlecchino (L')
   (H. Aub. de Waterloo)
34 Armagnac (L')
27 Armes de Bruxelles (Aux)
36 Art H. Siru
37 Ascoli (L')
25 Astoria
27 Astrid
26 Astrid « Chez Pierrot »
30 Atelier (L')
27 Atlas
33 Aub. de Boendael (L')
41 Aub. Bretonne
30 Aub. de l'Isard
41 Aub. Napoléon
43 Aub. Saint-Pierre (L')
42 Aub. Van Strombeek
42 Aub. de Waterloo

B

38 Badiane (La)
30 Baguettes Impériales (Les)
42 Barbay
41 Barbizon
43 Barlow's
34 Barolo (Le)
35 Béarnais (Le)
34 Beaumes de Venise (Aux)
34 Beau-Site
25 Bedford
35 Béguine des Béguines
27 Belle Maraîchère (La)
38 Bellini (Le)
32 Belson
37 Blue Elephant
41 Boetfort
42 Bois Savanes
40 Bollewinkel
30 Bonne Fourchette (La)
32 Brasserie de la Gare (La)
33 Brasserie Marebœuf (La)
37 Brasseries Georges
29 Bristol Stéphanie
31 Brouette (La)
33 Bruneau
40 Bijgaarden (De)

C

36 Cadre Noir (Le)
33 Cambrils
39 Campanile
34 Capital
35 Capucines (Les)
26 Carrefour de l'Europe
35 Cascade
28 Castello Banfi
31 Chalet de la Pede (Le)
33 Chalet Rose (Le)
25 Chambord
33 Chantecler (Le)
42 Chasse des Princes (La)
34 Chem's (Le)

41 Chevalier (Le)
28 « Chez Marius » En Provence
37 Cité du Dragon (La)
32 Citronnelle (La)
32 Citron Vert (Le)
29 City Garden
42 Clarine
33 Claude Dezangré
33 Claude Dupont
28 Clef des Champs (La)
37 Clery (Le)
29 Clubhouse
32 Clubhouse Park
35 Coimbra
26 Comme Chez Soi
30 Comtes de Flandre (Les)
   (H. Sheraton Towers)
28 Conrad
25 Congrès (du)
38 Coriandre (Le)
36 County House
33 Couvert d'Argent (Le)
31 Croûton (Le)
27 Crustacés (Les)
30 Curnonsky (Le)

D

36 Dames Tartine (Les)
39 Deux Maisons (Les)
39 Diegemhof
31 Dionysos
35 Diplomat
26 Dix septième (Le)
30 Dome (Le)
29 Dorint
33 Doux Wazoo (Le)
39 Drie Fonteinen
28 Duc d'Arenberg (Au)

E

28 Écailler du Palais Royal (L')
38 Entre-Temps (L')
31 Erasme
30 Escoffier (L')
26 Etoile d'Or
   dit le « Rotte Planchei » (L')
29 Euroflat
29 Europa
29 Eurovillage
32 Evergreen
35 Exquis (L')

F

27 Falstaff Gourmand
35 Faribole (La)
31 Farigoule (La)
33 Fierlant (De)
34 Fine Fleur (La)
31 Florence (Le)
32 Fontaine de Jade (La)
35 Forcado (Le)
33 Foudres (Les)
27 François
36 Frères Romano (Les)

G

25 George V
31 Gerfaut
40 Gosset
28 Gourmandin (Le)
38 Grand Veneur (Le)
42 Green Park
31 Grignotière (La)
43 Gril aux herbes d'Evan (Le)
38 Grill (Le)
32 Grillange
40 Groenendaal

H

32 Harry's Place
28 Hilton
37 Hoef (De)
40 Hof te Linderghem
39 Holiday Inn Airport
35 Holiday Inn City Centre
36 Hugo's (H. Royal Crown)
38 Humeur Gourmande (L')

I

39 Ibis Airport
26 Ibis off Grand'Place
27 Ibis Ste-Catherine
35 Inada
26 In 't Spinnekopke
41 Istas
35 I Trulli

J

29 Jardin d'Espagne (Le)
26 J et B
25 Jolly Atlanta
28 Jolly du Grand Sablon

K

40 Kasteel Gravenhof
27 Kelderke ('t)
32 Khaïma (La)
41 Koen van Loven

L

38 Lambeau
36 Lambermont
28 Larmes du Tigre (Les)
34 Leopold
41 Lien Zana
42 Linde (De)
37 Lion (Le)
34 Liseron d'Eau (Le)
28 Lola
27 Loup-Galant (Le)
30 Lychee

M

35 Ma Folle de Sœur
28 Maison du Bœuf (H. Hilton)
27 Maison du Cygne (La)
34 Maison Félix
29 Maison de Maître (La) (H. Conrad)
38 Maison de Thaïlande (La)
38 Maison d'Or (La)
35 Mamounia (La)
35 Manos
35 Manos Stephanie
26 Matignon
29 Mayfair
37 Menus Plaisirs (Les)
35 Meo Patacca
32 Mercure
26 Méridien (Le)
42 Met (De)
25 Métropole
40 Michel
32 Mimosa
30 Ming Dynasty
32 Momotaro
38 Mon Manège à Toi
33 Mont des Cygnes (Le)
38 Montgomery
34 Mosaïque (La)
38 Moulin de Lindekemale
34 Mövenpick Cadettt
30 Mykonos

N

29 New Charlemagne
39 Novotel Airport
26 Novotel off Grand'Place

O

38 Oceanis-L'Annexe
27 Ogenblik (L')
40 Oude Pastorie (d')

P – Q

31 Paix (La)
33 Pagode d'Or (La)
36 Palace
29 Palais des Indes (Au)
36 Palasi
30 Pappa e Citti
30 Paradis de Chang (Le)
43 Parkhof Beverbos
37 Passage (Le)
37 Pavillon Impérial
34 Perles de Pluies (Les)
41 Petit Coq (Le)
37 Petit Cottage (Le)
37 Petit Prince (Le)
37 Petits Pères (Les)
42 « Pierrot » La Saladine
25 Plaza (Le)
40 Plezanten Hof (De)
29 Porte des Indes (La)
31 Pousse-Rapière (Le)
37 Pré en bulle (Le)
25 Président Centre
30 Président Nord
30 Président World Trade Center
31 Prince de Liège (Le)
27 Quatre Saisons (Les)
   (H. Royal Windsor)
25 Queen Anne

R

25 Radisson SAS
39 Rainbow Airport
39 Relais Delbeccha
38 Repos des Chasseurs (Au)
32 Reverdie (La)
37 Rives du Gange (Les)
41 Roland Debuyst
26 Roma

27 Roue d'Or (La)
36 Royal Crown G^d H. Mercure
25 Royal Embassy
26 Royal Windsor
41 Rozenhof

S

25 Sabina
31 Saint-Guidon
26 Saint-Nicolas
41 Saint-Sébastien (Le)
39 Salade Folle (La)
26 Samouraï
33 San Daniele
36 Scholtès
25 Sea Grill (H. Radisson SAS)
36 Senza Nome
32 Serpolet (Le)
43 Sheraton Airport
30 Sheraton Towers
27 Sirène d'Or (La)
39 Smidse (De)
38 Sodehotel La Woluwe
34 Sofitel
39 Sofitel Airport
28 Stanhope
36 Stelle (Le)
30 Stevin (Le)
32 Stirwen
43 Stockmansmolen
42 Stoveke ('t)
32 Stromboli
26 Style Poelink
28 Swissôtel

T

31 Table d'Italie (La)
29 Tagawa
29 Taishin (H. Mayfair)
30 Takesushi
27 Taverne du Passage
40 Terborght
27 Tête d'Or (La)
32 Thaï Garden
40 Tissens
33 Toulon'co (le)
38 Trois Couleurs (Des)
37 Trois Tilleuls (Host. des)
29 Truffe Noire (La)
27 Truite d'Argent et H. Welcome (La)
35 Tulip Inn Delta

U – V

36 Ultieme Hallucinatie (De)
31 Ustel
42 Val Joli
30 Vendôme
37 Vieux Boitsfort (Au)
34 Vieux Pannenhuis (Rôtiss. Le)
39 Vignoble de Margot (Le)
37 Villa d'Este
29 Villa Lorraine

W – Y – Z

40 Waerboom
37 Willy et Marianne
33 Yen
41 Zilv'ren Uil (Den)

Les établissements à étoiles
Sterrenbedrijven
Die Stern-Restaurants
Starred establishments

🏵️ 🏵️ 🏵️

| 33 | XXXX | Bruneau | 26 | XXX | Comme Chez Soi |

🏵️ 🏵️

| 40 | XXXXX | Bijgaarden (De) | 33 | XXX | Claude Dupont |
| 25 | XXXX | Sea Grill (H. Radisson SAS) | 28 | XXX | Écailler du Palais Royal (L') |

🏵️

29	XXXXX	Villa Lorraine	27	XXX	Les 4 Saisons
41	XXXX	Barbizon			(H. Royal Windsor)
27	XXXX	Maison du Cygne (La)	29	XXX	Truffe Noire (La)
28	XXXX	Maison du Bœuf (H. Hilton)	40	XX	Aloyse Kloos
40	XXXX	Michel	30	XX	Baguettes Impériales (Les)
38	XXX	Des 3 Couleurs	31	XX	Grignotière (La)
41	XXX	André D'Haese	32	XX	Stirwen
			39	XX	Vignoble de Margot (Le)

144

La cuisine que vous recherchez...
Het soort keuken dat u zoekt
Welche Küche, welcher Nation suchen Sie
That special cuisine

A la bière et régionale

35 Béguine des Béguines
   Molenbeek-St-Jean
39 3 Fonteinen *Env. à Beersel*

26 In 't Spinnekopke
27 't Kelderke *Q. Grand'Place*

Anguilles

40 Tissens *Env. à Hoeilaart*

Buffets

34 Adrienne *Ixelles, Q. Louise*
30 Adrienne Atomium *Q. Atomium*
30 L'Atelier *Q. de l'Europe*
28 Café Wiltcher's *H. Conrad, Q. Louise*

39 Campanile *Env. à Drogenbos*
30 Crescendo *H. Sheraton Towers*
   Q. Botanique, Gare du Nord
39 La Salade Folle *Woluwé-St-Pierre*

Grillades

33 Aub. de Boendael *Ixelles, Q. Boondael*
41 Aub. Napoléon *Env. à Meise*
38 Le Grill *Watermael-Boitsfort*

37 De Hoef *Uccle*
34 Rôtiss. Le Vieux Pannenhuis
   Jette

Produits de la mer – Crustacés

27 La Belle Maraîchère *Q. Ste-Catherine*
33 La Brasserie Marebœuf
   Ixelles Q. Boondael
37 Brasseries Georges *Uccle*
36 Le Cadre Noir *Schaerbeek Q. Meiser*
27 Les Crustacés *Q. Ste-Catherine*
28 L'Écailler du Palais Royal *Q. des Sablons*
27 François *Q. Ste-Catherine*

38 Oceanis-L'Annexe
   Woluwé-St-Lambert
25 Sea Grill *H. Radisson SAS*
27 La Sirène d'Or *Q. Ste-Catherine*
42 't Stoveke *Env. à Strombeek-Bever*
27 La Truite d'Argent *Q. Ste-Catherine*
39 Le Vignoble de Margot
   Woluwé-St-Lambert

Taverne – Brasseries

32 La Brasserie de la Gare
   Berchem-Ste-Agathe
33 La Brasserie Marebœuf
   Ixelles, Q. Boondael
37 Brasseries Georges *Uccle*
42 Clarine *Env. à Strombeek-Bever*
39 3 Fonteinen *Env. à Beersel*
38 L'Entre-Temps *Watermael-Boitsfort*
41 Istas *Env. à Overijse*
40 Kasteel Gravenhof *Env. à Dworp*
41 Lien Zana *Env. à Schepdaal*

43 Lindbergh Taverne
   H. Sheraton Airport, Env. à Zaventem
42 De Met *Env. à Vilvoorde*
26 Novotel off Grand'Place
   Q. Grand'Place
31 La Paix *Anderlecht*
41 Le Petit Coq *Env. à Linkebeek*
27 La Roue d'Or *Q. Grand'Place*
43 Stockmansmolen *Env. à Zaventem*
27 Taverne du Passage *Q. Grand'Place*

Chinoise

37 La Cité du Dragon *Uccle*
32 La Fontaine de Jade
   Etterbeek, Q. Cinquantenaire
37 Le Lion *Uccle*

30 Lychee *Q. Atomium*
30 Ming Dynasty *Q. Atomium*
30 Le Paradis de Chang *Q. Atomium*
37 Pavillon Impérial *Uccle*

Espagnole

32 Grillange *Etterbeek*

29 Le Jardin d'Espagne *Q. de l'Europe*

Grecque

31 Dionysos *Auderghem*

Indienne

29 Au Palais des Indes *Q. Louise*

29 La Porte des Indes *Q. Louise*

37 Les Rives du Gange
Watermael-Boitsfort

Indonésienne

36 Anak Timoer *Schaerbeek, Q. Meiser*

Italienne

37 A'mbriana *Uccle*

36 Amici miei *Schaerbeek Q. Meiser*

42 L'Arlecchino *H. Aub. de Waterloo
Env. à Sint-Genesius-Rode*

37 L'Ascoli *Uccle*

34 Le Barolo *Jette*

28 Castello Banfi *Q. des Sablons*

33 Le Chantecler *Ixelles*

35 I Trulli *St-Gilles, Q. Louise*

35 Meo Patacca *St-Gilles, Q. Louise*

39 Le Mucha *Woluwé-St-Pierre*

36 Palasi *Schaerbeek, Q. Meiser*

30 Pappa e Citti *Q. de l'Europe*

38 Au Repos des Chasseurs
Watermael-Boitsfort

26 Roma

33 San Daniele *Ganshoren*

36 Senza Nome *Schaerbeek*

36 Le Stelle *Schaerbeek*

32 Stromboli
Berchem-Ste-Agathe

31 La Table d'Italie *Anderlecht*

Japonaise

32 Momotaro *Etterbeek Q. Cinquantenaire*

26 Samouraï

29 Tagawa *Q. Louise*

29 Taishin *H. Mayfair,
Q. Louise*

30 Takesushi *Q. de l'Europe*

Marocaine

34 Le Chem's *Ixelles, Q. Louise*

32 La Khaïma *Auderghem*

35 La Mamounia
St-Gilles

Portugaise

35 Coimbra *St-Gilles*

35 Le Forcado *St-Gilles*

Scandinave

25 Atrium *H. Radisson SAS*

Thaïlandaise

37 Blue Elephant *Uccle*

42 Bois Savannes
Env. à Sint-Genesius-Rode

28 Les Larmes du Tigre *Q. Palais de Justice*

38 La Maison de Thaïlande
Watermael-Boitsfort

34 Les Perles de Pluie *Ixelles, Q. Louise*

32 Thaï Garden *Auderghem*

Vietnamienne

30 Les Baguettes Impériales
Q. Atomium

32 La Citronnelle *Auderghem*

34 Le Liseron d'Eau *Koekelberg*

33 La Pagode d'Or *Ixelles, Q. Bonndael*

33 Yen *Ixelles*

BRUXELLES (BRUSSEL) - plan p. 14 sauf indication spéciale :

Radisson SAS, r. Fossé-aux-Loups 47, ⊠ 1000, ℰ (0 2) 227 31 31 et 227 31 70 (rest), Fax (0 2) 219 62 62, « Patio avec vestiges du mur d'enceinte de Bruxelles - 12ᵉ s. », ⅃♨, ⟱ – ⧉ ⭍ ▤ 📺 ☎ ⇔ – ⚐ 25 à 380. ⷅ ◑ ⒠ 𝗩𝗜𝗦𝗔 𝗝𝗖𝗕
KY f
Repas voir rest **Sea Grill** ci-après – **Atrium** (avec cuisine scandinave) 1250 bc – ⌕ 1050 – **275 ch** 11000/14000, 6 suites.

Astoria, r. Royale 103, ⊠ 1000, ℰ (0 2) 227 05 05, Fax (0 2) 217 11 50, « Demeure début du siècle de style Belle Epoque » – ⧉ ⭍ ▤ 📺 ☎ 🅟 – ⚐ 25 à 180. ⷅ ◑ ⒠ 𝗩𝗜𝗦𝗔 𝗝𝗖𝗕
KY b
Repas **Le Palais Royal** (fermé sam. midi, dim. soir et 15 juil.-15 août) 1650/2100 bc – ⌕ 850 – **106 ch** 9000, 14 suites – ½ P 5600.

Le Plaza, bd A. Max 118, ⊠ 1000, ℰ (0 2) 227 67 00, Fax (0 2) 227 67 20 – ⧉ ⭍, ⅏ ch, 📺 ☎ ⇔ – ⚐ 25 à 800. ⷅ ◑ ⒠ 𝗩𝗜𝗦𝗔 𝗝𝗖𝗕
plan p. 10 FQ e
Repas (fermé sam. et dim.) carte 1250 à 1550 – **193 ch** ⌕ 9900/11900, 5 suites.

Métropole, pl. de Brouckère 31, ⊠ 1000, ℰ (0 2) 217 23 00, Telex 21234, Fax (0 2) 218 02 20, « Hall et salons époque fin 19ᵉ s. », ⅃♨, ⟱ – ⧉ ⭍ ▤ 📺 ☎ – ⚐ 25 à 400. ⷅ ◑ ⒠ 𝗩𝗜𝗦𝗔 𝗝𝗖𝗕
JY c
Repas voir rest **L'Alban Chambon** ci-après – **405 ch** ⌕ 9500/14000, 5 suites.

Bedford, r. Midi 135, ⊠ 1000, ℰ (0 2) 512 78 40, Telex 24059, Fax (0 2) 514 17 59 – ⧉ ⭍ ▤ 📺 ☎ ⇔ – ⚐ 25 à 200. ⷅ ◑ ⒠ 𝗩𝗜𝗦𝗔 𝗝𝗖𝗕. ⌗
plan p. 10 ER k
Repas 1100 – **298 ch** ⌕ 7700.

Jolly Atlanta (Jolly H.), bd A. Max 7, ⊠ 1000, ℰ (0 2) 217 01 20, Telex 21475, Fax (0 2) 217 37 58 – ⧉ ⭍, ▤ rest, 📺 ☎ ⇔ – ⚐ 25 à 50. ⷅ ◑ ⒠ 𝗩𝗜𝗦𝗔 𝗝𝗖𝗕
JY d
Repas (résidents seult) – **241 ch** ⌕ 7050, 6 suites.

Président Centre sans rest, r. Royale 160, ⊠ 1000, ℰ (0 2) 219 00 65, Telex 26784, Fax (0 2) 218 09 10 – ⧉ ⭍ ▤ 📺 ☎ ⇔. ⷅ ◑ ⒠ 𝗩𝗜𝗦𝗔 𝗝𝗖𝗕. ⌗
KY a
73 ch ⌕ 4900/5900.

Royal Embassy sans rest, bd Anspach 159, ⊠ 1000, ℰ (0 2) 512 81 00, Fax (0 2) 514 30 97, ⟱ – ⧉ ⭍ 📺 ☎. ⷅ ◑ ⒠ 𝗩𝗜𝗦𝗔
plan p. 10 ER e
54 ch ⌕ 3200/4200.

Arctia sans rest, r. Arenberg 18, ⊠ 1000, ℰ (0 2) 548 18 11, Fax (0 2) 548 18 20, ⟱ – ⧉ ⭍ ▤ 📺 ☎ ♿ – ⚐ 25 à 80. ⷅ ◑ ⒠ 𝗩𝗜𝗦𝗔 𝗝𝗖𝗕
KY r
95 ch ⌕ 3300/6900, 5 suites.

Arenberg, r. Assaut 15, ⊠ 1000, ℰ (0 2) 501 16 16, Fax (0 2) 501 18 18, ⅃♨ – ⧉ ⭍, ▤ rest, 📺 ☎ ⇔ – ⚐ 25 à 75. ⷅ ◑ ⒠ 𝗩𝗜𝗦𝗔 𝗝𝗖𝗕. ⌗ rest
KY g
Repas (Taverne-rest) Lunch 700 – carte env. 1000 – **155 ch** ⌕ 4200/5000 – ½ P 5000/8000.

Chambord sans rest, r. Namur 82, ⊠ 1000, ℰ (0 2) 548 99 10, Fax (0 2) 514 08 47 – ⧉ 📺 ☎. ⷅ ◑ ⒠ 𝗩𝗜𝗦𝗔. ⌗
KZ u
69 ch ⌕ 3400/5400.

Queen Anne sans rest, bd E. Jacqmain 110, ⊠ 1000, ℰ (0 2) 217 16 00, Fax (0 2) 217 18 38 – ⧉ 📺 ☎. ⷅ ◑ ⒠ 𝗩𝗜𝗦𝗔
plan p. 10 EFQ a
60 ch ⌕ 2750/3400.

du Congrès sans rest, r. Congrès 40, ⊠ 1000, ℰ (0 2) 217 18 90, Fax (0 2) 217 18 97 – ⧉ 📺 ☎ 🅟 – ⚐ 35. ⷅ ◑ ⒠ 𝗩𝗜𝗦𝗔
KY d
52 ch ⌕ 2750/3150.

George V sans rest, r. 't Kint 23, ⊠ 1000, ℰ (0 2) 513 50 93, Fax (0 2) 513 44 93 – ⧉ 📺 ☎ 🅟. ⒠ 𝗩𝗜𝗦𝗔 𝗝𝗖𝗕
plan p. 10 ER c
17 ch ⌕ 1980/2400.

Sabina sans rest, r. Nord 78, ⊠ 1000, ℰ (0 2) 218 26 37, Fax (0 2) 219 32 39 – ⧉ 📺 ☎. ⷅ ◑ ⒠ 𝗩𝗜𝗦𝗔
KY c
24 ch ⌕ 1900/2400.

XXXX **Sea Grill** - H. Radisson SAS, r. Fossé-aux-Loups 47, ⊠ 1000, ℰ (0 2) 227 31 20, ⍟⍟ Telex 22202, Fax (0 2) 219 62 62, Produits de la mer – ▤ 🅟. ⷅ ◑ ⒠ 𝗩𝗜𝗦𝗔 𝗝𝗖𝗕. ⌗
KY f
fermé du 12 au 19 avril, 19 juil.-16 août, sam. midi, dim. et jours fériés – **Repas** Lunch 1750 – carte 2200 à 2950
Spéc. St-Jacques à la vapeur d'algues, crème légère au cresson (15 sept.-15 avril). Manchons de crabe royal tièdis au beurre de persil plat. Homard à la presse.

XXXX **L'Alban Chambon** - H. Métropole, pl. de Brouckère 21, ⊠ 1000, ℰ (0 2) 217 76 50, Telex 21234, Fax (0 2) 218 02 20, « Évocation fin 19ᵉ s. » – ▤. ⷅ ◑ ⒠ 𝗩𝗜𝗦𝗔 𝗝𝗖𝗕. ⌗
fermé sam., dim. et jours fériés – **Repas** Lunch 1450 bc – carte 1500 à 1850. JY c

XXX **Comme Chez Soi** (Wynants), pl. Rouppe 23, ✉ 1000, ☎ (0 2) 512 29 21, *Fax (0 2) 511 80 52*, « Atmosphère Belle Époque restituée dans un décor Horta » – ▤ 🅟. AE ⓓ E VISA plan p. 10 ES m
fermé dim., lundi, 5 juil.-3 août et Noël-Nouvel An – **Repas** (nombre de couverts limité - prévenir) Lunch 1975 – 3500 (2 pers. min.), carte 2700 à 3300
Spéc. Filets de sole et médaillon de homard cardinal. Couronne d'agneau de lait du pays aux fines herbes, mont d'or provençal (janv.-juin). Fraîcheur d'été des Antilles aux fraises et crème citron à l'orange.

XX **Roma,** r. Princes 14, ✉ 1000, ☎ (0 2) 219 01 94, *Fax (0 2) 218 34 30*, Cuisine italienne – ▤. AE ⓓ E VISA. ✻ JY e
fermé sam. midi, dim. et mi-juil.-mi-août – **Repas** carte 1100 à 2150.

XX **Astrid "Chez Pierrot",** r. Presse 21, ✉ 1000, ☎ (0 2) 217 38 31, *Fax (0 2) 217 38 31* – AE ⓓ E VISA JCB KY e
fermé dim., sem. Pâques et 15 juil.-15 août – **Repas** Lunch 750 – 950/1500.

XX **J et B,** r. Baudet 5, ✉ 1000, ☎ (0 2) 512 04 84, *Fax (0 2) 511 79 30* – ▤. AE ⓓ E VISA JCB KZ z
fermé sam. midi, dim. soir, jours fériés et 21 juil.-6 août – **Repas** 995.

X **Samourai,** r. Fossé-aux-Loups 28, ✉ 1000, ☎ (0 2) 217 56 39, *Fax (0 2) 640 66 69*, Cuisine japonaise – ▤. AE ⓓ E VISA JCB. ✻ JY e
fermé mardi, dim. midi et 15 juil.-16 août – **Repas** Lunch 590 – carte 1400 à 2650.

X **In 't Spinnekopke,** pl. du Jardin aux Fleurs 1, ✉ 1000, ☎ (0 2) 511 86 95, *Fax (0 2) 513 24 97*, 龠, Avec cuisine régionale, ouvert jusqu'à 23 h, « Ancien estaminet bruxellois » – ▤. AE ⓓ E VISA plan p. 10 ER d
fermé sam. midi – **Repas** Lunch 295 – carte 850 à 1350.

X **L'Etoile d'Or dit le "Rotte Planchei",** r. Foulons 30, ✉ 1000, ☎ (0 2) 502 60 48, Ouvert jusqu'à 23 h, « Ancien café bruxellois » – AE ⓓ E VISA. ✻ plan p. 10 ERS b
fermé sam. midi, dim. et 15 juil.-15 août – **Repas** carte env. 900.

X **Style Poelink,** r. Nord 53, ✉ 1000, ☎ (0 2) 219 76 85, *Fax (0 2) 219 29 85* – AE ⓓ E VISA plan p. 10 FR a
fermé sam., dim. et 21 juil.-15 août – **Repas** Lunch 545 – carte env. 1400.

Quartier Grand'Place (Ilot Sacré) - *plan p. 14* :

Royal Windsor, r. Duquesnoy 5, ✉ 1000, ☎ (0 2) 505 55 55, *Fax (0 2) 505 55 00*, ⅼ₆, ≘s – |‡| ⇔ ▤ 📺 ☎ 🚗 – 🔬 25 à 250. AE ⓓ E VISA JCB. ✻ JYZ f
Repas voir rest ***Les 4 Saisons*** ci-après – ☐ 650 – **264 ch** 11000/15000, 11 suites.

Amigo, r. Amigo 1, ✉ 1000, ☎ (0 2) 547 47 47, *Telex 21618*, *Fax (0 2) 513 52 77*, « Collection d'œuvres d'art variées » – |‡|, ▤ ch, 📺 ☎ 🚗 – 🔬 25 à 200. AE ⓓ E VISA JCB. ✻ rest JY x
Repas Lunch 1460 bc – 1460/1740 – **171 ch** ☐ 6700/9000, 7 suites – ½ P 4935/5960.

Le Méridien Ⓜ ⛭, Carrefour de l'Europe 3, ✉ 1000, ☎ (0 2) 548 42 11 et 548 47 16 (rest), *Fax (0 2) 548 40 80*, ≤, ⅼ₆ – |‡| ⇔ ▤ 📺 ☎ ♿ 🚗 – 🔬 25 à 200. AE ⓓ E VISA JCB. ✻ ch KZ h
Repas ***L'Epicerie*** *(fermé sam. midi)* Lunch 895 - carte 1300 à 1800 – ☐ 1050 – **212 ch** 5200/12000, 12 suites.

Carrefour de l'Europe, r. Marché-aux-Herbes 110, ✉ 1000, ☎ (0 2) 504 94 00, *Fax (0 2) 504 95 00* – |‡| ⇔ ▤ 📺 ☎ – 🔬 25 à 150. AE ⓓ E VISA JCB. ✻ JKY n
Repas *(fermé sam. et dim.)* carte env. 1200 – ☐ 750 – **58 ch** 8100/9100, 5 suites.

Novotel off Grand'Place, r. Marché-aux-Herbes 120, ✉ 1000, ☎ (0 2) 514 33 33 – |‡| ⇔ ▤ 📺 ☎ ♿ – 🔬 25. AE ⓓ E VISA JCB JKY n
Repas (Brasserie) carte env. 1100 – ☐ 460 – **136 ch** 5600.

Le Dixseptième sans rest, r. Madeleine 25, ✉ 1000, ☎ (0 2) 502 57 44, *Fax (0 2) 502 64 24*, « Elégant hôtel particulier » – |‡| 📺 ☎ – 🔬 25. AE ⓓ E VISA JCB. ✻ JY j
16 ch ☐ 5800/13600, 7 suites.

Aris Ⓜ sans rest, r. Marché-aux-Herbes 78, ✉ 1000, ☎ (0 2) 514 43 00, *Fax (0 2) 514 01 19* – |‡| ▤ 📺 ☎. AE ⓓ E VISA JY g
53 ch ☐ 4500.

Ibis off Grand'Place sans rest, r. Marché-aux-Herbes 100, ✉ 1000, ☎ (0 2) 514 40 40, *Fax (0 2) 514 50 67* – |‡| ⇔ ▤ 📺 ☎ ♿ – 🔬 25 à 120. AE ⓓ E VISA JCB JKY v
☐ 250 – **180 ch** 3950.

Matignon, r. Bourse 10, ✉ 1000, ☎ (0 2) 511 08 88, *Fax (0 2) 513 69 27* – |‡| 📺 ☎. AE ⓓ E VISA JY q
Repas *(fermé lundi et 15 janv.-20 fév.)* carte env. 1100 – **22 ch** ☐ 4100 – ½ P 3100/4000.

Saint-Nicolas sans rest, r. Marché-aux-Poulets 32, ✉ 1000, ☎ (0 2) 219 04 40, *Fax (0 2) 219 17 21* – |‡| 📺 ☎. AE ⓓ E VISA JCB JY f
60 ch ☐ 2300/2950.

XXXX
&3
La Maison du Cygne, Grand'Place 9, ⊠ 1000, ℘ (0 2) 511 82 44, *Fax (0 2) 514 31 48,*
« Ancienne maison de corporation du 17ᵉ s. » – ▤ 🅿. 🄰🄴 🄾 🄴 *VISA* 🄹🄲🄱. ⅋ JY w
fermé sam. midi, dim., 3 prem. sem. août et fin déc. – **Repas** Lunch 1400 – 2350/2650, carte
2450 à 2800
Spéc. Huîtres au Champagne. Gibiers en saison. Cornets à la crème vanillée, sorbet à la
pomme verte et son coulis.

XXX
&3
Les 4 Saisons - H. Royal Windsor, 1ᵉʳ étage, r. Homme Chrétien 2, ⊠ 1000, ℘ (0 2)
505 55 55, *Fax (0 2) 505 55 00* – ▤ 🅿. 🄰🄴 🄾 🄴 *VISA* 🄹🄲🄱. ⅋ JYZ f
fermé sam. midi et 18 juil.-24 août – **Repas** Lunch 1490 – 1690/2290, carte 2000 à 2800
Spéc. La salade de homard à la vinaigrette de fine champagne. Sole pochée à la crème
d'écrevisses et duxelle. Filet d'agneau gratiné au fromage de brebis et salpicon d'abats au
jus.

XX
🙿
Aux Armes de Bruxelles, r. Bouchers 13, ⊠ 1000, ℘ (0 2) 511 55 98,
Fax (0 2) 514 33 81, Ambiance bruxelloise, ouvert jusqu'à 23 h – ▤. 🄰🄴 🄾 🄴 *VISA* 🄹🄲🄱
fermé lundis non fériés et 15 juin-15 juil. – **Repas** Lunch 895 – 1100/1695. JY t

XX
La Tête d'Or, r. Tête d'Or 9, ⊠ 1000, ℘ (0 2) 511 02 01, *Fax (0 2) 502 44 91,*
« Demeure bruxelloise ancienne » – 🄰🄴 🄾 🄴 *VISA* JY u
fermé sam. midi et dim. – **Repas** 1000 bc/1500.

X
Falstaff Gourmand, r. Pierres 38, ⊠ 1000, ℘ (0 2) 512 17 61, *Fax (0 2) 512 17 61,*
Ouvert jusqu'à 23 h – ▤. 🄰🄴 🄾 🄴 *VISA* JY m
fermé dim. soir, lundi et 3 dern. sem. juil. – **Repas** 595 – 975 bc/1300 bc.

X
L'Ogenblik, Galerie des Princes 1, ⊠ 1000, ℘ (0 2) 511 61 51, *Fax (0 2) 513 41 58,*
Ouvert jusqu'à minuit, « Intérieur ancien café » – 🄰🄴 🄾 🄴 *VISA* 🄹🄲🄱 JY p
fermé dim. – **Repas** carte 1700 à 2400.

X
La Roue d'Or, r. Chapeliers 26, ⊠ 1000, ℘ (0 2) 514 25 54, *Fax (0 2) 512 30 81,* Ouvert
jusqu'à minuit, « Ancien café bruxellois » – 🄰🄴 🄾 🄴 *VISA* JY y
fermé août – **Repas** Lunch 325 – carte env. 1300.

X
't Kelderke, Grand'Place 15, ⊠ 1000, ℘ (0 2) 513 73 44, *Fax (0 2) 512 30 81,* Ouvert
jusqu'à 2 h du matin, « Estaminet dans une cave voûtée, ambiance bruxelloise » – 🄰🄴 🄾
🄴 *VISA* JY i
Repas Lunch 275 – carte env. 1000.

X
Taverne du Passage, Galerie de la Reine 30, ⊠ 1000, ℘ (0 2) 512 37 32,
Fax (0 2) 511 08 82, 🏠, Ouvert jusqu'à minuit, « Ambiance bruxelloise » – 🄰🄴 🄾 🄴 *VISA*
fermé merc. et jeudi en juin-juil. – **Repas** carte 1000 à 1850. JY r

Quartier Ste-Catherine (Marché-aux-Poissons) - *plan p. 14 sauf indication
spéciale :*

🏨
Atlas 🔉 sans rest, r. Vieux Marché-aux-Grains 30, ⊠ 1000, ℘ (0 2) 502 60 06,
Fax (0 2) 502 69 35 – 🛗 📺 ☎ 🕭 ⇦ – 🔬 40. 🄰🄴 🄾 🄴 *VISA* plan p. 10 ER a
83 ch ⊑ 2900/4900, 5 suites.

🏨
Astrid 🄼 sans rest, pl. du Samedi 11, ⊠ 1000, ℘ (0 2) 219 31 19, *Fax (0 2) 219 31 70*
– 🛗 📺 ☎ 🕭 ⇦ – 🔬 25 à 120. 🄰🄴 🄾 🄴 *VISA* JY b
100 ch ⊑ 5500.

🏨
Ibis Ste-Catherine sans rest, r. Joseph Plateau 2, ⊠ 1000, ℘ (0 2) 513 76 20, *Fax (0 2)
514 22 14* – 🛗 😻 📺 ☎ 🕭 – 🔬 25 à 80. 🄰🄴 🄾 🄴 *VISA* 🄹🄲🄱 JY a
⊑ 250 – **235 ch** 3450.

XX
La Sirène d'Or, pl. Ste-Catherine 1a, ⊠ 1000, ℘ (0 2) 513 51 98, *Fax (0 2) 502 13 05,*
Produits de la mer – ▤. 🄰🄴 🄾 🄴 *VISA* plan p. 10 ER g
fermé dim., lundi, 3 prem. sem. sept. et 23 déc.-2 janv. – **Repas** 890/1300.

XX
La Truite d'Argent et H. Welcome avec ch, quai au Bois-à-Brûler 23, ⊠ 1000,
℘ (0 2) 219 95 46, *Fax (0 2) 217 18 87,* 🏠, ▤ rest, 📺 ☎. 🄰🄴 🄾 🄴 *VISA* JY h
Repas (Produits de la mer, ouvert jusqu'à 23 h 30) *(fermé sam. midi, dim., jours fériés,
1 sem. en août et 20 déc.-12 janv.)* 1080/1540 – ⊑ 280 – **6 ch** 2300/3400.

XX
François, quai aux Briques 2, ⊠ 1000, ℘ (0 2) 511 60 89, *Fax (0 2) 511 60 53,* 🏠,
Écailler, produits de la mer – ▤. 🄰🄴 🄾 🄴 *VISA* 🄹🄲🄱 JY k
fermé lundi – **Repas** Lunch 990 – carte 1850 à 2500.

XX
🙿
La Belle Maraîchère, pl. Ste-Catherine 11, ⊠ 1000, ℘ (0 2) 512 97 59,
Fax (0 2) 513 76 91, Produits de la mer – ▤ 🅿. 🄰🄴 🄾 🄴 *VISA* JY k
fermé merc. et jeudi – **Repas** 995/1750.

X
Les Crustacés, quai aux Briques 8, ⊠ 1000, ℘ (0 2) 513 14 93, *Fax (0 2) 512 91 80,*
🏠, Produits de la mer – 🄰🄴 🄾 🄴 *VISA* 🄹🄲🄱 JY
Repas Lunch 750 – 950 bc/1500 bc.

X
🙿
Le Loup-Galant, quai aux Barques 4, ⊠ 1000, ℘ (0 2) 219 99 98, *Fax (0 2) 219 99 98,*
🏠 – 🄰🄴 🄾 🄴 *VISA* plan p. 10 EQ a
*fermé sam. midi, dim., lundi soir, jours fériés, 1 sem. Pâques, du 1ᵉʳ au 15 août et du
24 au 31 déc.* – **Repas** Lunch 470 – 890/1390.

Quartier des Sablons - *plan p. 14* :

🏠🏠 **Jolly du Grand Sablon** Ⓜ, r. Bodenbroek 2, ⊠ 1000, 𝒫 (0 2) 512 88 00, *Telex 20397, Fax (0 2) 512 67 66* – 🛗 ✻ ➡ 📺 ☎ ⟷ – 🔏 25 à 100. 🖭 ⓞ Ⓔ 𝚅𝙸𝚂𝙰. ✻ KZ **p**
Repas (résidents seult) – **195 ch** ⊡ 7800/8950, 6 suites.

🏠🏠 **Alfa Sablon** Ⓜ sans rest, r. Paille 4, ⊠ 1000, 𝒫 (0 2) 513 60 40, *Fax (0 2) 511 81 41,*
🖭 – 🛗 ✻ 📺 ☎. 🖭 ⓞ Ⓔ 𝚅𝙸𝚂𝙰 𝙹𝙲𝙱 KZ **t**
28 ch ⊡ 4800/8600, 4 suites.

ⅩⅩⅩ **L'Écailler du Palais Royal** (Basso), r. Bodenbroek 18, ⊠ 1000, 𝒫 (0 2) 512 87 51,
ⅩⅩ *Fax (0 2) 511 99 50,* Produits de la mer – ▪. 🖭 ⓞ Ⓔ 𝚅𝙸𝚂𝙰 𝙹𝙲𝙱 KZ **r**
fermé du 10 au 18 avril, août, dim. et jours fériés – **Repas** carte 2500 à 3150
Spéc. Daube chaude de petites anguilles au Graves rouge. Fricassée de homard et petites lottes au Sauternes. Blanc de turbot grillé, sauce au Champagne.

ⅩⅩ **Au Duc d'Arenberg,** pl. du Petit Sablon 9, ⊠ 1000, 𝒫 (0 2) 511 14 75,
Fax (0 2) 512 92 92, 🌸, « Collection de tableaux modernes » – Ⓔ 𝚅𝙸𝚂𝙰 KZ **a**
fermé dim., jours fériés et dern. sem. déc. – **Repas** Lunch 1600 – 2100.

ⅩⅩ **"Chez Marius" En Provence,** pl. du Petit Sablon 1, ⊠ 1000, 𝒫 (0 2) 511 12 08,
Fax (0 2) 512 27 89 – 🖭 ⓞ Ⓔ 𝚅𝙸𝚂𝙰 KZ **s**
fermé dim., jours fériés et 15 juil.-15 août – **Repas** Lunch 850 – 1100/2000.

ⅩⅩ **Castello Banfi,** r. Bodenbroek 12, ⊠ 1000, 𝒫 (0 2) 512 87 94, *Fax (0 2) 512 87 94,*
Avec cuisine italienne – ▪. 🖭 ⓞ Ⓔ 𝚅𝙸𝚂𝙰 KZ **q**
fermé du 12 au 20 avril, du 9 au 31 août, du 20 au 28 déc., dim. soir et lundi – **Repas** Lunch 995 – 1695.

Ⅹ **Lola,** pl. du Grand Sablon 33, ⊠ 1000, 𝒫 (0 2) 514 24 60, *Fax (0 2) 514 25 37,* Ouvert jusqu'à 23 h 30 – ▪. 🖭 Ⓔ 𝚅𝙸𝚂𝙰 JZ **c**
Repas carte env. 1300.

Ⅹ **La Clef des Champs,** r. Rollebeek 23, ⊠ 1000, 𝒫 (0 2) 512 11 93, *Fax (0 2) 513 89 49,*
🌸 – ▪. 🖭 ⓞ Ⓔ 𝚅𝙸𝚂𝙰. ✻ JZ **k**
fermé dim., lundi et jours fériés – **Repas** 990/1290.

Ⅹ **Les Années Folles,** r. Haute 17, ⊠ 1000, 𝒫 (0 2) 513 58 58, Ouvert jusqu'à 23 h –
🖭 ⓞ Ⓔ 𝚅𝙸𝚂𝙰 JZ **g**
fermé sam. midi et dim. – **Repas** Lunch 650 – 1000/1500.

Quartier Palais de Justice - *plan p. 10 sauf indication spéciale* :

🏨🏨 **Hilton,** bd de Waterloo 38, ⊠ 1000, 𝒫 (0 2) 504 11 11, *Telex 22744, Fax (0 2) 504 21 11,* ≤ ville, 🛴, 🖭 – 🛗 ✻ ➡ 📺 ☎ 🕭 ⟷ – 🔏 45 à 600. 🖭 ⓞ Ⓔ 𝚅𝙸𝚂𝙰 𝙹𝙲𝙱 FS **s**
Repas voir rest **Maison du Bœuf** ci-après – **Café d'Egmont** 1090 – ⊡ 690 – **421 ch** 6900/9500, 7 suites.

ⅩⅩⅩⅩ **Maison du Bœuf** - H. Hilton, 1er étage, bd de Waterloo 38, ⊠ 1000, 𝒫 (0 2) 504 11 11,
Telex 22744, Fax (0 2) 504 21 11, ≤ – ▪ ℗. 🖭 ⓞ Ⓔ 𝚅𝙸𝚂𝙰 𝙹𝙲𝙱 FS **s**
Repas Lunch 1590 – carte 2700 à 3400
Spéc. Fantaisie de crevettes de la mer du Nord. Train de côtes de bœuf américain rôti en croûte de sel. Tartare maison au caviar.

Ⅹ **Le Gourmandin,** r. Haute 152, ⊠ 1000, 𝒫 (0 2) 512 98 92, *Fax (0 2) 512 98 92* – 🖭 ⓞ Ⓔ 𝚅𝙸𝚂𝙰 plan p. 14 JZ **u**
fermé sam. midi, dim. et 2e quinz. juil. – **Repas** Lunch 490 – 890/2200.

Ⅹ **Les Larmes du Tigre,** r. Wynants 21, ⊠ 1000, 𝒫 (0 2) 512 18 77, *Fax (0 2) 502 10 03,* 🌸, Cuisine thaïlandaise – 🖭 ⓞ Ⓔ 𝚅𝙸𝚂𝙰 ES **p**
fermé sam. midi – dim. – **Repas** Lunch 395 – carte 900 à 1300.

Quartier Léopold (voir aussi Ixelles) - *plan p. 11 sauf indication spéciale* :

🏨🏨 **Stanhope,** r. Commerce 9, ⊠ 1000, 𝒫 (0 2) 506 91 11, *Fax (0 2) 512 17 08,* « Hôtel particulier avec terrasse clos de murs », 🛴, 🖭 – 🛗 ➡ 📺 ☎ ⟷. 🖭 ⓞ Ⓔ 𝚅𝙸𝚂𝙰 𝙹𝙲𝙱. ✻ plan p. 14 : KZ **v**
Repas (fermé sam., dim. et 24 déc.-4 janv.) Lunch 1350 – carte 1850 à 2500 – **35 ch** ⊡ 9900/12900, 15 suites.

🏨🏨 **Swissôtel** Ⓜ, r. Parnasse 19, ⊠ 1050, 𝒫 (0 2) 505 29 29, *Fax (0 2) 505 22 76,* 🛴, 🖭, 🔲, 🎋 – 🛗 ✻ ➡ 📺 ☎ 🕭 ⟷ – 🔏 25 à 360. 🖭 ⓞ Ⓔ 𝚅𝙸𝚂𝙰 𝙹𝙲𝙱. ✻ rest FS **e**
Repas (ouvert jusqu'à 23 h) Lunch 790 – 1240/1400 – ⊡ 700 – **238 ch** 8300/9300, 19 suites.

Quartier Louise (voir aussi Ixelles et St-Gilles) - *plans p. 10 et 12* :

🏨🏨 **Conrad** ⋙, av. Louise 71, ⊠ 1050, 𝒫 (0 2) 542 42 42, *Fax (0 2) 542 42 00,* 🌸, « Complexe autour d'un hôtel de maître de style début du siècle », 🛴 – 🛗 ✻ ➡ 📺 ☎ ⟷ – 🔏 25 à 650. 🖭 ⓞ Ⓔ 𝚅𝙸𝚂𝙰 𝙹𝙲𝙱. ✻ rest FS **f**
Repas voir rest **La Maison de Maître** ci-après – **Café Wiltcher's** (Buffet, ouvert jusqu'à 23 h) Lunch 1100 - carte 1450 à 1850 – ⊡ 950 – **254 ch** 13000/17000, 15 suites.

🏠🏠🏠 **Bristol Stéphanie** Ⓜ, av. Louise 91, ⬜ 1050, ℰ (0 2) 543 33 11, Fax (0 2) 538 03 07,
🔽 – 📱 ⇄ 🚫 📺 ☎ 🚗 – 🔬 25 à 215. ﭏ ⓞ 🄴 𝗩𝗜𝗦𝗔 𝗝𝗖𝗕. ⋘ rest   FT g
Repas (fermé sam., dim., 18 juil.-16 août et 19 déc.-3 janv.) Lunch 795 – carte 1250 à 1700
– ⟋ 720 – **140 ch** 8200/10200, 2 suites.

🏠🏠 **Mayfair**, av. Louise 381, ⬜ 1050, ℰ (0 2) 649 98 00, Fax (0 2) 649 22 49 – 📱 ⇄ 🚫
📺 ☎ 🚗 – 🔬 30 à 60. ﭏ ⓞ 🄴 𝗩𝗜𝗦𝗔 𝗝𝗖𝗕. ⋘   FV a
Repas voir rest **Taishin** ci-après – **Louis XVI** (fermé sam.) Lunch 580 - carte env. 1500 –
⟋ 580 – **97 ch** 5900, 2 suites.

🏠🏠 **Clubhouse** sans rest, r. Blanche 4, ⬜ 1000, ℰ (0 2) 537 92 10, Fax (0 2) 537 00 18 –
📱 ⇄ 📺 ☎ 🚗 – 🔬 30. ﭏ ⓞ 🄴 𝗩𝗜𝗦𝗔 𝗝𝗖𝗕. ⋘   FT h
80 ch ⟋ 4500/7400.

🏠 **Agenda** sans rest, r. Florence 6, ⬜ 1000, ℰ (0 2) 539 00 31, Fax (0 2) 539 00 63 – 📱
📺 ☎ 🚗. ﭏ ⓞ 🄴 𝗩𝗜𝗦𝗔 𝗝𝗖𝗕   FT j
⟋ 300 – **38 ch** 3300/3600.

❌❌❌ **La Maison de Maître** - H. Conrad, av. Louise 71, ⬜ 1050, ℰ (0 2) 542 47 16,
Fax (0 2) 542 48 42 – 🚫 🅿. ﭏ ⓞ 🄴 𝗩𝗜𝗦𝗔   FS f
fermé du 3 au 31 août, du 25 au 29 déc., sam. midi et dim. – Repas Lunch 1400 – 1650/2550.

❌❌ **La Porte des Indes**, av. Louise 455, ⬜ 1050, ℰ (0 2) 647 86 51, Fax (0 2) 640 30 59,
Cuisine indienne, « Décor exotique » – 🚫. ﭏ ⓞ 🄴 𝗩𝗜𝗦𝗔   FV c
fermé dim. midi – Repas Lunch 650 – carte 1150 à 1550.

❌❌ **Au Palais des Indes**, av. Louise 263, ⬜ 1050, ℰ (0 2) 646 09 41, Fax (0 2) 646 33 05,
Cuisine indienne, ouvert jusqu'à 23 h, « Collection de sitars » – 🚫. ﭏ ⓞ 🄴 𝗩𝗜𝗦𝗔
fermé dim. midi et jours fériés midis – Repas Lunch 695 – carte env. 1000.   FU h

❌❌ **Taishin** - H. Mayfair, av. Louise 381, ⬜ 1050, ℰ (0 2) 647 84 04, Fax (0 2) 649 22 49,
Cuisine japonaise – 🚫 🅿. ﭏ ⓞ 🄴 𝗩𝗜𝗦𝗔 𝗝𝗖𝗕. ⋘   FV a
fermé dim. – Repas Lunch 750 – 1500/3000.

❌❌ **Tagawa**, av. Louise 279, ⬜ 1050, ℰ (0 2) 640 50 95, Fax (0 2) 648 41 36, Cuisine japonaise – 🚫 🅿. ﭏ ⓞ 🄴 𝗩𝗜𝗦𝗔 𝗝𝗖𝗕. ⋘   FU e
fermé sam. midi, dim. et jours fériés – Repas Lunch 390 – carte 1400 à 1950.

Quartier Bois de la Cambre - plan p. 13 :

❌❌❌❌❌ **Villa Lorraine** (Van de Casserie), av. du Vivier d'Oie 75, ⬜ 1000, ℰ (0 2) 374 31 63,
⭐ Fax (0 2) 372 01 95, 🌿, « Terrasse » – 🅿. ﭏ ⓞ 🄴 𝗩𝗜𝗦𝗔 𝗝𝗖𝗕   GX w
fermé dim. et 3 sem. en juil. – Repas Lunch 1750 – 3000, carte 3100 à 3700
Spéc. Émincé de homard et artichauts tièdes, vinaigrette aux truffes. Noisettes de chevreuil, jus de venaison au poivre noir (oct.-10 déc.). Escalopines de foie de canard au verjus
et figues confites.

❌❌❌ **La Truffe Noire**, bd de la Cambre 12, ⬜ 1000, ℰ (0 2) 640 44 22, Fax (0 2) 647 97 04,
⭐ « Intérieur élégant » – 🚫. ﭏ ⓞ 🄴 𝗩𝗜𝗦𝗔   GV x
fermé sam. midi, dim., 1 sem. Pâques, 2e quinz. août et prem. sem. janv. – Repas Lunch 1975 bc
– 2100/3475, carte 2500 à 3650
Spéc. Carpaccio aux truffes. St-Pierre aux poireaux et truffes. Truffe au chocolat noir en cage
de sucre.

Quartier de l'Europe - plan p. 11 :

🏠🏠🏠 **Dorint** Ⓜ, bd Charlemagne 11, ⬜ 1000, ℰ (0 2) 231 09 09, Fax (0 2) 230 33 71, 🏋,
⇄ – 📱 ⇄ 🚫 ☎ 🔥 – 🔬 25 à 150. ﭏ ⓞ 🄴 𝗩𝗜𝗦𝗔 𝗝𝗖𝗕   GR c
Repas Lunch 950 – carte env. 1400 – ⟋ 650 – **208 ch** 8200, 2 suites – ½ P 9200/9600.

🏠🏠 **Europa**, r. Loi 107, ⬜ 1040, ℰ (0 2) 230 13 33, Telex 25121, Fax (0 2) 230 36 82, 🏋
– 📱 ⇄ 🚫 📺 ☎ 🚗 🅿 – 🔬 25 à 350. ﭏ ⓞ 🄴 𝗩𝗜𝗦𝗔 𝗝𝗖𝗕.   GR d
Repas 990/1650 – ⟋ 650 – **236 ch** 8500/10500, 4 suites – ½ P 9850/11850.

🏠🏠 **Eurovillage** Ⓜ, bd Charlemagne 80, ⬜ 1000, ℰ (0 2) 230 85 55, Fax (0 2) 230 56 35,
🌿, ⇄ – 📱 ⇄ 🚫 📺 ☎ 🚗 – 🔬 25 à 120. ﭏ ⓞ 🄴 𝗩𝗜𝗦𝗔 𝗝𝗖𝗕   GR a
Repas (fermé sam., dim. midi et août) Lunch 750 – carte 1000 à 1350 – ⟋ 600 – **80 ch**
5250/6500.

🏠🏠 **Euroflat** sans rest, bd Charlemagne 50, ⬜ 1000, ℰ (0 2) 230 00 10, Fax (0 2) 230 36 83,
⇄ – 📱 📺 ☎ 🚗 – 🔬 25 à 80. ﭏ ⓞ 🄴 𝗩𝗜𝗦𝗔 𝗝𝗖𝗕   GR b
121 ch ⟋ 5700/6500, 12 suites.

🏠🏠 **New Charlemagne** sans rest, bd Charlemagne 25, ⬜ 1000, ℰ (0 2) 230 21 35,
Fax (0 2) 230 25 10 – 📱 ⇄ 📺 ☎ 🚗 – 🔬 30 à 60. ﭏ ⓞ 🄴 𝗩𝗜𝗦𝗔   GR k
⟋ 525 – **66 ch** 3200/5400.

🏠🏠 **City Garden** sans rest, r. Joseph II 59, ⬜ 1000, ℰ (0 2) 282 82 82, Fax (0 2) 230 64 37
– 📱 ⇄ 📺 ☎ 🚗. ﭏ ⓞ 🄴 𝗩𝗜𝗦𝗔 𝗝𝗖𝗕   GR f
94 ch ⟋ 5000/5500, 2 suites.

❌❌ **Le Jardin d'Espagne**, r. Archimède 65, ⬜ 1000, ℰ (0 2) 736 34 49, Fax (0 2) 735 17 45,
🌿, Avec cuisine espagnole – ﭏ ⓞ 🄴 𝗩𝗜𝗦𝗔   GR s
fermé sam. midi et dim. – Repas Lunch 950 – 1150.

XX **Pappa e Citti,** r. Franklin 18, ✉ 1000, ℘ (0 2) 732 61 10, Fax (0 2) 732 57 40, 🏠,
Cuisine italienne – ⏍ ⓞ 〓 𝘝𝘐𝘚𝘈 ⨾⨾, ⨾⨾
GR e
fermé sam., dim., jours fériés, août et 24 déc.-3 janv. – **Repas** Lunch 1050 – carte 1200 à
1750.

X **L'Atelier,** r. Franklin 28, ✉ 1000, ℘ (0 2) 734 91 40, Fax (0 2) 735 35 98, 🏠, Buffets
– ⏍ ⓞ 〓 𝘝𝘐𝘚𝘈
GR y
fermé week-end, août et Noël-Nouvel An – **Repas** Lunch 850 – 930 bc/1200.

X **Le Stevin,** r. St-Quentin 29, ✉ 1000, ℘ (0 2) 230 98 47, Fax (0 2) 230 04 94, 🏠 –
⑤ ⏍ ⓞ 〓 𝘝𝘐𝘚𝘈. ⨾⨾
GR r
fermé du 3 au 29 août, 24 déc.-3 janv., sam., dim. et jours fériés – **Repas** 780/925.

X **Takesushi,** bd Charlemagne 21, ✉ 1000, ℘ (0 2) 230 56 27, 🏠, Cuisine japonaise –
⏍ ⓞ 〓 𝘝𝘐𝘚𝘈
GR z
fermé sam. et dim. midi – **Repas** Lunch 450 – carte 1400 à 2450.

Quartier Botanique, Gare du Nord (voir aussi St-Josse-ten-Noode) - plan p. 10 :

🏨 **Sheraton Towers,** pl. Rogier 3, ✉ 1210, ℘ (0 2) 224 31 11, Fax (0 2) 224 34 56, ⅃ₛ,
⨾⨾, ⬛ – 🛗 ⨾⨾ 🖥 📺 ☎ ⅋ ⨾⨾ – 🔏 25 à 600. ⏍ ⓞ 〓 𝘝𝘐𝘚𝘈 ⨾⨾
FQ n
Repas voir rest **Les Comtes de Flandre** ci-après – **Crescendo** (avec buffets, ouvert
jusqu'à 23 h) Lunch 1100 - carte 1050 à 1500 – ⨾⨾ 750 – **464 ch** 9500, 42 suites.

🏨 **Président World Trade Center,** bd E. Jacqmain 180, ✉ 1000, ℘ (0 2) 203 20 20,
Fax (0 2) 203 24 40, ⅃ₛ, ⨾⨾ – 🛗 ⨾⨾ 📺 ☎ ⅋ – 🔏 25 à 350. ⏍ ⓞ 〓 𝘝𝘐𝘚𝘈 ⨾⨾
Repas (déjeuner seult) 990 – **286 ch** ⨾⨾ 7500/8500, 16 suites.
FQ d

🏨 **Le Dome** avec annexe Le Dome II Ⓜ, bd du Jardin Botanique 12, ✉ 1000, ℘ (0 2)
218 45 29, Fax (0 2) 218 41 12, 🏠 – 🛗 ⨾⨾ 🖥 📺 ☎ – 🔏 25 à 100. ⏍ ⓞ 〓 𝘝𝘐𝘚𝘈
Repas Lunch 650 – carte env. 1400 – **125 ch** ⨾⨾ 3000/8400 – ½ P 3800/4300.   FQ m

🏨 **Président Nord** sans rest, bd A. Max 107, ✉ 1000, ℘ (0 2) 219 00 60, Telex 61417,
Fax (0 2) 218 12 69 – 🛗 🖥 📺 ☎. ⏍ ⓞ 〓 𝘝𝘐𝘚𝘈 ⨾⨾. ⨾⨾
FQ k
63 ch ⨾⨾ 3850/5350.

🏨 **Vendôme** sans rest, bd A. Max 98, ✉ 1000, ℘ (0 2) 227 03 00, Fax (0 2) 218 06 83
– 🛗 📺 ☎ ⨾⨾. ⏍ ⓞ 〓 𝘝𝘐𝘚𝘈 ⨾⨾
FQ c
⨾⨾ 550 – **105 ch** 4150/6250.

XXX **Les Comtes de Flandre** - H. Sheraton Towers, pl. Rogier 3, ✉ 1210, ℘ (0 2) 224 31 11,
Telex 26887, Fax (0 2) 224 34 56 – 🖥 ⏍. ⏍ ⓞ 〓 𝘝𝘐𝘚𝘈 ⨾⨾
FQ n
fermé sam. midi, dim. et août – **Repas** Lunch 1250 – 2250.

**Quartier Atomium (Centenaire - Trade Mart - Laeken - Neder-over-
Heembeek)** - plan p. 6 sauf indication spéciale :

XX **Les Baguettes Impériales** (Mme Ma), av. J. Sobieski 70, ✉ 1020, ℘ (0 2) 479 67 32,
⨾⨾ Fax (0 2) 479 67 32, 🏠, Avec cuisine vietnamienne, « Terrasse » – 🖥. ⏍ ⓞ 〓
𝘝𝘐𝘚𝘈. ⨾⨾
BKL b
fermé mardi, dim. soir, 2 sem. Pâques et août – **Repas** carte 1800 à 2500
Spéc. Mi au homard. Crêpe croustillante au homard. Pigeonneau farci aux nids d'hirondelle.

XX **Ming Dynasty,** av. de l'Esplanade BP 9, ✉ 1020, ℘ (0 2) 475 23 45, Fax (0 2) 475 23 50,
Cuisine chinoise, ouvert jusqu'à 23 h – 🖥 ⅋. ⏍ ⓞ 〓 𝘝𝘐𝘚𝘈
BK a
fermé sam. midi, dim. et mi-juil.-mi-août – **Repas** Lunch 750 – 980 (2 pers. min.)/1950.

XX **Lychee,** r. De Wand 118, ✉ 1020, ℘ (0 2) 268 19 14, Fax (0 2) 268 19 14, Cuisine chinoise, ouvert jusqu'à 23 h 30 – 🖥. ⏍ ⓞ 〓 𝘝𝘐𝘚𝘈
BK d
fermé 15 juil.-15 août – **Repas** Lunch 325 – carte env. 1000.

XX **Aub. de l'Isard,** Parvis Notre-Dame 1, ✉ 1020, ℘ (0 2) 479 85 64, Fax (0 2) 479 16 49
– 🖥. ⏍ ⓞ 〓 𝘝𝘐𝘚𝘈
BL c
fermé dim., lundi soir, 1 sem. Pâques et 15 juil.-15 août – **Repas** Lunch 690 – 995/1450.

XX **Le Curnonsky,** bd E. Bockstael 315, ✉ 1020, ℘ (0 2) 479 22 60, Fax (0 2) 478 80 59
– 🖥. ⏍ ⓞ 〓 𝘝𝘐𝘚𝘈
BL e
fermé merc. et jeudis non fériés et août – **Repas** Lunch 350 – carte 1000 à 1400.

XX **La Bonne Fourchette,** r. Ransbeek 183, ✉ 1120, ℘ (0 2) 268 43 01,
Fax (0 2) 268 43 01 – ⏍ ⓞ 〓 𝘝𝘐𝘚𝘈
plan p. 7 CK j
fermé dim., lundi soir, mardi soir et 21 juil.-15 août – **Repas** Lunch 850 – 1350.

X **L'Escoffier,** r. Léopold Iᵉʳ 132, ✉ 1020, ℘ (0 2) 424 22 22, Fax (0 2) 424 22 22 – ⏍
〓 𝘝𝘐𝘚𝘈
BL f
fermé dim. soir, lundi et sept. – **Repas** Lunch 695 – 895/1195 bc.

X **Le Paradis de Chang,** r. de Wand 51, ✉ 1020, ℘ (0 2) 268 18 45, Cuisine chinoise,
ouvert jusqu'à 23 h – 🛗 🖥. ⏍ ⓞ 〓 𝘝𝘐𝘚𝘈
BK g
fermé lundis non fériés – **Repas** Lunch 280 – 480/920.

X **Adrienne Atomium,** Square Atomium, bd du Centenaire, ✉ 1020, ℘ (0 2) 478 30 00,
⑤ Fax (0 10) 68 80 41, ⨾⨾ ville, Buffets – ⏍ ⓞ 〓 𝘝𝘐𝘚𝘈
BK
fermé dim., 3 sem. en juil. et 1 sem. Noël – **Repas** Lunch 690 – 840.

ANDERLECHT - plans p. 6 et 8 sauf indication spéciale :

🏨 **Le Prince de Liège,** chaussée de Ninove 664, ✉ 1070, *ℰ* (0 2) 522 16 00,
Fax (0 2) 520 81 85 – |⋕| 📺 ☎ ⇔ – 🛎 25. ⚠ ⑩ 🖪 𝘝𝘐𝘚𝘈 AM h
Repas (fermé dim. soir et 10 juil.-8 août) Lunch 545 – 1050/1395 – **32 ch** ⇌ 2100/3250.

🏨 **Ustel,** Square de l'Aviation 6, ✉ 1070, *ℰ* (0 2) 520 60 53, Fax (0 2) 520 33 28 – |⋕| 📺
☎ ⇔ – 🛎 30. ⚠ ⑩ 🖪 𝘝𝘐𝘚𝘈. ✀ plan p. 10 ES q
Repas La Grande Écluse « Dans la machinerie » (fermé sam. midi et dim. midi) Lunch 450-
carte 1150 à 1550 – **94 ch** ⇌ 3600/4300 – ½ P 3200/5000.

🏠 **Erasme,** rte de Lennik 790, ✉ 1070, *ℰ* (0 2) 523 62 82, Fax (0 2) 523 62 83, � – |⋕|
⇔ ✀, ▤ rest, 📺 ☎ 🕭 ⑫ – 🛎 25 à 80. ⚠ ⑩ 🖪 𝘝𝘐𝘚𝘈 AN m
Repas (Taverne-rest) (fermé du 1er au 15 août) 655 – **52 ch** ⇌ 2150/2850 –
½ P 1425/1725.

🏠 **Gerfaut** sans rest, chaussée de Mons 115, ✉ 1070, *ℰ* (0 2) 524 20 44, Fax (0 2) 524 30 44
– |⋕| 📺 ☎ ⑫. ⚠ ⑩ 🖪 𝘝𝘐𝘚𝘈 𝙅𝘊𝘽. ✀ BM k
48 ch ⇌ 2500/3000.

%%% **Saint-Guidon** 2e étage, av. Théo Verbeeck 2 (dans le stade Constant Vanden Stock),
😋 ✉ 1070, *ℰ* (0 2) 520 55 36, Fax (0 2) 523 38 27 – ▤ ⑫ – 🛎 25 à 500. ⑩ 🖪
𝘝𝘐𝘚𝘈 𝙅𝘊𝘽 AM m
fermé sam., dim., jours fériés, jours de match de l'équipe première, juil. et Noël-Nouvel
An – **Repas** (déjeuner seult) 995/2100 bc.

%% **Alain Cornelis,** av. Paul Janson 82, ✉ 1070, *ℰ* (0 2) 523 20 83, Fax (0 2) 523 20 83,
� – ⚠ ⑩ 🖪 𝘝𝘐𝘚𝘈 AM p
fermé sam. midi, dim., jours fériés, sem. Pâques, 1re quinz. août et Noël-Nouvel An – **Repas**
Lunch 870 – carte 1650 à 2000.

%% **La Brouette,** bd Prince de Liège 61, ✉ 1070, *ℰ* (0 2) 522 51 69, Fax (0 2) 522 51 69
– ⚠ ⑩ 🖪 𝘝𝘐𝘚𝘈 AM r
fermé lundi, sam. midi et mi-juil.-mi-août – **Repas** (déjeuner seult sauf vend. et sam.) Lunch
750 – 1250/1500.

%% **Le Florence,** r. Henri Deleers 4 (pl. Bizet), ✉ 1070, *ℰ* (0 2) 520 35 03, Fax (0 2) 520 08 04,
Ouvert jusqu'à 23 h 30 – ▤ ⑫. ⚠ ⑩ 🖪 𝘝𝘐𝘚𝘈 AN c
fermé mi-juil.-mi-août – **Repas** Lunch 895 – 1295.

%% **Le Croûton,** r. Aumale 22 (près pl. de la Vaillance), ✉ 1070, *ℰ* (0 2) 520 79 36, 🌤
– ⚠ ⑩ 🖪 𝘝𝘐𝘚𝘈 AM q
fermé dim., lundi, 25 janv.-8 fév. et du 15 au 31 août – **Repas** Lunch 1000 – carte 1600
à 2550.

%% **La Table d'Italie,** chaussée de Ninove 766, ✉ 1070, *ℰ* (0 2) 523 21 49,
Fax (0 2) 522 41 54, 🌤, Avec cuisine italienne – ⚠ ⑩ 🖪 𝘝𝘐𝘚𝘈 AM s
fermé sam. midi – **Repas** Lunch 440 – 990/1290.

% **La Farigoule,** chaussée de Mons 1427, ✉ 1070, *ℰ* (0 2) 520 48 01 – ▤ ⑫. ⚠ ⑩
🖪 𝘝𝘐𝘚𝘈 AN f
fermé lundis midis non fériés, dim. soir, lundi soir, sem. carnaval et 13 juil.-5 août – **Repas**
Lunch 595 – 895/1195.

% **Le Chalet de la Pede,** r. Neerpede 575, ✉ 1070, *ℰ* (0 2) 521 50 54, Fax (0 2) 521 50 54,
≤, 🌤 – ⑫. ⚠ ⑩ 🖪 𝘝𝘐𝘚𝘈 AN r
fermé lundis et mardis non fériés – **Repas** 995/1395.

% **La Paix,** r. Ropsy-Chaudron 49 (face Abattoirs), ✉ 1070, *ℰ* (0 2) 523 09 58,
Fax (0 2) 520 10 39, Taverne-rest – ⚠ 🖪 𝘝𝘐𝘚𝘈 BM a
fermé sam., dim. et 3 dern. sem. juil. – **Repas** (déjeuner seult sauf vend.) carte 1000 à
1400.

AUDERGHEM (OUDERGEM) - plan p. 9 :

%% **La Grignotière** (Chanson), chaussée de Wavre 2041, ✉ 1160, *ℰ* (0 2) 672 81 85,
😋 Fax (0 2) 672 81 85 – ⚠ ⑩ 🖪 𝘝𝘐𝘚𝘈 DN t
fermé dim., lundi et août – **Repas** Lunch 1350 – 1750/2000
Spéc. Langoustines à la vapeur de verveine, ragoût de girolles. Ravioles de champignons
aux herbes. Turbotin rôti à l'émulsion de cerfeuil.

%% **Le Pousse-Rapière,** chaussée de Wavre 1699, ✉ 1160, *ℰ* (0 2) 672 76 20, 🌤 – ▤.
⚠ ⑩ 🖪 𝘝𝘐𝘚𝘈 CN v
fermé dim., lundi et 15 juil.-15 août – **Repas** Lunch 590 – 990/1390.

%% **L'Abbaye de Rouge Cloître,** r. Rouge Cloître 8, ✉ 1160, *ℰ* (0 2) 672 45 25, Fax (0 2)
660 12 01, 🌤, « En lisière de forêt » – ⑫ – 🛎 25 à 45. ⚠ ⑩ 🖪 𝘝𝘐𝘚𝘈 DN u
fermé mardi, 22 déc.-6 janv. et après 19 h sauf en été – **Repas** Lunch 550 – 850.

%% **Dionysos,** chaussée de Wavre 1591, ✉ 1160, *ℰ* (0 2) 672 96 96, Fax (0 2) 672 94 63,
Avec cuisine grecque, ouvert jusqu'à minuit – ▤. ⚠ ⑩ 🖪 𝘝𝘐𝘚𝘈 CN e
Repas Lunch 495 – 1250 bc/1450 bc.

✗ **La Citronnelle,** chaussée de Wavre 1377, ⊠ 1160, ℰ (0 2) 672 98 43,
Fax (0 2) 672 98 43, ㈜, Cuisine vietnamienne – 𝔸𝔼 ⓞ 𝔼 𝑉𝐼𝑆𝐴   CN f
fermé lundi, sam. midi et 2ᵉ quinz. août – **Repas** *Lunch 420* – carte env. 900.

✗ **La Khaïma,** chaussée de Wavre 1390, ⊠ 1160, ℰ (0 2) 675 00 04, Fax (0 2) 675 00 04,
Cuisine marocaine, ouvert jusqu'à 23 h, « Évocation d'un intérieur berbère sous tente »
– ⅋   CN k
fermé août – **Repas** 995.

✗ **Thaï Garden,** chaussée de Wavre 2045, ⊠ 1160, ℰ (0 2) 672 34 76, Fax (0 2) 672 34 76,
㈜, Cuisine thaïlandaise – 𝔸𝔼 𝔼 𝑉𝐼𝑆𝐴   DN t
fermé sam. midi, dim. midi, lundi et juil. – **Repas** carte env. 1000.

BERCHEM-STE-AGATHE (SINT-AGATHA-BERCHEM) - *plan p. 6* :

✗✗ **Stromboli** avec ch, chaussée de Gand 1202, ⊠ 1082, ℰ (0 2) 465 66 51,
Fax (0 2) 465 66 51, ㈜, Avec cuisine italienne – 𝔼 𝕋𝕍 ☎. 𝔸𝔼 ⓞ 𝔼 𝑉𝐼𝑆𝐴. ⅋   AL x
Repas *(fermé mardi, merc. et 21 juil.-21 août) Lunch 995* – 1995 – **4 ch** � 3600/4000.

✗ **La Brasserie de la Gare,** chaussée de Gand 1430, ⊠ 1082, ℰ (0 2) 469 10 09, Ouvert
jusqu'à 23 h – 𝔸𝔼 ⓞ 𝔼 𝑉𝐼𝑆𝐴   AL s
fermé sam. midi et dim. – **Repas** *Lunch 425* – 975.

✗ **Mimosa,** av. Josse Goffin 166, ⊠ 1082, ℰ (0 2) 465 22 98, Fax (0 2) 465 20 28 – ▤.
𝔸𝔼 ⓞ 𝔼 𝑉𝐼𝑆𝐴   AL y
fermé lundi soir, mardi et merc. – **Repas** *Lunch 450* – 1200.

ETTERBEEK - *plan p. 11* :

✗✗ **Stirwen,** chaussée St-Pierre 15, ⊠ 1040, ℰ (0 2) 640 85 41, Fax (0 2) 648 43 08 – 𝔸𝔼
ⓞ 𝔼 𝑉𝐼𝑆𝐴   GS a
fermé sam. midi, dim. et 2 sem. en août – **Repas** *Lunch 1050* – carte 1750 à 2450
Spéc. Tête de veau ravigote. Cassoulet toulousain au confit de canard (sept.-juin). Fricassée
de chipirons à la basquaise.

✗✗ **Grillange** 1ᵉʳ étage, av. Eudore Pirmez 7, ⊠ 1040, ℰ (0 2) 649 26 85, Fax (0 2) 649 26 85,
Cuisine espagnole – 𝔸𝔼 ⓞ 𝔼 𝑉𝐼𝑆𝐴. ⅋   GT a
fermé dim., lundi, 15 juil.-20 août et du 1ᵉʳ au 10 janv. – **Repas** *Lunch 500* – 900/1500.

✗ **La Reverdie,** r. Général Leman 29, ⊠ 1040, ℰ (0 2) 640 55 32, Fax (0 2) 648 16 58,
㈜ – 𝔸𝔼 𝔼 𝑉𝐼𝑆𝐴   GS r
fermé sam., dim., lundi soir, mardi soir, 3 prem. sem. août et du 24 au 30 déc. – **Repas**
Lunch 520 – 800/1000.

Quartier Cinquantenaire (Montgomery) - *plan p. 11* :

🏨 **Clubhouse Park** sans rest, av. de l'Yser 21, ⊠ 1040, ℰ (0 2) 735 74 00,
Fax (0 2) 735 19 67, 🎇, ≦s, ☞ – 🛗 ✲ 𝕋𝕍 ☎ – 🔏 25. 𝔸𝔼 ⓞ 𝔼 𝑉𝐼𝑆𝐴 𝐽𝐶𝐵. ⅋   HS c
51 ch � 4000/8500.

✗✗ **Le Serpolet,** av. de Tervuren 59, ⊠ 1040, ℰ (0 2) 736 17 01, Fax (0 2) 736 67 85, ㈜
– ▤. 𝔸𝔼 ⓞ 𝔼 𝑉𝐼𝑆𝐴   HS b
fermé sam. midi et dim. soir – **Repas** *Lunch 695* – 995/1275.

✗ **La Fontaine de Jade,** av. de Tervuren 5, ⊠ 1040, ℰ (0 2) 736 32 10, Fax (0 2)
732 46 86, Cuisine chinoise, ouvert jusqu'à 23 h – ▤. 𝔸𝔼 ⓞ 𝔼 𝑉𝐼𝑆𝐴   HS a
fermé sam. midi – **Repas** *Lunch 350* – 950.

✗ **Harry's Place,** r. Bataves 65, ⊠ 1040, ℰ (0 2) 735 09 00, Fax (0 2) 735 89 32 – ▤.
𝔸𝔼 ⓞ 𝔼 𝑉𝐼𝑆𝐴   HS d
fermé du 3 au 16 août, 21 déc.-3 janv., sam. midi et dim. – **Repas** *Lunch 690* – 1090.

✗ **Momotaro,** av. d'Auderghem 106, ⊠ 1040, ℰ (0 2) 734 06 64, Fax (0 2) 734 64 18,
Cuisine japonaise avec sushi-bar – 𝔸𝔼 ⓞ 𝔼 𝑉𝐼𝑆𝐴. ⅋   GS f
fermé sam. midi, dim. midi et du 1ᵉʳ au 15 août – **Repas** *Lunch 395* – 690/2700.

EVERE - *plan p. 7* :

🏨 **Belson** sans rest, chaussée de Louvain 805, ⊠ 1140, ℰ (0 2) 705 20 30,
Fax (0 2) 705 20 43 – 🛗 ✲ ▤ 𝕋𝕍 ☎ ⊷ – 🔏 25. 𝔸𝔼 ⓞ 𝔼 𝑉𝐼𝑆𝐴 𝐽𝐶𝐵   CL z
� 650 – **131 ch** 2900/9000, 3 suites.

🏨 **Mercure,** av. J. Bordet 74, ⊠ 1140, ℰ (0 2) 726 73 35, Fax (0 2) 726 82 95, ㈜ – 🛗
✲ 𝕋𝕍 ☎ 🅰 ⊷ – 🔏 25 à 120. 𝔸𝔼 ⓞ 𝔼 𝑉𝐼𝑆𝐴 𝐽𝐶𝐵   CL a
Repas *(fermé sam. midi et dim. midi)* carte 1000 à 1600 – � 600 – **113 ch** 4500/5950,
7 suites – ½ P 4550/7525.

🏨 **Evergreen** sans rest, av. V. Day 1, ⊠ 1140, ℰ (0 2) 726 70 15, Fax (0 2) 726 62 60
– 𝕋𝕍 ☎. 𝔸𝔼 ⓞ 𝔼 𝑉𝐼𝑆𝐴 𝐽𝐶𝐵   CL b
20 ch � 2300/2600.

✗✗ **Le Citron Vert,** av. H. Conscience 242, ⊠ 1140, ℰ (0 2) 241 12 57, Fax (0 2) 242 70 05,
Ouvert jusqu'à 23 h – 𝔸𝔼 ⓞ 𝔼 𝑉𝐼𝑆𝐴   CL c
fermé lundi soir, mardi soir et début août – **Repas** *Lunch 350* – 795.

FOREST (VORST) - plan p. 8 :

🏠 **De Fierlant** sans rest, r. De Fierlant 67, ⊠ 1190, ℰ (0 2) 538 60 70, Fax (0 2) 538 91 99
– 📳 📺 ☎. ⒶⒺ ⓞ Ⓔ 𝗩𝗜𝗦𝗔   BN d
40 ch ⊑ 2000/2800.

GANSHOREN - plan p. 15 sauf indication spéciale :

XXXX **Bruneau,** av. Broustin 75, ⊠ 1083, ℰ (0 2) 427 69 78, Fax (0 2) 425 97 26, �😀,
❀❀❀ « Terrasse » – ▤. ⒶⒺ ⓞ Ⓔ 𝗩𝗜𝗦𝗔   W a
fermé jeudis fériés, mardi soir, merc., 30 juil.-26 août et du 1er au 10 fév. – **Repas** Lunch
1750 – 3245/4675, carte 2300 à 3300
Spéc. St-Jacques farcies d'embeurrée de chou et hachis de pieds de porc (oct.-15 avril).
Aile de raie gratinée de crevettes et mousseline aux poireaux. Noix de ris de veau en habit
de dentelle.

XXX **Claude Dupont,** av. Vital Riethuisen 46, ⊠ 1083, ℰ (0 2) 426 00 00, Fax (0 2) 426 65 40
❀❀ – ⒶⒺ ⓞ Ⓔ 𝗩𝗜𝗦𝗔   W b
fermé lundi, mardi et début juil.-début août – **Repas** 1775/3250, carte env. 2300
Spéc. Barbue grillée en rosace de courgettes au Graves rouge. Timbale de homard en
mousseline de jeunes poireaux. Gibiers (15 sept.-déc.).

XXX **San Daniele,** av. Charles-Quint 6, ⊠ 1083, ℰ (0 2) 426 79 23, Fax (0 2) 426 92 14, Avec
cuisine italienne – ▤. ⒶⒺ ⓞ Ⓔ 𝗩𝗜𝗦𝗔   W c
fermé dim., lundi soir et 20 juil.-20 août – **Repas** carte 1100 à 2050.

XX **Cambrils** 1er étage, av. Charles-Quint 365, ⊠ 1083, ℰ (0 2) 465 35 82, Fax (0 2)
😀 465 76 63, ⌂ – ▤. ⒶⒺ Ⓔ 𝗩𝗜𝗦𝗔   plan p. 6 AL f
fermé dim., lundi soir, jeudi soir, carnaval et 15 juil.-15 août – **Repas** Lunch 890 – 1090/1230.

X **Claude Dezangré,** av. du Duc Jean 10, ⊠ 1083, ℰ (0 2) 428 50 95 – ⒶⒺ ⓞ
Ⓔ 𝗩𝗜𝗦𝗔   W e
fermé mardi soir, merc., sem. carnaval et 20 juil.-15 août – **Repas** Lunch 665 – 995/1665.

IXELLES (ELSENE) - plans p. 12 et 13 sauf indication spéciale :

XX **Yen,** r. Lesbroussart 49, ⊠ 1050, ℰ (0 2) 649 07 47, ⌂, Cuisine vietnamienne – ⒶⒺ ⓞ
Ⓔ 𝗩𝗜𝗦𝗔. ⌖   FU f
Repas Lunch 320 – carte env. 1000.

X **Le Chantecler,** chaussée de Wavre 47, ⊠ 1050, ℰ (0 2) 512 43 78, Fax (0 2) 512 43 78,
Avec cuisine italienne, ouvert jusqu'à 23 h – ⓟ. ⒶⒺ ⓞ Ⓔ 𝗩𝗜𝗦𝗔   plan p. 10 FS z
fermé dim. et juin – **Repas** Lunch 595 – carte 850 à 1200.

Quartier Boondael (Université) - plan p. 13 :

XXX **Le Couvert d'Argent,** pl. Marie-José 9, ⊠ 1050, ℰ (0 2) 648 45 45, Fax (0 2) 648 22 28,
⌂, « Élégant pavillon sur jardin » – ⓟ. ⒶⒺ ⓞ Ⓔ 𝗩𝗜𝗦𝗔 𝗝𝗖𝗕   GX y
fermé du 15 au 30 août, du 25 au 30 déc., dim. et lundi – **Repas** 995/2200.

XX **L'Aub. de Boendael,** square du Vieux Tilleul 12, ⊠ 1050, ℰ (0 2) 672 70 55,
Fax (0 2) 660 75 82, ⌂, Grillades, « Rustique » – ▤ ⓟ. ⒶⒺ Ⓔ 𝗩𝗜𝗦𝗔   HX h
fermé sam., dim., jours fériés, 25 juil.-16 août et 25 déc.-3 janv. – **Repas** 1375 bc.

XX **Le Chalet Rose,** av. du Bois de la Cambre 49, ⊠ 1050, ℰ (0 2) 672 78 64,
Fax (0 2) 672 69 38, ⌂ – ⓟ. ⒶⒺ Ⓔ 𝗩𝗜𝗦𝗔 𝗝𝗖𝗕   HV k
fermé sam. midi, dim. et jours fériés – **Repas** Lunch 750 – 1690.

XX **Les Foudres,** r. Eugène Cattoir 14, ⊠ 1050, ℰ (0 2) 647 36 36, Fax (0 2) 649 09 86,
⌂, « Ancienne cave à vins » – ⓟ. ⒶⒺ ⓞ Ⓔ 𝗩𝗜𝗦𝗔   GUV j
fermé sam. midi et dim. – **Repas** 1000/1500.

XX **Le Mont des Cygnes,** r. Jean Paquot 69, ⊠ 1050, ℰ (0 2) 646 81 00,
Fax (0 2) 646 81 00 – ⒶⒺ Ⓔ 𝗩𝗜𝗦𝗔   GU h
fermé dim., lundi et 15 juil.-15 août – **Repas** Lunch 495 – 895.

X **La Pagode d'Or,** chaussée de Boondael 332, ⊠ 1050, ℰ (0 2) 649 06 56,
😀 Fax (0 2) 649 06 56, ⌂, Cuisine vietnamienne, ouvert jusqu'à 23 h – ⒶⒺ ⓞ Ⓔ 𝗩𝗜𝗦𝗔. ⌖
fermé lundi – Repas Lunch 350 – carte env. 1000.   GV m

X **La Brasserie Marebœuf,** av. de la Couronne 445, ⊠ 1050, ℰ (0 2) 648 99 06,
Fax (0 2) 648 38 30, Écailler, Ouvert jusqu'à minuit – ▤. ⒶⒺ ⓞ Ⓔ 𝗩𝗜𝗦𝗔   GHV t
fermé dim. – **Repas** Lunch 550 – 895.

X **Le Doux Wazoo,** r. Relais 21, ⊠ 1050, ℰ (0 2) 649 58 52, Fax (0 2) 649 58 52, Ouvert
jusqu'à 23 h – ⒶⒺ ⓞ Ⓔ 𝗩𝗜𝗦𝗔   HV s
fermé sam. midi, dim., 19 juil.-18 août et du 24 au 31 déc. – **Repas** Lunch 450 – 925.

X **le Toulon'Co,** av. du Bois de la Cambre 53, ⊠ 1050, ℰ (0 2) 675 17 03,
😀 Fax (0 2) 675 17 03, ⌂ – Ⓔ 𝗩𝗜𝗦𝗔   HVX r
fermé sam. midi, dim., lundi midi et 15 juil.-15 août – **Repas** Lunch 950 – 1090/1350.

Quartier Bascule - *plan p. 12* :

Capital 🅼 sans rest, chaussée de Vleurgat 191, ⊠ 1050, 𝒫 (0 2) 646 64 20, *Fax (0 2) 646 33 14*, 🏠 – 📶 ⇆, 🍽 rest, 📺 ☎ 🔥 ⇔ – 🔏 25 à 40. 🆎 ◑ ☰ 𝚅𝙸𝚂𝙰 𝙹𝙲𝙱. 🎇
FU c
62 ch ⊑ 4300.

La Mosaïque, r. Forestière 23, ⊠ 1050, 𝒫 (0 2) 649 02 35, *Fax (0 2) 647 11 49*, 🏠 – 🅿. 🆎 ◑ ☰ 𝚅𝙸𝚂𝙰
FU p
fermé du 12 au 19 avril, 15 août-6 sept., du 24 au 30 déc., sam. midi et dim. – **Repas** *Lunch 1200 bc* – 1400/1700.

Maison Félix 1ᵉʳ étage, r. Washington 149 (square Henri Michaux), ⊠ 1050, 𝒫 (0 2) 345 66 93 – 🆎 ☰ 𝚅𝙸𝚂𝙰
FV s
fermé dim., lundi et 2ᵉ quinz. juil. – **Repas** *carte 2400 à 3300.*

L'Armagnac, chaussée de Waterloo 591, ⊠ 1050, 𝒫 (0 2) 345 92 79 – 🆎 ◑ ☰ 𝚅𝙸𝚂𝙰
FV q
fermé dim., lundi soir et 21 juil.-20 août – **Repas** *900.*

Aux Beaumes de Venise, r. Darwin 62, ⊠ 1050, 𝒫 (0 2) 343 82 93, *Fax (0 2) 346 08 96*, 🏠 – 🆎 ◑ ☰ 𝚅𝙸𝚂𝙰
EFV x
fermé dim. et lundi soir – **Repas** *Lunch 350* – 990.

Quartier Léopold *(voir aussi Bruxelles)* - *plan p. 10* :

Leopold, r. Luxembourg 35, ⊠ 1050, 𝒫 (0 2) 511 18 28, *Fax (0 2) 514 19 39*, 🏠, ⇐s – 📶 🍽 📺 ☎ ⇔ – 🔏 25 à 60. 🆎 ◑ ☰ 𝚅𝙸𝚂𝙰. 🎇 ch
FS y
Repas *(fermé sam. midi et dim.)* *Lunch 1290* – carte env. 1800 – ⊑ 400 – **86 ch** 4450/4850 – ½ P 3815/3965.

Quartier Louise *(voir aussi Bruxelles et St-Gilles)* - *plans p. 10 et 12 sauf indication spéciale* :

Sofitel sans rest, av. de la Toison d'Or 40, ⊠ 1050, 𝒫 (0 2) 514 22 00, *Fax (0 2) 514 57 44* – 📶 ⇆ 🍽 📺 ☎ – 🔏 25 à 120. 🆎 ◑ ☰ 𝚅𝙸𝚂𝙰 𝙹𝙲𝙱
FS r
⊑ 750 – **171 ch** 7500.

Mövenpick Cadettt 🅼, r. Paul Spaak 15, ⊠ 1000, 𝒫 (0 2) 645 61 11, *Fax (0 2) 646 63 44*, 🏠, ⇐s, 🌿 – 📶 ⇆ 🍽 📺 ☎ 🔥 ⇔ – 🔏 25 à 40. 🆎 ◑ ☰ 𝚅𝙸𝚂𝙰
FU k
Repas *(ouvert jusqu'à 23 h)* *Lunch 570* – carte env. 1100 – ⊑ 500 – **128 ch** 5350/5750.

Beau-Site sans rest, r. Longue Haie 76, ⊠ 1000, 𝒫 (0 2) 640 88 89, *Fax (0 2) 640 16 11* – 📶 📺 ☎. 🆎 ◑ ☰ 𝚅𝙸𝚂𝙰
FT r
38 ch ⊑ 3000/3950.

Argus sans rest, r. Capitaine Crespel 6, ⊠ 1050, 𝒫 (0 2) 514 07 70, *Fax (0 2) 514 12 22* – 📶 📺 ☎. 🆎 ◑ ☰ 𝚅𝙸𝚂𝙰
FS t
41 ch ⊑ 3200/3500.

Les Perles de Pluie, r. Châtelain 25, ⊠ 1050, 𝒫 (0 2) 649 67 23, *Fax (0 2) 644 07 60*, Cuisine thaïlandaise, ouvert jusqu'à 23 h – 🆎 ◑ ☰ 𝚅𝙸𝚂𝙰
FU n
fermé sam. midi – **Repas** *Lunch 460* – 850/1750.

Adrienne, r. Capitaine Crespel 1a, ⊠ 1050, 𝒫 (0 2) 511 93 39, *Fax (0 2) 513 69 79*, 🏠, Buffets – 🆎 ◑ ☰ 𝚅𝙸𝚂𝙰
FS r
fermé dim. soir – **Repas** *Lunch 690* – 840.

La Fine Fleur, r. Longue Haie 51, ⊠ 1000, 𝒫 (0 2) 647 68 03, *Fax (0 2) 647 68 03*, Ouvert jusqu'à 23 h – 🆎 ◑ ☰ 𝚅𝙸𝚂𝙰
FT k
fermé sam. midi, dim. et août – **Repas** *750/950.*

Le Chem's, r. Blanche 14, ⊠ 1050, 𝒫 (0 2) 538 14 94, 🏠, Cuisine marocaine, ouvert jusqu'à 23 h – 🆎 ◑ ☰ 𝚅𝙸𝚂𝙰. 🎇
FT q
fermé sam. midi, dim. et mi-juil.-mi-août – **Repas** *carte 1050 à 1450.*

JETTE - *plan p. 15 sauf indication spéciale* :

Rôtiss. Le Vieux Pannenhuis, r. Léopold-Iᵉʳ 317, ⊠ 1090, 𝒫 (0 2) 425 83 73, *Fax (0 2) 420 21 20*, 🏠, Grillades, « Relais du 17ᵉ s. » – 🍽. 🆎 ◑ ☰ 𝚅𝙸𝚂𝙰
fermé sam. midi, dim. et juil. – **Repas** *Lunch 790* – 1060.   plan p. 6 BL g

Le Barolo, av. de Laeken 57, ⊠ 1090, 𝒫 (0 2) 425 45 76, *Fax (0 2) 425 45 76*, 🏠, Avec cuisine italienne – 🆎 ◑ ☰ 𝚅𝙸𝚂𝙰
W h
fermé sam. midi et dim. – **Repas** *1195.*

KOEKELBERG - *plan p. 15* :

Le Liseron d'eau, av. Seghers 105, ⊠ 1081, 𝒫 (0 2) 414 68 61, *Fax (0 2) 414 68 61*, Avec cuisine vietnamienne – 🆎 ◑ ☰ 𝚅𝙸𝚂𝙰
W k
fermé merc., sam. midi et août – **Repas** *Lunch 450* – 650/1200.

MOLENBEEK-ST-JEAN (SINT-JANS-MOLENBEEK) - plan p. 6 :

XXX **Le Béarnais**, bd Louis Mettewie 318, ⊠ 1080, ℰ (0 2) 411 51 51, Fax (0 2) 410 70 81
– 🔳. 🖭 ⓪ 🗲 𝘝𝘐𝘚𝘈   AM **j**
fermé dim., lundi soir et 13 juil.-4 août – **Repas** *Lunch 1090* – carte env. 2100.

X **L'Exquis**, bd du Jubilé 99, ⊠ 1080, ℰ (0 2) 426 35 78, Fax (0 2) 426 35 78 – 🖭 ⓪
🗲 𝘝𝘐𝘚𝘈. ❀   BL **k**
fermé dim. soir, lundi, mardi soir, merc. soir et juil. – **Repas** *Lunch 595* – carte 1200 à 1700.

X **Béguine des Béguines**, r. Béguines 168, ⊠ 1080, ℰ (0 2) 414 77 70,
Fax (0 2) 414 77 70, Avec cuisine à la bière – 🖭 ⓪ 🗲 𝘝𝘐𝘚𝘈   AL **m**
fermé sam. midi, dim. soir, lundi et 21 juil.-15 août – **Repas** *Lunch 450* – 945/1300.

ST-GILLES (SINT-GILLIS) - plans p. 10 et 12 :

XX **Inada**, r. Source 73, ⊠ 1060, ℰ (0 2) 538 01 13, Fax (0 2) 538 01 13 – 🖭 ⓪
🗲 𝘝𝘐𝘚𝘈   ET **a**
fermé sam. midi, dim., lundi, jours fériés et mi-juil.-août – **Repas** *Lunch 750* – carte 1450
à 2400.

XX **Le Forcado**, chaussée de Charleroi 192, ⊠ 1060, ℰ (0 2) 537 92 20, Fax (0 2) 537 92 20,
Cuisine portugaise – 🔳. 🖭 ⓪ 🗲 𝘝𝘐𝘚𝘈   EFU **a**
fermé dim., jours fériés, sem. carnaval et août – **Repas** carte env. 1300.

X **Coimbra**, av. Jean Volders 54, ⊠ 1060, ℰ (0 2) 538 65 35, Fax (0 2) 538 65 35, Avec
cuisine portugaise, ouvert jusqu'à 23 h 30 – 🖭 🗲 𝘝𝘐𝘚𝘈   ET **r**
fermé jeudi et août – **Repas** *Lunch 550* – 1050/1350.

X **La Mamounia**, av. Porte de Hal 9, ⊠ 1060, ℰ (0 2) 537 73 22, Fax (0 2) 539 39 59,
Cuisine marocaine, ouvert jusqu'à 23 h – 🖭 ⓪ 🗲 𝘝𝘐𝘚𝘈 𝘑𝘊𝘉   ES **n**
fermé lundis non fériés et mi-juil.-mi-août – **Repas** *Lunch 495* – 745/1295.

Quartier Louise *(voir aussi Bruxelles et Ixelles)* - plans p. 10 et 12 :

🏢🏢🏢 **Holiday Inn City Centre**, chaussée de Charleroi 38, ⊠ 1060, ℰ (0 2) 533 66 66,
Fax (0 2) 538 90 14 – 📳 ❀ 🔳 🖭 ☎ 🚗 – 🔬 25 à 250. 🖭 ⓪ 🗲 𝘝𝘐𝘚𝘈 𝘑𝘊𝘉   FT **m**
Repas *(fermé août) Lunch 750* – carte 1050 à 1500 – ☷ 600 – **201 ch** 7300.

🏢🏢 **Manos Stephanie** sans rest, chaussée de Charleroi 28, ⊠ 1060, ℰ (0 2) 539 02 50,
Fax (0 2) 537 57 29, « Hôtel de maître avec intérieur d'atmosphère » – 📳 ❀ 🔳 🖭 ☎
🚗. 🖭 ⓪ 🗲 𝘝𝘐𝘚𝘈 𝘑𝘊𝘉   FS **f**
48 ch ☷ 6450/7850, 7 suites.

🏢🏢 **Manos** sans rest, chaussée de Charleroi 102, ⊠ 1060, ℰ (0 2) 537 96 82,
Fax (0 2) 539 36 55, ☞ – 📳 🔳 🖭 ☎ 🚗 – 🔬 25. 🖭 ⓪ 🗲 𝘝𝘐𝘚𝘈 𝘑𝘊𝘉   FU **w**
35 ch ☷ 4450/7450, 3 suites.

🏢🏢 **Cascade** Ⓜ sans rest, r. Berckmans 128, ⊠ 1060, ℰ (0 2) 538 88 30, Fax (0 2) 538 92 79 –
📳 ❀ 🔳 🖭 ☎ 🚗 – 🔬 25. 🖭 ⓪ 🗲 𝘝𝘐𝘚𝘈. ❀   ES **r**
80 ch ☷ 6000/6400.

🏢🏢 **Tulip Inn Delta**, chaussée de Charleroi 17, ⊠ 1060, ℰ (0 2) 539 01 60,
Fax (0 2) 537 90 11 – 📳 ❀ 🖭 ☎ 🚗 – 🔬 25 à 100. 🖭 ⓪ 🗲 𝘝𝘐𝘚𝘈 𝘑𝘊𝘉.
❀ rest   FS **w**
Repas *Lunch 325* – 800 – **246 ch** ☷ 4900 – ½ P 4800.

🏢 **Diplomat** sans rest, r. Jean Stas 32, ⊠ 1060, ℰ (0 2) 537 42 50, Fax (0 2) 539 33 79
– 📳 🖭 ☎ 🚗. 🖭 ⓪ 🗲 𝘝𝘐𝘚𝘈 𝘑𝘊𝘉   FS **v**
68 ch ☷ 6000/7000.

XX **La Faribole**, r. Bonté 6, ⊠ 1060, ℰ (0 2) 537 82 23, Fax (0 2) 537 82 23 – 🔳. 🖭 ⓪
🗲 𝘝𝘐𝘚𝘈   FT **g**
fermé sam., dim. et 18 juil.-20 août – **Repas** *Lunch 480* – 825.

XX **I Trulli**, r. Jourdan 18, ⊠ 1060, ℰ (0 2) 538 98 20, Fax (0 2) 537 79 30, �իⁱ, Avec cuisine
italienne, ouvert jusqu'à minuit – 🖭 ⓪ 🗲 𝘝𝘐𝘚𝘈 𝘑𝘊𝘉   FS **c**
fermé du 11 au 31 juil., 22 déc.-1er janv. et dim. – **Repas** *Lunch 460* – carte env. 2000.

XX **Les Capucines**, r. Jourdan 22, ⊠ 1060, ℰ (0 2) 538 69 24, Fax (0 2) 538 69 24, 🌿իⁱ
– 🖭 ⓪ 🗲 𝘝𝘐𝘚𝘈   FS **u**
fermé dim., lundi soir, 2 sem. Pâques et du 15 au 31 août – **Repas** *Lunch 550* – 995.

X **Meo Patacca**, r. Jourdan 20, ⊠ 1060, ℰ (0 2) 538 15 46, Fax (0 2) 539 40 35, 🌿իⁱ,
Avec cuisine italienne, ouvert jusqu'à 23 h 30 – 🔳. 🖭 ⓪ 🗲 𝘝𝘐𝘚𝘈   FS **a**
fermé dim., 1 sem. Pâques et 3 dern. sem. juil. – **Repas** *Lunch 480* – carte 1250 à 1800.

X **Ma Folle de Sœur**, chaussée de Charleroi 53, ⊠ 1060, ℰ (0 2) 538 22 39 – 🖭 ⓪
🗲 𝘝𝘐𝘚𝘈   FS **b**
fermé sam., dim. et jours fériés – **Repas** *Lunch 380* – carte env. 900.

ST-JOSSE-TEN-NOODE (SINT-JOOST-TEN-NODE) - plan p. 10 :

Quartier Botanique (voir aussi Bruxelles) :

🏨 **Royal Crown Gd H. Mercure** (Mercure), r. Royale 250, ✉ 1210, ✆ (0 2) 220 66 11, Fax (0 2) 217 84 44, 𝕃ᵴ, ⛱ – 📶 ❋ 🔲 📺 ☎ ⟲ 🅿 – 🛄 25 à 350. Æ ⓪ Ɛ 𝒱𝐼𝑆𝐴 JCB
FQ r
Repas voir rest **Hugo's** ci-après – **304 ch** ⚏ 7000/9000, 5 suites.

🏨 **Palace,** r. Gineste 3, ✉ 1210, ✆ (0 2) 203 62 00, Fax (0 2) 203 55 55 – 📶 🔲 📺 ☎ – 🛄 25 à 450. Æ ⓪ Ɛ 𝒱𝐼𝑆𝐴 JCB. ❄ rest
FQ v
Repas **Le Temps Présent** (fermé sam. midi, dim. midi et 15 juil.-20 août) Lunch 850 - carte env. 1400 – ⚏ 850 – **359 ch** 6800/7800, 1 suite.

🏨 **Art H. Siru** sans rest, pl. Rogier 1, ✉ 1210, ✆ (0 2) 203 35 80, Fax (0 2) 203 33 03, « Chaque chambre décorée par un artiste belge contemporain » – 📶 ❋ 📺 ☎ – 🛄 25 à 100. Æ ⓪ Ɛ 𝒱𝐼𝑆𝐴 JCB. ❄
FQ p
101 ch ⚏ 4200/4700.

🏨 **Albert Premier** sans rest, pl. Rogier 20, ✉ 1210, ✆ (0 2) 203 31 25, Fax (0 2) 203 43 31 – 📶 📺 ☎ – 🛄 25 à 60. Æ ⓪ Ɛ 𝒱𝐼𝑆𝐴
FQ q
285 ch ⚏ 2500/3500.

🍴🍴🍴 **Hugo's** - H. Royal Crown, r. Royale 250, ✉ 1210, ✆ (0 2) 220 66 11, Fax (0 2) 217 84 44 – 🔲 🅿. Æ ⓪ Ɛ 𝒱𝐼𝑆𝐴 JCB
FQ r
fermé sam. et dim. – **Repas** Lunch 1000 – carte 1450 à 1800.

🍴🍴 **De Ultieme Hallucinatie,** r. Royale 316, ✉ 1210, ✆ (0 2) 217 06 14, Fax (0 2) 217 72 40, « Intérieur Art Nouveau » – 🅿. Æ ⓪ Ɛ 𝒱𝐼𝑆𝐴. ❄
FQ t
fermé sam. midi, dim., jours fériés et 20 juil.-16 août – **Repas** Lunch 1075 – 2750 bc.

🍴 **Les Dames Tartine,** chaussée de Haecht 58, ✉ 1210, ✆ (0 2) 218 45 49, Fax (0 2) 218 45 49 – Æ ⓪ Ɛ 𝒱𝐼𝑆𝐴
FQ s
fermé sam. midi, dim. et lundi – **Repas** Lunch 750 – 990/1385.

SCHAERBEEK (SCHAARBEEK) - plans p. 10 et 11 :

🍴 **Le Stelle,** av. Louis Bertrand 53, ✉ 1030, ✆ (0 2) 245 03 59, Fax (0 2) 245 03 59, Cuisine italienne – Æ ⓪ Ɛ 𝒱𝐼𝑆𝐴
GQ a
fermé dim. – **Repas** Lunch 445 – carte env. 1300.

🍴 **Senza Nome,** r. Royale Ste-Marie 22, ✉ 1030, ✆ (0 2) 223 16 17, Cuisine italienne, ouvert jusqu'à 23 h – 🔲. Ɛ 𝒱𝐼𝑆𝐴. ❄
FQ u
fermé sam. midi, dim., fin juil.-août et vacances Noël-Nouvel An – **Repas** carte 1000 à 1400.

Quartier Meiser : - plan p. 11 sauf indication spéciale :

🏨 **Lambermont** (avec annexe) sans rest, bd Lambermont 322, ✉ 1030, ✆ (0 2) 242 55 95, Fax (0 2) 215 36 13 – 📶 📺 ☎ ⟲. Æ ⓪ Ɛ 𝒱𝐼𝑆𝐴   plan p. 7 CL n
42 ch ⚏ 3400/3900.

🍴🍴 **Le Cadre Noir,** av. Milcamps 158, ✉ 1030, ✆ (0 2) 734 14 45, Produits de la mer – Æ ⓪ Ɛ 𝒱𝐼𝑆𝐴
HR v
fermé sam. midi, dim. soir, lundi et du 15 au 31 juil. – **Repas** 885/1100.

🍴 **Amici miei,** bd Gén. Wahis 248, ✉ 1030, ✆ (0 2) 705 49 80, Fax (0 2) 705 29 65, Cuisine italienne – Æ ⓪ Ɛ 𝒱𝐼𝑆𝐴
HQ k
fermé sam. midi, dim. et fin juil.-début août – **Repas** carte 900 à 1450.

🍴 **Anak Timoer,** pl. de la Patrie 26, ✉ 1030, ✆ (0 2) 216 79 50, Fax (0 2) 245 03 22, ☂, Cuisine indonésienne – Æ ⓪ Ɛ 𝒱𝐼𝑆𝐴
GHQ f
fermé lundi, mardi, sam. midi et 2 sem. en sept. – **Repas** Lunch 350 – 795/1250.

🍴 **Palasi,** av. Chazal 169, ✉ 1030, ✆ (0 2) 242 59 34, Fax (0 2) 242 59 34, ☂, Avec cuisine italienne – Æ ⓪ Ɛ 𝒱𝐼𝑆𝐴
GHQ e
fermé dim. soir, lundi et août – **Repas** carte env. 1200.

🍴 **Scholtès,** av. L. Mahillon 135, ✉ 1030, ✆ (0 2) 734 84 47 – Æ ⓪ Ɛ 𝒱𝐼𝑆𝐴   HR x
fermé dim. soir, lundi soir, merc. et du 1er au 15 sept. – **Repas** Lunch 450 – 895.

UCCLE (UKKEL) - plans p. 12 et 13 sauf indication spéciale :

🏨 **County House,** square des Héros 2, ✉ 1180, ✆ (0 2) 375 44 20, Fax (0 2) 375 31 22 – 📶, 🔲 rest, 📺 ☎ ⟲ – 🛄 25 à 140. Æ ⓪ Ɛ 𝒱𝐼𝑆𝐴. ❄
EX b
Repas carte 1100 à 1700 – **83 ch** ⚏ 4000/4600, 16 suites.

🍴🍴🍴 **Les Frères Romano,** av. de Fré 182, ✉ 1180, ✆ (0 2) 374 70 98, Fax (0 2) 374 04 18, ☂ – 🅿. Æ ⓪ Ɛ 𝒱𝐼𝑆𝐴
FX d
fermé dim., jours fériés et 3 dern. sem. août – **Repas** Lunch 975 – carte env. 1700.

🍴🍴 **L'Amandier,** av. de Fré 184, ✉ 1180, ✆ (0 2) 374 03 95, Fax (0 2) 374 86 92, ☂, Ouvert jusqu'à 23 h, « Terrasse surplombant jardin » – Æ ⓪ Ɛ 𝒱𝐼𝑆𝐴   FX e
fermé sam. midi – **Repas** Lunch 950 – carte env. 1500.

XXX **Villa d'Este,** r. Etoile 142, ⌧ 1180, ℘ (0 2) 376 48 48, ㊟, « Terrasse » – **Ⓟ**. **ATE** **ⓞ**
E **VISA**   plan p. 8 BN p
fermé dim. soir, lundi, juil. et fin déc. – **Repas** 990/1750.

XX **Blue Elephant,** chaussée de Waterloo 1120, ⌧ 1180, ℘ (0 2) 374 49 62,
Fax (0 2) 375 44 68, Cuisine thaïlandaise, « Décor exotique » – ▤ **Ⓟ**. **ATE** **ⓞ** **E** **VISA**
fermé sam. midi – **Repas** *Lunch 850* – carte 1050 à 1650.   GX j

XX **L'Ascoli,** chaussée de Waterloo 940, ⌧ 1180, ℘ (0 2) 375 57 75, Fax (0 2) 375 43 29,
㊟, Cuisine italienne – **Ⓟ**. **ATE** **ⓞ** **E** **VISA**   GX g
fermé sam. midi et dim. – **Repas** 900 bc/1295 bc.

XX **Le pré en bulle,** av. J. et P. Carsoel 5, ⌧ 1180, ℘ (0 2) 374 08 80, Fax (0 2) 375 07 21,
㊟ – **ATE** **E** **VISA**   plan p. 8 BN q
fermé lundi, mardi midi et 2 sem. en sept. – **Repas** *Lunch 440* – carte env. 1500.

XX **Willy et Marianne,** chaussée d'Alsemberg 705, ⌧ 1180, ℘ (0 2) 343 60 09 – **ATE** **ⓞ**
E **VISA**   EX r
fermé mardi, merc., 2 sem. carnaval et 3 sem. en juil. – **Repas** *Lunch 450* – 995.

XX **A'mbriana,** r. Edith Cavell 151, ⌧ 1180, ℘ (0 2) 375 01 56, Fax (0 2) 375 84 96, Cuisine
italienne – **ATE** **ⓞ** **E** **VISA**   FX f
fermé mardi, sam. midi et août – **Repas** *Lunch 395* – 995/1750.

XX **Les Menus Plaisirs,** r. Basse 7, ⌧ 1180, ℘ (0 2) 374 69 36, Fax (0 2) 331 38 13, ㊟
– **ATE** **ⓞ** **E** **VISA** **JCB**   plan p. 8 BN u
fermé sam. midi, dim. et jours fériés – **Repas** *Lunch 425* – 975.

X **Pavillon Impérial,** chaussée de Waterloo 1296, ⌧ 1180, ℘ (0 2) 374 67 51,
Fax (0 2) 375 99 07, Cuisine chinoise – ▤. **ATE** **ⓞ** **VISA**   plan p. 9 CN u
Repas *Lunch 300* – carte env. 900.

X **La Cité du Dragon,** chaussée de Waterloo 1024, ⌧ 1180, ℘ (0 2) 375 80 80, Fax (0 2)
375 69 77, ㊟, Cuisine chinoise, ouvert jusqu'à 23 h 30, « Jardin exotique avec pièces
d'eau » – **Ⓟ**. **ATE** **ⓞ** **E** **VISA**   GX c
Repas *Lunch 485* – 810/2350.

X **Le Passage,** av. J. et P. Carsoel 13, ⌧ 1180, ℘ (0 2) 374 66 94, Fax (0 2) 374 69 26,
㊟ – **Ⓟ**. **ATE** **ⓞ** **E** **VISA**   plan p. 8 BN r
fermé sam. midi, dim., jours fériés et 3 sem. en juil. – **Repas** *Lunch 550* – carte 1300 à 1700.

X **Le Lion,** chaussée de Waterloo 889, ⌧ 1180, ℘ (0 2) 374 48 43, Fax (0 2) 374 41 97,
Cuisine chinoise, ouvert jusqu'à 23 h – **ATE** **ⓞ** **E** **VISA**   FX p
Repas *Lunch 350* – 950/1095.

X **De Hoef,** r. Edith Cavell 218, ⌧ 1180, ℘ (0 2) 374 34 17, Fax (0 2) 375 30 84, ㊟,
Grillades, « Relais du 17ᵉ s. » – **ATE** **ⓞ** **E** **VISA**   FX q
fermé du 10 au 31 juil. – **Repas** *Lunch* – 795.

X **Le Petit Prince,** av. du Prince de Ligne 16, ⌧ 1180, ℘ (0 2) 374 73 03, Ouvert jusqu'à
23 h – **ATE** **ⓞ** **E** **VISA**   plan p. 8 BCN s
fermé dim. soir et lundi – **Repas** *Lunch 395* – 595/995.

X **Le Petit Cottage,** r. Cottages 150, ⌧ 1180, ℘ (0 2) 343 88 09, Fax (0 2) 343 60 47,
㊟ – **ATE** **E** **VISA**   EV r
fermé dim., lundi et 3 sem. en juil. – **Repas** *Lunch 520* – 990.

X **Le Clery,** r. Général Mac Arthur 3, ⌧ 1180, ℘ (0 2) 345 96 33, Fax (0 2) 345 22 95, ㊟,
Ouvert jusqu'à 23 h – **ATE** **ⓞ** **E** **VISA**   FV e
Repas *Lunch 395* – carte 850 à 1250.

X **Les Petits Pères,** r. Carmélites 149, ⌧ 1180, ℘ (0 2) 345 66 71, Fax (0 2) 345 66 71,
㊟, Ouvert jusqu'à 23 h – **ATE** **ⓞ** **E** **VISA**   EV s
fermé dim. et lundi – **Repas** *Lunch 360* – carte env. 1100.

X **Brasseries Georges,** av. Winston Churchill 259, ⌧ 1180, ℘ (0 2) 347 21 00, Fax (0 2)
344 02 45, ㊟, Ecailler, ouvert jusqu'à minuit – ▤. **ATE** **ⓞ** **E** **VISA**   FV n
fermé 24 déc. soir – **Repas** *Lunch 600* – carte 1100 à 1450.

WATERMAEL-BOITSFORT (WATERMAAL-BOSVOORDE)

plan p. 9 sauf indication spéciale :

XXX **Host. des 3 Tilleuls** ⌕ avec ch, Berensheide 8, ⌧ 1170, ℘ (0 2) 672 30 14,
Fax (0 2) 673 65 52, ㊟ – **TV** **☎** ⇔, **ATE** **ⓞ** **E** **VISA**. ✘ ch   CN x
fermé 15 juil.-15 août – **Repas** *(fermé dim.)* 1100 – **7 ch** ⌸ 3000/4100.

XX **Les Rives du Gange** avec ch, r. de la Fauconnerie 1, ⌧ 1170, ℘ (0 2) 672 16 01,
Fax (0 2) 672 43 30, ㊟ – |‡| **TV** **☎**. **ATE** **ⓞ** **E** **VISA**   CN c
Repas (cuisine indienne, ouvert jusqu'à 1 h du matin) *Lunch 595* – 990 – **19 ch**
⌸ 2480/3480 – ½ P 2480/3075.

XX **Au Vieux Boitsfort,** pl. Bischoffsheim 9, ⌧ 1170, ℘ (0 2) 672 23 32,
Fax (0 2) 660 22 94, ㊟ – **ATE** **ⓞ** **E** **VISA** **JCB**   CN z
fermé sam. midi et dim. – **Repas** 1390.

🍴🍴 **Le Bellini,** pl. Eug. Keym 4, ✉ 1170, ☎ (0 2) 673 83 83, *Fax (0 2) 662 07 07* – [AE] [D] [E] [VISA] plan p. 13 HV a
fermé sam. midi, dim. soir, lundi et 2 sem. en août – **Repas** *Lunch 750* – 1000/1595

🍴🍴 **La Maison d'Or,** av. des Archiducs 34, ✉ 1170, ☎ (0 2) 660 57 04, *Fax (0 2) 675 83 11*, ⛱ – [AE] [D] [E] [VISA] CN d
fermé sam. midi et dim. – **Repas** *Lunch 550* – carte env. 1400.

🍴 **Au Repos des Chasseurs,** av. Charles-Albert 11, ✉ 1170, ☎ (0 2) 660 46 72, *Fax (0 2) 672 12 84*, ⛱, Avec cuisine italienne – 👥 25 à 80. [AE] [D] [E] [VISA] DN m
Repas *Lunch 655* – carte 1050 à 1500.

🍴 **L'Humeur Gourmande,** av. de Visé 30, ✉ 1170, ☎ (0 2) 675 85 87, Ouvert jusqu'à 23 h. [E] [VISA] plan p. 13 HV n
fermé sam. midi, dim. et août – **Repas** *Lunch 750* – carte 1200 à 1550.

🍴 **L'Entre-Temps,** r. Philippe Dewolfs 7, ✉ 1170, ☎ (0 2) 672 87 20, *Fax (0 2) 672 87 20*, ⛱, Brasserie – [AE] [D] [E] [VISA] CN b
fermé mardi soir, merc. et 21 juil.-19 août – **Repas** *Lunch 525* – carte 850 à 1200.

🍴 **Le Coriandre,** r. Middelbourg 21, ✉ 1170, ☎ (0 2) 672 45 65, *Fax (0 2) 672 45 65* – [AE] [D] [E] [VISA] CN n
fermé dim., lundi soir et 3 sem. en juil. – **Repas** *Lunch 495* – 995.

🍴 **La Maison de Thaïlande,** r. Middelbourg 22, ✉ 1170, ☎ (0 2) 672 26 57, ⛱, Cuisine thaïlandaise – [AE] [D] [E] [VISA] CN a
fermé mardi, sam. midi et dim. midi – **Repas** carte 900 à 1300.

🍴 **Le Grill,** r. Trois Tilleuls 1, ✉ 1170, ☎ (0 2) 672 95 13, *Fax (0 2) 660 22 94*, Grillades –
💰 [AE] [D] [E] [VISA] [JCB] CN r
fermé sam. midi et dim. soir – **Repas** 800.

WOLUWÉ-ST-LAMBERT (SINT-LAMBRECHTS-WOLUWE)

plans p. 7 et 8 sauf indication spéciale :

🏨 **Sodehotel La Woluwe** [M] 🐎, av. E. Mounier 5, ✉ 1200, ☎ (0 2) 775 21 11, *Fax (0 2) 770 47 80*, ⛱ – 🛗 🚭 ▤ [TV] ☎ ♿ 🚗 [P] – 👥 25 à 200. [AE] [D] [E] [VISA] DL e
Repas ***Le Lidrus*** *Lunch 745* - carte 1400 à 2000 – ☕ 645 – **112 ch** 7200, 8 suites.

🏨 **Lambeau** [M] sans rest, av. Lambeau 150, ✉ 1200, ☎ (0 2) 732 51 70, *Fax (0 2) 732 54 90* – 🛗 [TV] ☎. [AE] [E] [VISA] plan p. 11 HR u
24 ch ☕ 2100/3100.

🍴🍴🍴 **Mon Manège à Toi,** r. Neerveld 1, ✉ 1200, ☎ (0 2) 770 02 38, *Fax (0 2) 762 95 80*, « Jardin fleuri » – [P]. [AE] [D] [E] [VISA] DM f
fermé du 7 au 31 juil., 24 déc.-1er janv., sam., dim. et jours fériés – **Repas** *Lunch 1475* – carte 1950 à 2500.

🍴🍴 Moulin de Lindekemale, av. J.-F. Debecker 6, ✉ 1200, ☎ (0 2) 770 90 57, *Fax (0 2) 762 94 57*, « Ancien moulin à eau » DM a

🍴🍴 **Le Grand Veneur,** r. Tomberg 253, ✉ 1200, ☎ (0 2) 770 61 22, *Fax (0 2) 771 75 63*, « Rustique » – [AE] [D] [E] [VISA] CM k
fermé mardis non fériés et 15 août-15 sept. – **Repas** *Lunch 495* – 995/1795.

🍴🍴 **La Badiane,** av. Prekelinden 25, ✉ 1200, ☎ (0 2) 732 15 08, ⛱ – [AE] [D] [E] [VISA] CM h
fermé dim. soir, lundi et août – **Repas** *Lunch 650* – carte env. 1600.

🍴 **Oceanis-L'Annexe,** r. St-Lambert 202 (dans centre commercial, niveau 0), ✉ 1200, ☎ (0 2) 771 90 24, *Fax (0 2) 771 94 54*, Ecailler, produits de la mer – ▤ DM c
fermé dim. – **Repas** 995.

WOLUWÉ-ST-PIERRE (SINT-PIETERS-WOLUWE)

plans p. 7 et 9 sauf indication spéciale :

🏨 **Montgomery** [M] 🐎, av. de Tervuren 134, ✉ 1150, ☎ (0 2) 741 85 11, *Fax (0 2) 741 85 00*, 🏋, 🧖 – 🛗 🚭 ▤ [TV] ☎ 🚗 – 👥 25. [AE] [D] [E] [VISA] [JCB]. 🚫 plan p. 11 HS k
Repas *(fermé week-end, jours fériés et 19 déc.-4 janv.) Lunch 1050* – 1790 – ☕ 600 – **61 ch** 9900/12700, 2 suites.

🍴🍴🍴 **Des 3 Couleurs** (Tourneur), av. de Tervuren 453, ✉ 1150, ☎ (0 2) 770 33 21,
✿ *Fax (0 2) 770 80 45*, ⛱, « Terrasse » – [AE] [E] [VISA] DN q
fermé sam. midi, dim. soir, lundi et mi-août-mi-sept. – **Repas** *Lunch 1800 bc* – 2000, carte 2000 à 2350
Spéc. Pigeonneau désossé façon Grand-Mère. Saumon Liliane. Chevreuil Arlequin (15 sept.-10 déc.).

XX **Le Vignoble de Margot,** av. de Tervuren 368, ⊠ 1150, ✆ (0 2) 779 23 23,
⊗ *Fax (0 2) 779 05 45,* ≤, Avec écailler, ouvert jusqu'à 23 h, « Dominant étangs et parc »
– 🗉 **℗. 🝙 ⓞ 🗉 𝘝𝘐𝘚𝘈** DM r
fermé dim. – **Repas** carte env. 1700
Spéc. Tronçon de turbotin rôti aux petits oignons caramélisés. Poularde à la broche et
poêlée de champignons des bois (juil.-nov.). Croustillant aux amandes grillées, glace pralinée,
sauce au caramel mou.

XX **Les Deux Maisons,** Val des Seigneurs 81, ⊠ 1150, ✆ (0 2) 771 14 47,
Fax (0 2) 771 14 47, 🝙 – **🝙 ⓞ 🗉 𝘝𝘐𝘚𝘈 𝘑𝘊𝘉** DM e
fermé dim. soir, lundi, prem. sem. Pâques et 3 prem. sem. août – **Repas** *Lunch* 650 –
850/1450.

XX **La Salade Folle,** av. Jules Dujardin 9, ⊠ 1150, ✆ (0 2) 770 19 61, *Fax (0 2) 771 69 57,*
🝙, Buffets – **🝙 ⓞ 🗉 𝘝𝘐𝘚𝘈** DM s
fermé du 15 au 21 fév., 21 juil.-10 août, dim. soir et lundi – **Repas** *Lunch* 485 – carte env.
1300.

X **Le Mucha,** av. Jules Dujardin 23, ⊠ 1150, ✆ (0 2) 770 24 14, *Fax (0 2) 770 24 14,* 🝙,
⊗ Avec cuisine italienne, ouvert jusqu'à 23 h – **🝙 ⓞ 🗉 𝘝𝘐𝘚𝘈** DM s
fermé dim. et du 1er au 22 sept. – **Repas** *Lunch* 460 – 850/1250.

ENVIRONS DE BRUXELLES

à Beersel *- plan p. 8 – 22 711 h.* – ⊠ *1650 Beersel :*

X **3 Fonteinen,** Herman Teirlinckplein 3, ✆ (0 2) 331 06 52, *Fax (0 2) 331 07 03,* 🝙,
Taverne-rest, avec spécialités à la bière régionale – **🝙 🗉 𝘝𝘐𝘚𝘈** AP v
fermé mardi, merc. et fin déc.-début janv. – **Repas** carte 850 à 1200.

à Diegem *autoroute Bruxelles-Zaventem sortie Diegem - plan p. 7 -* Ⓒ *Machelen 11 518 h.* –
⊠ *1831 Diegem :*

🏨 **Holiday Inn Airport,** Holidaystraat 7, ✆ (0 2) 720 58 65, *Fax (0 2) 720 41 45,* 🖪, ⊜s,
🝙, ⚒ – 🛉 🍽 🖃 🖾 ☎ ℗ – 🔬 25 à 400. 🝙 ⓞ 🗉 𝘝𝘐𝘚𝘈 𝘑𝘊𝘉. 🎉 rest DL w
Repas (ouvert jusqu'à 23 h) *Lunch* 1195 bc – carte 1400 à 1700 – � 650 – **310 ch** 8500
– ½ P 4500/11350.

🏨 **Sofitel Airport,** Bessenveldstraat 15, ✆ (0 2) 713 66 66, *Fax (0 2) 721 43 45,* 🝙, 🝙,
🝙 – 🍽 🖃 🖾 ☎ ℗ – 🔬 25 à 300. 🝙 ⓞ 🗉 𝘝𝘐𝘚𝘈 DL x
Repas *La Pléiade* (fermé sam.) 1450 – � 750 – **125 ch** 8000.

🏨 **Novotel Airport,** Olmenstraat 2, ✆ (0 2) 725 30 50, *Fax (0 2) 721 39 58,* 🝙, 🝙 – 🛉
🍽 🖃 🖾 ☎ ℗ – 🔬 25 à 200. 🝙 ⓞ 🗉 𝘝𝘐𝘚𝘈 𝘑𝘊𝘉 DK y
Repas (ouvert jusqu'à minuit) carte 1150 à 1600 – � 500 – **205 ch** 5450.

🏨 **Rainbow Airport** Ⓜ, Berkenlaan 4, ✆ (0 2) 721 77 77, *Fax (0 2) 721 55 96,* 🝙 – 🛉
🍽 🖃 🖾 ☎ & ℗ – 🔬 25 à 60. 🝙 ⓞ 🗉 𝘝𝘐𝘚𝘈 🎉 DL a
Repas (fermé sam. et dim.) carte 850 à 1250 – **99 ch** � 4950.

🏨 **Ibis Airport,** Bessenveldstraat 17, ✆ (0 2) 725 43 21, *Fax (0 2) 725 40 40,* 🝙 – 🛉 🍽,
⊗ 🖃 rest, 🖾 ☎ & ℗ – 🔬 25 à 60. 🝙 ⓞ 🗉 𝘝𝘐𝘚𝘈 𝘑𝘊𝘉. 🎉 rest DL z
Repas *Lunch* 595 – 695 – ⊜ 250 – **95 ch** 2350/3150.

XX **Diegemhof,** Calenbergstraat 51, ✆ (0 2) 720 11 34, *Fax (0 2) 720 14 87,* 🝙 – 🝙 ⓞ
🗉 𝘝𝘐𝘚𝘈 𝘑𝘊𝘉 DL b
fermé sam., dim., juil. et fin déc. – **Repas** *Lunch* 1275 – carte 1500 à 2000.

à Dilbeek *par* ⑧ *: 7 km - plans p. 6 et 8 – 37 352 h.* – ⊠ *1700 Dilbeek :*

🏨 **Relais Delbeccha** 🝙, Bodegemstraat 158, ✆ (0 2) 569 44 30, *Fax (0 2) 569 75 30,*
🝙, 🝙 – 🖾 ☎ ℗ – 🔬 25 à 120. 🝙 ⓞ 🗉 𝘝𝘐𝘚𝘈. 🎉
Repas (fermé dim. soir) 1025/1450 – **12 ch** ⊜ 3500/4500.

XX **Host. d'Arconati** 🝙, avec ch, d'Arconatistraat 77, ✆ (0 2) 569 35 00,
Fax (0 2) 569 35 04, 🝙, « Terrasse fleurie », 🝙 – 🖾 ☎ ℗ – 🔬 60. 🝙 🗉 𝘝𝘐𝘚𝘈.
🎉 ch
Repas (fermé dim. soir, lundi, mardi et fév.) *Lunch* 1000 – 1775 bc – **6 ch** ⊜ 3000.

X **De Smidse,** Oude Smidsestraat 39, ✆ (0 2) 569 56 10, *Fax (0 2) 569 41 25,* 🝙,
« Terrasse » – 🝙 🗉 𝘝𝘐𝘚𝘈
fermé lundis, mardis et merc. non fériés, sem. carnaval et fin août-mi-sept. – **Repas**
1100/1800.

à Drogenbos *- plan p. 8 – 4 666 h.* – ⊠ *1620 Drogenbos :*

🏨 **Campanile,** av. W.A. Mozart 11, ✆ (0 2) 331 19 45, *Fax (0 2) 331 25 30,* 🝙 – 🍽 🖾
☎ ℗ – 🔬 25 à 50. 🝙 ⓞ 🗉 𝘝𝘐𝘚𝘈 AN n
Repas (avec buffet) *Lunch* 450 – 850 – ⊜ 270 – **75 ch** 2300 – ½ P 2850.

à Dworp *(Tourneppe) par* ⑥ : *16 km - plan p. 8* Ⓒ *Beersel 22 711 h.* – ⊠ *1653 Dworp :*

🏛 **Kasteel Gravenhof** 🕊, Alsembergsesteenweg 676, 🖉 (0 2) 380 44 99, Fax (0 2) 380 40 60, 🍽, « Environnement boisé, étang », 🚗 – 📶 📺 ☎ ☻ – 🏛 25 à 120. 🖭 ⑩ 🗲 𝗩𝗜𝗦𝗔
Repas (Taverne-rest) Lunch 625 – carte env. 1200 – ⌲ 395 – **24 ch** 4850 – ½ P 4570/4795.

à Grimbergen *au Nord par* N 202 BK : *11 km - plan p. 6* – 32 737 h. – ⊠ *1850 Grimbergen :*

🏛 **Abbey,** Kerkeblokstraat 5, 🖉 (0 2) 270 08 88, Fax (0 2) 270 81 88, 🛋, ⬅s, 🚗 – 📶, ⊟ rest, 📺 ☎ ☻ – 🏛 30 à 200. 🖭 ⑩ 🗲 𝗩𝗜𝗦𝗔 ✀ ch
fermé juil. – **Repas 't Wit Paard** *(fermé sam. et dim.)* Lunch 1250 - carte 1750 à 2100 – ⌲ 400 – **28 ch** 4200/4800 – ½ P 5850/6300.

à Groot-Bijgaarden *- plan p. 6 -* Ⓒ *Dilbeek 37 352 h.* – ⊠ *1702 Groot-Bijgaarden :*

🏛 **Waerboom,** Jozef Mertensstraat 140, 🖉 (0 2) 463 15 00, Fax (0 2) 463 10 30, ⬅s, ▨ – 📶 📺 ☎ ☻ – 🏛 25 à 270. 🖭 ⑩ 🗲 𝗩𝗜𝗦𝗔 ✀
AL   r
fermé mi-juil.-mi-août – **Repas** (résidents seult) – **34 ch** ⌲ 3800/4100 – ½ P 4400.

🏨 **Gosset** Ⓜ, Alfons Gossetlaan 52, 🖉 (0 2) 466 21 30, Fax (0 2) 466 18 50, 🍽 – 📶 ✍◆ 📺 ☎ ☻ – 🏛 25 à 200. 🖭 ⑩ 🗲 𝗩𝗜𝗦𝗔 ✀ ch
AL   a
fermé 23 déc.-2 janv. – **Repas** Lunch 350 – carte 950 à 1300 – **48 ch** ⌲ 2000/4100.

𝕏𝕏𝕏𝕏𝕏 **De Bijgaarden,** I. Van Beverenstraat 20 (près du château), 🖉 (0 2) 466 44 85, ✿✿ Fax (0 2) 463 08 11, ≼, 🍽 – 🖭 ⑩ 🗲 𝗩𝗜𝗦𝗔
AL   c
fermé du 12 au 20 avril, 16 août-7 sept., début janv., sam. midi, dim. et jours fériés – **Repas** 1850/3000, carte 3350 à 3800
Spéc. Chou vert au caviar osciètre. Turbot rôti "château" et béarnaise de homard. Poularde fermière aux morilles crémées (avril-oct.).

𝕏𝕏𝕏𝕏 **Michel** (Coppens), Schepen Gossetlaan 31, 🖉 (0 2) 466 65 91, Fax (0 2) 466 90 07, 🍽 ✿ – ☻. 🖭 ⑩ 🗲 𝗩𝗜𝗦𝗔
AL   d
fermé dim., lundi et août – **Repas** 1700/2250, carte 2000 à 2500
Spéc. Bar rôti au risotto d'artichauts et fumet de fruits de mer. Blanc de turbot en papillote aux fines herbes. Escalopes de foie d'oie poêlées aux fruits de saison caramélisés.

à Hoeilaart *- plan p. 9 –* 9 630 h. *–* ⊠ *1560 Hoeilaart :*

🏨 **Groenendaal,** Groenendaalsesteenweg 145 (à Groenendaal), 🖉 (0 2) 657 94 47, Fax (0 2) 657 20 30, 🍽 – 📺 ☎ ☻ – 🏛 25. 🖭 ⑩ 🗲 𝗩𝗜𝗦𝗔 𝗝𝗖𝗕
DP   a
Repas *(fermé dim.)* Lunch 790 – 980/1595 – **8 ch** ⌲ 3200/3600 – ½ P 4000/4800.

𝕏𝕏 **Aloyse Kloos,** Terhulpsesteenweg 2 (à Groenendaal), 🖉 (0 2) 657 37 37, 🍽, « En lisière ✿ de forêt » – ☻. 🗲 𝗩𝗜𝗦𝗔
DP   f
fermé dim. soir, lundi, 2 sem. Pâques et août – **Repas** Lunch 1450 – 2000, carte 1900 à 2300
Spéc. Saumon mariné aux truffes. Écrevisses à la luxembourgeoise (juin-janv.). Poulet fermier aux morilles.

𝕏𝕏 **Bollewinkel,** Groenendaalsesteenweg 94 (à Groenendaal), 🖉 (0 2) 657 24 34, Fax (0 2) 657 14 19, 🍽 – ⊟ 🖭 🗲 𝗩𝗜𝗦𝗔
DP   h
fermé dim. et lundi – **Repas** Lunch 920 – carte 1300 à 1650.

𝕏 **Tissens,** Groenendaalsesteenweg 105 (à Groenendaal), 🖉 (0 2) 657 04 09, Anguilles – ☻. ⑩ 🗲 𝗩𝗜𝗦𝗔
DP   k
fermé merc., jeudi, juil. et fin déc.-début janv. – **Repas** carte env. 1300.

à Huizingen *par* ⑥ : *12 km - plan p. 8* Ⓒ *Beersel 22 711 h.* – ⊠ *1654 Huizingen :*

𝕏𝕏𝕏 **Terborght,** Oud Dorp 16 (près E 19, sortie 15), 🖉 (0 2) 380 10 10, Fax (0 2) 380 10 97, 🍽, « Rustique » – ⊟ ☻. 🖭 ⑩ 🗲 𝗩𝗜𝗦𝗔
fermé dim. soir, lundi, mardi soir, carnaval et 13 juil.-3 août – **Repas** Lunch 1500 bc – 950/1800.

à Kobbegem *par* ⑩ : *11 km - plan p. 6* Ⓒ *Asse 27 501 h.* – ⊠ *1730 Kobbegem :*

𝕏𝕏𝕏 **De Plezanten Hof,** Broekstraat 2, 🖉 (0 2) 453 23 23, Fax (0 2) 452 99 11, 🍽 – ☻. 🖭 🗲 𝗩𝗜𝗦𝗔
fermé mardi soir, merc., dim. soir, 1 sem. carnaval et 3 sem. en août – **Repas** Lunch 1150 – 2100/2950.

à Kortenberg *par* ② : *15 km - plan p. 7* – 16 818 h. – ⊠ *3070 Kortenberg :*

𝕏𝕏 **Hof te Linderghem,** Leuvensesteenweg 346, 🖉 (0 2) 759 72 64, Fax (0 2) 759 66 10 – ☻. 🖭 🗲 𝗩𝗜𝗦𝗔
fermé lundi soir, mardi et juil. – **Repas** Lunch 1100 – carte 1700 à 2400.

à Kraainem *- plan p. 7* – 12 915 h. *–* ⊠ *1950 Kraainem :*

𝕏𝕏 **d'Oude Pastorie,** Pastoorkesweg 1 (Park Jourdain), 🖉 (0 2) 720 63 46, Fax (0 2) 720 63 46, 🍽, « Dans un parc avec étang » – ☻. 🖭 ⑩ 🗲 𝗩𝗜𝗦𝗔 ✀
DL   j
fermé du 13 au 20 avril, 17 août-7 sept., lundi soir et jeudi – **Repas** Lunch 1200 – carte env. 1700.

à Linkebeek - plan p. 8 – 4 647 h. – ⊠ 1630 Linkebeek :

ᵡᵡᵡ **Le Saint-Sébastien,** r. Station 90, ℰ (0 2) 380 54 90, Fax (0 2) 380 54 41, 佘 – **Ɵ**.
⓪ Ɛ 𝑉𝐼𝑆𝐴   BP k
fermé lundis non fériés et 15 août-15 sept. – **Repas** Lunch 750 – 1150/1450.

ᵡ **Le Chevalier,** Place Communale 5, ℰ (0 2) 380 57 45, 佘 – ⒶⒺ Ɛ 𝑉𝐼𝑆𝐴   BP a
fermé merc. soir, sam. midi et dim. – **Repas** Lunch 425 – carte env. 1300.

ᵡ **Le Petit Coq,** r. St-Sébastien 41, 佘, Taverne-rest – **Ɵ**. Ɛ
𝑉𝐼𝑆𝐴. ℅   BP c
fermé du 15 au 30 sept., du 23 au 31 déc., lundi midi et mardi midi – **Repas** Lunch 395 –
carte env. 1200.

à Machelen - plan p. 7 – 11 518 h. – ⊠ 1830 Machelen :

ᵡᵡᵡ **André D'Haese,** Heirbaan 210, ℰ (0 2) 252 50 72, Fax (0 2) 253 47 65, 佘, « Décor
⊰⊱ moderne, terrasse avec jardin paysagé » – **Ɵ**. ⒶⒺ ⓪ Ɛ 𝑉𝐼𝑆𝐴 𝐽𝐶𝐵. ℅   DK m
*fermé sam. midi, dim., jours fériés, 1 sem. après Pâques, 12 juil.-2 août et 1 sem. après
Noël* – **Repas** Lunch 1300 – 2250/2900, carte 2450 à 2950
Spéc. Lotte et foie gras d'oie fumé aux haricots verts et tomates séchées. Filet de St-Pierre
poêlé tout céleri. Ris de veau braisé à brun Zingara.

ᵡ **Rozenhof,** Budasteenweg 46 (angle Woluwelaan), ℰ (0 2) 251 13 29,
Fax (0 2) 251 13 29 – **Ɵ**. ⒶⒺ ⓪ Ɛ 𝑉𝐼𝑆𝐴. ℅   CK e
fermé sam. midi, dim., 2 dern. sem. août et 1 sem. en fév. – **Repas** Lunch 750 –
995.

à Meise par ⑪ : 14 km - plan p. 6 – 17 862 h. – ⊠ 1860 Meise :

ᵡᵡᵡ **Aub. Napoléon,** Bouchoutlaan 1, ℰ (0 2) 269 30 78, Fax (0 2) 269 79 98, Grillades –
Ɵ. ⒶⒺ ⓪ Ɛ 𝑉𝐼𝑆𝐴
fermé août – **Repas** Lunch 1450 – carte 1850 à 2200.

ᵡᵡᵡ **Koen Van Loven,** Brusselsesteenweg 11, ℰ (0 2) 270 05 77, Fax (0 2) 270 05 46, 佘
– 𝄜 25 à 150. ⒶⒺ ⓪ Ɛ 𝑉𝐼𝑆𝐴
fermé dim. soir, lundi et vacances Pâques – **Repas** 1475/1845.

à Melsbroek par Nieuwe Haachtsesteenweg DK : 14 km - plan p. 7 Ⓒ Steenokkerzeel 10 130 h.
– ⊠ 1820 Melsbroek :

ᵡᵡᵡ **Boetfort,** Sellaerstraat 42, ℰ (0 2) 751 64 00, Fax (0 2) 751 62 00, 佘, « Château du
17ᵉ s., parc » – **Ɵ** – 𝄜 25 à 40. ⒶⒺ ⓪ Ɛ 𝑉𝐼𝑆𝐴. ℅
fermé merc. soir, sam. midi, dim. et sem. carnaval – **Repas** Lunch 1200 – 1500/2400 :

à Nossegem par ② : 13 km - plan p. 7 Ⓒ Zaventem 26 467 h. – ⊠ 1930 Nossegem :

ᵡᵡ **Roland Debuyst,** Leuvensesteenweg 614, ℰ (0 2) 757 05 59, 佘 – **Ɵ**. ⒶⒺ ⓪
Ɛ 𝑉𝐼𝑆𝐴
fermé sam. midi, dim., lundi soir, 3 sem. en mai et 1 sem. en août – **Repas** Lunch 1300 –
1900/2450 .

à Overijse par ④ : 16 km - plan p. 9 – 23 591 h. – ⊠ 3090 Overijse :
🄱 Justus Lipsiusplein 9, ℰ 687 64 23, Fax 687 77 22

ᵡᵡᵡᵡ **Barbizon** (Deluc), Welriekendedreef 95 (à Jezus-Eik), ℰ (0 2) 657 04 62,
⊰⊱ Fax (0 2) 657 40 66, 佘, « Terrasse et jardin » – **Ɵ**. ⒶⒺ Ɛ 𝑉𝐼𝑆𝐴   DN n
fermé mardi, merc., fév. et fin juil.-début août – **Repas** Lunch 1425 – 1750/3250, carte 2300
à 2800
Spéc. Compression de homard et huîtres, vinaigrette aux herbes. Gibiers (sept.-janv.).
Croustillant de ris de veau aux carottes, cumin et petits oignons.

ᵡᵡ **Aub. Bretonne,** Brusselsesteenweg 670 (à Jezus-Eik), ℰ (0 2) 657 11 11,
Fax (0 2) 657 11 11 – **Ɵ**. ⒶⒺ Ɛ 𝑉𝐼𝑆𝐴   DN r
fermé mardi, merc. et juil. – **Repas** 880/1680.

ᵡᵡ **Den Zilv'ren Uil,** Brusselsesteenweg 505 (NO : 2 km à Jezus-Eik), ℰ (0 2) 657 28 75,
🕮 Fax (0 2) 657 28 75 – **Ɵ**. ⒶⒺ ⓪ Ɛ 𝑉𝐼𝑆𝐴
fermé merc., jeudi, dern. sem. fév. et dern. sem. août – **Repas** 750/1565.

ᵡ **Istas,** Brusselsesteenweg 652 (à Jezus-Eik), ℰ (0 2) 657 05 11, Fax (0 2) 657 05 11, 佘,
Taverne-rest – **Ɵ**. Ɛ 𝑉𝐼𝑆𝐴   DN s
fermé merc., jeudi et août – **Repas** carte 850 à 1200.

à Schepdaal par ⑧ : 12 km - plans p. 6 et 8 Ⓒ Dilbeek 37 352 h. – ⊠ 1703 Schepdaal :

🏨 **Lien Zana,** Ninoofsesteenweg 1022, ℰ (0 2) 569 65 25, Fax (0 2) 569 64 64, 佘, ➡
– 𝄐, ▤ rest, 📺 ☎ ✿ – 𝄜 25. ⒶⒺ ⓪ Ɛ 𝑉𝐼𝑆𝐴
fermé 21 juil.-début août et 24 déc.-3 janv. – **Repas** (Taverne-rest) carte env. 900 – **27 ch**
⊇ 2600/4000 – ½ P 3000.

à Sint-Genesius-Rode *(Rhode-St-Genèse) par ⑤ : 13 km - plan p. 9 – 18 099 h. – ⊠ 1640 Sint-Genesius-Rode :*

🏨 **Aub. de Waterloo,** chaussée de Waterloo 212, ℰ (0 2) 358 35 80, Fax (0 2) 358 38 06 – ⏽ ✆ 📺 ☎ 🅿 – 🔬 25 à 80. 🖭 ⑩ 🗉 𝘝𝘐𝘚𝘈
Repas voir rest *L'Arlecchino* ci-après – **83 ch** ⊆ 2350/6250.

✕✕ **L'Arlecchino** - H. Aub. de Waterloo, chaussée de Waterloo 212, ℰ (0 2) 358 34 16,
⊛ Fax (0 2) 358 28 96, 🥢, Cuisine italienne, avec Trattoria – 🗐 🅿. 🖭 ⑩ 🗉
𝘝𝘐𝘚𝘈. ⁂
Repas 850.

✕✕ **"Pierrot" La Saladine,** av. de la Forêt de Soignes 361, ℰ (0 2) 358 13 21, Fax (0 2)
358 47 89, 🥢 – 🖭 ⑩ 🗉 𝘝𝘐𝘚𝘈
fermé dim. soir, lundi et 27 août-11 sept. – **Repas** Lunch 695 – 895/1395.

✕ **Bois Savanes,** chaussée de Waterloo 208, ℰ (0 2) 358 37 78, Fax (0 2) 354 66 95, 🥢,
Cuisine thaïlandaise – 🅿. 🖭 ⑩ 🗉 𝘝𝘐𝘚𝘈
fermé lundi midi, mardi midi et 3 prem. sem. août – **Repas** Lunch 495 – carte env. 1100.

✕ **L'Alter Ego,** Parvis Notre-Dame 15, ℰ (0 2) 358 29 15, Fax (0 2) 358 29 15, 🥢 – 🖭
⑩ 🗉 𝘝𝘐𝘚𝘈 𝘑𝘊𝘉
fermé dim., lundi et 26 août-26 sept. – **Repas** (déjeuner seult sauf vend. et sam.) Lunch
390 – carte env. 1200.

à Sint-Pieters-Leeuw *SO : 13 km par Brusselbaan AN - plan p. 8 – 29 643 h. – ⊠ 1600 Sint-Pieters-Leeuw :*

🏨 **Green Park** Ⓜ ⁂, V. Nonnemanstraat 15, ℰ (0 2) 331 19 70, Fax (0 2) 331 03 11, 🥢,
« Au bord d'un étang », 𝕝₄, 🐎 – ⏽ 📺 ☎ ⅄ 🅿 – 🔬 25 à 100. 🖭 ⑩ 🗉
𝘝𝘐𝘚𝘈 𝘑𝘊𝘉
fermé juil. – **Repas** (fermé vend.) Lunch 450 – carte 1300 à 1600 – **18 ch** ⊆ 3850/4350
– ½ P 4450.

à Sterrebeek *par ② : 13 km - plan p. 7 🄲 Zaventem 26 467 h. – ⊠ 1933 Sterrebeek :*

✕✕ **La Chasse des Princes,** Hippodroomlaan 141, ℰ (0 2) 731 19 64, Fax (0 2) 731 09 68,
🥢 – 🔬 25. 🖭 ⑩ 🗉 𝘝𝘐𝘚𝘈
fermé lundi, mardi et sam. midi – **Repas** Lunch 1000 bc – 1500 bc/1800 bc.

à Strombeek-Bever *- plan p. 6 - 🄲 Grimbergen 32 737 h. – ⊠ 1853 Strombeek-Bever :*

🏛 **Alfa Rijckendael** Ⓜ ⁂, Luitberg 1, ℰ (0 2) 267 41 24 et 267 55 00 (rest),
Telex 20140, Fax (0 2) 267 94 01, 🥢, ⛶ – ⏽ 📺 ☎ 🅿 – 🔬 25 à 40. 🖭 ⑩
🗉 𝘝𝘐𝘚𝘈
BK c
Repas (fermé merc.) Lunch 880 bc – carte 1700 à 2350 – **49 ch** ⊆ 4300/4900 –
½ P 2500/3250.

🏨 **Clarine,** Romeinsesteenweg 572, ℰ (0 2) 461 00 21, Fax (0 2) 461 04 84 – ⏽ 📺 ☎ 🅿
– 🔬 25 à 80. 🖭 ⑩ 🗉 𝘝𝘐𝘚𝘈 𝘑𝘊𝘉. ⁂ rest
BK k
Repas (Taverne-rest) Lunch 580 – 850 – **75 ch** ⊆ 3950/4150 – ½ P 4450/5150.

🏠 **Aub. Van Strombeek,** Temselaan 6, ℰ (0 2) 460 64 67, Fax (0 2) 460 06 70, 🥢 –
📺 ☎ 🅿. 🖭 ⑩ 🗉 𝘝𝘐𝘚𝘈 𝘑𝘊𝘉. ⁂
BK f
Repas (fermé merc. soir, sam. midi, dim., jours fériés et 3 prem. sem. août) 895 – **10 ch**
⊆ 1800/2500 – ½ P 2500.

✕✕ **Val Joli,** Leestbeekstraat 16, ℰ (0 2) 460 65 43, Fax (0 2) 460 04 00, 🥢, « Terrasse
⊛ et jardin » – 🅿. 🖭 🗉 𝘝𝘐𝘚𝘈
BK p
fermé lundi, mardi, 2 sem. en juin et 2 sem. en nov. – Repas 990/1390.

✕✕ **'t Stoveke,** Jetsestraat 52, ℰ (0 2) 267 67 25, 🥢, Produits de la mer – 🖭 ⑩
🗉 𝘝𝘐𝘚𝘈
BK q
fermé dim., lundi, 3 sem. en juin, Noël et Nouvel An – **Repas** Lunch 1190 – carte 1900 à 2500.

à Tervuren *par ③ : 14 km - plan p. 9 – 19 989 h. – ⊠ 3080 Tervuren :*

✕✕ **De Linde,** Kerkstraat 8, ℰ (0 2) 767 87 42, 🥢 – 🖭 🗉 𝘝𝘐𝘚𝘈. ⁂
fermé du 16 au 26 mars, 31 août-10 sept., lundi soir, mardi et sam. midi – **Repas** Lunch
450 – 895/1595.

à Vilvoorde *(Vilvorde) - plans p. 6 et 7 – 33 483 h. – ⊠ 1800 Vilvoorde :*

✕✕ **Barbay,** Romeinsesteenweg 220 (SO : 4 km à Koningslo), ℰ (0 2) 267 00 45,
Fax (0 2) 267 00 45, 🥢 – 🖭 ⑩ 🗉 𝘝𝘐𝘚𝘈
BK r
fermé sam. midi et dim. – **Repas** Lunch 895 – 1450/1990.

✕✕ **De Met** 1er étage, Grote Markt 7, ℰ (0 2) 253 30 00, Fax (0 2) 253 31 00, Avec taverne-
rest, « Ancien marché couvert de style Art Déco » – 🔬 25 à 400. 🖭 🗉
𝘝𝘐𝘚𝘈. ⁂
CK r
fermé dim. – **Repas** Lunch 1375 bc – carte 1600 à 2000.

à Wemmel - plan p. 6 – 13 738 h. – ✉ 1780 Wemmel :

XX **Le Gril aux herbes d'Evan**, Brusselsesteenweg 21, ℘ (0 2) 460 52 39,
Fax (0 2) 461 19 12, 佘 – 🖭 ⓞ 🖪 🖾   AK t
fermé du 1er au 20 juil., 24 déc.-1er janv., merc. et sam. midi – **Repas** Lunch 895 – 1600/
1950.

XX **Parkhof "Beverbos"**, Parklaan 7, ℘ (0 2) 460 42 89, Fax (0 2) 460 25 10, 佘,
« Terrasse » – ❷. 🖭 ⓞ 🖪 🖾   AK s
fermé merc., jeudi et fin sept.-début oct. – **Repas** Lunch 850 – 1100/1400.

XX **Barlow's**, Romeinse Steenweg 960, ℘ (0 2) 460 61 51, Fax (0 2) 460 61 51, 佘 – 🗐.
🕾 🖭 ⓞ 🖪 🖾   BK u
fermé merc., sam. midi, dim. soir et août – **Repas** Lunch 395 – 850/1500.

à Wezembeek-Oppem par ② : 11 km - plan p. 7 – 13 623 h. – ✉ 1970 Wezembeek-Oppem :

XX **L'Aub. Saint-Pierre**, Sint-Pietersplein 8, ℘ (0 2) 731 21 79, Fax (0 2) 731 28 28, 佘
– 🖭 ⓞ 🖪 🖾
fermé sam. midi, dim., jours fériés, 18 juil.-16 août et 24 déc.-3 janv. – **Repas** Lunch 980
– carte 1650 à 2100.

à Zaventem - plan p. 7 – 26 467 h. – ✉ 1930 Zaventem :

🏨🏨 **Sheraton Airport**, à l'aéroport (NE par A 201), ℘ (0 2) 725 10 00, Telex 27085,
Fax (0 2) 725 11 55, ƒ♨ – 🕸 ✳ 🖿 🖭 ☎ ♿ ➾ – 🔬 25 à 600. 🖭 ⓞ 🖪 🖾 🕾
🕸 rest   DK a
Repas Concorde Lunch 1375 - carte 1850 à 2450 – **Lindbergh Taverne** (ouvert jusqu'à
23 h 30) Lunch 690 - carte env. 1000 – ⊑ 890 – **297 ch** 11400/12400, 2 suites.

XX **Stockmansmolen** 1er étage, H. Henneaulaan 164, ℘ (0 2) 725 34 34,
Fax (0 2) 725 75 05, Avec taverne-rest., « Ancien moulin à eau » – ❷. 🖭 ⓞ 🖪
🖾
fermé sam., dim., 21 juil.-10 août, Noël et Nouvel An – **Repas** Lunch 1675 – carte 2000 à
2650.   DL c

à Zellik par ⑩ : 8 km - plan p. 6 🄲 Asse 27 501 h. – ✉ 1731 Zellik :

XX **Angelus**, Brusselsesteenweg 433, ℘ (0 2) 466 97 26, Fax (0 2) 466 83 84, 佘 – ❷. 🖭
ⓞ 🖪 🖾   AL e
fermé lundi et 15 juil.-15 août – **Repas** Lunch 1295 bc – 995/1595.

Voir aussi : **Waterloo** par ⑥ : 17 km - plan p. 8

S.A. MICHELIN BELUX, Quai de Willebroek 33 EQ – ✉ 1000, ℘ (0 2) 274 42 11,
Fax (0 2) 274 42 12

BUGGENHOUT 9255 Oost-Vlaanderen 🄭🄴🄵 ⑥ et 🄰🄻🄽 F 2 – 13 680 h.
Bruxelles 27 – Gent 44 – Antwerpen 32 – Mechelen 22.

X **Servaeshof**, Vidtstraat 49, ℘ (0 52) 33 29 15 – ❷. 🖪 🖾 🕸
fermé mardi soir et merc. – **Repas** Lunch 495 – carte 1050 à 2100.

BUKEN 1910 Vlaams-Brabant 🄲 Kampenhout 10 515 h. 🄭🄴🄵 ⑦.
Bruxelles 22 – Antwerpen 42 – Leuven 10 – Liège 68 – Namur 64 – Turnhout 74.

XX **de notelaar**, Bukenstraat 142, ℘ (0 16) 60 52 69, Fax (0 16) 60 69 09 – 🗐. 🖭 ⓞ 🖪
🖾
fermé mardi soir, merc., jeudi, 2 sem. en fév. et mi-juil.-mi-août – **Repas** 1075.

BÜLLINGEN (BULLANGE) 4760 Liège 🄭🄻🄳 ⑨ et 🄰🄻🄽 L 4 – 5 215 h.
Bruxelles 169 – Liège 77 – Aachen 57.

X **Kreutz**, Hauptstr. 131, ℘ (0 80) 64 79 03, Fax (0 80) 64 26 05 – 🗐 ❷. 🖪 🖾
fermé lundi soir, merc. soir et du 1er au 21 juil. – **Repas** carte env. 1400.

BURG-REULAND 4790 Liège 🄭🄻🄳 ⑨ et 🄰🄻🄽 L 5 – 3 762 h.
Voir Donjon ⬉★.
Bruxelles 184 – Liège 95.

🏠🏠 **Val de l'Our** 🕸, Dorfstr. 150, ℘ (0 80) 32 90 09, Fax (0 80) 32 97 00, « Environnement
boisé », ƒ♨, 佘, 🌊, 🎄 – 🗐 rest, 🖭 ☎ ❷ – 🔬 25. 🕸
fermé 28 juin-10 juil. et 28 déc.-12 janv. ; du 15 nov. à Pâques ouvert week-end seult –
Repas (dîner seult jusqu'à 20 h) 975/1450 – **15 ch** ⊑ 2250/3250 – ½ P 2450/2600.

🏠🏠 **Paquet** 🕸, Lascheid 43 (SO : 1 km, lieu-dit Lascheid), ℘ (0 80) 32 96 24,
Fax (0 80) 32 98 22, ⬉ campagne vallonnée – 🖭 ☎ ❷. ⓞ 🖪 🖾 🕸
fermé dim. soir et lundi hors saison, 22 juin-5 juil. et du 21 au 27 sept. – **Repas** (résidents
seult) – **14 ch** ⊑ 1450/2500 – ½ P 1550/1750.

à Ouren S : 9 km 🅒 Burg-Reuland – ⊠ 4790 Burg-Reuland :

🏠🏠 **Dreiländerblick** 🦐, Dorfstr. 29, ✆ (0 80) 32 90 71, Fax (0 80) 32 93 88, ≤, 😤, « Terrasse », 🕿 – ☎ 🅿. 🛇
fermé mardi hors saison, 22 juin-3 juil., 28 sept.-8 oct. et du 1ᵉʳ au 20 janv. – **Repas** (fermé après 20 h 30) Lunch 600 – carte env. 1400 – **13 ch** ⊑ 2000/2550, 1 suite – ½ P 1850/2000.

🏠 **Rittersprung** 🦐, Dorfstr. 19, ✆ (0 80) 32 91 35, Fax (0 80) 32 93 61, ≤, 😤, 🕿 – 🅿. 🛇
fermé déc.-15 janv. et lundis non fériés sauf en saison – **Repas** (résidents seult) – **16 ch** ⊑ 1800/2600 – ½ P 1800/2000.

*Unsere Hotel-, Reiseführer und Straßenkarten ergänzen sich.
Benutzen Sie sie zusammen.*

BÜTGENBACH 4750 Liège 𝟮𝟭𝟰 ⑨ et 𝟰𝟬𝟵 L 4 – 5 349 h.
🛈 Centre Worriken 1 (au lac) ✆ (0 80) 44 63 58, Fax (0 80) 44 70 89.
Bruxelles 164 – Liège 72 – Aachen 52.

🏠🏠 **Bütgenbacher Hof** 🦐, Marktplatz 8, ✆ (0 80) 44 42 12, Fax (0 80) 44 48 77, 😤, « Terrasse » – 📳 📺 🕿 🅿 – 🛗 40. 🖭 ⑪ 🎫 🛇
fermé 2 sem. Pâques et 2 sem. en juil. – **Repas** (fermé lundi soir et mardi) Lunch 1100 – carte 1150 à 1750 – **22 ch** ⊑ 1500/3000, 2 suites – ½ P 2500.

🏠🏠 **Lindenhof** 🦐 sans rest, Neuerweg 1 (O : 3 km, lieu-dit Weywertz), ✆ (0 80) 44 50 86, Fax (0 80) 44 48 26 – 📺 🕿 🅿. 🛇
12 ch ⊑ 1600/2300.

🏠🏠 **du Lac**, Seestr. 53, ✆ (0 80) 44 64 13, Fax (0 80) 44 44 55, 😤 – 📳 📺 🕿 🅿. 🛇
fermé avril et mardis soirs, merc. et jeudis d'oct. à mars – **Repas** (résidents seult) – **28 ch** ⊑ 1800/3200 – ½ P 1600/1800.

🏠 **Seeblick** 🦐, Zum Konnenbusch 24 (NE : 3 km, lieu-dit Berg), ✆ (0 80) 44 53 86, Fax (0 80) 44 53 86, ≤ lac, 🕿, 🗺 – 🅿. 🛇
fermé 28 juin-10 juil. – **Repas** (dîner pour résidents seult) – **12 ch** ⊑ 900/2000 – ½ P 1200/1500.

🕷🕷 **La Belle Époque,** Bahnhofstr. 85 (O : 3 km, lieu-dit Weywertz), ✆ (0 80) 44 55 43 – 🅿. 🖭 ⑪ 🎫 🛇
fermé merc., fin mars-début avril et 2 sem. en sept. – **Repas** Lunch 495 – 990/2250.

🕷 **Vier Jahreszeiten** 🦐 avec ch, Bermicht 8 (N : 3 km, lieu-dit Nidrum), 🐙 ✆ (0 80) 44 56 04, Fax (0 80) 44 49 30, 😤, « Intérieur de style autrichien », 🗺 – 🅿. 🛇
fermé 1ʳᵉ quinz. juil., 1ʳᵉ quinz. janv. et mardi soir et merc. sauf vacances scolaires – **Repas** 700/1500 – **15 ch** ⊑ 1450/2500 – ½ P 1800/2000.

CASTEAU Hainaut 𝟮𝟭𝟯 ⑰ et 𝟰𝟬𝟵 F 4 – voir à Soignies.

CELLES Namur 𝟮𝟭𝟰 ⑤ et 𝟰𝟬𝟵 I 5 – voir à Houyet.

CERFONTAINE 5630 Namur 𝟮𝟭𝟰 ③ et 𝟰𝟬𝟵 G 5 – 4 168 h.
Bruxelles 100 – Charleroi 38 – Dinant 45 – Maubeuge 44.

à Soumoy NE : 3 km 🅒 Cerfontaine – ⊠ 5630 Soumoy :

🏠🏠 **Relais du Surmoy** 🦐, r. Bironfosse 38, ✆ (0 71) 64 32 13, Fax (0 71) 64 47 09, 🕿 – 📺 🕿 🅿 – 🛗 25 à 80. 🖭 ⑪ 🎫 🛇
fermé 5 janv.-5 fév. – **Repas** (fermé mardi sauf vacances scolaires) 850/1600 – **24 ch** ⊑ 2050/2500 – ½ P 1520/1950.

CÉROUX-MOUSTY Brabant Wallon 𝟮𝟭𝟯 ⑲ et 𝟰𝟬𝟵 G 4 – voir à Ottignies.

CHAMPLON 6971 Luxembourg belge 🅒 Tenneville 2 408 h. 𝟮𝟭𝟰 ⑦ et 𝟰𝟬𝟵 J 5.
Bruxelles 127 – Arlon 61 – Namur 66 – La Roche-en-Ardenne 15.

🕷🕷 **Host. de la Barrière** avec ch, rte de la Barrière 31, ✆ (0 84) 45 51 55, Fax (0 84) 45 59 22, 😤 – 🕿 🅿 – 🛗 25 à 40. 🖭 ⑪ 🎫 🛇
Repas Lunch 850 – 1250/2150 – **15 ch** ⊑ 1450/2150 – ½ P 2000.

CHARLEROI

6000 Hainaut 214 ③ *et* 409 G 4 – *205 591 h.*

Bruxelles 61 ① – *Liège 92* ③ – *Lille 123* ① – *Namur 38* ③.

Plan de Charleroi .... **p. 2**
Nomenclature des hôtels
  et des restaurants... **p. 3**

RENSEIGNEMENTS PRATIQUES

🔲 *Maison communale annexe, av. Mascaux 100 à Marcinelle par* ⑤ *ℰ (071) 86 61 52, Fax (071) 86 61 58 – Pavillon, Square de la Gare du Sud ℰ (071) 31 82 18.*

📍 *à Frasnes-lez-Gosselies (Les-Bons-Villers) N : 13 km, Chemin du Grand Pierpont 1 ℰ (071) 85 14 19, Fax (071) 85 15 43.*

CURIOSITÉS

Musées : *du verre★ BYZ* **M** – *à Mont-sur-Marchienne par* ⑤ *: de la Photographie★.*
Env. *Abbaye d'Aulne★ : chevet et transept★★ de l'église abbatiale par* ⑤ *: 13 km.*

RÉPERTOIRE DES RUES DU PLAN DE CHARLEROI

Albert-1er (Pl.)	**ABZ**	
Marcinelle (R. de)	**BZ** 43	
Montagne (R. de la)	**ABZ** 45	
Neuve (R.)	**BY** 48	
Régence (R. de la)	**BY** 58	
Alliés (Av. des)	**AZ**	
Arthur-Decoux (R.)	**AY**	
Audent (Bd)	**ABZ**	
Baudouin (Pont)	**AZ** 3	
Brabant (Quai de)	**ABZ**	
Brigade-Piron (R.)	**BZ**	
Broucheterre		
(R. de la)	**ABY**	
Bruxelles (Chée de)	**AY**	
Charleroi (Chée de)	**BZ**	
Charles-II (Pl.)	**BZ** 10	
Defontaine (Bd)	**BYZ**	
Digue (Pl. de la)	**AZ**	
Écluse (R. de l')	**BZ** 21	
Émile-Buisset (Pl.)	**AZ** 23	
Émile-Devreux (Bd)	**BZ** 24	
Émile-Tumelaire (R.)	**BZ**	

Europe (Av. de l')	**AYZ**	
Flandre (Quai de)	**AZ** 25	
Fort (R. du)	**ABY**	
Fr.-Dewandre (Bd)	**BY** 30	
Gare du Sud (Quai de la)	**AZ**	
Général-Michel (Av.)	**BZ**	
Grand-Central		
(R. du)	**AZ**	
Grand'Rue	**BY**	
G.-Roullier (Bd)	**BY**	
Heigne (R. de)	**AY**	
Isaac (R.)	**BY**	
Jacques-Bertrand (Bd)	**ABY**	
Jean Monnet (R.)	**AZ** 35	
Joseph-Hénin (Bd)	**BY** 37	
Joseph-Tirou (Bd)	**ABZ**	
Joseph-Wauters (R.)	**AY**	
Joseph-II (Bd)	**BY**	
Jules-Destrée (R.)	**BY**	
Lebeau (R.)	**BY**	
Léon-Bernus (R.)	**BY**	
Mambourg (R. du)	**BY**	
Manège (Pl. du)	**BY** 41	

Mayence (Bd P.)	**BZ** 44	
Mons (Route de)	**AZ**	
Montignies (R. de)	**BZ**	
Neuve (R.)	**BZ**	
Olof Palme (Pont)	**AZ** 49	
Orléans (R. d')	**BZ** 50	
Paix (R. de la)	**BZ**	
Paul-Janson (Bd)	**BY**	
Paul-Pastur (Av.)	**AZ**	
P.-J. Lecomte (R.)	**AY**	
Pont-Neuf (R. du)	**BZ**	
Roton (R. du)	**ABY**	
Saint-Charles (R.)	**BZ**	
Science (R. de la)	**BYZ**	
Solvay (Bd)	**BY** 61	
Spinois (R.)	**BY**	
Turenne (R.)	**AZ**	
Villette (R. de la)	**AZ**	
Waterloo (Av. de)	**BY** 69	
Willy-Ernst (R.)	**BZ**	
Yser (Bd de l')	**AZ**	
Zenobe-Gramme (R.)	**BY** 73	
Zoé-Dryon (Bd)	**BY**	

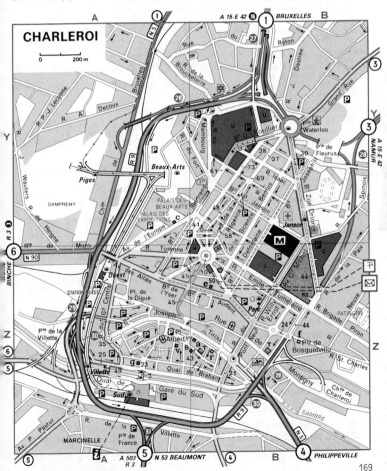

🏰🏰 **Socatel**, bd Tirou 96, ☎ (0 71) 31 98 11 et 32 32 22 (rest), *Fax (0 84) 30 15 96* – 📺 ☎ 🚗 – 🔏 50. 🆎 ⓪ 🝣 *VISA*
BZ r
Repas (ouvert jusqu'à 23 h) *(fermé sam. midi)* carte env. 1000 – ☲ 450 – **65 ch** 3350/4950 – ½ P 2790/5995.

🏰🏰 **Holiday Inn Garden Court**, bd Mayence 1a, ☎ (0 84) 30 24 24, *Fax (0 84) 30 49 49*, 🍴, ⅃ₒ, ⇔ – 📺 ☎ ⓟ – 🔏 25 à 150. 🆎 ⓪ 🝣 *VISA*
BZ f
Repas (buffet) *(fermé sam. midi)* Lunch 595 – 895 – ☲ 575 – **57 ch** 3750 – ½ P 3400/4775.

🍴🍴 **Le Square Sud**, bd Tirou 70, ☎ (0 84) 32 16 06, *Fax (0 84) 30 44 05*, « Cave voûtée »
– 🆎 ⓪ 🝣 *VISA*
BZ a
fermé sam. midi, dim., jours fériés, 1 sem. carnaval, 2 sem. Pâques et 1 sem. début sept.
– **Repas** carte 1200 à 1650.

🍴🍴 **Le D'Agnelli**, bd Audent 23a, ☎ (0 84) 30 90 96, *Fax (0 71) 30 90 96*, 🍴, Cuisine italienne, ouvert jusqu'à 23 h – 🆎 ⓪ 🝣 *VISA*. 🎇
BZ e
fermé merc., 23 fév.-1er mars et du 3 au 23 août – **Repas** Lunch 790 – 1290/1890.

🍴🍴 **La Mirabelle** 1er étage, r. Marcinelle 7, ☎ (0 84) 33 39 88 – ▤. 🆎 ⓪ 🝣 *VISA*
fermé dim., 1 sem. carnaval, 1 sem. en juil. et 1 sem. en août – **Repas** (déjeuner seult sauf
vend. et sam.) Lunch 850 – 1100/1750 bc.
ABZ s

🍴🍴 **Au Provençal**, r. Puissant 10, ☎ (0 84) 31 28 37 – 🆎 ⓪ 🝣 *VISA*. 🎇
AZ v
fermé dim. et 15 juil.-15 août – **Repas** carte 1100 à 1800.

🍴 **La Bruxelloise**, pl. E. Buisset 9, ☎ (0 84) 32 29 69, *Fax (0 71) 32 29 69*, Moules en saison,
ouvert jusqu'à 23 h 30 – ▤ ⓟ. 🆎 ⓪ 🝣 *VISA* ᴊᴄʙ
AZ g
Repas carte 950 à 1600.

🍴 **L'Amusoir**, av. de l'Europe 7, ☎ (0 84) 31 61 64, *Fax (0 84) 32 20 38* – 🆎 ⓪ 🝣 *VISA*. 🎇
🍸 **Repas** Lunch 625 – 850/1550.
AY c

à Couillet par ④ : 3 km © Charleroi – ✉ 6010 Couillet :

🍴🍴 **Le Clos du Marmiton**, r. Jean Jaurès 11, ☎ (0 71) 43 81 35, *Fax (0 71) 43 81 35*, 🍴
– ⓟ. 🆎 ⓪ 🝣 *VISA*
fermé lundi en juil.-août, mardi, dim. soir, 22 juil.-13 août et 1 sem. en janv. – **Repas**
Lunch 990 – carte 1750 à 2100.

à Gerpinnes par ④ : SE 13 km – 11 738 h. – ✉ 6280 Gerpinnes :

🍴🍴🍴 **Le Clos de la Rochette**, r. Anrys 16, ☎ (0 71) 50 11 40, *Fax (0 71) 50 30 33*, 🍴,
« Demeure ancienne sur jardin clos de murs » – ⓟ. 🆎 ⓪ 🝣 *VISA*
fermé dim. soir, lundi, merc. soir et 2e quinz. août – **Repas** Lunch 1240 – 1990.

à Gilly par ③ : 3 km © Charleroi – ✉ 6060 Gilly :

🍴 **Dario**, chaussée de Fleurus 127, ☎ (0 71) 41 49 38, *Fax (0 71) 41 49 38*, Avec cuisine
italienne – ▤. 🝣 *VISA*. 🎇
fermé dim. soir, lundi soir, mardi, merc. soir et août – **Repas** carte env. 1100.

🍴 **Il Pane Vino**, chaussée de Fleurus 125, ☎ (0 71) 41 53 36, *Fax (0 71) 41 53 36*, Cuisine
italienne – ▤. 🆎 ⓪ 🝣 *VISA*. 🎇
fermé du 16 au 21 avril, du 16 au 20 juil., merc. et dim. soir – **Repas** carte 1000 à 1500.

à Gosselies par ① : 6 km sur N 5 © Charleroi – ✉ 6041 Gosselies :

🏰🏰 **Le Piersoulx**, r. Grand Piersoulx 8 (Gosselies I - douane), ☎ (0 71) 35 66 87,
🍸 *Fax (0 71) 35 70 03* – ▤ rest, 📺 ☎ ⓟ – 🔏 25 à 40. 🆎 ⓪ 🝣 *VISA*
Repas 750/1200 – **14 ch** 2500/3450 – ½ P 3150/3300.

🍴🍴 **Le Saint-Exupéry**, chaussée de Fleurus 181, (près du champ d'aviation),
☎ (0 71) 35 59 62, *Fax (0 71) 37 35 96*, 🍴, « Terrasse avec ≤ pistes » – ⓟ. 🆎 ⓪ 🝣 *VISA*
fermé sam. midi et fin juil.-début août – **Repas** (déjeuner seult sauf vend. et sam.) Lunch
950 – 1350/1890.

à Loverval par ④ : 4 km © Gerpinnes 11 738 h. – ✉ 6280 Loverval :

🍴🍴 **Le Saint Germain des Prés**, rte de Philippeville 62 (sur N 5), ☎ (0 71) 43 58 12,
Fax (0 71) 43 58 12, 🍴 – ⓟ. 🆎 ⓪ 🝣 *VISA*
fermé sam. midi, dim. soir, lundi et du 4 au 22 août – **Repas** 1450.

à Montignies-sur-Sambre SE : 4 km par chaussée de Charleroi BZ © Charleroi – ✉ 6061 Montignies-sur-Sambre :

🍴🍴 **Le Gastronome**, pl. Albert Ier 43, ☎ (0 71) 32 10 20, *Fax (0 71) 32 30 83* – ▤. 🆎 ⓪
🍸 🝣 *VISA*
fermé sam. midi, dim. soir, lundi soir, mardi soir et merc. soir – **Repas** 1100.

à Mont-sur-Marchienne par ⑤ : 5 km © Charleroi – ✉ 6032 Mont-sur-Marchienne :

🍴🍴🍴 **La Dacquoise**, r. Marcinelle 181 (par R3, sortie Les Haies), ☎ (0 71) 43 63 90,
Fax (0 71) 47 45 01, 🍴 – ▤ ⓟ. 🆎 ⓪ 🝣 *VISA*
fermé mardi soir, merc., dim. soir et mi-juil.-mi-août – **Repas** Lunch 950 – 1450/1950.

à Nalinnes par ④ : 10 km © Ham-sur-Heure-Nalinnes 12 985 h. – ✉ 6120 Nalinnes :

🏠 **Laudanel** ♨, sans rest, r. Vallée 117 (NE : 2,5 km, lieu-dit Le Bultia), ℘ (0 71) 21 93 40, Fax (0 71) 21 93 37, 🔽, 🌿 – 📺 ☎ 🅿 ⓔ 🅔 𝘝𝘐𝘚𝘈. ⅍
fermé du 15 au 30 janv. – 🖙 400 – **6 ch** 3400/4200.

à Roselies par ③ : 10 km © Aiseau-Presles 10 980 h. – ✉ 6250 Roselies :

✗ **L'aile ou la Cuisse**, r. Français 56, ℘ (0 71) 74 20 79, Fax (0 71) 74 20 80🗏. 🅐🅔 ⓞ ⓔ 𝘝𝘐𝘚𝘈
fermé lundis non fériés, sam. midi, dim. soir et dern. sem. août-prem. sem. sept. – **Repas** Lunch 795 – 1295/1490.

CHAUDFONTAINE 4050 Liège 𝟮𝟭𝟯 ㉒ et 𝟰𝟬𝟵 J 4 - ⑱ S – 20 749 h. – Casino, Esplanade 1 ℘ (0 4) 365 07 41, Fax (0 4) 365 37 62.
🇧 Maison Sauveur, Parc des Sources ℘ (0 4) 365 18 34, Fax (0 4) 367 77 49.
Bruxelles 104 – Liège 10 – Verviers 22.

🏠 **Il Castellino**, av. des Thermes 147, ℘ (0 4) 365 75 08, Fax (0 4) 367 41 53, 🍽 – 📺 ☎ 🅿 – 🕍 25 à 300. 🅐🅔 ⓞ ⓔ 𝘝𝘐𝘚𝘈. ⅍ ch
Repas (avec cuisine italienne) (fermé mardi) Lunch 595 – carte env. 1000 – **8 ch** 🖙 2050/2650.

CHENEE Liège 𝟮𝟭𝟯 ㉒ et 𝟰𝟬𝟵 ⑱ S – voir à Liège, périphérie.

CHEVETOGNE 5590 Namur © Ciney 14 296 h. 𝟮𝟭𝟰 ⑥ et 𝟰𝟬𝟵 I 5.
Voir Domaine provincial Valéry Cousin★.
Bruxelles 90 – Namur 43 – Dinant 29 – Liège 73.

🏠 **Les Rhodos** ♨, dans le Domaine provincial, ℘ (0 83) 68 89 00, Fax (0 83) 68 90 75, 🍽, ⅍, 🛶 – 📺 ☎ 🅿 – 🕍 25 à 40. ⓔ 𝘝𝘐𝘚𝘈. ⅍ ch
Repas (fermé mardi de sept. à mars) Lunch 650 – 990/1250 – **16 ch** 🖙 1950/2150 – ½ P 1700/2550.

CHIMAY 6460 Hainaut 𝟮𝟭𝟰 ⑬ et 𝟰𝟬𝟵 F 5 – 9 744 h.
Env. Étang★ de Virelles NE : 3 km.
Bruxelles 110 – Mons 56 – Charleroi 50 – Dinant 61 – Hirson 25.

✗ **Le Froissart**, pl. Froissart 8, ℘ (0 60) 21 26 19, 🍽 – 🅐🅔 ⓞ ⓔ 𝘝𝘐𝘚𝘈 𝘑𝘊𝘉
🍴 fermé lundi soir d'oct. à mars, mardi soir, merc. et 16 août-4 sept. – **Repas** 780/1090.

à l'étang de Virelles NE : 3 km © Chimay – ✉ 6461 Virelles :

✗✗ **Chez Edgard et Madeleine**, r. Lac 35, ℘ (0 60) 21 10 71, Fax (0 60) 21 52 47, 🍽 – 🅿. ⓔ 𝘝𝘐𝘚𝘈
fermé lundis soirs et mardis non fériés, 2 sem. en sept. et 3 sem. en janv. – **Repas** 1475.

à Lompret NE : 7 km sur N 99 © Chimay – ✉ 6463 Lompret :

🏠 **Franc Bois** ♨, sans rest, r. courtil aux Martias 18, ℘ (0 60) 21 44 75, Fax (0 60) 21 51 40 – 📺 ☎ 🅿. 🅐🅔 ⓞ ⓔ 𝘝𝘐𝘚𝘈. ⅍
fermé merc. soir – **8 ch** 🖙 3000.

à Momignies O : 12 km – 5 111 h. – ✉ 6590 Momignies :

🏠 **Host. du Gahy** ♨, r. Gahy 2, ℘ (0 60) 51 10 93, Fax (0 60) 51 28 79, ≤, 🍽, « Demeure ancienne », 🌿 – 📺 ☎ 🅿 – 🕍 30. 🅐🅔 ⓞ ⓔ 𝘝𝘐𝘚𝘈. ⅍ ch
fermé dim. soir, lundi et merc. soir – **Repas** (fermé après 20 h 30) Lunch 500 – 1000/2000 – **6 ch** 🖙 3000.

CHINY 6810 Luxembourg belge 𝟮𝟭𝟰 ⑯ ⑰ et 𝟰𝟬𝟵 J 6 – 4 765 h.
Exc. Descente en barque★ de Chiny à Lacuisine, parcours de 8 km.
Bruxelles 171 – Arlon 46 – Bouillon 31 – Longwy 57 – Sedan 43.

🏠 **Point de Vue** ♨, r. Fort 6, ℘ (0 61) 31 17 45, Fax (0 61) 31 21 62, ≤ Semois et forêt – ⅍ ⬅ 🅿. 🅐🅔 ⓞ ⓔ 𝘝𝘐𝘚𝘈. ⅍
12 fév.-oct. et week-end – **Repas** (fermé après 20 h 30) Lunch 595 – carte env. 1000 – **13 ch** 🖙 2200/2600 – ½ P 1800/1900.

CINEY 5590 Namur 𝟮𝟭𝟰 ⑤ et 𝟰𝟬𝟵 I 5 – 14 296 h.
Bruxelles 86 – Namur 30 – Dinant 16 – Huy 31.

✗✗ **L'Alexandrin**, r. Commerce 121, ℘ (0 83) 21 75 95, 🍽 – 🅐🅔 ⓞ ⓔ 𝘝𝘐𝘚𝘈
fermé lundi, sam. midi, prem. sem. juil. et prem. sem. sept. – **Repas** Lunch 750 – 950/1190.

CLERMONT Liège 𝟮𝟭𝟯 ㉓ et 𝟰𝟬𝟵 J 4 – voir à Thimister.

COMBLAIN-LA-TOUR *4180 Liège* Ⓒ *Hamoir 3 434 h.* **213** ㉒, **214** ⑦ et **409** J 4.
Env. *N : Comblain-au-Pont, grottes★.*
Bruxelles 122 – Liège 32 – Spa 29.

Host. St-Roch, r. Parc 1, ☎ (0 4) 369 13 33, *Fax (0 4) 369 31 31,* ≤, 🍽, « Terrasse fleurie au bord de l'Ourthe », ☂, 🎾 – TV ☎ P – 🏋 25. AE ⓓ E VISA
Repas *(15 mars-3 janv. ; fermé lundi sauf en juil.-août et mardi)* Lunch 1250 – 1700/2400 – **10 ch** *(15 mars-3 janv. ; fermé lundi et mardi sauf en juil.-août)* ☕ 3900/6300, 5 suites – ½ P 3800/4500.

Au Repos des Pêcheurs, r. Fairon 79, ☎ (0 4) 369 10 21, 🍽 – 🚫
fermé lundi, mardi, merc. et 15 août-15 sept. – **Repas** carte env. 1200.

COO *Liège* **214** ⑧ et **409** K 4 – *voir à Stavelot.*

CORBION *Luxembourg belge* **214** ⑮ et **409** I 6 – *voir à Bouillon.*

CORROY-LE-GRAND *1325 Brabant Wallon* Ⓒ *Chaumont-Gistoux 9 471 h.* **213** ⑲ et **409** H 4.
Bruxelles 35 – Namur 35 – Charleroi 38 – Tienen 29.

Le Grand Corroy avec ch, r. Eglise 13, ☎ (0 10) 68 98 98, *Fax (0 10) 68 94 78,* 🍽, « Ancienne ferme brabançonne » – TV ☎ P. AE ⓓ E VISA
fermé sam. midi, dim. soir, lundi, 2 sem. en sept. et 22 déc.-8 janv. – **Repas** Lunch 900 – 1550/2100, carte 1900 à 2350 – **4 ch** ☕ 4000/5000
Spéc. Rouget-barbet aux tomates confites et petite crème au parmesan. Parmentier de ris de veau, queue de bœuf et foie gras de canard à la truffe. Poularde à la truffe noire en pot-au-feu.

COUILLET *Hainaut* **214** ④ et **409** G 4 – *voir à Charleroi.*

COURTRAI *West-Vlaanderen – voir Kortrijk.*

COURT-SAINT-ETIENNE *1490 Brabant Wallon* **213** ⑲ et **409** G 4 – *8 264 h.*
Bruxelles 33 – Namur 38 – Charleroi 34.

Les Ailes, av. des Prisonniers de Guerre 3, ☎ (0 10) 61 61 61, *Fax (0 10) 61 46 32,* 🍽 – P. AE ⓓ E VISA
fermé du 4 au 19 mars, du 2 au 17 sept., dim. soir, lundi et mardi – **Repas** Lunch 750 – 950/1490.

COUVIN *5660 Namur* **214** ⑭ et **409** G 5 – *13 055 h.*
Voir *Grottes de Neptune★.*
ℹ *r. Falaise 3* ☎ *(0 60) 34 74 63.*
Bruxelles 104 – Namur 64 – Charleroi 44 – Charleville-Mézières 46 – Dinant 47.

à Boussu-en-Fagne *NO : 4,5 km* Ⓒ *Couvin* – ✉ *5660 Boussu-en-Fagne :*

Manoir de la Motte 🐎, r. Motte 21, ☎ (0 60) 34 40 13, *Fax (0 60) 34 67 17,* ≤, 🍽, « Demeure du 14e s. », ☂ – ☎ P. AE ⓓ E VISA. 🚫
fermé dim. soir, lundi et 20 déc.-2 fév. – **Repas** *(fermé après 20 h 30)* 1000 – **7 ch** ☕ 2400/2900 – ½ P 2600/2700.

à Frasnes *N : 5,5 km par N 5* Ⓒ *Couvin* – ✉ *5660 Frasnes :*

Le Château de Tromcourt 🐎 avec ch, lieu-dit Géronsart 15, ☎ (0 60) 31 18 70, *Fax (0 60) 31 32 02,* 🍽, « Ferme-château », ☂ – TV ☎ P. AE ⓓ E VISA. 🚫 rest
fermé du 1er au 27 mars, du 16 au 28 août, du 1er au 9 janv., mardi soir et merc. – **Repas** *(fermé après 20 h 30)* Lunch 880 – 1750/2200 – **9 ch** ☕ 1900/3300 – ½ P 2300/3100.

CREPPE *Liège* **213** ㉓ et **214** ⑧ – *voir à Spa.*

CRUPET *5332 Namur* Ⓒ *Assesse 5 720 h.* **214** ⑤ et **409** H 4.
Bruxelles 79 – Namur 27 – Dinant 16.

Le Moulin des Ramiers 🐎, r. Basse 31, ☎ (0 83) 69 90 70, *Fax (0 83) 69 98 68,* « Ancien moulin à eau du 18e s. », ☂ – TV ☎ P. AE ⓓ E VISA
fermé du 16 au 27 mars, 21 sept.-1er oct., du 6 au 23 janv., lundi soir et mardi – **Repas** voir rest ***Les Ramiers*** ci-après – **6 ch** ☕ 2950/4250 – ½ P 3000.

Les Ramiers - H. Le Moulin des Ramiers, r. Basse 32, ☎ (0 83) 69 90 70, *Fax (0 83) 69 98 68,* 🍽, « Terrasse, ≤ cadre de verdure » – P. AE ⓓ E VISA. 🚫
fermé du 16 au 27 mars, 21 sept.-1er oct., du 6 au 23 janv., lundi soir et mardi – **Repas** 1550 bc/2000.

CUSTINNE Namur 🄌🄌🄌 ⑤ et 🄌🄌🄌 I 5 – voir à Houyet.

DADIZELE 8890 West-Vlaanderen 🄲 Moorslede 10 739 h. 🄌🄌🄌 ⑭ et 🄌🄌🄌 C 3.
Bruxelles 111 – Brugge 41 – Kortrijk 17.

🍴 **Host. Daiseldaele** avec ch, Meensesteenweg 201, ℰ (0 56) 50 94 90,
🕮 Fax (0 56) 50 99 36, ☞ – 🖵 🅿. 🖭 ⓪ 🄴 𝑽𝑰𝑺𝑨. ❀
Repas (fermé lundi soir, mardi et 16 juil.-10 août) 780/1495 bc – **6 ch** ☑ 1350/2650 –
½ P 1750/2200.

DAMME 8340 West-Vlaanderen 🄌🄌🄌 ③ et 🄌🄌🄌 C 2 – 10 880 h.
Voir Hôtel de Ville★ (Stadhuis) – Tour★ de l'église Notre-Dame (O.L. Vrouwekerk).
🏌 à Sijsele SE : 7 km, Doornstraat 16 ℰ (0 50) 35 35 72, Fax (0 50) 35 89 25.
🏛 Stadhuis ℰ (0 50) 35 33 19, Fax (0 50) 36 14 96.
Bruxelles 103 – Brugge 7 – Knokke-Heist 12.

🍴🍴 **De Lieve,** Jacob van Maerlantstraat 10, ℰ (0 50) 35 66 30, Fax (0 50) 35 21 69, � –
🖭 ⓪ 🄴 𝑽𝑰𝑺𝑨
fermé du 1er au 15 juil., du 3 au 18 janv., lundi soir et mardi – **Repas** Lunch 1050 bc – carte
env. 2400.

🍴🍴 **Gasthof Maerlant,** Kerkstraat 21, ℰ (0 50) 35 29 52, Fax (0 50) 37 11 86, � – 🖭
⓪ 🄴 𝑽𝑰𝑺𝑨
fermé mardi soir, merc. et 13 nov.-5 déc. – **Repas** carte 1000 à 1350.

🍴🍴 **De Damsche Poort,** Kerkstraat 29, ℰ (0 50) 35 32 75, Fax (0 50) 35 32 75, � – 🖭
⓪ 🄴 𝑽𝑰𝑺𝑨 𝑱𝑪𝑩
fermé dim. soir et lundi – **Repas** carte 1450 à 2000.

🍴🍴 **De Gulden Kogge** avec ch, Damse Vaart Zuid 12, ℰ (0 50) 35 42 17,
Fax (0 50) 35 42 17, � – 🖭 🄴 𝑽𝑰𝑺𝑨
fermé 1 sem. en juin, 1 sem. en déc. et 2 sem. en janv. – **Repas** (fermé merc. soir et jeudi)
1350/1975 – **8 ch** ☑ 1520/1920 – ½ P 1500/1700.

à Hoeke NE : 6 km par rive du canal 🄲 Damme – ✉ 8340 Hoeke :

🏠 **Welkom** sans rest, Damse Vaart Noord 34 (près N 49), ℰ (0 50) 60 24 92, Fax (0 50)
62 30 31 – 🖵 ☎ 🅿. 🖭 ⓪ 🄴 𝑽𝑰𝑺𝑨. ❀
fermé du 7 au 17 oct. – **8 ch** ☑ 1500/2300.

🍴🍴 **Laagland,** Oude Westkapellestraat 2 (près N 49), ℰ (0 50) 50 08 26, Fax (0 50) 50 08 26,
� – 🅿. 🖭 ⓪ 🄴 𝑽𝑰𝑺𝑨 𝑱𝑪𝑩. ❀
fermé merc. soir, jeudi et 2 prem. sem. avril – **Repas** Lunch 1000 – 1650.

à Oostkerke NE : 2 km par rive du canal 🄲 Damme – ✉ 8340 Oostkerke :

🍴 **Siphon,** Damse Vaart Oost 1, ℰ (0 50) 62 02 02, ⩽, �, Anguilles et grillades – 🅿. ❀
fermé du 1er au 15 fév., du 1er au 15 oct., jeudi et vend. – **Repas** carte 850 à 1100.

DAVE Namur 🄌🄌🄌 ⑤ et 🄌🄌🄌 H 4 – voir à Namur.

DAVERDISSE 6929 Luxembourg belge 🄌🄌🄌 ⑯ et 🄌🄌🄌 I 5 – 1431 h.
Bruxelles 122 – Arlon 72 – Dinant 41 – Marche-en-Famenne 35 – Neufchâteau 36.

🏨 **Le Moulin** ⌇, r. Lesse 61, ℰ (0 84) 38 81 83, Fax (0 84) 38 97 20, �, « Environnement
boisé », ☞ – 🔁 🖵 ☎ 🅿 – 🔬 25. 🖭 ⓪ 🄴 𝑽𝑰𝑺𝑨. ❀ rest
fermé 4 janv.-6 fév., du 24 au 29 août, du 7 au 18 déc. et merc. – **Repas** Lunch 1150 – carte 1000 à 1500 – **18 ch** ☑ 2500/3500
– ½ P 2450/2650.

🍴🍴 **Le Trou du Loup,** Chemin du Corray 2, ℰ (0 84) 38 90 84, Fax (0 84) 38 90 84, �,
« Environnement boisé » – 🅿. 🖭 🄴 𝑽𝑰𝑺𝑨
fermé mardi midi de déc. à mars, mardi soir et merc. – **Repas** Lunch 890 – 1490/1890.

De – voir au nom propre.

DEERLIJK 8540 West-Vlaanderen 👁213 ⑮ et 👁409 D 3 – 11 420 h.
Bruxelles 83 – Brugge 49 – Gent 38 – Kortrijk 8 – Lille 39.

XXX **Gino Decock**, Waregemstraat 650, ℘ (0 56) 70 50 60, Fax (0 56) 70 57 41, 🏤,
« Terrasse, ≼ campagne » – **☻. ⚠ ⓪ 🗲 𝘝𝘐𝘚𝘈**
fermé mardi soir, merc., 2 sem. en fév. et 2 sem. en août – **Repas** Lunch 1650 bc –
2000 bc/2500 bc.

XX **Severinus**, Hoogstraat 137, ℘ (0 56) 70 41 11, Fax (0 56) 70 41 11, 🏤, « Jardin
d'hiver » – **⚠ ⓪ 🗲 𝘝𝘐𝘚𝘈**
fermé dim., lundi, 1 sem. après Pâques et 31 juil.-25 août – **Repas** (déjeuner seult sauf
vend. et sam.) Lunch 1150 – 2350 bc.

XX **'t Schuurke**, Pontstraat 111, ℘ (0 56) 77 77 94, 🏤 – **☻. ⚠ 🗲 𝘝𝘐𝘚𝘈**. 🛇
fermé mardi soir, merc., jeudi soir et 21 juil.-14 août – **Repas** Lunch 1100 – carte env. 1400.

DEINZE 9800 Oost-Vlaanderen 👁213 ④ et 👁409 D 3 – 26 857 h.
Bruxelles 67 – Brugge 41 – Gent 17 – Kortrijk 30.

XXX **D'Hulhaege** avec ch, Karel Picquélaan 140, ℘ (0 9) 386 56 16, Fax (0 9) 380 05 06, 🌾
– **🛗 📺 ☎ ☻** – **🔏 25 à 250. ⚠ ⓪ 🗲 𝘝𝘐𝘚𝘈 𝐉𝐂𝐁.** 🛇 ch
fermé 2 dern. sem. juil.-prem. sem. août et 1 sem. Noël – **Repas** *(fermé dim. soir et lundi)*
Lunch 950 – carte 1600 à 2000 – ⌑ 275 – **8 ch** 2100/2500.

à Astene sur N 43 : 2,5 km ⓒ Deinze – ✉ 9800 Astene :

XXX **Wallebeke**, Emiel Clauslaan 141, ℘ (0 9) 282 51 49, ≼, 🏤, « Terrasse et jardin fleuris
au bord de la Lys (Leie) », 🗲 – **☻. ⚠ 🗲 𝘝𝘐𝘚𝘈**
fermé dim. soir, lundi, 20 juil.-3 août et du 6 au 20 janv. – **Repas** Lunch 950 – 1250 bc/1575.

XX **Savarin**, Emiel Clauslaan 77, ℘ (0 9) 386 19 33, Fax (0 9) 380 29 43 – **☻. ⚠ ⓪ 🗲 𝘝𝘐𝘚𝘈**
fermé merc., jeudi, sem. carnaval et du 4 au 21 juil. – **Repas** Lunch 1450 bc – 1750.

à Bachte-Maria-Leerne NE : 3 km ⓒ Deinze – ✉ 9800 Bachte-Maria-Leerne :

XX **Vosselaere Put**, Leernsesteenweg 87, ℘ (0 9) 386 11 35, Fax (0 9) 380 16 52, 🏤,
« Terrasse avec ≼ Lys (Leie) » – **☻. ⚠ 🗲 𝘝𝘐𝘚𝘈**
fermé lundi, mardi, 2e quinz. fév. et fin août-mi-sept. – **Repas** Lunch 950 – 1800.

à Grammene O : 3,5 km ⓒ Deinze – ✉ 9800 Grammene :

X **Westaarde**, Westaarde 40, ℘ (0 9) 386 99 59, Fax (0 9) 386 99 59, 🏤, Grillades – **☻.**
⚠ 🗲 𝘝𝘐𝘚𝘈
fermé sam. et 2 dern. sem. juil. – **Repas** (dîner seult jusqu'à minuit) carte 1550 à 1950.

à Sint-Martens-Leerne NE : 6,5 km ⓒ Deinze – ✉ 9800 Sint-Martens-Leerne :

XX **D'Hoeve**, Leernsesteenweg 218, ℘ (0 9) 282 48 89, Fax (0 9) 282 24 31, 🏤 – **☻. ⚠**
⓪ 🗲 𝘝𝘐𝘚𝘈
fermé lundi soir et mardi – **Repas** Lunch 995 – 1850/1995 bc.

DENDERLEEUW 9470 Oost-Vlaanderen 👁213 ⑰ et 👁409 F 3 – 16 964 h.
Bruxelles 23 – Aalst 10 – Gent 40 – Mons 57.

XX **'t Waterputje**, Steenweg 413, ℘ (0 53) 68 07 82 – **☻. ⚠ 🗲 𝘝𝘐𝘚𝘈**. 🛇
fermé mardi soir, merc. et août – **Repas** Lunch 1200 bc – carte 1750 à 2100.

DENDERMONDE (TERMONDE) 9200 Oost-Vlaanderen 👁213 ⑤ et 👁409 F 2 – 42 847 h.
Voir Œuvres d'art★ dans l'église Notre-Dame★★ (O.L. Vrouwekerk).
🖪 Stadhuis, Grote Markt ℘ (0 52) 21 39 56, Fax (0 52) 22 19 40.
Bruxelles 29 – Antwerpen 38 – Gent 34.

XX **'t Truffeltje** (Marien), Bogaerdstraat 20, ℘ (0 52) 22 45 90, Fax (0 52) 21 93 35, 🏤
❀ – **⚠ ⓪ 🗲 𝘝𝘐𝘚𝘈**. 🛇
fermé dim. soir, lundi et 13 juil.-2 août – **Repas** Lunch 1350 bc – 1600/1850, carte env. 2100
Spéc. Pot-au-feu de raviolis aux truffes. Gâteau de petits-gris et de langoustines à la mirepoix de fenouil et pleurotes. Pigeonneau laqué, sauce à l'ail confit et beurre de foie d'oie.

DENÉE 5537 Namur ⓒ Anhée 6 606 h. 👁214 ④ ⑤ et 👁409 H 5.
Bruxelles 94 – Namur 29 – Dinant 21.

X **Le Relais de St. Benoit**, r. Maredsous 4 (S : 2 km), ℘ (0 82) 69 96 81 – **☻. ⚠ ⓪ 🗲 𝘝𝘐𝘚𝘈**
🍴 *fermé 20 déc.-10 janv. et lundi et mardi hors saison* – **Repas** Lunch 620 – 850/1250.

DESTELBERGEN Oost-Vlaanderen 👁213 ④ et 👁409 E 2 – voir à Gent, environs.

DEURLE Oost-Vlaanderen 👁213 ④ et 👁409 D 2 – voir à Sint-Martens-Latem.

DEURNE Antwerpen 👁212 ⑮ et 👁409 G 2 - ⑨ S – voir à Antwerpen, périphérie.

174

DIEGEM Vlaams-Brabant **213** ⑦ ⑲ et **409** G 3 - ㉒ N – voir à Bruxelles, environs.

DIEST 3290 Vlaams-Brabant **213** ⑧ ⑨ et **409** I 3 – 21 825 h.

Voir Œuvres d'art★ dans l'église St-Sulpice (St-Sulpitiuskerk) AZ – Béguinage★ (Begijn-hof) BY.

Musée : Communal★ (Stedelijk Museum) AZ **H**.

Env. Abbaye d'Averbode★ : église★ par ⑤ : 8 km.

🛈 Stadhuis, Grote Markt 1 ℰ (0 13) 31 21 21 (ext. 331), Fax (0 13) 32 23 06.

Bruxelles 59 ③ – Antwerpen 60 ① – Hasselt 25 ②.

DIEST

Botermarkt	**AZ** 2	St. Jan Berchmansstr.	**AZ** 17	Koestraat	**BZ** 13	
F. Moonsstraat	**AZ** 5	Delphine Alenuslaan	**AZ** 3	Overstraat	**BY** 14	
Grote Markt	**AZ** 7	Ed. Robeynslaan	**BZ** 4	Pesthuizenstraat	**BY** 15	
Ketelstraat	**AZ** 12	Graanmarkt	**BZ** 6	Refugiestraat	**AY** 16	
Koning Albertstr.	**BY**	Guido Gezellestr.	**BZ** 8	St. Janstraat	**BZ** 18	
		H. Verstappenplein	**BZ** 9	Schotelstraat	**AZ** 19	
		Kattenstraat	**BZ** 10	Vestenstraat	**BY** 21	
				Wolvenstraat	**BY** 22	

175

Prins van Oranje sans rest, Halensebaan 152 (à Webbekom par ② : 3,5 km, près A 2), ℰ (0 13) 35 10 70, Fax (0 13) 33 77 84 – |❙| TV ☎ ⇔ **P** – ▲ 25. AE ① E VISA
16 ch ⊆ 2250/3500.

De Fransche Croon, Leuvensestraat 26, ℰ (0 13) 31 45 40, Fax (0 13) 33 31 59 – |❙|
TV ☎ ⇔. AE ① E VISA. ⋘
AZ e
fermé 20 déc.-1er janv. – **Repas** *(fermé sam. et dim.) Lunch 550* – 1350 – **22 ch**
⊆ 2250/3500 – ½ P 2450.

De Proosdij, Cleynaertstraat 14, ℰ (0 13) 31 20 10, Fax (0 13) 31 23 82, 佘, « Ancienne maison bourgeoise avec jardin clos de murs » – **P**. AE ① E VISA JCB AZ c
fermé sam. midi, dim. soir, lundi et 2 sem. en juil. – **Repas** *Lunch 1200* – 1500/2350.

Breughel, Grote Markt 23, ℰ (0 13) 31 25 00 – ▤. AE ① E VISA. ⋘
AZ b
fermé lundi, mardi soir, jeudi soir, sam. midi et 2e quinz. août-prem. sem. sept. – **Repas**
975/1550.

à Molenstede *par* ⑤ *: 6 km* Ⓒ *Diest* – ✉ *3294 Molenstede :*

Katsenberg, Stalstraat 42, ℰ (0 13) 77 10 62, Fax (0 13) 78 22 37, « Cadre champêtre » – **P**. AE ① E VISA. ⋘
fermé lundi, mardi, sem. carnaval et 2 prem. sem. août – **Repas** *carte env. 1300.*

DIKSMUIDE (DIXMUDE) *8600 West-Vlaanderen* 🔢🔢 ① ② *et* 🔢🔢 *B 2* – *15 245 h.*

Voir *Tour de l'Yser (IJzertoren)* ☀★.
🛈 *Markt 28* ℰ (0 51) 51 91 46, Fax (0 51) 51 00 20.
Bruxelles 118 – *Brugge 44* – *Gent 72* – *Ieper 23* – *Oostende 27* – *Veurne 19.*

De Vrede, Grote Markt 35, ℰ (0 51) 50 00 38, Fax (0 51) 51 06 21, 佘, 🌲 – |❙| TV
☎ ⅙ – ▲ 25 à 150. AE ① E VISA
fermé sem. carnaval et 2 sem. en oct. – **Repas** *(fermé merc. et dim. soir) Lunch 295* – carte
env. 1100 – **18 ch** ⊆ 1350/2200 – ½ P 1600.

Polderbloem, Grote Markt 8, ℰ (0 51) 50 29 05, Fax (0 51) 50 29 06, 佘 – TV ☎. AE
E VISA
fermé mardi et 2 sem. fin fév. – **Repas** *(Taverne-rest) 895 (2 pers. min.)/1445* – **9 ch**
⊆ 1195/2095 – ½ P 1500/1800.

à Stuivekenskerke *NO : 7 km* Ⓒ *Diksmuide* – ✉ *8600 Stuivekenskerke :*

Kasteelhoeve Viconia ⋙, Kasteelhoevestraat 2, ℰ (0 51) 55 52 30, Fax (0 51) 55 55 06, 🌲 – TV ☎ **P** – ▲ 25. E VISA. ⋘
fermé du 15 au 25 déc. ; d'oct. à mars ouvert week-end seult – **Repas** *(résidents seult)*
– **23 ch** ⊆ 1600/2600 – ½ P 1450/2650.

DILBEEK *Vlaams-Brabant* 🔢🔢 ⑱ *et* 🔢🔢 *F 3* – *voir à Bruxelles, environs.*

DINANT *5500 Namur* 🔢🔢 ⑤ *et* 🔢🔢 *H 5* – *12 520 h.* – *Casino, r. Grande 29* ℰ (0 82) 22 58 94,
Fax (0 82) 22 79 26.

Voir *Site★★* – *Citadelle★* ≤★★ *M* – *Grotte la Merveilleuse★ B* – *Rocher Bayard★ par* ②
– *Château de Crèvecœur* ≤★★ *à Bouvignes par* ⑤ *: 2 km* – *Anseremme : site★ par* ② *:*
3 km.

Env. *Cadre★★ du domaine de Freyr (château★, parc★)* – *Rochers de Freyr★ par* ② *: 6 km*
– *Foy-Notre-Dame : plafond★ de l'église par* ① *: 8,5 km* – *Furfooz* ≤★ *sur Anseremme,*
Parc naturel de Furfooz★ par ② *: 10 km* – *Vêves : château★ par* ② *: 12 km* – *Celles :*
dalle funéraire★ dans l'église romane St-Hadelin par ② *: 10 km.*

Exc. *Descente de la Lesse★ en kayak ou en barque :* ≤★ *et* ☀★.
🛈⑱ *à Houyet par* ② *: 18,5 km, Tour Léopold-Ardenne 6* ℰ (0 82) 66 62 28,
Fax (0 82) 66 74 53.
🛈 *r. Grande 37 (près du casino)* ℰ (0 82) 22 28 70, Fax (0 82) 22 77 88.
Bruxelles 93 ⑤ – *Namur 29* ⑤ – *Liège 75* ① – *Charleville-Mézières 78* ③.

Plan page ci-contre

Le Jardin de Fiorine, r. Cousot 3, ℰ (0 82) 22 74 74, Fax (0 82) 22 74 74, 佘 – AE
① E VISA
e
fermé merc., dim. soir, 2 sem. carnaval et 2 prem. sem. juil. – **Repas** *Lunch 700* – 1000/1500.

Les Baguettes du Mandarin, av. Winston Churchill 3, ℰ (0 82) 22 36 62, Cuisine asiatique – ▤. ⋘
u
fermé merc. sauf en juil.-août et mardi – **Repas** *Lunch 350* – 750/1075.

Le Grill, r. Rivages 88 (par ② : près du Rocher Bayard), ℰ (0 82) 22 69 35,
Fax (0 82) 22 54 36, Grillades – E VISA
fermé lundi soir, mardi, 1 sem. fin juin, mi-sept.-début oct. et 1 sem. fin janv. – **Repas** *carte*
env. 1200.

Adolphe-Sax (R.)	
Grande (R.)	7
Station (R. de la) .	16
Albeau (Pl. d') . . .	2
Armes (Pl. d')	3
Bribosia (R.)	4
Cousot (R.)	6

Huybrechts	
(R.)	8
J.-B.-Culot (Quai).	9
Palais (Pl. du)	10
Reine-Astrid (Pl.).	12
Roi Albert (Pl.)	13
Winston-Churchill	
(Av.)	17

DINANT

à Anseremme par ② : 3 km ⓒ Dinant – ✉ 5500 Anseremme :

🏨 **Mercure,** rte de Walzin 36, ✆ (0 82) 22 28 44, Fax (0 82) 22 63 03, ⚘, « Environnement boisé », ⚒s, ⬛, ☞, ✗ – 🕭 📺 ☎ & 🅿 – ⚐ 25 à 160. ⒶⒺ ⓪ Ⓔ ⱽ𝐼𝑆𝐴
Repas 990/1500 – **80 ch** ⊇ 2900/5050 – ½ P 2300/3225.

🏯 **Host. Le Freyr** ⚘ avec ch, chaussée des Alpinistes 22, Point de vue de Freyr, ✆ (0 82) 22 25 75, Fax (0 82) 22 70 42, ⚘, ☞, ✗ – 📺 ☎ 🅿 Ⓔ ⱽ𝐼𝑆𝐴
fermé mardi soir, merc. et 15 janv.-15 fév. – **Repas** (fermé après 20 h 30) 1100/1980 – **6 ch** ⊇ 2300/2500 – ½ P 2200/2800.

à Bouvignes-sur-Meuse par ⑤ : 2 km ⓒ Dinant – ✉ 5500 Bouvignes-sur-Meuse :

🏯 **Aub. de Bouvignes** avec ch, r. Fétis 112 (N 96, rive gauche de la Meuse), ✆ (0 82) 61 16 00, Fax (0 82) 61 30 93, ⚘ – 🅿. ⒶⒺ Ⓔ ⱽ𝐼𝑆𝐴
fermé dim. soir et lundi – **Repas** Lunch 890 – 1090/2200 – ⊇ 400 – **5 ch** 1800/2300.

à Falmignoul par ② : 9 km ⓒ Dinant – ✉ 5500 Falmignoul :

🏯 **Les Crétias** ⚘ avec ch, r. Crétias 99, ✆ (0 82) 74 42 11, Fax (0 82) 74 40 56, ⚘, « Jardin paysagé » – 📺 🅿 – ⚐ 25. ⒶⒺ Ⓔ ⱽ𝐼𝑆𝐴 ✗
fermé lundi, 28 sept.-8 oct. et 4 janv.-7 fév. – **Repas** 950/2050 – **13 ch** ⊇ 1300/2000 – ½ P 1800/2000.

𝒳 **Aub. les Cuves,** r. Dinant 38, ✆ (0 82) 74 49 18, Fax (0 82) 74 50 33, ⚘ – 🅿. Ⓔ ⱽ𝐼𝑆𝐴
fermé merc. – **Repas** Lunch 900 – carte 950 à 1300.

à Furfooz par ② : 8 km ⓒ Dinant – ✉ 5500 Furfooz :

🏠 **La Ferme des Belles Gourmandes** ⚘, r. Camp Romain 20, ✆ (0 82) 22 55 25, Fax (0 82) 22 55 25, ⚘ – 📺. ⒶⒺ ⓪ Ⓔ ⱽ𝐼𝑆𝐴
Repas (fermé mardi en janv.-fév., dim. soir et lundi) 650/950 – **7 ch** ⊇ 1700/1850 – ½ P 1500/2000.

à Lisogne par ① : 7 km ⓒ Dinant – ✉ 5501 Lisogne :

Moulin de Lisogne ⚘ avec ch, r. Lisonnette 60, ✆ (0 82) 22 63 80, Fax (0 82) 22 21 47, ⚘, « Environnement boisé », ☞ – 📺 ☎ 🅿. ⒶⒺ ⓪ Ⓔ ⱽ𝐼𝑆𝐴
fermé dim. soir, lundi et déc.-15 fév. – **Repas** Lunch 995 – 1450/2100 – **10 ch** ⊇ 2800/3500 – ½ P 3100/3700.

à Sorinnes par ① : 10 km ⓒ Dinant – ✉ 5503 Sorinnes :

Gilain, r. Liroux 1 (près E 411, sortie ㉔, lieu-dit Liroux), ✆ (0 83) 21 57 42, Fax (0 83) 21 57 42, ≼, ⚘, « Cadre champêtre » – 🅿. ⒶⒺ ⓪ Ⓔ ⱽ𝐼𝑆𝐴
fermé lundis et mardis non fériés, 16 fév.-2 mars et du 17 au 24 août – **Repas** Lunch 1000 – 1440/2170.

DIKSMUDE West-Vlaanderen – voir Diksmuide.

DONKMEER Oost-Vlaanderen 𝟮𝟭𝟯 ⑤ et 𝟰𝟬𝟵 E 2 – voir à Berlare.

DOORNIK Hainaut – voir Tournai.

DORINNE Namur 𝟮𝟭𝟰 ⑤ et 𝟰𝟬𝟵 H 5 – voir à Spontin.

DROGENBOS Vlaams-Brabant 👁️ ⑱ et 👁️ ㉑ S – *voir à Bruxelles, environs.*

DUDZELE West-Vlaanderen 👁️ ③ et 👁️ C 2 – *voir à Brugge, périphérie.*

DUINBERGEN West-Vlaanderen 👁️ ⑪ et 👁️ C 1 – *voir à Knokke-Heist.*

DURBUY 6940 Luxembourg belge 👁️ ⑦ et 👁️ J 4 – 9 325 h.

Voir Site★.

🏌️ à Barvaux E : 5 km, rte d'Oppagne 34 ℰ (0 86) 21 44 54, Fax (0 86) 21 44 49.

🄱 Vielle Halle aux Blés, r. Comte Th. d'Ursel 21, ℰ (0 86) 21 24 28, Fax (0 86) 21 36 81.

Bruxelles 119 – Arlon 99 – Huy 34 – Liège 51 – Marche-en-Famenne 19.

🏨 **Au Vieux Durbuy** 🐾, r. Jean de Bohême 7, ℰ (0 86) 21 32 62, Fax (0 86) 21 24 65, « Rustique » – 📺 – 🅰️ 25. 🆎 ① 🅴 𝘝𝘐𝘚𝘈
Repas voir rest *Le Sanglier des Ardennes* ci-après – ☲ 600 – **12 ch** 3000 – ½ P 3350.

🏠 **Du Prévôt** 🐾, r. Récollectines 4, ℰ (0 86) 21 23 00, Fax (0 86) 21 27 84, 🍽️, « Rustique » – 📺 ☎. 🆎 ① 🅴 𝘝𝘐𝘚𝘈
fermé 15 fév.-4 mars – **Repas** (grillades) (fermé merc.) carte 850 à 1200 – **10 ch** ☲ 1950/2900 – ½ P 2500/2800.

🏠 **du Vieux Pont,** Grand'Place 26, ℰ (0 86) 21 28 08, Fax (0 86) 21 82 73, 🍽️ – 📺 ☎. 🅴 𝘝𝘐𝘚𝘈
Repas (Taverne-rest) carte env. 1000 – **13 ch** ☲ 2100/2400 – ½ P 1700.

XXX **Le Sanglier des Ardennes** avec ch, (annexe 🏨 Château Cardinal 🐾 - 🚗), r. Comte Th. d'Ursel 14, ℰ (0 86) 21 32 62, Fax (0 86) 21 24 65, <, 🍽️ – 📺 ☎ 🅿️ – 🅰️ 25 à 140. 🆎 ① 🅴 𝘝𝘐𝘚𝘈
Repas (fermé jeudis non fériés et janv.) Lunch 1550 – 1200/2250 – ☲ 600 – **30 ch** 3800/5000, 3 suites – ½ P 3350/3750.

XX **Le Moulin,** pl. aux Foires 17, ℰ (0 86) 21 29 70, Fax (0 86) 21 00 84, 🍽️, « Terrasse » ⓐ – 🆎 ① 🅴 𝘝𝘐𝘚𝘈
Repas 850/1200.

XX **Pol Maes-Clos des Recollets** avec ch, r. Prévôté 9, ℰ (0 86) 21 12 71, Fax (0 86) 21 36 85, 🍽️ – 📺 🅿️. 🆎 ① 🅴 𝘝𝘐𝘚𝘈
Repas (fermé mardi et merc.) Lunch 1200 bc – 950/1950 – **13 ch** ☲ 2000/2700 – ½ P 2525/3175.

X **Le Saint Amour,** pl. aux Foires 18, ℰ (0 86) 21 25 92, Fax (0 86) 21 46 80, 🍽️ – 🆎 ① 🅴 𝘝𝘐𝘚𝘈
fermé merc. hors saison et 5 janv.-6 fév. – **Repas** Lunch 790 – carte env. 1000.

à Grandhan SO : 6 km ⓒ Durbuy – ✉ 6940 Grandhan :

🏨 **La Passerelle,** r. Chêne à Han 1, ℰ (0 86) 32 21 21, Fax (0 86) 32 36 20, 🍽️, « Au bord de l'Ourthe » 🚗 – 🍽️ 📺 ☎ 🅿️
fermé janv. – **Repas** (fermé jeudis non fériés sauf vacances scolaires) carte env. 1000 – **18 ch** ☲ 2290/2540.

XX **Host. Le Parvis** 🐾 avec ch, r. Vieux-Mont 15 (E : 3 km, lieu-dit Petit Han), ✉ 6940 Durbuy, ℰ (0 86) 21 42 40, Fax (0 86) 21 43 13, 🍽️, « Cadre champêtre » – 📺 ☎ 🅿️. 🆎 ① 🅴 𝘝𝘐𝘚𝘈
fermé mardi, merc., 2 sem. en sept. et 2 sem. en janv. – **Repas** Lunch 990 – 1400/1900 – **7 ch** ☲ 3500/3900 – ½ P 3100.

DWORP (TOURNEPPE) Vlaams-Brabant 👁️ ⑱ et 👁️ F 3 – *voir à Bruxelles, environs.*

ÉCAUSSINNES-LALAING 7191 Hainaut ⓒ Écaussinnes 9 601 h. 👁️ ⑱ et 👁️ F 4.
Bruxelles 42 – Mons 29.

XX **Le Pilori,** r. Pilori 10, ℰ (0 67) 44 23 18, Fax (0 67) 44 26 03, 🍽️ – 🆎 ① ⓐ 🅴 𝘝𝘐𝘚𝘈
fermé lundi soir, mardi soir, merc. soir, sam. midi, 16 fév.-8 mars et 27 juil.-14 août – **Repas** Lunch 840 – 980/2000.

EDEGEM Antwerpen 👁️ ⑮ et 👁️ G 2 – ⑱ N – *voir à Antwerpen, environs.*

EDINGEN Hainaut – *voir Enghien.*

EEKLO 9900 Oost-Vlaanderen 𝟚𝟙𝟛 ④ et 𝟜𝟘𝟡 D 2 – 19 101 h.
Bruxelles 89 – Brugge 29 – Antwerpen 66 – Gent 20.

🏠 **Shamon** sans rest, Gentsesteenweg 28, ℰ (0 9) 378 09 50, Fax (0 9) 378 12 77,
« Rez-de-chaussée Art Nouveau », 🚗, ❧, – 📺 ☎ 🅿. 🅴 *VISA*. ❧
8 ch ⇔ 2500/3500.

✕✕ **Hof ter Vrombaut,** Vrombautstraat 139, ℰ (0 9) 377 25 77, Fax (0 9) 377 25 77, �
– 🅿 – 🔏 30. 🅰🅴 ⓪ 🅴 *VISA*. ❧
fermé merc., sam. midi, dim. soir et du 10 au 31 juil. – **Repas** Lunch 700 – carte 1000 à 1350.

EERKEN Brabant Wallon – voir Archennes.

EERNEGEM 8480 West-Vlaanderen © Ichtegem 13 195 h. 𝟚𝟙𝟛 ② et 𝟜𝟘𝟡 C 2.
Bruxelles 109 – Brugge 23 – Gent 64 – Oostende 18.

✕✕ **Landdrost,** Turkeyendreef 21 (N : 2 km sur N 368), ℰ (0 59) 29 99 87, �, « Cadre des
polders » – 🅿. 🅰🅴 ⓪ 🅴 *VISA*
fermé lundi, mardi, 22 juin-8 juil. et du 26 au 30 oct. – **Repas** Lunch 1950 bc – 1650/2250 bc.

EIGENBRAKEL Brabant Wallon – voir Braine-l'Alleud.

EINE Oost-Vlaanderen 𝟚𝟙𝟛 ⑯ et 𝟜𝟘𝟡 D 3 – voir à Oudenaarde.

EISDEN Limburg 𝟚𝟙𝟛 ⑪ et 𝟜𝟘𝟡 K 3 – voir à Maasmechelen.

EKE 9810 Oost-Vlaanderen © Nazareth 10 623 h. 𝟚𝟙𝟛 ④ et 𝟜𝟘𝟡 D 3.
Bruxelles 70 – Gent 13 – Oudenaarde 15.

✕✕ **De Gouden Snip,** Stationsstraat 33, ℰ (0 9) 385 69 70, Fax (0 9) 385 71 36 – 🅰🅴 ⓪
🅴. ❧
fermé mardi, merc. et 3 sem. en août – **Repas** 950/1550.

EKEREN Antwerpen 𝟚𝟙𝟛 ⑥ et 𝟜𝟘𝟡 G 2 - ⑨ N – voir à Antwerpen, périphérie.

ELENE Oost-Vlaanderen 𝟚𝟙𝟛 ⑯ ⑰ – voir à Zottegem.

ELEWIJT 1982 Vlaams-Brabant © Zemst 19 957 h. 𝟚𝟙𝟛 ⑦ et 𝟜𝟘𝟡 G 3.
🏌 à Kampenhout SE : 6 km, Wildersedreef 56 ℰ (0 16) 65 12 16, Fax (0 16) 65 16 80.
Bruxelles 21 – Antwerpen 32 – Leuven 26.

✕✕✕ **Kasteel Diependael** (Neckebroeck), Tervuursesteenweg 511, ℰ (0 15) 61 17 71,
❀ Fax (0 15) 61 68 97, ≤, �, « Verrières sur parc » – 🅿 – 🔏 40. 🅰🅴 ⓪ 🅴 *VISA*. ❧
fermé sam. midi, dim. soir, lundi, sem. carnaval et 28 juil.-27 août – **Repas** Lunch 1280 –
1850/2400, carte 2450 à 3200
Spéc. Canard sauvage aux poireaux et champignons (15 août-10 fév.). Turbot grillé et
béarnaise de homard. Charlotte de rhubarbe et fraises à la mousse de chocolat blanc
(21 juin-21 sept.).

✕✕✕ **De Barcarolle,** Tervuursesteenweg 620, ℰ (0 15) 61 08 30, Fax (0 15) 61 65 70, �,
« Terrasse et jardin » – 🅿. 🅰🅴 ⓪ 🅴 *VISA*
fermé mardi soir, merc., carnaval et 3 dern. sem. juil. – **Repas** Lunch 995 – carte 1250 à
2150.

ELLEZELLES (ELZELE) 7890 Hainaut 𝟚𝟙𝟛 ⑯ et 𝟜𝟘𝟡 E 3 – 5 525 h.
Bruxelles 55 – Gent 44 – Kortrijk 39.

✕✕✕✕ **Château du Mylord** (Thomaes), r. St-Mortier 35, ℰ (0 68) 54 26 02, Fax (0 68) 54 29 33,
❀ 🌻, « Gentilhommière dans un parc » – 🅿. 🅰🅴 ⓪ 🅴 *VISA*
fermé du 18 au 26 août, du 2 au 27 janv., dim. soir, lundis midis non fériés et lundi soir
– **Repas** 1950 bc – carte 2100 à 2950
Spéc. Compotée de chou-fleur au caviar et pommes de terre braisées à la sauge. Cabillaud
à la chapelure d'échalotes. Langoustines et volaille fumée au jus de pommes vertes.

ELLIKOM Limburg 𝟚𝟙𝟛 ⑩ – voir à Meeuwen.

ELSENE Brussels Hoofdstedelijk Gewest – voir Ixelles à Bruxelles.

ELVERDINGE West-Vlaanderen 𝟚𝟙𝟛 ⑬ et 𝟜𝟘𝟡 B 3 – voir à Ieper.

ELZELE *Hainaut – voir Ellezelles.*

ENGHIEN (EDINGEN) *7850 Hainaut* 213 ⑰ *et* 409 F 3 – *10 571 h.*
Voir Parc★.
Bruxelles 39 – Aalst 30 – Mons 32 – Tournai 50.

XX **Aub. du Vieux Cèdre** ⟨§⟩ avec ch, av. Elisabeth 1, ℰ (0 2) 395 68 38, Fax (0 2) 395 38 62,
≤, « Villa avec pièce d'eau », ☞ – TV ☎ 🅿 🔾 AE ◑ E VISA. ⟨%⟩
Repas *(fermé vend., sam. midi, dim. soir, 2 sem. carnaval et 17 juil.-10 août)* 1250 bc/1895
– ☞ 350 – **10 ch** 3000 – ½ P 2400/3000.

X **Les Délices du Parc,** pl. P. Delannoy 32, ℰ (0 2) 395 47 89, Fax (0 2) 395 47 89 – AE
◑ E VISA
fermé du 15 au 25 fév., 2ᵉ quinz. sept., mardi et merc. – **Repas** 890/1495.

EPRAVE *Namur* 214 ⑥ *et* 409 I 5 – *voir à Rochefort.*

EREZÉE *6997 Luxembourg belge* 214 ⑦ *et* 409 J 5 – *2 602 h.*
Bruxelles 127 – Liège 60 – Namur 66.

XX **Le Liry** avec ch, r. Combattants 3, ℰ (0 86) 47 72 65, Fax (0 86) 47 74 41, ☞ – TV
☎ 🅿 AE ◑ E VISA, ⟨%⟩ ch
fermé 2 prem. sem. mars, 2 sem. en juil. et 2 prem. sem. déc. – **Repas** *(fermé mardi et
merc.)* 990/2990 – **9 ch** ☞ 1900/2700 – ½ P 2100/3500.

à Fanzel N : 6 km ⟨g⟩ Erezée – ✉ 6997 Erezée :

XX **Aub. du Val d'Aisne** ⟨§⟩ avec ch, r. Aisne 15, ℰ (0 86) 49 92 08, Fax (0 86) 49 98 73,
≤, ☞, « Rustique, environnement champêtre », ☞ – ☎ 🅿 E VISA, ⟨%⟩ rest
fermé mardis, merc. et jeudis non fériés, 18 juin-18 juil. et janv. – **Repas** 1000/1650 –
7 ch ☞ 2350/3000, 1 suite – ½ P 2500/3500.

ERONDEGEM *Oost-Vlaanderen* 213 ⑤ – *voir à Aalst.*

ERPE *Oost-Vlaanderen* 213 ⑤ *et* 409 E 3 – *voir à Aalst.*

ERPS-KWERPS *3071 Vlaams-Brabant* ⟨C⟩ *Kortenberg 16 818 h.* 213 ⑦ *et* 409 G 3.
Bruxelles 20 – Leuven 6 – Mechelen 19.

XXX **Rooden Scilt,** Dorpsplein 7, ℰ (0 2) 759 94 44, Fax (0 2) 759 74 45 – 🅿 AE ◑ E VISA
fermé dim. soir, lundi et du 26 au 31 déc. – **Repas** Lunch 1000 – 1950/2950.

ERTVELDE *9940 Oost-Vlaanderen* ⟨C⟩ *Evergem 30 227 h.* 213 ④ *et* 409 E 2.
Bruxelles 86 – Brugge 38 – Gent 16 – Sint-Niklaas 36.

XX **Paddenhouck,** Holstraat 24, ℰ (0 9) 344 55 56, Fax (0 9) 344 55 56 – 🅿 AE ◑ E
VISA, ⟨%⟩
fermé dim., lundi, 2 prem. sem. sept. et fin déc. – **Repas** Lunch 950 – 1250/1550.

ESSEN *2910 Antwerpen* 212 ⑮ *et* 409 G 1 – *15 628 h.*
Bruxelles 82 – Antwerpen 18 – Roosendaal 10 – Turnhout 47.

XX **De Kruidtuin,** Antwerpsesteenweg 52 (S : 5 km sur N 117), ℰ (0 3) 677 05 48,
Fax (0 3) 677 10 32, ☞ – 🅿 AE ◑ E VISA
fermé merc., sam. midi et 15 juil.-6 août – **Repas** 1190/1590.

ESSENE *1790 Vlaams-Brabant* ⟨C⟩ *Affligem 11 811 h.* 213 ⑱ *et* 409 F 3.
Bruxelles 26 – Aalst 6.

XXXX **Bellemolen,** Stationstraat 11 (sur E 40, sortie ⑲ a), ℰ (0 53) 66 62 38,
Fax (0 53) 68 12 90, « Moulin à eau du 12ᵉ s. » – ▤ 🅿 AE ◑ E VISA, ⟨%⟩
fermé dim. soir, lundi, juil. et 24 déc.-2 janv. – **Repas** Lunch 1750 – 2500.

ESTAIMBOURG *7730 Hainaut* ⟨C⟩ *Estaimpuis 9 528 h.* 213 ⑮ *et* 409 D 3.
Bruxelles 100 – Mons 62 – Kortrijk 19 – Lille 34 – Tournai 12.

XXX **La Ferme du Château,** pl. de Bourgogne 2, ℰ (0 69) 55 72 13, Fax (0 69) 55 72 13,
☞, « Terrasse et jardin » – AE ◑ E VISA
fermé dim. soir, lundi soir, mardi, merc., 2 sem. carnaval et 3 sem. en août – **Repas** Lunch
680 – 1080/1980.

ETTERBEEK *Région de Bruxelles-Capitale* 409 ㉑ S – *voir à Bruxelles.*

180

Voir Carnaval★★ (défilé : veille du Mardi gras) – Barrage de la Vesdre★ (Talsperre) par ② : 5 km.

Env. par ③ : Hautes Fagnes★★, Signal de Botrange ≤★, Sentier de découverte nature★ – Les Trois Bornes★ (Drielandenpunt) : de la tour Baudouin ❋★, rte de Vaals (Pays-Bas) ≤★.

🄵 Marktplatz 7 ℘ (0 87) 55 34 50, Fax (0 87) 55 66 39.

Bruxelles 131 ⑥ – Maastricht 46 ⑥ – Liège 40 ⑥ – Verviers 15 ⑤ – Aachen 17 ①.

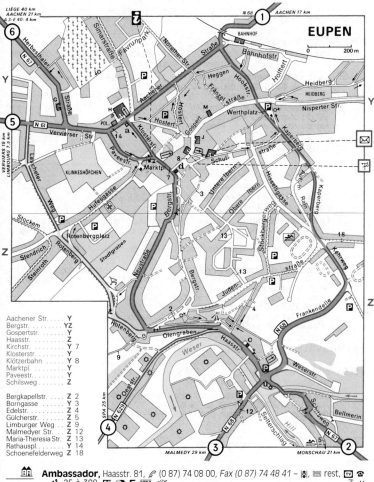

Aachener Str.	Y
Bergstr.	YZ
Gospertstr.	Y
Haasstr.	Z
Kirchstr.	Y 7
Klosterstr.	Y
Klötzerbahn	Y 8
Marktpl.	Y
Paveestr.	Z
Schilsweg	Z

Bergkapellstr.	Z 2
Borngasse	Y 3
Edelstr.	Z 4
Gülcherstr.	Z 5
Limburger Weg	Z 9
Malmedyer Str.	Z 12
Maria-Theresia Str.	Z 13
Rathauspl.	Y 14
Schoenefelderweg	Z 18

🏠 **Ambassador,** Haasstr. 81, ℘ (0 87) 74 08 00, Fax (0 87) 74 48 41 – |≢|, 🍽 rest, 📺 ☎ – 🍴 25 à 300. 🅰🅴 ⓞ 🅴 𝘝𝘐𝘚𝘈. ⬢   Z u
Repas **Le Gourmet** Lunch 975 - 1350/1950 – **20 ch** ⬭ 2975/3950 – ½ P 2550/4300.

🏠 **Rathaus** sans rest, Rathausplatz 13, ℘ (0 87) 74 28 12, Fax (0 87) 74 46 64 – |≢| 📺 ☎ ℗. 🅰🅴 ⓞ 🅴 𝘝𝘐𝘚𝘈. ⬢   Y a
18 ch ⬭ 2250/2850.

🍴🍴 **Langesthaler Mühle,** Langesthal 58 (par ② : 2 km, puis à gauche vers le barrage), ℘ (0 87) 55 32 45, Fax (0 87) 55 32 45, 🌳, « Cadre de verdure » – ℗. 🅰🅴 ⓞ 🅴 𝘝𝘐𝘚𝘈
fermé lundi, sam. midi, fin juil.-début août et 2 sem. en janv. – **Repas** Lunch 950 – carte 1600 à 2000.

181

X **Vier Jahreszeiten,** Haasstr. 38, 𝒫 (0 87) 55 36 04, Fax (0 87) 55 36 04, 🍴 – 𝔸𝔼 🄴 𝘝𝘐𝘚𝘈
*fermé jeudi soir d'oct. à mars, mardi, sam. midi, 1 sem. carnaval, 1 sem. en juil. et 2 sem.
en août –* **Repas** Lunch 950 – 1350/1990.   Z c

X **Au Carré,** Bergstr. 2, 𝒫 (0 87) 55 40 56, Fax (0 87) 55 40 56, « Ancienne demeure »
– 🍽. 🄴 𝘝𝘐𝘚𝘈   Y d
fermé dim. soir, lundi, 1 sem. carnaval et 2 dern. sem. juil. – **Repas** Lunch 995 – carte env. 1900.

EVERE *Région de Bruxelles-Capitale* 🯭🯲🯳 ⑱ *et* 🯴🯰🯹 ㉑ N – *voir à Bruxelles.*

FAGNES (Hautes) ★★ *Liège* 🯭🯲🯳 ㉔ *et* 🯴🯰🯹 F 5 *G. Belgique-Luxembourg.*

FALAËN 5522 *Namur* 🄲 *Onhaye* 2 969 h. 🯮🯲🯴 ⑤ *et* 🯴🯰🯹 H 5.
Env. N : *Vallée de la Molignée★ – NO : 15 km à Furnaux : fonts baptismaux★ dans l'église.*
Bruxelles 94 – *Namur* 37 – *Dinant* 12 – *Philippeville* 21.

🏛 **Gd H. de la Molignée** 🛥, pl. de la Gare 87, 𝒫 (0 82) 69 91 73, Fax (0 82) 69 91 73
– 🄿 – 🛁 40. 𝔸𝔼 ⓞ 🄴 𝘝𝘐𝘚𝘈 𝒥𝒞𝑩, 🚫 rest
fermé merc. et fév. – **Repas** 875/1500 – **27 ch** ⌕ 1250/2250 – ½ P 2270.

X **La Fermette,** r. Château-Ferme 30, 𝒫 (0 82) 69 91 90, Fax (0 82) 69 91 90, ≤, 🍴,
« Cadre champêtre » – 🄿. 𝔸𝔼 ⓞ 🄴 𝘝𝘐𝘚𝘈
fermé lundi soir et mardi – **Repas** carte env. 900.

FALMIGNOUL *Namur* 🯮🯲🯴 ⑤ *et* 🯴🯰🯹 H 5 – *voir à Dinant.*

FANZEL *Luxembourg belge* 🯮🯲🯴 ⑦ *et* 🯴🯰🯹 J 5 – *voir à Erezée.*

FAUVILLERS 6637 *Luxembourg belge* 🯮🯲🯴 ⑰ ⑱ *et* 🯴🯰🯹 K 6 – 1 759 h.
Bruxelles 172 – *Arlon* 28 – *Bastogne* 23.

🏛 **Le Martin Pêcheur** 🛥, r. Bodange 28 (E : 3 km, lieu-dit Bodange), ✉ 6630 Martelange,
𝒫 (0 63) 60 00 66, Fax (0 63) 60 08 06, 🍴, « Au bord de la Sûre », 🌳 – 📺 ☎ 🄿. 𝔸𝔼
ⓞ 🄴 𝘝𝘐𝘚𝘈
fermé mardi et fév. – **Repas** *(fermé après 20 h 30)* 895/1150 – **14 ch** ⌕ 1740/3580 –
½ P 2275/2995.

XX **Le Château de Strainchamps** (Vandeputte) 🛥 avec ch, Strainchamps 12 (N : 3 km,
🌸 lieu-dit Strainchamps), 𝒫 (0 63) 60 08 12, Fax (0 63) 60 12 28, « Cadre champêtre » – 📺
☎ 🄿. 𝔸𝔼 ⓞ 🄴 𝘝𝘐𝘚𝘈
fermé merc., jeudi, 17 août-4 sept. et 21 déc.-7 janv. – **Repas** Lunch 900 – 1600/2250, carte
1500 à 2100 – **8 ch** ⌕ 1800/2800 – ½ P 2150/2700
Spéc. Cailles en croûte et purée d'artichauts. Rognon grillé au parfum du genévrier.
Croustillant de langoustines, sauce au curry.

FAYMONVILLE *Liège* 🯮🯲🯴 ⑨ *et* 🯴🯰🯹 L 4 – *voir à Waimes.*

FELUY 7181 *Hainaut* 🄲 *Seneffe* 10 569 h. 🯭🯲🯳 ⑱ *et* 🯴🯰🯹 F 4.
Bruxelles 39 – *Mons* 28 – *Charleroi* 31.

XX **Les Peupliers,** Chemin de la Claire Haie 109 (S : E 19, sortie ⑳), 𝒫 (0 67) 87 82 05,
Fax (0 67) 87 82 05, 🍴 – 🄿. 𝔸𝔼 ⓞ 🄴 𝘝𝘐𝘚𝘈
fermé lundi, 15 août-15 sept. et Noël-Nouvel An – **Repas** *(déjeuner seult sauf vend. et
sam.)* 920/1400.

FLEMALLE-HAUTE *Liège* 🯭🯲🯳 ㉒ *et* 🯴🯰🯹 J 4 · ⑰ S – *voir à Liège, environs.*

FLEURUS 6220 *Hainaut* 🯭🯲🯳 ⑲, 🯮🯲🯴 ④ *et* 🯴🯰🯹 G 4 – 22 537 h.
Bruxelles 62 – *Namur* 26 – *Charleroi* 12 – *Mons* 48.

🏛 **L'Eglantier,** chaussée de Charleroi 590, 𝒫 (0 71) 81 01 30, Fax (0 71) 81 23 44 – 🛗 📺
🞉 ☎ 🄿 – 🛁 30. 𝔸𝔼 ⓞ 🄴 𝘝𝘐𝘚𝘈
Repas *(avec buffets) (fermé dim. soir)* Lunch 315 – 745 – **43 ch** ⌕ 2250/2750 –
½ P 1820/2950.

XX **Les Tilleuls,** rte du Vieux Campinaire 85 (S : 3 km par N 29 puis N 568), 𝒫 (0 71) 81 18 10,
Fax (0 71) 81 37 52, 🍴 – 🄿. 𝔸𝔼 ⓞ 🄴 𝘝𝘐𝘚𝘈
fermé sam. midi, dim. soir, lundi et du 15 au 31 juil. – **Repas** Lunch 650 – 1350.

X **Le Relais du Moulin,** chaussée de Charleroi 199, 𝒫 (0 71) 81 34 50
fermé mardi soir, merc. et 18 août-9 sept. – **Repas** carte 900 à 1300.

FLORENVILLE 6820 Luxembourg belge 🅃🄸🄸 ⑯ et 🄳🄾🄴 I 6 – 5 684 h.

Env. Route de Neufchâteau ≤★ sur le défilé de la Semois N : 6,5 km et 10 mn à pied – Route de Bouillon ≤★ sur Chassepierre O : 5 km.

Exc. Descente en barque★ de Chiny à Lacuisine N : 5 km, parcours de 8 km.

🄸 Pavillon, pl. Albert Iᵉʳ 𝒫 (0 61) 31 12 29, Fax (0 61) 31 32 12.

Bruxelles 183 – Arlon 39 – Bouillon 25 – Sedan 38.

à Lacuisine N : 3 km 🄲 Florenville – ✉ 6821 Lacuisine :

🏨 **La Roseraie** ⌖, rte de Chiny 2, 𝒫 (0 61) 31 10 39, Fax (0 61) 31 49 58, ≤, 🏛, « Jardin au bord de la Semois », 🛦, ☎ – 📺 ☎ 🄿 – 🅰 25. 🄰🄴 ⓞ 🄴 🆅🅸🆂🄰. ⅏ rest
Repas *(fermé dim. soir d'oct. à Pâques)* Lunch 1250 – 810/1875 – **14 ch** ☄ 1975/3580 – ½ P 2580/2750.

🍴 **Host. du Vieux Moulin** ⌖, avec ch, r. Martué 10 (O : 1,5 km, lieu-dit Martué), 𝒫 (0 61) 31 10 76, Fax (0 61) 31 26 75, ≤, 🏛, « Cadre champêtre au bord de la Semois », 🛦 – 📺 🄿 – 🅰 25. 🄰🄴 ⓞ 🄴 🆅🅸🆂🄰 🄹🄲🄱. ⅏ rest
fermé 15 fév.-15 mars et mardi soir et merc. sauf en juil.-août – **Repas** 850 (2 pers. min.)/1550 – ☄ 300 – **14 ch** 1950/2800 – ½ P 2600.

FLORIFFOUX Namur 🅃🄸🄸 ④ ⑤ et 🄳🄾🄴 H 4 – *voir à Namur*.

FOREST (VORST) Région de Bruxelles-Capitale 🅃🄸🄸 ⑱ et 🄳🄾🄴 ㉑ S – *voir à Bruxelles*.

FOSSES-LA-VILLE 5070 Namur 🅃🄸🄸 ④ et 🄳🄾🄴 H 4 – 8 546 h.
Bruxelles 78 – Namur 19 – Charleroi 22 – Dinant 30.

🍴 **Le Castel** avec ch, r. Chapitre 10, 𝒫 (0 71) 71 18 12, Fax (0 71) 71 23 96, 🏛 – 📺 ☎ 🄿. 🄰🄴 ⓞ 🄴 🆅🅸🆂🄰
fermé dim. soir, lundi et 1 sem. en fév. – **Repas** Lunch 850 – 850/1750 – **11 ch** ☄ 1750/2550 – ½ P 2400/2600.

FOURON-LE-COMTE Limburg – *voir 's Gravenvoeren*.

FRAHAN Luxembourg belge 🅃🄸🄸 ⑮ et 🄳🄾🄴 I 6 – *voir à Poupehan*.

FRAMERIES Hainaut 🅃🄸🄸 ② et 🄳🄾🄴 E 4 – *voir à Mons*.

FRANCORCHAMPS 4970 Liège 🄲 Stavelot 6 473 h. 🅃🄸🄳 ㉓, 🅃🄸🄸 ⑧ et 🄳🄾🄴 K 4.
Exc. S : parcours★ de Francorchamps à Stavelot.
Bruxelles 146 – Liège 47 – Spa 9.

🏨 **Moderne,** rte de Spa 129, 𝒫 (0 87) 27 50 26, Fax (0 87) 27 55 27, « Cour intérieure » – 📺 ☎ 🚙. 🄰🄴 ⓞ 🄴 🆅🅸🆂🄰
fermé merc., 2 sem. en mars et 2 sem. en sept. – **Repas** Lunch 875 – 900/1050 – **12 ch** ☄ 2850/3250 – ½ P 2600/2900.

🍴 **Host. Le Roannay** avec ch (annexe 🏨 - 8 ch), rte de Spa 155, 𝒫 (0 87) 27 53 11, Fax (0 87) 27 55 47, 🛦, 🄹, 🛦 – 🍽 rest, 📺 ☎ 🚙 🄿 – 🅰 25. 🄰🄴 ⓞ 🄴 🆅🅸🆂🄰. ⅏
Repas *(fermé du 9 au 26 mars, du 6 au 16 juil., 30 nov.-22 déc. et mardi)* 1490/2350 – ☄ 450 – **12 ch** *(fermé du 9 au 26 mars et 30 nov.-22 déc.)* 2900/5800 – ½ P 3800/4400.

FRASNES Namur 🅃🄸🄸 ③ ④ et 🄳🄾🄴 G 5 – *voir à Couvin*.

FROYENNES Hainaut 🅃🄸🄳 ⑮ et 🄳🄾🄴 D 4 – *voir à Tournai*.

FURFOOZ Namur 🅃🄸🄸 ⑤ et 🄳🄾🄴 H 5 – *voir à Dinant*.

FURNES West-Vlaanderen – *voir Veurne*.

GAND Oost-Vlaanderen – *voir Gent*.

GANSHOREN Région de Bruxelles-Capitale 🅃🄸🄳 ⑱ et 🄳🄾🄴 F 3 - ㉑ N – *voir à Bruxelles*.

GAVERE *9890 Oost-Vlaanderen* 213 ④ et 409 D 3 – *11 466 h.*

Bruxelles 75 – Gent 18 – Oudenaarde 14.

XXX **Deboeverie,** Baaigemstraat 1, ☎ (0 9) 384 33 76, *Fax (0 9) 384 75 46*, ←, « Jardin d'hiver et terrasse paysagée » – P. AE ① E VISA. ✻

fermé merc., sam. midi, fin juil.-début août et 1 sem. en nov. – **Repas** Lunch 1200 – 2000/3500.

GEEL *2440 Antwerpen* 213 ⑧ et 409 H 2 – *33 313 h.*

Voir *Mausolée★ dans l'église Ste-Dymphne (St-Dimfnakerk).*

ℹ *Markt 1 ☎ (0 14) 57 09 52, Fax (0 14) 57 09 08.*

Bruxelles 66 – Antwerpen 43 – Hasselt 38 – Turnhout 18.

XX **De Cuylhoeve,** Hollandsebaan 7 (S : 3 km, lieu-dit Winkelomheide), ☎ (0 14) 58 57 35, *Fax (0 14) 58 24 08*, ←, « Environnement boisé » – P. E VISA. ✻

fermé du 15 au 25 mars, 9 juil.-5 août, 1 sem. en janv., merc., sam. midi et dim. – **Repas** Lunch 1100 – 2250.

XX **De Waag,** Molseweg 2 (E : 1 km sur N 71), ☎ (0 14) 58 62 20, *Fax (0 14) 58 26 65*, ← – AE E VISA. ✻

fermé dim. soir, lundi et vacances Pâques – **Repas** Lunch 1000 – carte 1600 à 2000.

GELDENAKEN *Brabant Wallon – voir Jodoigne.*

GELLINGEN *Hainaut – voir Ghislenghien à Ath.*

GELUWE *8940 West-Vlaanderen* C *Wervik 17 831 h.* 213 ⑭ et 409 C 3.

Bruxelles 109 – Ieper 20 – Kortrijk 19 – Lille 27.

XX **Oud Stadhuis,** St-Denijsplaats 7, ☎ (0 56) 51 66 49, *Fax (0 56) 51 79 12* – AE ① E VISA

fermé mardi soir, merc., dim. soir, prem. sem. mars et 21 juil.-15 août – **Repas** Lunch 900 – carte 1100 à 1750.

GEMBLOUX *5030 Namur* 213 ⑲ ⑳ et 409 H 4 – *20 192 h.*

Env. *à Corroy-le-Château S : 4 km : château féodal★.*

18 *à Mazy S : 8 km, Ferme-château de Falnuée, chaussée de Nivelles 34 ☎ (0 81) 63 30 90, Fax (0 81) 63 37 64.*

Bruxelles 44 – Namur 18 – Charleroi 26 – Tienen 34.

Les 3 Clés, chaussée de Namur 17 (N 4), ☎ (0 81) 61 16 17, *Fax (0 81) 61 41 13* – |‡|, ▤ rest, TV ☎ P – 🔺 25 à 220. AE ① E VISA

Repas Lunch 650 – 950/1450 – ☐ 290 – **45 ch** 1200/2950.

XXX **Le Prince de Liège** (Garin), chaussée de Namur 96b (N 4), ☎ (0 81) 61 12 44,
✿ *Fax (0 81) 61 42 44*, ← – ▤ P. AE ① E VISA

fermé dim. soir, lundi, 16 fév.-5 mars et 17 août-3 sept. – **Repas** Lunch 650 – 2675 (2 pers. min.), carte 1700 à 2450

Spéc. Lasagne de langoustines au beurre de saumon fumé. Pigeonneau aux langoustines et au foie d'oie.

X **Le Chalutier,** r. Théo Toussaint 10, ☎ (0 81) 61 46 58, *Fax (0 81) 61 46 58*, Produits de la mer – ▤. E VISA

fermé lundi, sam. midi, 2 sem. en fév. et 2 sem. en août – **Repas** carte 900 à 1250.

GENK *3600 Limburg* 213 ⑩ et 409 J 3 – *62 142 h.*

Voir *O : 5 km, Domaine provincial de Bokrijk★ : Musée de plein air★★ (Openluchtmuseum), Domaine récréatif★ : arboretum★.*

18 *Wiemesmeerstraat 109 ☎ (0 89) 35 96 16, Fax (0 89) 36 41 84.*

ℹ *Dieplaan 2 ☎ (0 89) 30 95 62, Fax (0 89) 35 64 55.*

Bruxelles 97 ⑥ – Maastricht 24 ③ – Hasselt 21 ⑤.

Plan page ci-contre

Alfa Molenvijver M, Albert Remansstraat 1, ☎ (0 89) 36 41 50, *Fax (0 89) 36 41 51*, ←, ←, « Parc avec étang », ≘s, ▣ – |‡| ⇌ ▤ TV ☎ ⇔ P – 🔺 25 à 250. AE ① E VISA. ✻ rest Z e

Repas 850/1700 – **81 ch** ☐ 2900/5500, 2 suites – ½ P 3700/6300.

La Réserve ⛰, Wiemesmeerstraat 105 (Spiegelven), ☎ (0 89) 35 58 28, *Fax (0 89) 35 58 03*, ←, ←, Fō, ≘s – |‡| TV ☎ P – 🔺 25 à 250. AE ① E VISA. ✻ rest

Repas 950 – **70 ch** ☐ 3550/3950 – ½ P 2800. Z d

Atlantis ⛰, Fletersdel 1, ☎ (0 89) 35 65 51, *Fax (0 89) 35 35 29*, ←, Fō, ≘s – ⇌, ▤ rest, TV ☎ P – 🔺 35. AE ① E VISA. ✻ Z a

fermé 24 déc.-15 janv. – **Repas** *(fermé dim.)* 850/1250 – **24 ch** ☐ 2350/4600.

GENK

André Dumontlaan	Y 2
Bergbeemdstraat	Y 3
Camerlo	Z 4
Emiel van Dorenlaan	Y 5
Europalaan	YZ 6
Evence Coppéelaan	Y 7
Fletersdel	Z 8
Genkerweg (ZUTENDAAL)	Z 9
Gildelaan	Z 10
Grotestraat	Z 12
Guill. Lambertlaan	Y 13
Hasseltweg	Y 14
Hoevenzavellaan	Y 15
Hoogstraat	Y 16
Kempenseweg (ZUTENDAAL)	Z 17
Koerweg	Y 19
Kolderbosstraat	Y 20
Langerloweg	Z 20
Maaseikerbaan	Y 21
Mispadstraat	Y 24
Molenblookstraat (ZUTENDAAL)	Z 25
Molenstraat	Z 27
Mosselerlaan	Y 28
Nieuwstraat	Z 29
Noordlaan	Y 31
Onderwijslaan	Z 33
Rozenkranslaan	Z 35
Sledderloweg	Y 36
Stalenstraat	Z 37
Swinnenweyerweg	Y 38
Terboekt	Z 39
Vennestraat	YZ 40
Westerring	YZ 43
Wiemesmeerstraat	YZ 44
Winterslagstraat	Y 46
Zuiderring	Z 47

Les plans de villes sont disposés le Nord en haut.

🏨 **Ecu** sans rest, Europalaan 46, ℰ (0 89) 36 42 44, Fax (0 89) 36 42 50 – 劇 ▤ 🆃🆅 ☎ 🅿. 🖭 ⓪ 🄴 *VISA*. ℅ – **41 ch** ⊇ 2800/3650.
Z r

🏠 **Arte** sans rest, Europalaan 68, ℰ (0 89) 35 20 06, Fax (0 89) 36 10 36 – 劇 🆃🆅 ☎. 🖭 ⓪ 🄴 *VISA*. ℅ – **24 ch** ⊇ 1750/2850.
Z n

🏠 **Europa,** Sledderloweg 85, ℰ (0 89) 35 42 74, Fax (0 89) 35 75 79, ℅ – 🆃🆅 ☎ 🅿 – 🔬 25 à 100. 🖭 🄴 *VISA*. ℅
Repas (fermé dim.) 950 – **19 ch** ⊇ 1700/3200.
Z b

🏛🏛🏛 **Da Vinci,** Pastoor Raeymaekersstraat 3, ℰ (0 89) 35 17 61, Fax (0 89) 30 60 56 – ▤ 🅿. 🖭 ⓪ 🄴 *VISA* JCB. ℅
Z v
fermé mardi soir, sam. midi, dim., sem. carnaval et 21 juil.-15 août – **Repas** Lunch 1250 – 1475/1750.

🏛🏛 **St. Maarten,** Stationsstraat 13, ℰ (0 89) 35 26 57, Fax (0 89) 30 31 87, 霤 – 🖭 ⓪ 🄴 *VISA*. ℅
Z h
fermé lundi, sam. midi, 2 sem. en mars et 2 prem. sem. août – **Repas** Lunch 1200 bc – carte env. 1600.

🏛🏛 **Double Dragons,** Hasseltweg 214, (O : 2 km sur N 75), ℰ (0 89) 35 96 90, Fax (0 89) 36 44 28, Cuisine asiatique, ouvert jusqu'à minuit – ▤ 🅿. 🖭 ⓪ 🄴 *VISA*. ℅
Repas 800 (2 pers. min.)/2050.

🏛🏛 **Ludo's,** Europalaan 81, ℰ (0 89) 35 74 67, Fax (0 89) 30 48 95 – ▤. 🖭 ⓪ 🄴 *VISA*
Z u
fermé lundi, sam. midi et du 10 au 31 juil. – **Repas** Lunch 975 – carte env. 1500.

🏛 **'t Konijntje,** Vennestraat 74 (Winterslag), ℰ (0 89) 35 26 45, Fax (0 89) 30 53 18, Moules en saison – 🖭 ⓪ 🄴 *VISA* JCB. ℅
Y c
fermé mardi soir, merc. et 3 sem. en juin – **Repas** 595/995.

🏛 **De Zeeduivel,** Hasseltweg 346 (O : 3,5 km sur N 75), ℰ (0 89) 35 25 77, Produits de la mer, ouvert jusqu'à 23 h 30 – 🖭 ⓪ 🄴 *VISA*. ℅
fermé lundi et mardi – **Repas** carte 1300 à 1800.

dans le domaine provincial de Bokrijk O : 5 km :

🏛 **'t Koetshuis,** Bokrijklaan (près du château), ℰ (0 11) 22 43 05, Fax (0 11) 22 43 05, Avec taverne, « Rustique flamand » – 🅿. 🖭 ⓪ 🄴 *VISA*. ℅
fermé mardi de sept. à avril – **Repas** Lunch 995 – carte 850 à 2000.

GENT — GAND

9000 **P** *Oost-Vlaanderen* **213** ④ *et* **409** E 2 – *226 464 h.*

Bruxelles 55 ③ *– Antwerpen 60* ② *– Lille 71* ⑤.

Plans de Gent	
Centre	p. 2
Agrandissement partie centrale	p. 3
Agglomération	p. 4
Nomenclature des hôtels et des restaurants	
Ville	p. 5 et 6
Périphérie et environs	p. 6 et 7

RENSEIGNEMENTS PRATIQUES

冒 *Raadskelder Belfort, Botermarkt* ℘ *(09) 266 52 22, Fax (09) 225 62 88 – Fédération provinciale de tourisme, Woodrow Wilsonplein 3* ℘ *(09) 267 70 20, Fax (09) 267 71 99.*

⌗₁₈ *à St-Martens-Latem SO : 9 km, Latemstraat 120* ℘ *(09) 282 54 11, Fax (09) 282 90 19.*

CURIOSITÉS

Voir *Vieille ville★★★ (Oude Stad) – Cathédrale St-Bavon★★ (St-Baafskathedraal)* FZ : *Polyptyque★★★ de l'Adoration de l'Agneau mystique par Van Eyck (Veelluik de Aanbidding van Het Lam Gods), Crypte★ : triptyque du Calvaire★ par Juste de Gand (Calvarietriptiek van Justus van Gent)* FZ *– Beffroi et Halle aux Draps★★★ (Belfort en Lakenhalle)* FY *– Pont St-Michel (St-Michielsbrug)* ≤★★★ EY *– Quai aux Herbes★★ (Graslei)* EY *– Château des Comtes de Flandre★★ (Gravensteen) :* ≤★ *du sommet du donjon* EY *– Petit béguinage★ (Klein Begijnhof)* DX *– Réfectoire★ des ruines de l'abbaye St-Bavon (Ruïnes van de St-Baafsabdij)* DV. **M⁵**.

Musées : *du Folklore★ (Museum voor Volkskunde) : cour★ intérieure de l'hospice des Enfants Alyn (Alijnsgodshuis)* EY **M¹** *– des Beaux-Arts★★ (Museum voor Schone Kunsten)* CX **M²** *– de la Byloke★★ (Bijloke Museum)* CX **M³**.

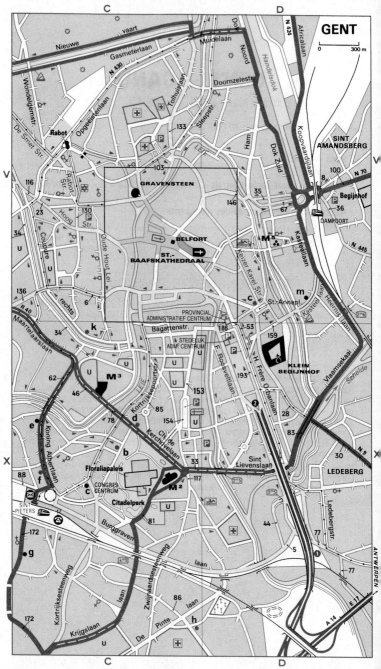

GENT

Kortemunt . . . . **EY** 92
Langemunt . . . . **EY**
Veldstraat . . . . **EZ**

A. Heyndrickxlaan . . . . . . **DX** 5
Annonciadenstr. . . . . **CV** 6
Antwerpenplein . . . . **DV** 8
Botermarkt . . . . **FY** 19
Brugsepoortstr. . . . . **CV** 23
Brusselsepoortstr. . . . . . . **DX** 28
Brusselsesteenweg . . . . . **DX** 30
Cataloniëstr. . . . . **EY** 32
Citadellaan . . . . **CDX** 33
Coupure links . . . . **CVX** 34
Dampoortstr . . . . **DV** 35
Dendermondsesteenweg . **DV** 36

Emile Braunplein . . . . **EFY** 41
Gaston Crommenlaan . . . **DX** 44
Gebr. Vandeveldestr. . . . . **EZ** 45
Godshuizenlaan . . . . **CX** 46
Gouvernementstr. . . . . . . **FZ** 51
Graaf van Vlaanderenplein . **DX** 53
Grasbrug . . . . **EY** 54
Groot Brittanniëlaan . . . . **CX** 62
Hagelandkaai . . . . **DV** 67
Hoofdbrug . . . . **EY** 76
Hundelgemse steenweg . . **DX** 77
IJzerlaan . . . . **CX** 78
Joz. Wauterstr . . . . **CX** 81
Keizervest . . . . **DX** 83
K. van Hulthemstr. . . . . . **CX** 85
Koekoeklaan . . . . **CX** 86
Koningin Fabiolalaan . . . . **CX** 88
Korenmarkt . . . . **EY** 89
Land van Waaslaan . . . . . **DV** 100

Lange Steenstr. . . . . **CV** 103
Limburgstraat . . . . **FZ** 104
Noordstraat . . . . **CV** 116
Normaalschoolstr. . . . . . . **CV** 117
Peperstr. . . . . **CV** 130
Rodelijvekensstr. . . . . . . **CV** 133
Rozemarijnstr . . . . **CV** 136
Schouwburgstr. . . . . **EZ** 137
Sint Baafsplein . . . . **FYZ** 140
Sint Michielsplein en -straat . **EY** 151
Sint Joriskaai . . . . **DV** 146
Sint Pietersnieuwstr. . . . . **CX** 153
Sint Pietersplein . . . . **CX** 154
Tweebruggenstr. . . . . . . **DVX** 159
Vleeshuisbrug . . . . **EY** 163
Vogelmarkt . . . . **FZ** 167
Voskenslaan . . . . **CX** 172
Woodrow Wilsonpl. . . . . . **DX** 186
Zuidparklaan . . . . **DX** 193

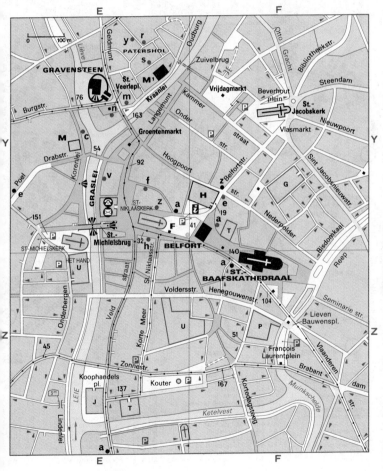

Pour avoir une vue d'ensemble sur le « Benelux »
procurez-vous
la **carte Michelin Benelux** ▧▧ à 1/400 000.

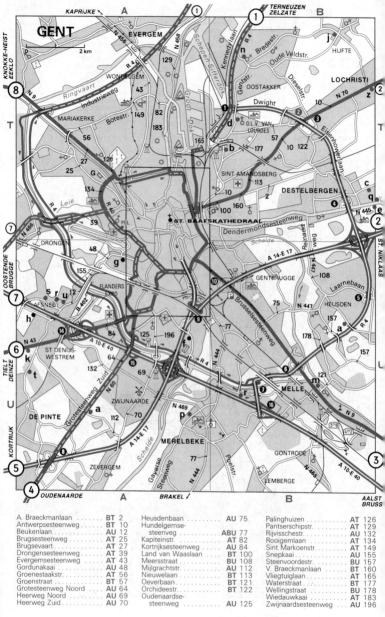

A. Braeckmanlaan	**BT**	2
Antwerpsesteenweg	**BT**	10
Beukenlaan	**AU**	12
Brugsesteenweg	**AT**	25
Brugsevaart	**AT**	27
Drongensesteenweg	**AT**	39
Evergemsesteenweg	**AT**	43
Gordunakaai	**AU**	48
Groenestaakstr.	**AT**	56
Groenstraat	**BT**	57
Grotesteenweg Noord	**AU**	64
Heerweg Noord	**AU**	69
Heerweg Zuid	**AU**	70

Heusdenbaan	**AU**	75
Hundelgemse- steenweg	**ABU**	77
Kapiteinstr.	**AT**	82
Kortrijksesteenweg	**AU**	84
Land van Waaslaan	**BT**	100
Meersstraat	**BU**	108
Mijlgrachtstr.	**AU**	112
Nieuwelaan	**BT**	113
Oeverbaan	**BT**	121
Orchideestr.	**BT**	122
Oudenaardse- steenweg	**AU**	125

Palinghuizen	**AT**	126
Pantserschipstr.	**AT**	129
Rijvisschestr.	**AU**	132
Rooigemlaan	**AT**	134
Sint Markoenstr.	**AT**	149
Snepkaai	**AU**	155
Steenvoordestr.	**BU**	157
V. Braeckmanlaan	**BT**	160
Vliegtuiglaan	**AT**	165
Waterstraat	**AT**	177
Wellingstraat	**BU**	178
Wiedauwkaai	**AT**	183
Zwijnaardsesteenweg	**AU**	196

Voor een overzicht van de Benelux gebruikt u de **Michelinkaart**
Benelux **407** schaal 1 : 400 000.

Quartiers du Centre - *plans p. 2 et 3 sauf indication spéciale :*

🏨 **Sofitel Belfort,** Hoogpoort 63, ℰ (0 9) 233 33 31, Fax (0 9) 233 11 02, 🍸, ♨, ⌀ – 📳 ⇔ 🔲 🔟 ☎ & 🚗 – 🔬 25 à 400. 🖭 ⓞ 🗲 𝖵𝖨𝖲𝖠. ⅋ rest   FY z
Repas *Brasserie Van Artevelde* 1400 – 🖙 650 – **126 ch** 7250, 1 suite.

🏨 **Alfa Flanders** 🅼, Koning Albertlaan 121, ℰ (0 9) 222 60 65, Fax (0 9) 220 16 05 – 📳 ⇔, 🥐 rest, 🔟 ☎ ☻ – 🔬 25 à 85. 🖭 ⓞ 🗲 𝖵𝖨𝖲𝖠. ⅋   CX e
Repas *(fermé sam. midi et dim. soir)* 1000/1600 – **47 ch** 🖙 3300/3800, 2 suites – ½ P 3950/4250.

🏨 **Novotel Centrum,** Gouden Leeuwplein 5, ℰ (0 9) 224 22 30, Fax (0 9) 224 32 95, 🍸, ♨, ⅃ – 📳 ⇔ 🔲 🔟 ☎ & 🚗 – 🔬 25 à 150. 🖭 ⓞ 🗲 𝖵𝖨𝖲𝖠   EY a
Repas *Lunch* 495 – 995 – 🖙 450 – **113 ch** 4400/4950, 4 suites.

🏨 **Erasmus** 🦢 sans rest, Poel 25, ℰ (0 9) 224 21 95, Fax (0 9) 233 42 41, « Maison du 16ᵉ s. », 🍸 – 🔟 ☎. 🖭 ⓞ 🗲 𝖵𝖨𝖲𝖠. ⅋   EY e
fermé 5 déc.-5 janv. – **12 ch** 🖙 2800/5000.

🏨 **Chamade** sans rest, Blankenbergestraat 2, ℰ (0 9) 220 15 15, Fax (0 9) 221 97 66 – 📳 ⇔ 🔟 🔲 ☎ & – 🔬 30. 🖭 ⓞ 🗲 𝖵𝖨𝖲𝖠 𝖩𝖢𝖡   CX c
fermé 23 déc.-1ᵉʳ janv. – **36 ch** 🖙 2500/3400.

🏨 **Castelnou** sans rest, Kasteellaan 51, ℰ (0 9) 235 04 11, Fax (0 9) 235 04 04 – 📳, 🥐 rest, 🔟 ☎ 🚗 ☻ – 🔬 30. 🖭 ⓞ 🗲 𝖵𝖨𝖲𝖠 𝖩𝖢𝖡   DV m
Repas *(Taverne-rest)* Lunch 895 – carte env. 900 – **30 ch** 🖙 2850/3275 – ½ P 1925.

🏨 **Europa** 🦢, Gordunakaai 59, ℰ (0 9) 222 60 71, Fax (0 9) 220 06 09 – 📳 🔟 ☎ 🚗 ☻ – 🔬 25 à 180. 🖭 ⓞ 🗲 𝖵𝖨𝖲𝖠   plan p. 4 AU g
Repas *(fermé dim.)* carte 1100 à 1450 – **38 ch** 🖙 2500/3300 – ½ P 2300/3150.

🏨 **Ibis Kathedraal,** Limburgstraat 2, ℰ (0 9) 233 00 00, Fax (0 9) 233 10 00 – 📳 ⇔ 🔟 ☎ & 🚗 – 🔬 25 à 60. 🖭 ⓞ 🗲 𝖵𝖨𝖲𝖠   FZ a
Repas *(dîner seult)* 695 – 🖙 200 – **120 ch** 2750.

🏨 **Ibis Opera** sans rest, Nederkouter 24, ℰ (0 9) 225 07 07, Fax (0 9) 223 59 07 – 📳 ⇔ 🔟 ☎ & 🚗 – 🔬 25 à 50. 🖭 ⓞ 🗲 𝖵𝖨𝖲𝖠 𝖩𝖢𝖡   EZ a
🖙 200 – **134 ch** 2750.

XXX **Jan Van den Bon,** Koning Leopold II laan 43, ℰ (0 9) 221 90 85, Fax (0 9) 245 08 92, « Jardin » – 🖭 ⓞ 🗲 𝖵𝖨𝖲𝖠. ⅋   CX b
❀ *fermé sam. midi, dim., jours fériés, 1 sem. Pâques, mi-juil.-mi-août et 2 sem. Noël* – **Repas** Lunch 1250 – 1670/2150, carte 2000 à 2800
Spéc. Rouget-barbet à l'huile d'olive et beurre d'aneth (mai-sept.). Salade de canard sauvage et haricots (15 oct.-déc.). Tarte au fromage blanc en rosette de pommes.

XX **De Gouden Klok,** Koning Albertlaan 31, ℰ (0 9) 222 99 00, Fax (0 9) 222 10 92, « Hôtel de maître début du siècle » – 🔲 ☻. 🖭 🗲 𝖵𝖨𝖲𝖠 𝖩𝖢𝖡. ⅋   CX f
fermé merc., dim., 1 sem. carnaval et 3 dern. sem. juil. – **Repas** Lunch 1300 – 1700/1950.

XX **Cour St-Georges** avec ch, Botermarkt 2, ℰ (0 9) 224 24 24, Fax (0 9) 224 26 40, « Salle flamande du 13ᵉ s. » – 📳 🔟 ☎ 🚗 – 🔬 25 à 60. 🖭 ⓞ 🗲 𝖵𝖨𝖲𝖠 𝖩𝖢𝖡   FY e
Repas *(fermé dim. et 17 juil.-4 août)* 920/1900 – **31 ch** 🖙 2700/4500 – ½ P 3520/4220.

XX **Waterzooi,** St-Veerleplein 2, ℰ (0 9) 225 05 63, Fax (0 9) 225 03 63 – 🖭 ⓞ 🗲 𝖵𝖨𝖲𝖠 𝖩𝖢𝖡   EV n
fermé merc., dim. et 28 juil.-20 août – **Repas** Lunch 1650 bc – 2950 bc.

XX **Georges,** Donkersteeg 23, ℰ (0 9) 225 19 18, Fax (0 9) 233 21 12, Produits de la mer – 🔲. 🖭 🗲 𝖵𝖨𝖲𝖠   EY f
fermé lundi, mardi et 25 mai-18 juin – **Repas** carte 1350 à 2050.

XX **Het Cooremetershuys,** Graslei 12, ℰ (0 9) 223 49 71, Fax (0 9) 223 49 71, 🍸, « Maison du 17ᵉ s. » – 🔲. 🖭 ⓞ 🗲 𝖵𝖨𝖲𝖠   EY v
fermé merc., dim. et 15 juil.-15 août – **Repas** Lunch 980 – 1650.

XX **Grade,** Charles de Kerchovelaan 81, ℰ (0 9) 224 43 85, Fax (0 9) 233 11 29, 🍸, « Brasserie moderne » – 🖭 🗲 𝖵𝖨𝖲𝖠   CX d
fermé dim. et lundi – **Repas** carte 1200 à 1500.

XX **Basile,** Coupure Rechts 70, ℰ (0 9) 233 26 12, Fax (0 9) 233 26 12, 🍸 – 🖭 ⓞ 🗲 𝖵𝖨𝖲𝖠 ⅋   CX k
fermé sam. midi, dim., lundi, 22 fév.-3 mars, du 12 au 21 avril et 16 août-8 sept. – **Repas** Lunch 1050 – 1750 bc/1950.

XX **Jan Breydel,** Jan Breydelstraat 10, ℰ (0 9) 225 62 87, 🍸 – 🖭 ⓞ 🗲 𝖵𝖨𝖲𝖠   EY c
fermé dim., lundi soir du 1ᵉʳ au 17 août – **Repas** Lunch 950 – 1750.

XX **Agora,** Klein Turkije 14, ℰ (0 9) 225 25 58, Ouvert jusqu'à 23 h 30 – 🔲. 🖭 ⓞ 🗲 𝖵𝖨𝖲𝖠 ⅋   EY z
fermé dim., lundi et 16 juil.-16 août – **Repas** Lunch 450 – 1000/1700.

XX **Chez Jean,** Cataloniëstraat 3, ℰ (0 9) 223 30 40, Fax (0 9) 223 30 40, 🍸 – 🗲 𝖵𝖨𝖲𝖠   EY h
fermé dim., lundi midi et 1 sem. en fév. – **Repas** carte 1000 à 1500.

✗ **Central-Au Paris,** Botermarkt 10, ℰ (0 9) 223 97 75, *Fax (0 9) 233 69 30*, 斎 – ☎
⓪ 🅴 *VISA*
FY **a**
fermé merc., dim. soir, sem. carnaval et 2 dern. sem. août – **Repas** *Lunch 795* – 1500 (2 pers. min.).

✗ **Italia Grill,** St-Annaplein 16, ℰ (0 9) 224 30 42, Cuisine italienne, ouvert jusqu'à minuit
– ☎ ⓪ 🅴 *VISA*. ✻
DV **c**
fermé lundi et 15 juil.-10 août – **Repas** carte env. 1400.

Quartier Ancien (Patershol) - *plan p. 3* :

✗✗ **De Blauwe Zalm,** Vrouwebroersstraat 2, ℰ (0 9) 224 08 52, 斎, Produits de la mer
– ☎ 🅴 *VISA* JCB
EY **r**
fermé du 20 au 30 juil., 25 déc.-2 janv., sam. midi, dim. et lundi midi – **Repas** *Lunch 980* – carte 1400 à 1700.

✗✗ **'t Buikske Vol,** Kraanlei 17, ℰ (0 9) 225 18 80, *Fax (0 9) 223 04 31*, 斎 – ℗. ☎ 🅴
VISA. ✻
EY **m**
fermé merc., sam. midi, dim., prem. sem. mars et 16 août-2 sept. – **Repas** *Lunch 850* – carte env. 1600.

✗ **Le Baan Thaï,** Corduwaniersstraat 57, ℰ (0 9) 233 21 41, *Fax (0 9) 233 20 09*, Cuisine
thaïlandaise – 🍽. ☎ ⓪ 🅴 *VISA*. ✻
EY **s**
fermé lundi et mi-déc.-prem. sem. janv. – **Repas** (dîner seult sauf dim.) carte env. 1000.

✗ **Karel de Stoute,** Vrouwebroersstraat 5, ℰ (0 9) 224 17 35, *Fax (0 9) 224 17 35*, 斎
– ☎ *VISA*. ✻
EY **y**
fermé merc., sam. midi et 2 sem. en sept. – **Repas** carte 1200 à 1600.

Périphérie - *plan p. 4 sauf indication spéciale* :

au Nord-Est – ✉ 9000 :

✗✗ **Ter Toren,** St-Bernadettestraat 626, ℰ (0 9) 251 11 29, 斎, « Parc ombragé » – ℗.
☎ ⓪ 🅴 *VISA*. ✻
BT **b**
fermé dim. soir, lundi, merc. soir et sept. – **Repas** *Lunch 900* – carte 1200 à 2050.

au Sud – ✉ 9000 :

🏨 **Holiday Inn,** Akkerhage 2, ℰ (0 9) 222 58 85, *Fax (0 9) 220 12 22*, 🔲, ✗ – 🛗 ⚑ 🍽
📺 ☎ ᕙ ℗ – 🔏 25 à 360. ☎ ⓪ JCB. ✻ rest
AU **f**
Repas *Lunch 895* – carte 1300 à 1700 – ⊏ 700 – **139 ch** 5600/6100, 1 suite.

🏠 **Ascona** sans rest, Voskenslaan 105, ℰ (0 9) 221 27 56, *Fax (0 9) 221 47 01* – 🛗 📺 ☎
⇦ ℗. ☎ ⓪ *VISA*
plan p. 2 CX **g**
36 ch ⊏ 2350/2800.

✗ **Aton,** Corneel Heymanslaan, ℰ (0 9) 221 69 26, *Fax (0 9) 221 19 13*, 斎 – ℗. ☎ ⓪
🅴 *VISA*
plan p. 2 CX **h**
fermé sam. et 21 juil.-15 août – **Repas** (déjeuner seult) carte 850 à 1450.

à Afsnee ⓒ Gent – ✉ 9051 Afsnee :

🏨 **Charl's Inn** sans rest, Autoweg Zuid 4 (près E 40, sortie ⑭), ℰ (0 9) 220 30 93, *Fax (0 9) 221 26 19*, « Villa avec jardin » – 📺 ☎ ℗. ☎ ⓪ 🅴 *VISA*
AU **h**
9 ch ⊏ 1925/3125.

✗✗✗ **Nenuphar,** Afsneedorp 28, ℰ (0 9) 222 45 86, *Fax (0 9) 221 22 32*, ≼, 斎, « Au bord
de la Lys (Leie) », 🔟 – 🍽 – 🔏 40. ☎ ⓪ 🅴 *VISA*. ✻
AU **r**
fermé mardi, merc., mi-août-début sept. et 2ᵉ quinz. déc. – **Repas** *Lunch 1000* – 1600/2000.

✗✗ **De Fontein Kerse,** Broekkantstraat 52, ℰ (0 9) 221 53 02, *Fax (0 9) 221 53 02*, 斎
– ℗. ☎ ⓪ 🅴 *VISA*. ✻
AU **s**
fermé mardi soir, merc., dim. soir, 2 dern. sem. juil. et 2 dern. sem. janv. – **Repas** *Lunch 1050* – 1600/1850.

✗ **'t Stoofpotje,** Afsneedorp 26, ℰ (0 9) 222 37 86, *Fax (0 9) 245 10 16*,
« Jardin-terrasse au bord de la Lys (Leie) », 🔟 – 🅴 *VISA* JCB
AU **u**
fermé lundi, mardi, merc., vacances Pâques, 2 dern. sem. juil.-prem. sem. août et 1 sem. Noël – **Repas** carte 1000 à 1400.

à Oostakker ⓒ Gent – ✉ 9041 Oostakker :

✗✗ **St-Bavo,** Oostakkerdorp 18, ℰ (0 9) 251 35 34, *Fax (0 9) 251 80 62* – 🍽. ☎ ⓪
🅴 *VISA*
BT **n**
fermé dim., lundi soir, jeudi soir et mi-juil.-mi-août – **Repas** *Lunch 1200* – 1500/1875.

✗✗ **'t Boerenhof,** Gentstraat 2, ℰ (0 9) 251 03 14, *Fax (0 9) 251 07 72*, 斎 – 🍽 ℗. ☎
⇦ ⓪ 🅴 *VISA* JCB
BT **d**
fermé lundi soir, mardi soir, merc. et du 27 au 30 déc. – **Repas** 650/1150.

à Sint-Denijs-Westrem [C] *Gent –* ⊠ *9051 Sint-Denijs-Westrem :*

✗ **Oranjehof,** Kortrijksesteenweg 1177, ℰ (0 9) 222 79 07, Fax (0 9) 222 74 06, ☆ – **P**.
AE **①** E *VISA*. ✼
AU k
fermé dim. et 2e quinz. août – **Repas** (déjeuner seult sauf sam.) *Lunch 990 –* 1300/1600.

à Zwijnaarde [C] *Gent –* ⊠ *9052 Zwijnaarde :*

✗✗ **De Klosse,** Grotesteenweg Zuid 49 (sur N 60), ℰ (0 9) 222 21 74, Fax (0 9) 222 21 74,
« Auberge » – **P**. AE **①** E *VISA*. ✼
AU a
fermé sam. midi, dim. soir, lundi, 1 sem. carnaval et 15 juil.-7 août – **Repas** *Lunch 895 –* carte
env. 1800.

Environs

à Beervelde *- plan p. 4 -* [C] *Lochristi 18 017 h. –* ⊠ *9080 Beervelde :*

✗✗✗ **Renardeau,** Dendermondsesteenweg 19, ℰ (0 9) 355 77 77, Fax (0 9) 355 11 00, ☆
– **P**. AE **①** E *VISA*
BT q
fermé 19 juil.-14 août et dim. et lundis non fériés – **Repas** *Lunch 2000 bc –* 2100.

à Destelbergen *- plan p. 4 – 17 345 h. –* ⊠ *9070 Destelbergen :*

✗✗ **'t Molenhof,** Molenstraat 97, ℰ (0 9) 355 96 36, Fax (0 9) 355 96 36, ☆, Avec cuisine
italienne – **P**. AE **①** E *VISA*. ✼
BT c
fermé du 1er au 7 avril, du 10 au 31 août, mardi soir et merc. – **Repas** *Lunch 995 –* carte
env. 1700.

à Heusden *- plan p. 4 -* [C] *Destelbergen 17 345 h. –* ⊠ *9070 Heusden :*

✗✗ **Rooselaer,** Berenbosdreef 18 (par R4, sortie ⑤), ℰ (0 9) 231 55 13, Fax (0 9) 231 07 32,
☆, « Jardin fleuri » – **P**. AE **①** E *VISA*
BU a
fermé mardi, merc. et 2 dern. sem. août – **Repas** *Lunch 1350 –* 2100.

✗✗ **La Fermette,** Dendermondsesteenweg 822, ℰ (0 9) 355 60 24 – **P**. AE **①** E
VISA
BT e
fermé dim. soir, lundi et 15 août-5 sept. – **Repas** *Lunch 1300 –* carte 1300 à 1700.

à Lochristi *- plan p. 4 – 18 017 h. –* ⊠ *9080 Lochristi :*

✗✗✗ **Leys,** Dorp West 89 (N 70), ℰ (0 9) 355 86 20, Fax (0 9) 356 86 26, ☆ – **P**. AE **①** E
VISA. ✼
BT z
fermé dim. soir, lundi, merc. soir, 1 sem. carnaval et 2 prem. sem. août. – **Repas** *Lunch 850*
– 1800 bc/2600 bc.

✗ **'t Wethuis,** Hijfte-Center 1, ℰ (0 9) 355 28 02, Fax (0 9) 356 88 68, ☆ – **P**. AE E *VISA*.
✼
BT j
fermé lundi soir, mardi, sam. midi, 1 sem. en mars et 2 prem. sem. sept. – **Repas** *Lunch 950*
– 1550/1850.

à Melle *- plan p. 4 – 10 101 h. –* ⊠ *9090 Melle :*

✗ **De Branderij,** Wezenstraat 34, ℰ (0 9) 252 41 66, Fax (0 9) 252 41 66, ☆ – AE E *VISA*.
✼
BU m
fermé du 2 au 12 mars, du 18 au 27 août, sam. midi, dim. soir et lundi – **Repas** *Lunch 900*
– 1550.

à Merelbeke *- plan p. 4 – 21 027 h. –* ⊠ *9820 Merelbeke :*

✗ **Torenhove,** Fraterstraat 214, ℰ (0 9) 231 61 61, Fax (0 9) 231 61 61, ☆ – **P**. AE **①**
E *VISA*
BU r
fermé mardi et sam. midi – **Repas** *Lunch 1400 bc –* 1150/1790.

✗ **De Blauwe Artisjok,** Gaversesteenweg 182, ℰ (0 9) 231 79 28, Fax (0 9) 231 79 28,
☆ – **P**. AE **①** E *VISA*
AU p
fermé lundi, mardi soir, 2 sem. en mars et 2 prem. sem. sept. – **Repas** *Lunch 450 –* carte
1250 à 1800.

à De Pinte *- plan p. 4 – 10 075 h. –* ⊠ *9840 De Pinte :*

✗✗ **Te Lande,** Baron de Gieylaan 112, ℰ (0 9) 282 42 00, Fax (0 9) 282 42 00, ☆ – ▤ **P**.
AE **①** E *VISA*
AU t
fermé mardi, merc., sam. midi, 2e quinz. fév. et 2e quinz. août – **Repas** *Lunch 950 –*
1700/1850.

L'EUROPE en une seule **Carte Michelin** :
– routière (pliée) : no **970**
– politique (plastifiée) : no **973**.

GENVAL 1332 Brabant Wallon 🅲 Rixensart 21 305 h. 🔢 ⑲ et 🔢 G 3.

Bruxelles 21 – Charleroi 42 – Namur 52.

🏨 **Château du Lac** Ⓜ 🦢, av. du Lac 87, ℰ (0 2) 655 71 11, Fax (0 2) 655 74 44, ≤ lac et vallon boisé, ℐ⑤, ≦ₛ, 🔲, ℀ – ⋮≋⋮ ↮ 🆅 🕿 ᗝ ⇔ ᗝ – ▲ 30 à 1300. 🆈 ⦿ ⋿

🆅🆂🅰
Repas voir rest *Le Trèfle à 4* ci-après – **120 ch** ⵐ 3050/11050, 1 suite.

🏯 **Le Manoir du Lac** 🦢 sans rest, av. Hoover 4, ℰ (0 2) 655 63 11, Fax (0 2) 655 64 55, ≤, « Parc », ≦ₛ, ℀ – 🆅 🕿 ᗝ – ▲ 25. 🆈 ⦿ ⋿ 🆅🆂🅰
13 ch ⵐ 3050/8850.

␢␢␢ **Le Trèfle à 4** - H. Château du Lac, av. du Lac 87, ℰ (0 2) 654 07 98, Fax (0 2) 653 31 31, ≤ lac et vallon boisé – ▤ ᗝ. 🆈 ⦿ ⋿ 🆅🆂🅰 ᴊᴄʙ
·fermé dim., lundi, 26 janv.-6 fév., 30 avril-10 mai et du 18 au 28 août – **Repas** Lunch 1450 – 1800/2600.

␢␢ **L'Amandier,** r. Limalsart 9, ℰ (0 2) 653 06 71, ☆ – ▤ ᗝ. ⋿ 🆅🆂🅰
fermé merc., sam. midi, dim. soir, 2 sem. en août et 2 sem. en janv. – **Repas** Lunch 750 – carte 1400 à 1850.

␢ **l'Echalote,** av. Albert Iᵉʳ 24, ℰ (0 2) 653 31 57, Fax (0 2) 653 31 57 – ▤ ᗝ. 🆈 ⋿ 🆅🆂🅰
fermé lundi soir, mardi et 1ʳᵉ quinz. juil. – **Repas** Lunch 585 – 800/1150.

à Rixensart E : 4 km – 21 305 h. – ⊠ 1330 Rixensart :

🏨 **Le Lido** 🦢, r. Limalsart 20 (près du lac de Genval), ℰ (0 2) 654 05 05, Fax (0 2) 654 06 55, ≤, ☆ – 🆅 🕿 ᗝ – ▲ 25 à 100. 🆈 ⦿ ⋿ 🆅🆂🅰
Repas (fermé dim. soir, 25 juil.-15 août et 20 déc.-4 janv.) 695 – **27 ch** (fermé 25 juil.-15 août) ⵐ 2075/4500 – ½ P 2770/3970.

GERAARDSBERGEN (GRAMMONT) 9500 Oost-Vlaanderen 🔢 ⑰ et 🔢 E 3 – 30 680 h.

Voir *Site★*.

🅱 Stadhuis ℰ (0 54) 43 72 89, Fax (0 54) 41 75 79.
Bruxelles 42 – Gent 41 – Mons 43.

␢ **'t Lorreintje,** Oude Steenweg 16, ℰ (0 54) 41 34 29, Fax (0 54) 41 34 29 – ⋿ 🆅🆂🅰
fermé mardi, merc., sam. midi, 2 sem. en mars et 2 sem. en sept. – **Repas** Lunch 695 – 1590 (2 pers. min.).

GERPINNES Hainaut 🔢 ③ et 🔢 G 4 – voir à Charleroi.

GESVES 5340 Namur 🔢 ⑤ ⑥ et 🔢 I 4 – 5 274 h.

Bruxelles 81 – Namur 29 – Dinant 30 – Liège 53 – Marche-en-Famenne 31.

🏨 **Host. La Pichelotte** 🦢, r. Pichelotte 5, ℰ (0 83) 67 78 21, Fax (0 83) 67 70 53, ☆, 🔲, ℀ – ⋮≋⋮ 🆅 🕿 ᗝ – ▲ 25 à 414. 🆈 ⦿ ⋿ 🆅🆂🅰
Repas Lunch 975 – 1195/1595 – **53 ch** ⵐ 3350/6500, 7 suites – ½ P 2800/4300.

␢␢ **L'Aubergesves** 🦢 avec ch, Pourrain 4, ℰ (0 83) 67 74 17, Fax (0 83) 67 81 57, ☆, « Rustique » – 🆅 🕿 ᗝ. 🆈 ⦿ ⋿ 🆅🆂🅰
avril-déc. et week-end ; fermé lundi, mardi et 3 dern. sem. sept. – **Repas** Lunch 1350 – carte 1850 à 2950 – ⵐ 300 – **6 ch** 3000/4500 – ½ P 3500/4250.

␢ **La Pineraie,** r. Pineraie 2, ℰ (0 83) 67 73 46, Fax (0 83) 67 73 46, ☆ – ᗝ. 🆈 ⋿ 🆅🆂🅰
fermé lundi, mardi, sem. carnaval et 18 août-2 sept. – **Repas** Lunch 600 – 1100/1480.

GHISLENGHIEN (GELLINGEN) Hainaut 🔢 ⑰ et 🔢 E 4 – voir à Ath.

GILLY Hainaut 🔢 ③ et 🔢 G 4 – voir à Charleroi.

GISTEL West-Vlaanderen 🔢 ② et 🔢 B 2 – voir à Oostende.

GITS West-Vlaanderen 🔢 ② et 🔢 C 3 – voir à Roeselare.

GLABAIS 1473 Brabant Wallon 🅲 Genappe 13 495 h. 🔢 ⑲ et 🔢 G 4.

Bruxelles 29 – Charleroi 26 – Nivelles 12.

␢␢␢ **Michel Close,** chaussée de Bruxelles 44, ℰ (0 67) 77 17 54, ☆, « Villa avec jardin » – ᗝ. 🆈 ⋿ 🆅🆂🅰
fermé merc., jeudi midi, 15 août-15 sept. et du 23 au 31 déc. – **Repas** 1550/2100.

GODINNE 5530 Namur Ⓒ Yvoir 7 539 h. **214** ⑤ et **409** H 4.

Voir sur rte de Profondeville ≤★ sur le prieuré.
Bruxelles 82 – Namur 18 – Dinant 11.

à Mont NE : 1 km Ⓒ Yvoir – ⊠ 5530 Mont :

※ **Le Pré des Manants,** r. Tienne de Mont 29, ℘ (0 81) 41 11 18, Fax (0 81) 41 41 45,
≤, 🍽, « Verger » – **🅿**. **AE** **⊙** **E** **VISA**
fermé lundi soir, mardi, merc. et vacances Noël – **Repas** Lunch 695 – carte env. 1000.

GOOIK 1755 Vlaams-Brabant **213** ⑰ ⑱ et **409** F 3 – 8 511 h.
Bruxelles 24 – Aalst 22 – Mons 45 – Tournai 66.

※※ **'t Krekelhof,** Drie Egyptenbaan 11 (par N 285, puis direction Neigem),
℘ (0 54) 33 48 57, Fax (0 54) 33 41 96, 🍽, « Véranda et terrasse » – ▦ **🅿** – 🛦 40.
AE **⊙** **E** **VISA**
fermé lundi soir de nov. à avril, mardi et fin oct.-début nov. – **Repas** 950/1850.

GOSSELIES Hainaut **214** ③ et **409** G 4 – voir à Charleroi.

GRAMMENE Oost-Vlaanderen **213** ③ – voir à Deinze.

GRAMMONT Oost-Vlaanderen – voir Geraardsbergen.

GRAND-HALLEUX Luxembourg belge **214** ⑧ et **409** K 5 – voir à Vielsalm.

GRANDHAN Luxembourg belge **214** ⑦ et **409** J 5 – voir à Durbuy.

GRAND-LEEZ 5031 Namur Ⓒ Gembloux 20 192 h. **213** ⑳ et **409** H 4.
Bruxelles 46 – Namur 20 – Charleroi 34 – Tienen 34.

※※ **La Petite Châtelaine,** r. Petit-Leez 129 (au château de Petit-Leez), ℘ (0 81) 64 03 05,
Fax (0 81) 64 08 98, 🍽, « Dans les dépendances du château, galerie d'art contemporain »
– **🅿**. **AE** **E** **VISA**
fermé lundi, mardi, 2 sem. en sept. et 2 sem. en janv. – **Repas** 1800.

GRANDRIEU Hainaut **214** ② et **409** F 5 – voir à Beaumont.

GRANDVOIR Luxembourg belge **214** ⑰ et **409** J 6 – voir à Neufchâteau.

's GRAVENBRAKEL Hainaut – voir Braine-le-Comte.

's GRAVENVOEREN (FOURON-LE-COMTE) 3798 Limburg Ⓒ Voeren 4 317 h. **213** ㉓ et **409**
K 3.
🛈 Kerkplein 216, ℘ (0 4) 381 07 36, Fax (0 4) 381 21 59.
Bruxelles 102 – Maastricht 15 – Liège 23.

🏠 **De Kommel** ≶, Kerkhofstraat 117d, ℘ (0 4) 381 01 85, Fax (0 4) 381 23 30, ≤, 🍽
– **TV** **☎** **🅿** – 🛦 30. **AE** **⊙** **E** **VISA**. ✼
fermé du 6 au 24 janv. – **Repas** (fermé lundi et sam. midi) 750/1800 – **11 ch**
⊑ 1900/2600 – ½ P 1900/2000.

🏠 **Gasthof Blanckthys,** Plein 197b, ℘ (0 4) 381 24 66, Fax (0 4) 381 24 67 – **TV** **☎** **🅿**.
AE **⊙** **E** **VISA**. ✼
fermé du 22 au 28 juin et janv. – **Repas** (Taverne-rest) (fermé merc. et jeudi) carte env.
1000 – **11 ch** ⊑ 2200/2800 – ½ P 1900/2150.

※※ **The Golden Horse,** Hoogstraat 242, ℘ (0 4) 381 02 29, Fax (0 4) 381 20 44, 🍽 –
🅿 **AE** **⊙** **E** **VISA**. ✼
fermé jeudi, vend. midi, sam. midi et 2 sem. en sept. – **Repas** Lunch 800 – 1200/2100.

's GRAVENWEZEL Antwerpen **213** ⑦ et **409** G 2 – voir à Antwerpen, environs.

GRIMBERGEN Vlaams-Brabant **213** ⑥ et **409** G 3 - ㉑ N – voir à Bruxelles, environs.

GROBBENDONK Antwerpen 213 ⑦ et 409 H 2 – *voir à Herentals.*

GROOT-BIJGAARDEN Vlaams-Brabant 213 ⑱ et 409 F 3 - ㉑ N – *voir à Bruxelles, environs.*

GULLEGEM West-Vlaanderen 213 ⑮ et 409 C 3 – *voir à Wevelgem.*

Pour situer une ville belge ou néerlandaise
reportez-vous aux cartes Michelin 408 et 409
comportant un index alphabétique des localités.

De HAAN 8420 West-Vlaanderen 213 ② et 409 C 2 – 11 199 h. – *Station balnéaire.*
🏌 Koninklijke baan 2 ℘ (0 59) 23 32 83, Fax (0 59) 23 37 49.
🛈 Gemeentehuis, Leopoldlaan 24 ℘ (0 59) 24 21 34, Fax (0 59) 24 21 36 – (Pâques-sept. et vacances scolaires) Tramstation ℘ (0 59) 24 21 35, Fax (0 59) 24 21 36.
Bruxelles 113 – Brugge 21 – Oostende 12.

🏛 **Aub. des Rois-Beach H.,** Zeedijk 1, ℘ (0 59) 23 30 18, Fax (0 59) 23 60 78, ≼, 🍽
– 📶 📺 ☎ 🅿 **ⓔ** VISA. 🕸
fermé 25 fév.-27 mars, 19 oct.-19 déc. et 5 janv.-1er fév. – **Repas** *(fermé merc.)* 1575/2650
– **23 ch** ☲ 3750/4600, 6 suites – ½ P 3000/4100.

🏛 **Les Dunes** sans rest, Leopoldplein 5, ℘ (0 59) 23 31 46, ☎ – 📶 📺 ☎ 🅿. 🕸
mars-oct. – **21 ch** ☲ 2200/4000.

🏛 **Manoir Carpe Diem** 🍃, Prins Karellaan 12, ℘ (0 59) 23 32 20, Fax (0 59) 23 33 96,
🍽, ☎, 🌳 – 📺 ☎ 🅿. **ⓔ** VISA. 🕸 rest
fermé 15 nov.-26 déc. – **Repas** *(dîner pour résidents seult)* – **10 ch** ☲ 4700, 2 suites –
½ P 2895/3600.

🏠 **Belle Epoque,** Leopoldlaan 5, ℘ (0 59) 23 34 65, Fax (0 59) 23 38 14, 🍽 – 📶 📺 ☎.
ⓔ VISA
Repas *(Taverne-rest) (25 mars-5 nov. ; fermé mardi sauf en juil.-août)* Lunch 325 – carte
1000 à 1400 – **14 ch** ☲ 2250/2900, 2 suites – ½ P 1750/2075.

🏠 **Arcato** Ⓜ 🍃 sans rest, Nieuwe Steenweg 210, ℘ (0 59) 23 57 77, Fax (0 59) 23 88 66,
🕸 – 📶 📺 ☎ 🅿. **ⓔ** VISA
14 ch ☲ 2500/2950.

🏠 **Duinhof** 🍃, Ringlaan Noord 40, ℘ (0 59) 24 20 20, Fax (0 59) 24 20 39, 🍽, ☎, 🌳
– 📺 ☎. **ⓔ** VISA. 🕸
fermé merc. soir en hiver, jeudi, 2 sem. en déc. et 2 sem. en janv. – **Repas** 950 *(2 pers. min.)* – **10 ch** ☲ 3600 – ½ P 2750.

🏠 **Gd H. Belle Vue,** Koninklijk Plein 5, ℘ (0 59) 23 34 39, Fax (0 59) 23 75 22, 🍽 – 📶
📺 ☎ 🅿. **ⓔ** VISA
15 mars-15 nov. – **Repas** Lunch 600 – 1000 – **45 ch** ☲ 2000/3300 – ½ P 2000/2600.

🏠 **Rubens** 🍃 sans rest, Rubenslaan 3, ℘ (0 59) 23 70 21, Fax (0 59) 23 72 98 – 📺 ☎.
ⓔ VISA
fermé 15 nov.-20 déc. et du 10 au 30 janv. – **8 ch** ☲ 2200/2600.

🏠 **Azur** Ⓜ sans rest, Koninklijke Baan 37, ℘ (0 59) 23 83 16, Fax (0 59) 23 83 17 – 📶 📺
☎ 🅿. **ⓔ** VISA. 🕸
16 ch ☲ 1800/2800.

🏠 **De Gouden Haan** sans rest, B. Murillolaan 1, ℘ (0 59) 23 32 32, Fax (0 59) 23 74 92
– 📺 ☎ 🅿.
8 ch ☲ 2100/3000.

🏡 **Internos,** Leopoldlaan 12, ℘ (0 59) 23 35 79, Fax (0 59) 23 54 43 – ▤ rest, 📺 ☎ 🅿.
ⒶⒺ ⓞ **ⓔ** VISA
Repas *(20 mars-20 oct. ; fermé merc. non fériés sauf vacances scolaires)* Lunch 495 – 1295
– **19 ch** ☲ 1600/2600 – ½ P 1650/2250.

🏡 **Bon Accueil** 🍃, Montaignelaan 2, ℘ (0 59) 23 31 14, Fax (0 59) 23 31 14, 🌳 – 📺
☎ 🅿. **ⓔ** VISA. 🕸 rest
fermé 11 nov.-17 janv. et merc. sauf vacances scolaires – **Repas** *(dîner pour résidents seult)*
– **14 ch** ☲ 1800/2700 – ½ P 1630/1950.

🏡 **des Familles,** Koninklijke Baan 30, ℘ (0 59) 23 33 86, Fax (0 59) 23 70 41 – 📶 📺 ☎
🅿. ⒶⒺ **ⓔ** VISA. 🕸 rest
fermé 26 oct.-8 nov. – **Repas** *(dîner pour résidents seult)* – **24 ch** ☲ 2100/3200 –
½ P 2125/2500.

✗✗ **Lotus** 🍃 avec ch, Tollenslaan 1, ℘ (0 59) 23 34 75, Fax (0 59) 23 76 34, 🌳 – 📺 ☎
🅿. ⒶⒺ ⓞ **ⓔ** VISA. 🕸 rest
fermé fév. – **Repas** *(dîner seult) (fermé merc. et dim.)* 1250 – **10 ch** ☲ 2300/3400 –
½ P 2150/2300.

XX **Au Bien Venu,** Driftweg 14, ℰ (0 59) 23 32 54 – **E** ⁄𝘝𝘐𝘚𝘈
fermé mardi d'oct. à mai, merc. et du 15 au 31 janv. – **Repas** Lunch 790 – 850/1750.

X **Casanova,** Zeedijk 15, ℰ (0 59) 23 45 55, ≤, 斎 – **E** ⁄𝘝𝘐𝘚𝘈
⊜ *fermé 1 sem. début déc., 1 sem. fin janv. et jeudi sauf en juil.-août* – **Repas** Lunch 695 – 850/1250.

à Klemskerke S : 5,5 km © De Haan – ⊠ 8420 Klemskerke :

X **De Piewitte,** Brugsebaan 5 (N 9), ℰ (0 59) 23 63 99, Fax (0 59) 23 63 99, ≤ – **❷**. 🖭 **◑ E** ⁄𝘝𝘐𝘚𝘈
fermé lundi, mardi et 25 mars-10 avril – **Repas** 1295/1595.

à Vlissegem SE : 6,5 km © De Haan – ⊠ 8421 Vlissegem :

XX **Vijfweghe,** Brugsebaan 12 (N 9), ℰ (0 59) 23 31 96
⊜ **❷**
fermé mardi, merc., 17 fév.-10 mars et 16 août-9 oct. – **Repas** 995.

XX **Lepelem,** Brugsebaan 16 (N 9), ℰ (0 59) 23 57 49 – **❷**. **E** ⁄𝘝𝘐𝘚𝘈
fermé merc., jeudi, 15 fév.-5 mars et 12 sept.-2 oct. – **Repas** 950/1700.

HABAY-LA-NEUVE 6720 Luxembourg belge © Habay 6 726 h. **214** ⑰ et **409** J 6.
Bruxelles 185 – Arlon 14 – ♦ Bastogne 37 – Luxembourg 40 – Neufchâteau 22.

X **Tante Laure,** r. Emile Baudrux 6, ℰ (0 63) 42 23 63, Fax (0 63) 42 35 91, 斎, Avec
⊜ grillades – 🖭 **◑ E** ⁄𝘝𝘐𝘚𝘈
fermé merc. soir, jeudi, 20 sept.-10 oct. et 20 janv.-10 fév. – **Repas** Lunch 480 – 850.

à l'Est : 2 km par N 87, lieu-dit Pont d'Oye :

🏨 **Les Ardillières** 🦢, r. Pont d'Oye 6, ℰ (0 63) 42 22 43, Fax (0 63) 42 28 52, ≤,
« Environnement boisé », ℐ𝟨, ≘, 绤 – 🖭 ☎ **❷**. 🖭 **E** ⁄𝘝𝘐𝘚𝘈
fermé 22 juin-9 juil. et du 1ᵉʳ au 29 janv. – **Repas** voir rest **Les Forges du Pont d'Oye**
ci-après – **9 ch** 立 3200/5500, 1 suite.

🏛 **Château** 🦢, r. Pont d'Oye 1, ℰ (0 63) 42 21 48, Fax (0 63) 42 35 88, ≤, « Parc avec
étangs », 绤 – ☎ **❷** – 🕍 25 à 150. 🖭 **◑ E** ⁄𝘝𝘐𝘚𝘈. 彩 rest
fermé 17 fév.-5 mars et 17 août-3 sept. – **Repas** *(fermé dim. soirs et lundis non fériés
et après 20 h 30)* Lunch 1080 – 1250/1800 – **9 ch** 立 2800/4800 – ½ P 2900/3900.

XXX **Les Forges** (Thiry frères) avec ch, r. Pont d'Oye 6, ℰ (0 63) 42 22 43, Fax (0 63) 42 28 52,
❀ ≤, « Jardin fleuri avec cascades » – **❷**. 🖭 **E** ⁄𝘝𝘐𝘚𝘈
fermé mardi, merc., 22 juin-9 juil. et janv. – **Repas** Lunch 1350 – carte 2700 à 3300 – **8 ch**
立 1550/2350
Spéc. Foie gras de canard en torchon au poivre noir et gelée de pomme verte. Tripes de
veau aux truffes. Dos de truite au bleu et sa tartare en gelée.

X **Les Plats Canailles de la Bleue Maison,** r. Pont d'Oye 7, ℰ (0 63) 42 42 70,
Fax (0 63) 42 43 17, ≤, 斎, « Petite auberge en bordure de rivière » – **❷**. ⁄𝘝𝘐𝘚𝘈
fermé lundi, mardi midi, 22 juin-9 juil. et du 1ᵉʳ au 29 janv. – **Repas** Lunch 980 – carte env.
1400.

HAINE-ST-PAUL Hainaut **214** ③ et **409** F 4 – voir à La Louvière.

HALLE (HAL) 1500 Vlaams-Brabant **213** ⑱ et **409** F 3 – 33 386 h.
Voir Basiliek★★ (Basiliek) X.
🛈 Historisch Stadhuis, Grote Markt ℰ (0 2) 356 42 59.
Bruxelles 15 ① – Charleroi 47 ② – Mons 41 ④ – Tournai 67 ⑤.

Plan page suivante

🏠 **Alsput,** Hollestraat 108 (N : 2 km, lieu-dit Alsput), ℰ (0 2) 356 76 47, Fax (0 2) 360 12 10,
斎 – 瘷, 🔲 rest, 🖭 ☎ **❷**. 🖭 **◑ E** ⁄𝘝𝘐𝘚𝘈. 彩 ch
Repas *(Taverne-rest, ouvert jusqu'à 1 h du matin)* Lunch 290 – carte 850 à 1400 – 立 450
– **6 ch** 2000/4150 – ½ P 1500/3850.

XXX **Les Eleveurs** avec ch, Basiliekstraat 136, ℰ (0 2) 361 13 40, Fax (0 2) 361 24 62, 斎
– 🖭 ☎ **❷** – 🕍 25. 🖭 **◑ E** ⁄𝘝𝘐𝘚𝘈. 彩 rest   Y a
fermé vend., sam. midi et dim. soir – **Repas** Lunch 1250 – 1650 – **20 ch** 立 1400/3865.

XX **Kinoo,** Albertstraat 70, ℰ (0 2) 356 04 89, Fax (0 2) 361 53 50 – 🖭 **◑ E** ⁄𝘝𝘐𝘚𝘈
fermé dim. soir, lundi, 21 juil.-18 août et fin déc. – **Repas** Lunch 1800 bc – 1675/
1975.   Z e

X **Peking Garden,** Bergensesteenweg 50, ℰ (0 2) 360 31 20, Fax (0 2) 360 31 20, Cuisine chinoise – 🔲 **❷**. 🖭 **◑ E** ⁄𝘝𝘐𝘚𝘈. 彩   Y c
fermé dern. sem. juil. – **Repas** Lunch 380 – 1100/2500.

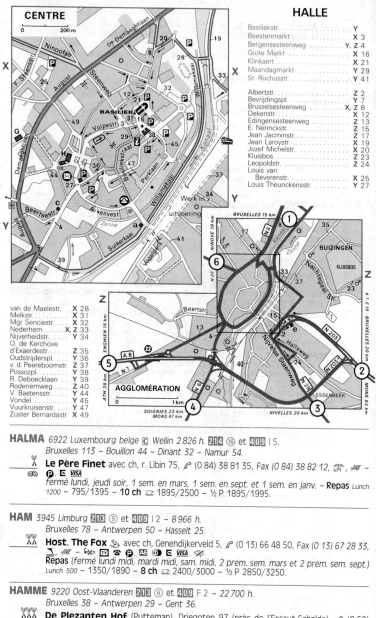

HALLE

CENTRE

0 — 200 m

Basiliekstr.	Y
Beestenmarkt	X 3
Bergensesteenweg	Y, Z 4
Grote Markt	X 16
Klinkaert	X 21
Maandagmarkt	Y 29
St. Rochusstr.	Y 41

Albertstr.	Z 2
Bevrijdingspl.	Y 7
Brusselsesteenweg	X, Z 8
Dekenstr.	X 12
Edingensesteenweg	Z 13
E. Nerincxstr.	Z 15
Jean Jacminstr.	Z 17
Jean Laroystr.	X 19
Jozef Michelstr.	X 20
Kluisbos	Z 23
Leopoldstr.	Z 24
Louis van Beverenstr.	X 25
Louis Theunckensstr.	Y 27

van de Maelestr.	X 28
Melkstr.	X 31
Mgr Senciestr.	X 32
Nederhem	X, Z 33
Nijverheidstr.	Y 34
O. de Kerchove d'Exaerdestr.	Z 35
Oudstrijderspl.	Y 36
v. d. Peereboomstr.	Z 37
Possozpl.	Y 38
R. Deboecklaan	Y 39
Rodenemweg	Z 40
V. Baetensstr.	Y 44
Vondel	Y 45
Vuurkruisenstr.	Y 47
Zuster Bernardastr.	X 49

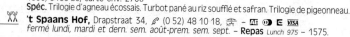

HALMA 6922 Luxembourg belge ⓒ Wellin 2 826 h. 🅾🅸🅴 ⑯ et 🅰🅾🅴 I 5.
Bruxelles 113 – Bouillon 44 – Dinant 32 – Namur 54.

✕ 🍴 **Le Père Finet** avec ch, r. Libin 75, ℘ (0 84) 38 81 35, Fax (0 84) 38 82 12, 🍴, 🌳 – 🅿, 🄴 𝐕𝐈𝐒𝐀
fermé lundi, jeudi soir, 1 sem. en mars, 1 sem. en sept. et 1 sem. en janv. – Repas Lunch 1200 – 795/1395 – **10 ch** ⊊ 1895/2500 – ½ P 1895/1995.

HAM 3945 Limburg 🅰🅸🅱 ⑨ et 🅰🅾🅴 I 2 – 8 966 h.
Bruxelles 78 – Antwerpen 50 – Hasselt 25.

✕✕ **Host. The Fox** 🦊 avec ch, Genendijkerveld 5, ℘ (0 13) 66 48 50, Fax (0 13) 67 28 33, 🔧, 🌿 – 🔲 📺 ☎ 🅿, 🄰🄴 🄾 🄴 𝐕𝐈𝐒𝐀, 🦌
Repas (fermé lundi midi, mardi midi, sam. midi, 2 prem. sem. mars et 2 prem. sem. sept.) Lunch 500 – 1350/1890 – **8 ch** ⊊ 2400/3000 – ½ P 2850/3250.

HAMME 9220 Oost-Vlaanderen 🅰🅸🅱 ⑥ et 🅰🅾🅴 F 2 – 22 700 h.
Bruxelles 38 – Antwerpen 29 – Gent 36.

✕✕✕ **De Plezanten Hof** (Putteman), Driegoten 97 (près de l'Escaut-Schelde), ℘ (0 52) 47 38 50, Fax (0 52) 47 86 56, 🍴, « Terrasse et jardin » – 🅿, 🄰🄴 🄾 🄴 𝐕𝐈𝐒𝐀
fermé dim. soir, lundi, 2 prem. sem. sept. et Noël-Nouvel An – Repas Lunch 1350 – 1950/3100 bc, carte env. 2700
Spéc. Trilogie d'agneau écossais. Turbot pané au riz soufflé et safran. Trilogie de pigeonneau.

✕✕ **'t Spaans Hof**, Drapstraat 34, ℘ (0 52) 48 10 18, 🍴 – 🄰🄴 🄾 🄴 𝐕𝐈𝐒𝐀
fermé lundi, mardi et dern. sem. août-prem. sem. sept. – Repas Lunch 975 – 1575.

à Moerzeke SE : 4 km Ⓒ Hamme – ✉ 9220 Moerzeke :

XX **Wilgenhof,** Bootdijk 90, ℘ (0 52) 47 05 95, Fax (0 52) 48 03 92 – 🖃 🅿. AE ⓞ
E VISA
fermé lundi, mardi, 2 sem. carnaval et 2 dern. sem. août – **Repas** 950/1650.

HAMME-MILLE 1320 Brabant Wallon Ⓒ Beauvechain 6 135 h. 213 ⑲ et 409 H 3.
Bruxelles 33 – Charleroi 55 – Leuven 11 – Namur 40.

X **La Grange Fleurie,** chaussée de Louvain 17a, ℘ (0 10) 86 64 32, Fax (0 10) 86 14 68,
🖭 – 🅿. AE ⓞ E VISA
fermé mardi sauf en été, dim. soir, lundi et mi-août-mi-sept. – **Repas** Lunch 750 – 950/1350.

HAMOIR 4180 Liège 214 ⑦ et 409 J 4 – 3 434 h.
Bruxelles 111 – Liège 44 – Huy 28.

XX **La Bonne Auberge** avec ch, pl. Delcour 10, ℘ (0 86) 38 82 08, 🕿 – AE ⓞ E VISA.
🕱 ch
fermé merc., dim. soir, dern. sem. avril et 1re quinz. oct. – **Repas** (fermé après 20 h 30)
1500/1700 – **6 ch** ⊂ 1250/1750 – ½ P 1750.

HAMONT-ACHEL 3930 Limburg 213 ⑩ et 409 J 2 – 13 204 h.
Bruxelles 107 – Hasselt 43 – Eindhoven 28.

à Achel O : 4 km Ⓒ Hamont-Achel – ✉ 3930 Achel :

🏨 **Koeckhofs,** Michielsplein 4, ℘ (0 11) 64 31 81, Fax (0 11) 66 24 42, 🕿 – 🛗 TV 🕿 –
🔏 25 à 55. AE ⓞ E VISA. 🕱
Repas (fermé dim., lundi et 26 déc.-15 janv.) Lunch 1175 – carte 1700 à 2100 – **24 ch**
⊂ 1750/3600 – ½ P 1975.

X **De Zaren,** Kluizerdijk 172 (N : 4 km près de la Trappe-Kluis), ℘ (0 11) 64 59 14,
« Cadre champêtre » – 🅿. E VISA. 🕱
fermé merc., jeudi et du 1er au 20 sept. – **Repas** 950/1200.

HAMPTEAU 6990 Luxembourg belge Ⓒ Hotton 4 606 h. 214 ⑦ et 409 J 5.
Bruxelles 118 – Liège 62 – Namur 57.

🏨 **Château d'Héblon** 🕱, r. Héblon 1, ℘ (0 84) 46 65 73, Fax (0 84) 46 76 04, 🕿, 🏊,
🖼, 🕱 – TV 🕿 🅿. AE E VISA. 🕱 rest
fermé sem. carnaval et merc. et jeudi de déc. à mars – **Repas** (dîner seult) carte env. 1100
– **9 ch** ⊂ 2800/4200 – ½ P 3000.

HAM-SUR-HEURE 6120 Hainaut Ⓒ Ham-sur-Heure-Nalinnes 12 985 h. 214 ③ et 409 G 5.
Bruxelles 75 – Beaumont 17 – Charleroi 16 – Mons 49.

XX **Le Pré Vert classique,** r. Folie 24, ℘ (0 71) 21 56 09, Fax (0 71) 21 50 15, 🕿 – 🅿.
E VISA. 🕱
fermé lundi, mardi et fin août-début sept. – **Repas** 850/1500.

HANNUT (HANNUIT) 4280 Liège 213 ㉑ et 409 I 3 – 12 619 h.
🇬 rte de Grand Hallet 19a ℘ (0 19) 51 30 66, Fax (0 19) 51 30 66.
Bruxelles 60 – Namur 32 – Hasselt 38 – Liège 43.

XX **Les Comtes de Champagne,** chaussée de Huy 23, ℘ (0 19) 51 24 28,
Fax (0 19) 51 31 10, 🕿, « Parc » – 🅿 – 🔏 25 à 200. AE ⓞ E VISA
fermé merc., dim. soir et du 15 au 31 juil. – **Repas** Lunch 790 – 1200/1600.

HAN-SUR-LESSE Namur 214 ⑥ et 409 I 5 – voir à Rochefort.

HARELBEKE 8530 West-Vlaanderen 213 ⑮ et 409 C 3 – 26 341 h.
Bruxelles 86 – Brugge 46 – Gent 42 – Kortrijk 5.

🏨 **Shamrock,** Gentsesteenweg 99, ℘ (0 56) 70 21 16, Fax (0 56) 70 46 24, 🕿 – TV 🕿
🅿. AE ⓞ E VISA. 🕱
fermé du 1er au 15 août – **Repas** (fermé dim. soir) Lunch 975 – 1250/1950 – **8 ch**
⊂ 2200/3500 – ½ P 2850.

HARZÉ 4920 Liège 🄲 Aywaille 9 723 h. 🎯🎯🎯 ⑦ et 🎯🎯🎯 K 4.
Bruxelles 128 – Liège 34 – Bastogne 59.

XX **La Cachette,** Paradis 3 (S : 3 km par N 30), ℰ (0 86) 43 32 66, Fax (0 86) 43 37 25, 🍽
– 🄿. 🄰🄴 ◑ ⴱ ⅤⅠⅤ
fermé mardi d'oct. à mars, mardi soir sauf en juil.-août, merc., 2ᵉ quinz. sept. et fin janv.-
début fév. – **Repas** Lunch 990 – 1290/1890.

Pour situer une ville belge ou néerlandaise
reportez-vous aux cartes Michelin 🎯🎯🎯 et 🎯🎯🎯
comportant un index alphabétique des localités.

HASSELT 3500 🄿 Limburg 🎯🎯🎯 ⑨ et 🎯🎯🎯 I 3 – 67 456 h.
Musée : national du genièvre★ (Nationaal Jenevermuseum) Y **M'**.
Exc. Domaine provincial de Bokrijk★ par ⑦.
🟦 Vissenbroekstraat 15 ℰ (0 11) 26 34 80, Fax (0 11) 26 34 81 – 🟦 à Lummen par ⑤ :
9 km, Golfweg 1b ℰ (0 13) 52 16 64, Fax (0 13) 52 17 69 - 🟦 à Houthalen par ① :
12,5 km, Golfstraat 1 ℰ (0 89) 38 35 43, Fax (0 89) 84 12 08.
🟦 Stadhuis, Lombaardstraat 3 ℰ (0 11) 23 95 40, Fax (0 11) 22 50 23 – Fédération pro-
vinciale de tourisme, Universiteitslaan 1 ℰ (0 11) 23 74 50, Fax (0 11) 23 74 66.
Bruxelles 82 ⑥ – Maastricht 33 ④ – Antwerpen 77 ⑧ – Liège 42 ④ – Eindhoven 59 ①.

Plan page ci-contre

🏨 **Holiday Inn,** Kattegatstraat 1, ℰ (0 11) 24 22 00, Fax (0 11) 22 39 35, 🍽, 🛁, 🔒, 🔲 –
|🛗| 🍽 🔲 🄣 🔲 ⟷ – 🔼 25 à 300. 🄰🄴 ◑ ⴱ ⅤⅠⅤ 🍽 rest
Repas (avec buffets) carte 1450 à 2050 – **107 ch** ⟷ 6245/7140.   Y a

🏨 **Hassotel,** St-Jozefstraat 10, ℰ (0 11) 23 06 55, Fax (0 11) 22 94 77, 🍽 – |🛗|, 🔲 rest,
🄣 🔲 ⟷ – 🔼 25 à 40. 🄰🄴 ◑ ⴱ ⅤⅠⅤ. 🍽   Z d
Repas (fermé dim. soir) Lunch 380 – carte env. 1000 – **26 ch** ⟷ 2950/4100 – ½ P 2620.

🏨 **Portmans,** Minderbroederstraat 12, ℰ (0 11) 26 32 80, Fax (0 11) 26 32 81, 🍽 – |🛗|,
🔲 ch, 🄣 🔲. 🄰🄴 ◑ ⴱ ⅤⅠⅤ   Y r
Repas (Taverne-rest, ouvert jusqu'à 23 h) carte 900 à 1300 – **14 ch** ⟷ 2850/3600.

🏨 **Parkhotel,** Genkersteenweg 350 (par ② : 4 km sur N 75), ℰ (0 11) 21 16 52 et 23 51 52
(rest), Fax (0 11) 22 18 14, 🛁, 🌳 – 🔲 🄣 🄿 – 🔼 25 à 120. 🄰🄴 ◑ ⴱ ⅤⅠⅤ
Repas *De Bosrand* (fermé lundi et sam. midi) Lunch 500 - 1250 – **34 ch** (fermé 24 déc.-
10 janv.) ⟷ 2000/3000 – ½ P 2000/3000.

🏨 **Ibis** sans rest, Thonissenlaan 52, ℰ (0 11) 23 11 11, Fax (0 11) 24 33 23 – |🛗| 🍽 🄣 🄣
🔼 – 🔼 30. 🄰🄴 ◑ ⴱ ⅤⅠⅤ 🄹🄲🄱   Y e
⟷ 200 – **59 ch** 2200/2550.

🏨 **Century,** Leopoldplein 1, ℰ (0 11) 22 47 99, Fax (0 11) 23 18 24 – 🔲 🄣. 🄰🄴 ◑
ⴱ ⅤⅠⅤ   Z f
Repas (Taverne-rest, ouvert jusqu'à 23 h) Lunch 350 – carte env. 1000 – **17 ch**
⟷ 1500/2500 – ½ P 1850.

XXX **Figaro,** Mombeekdreef 38, ℰ (0 11) 27 25 56, Fax (0 11) 27 31 77, ≼, 🍽, « Jardins et
patio » – 🄿 – 🔼 25. 🄰🄴 ⴱ ⅤⅠⅤ   X a
fermé lundi, merc. et du 1ᵉʳ au 20 août – **Repas** Lunch 1300 – carte 1900 à 2450.

XXX **Savarin,** Thonissenlaan 43, ℰ (0 11) 22 84 88, Fax (0 11) 23 30 90 – 🔲. 🄰🄴 ◑ ⴱ ⅤⅠⅤ.
🍽   Y n
fermé du 1ᵉʳ au 6 mars, du 2 au 9 juin, du 15 au 31 août, dim. en juil.-août, lundi et sam.
midi – **Repas** Lunch 1650 bc – 1595/2150.

XXX **'t Claeverblat,** Lombaardstraat 34, ℰ (0 11) 22 24 04, Fax (0 11) 23 33 31 – 🔲. 🄰🄴
◑ ⴱ ⅤⅠⅤ. 🍽   Y r
fermé dim. – **Repas** Lunch 1250 – carte 1400 à 2200.

X **'t Kleine Genoegen,** Raamstraat 3, ℰ (0 11) 22 57 03, Fax (0 11) 22 57 03 – 🔲. 🄰🄴
◑ ⴱ ⅤⅠⅤ   Y t
fermé dim., lundi, prem. sem. Pâques et 14 juil.-3 août – **Repas** Lunch 420 – 995/1350.

X **Roma,** Koningin Astridlaan 9, ℰ (0 11) 22 27 70, Fax (0 11) 22 59 71, Avec cuisine italienne – 🔲. 🄰🄴 ◑ ⴱ ⅤⅠⅤ. 🍽   Y s
fermé mardi soir, merc. et 15 juil.-15 août – **Repas** carte 1000 à 1400.

X **Don Christophe,** Walputstraat 25, ℰ (0 11) 22 50 92, Fax (0 11) 24 27 28 – 🄰🄴 ◑
ⴱ ⅤⅠⅤ   Y b
fermé lundi soir, mardi, sem. avant carnaval et 2 sem. en août – **Repas** Lunch 1500 bc –
895/1475.

X **De Egge,** Walputstraat 23, ℰ (0 11) 22 49 51, Fax (0 11) 22 49 51 – 🄰🄴 ◑ ⴱ ⅤⅠⅤ
fermé merc., sam. midi et 2 dern. sem. juil. – **Repas** Lunch 950 – 1250.   Y u

HASSELT

Botermarkt . . . . **Y** 7
Demerstr. . . . . **Y**
Diesterstr. . . . . **YZ** 8
Grote Markt . . . . **Z**
Havermarkt . . . . **Z** 18
Hoogstr. . . . . **Y** 22
Koning Albertstr. . . . . **Z** 27
Ridder Portmanstr. . . . **Z** 39

Badderijstr. . . . . **Y** 2
Banneuxstr. . . . . **V** 3
Boerenkrijgsingel . . . . **X** 6
Dorpstraat . . . . **Y** 10
Genkersteenweg . . . . **V** 12
Gouverneur
  Roppesingel . . . . . . **X** 15
Gouverneur
  Verwilghensingel . . **V** 16
Hendrik
  van Veldekesingel . **V** 19
Herkenrodesingel . . . . **V** 21
Kapelstr. . . . . **Z** 23
Kempische Steenweg . **VY** 24
Kolonel
  Dusartpl. . . . . **Z** 26
Koning Boudewijnlaan . **VY** 28
Koningin Astridlaan . . **VY** 30
Kuringersteenweg . . . **Z** 31
Kunstlaan . . . . **Y** 32
Lombaardstr. . . . . **Y** 34
Maastrichtersteenweg . **VY** 35
Maastrichterstr. . . . . . **YZ** 36
Prins Bisschopsingel . **X** 38
Runkstersteenweg . . . **X** 40
Salvatorstr. . . . . **X** 42
de Schiervellaan . . . . **Z** 43
St. Jozefstr. . . . . **Z** 44
St. Lambrechts
  Herkstraat . . . . **X** 46
St. Truidersteenweg . . **V** 47
Universiteitslaan . . . . **V** 49
Windmolenstraat . . . . **Z** 50
Zuivelmarkt . . . . **Y** 51

Pour visiter
la **Belgique**
utilisez
le **guide vert**
Michelin
Belgique
Grand-Duché de
Luxembourg

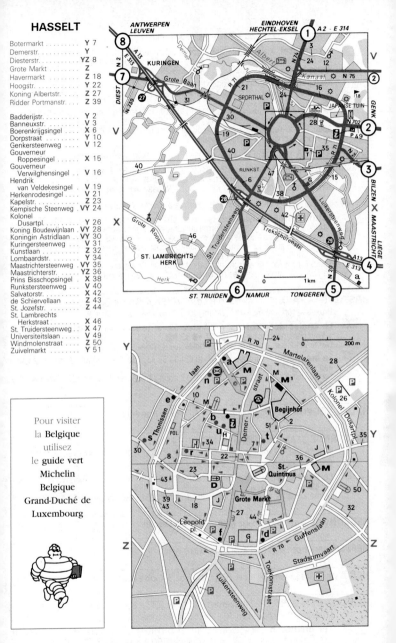

à **Herk-de-Stad** (Herck-la-Ville) par ⑦ : 12 km – 11 382 h. – ⊠ 3540 Herk-de-Stad :

   XX   **Rôtiss. De Blenk,** Endepoelstraat 50 (S : 1 km par rte de St-Truiden, puis rte de Rummen), ℘ (0 13) 55 46 64, ㊟, « Fermette avec jardin d'hiver et terrasse » – ▤ **Ⓟ** **AE** **ⓞ** **E** **VISA**. ℘ – fermé jeudi, sam. midi, dim., 14 août-2 sept. et 25 déc.-4 janv. – **Repas** Lunch 1350 – carte 1650 à 1950.

201

à Lummen par ⑧ : 9 km – 13 268 h. – ⊠ 3560 Lummen :

🏨 **Intermotel**, Klaverbladstraat 7 (près échangeur A 2 - A 13), ℘ (0 13) 52 16 16, Fax (0 13) 52 20 78, ㈜ – 🗐 📺 ☎ 🅿 – 🔬 25 à 120. 🖭 ◑ ⋿ 𝘝𝘐𝘚𝘈. ⪢
Repas 1000 – **28 ch** � 2200/3400 – ½ P 2950/3520.

XXXX **Kasteel St-Paul** (Robyns), Lagendal 1 (SE : 3 km), ℘ (0 13) 52 18 09, Fax (0 13) 52 33 66, ⪡, « Demeure du 19ᵉ s. dans un parc avec pièce d'eau » – 🗐 🅿. 🖭 ◑ ⋿ 𝘝𝘐𝘚𝘈. ⪢
fermé du 12 au 28 juil., 27 déc.-12 janv., lundi, mardi, jeudi soir et sam. midi – **Repas** Lunch 1950 – 2475, carte 2500 à 3200
Spéc. Pot-au-feu aux huîtres. Tronçon de turbot rôti au croustillant de légumes. Corbeille de fruits exotiques à la glace vanille.

à Romershoven SE : 10 km © Hoeselt 8 956 h. – ⊠ 3730 Romershoven :

XXX **Ter Beuke**, Romershovenstraat 148, ℘ (0 89) 51 18 81, Fax (0 89) 51 18 81, ⪡, ㈜, « Terrasse dans cadre champêtre » – 🅿. 🖭 ◑ ⋿ 𝘝𝘐𝘚𝘈 ⪢
fermé merc., sam. midi et 20 juil.-5 août – **Repas** Lunch 1550 bc – carte 1300 à 1950.

à Stevoort par ⑦ : 5 km jusqu'à Kermt, puis rte à gauche © Hasselt – ⊠ 3512 Stevoort :

XXXX **Scholteshof** (Souvereyns) ⪢ avec ch, Kermtstraat 130, ℘ (0 11) 25 02 02, Fax (0 11) 25 43 28, ⪡, ㈜, « Ferme du 18ᵉ s. avec vignes, potager, verger et jardins dans un cadre champêtre », ⪢ – 📺 ☎ 🅿 – 🔬 25 à 60. 🖭 ◑ ⋿ 𝘝𝘐𝘚𝘈
fermé du 13 au 30 juil. et du 2 au 21 janv. – **Repas** (fermé merc.) Lunch 2650 – 4100, carte 3500 à 4600 – ⊆ 600 – **11 ch** 3100/5800, 7 suites
Spéc. Turbot farci de chicons et truffe. Mille-feuille de légumes et tête de veau. Croquant de fèves de cacao, bananes rôties au miel et glace à la chicorée.

HASTIÈRE-LAVAUX 5540 Namur © Hastière 4 815 h. 🗐🖪 ⑤ et 🗐🖪 H 5.
Bruxelles 100 – Namur 42 – Dinant 10 – Philippeville 25 – Givet 9.

XXX **Le Chalet des Grottes**, r. d'Anthée 52, ℘ (0 82) 64 41 86, Fax (0 82) 64 57 55, « Environnement boisé » – 🅿. 🖭 ◑ ⋿ 𝘝𝘐𝘚𝘈
fermé lundi soir, mardi et janv. – **Repas** Lunch 1500 bc – 1100/2300.

XX **La Meunerie**, r. Larifosse 17, ℘ (0 82) 64 51 33, Fax (0 82) 64 51 33, ㈜, « Moulin à eau » – 🔬 70. 🖭 ◑ ⋿ 𝘝𝘐𝘚𝘈
fermé mardi sauf en juil.-août, lundi, 17 août-11 sept. et janv.-13 fév. – **Repas** 895/1795.

HAUTE-BODEUX Liège 🗐🖪 ⑧ et 🗐🖪 K 4 – voir à Trois-Ponts.

HAVELANGE 5370 Namur 🗐🖪 ⑥ et 🗐🖪 I 4 – 4 502 h.
🏨 à Méan E : 9 km, Ferme du Grand Scley ℘ (0 86) 32 32 32, Fax (0 86) 32 30 11.
Bruxelles 98 – Namur 39 – Dinant 30 – Liège 40.

XX **Le Petit Criel**, Malihoux 1, ℘ (0 83) 63 36 60, ㈜, « Environnement champêtre » – 🅿. 🖭 ◑ ⋿ 𝘝𝘐𝘚𝘈 𝗝𝗖𝗕
fermé lundis et mardis non fériés et 20 juin-10 juil. – **Repas** carte 900 à 1400.

HÉBRONVAL Luxembourg belge 🗐🖪 ⑧ – voir à Vielsalm.

HEFFEN Antwerpen 🗐🖪 ⑥ – voir à Mechelen.

HEIST West-Vlaanderen 🗐🖪 ⑪ et 🗐🖪 C 1 – voir à Knokke-Heist.

HEIST-OP-DEN-BERG 2220 Antwerpen 🗐🖪 ⑦ et 🗐🖪 H 2 – 36 761 h.
Bruxelles 48 – Antwerpen 30 – Diest 32 – Mechelen 18.

XX **Ter Bukbosch**, Liersesteenweg 203 (SE : 3 km, Mylène Center), ℘ (0 15) 24 47 80, Fax (0 15) 24 24 26, ⪡, « Terrasse et jardin » – 🅿. 🖭 ◑ ⋿ 𝘝𝘐𝘚𝘈. ⪢
fermé 15 juil.-15 août – **Repas** (déjeuner seult) carte 1500 à 1900.

XX **Het Anker**, Bergstraat 7, ℘ (0 15) 25 13 48, Fax (0 15) 24 52 12 – 🅿 – 🔬 25 à 225. 🖭 ◑ ⋿ 𝘝𝘐𝘚𝘈. ⪢
fermé lundi, merc. soir, sam. midi et 2ᵉ quinz. juil. – **Repas** Lunch 715 – carte env. 1700.

HEKELGEM 1790 Vlaams-Brabant © Affligem 11 811 h. 🔟🔟🔟 ⑰ et 🔟🔟🔟 F 3.

Bruxelles 22 – Aalst 6 – Charleroi 75 – Mons 79.

※※ **Anobesia,** Brusselbaan 216 (sur N 9), ℘ (0 53) 68 07 69, Fax (0 53) 66 59 25 – 🔳 **℗**. ᴀᴇ **①** **E** 𝘝𝘐𝘚𝘈. ⠗⠵
fermé du 17 au 27 fév., du 14 au 31 juil., mardi et sam. midi – **Repas** Lunch 1150 – 1795/2195.

HENRI-CHAPELLE (HENDRIK-KAPELLE) 4841 Liège © Welkenraedt 8 651 h. 🔟🔟🔟 ㉓ et 🔟🔟🔟 K 3.

Voir *Cimetière américain : de la terrasse* ⠧⠡ ★.

🏌₁₈ 🏌₁₈ *rue du Vivier 3* ℘ (0 87) 88 19 91, Fax (0 87) 88 36 55 – 🏌 *à Gemmenich NO : 11 km, r. Terstraeten 254* ℘ (0 87) 78 73 00, Fax (0 87) 88 75 55.

Bruxelles 124 – Maastricht 33 – Eupen 11 – Liège 34 – Verviers 16 – Aachen 16.

※※ **Le Vivier,** Vivier 22 (E : 1,5 km), ℘ (0 87) 88 04 12, Fax (0 87) 88 04 12, ⏚, « *Parc avec étang* » – **℗**. ᴀᴇ **①** **E** 𝘝𝘐𝘚𝘈. ⠗⠵
fermé sam. midi, dim. soir, lundi, 2 sem. carnaval, 2 sem. fin juil. et après 20 h 30 – **Repas** Lunch 1200 – 1685.

HERBEUMONT 6887 Luxembourg belge 🔟🔟🔟 ⑯ et 🔟🔟🔟 I 6 – 1 427 h.

Voir *Château : du sommet* ⠧⠡★★.

Env. *Roches de Dampiry* ⠧⠡★ O : 11 km – *Variante par Auby : au mont Zatron* ⠧⠡★ NO : 12 km.

Bruxelles 170 – Arlon 55 – Bouillon 23 – Dinant 78.

🏛🏛 **Host. du Prieuré de Conques** ⟬, rte de Florenville 176 (S : 2,5 km), ⧠ 6820 Florenville, ℘ (0 61) 41 14 17, Fax (0 61) 41 27 03, ⠧, « *Parc et verger au bord de la Semois* », ⏤ – 🔳 ch, 📺 ☎ **℗**. ᴀᴇ **①** **E** 𝘝𝘐𝘚𝘈. ⠗⠵ ch
fermé 5 janv.-12 fév. et 31 août-9 sept. – **Repas** *(fermé mardi)* 980/1980 – **18 ch** ⇄ 3500/5700 – ½ P 3200/3850.

🏛🏛 **La Châtelaine,** Grand-Place 8, ℘ (0 61) 41 14 22, Fax (0 61) 41 22 04, ⠫s, 🌊, ⏤ – 🛗 📺 ☎ **℗** – 🔏 30. ᴀᴇ **①** **E** 𝘝𝘐𝘚𝘈. ⠗⠵ rest
fermé 29 juin-10 juil., 24 août-4 sept. et janv.-13 fév. – **Repas** *(fermé après 20 h 30)* Lunch 885 – carte 1100 à 1700 – **37 ch** ⇄ 1950/3300 – ½ P 2150/3250.

'S-HERENELDEREN Limburg 🔟🔟🔟 ㉒ et 🔟🔟🔟 J 3 – voir à Tongeren.

HERENTALS 2200 Antwerpen 🔟🔟🔟 ⑧ et 🔟🔟🔟 H 2 – 25 128 h.

Voir *Retable★ de l'église Ste-Waudru (St-Waldetrudiskerk).*

🏌 *à Lille N : 8 km, Haarlebeek 3* ℘ (0 14) 55 19 30, Fax (0 14) 55 19 31.

🅱 Grote Markt 41, ℘ (0 14) 21 90 88, Fax (0 14) 21 78 28.

Bruxelles 70 – Antwerpen 30 – Hasselt 48 – Turnhout 24.

※※※ **Snepkenshoeve,** Lichtaartseweg 220 (NE : 4 km par N 123), ℘ (0 14) 23 26 72, Fax (0 14) 23 04 48, ⏚, « *Terrasse* » – **℗**. ᴀᴇ **①** **E** 𝘝𝘐𝘚𝘈
fermé du 9 au 18 avril, 21 juil.-13 août, dim. et lundi – **Repas** Lunch 1150 – carte 1400 à 1900.

※ **'t Ganzennest,** Watervoort 68, ℘ (0 14) 21 64 56, Fax (0 14) 21 82 36, ⏚, Tavernerest, « *Cadre champêtre* » – **℗**. **E** 𝘝𝘐𝘚𝘈
fermé mardi de sept. à mai, lundi, prem. sem. mars et 2 sem. en sept. – **Repas** 840 (2 pers. min.)/1290.

à Grobbendonk O : 4 km – 10 344 h. – ⧠ 2280 Grobbendonk :

🏛🏛 **Aldhem,** Jagersdreef 1 (près E 313, sortie ⑳), ℘ (0 14) 50 10 01, Fax (0 14) 50 10 13, ⠫s, 🌊, ⠗⠵ – 🛗 📺 ☎ **℗** – 🔏 25 à 640. ᴀᴇ **①** **E** 𝘝𝘐𝘚𝘈. ⠗⠵
Repas *(ouvert jusqu'à 23 h)* *(fermé dim. soir)* 900/1850 – **65 ch** ⇄ 3000/4900 – ½ P 2750/3750.

HERK-DE-STAD (HERCK-LA-VILLE) Limburg 🔟🔟🔟 ⑨ et 🔟🔟🔟 I 3 – voir à Hasselt.

HERMALLE-SOUS-ARGENTEAU Liège 🔟🔟🔟 ㉒ et 🔟🔟🔟 K 3 - ⑱ N – voir à Liège, environs.

HERNE 1540 Vlaams-Brabant 🔟🔟🔟 ⑰ et 🔟🔟🔟 F 3 – 6 316 h.

Bruxelles 42 – Aalst 27 – Mons 31 – Tournai 52.

※※※ **Kokejane,** Van Cauwenberghelaan 3, ℘ (0 2) 396 16 28, Fax (0 2) 396 02 40, ⏚, « *Terrasse et jardin* » – 🔳 **℗** – 🔏 25 à 40. ᴀᴇ **E** 𝘝𝘐𝘚𝘈
fermé lundi, mardi, 15 fév.-6 mars et 17 août-4 sept. – **Repas** Lunch 1500 bc – 1775/2310.

HERSEAUX Hainaut 🔢 ⑮ et 🔢 C 3 – voir à Mouscron.

HERSELT 2230 Antwerpen 🔢 ⑧ et 🔢 H 2 – 13 117 h.
Bruxelles 51 – Antwerpen 43 – Diest 17 – Turnhout 35.

XX **Agter de Weyreldt** 🍃 avec ch, Aarschotsebaan 2 (SO : 4 km par N 19),
𝄞 (0 16) 69 98 51, Fax (0 16) 69 98 53, 🍽, « Cadre champêtre », 🌳 – 📺 ℗ – 🏊 30.
🆎 ⓪ 🄴 𝗩𝗜𝗦𝗔, 🛉
Repas (fermé sam. midi, dim. soir, lundi et mardi midi) Lunch 1750 bc – 1750/2350 – **6 ch**
🛏 1500/2900 – ½ P 3000/3500.

HERSTAL Liège 🔢 ㉒ et 🔢 J 3 - ⑱ N – voir à Liège, environs.

HERTSBERGE West-Vlaanderen 🔢 ③ et 🔢 C 2 – voir à Brugge, environs.

Het – voir au nom propre.

HEURE 5377 Namur © Somme-Leuze 3 793 h. 🔢 ⑥ et 🔢 I 5.
Bruxelles 102 – Dinant 35 – Liège 54 – Namur 41.

XX **Le Pré Mondain** (Van Lint), rte de Givet 24, 𝄞 (0 86) 32 28 12, Fax (0 86) 32 39 02,
❀ 🍽, « Jardin fleuri » – ℗. 🆎 🄴 𝗩𝗜𝗦𝗔
fermé du 13 au 20 avril, 21 juin-14 juil., du 21 au 31 déc. et dim., lundis et jeudis soirs
non fériés – **Repas** Lunch 1200 bc – 1850 bc, carte 1400 à 1850
Spéc. Poêlée de foie gras et Cox-orange. Estouffade de pigeonneau au chou et foie gras.
Anguilles de rivière au vert.

HEUSDEN Limburg 🔢 ⑨ et 🔢 I 2 – voir à Zolder.

HEUSDEN Oost-Vlaanderen 🔢 ④ et 🔢 E 2 – voir à Gent, environs.

HEUSY Liège 🔢 ㉓ et 🔢 K 4 – voir à Verviers.

HEYD 6941 Luxembourg belge © Durbuy 9 325 h. 🔢 ⑦ et 🔢 J 4.
Bruxelles 122 – Arlon 103 – Liège 52 – La Roche-en-Ardenne 37.

X **La Vouivre**, Ninane 1 (N : 2 km sur N 806, lieu-dit Ninane-Aisne), 𝄞 (0 86) 49 95 06,
Fax (0 86) 49 95 06 – ℗. 🄴 𝗩𝗜𝗦𝗔
fermé dim. soir, lundi midi, merc., fin juil.-début août et 2 sem. en janv. – **Repas** 900/1300.

HINGENE 2880 Antwerpen © Bornem 19 525 h. 🔢 ⑥ et 🔢 F 2.
Bruxelles 35 – Antwerpen 32 – Gent 46 – Mechelen 22.

XX **Symfonie**, Schoonaardestraat 11, 𝄞 (0 3) 889 36 69, Fax (0 3) 889 36 69, 🍽,
« Fermette avec jardin d'hiver » – ℗. 🆎 ⓪ 🄴 𝗩𝗜𝗦𝗔 𝗝𝗖𝗕
fermé mardi, merc., 2 prem. sem. mars et 3 prem. sem. juil. – **Repas** 950/1900.

HOEGAARDEN 3320 Vlaams-Brabant 🔢 ⑳ et 🔢 H 3 – 5 868 h.
Bruxelles 47 – Charleroi 58 – Hasselt 44 – Liège 56 – Namur 43 – Tienen 5.

X **Op de Wallen van Alpaïde**, Gemeenteplein 25, 𝄞 (0 16) 76 64 69, Fax (0 16) 76 69 66,
« Maison historique avec fondations du 10ᵉ s. » – 🆎 ⓪ 🄴 𝗩𝗜𝗦𝗔
fermé lundi, mardi, 2 sem. après Pâques et 31 août-15 sept. – **Repas** Lunch 950 – carte env.
1400.

HOEI Liège – voir Huy.

HOEILAART Vlaams-Brabant 🔢 ⑲ et 🔢 G 3 - ㉑ S – voir à Bruxelles, environs.

HOEKE West-Vlaanderen 🔢 ③ – voir à Damme.

HONDELANGE Luxembourg belge 🔢 ⑱ et 🔢 K 7 – voir à Arlon.

HOOGLEDE West-Vlaanderen 🔢 ② et 🔢 C 3 – voir à Roeselare.

HOOGSTADE 8690 West-Vlaanderen Ⓒ Alveringem 4 740 h. **ZⅠЗ** ① et **4OS** B 3.
Bruxelles 142 – Brugge 61 – Ieper 20 – Oostende 40 – Veurne 11.

✗ **de Leylander,** Hoogstadestraat 61, ℰ (0 58) 28 87 13 – **℗**. **ﭏ ⓞ E VISA**
fermé merc., jeudi et 2 sem. en oct. – **Repas** 960/1795.

HOOGSTRATEN 2320 Antwerpen **ZⅠZ** ⑯ et **4OS** H 1 – 16 793 h.
🛈 Stadhuis ℰ (0 3) 340 19 55, Fax (0 3) 340 19 66.
Bruxelles 88 – Antwerpen 37 – Turnhout 18.

ⅩⅩⅩ **Noordland,** Lodewijk De Konincklaan 276, ℰ (0 3) 314 53 40, Fax (0 3) 314 83 32, 佘,
« Jardin » – 🍽 **℗**. **ﭏ ⓞ E VISA**. ✼
fermé merc., jeudi, 2 sem. en fév. et mi-juil.-début août – **Repas** Lunch 1250 – 2000.

ⅩⅩ **Host. De Tram** avec ch, Vrijheid 192, ℰ (0 3) 314 65 65, Fax (0 3) 314 70 06 – 🍽 📺
🕿 **℗**. **ﭏ E VISA**
fermé 2e quinz. août – **Repas** (fermé lundi et mardi) Lunch 850 – carte 1500 à 2500 – **5 ch**
⊒ 3950/4200.

ⅩⅩ **Begijnhof,** Vrijheid 108, ℰ (0 3) 314 66 25, Fax (0 3) 314 84 13 – 🍽. **ﭏ E VISA**. ✼
fermé mardi, merc., 2e quinz. fév. et 2e quinz. juil. – **Repas** Lunch 895 – 1200/1595.

In this guide,
*a symbol or a character, printed in red or **black**, in **bold** or light type,*
does not have the same meaning.

Please read the explanatory pages carefully.

HOTTON 6990 Luxembourg belge **ZⅠ4** ⑦ et **4OS** J 5 – 4 606 h.
Voir Grottes★★.
🛈 r. Haute 4 ℰ (0 84) 46 61 22, Fax (0 84) 46 76 98.
Bruxelles 116 – Liège 60 – Namur 55.

🏠 **La Commanderie** ⌂, r. Haute 44, ℰ (0 84) 46 78 77, Fax (0 84) 46 75 89, **Ⅰ₅**, ⇌,
舎 – 📺 🕿 **℗** – 🔏 25 à 80. **ﭏ E VISA**
fermé lundi, mardi et 11 janv.-13 fév. – **Repas** Lunch 750 – 900/1350 – **19 ch** ⊒ 1700/2500
– ½ P 2300.

🏠 **La Besace** ⌂ r. Monts 9 (E : 4,5 km, lieu-dit Werpin), ℰ (0 84) 46 62 35,
Fax (0 84) 46 70 54, 舎 – 📺 **℗** – 🔏 25. **E VISA**. ✼ rest
fermé du 1er au 21 janv. – **Repas** (dîner pour résidents seult) – **9 ch** ⊒ 1750/2500 –
½ P 1995/2095.

✗ **Le Chêne Gourmand,** r. E. Parfonry 35, ℰ (0 84) 46 74 13, Fax (0 84) 46 74 13 –
🍴 **E VISA**
fermé lundi sauf en juil.-août, mardi et dern. sem. août-prem. sem. sept. – **Repas** Lunch 450
– 800/1100.

HOUDENG-AIMERIES Hainaut **ZⅠЗ** ② et **4OS** F 4 – voir à La Louvière.

HOUFFALIZE 6660 Luxembourg belge **ZⅠ4** ⑧ et **4OS** K 5 – 4 461 h.
🛈 pl. Janvier 45 ℰ (0 61) 28 81 16, Fax (0 61) 28 95 59.
Bruxelles 164 – Arlon 63 – Liège 71 – Namur 97.

à Achouffe NO : 6 km Ⓒ Houffalize – ✉ 6666 Houffalize :

🏦 **L'Espine** ⌂, Achouffe 19, ℰ (0 61) 28 81 82, Fax (0 61) 28 90 82, « Cadre champêtre »
– 📺 🕿 **℗**. **ⓞ E VISA**
fermé du 1er au 15 juil. et du 2 au 16 janv. – **Repas** (dîner seult) carte 1150 à 1600 –
11 ch ⊒ 2300/3300 – ½ P 2300/2450.

à Wibrin NO : 9 km Ⓒ Houffalize – ✉ 6666 Wibrin :

✗ **Le Cœur de l'Ardenne** ⌂ avec ch, r. Tilleul 7, ℰ (0 61) 28 93 15, Fax (0 61) 28 91 67,
舎 – 📺 🕿 **℗**. **ⓞ E VISA**. ✼
fermé 25 août-10 sept. et 31 déc.-14 janv. – **Repas** (fermé mardi et après 20 h 30)
990/1800 – **4 ch** ⊒ 2150/3000 – ½ P 2350/2425.

HOUTAIN-LE-VAL 1476 Brabant Wallon Ⓒ Genappe 13 495 h. **ZⅠЗ** ⑱ ⑲ et **4OS** G 4.
Bruxelles 41 – Charleroi 33 – Mons 46 – Nivelles 11.

✗ **La Meunerie,** r. Patronage 1a, ℰ (0 67) 77 28 16, Fax (0 67) 77 28 16, 舎 – **ﭏ ⓞ**
E VISA JCB
fermé sam. midis non fériés, dim. soir, lundi et 16 août-10 sept. – **Repas** Lunch 725 – 1325.

205

HOUTHALEN 3530 Limburg Ⓒ Houthalen-Helchteren 28 653 h. **213** ⑨ ⑩ et **409** J 2.

⌂₁₈ Golfstraat 1 ♦ (0 89) 38 35 43, Fax (0 89) 84 12 08.

🛈 Grote Baan 112a ♦ (0 11) 60 06 80, Fax (0 11) 60 06 85.

Bruxelles 83 – Maastricht 40 – Diest 28 – Hasselt 12.

%%%%
XXXX **De Barrier** (Vandersanden), Grote Baan 9 (près A 2, sortie ㉙), ♦ (0 11) 52 55 25,
✿ Fax (0 11) 52 55 45, 🌼, « Terrasse et jardin » – **②**. **Æ** **⑩** **Ɛ** **VISA**
fermé dim. midi d'oct. à fév., dim. soir, lundi, 1 sem. carnaval et 2 dern. sem. juil. – **Repas**
Lunch 2000 bc – 2350/2950, carte 2600 à 3200
Spéc. Noisettes de chevreuil aux écorces d'orange et de citron (en saison). Coffre de pigeon
et son escalope de foie d'oie. Tartare de langoustines aux grains de caviar.

%%%
XXX **Abdijhoeve,** Kelchterhoef 7 (E : 5,5 km), ♦ (0 89) 38 01 69, Fax (0 89) 38 01 69, 🌼,
Avec taverne, « Ferme restaurée dans un parc public » – **②** – 🏛 25 à 400. **Æ**
Ɛ **VISA**
fermé lundi – **Repas** Lunch 1500 – 850/1200.

X **ter Laecke,** Daalstraat 19 (à Laak, N : 2 km par N 74), ♦ (0 11) 52 67 44,
⑳ Fax (0 11) 52 59 15, 🌼, « Jardin » – **②**. **Æ** **⑩** **Ɛ** **VISA**. ✀
fermé du 15 au 22 fév. et du 2 au 8 nov. – **Repas** Lunch 1150 bc – 850/1750.

HOUYET 5560 Namur **214** ⑤ et **409** I 5 – 4 311 h.

Env. Celles : dalle funéraire★ dans l'église romane St-Hadelin N : 10 km.

⌂₁₈ Tour Léopold-Ardenne 6 ♦ (0 82) 66 62 28, Fax (0 82) 66 74 53.

Bruxelles 110 – Dinant 34 – Namur 54 – Rochefort 23.

🏚 **Host. d'Hérock** ⌖, Hérock (près E 411, sortie ㉒), ♦ (0 82) 66 64 03, Fax (0 82)
⑳ 66 65 14, 🌼, 🐎, 🍴, 🐴 – **TV** ☎ **②**. **⑩** **Ɛ** **VISA**
Repas Lunch 450 – 580/1440 – **17 ch** ⌷ 1400/2000 – ½ P 1300/1700.

à Celles N : 10 km Ⓒ Houyet – ✉ 5561 Celles :

🏚 **Aub. de la Lesse,** Gare de Gendron 1 (N 910, lieu-dit Gendron), ♦ (0 82) 66 73 02,
⑳ Fax (0 82) 66 76 15, 🌼, 🏋, 🎣 – **TV** ☎ **②**. **⑩** **Ɛ** **VISA**
fermé lundi soir et mardi sauf en juil.-août – **Repas** (Taverne-rest) carte 850 à 1150 – **10 ch**
⌷ 1680/2100.

XX **La Clochette** ⌖ avec ch, r. Vêves 1, ♦ (0 82) 66 65 35, Fax (0 82) 66 77 91 – **②**. **Æ**
Ɛ **VISA**
fermé fin fév.-début mars et fin juin-début juil. – **Repas** (fermé merc. non fériés) Lunch 700
– 1000/1500 – **7 ch** (fermé merc. non fériés sauf en juil.-août) ⌷ 1600/2000 –
½ P 2000/2250.

à Custinne NO : 7 km Ⓒ Houyet – ✉ 5562 Custinne :

X **Le Grand Virage,** rte de Neufchâteau 22 (N 94), ♦ (0 82) 66 63 64, 🌼 – **②**.
Ɛ **VISA**
fermé du 1er au 20 sept. et dim. soirs et lundis non fériés – **Repas** 950/1550.

HOVE Antwerpen **212** ⑮ et **409** G 2 - ⑱ N – voir à Antwerpen, environs.

HUISE Oost-Vlaanderen **213** ⑯ et **409** D 3 – voir à Zingem.

HUIZINGEN Vlaams-Brabant **213** ⑱ et **409** F 3 – voir à Bruxelles, environs.

La HULPE (TERHULPEN) 1310 Brabant Wallon **213** ⑲ et **409** G 3 – 6 915 h.

Voir Parc★ du domaine Solvay.

Bruxelles 20 – Charleroi 44 – Namur 54.

XX **La Salicorne,** r. P. Broodcoorens 41, ♦ (0 2) 654 01 71, Fax (0 2) 653 71 23, 🌼,
« Terrasse » – 🍴 **②**. **Æ** **⑩** **Ɛ** **VISA** **JCB**
fermé dim., lundi, 2 sem. en fév. et 3 sem. en juil. – **Repas** Lunch 800 – 1250/1980.

X **Via Roma,** pl. A. Favresse 51, ♦ (0 2) 652 09 23, Fax (0 2) 652 09 23, 🌼, Cuisine italienne – **Æ** **⑩** **Ɛ** **VISA**
fermé dim. et dern. sem. juil.-3 prem. sem. août – **Repas** Lunch 490 – carte env. 1300.

X **Le Boll' Paule et Gil,** r. Combattants 84, ♦ (0 2) 653 14 34, Fax (0 2) 653 14 34 – **Æ**
⑳ **⑩** **Ɛ** **VISA**
fermé lundi soir et mardi – **Repas** Lunch 395 – 695/965.

HUY (HOEI) 4500 Liège 🎯 ㉑ et 🎯 14 – 18 444 h.

Voir *Collégiale Notre-Dame★ : trésor★ Z – Fort★ : ≤★★ Z.*

Musée : *communal★ Z* **M.**

Env. *Amay : chasse★ et sarcophage mérovingien★ dans la Collégiale St-Georges par N 617 : 7,5 km – Jehay-Bodegnée : collections★ dans le château★ de Jehay par N 617 : 10 km.*

🏌 à Andenne par ④ O : 11 km, Ferme du Moulin, Stud 52 ℘ (0 85) 84 34 04, Fax (0 85) 84 34 04.

🛈 *Quai de Namur 1* ℘ (0 85) 21 29 15, Fax (0 85) 23 29 44.

Bruxelles 83 ⑤ – Namur 35 ④ – Liège 33 ①.

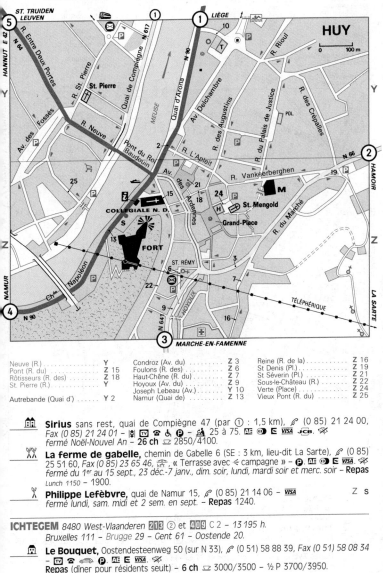

Neuve (R.)	Y	Condroz (Av. du)	Z 3	Reine (R. de la)	Z 16
Pont (R. du)	Z 15	Foulons (R. des)	Z 6	St Denis (Pl.)	Z 19
Rôtisseurs (R. des)	Z 18	Haut-Chêne (R. du)	Z 7	St Séverin (Pl.)	Z 21
St. Pierre (R.)	Y	Hoyoux (Av. du)	Z 9	Sous-le-Château (R.)	Z 22
		Joseph Lebeau (Av.)	Y 10	Verte (Place)	Z 24
Autrebande (Quai d')	Y 2	Namur (Quai de)	Z 13	Vieux Pont (R. du)	Z 25

🏨 **Sirius** sans rest, quai de Compiègne 47 (par ① : 1,5 km), ℘ (0 85) 21 24 00, Fax (0 85) 21 24 01 – 📶 📺 ☎ 🕭 ℗ – 🛗 25 à 75. 🖭 ⓪ ℇ 𝕍𝕀𝕊𝔸 𝗝𝗖𝗕. ⌁
fermé Noël-Nouvel An – **26 ch** ☺ 2850/4100.

🍴🍴 **La ferme de gabelle,** chemin de Gabelle 6 (SE : 3 km, lieu-dit La Sarte), ℘ (0 85) 25 51 60, Fax (0 85) 25 51 46, 🌤, « Terrasse avec ≤ campagne » – ℗. 🖭 ⓪ ℇ 𝕍𝕀𝕊𝔸. ⌁
fermé du 1er au 15 sept., 23 déc.-7 janv., dim. soir, lundi, mardi soir et merc. soir – **Repas** *Lunch 1150* – 1900.

🍴 **Philippe Lefèbvre,** quai de Namur 15, ℘ (0 85) 21 14 06 – 𝕍𝕀𝕊𝔸   Z s
fermé lundi, sam. midi et 2 sem. en sept. – **Repas** 1240.

ICHTEGEM 8480 West-Vlaanderen 🎯 ② et 🎯 C 2 – 13 195 h.
Bruxelles 111 – Brugge 29 – Gent 61 – Oostende 20.

🏠 **Le Bouquet,** Oostendesteenweg 50 (sur N 33), ℘ (0 51) 58 88 39, Fax (0 51) 58 08 34 – 📺 ☎ 🛏 ℗. 🖭 ℇ 𝕍𝕀𝕊𝔸. ⌁
Repas (dîner pour résidents seult) – **6 ch** ☺ 3000/3500 – ½ P 3700/3950.

IEPER (YPRES) 8900 West-Vlaanderen **213** ⑭ et **409** B 3 – 35 399 h.

Voir Halles aux draps★ (Lakenhalle) ABX.

🛬₁₈ à Hollebeke SE : 7 km, Eekhofstraat 14 ℰ (0 57) 20 04 36, Fax (0 57) 21 89 58 -
🛬₁₅ Industrielaan 24 ℰ (0 57) 21 66 88, Fax (0 57) 21 82 10.

🛈 Stadhuis ℰ (0 57) 20 07 24, Fax (0 57) 21 85 89.

Bruxelles 125 ② – Brugge 52 ① – Dunkerque 48 ⑥ – Kortrijk 32 ②.

IEPER

Boterstraat	**AX** 8
Diksmuidestr.	**BX**
G. de Stuersstr.	**AX**
Grote Markt	**BX** 9
Meensestr.	**BX** 26
Rijsesstr.	**BXY**
Tempelstr.	**AX** 38
Adj. Masscheleinlaan.	**BX** 2
Arsenaalstr.	**AY** 4

A. Stoffelstr.	**BX** 5
A. Vandenpeereboompl.	**AX** 6
Bollingstr.	**BX** 7
Hoge Wieltjesgracht	**BX** 10
J. Capronstr.	**AX** 12
J. Coomansstr.	**AX** 14
Kalfvaartstr.	**BX** 15
Kanonweg	**BY** 17
Kauwekijnstr.	**BX** 18
Lange Torhoutstr.	**BX** 22
Maarschalk Fochlaan	**AX** 23

Maarschalk Frenchlaan	**BX** 24
Meenseweg	**BX** 27
de Montstr.	**AY** 29
Oude Houtmarktstr.	**BX** 30
Patersstr.	**AX** 31
Poperingseweg	**AX** 32
Rijselseweg	**BY** 33
Stationsstraat	**AXY** 35
Surmont de Volsbergestr.	**ABX** 36
Wateringsstr.	**BY** 40

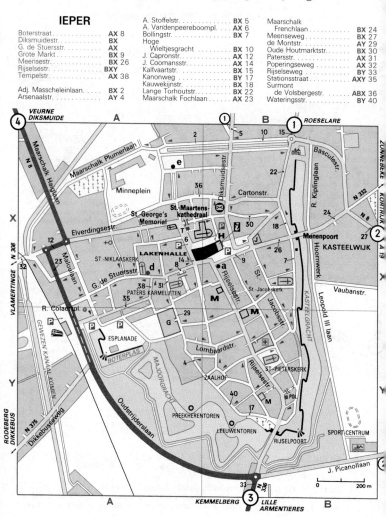

🏨 **Ariane** Ⓜ ⑤, Slachthuisstraat 58, ℰ (0 57) 21 82 18, Fax (0 57) 21 87 99 – |≋| 📺 ☎
🅿 – 🄬 30. 🅰🄴 ⓪ 🄴 𝑉𝐼𝑆𝐴. ⁇ rest
AX **e**
Repas (diner seult) carte 850 à 1300 – **36 ch** ⊇ 3700.

🏨 **The Rabbit Inn** ⑤, Industrielaan 19 (par ① : 2,5 km), ℰ (0 57) 21 70 00,
Fax (0 57) 21 94 74, ᒦ, ⇌ₛ – |≋| 📺 ☎ 🅿 – 🄬 25 à 120. 🅰🄴 ⓪ 🄴 𝑉𝐼𝑆𝐴.
⁇ rest
Repas Tybaert (fermé dim. soir et 21 juil.-15 août) Lunch 545 – carte 1300 à 1650 – ⊇ 345
– **28 ch** 2000/3000, 2 suites – ½ P 2140/2390.

Regina, Grote Markt 45, ☎ (0 57) 21 88 88, *Fax (0 57) 21 90 20* – |♦|, ▤ rest, TV ☎. AE ① E VISA BX a
Repas *(fermé dim. soir et sem. carnaval)* 990/1575 – ☕ 250 – **17 ch** 2250/3800 – ½ P 2500/3000.

Host. St-Nicolas, G. de Stuersstraat 6, ☎ (0 57) 20 06 22 – AE ① E VISA AX d
fermé dim. soir, lundi et 13 juil.-4 août – **Repas** 1250/1900.

Dikkebusvijver, Dikkebusvijverdreef 31 (par Dikkebusseweg : 4 km), ☎ (0 57) 20 00 85, *Fax (0 57) 21 81 09*, ≤, Taverne-rest, anguilles – ▤ P. AE ① E VISA AY
fermé fév. et merc. d'oct. à avril – **Repas** Lunch 1000 bc – 1250/1550.

à Elverdinge *NO : 5 km* C *Ieper* – ✉ *8906 Elverdinge* :

De Warande, Veurnseweg 525 (N 8), ☎ (0 57) 42 37 41, 🏡 – E VISA
fermé 1 sem. en fév. et 2 sem. en sept. – **Repas** carte env. 1000.

ITTRE (ITTER) *1460 Brabant Wallon* 213 ⑱ et 409 F 4 – *5 460 h.*
Bruxelles 32 – Nivelles 10 – Soignies 21.

Host. d'Arbois 🐦, r. Montagne 34, ☎ (0 67) 64 64 59, *Fax (0 67) 64 85 64*, ≤, 🏡, 🏊, 🌳 – TV ☎ P. AE E VISA
Repas (en juil. déjeuner seult) *(fermé dim. soir)* Lunch 600 – 950 – **10 ch** ☕ 1600/2360 – ½ P 1500/2500.

Estaminet de la Couronne, Grand'Place 5, ☎ (0 67) 64 63 85 – AE ① E VISA
fermé du 15 au 28 fév., 21 juil.-21 août, dim. soir, lundi et mardi – **Repas** 995/1550.

L'Abreuvoir, r. Basse 2, ☎ (0 67) 64 67 06, *Fax (0 67) 64 85 71* – ▤. AE ① E VISA. ✗
fermé lundi soir, mardi, jeudi soir et du 20 au 25 déc. – **Repas** Lunch 650 – 850.

IVOZ-RAMET *Liège* 213 ㉒ et 409 J 4 - ⑰ S – *voir à Liège, environs.*

IXELLES (ELSENE) *Région de Bruxelles-Capitale* 409 ㉑ S – *voir à Bruxelles.*

IZEGEM *8870 West-Vlaanderen* 213 ③ ⑮ et 409 C 3 – *26 492 h.*
Bruxelles 103 – Brugge 36 – Kortrijk 12 – Roeselare 7.

De Mote, Leenstraat 28 (O : près N 36, lieu-dit Bosmolens), ☎ (0 51) 30 59 99, *Fax (0 51) 31 65 37*, 🏡, « Jardin » – ▤ P. E VISA. ✗
fermé lundi soir et merc. soir – **Repas** Lunch 1195 – carte env. 1200.

Ter Weyngaerd, Burg. Vandenbogaerdelaan 32, ☎ (0 51) 30 95 41, *Fax (0 51) 30 95 41*, 🏡 – AE ① E VISA JCB
fermé mardi soir, merc. et dim. soir – **Repas** Lunch 600 – 950/1650.

JABBEKE *8490 West-Vlaanderen* 213 ② et 409 C 2 – *13 282 h.*
Musée : *Permeke★ (Provinciaal Museum Constant Permeke).*
Bruxelles 102 – Brugge 13 – Kortrijk 57 – Oostende 17.

Haeneveld, Krauwerstraat 1, ☎ (0 50) 81 27 00, *Fax (0 50) 81 12 77*, « Cadre de verdure », 🌳 – ▤ rest, TV ☎ P. AE ① E VISA
fermé merc. et sem. carnaval – **Repas** Lunch 1400 – carte 1700 à 2150 – **8 ch** ☕ 2750/3700 – ½ P 3700/4500.

JALHAY *4845 Liège* 213 ㉓ ㉔ et 409 K 4 – *6 996 h.*
Bruxelles 130 – Liège 40 – Eupen 12 – Spa 13 – Verviers 8.

Au Vieux Hêtre avec ch, rte de la Fagne 18, ☎ (0 87) 64 70 92, *Fax (0 87) 64 70 92*, 🏡, « Jardin avec pièce d'eau et volière » – TV ☎ P. E VISA
fermé mardi et merc. sauf en juil.-août, 1 sem. carnaval, dern. sem. juin, 1 sem. Toussaint et fin déc.-début janv. – **Repas** 900/1500 bc – **12 ch** ☕ 2200/2400 – ½ P 2200/3000.

La Ferme des Vieux Prés, chemin des Vieux Prés 27 (E : 1 km, lieu-dit Werfat), ☎ (0 87) 64 71 35, *Fax (0 87) 64 70 88*, 🏡, Grillades, « Cadre champêtre » – P. AE E VISA. ✗
fermé lundi, mardi midi, sam. midi, 1 sem. avant Pâques et 3 sem. en sept. – **Repas** 1380/1700.

JETTE *Région de Bruxelles-Capitale* 409 ㉑ N – *voir à Bruxelles.*

JODOIGNE (GELDENAKEN) 1370 Brabant Wallon 🔲🔲🔲 ⑳ et 🔲🔲🔲 H 3 – 11 042 h.
Bruxelles 50 – Namur 36 – Charleroi 52 – Hasselt 50 – Liège 61 – Tienen 12.

à Mélin NO : 5 km 🄲 Jodoigne – ⌧ 1370 Mélin :

XX **La Villa du Hautsart,** r. Hussompont 29, ℘ (0 10) 81 40 10, Fax (0 10) 81 40 10, 🍴
– 🄰. 🆎 ⓪ ⋿ 𝚅𝙸𝚂𝙰
fermé mardi, merc. et dim. soir – **Repas** 990/1350.

JUPILLE Luxembourg belge 🔲🔲🔲 ⑦ – voir à La Roche-en-Ardenne.

JUPILLE-SUR-MEUSE Liège 🔲🔲🔲 ⑳ et 🔲🔲🔲 J 4 - ⑱ N – voir à Liège, périphérie.

JUZAINE Luxembourg belge 🔲🔲🔲 ⑦ – voir à Bomal-sur-Ourthe.

KANNE 3770 Limburg 🄲 Riemst 15 281 h. 🔲🔲🔲 ⑳ et 🔲🔲🔲 K 3.
Bruxelles 118 – Maastricht 6 – Hasselt 37 – Liège 30.

🏨 **Huize Poswick** 🍴 sans rest, Muizenberg 7, ℘ (0 12) 45 71 27, Fax (0 12) 45 81 05,
« Ancienne demeure en pierres de la région » – 🄽 ☎ 🄿. 🆎 ⓪ ⋿ 𝚅𝙸𝚂𝙰
⌷ 320 – **6 ch** 3000/3660.

🏨 **Limburgia,** Op 't Broek 4, ℘ (0 12) 45 46 00, Fax (0 12) 45 66 28 – 🄽 ☎ 🄿 – 🔼 25
à 75. 🆎 ⋿ 𝚅𝙸𝚂𝙰. 🍴
fermé dern. sem. déc. – **Repas** (dîner pour résidents seult) – **19 ch** ⌷ 1900/2450.

KAPELLEN Antwerpen 🔲🔲🔲 ⑥ et 🔲🔲🔲 G 2 - ⑨ N – voir à Antwerpen, environs.

KASTERLEE 2460 Antwerpen 🔲🔲🔲 ⑯ ⑰ et 🔲🔲🔲 H 2 – 17 239 h.
🄱 Gemeentehuis, Markt ℘ (0 14) 85 00 01, Fax (0 14) 85 07 77.
Bruxelles 77 – Antwerpen 49 – Hasselt 47 – Turnhout 9.

🏰 **De Watermolen** 🍴, Houtum 61 (par Geelsebaan), ℘ (0 14) 85 23 74,
Fax (0 14) 85 23 70, ≼, 🍴, « Ancien moulin au bord de la Petite Nèthe (Kleine Nete) »,
🎣 – 🄽 ☎ 🄿 – 🔼 25. 🆎 ⓪ ⋿ 𝚅𝙸𝚂𝙰. 🍴
fermé 16 fév.-6 mars et 17 août-4 sept. – **Repas** Lunch 1250 – 1610/2110 – ⌷ 200 – **18 ch**
2880/3600 – ½ P 2820/3320.

🏨 **Den en Heuvel,** Geelsebaan 72, ℘ (0 14) 85 04 97, Fax (0 14) 85 04 96 – 🄽 ☎ 🄿
– 🔼 25 à 90. 🆎 ⋿ 𝚅𝙸𝚂𝙰. 🍴
fermé 22 juil.-4 août et du 2 au 15 janv. – **Repas** 1099/1599 – ⌷ 300 – **24 ch** 1560/3565
– ½ P 1800/2300.

XXX **Kastelhof,** Lichtaartsebaan 33 (SO sur N 123), ℘ (0 14) 85 18 43, Fax (0 14) 85 31 25,
🍴, « Terrasse et jardin » – 🄿. 🆎 ⓪ ⋿ 𝚅𝙸𝚂𝙰
fermé mardi, merc., sam. midi, 23 fév.-1er mars et 15 juil.-1er août – **Repas** Lunch 1850 –
1750/2875.

à Lichtaart SO : 6 km 🄲 Kasterlee – ⌧ 2460 Lichtaart :

XXX **De Pastorie,** Plaats 2, ℘ (0 14) 55 77 86, Fax (0 14) 55 77 94, 🍴, « Presbytère du
17e s. réaménagé » – 🄿. 🆎 ⓪ ⋿ 𝚅𝙸𝚂𝙰. 🍴
fermé du 2 au 20 mars, 21 sept.-9 oct., lundi et mardi – **Repas** Lunch 1550 bc – carte 2150
à 2450.

XXX **Host. Keravic** avec ch, Herentalsesteenweg 72, ℘ (0 14) 55 78 01, Fax (0 14) 55 78 16,
🎣 – 🄽 ☎ 🄿 – 🔼 25. 🆎 ⓪ ⋿ 𝚅𝙸𝚂𝙰
fermé 3 sem. vacances bâtiment et Noël-Nouvel An – **Repas** (fermé sam. midi et dim.) Lunch
1050 – 1450/1950 – **9 ch** ⌷ 2500/3500 – ½ P 2950.

KEERBERGEN 3140 Vlaams-Brabant 🔲🔲🔲 ⑦ et 🔲🔲🔲 G 2 – 11 542 h.
🄽 Vlieghavenlaan 50 ℘ (0 15) 23 49 61, Fax (0 15) 23 57 37.
Bruxelles 33 – Antwerpen 36 – Leuven 20.

XXX **The Paddock,** R. Lambertslaan 4, ℘ (0 15) 51 19 34, Fax (0 15) 52 90 08, 🍴, « Villa
❀ avec terrasse ombragée » – 🄿. 🆎 ⓪ ⋿ 𝚅𝙸𝚂𝙰 𝙹𝙲𝙱
fermé mardi, merc., 2 fév.-4 mars et 17 août-2 sept. – **Repas** Lunch 1325 – 2625 (2 pers.
min.), carte 2000 à 2500
Spéc. Asperges régionales, sauce au Champagne (fin avril-fin juin). Homard tiède aux
concombres, melon et tomates et curry doux (21 juin-21 sept.). Soufflé chaud au chocolat
amer, sauce à la menthe poivrée (21 déc.-21 mars).

XXXX **Host. Berkenhof** avec ch, Valkeniersdreef 5, ☎ (0 15) 73 01 01, *Fax (0 15) 73 02 02*, « Terrasse et jardin dans un cadre boisé » – TV ☎ P – 25. AE ① E VISA JCB.
fermé dim. soir, lundi et mi-déc.-fin janv. – **Repas** Lunch 1550 bc – 1750 (2 pers. min.) – **7 ch** 3950/6000, 3 suites – ½ P 5500/6500.

XXX **Chierberge,** Leopold Peerelaan 1, ☎ (0 15) 51 50 59, *Fax (0 15) 51 62 89*, « Villa avec terrasse et jardin » – P. AE ① E VISA
fermé merc. soir, jeudi, 2 sem. début fév. et 3 prem. sem. sept. – **Repas** Lunch 1100 – 1650/1850.

XX **Hof van Craynbergh,** Mechelsebaan 113, ☎ (0 15) 51 65 94, *Fax (0 15) 51 65 94*, « Villa dans un parc » – P. AE ① E VISA.
fermé du 2 au 5 mars, 20 juil.-3 août, du 24 au 31 août, du 26 au 30 déc., sam. midi, dim. soir et lundi – **Repas** Lunch 1200 – carte 1950 à 2300.

XX **The Lake,** Mereldreef 1 (E : près du lac), ☎ (0 15) 23 50 69, *Fax (0 15) 23 58 69*, « Terrasse avec ≤ lac » – P – 25 à 90. AE ① E VISA
fermé lundi – **Repas** Lunch 750 – 1050/1380.

XX **Ming Dynasty,** Haachtsebaan 20, ☎ (0 15) 52 03 79, *Fax (0 15) 52 87 22*, Cuisine chinoise, ouvert jusqu'à 23 h – . AE ① E VISA
fermé mardi – **Repas** Lunch 750 – 980 (2 pers. min.)/1650.

KEMMEL *8956 West-Vlaanderen* C *Heuvelland 8 449 h.* 213 ⑬ et 409 B 3.
Reningelststraat 10 ☎ (0 57) 45 04 55, Fax (0 57) 44 56 04.
Bruxelles 133 – Brugge 63 – Ieper 11 – Lille 33.

XXX **Host. Kemmelberg** avec ch, Berg 4, ☎ (0 57) 44 41 45, *Fax (0 57) 44 40 89*, ≤ plaine des Flandres, – TV ☎ P – 25. AE ① E VISA
fermé dim. soir, lundi, 9 fév.-5 mars et 20 juil.-5 août – **Repas** Lunch 1500 – carte 1700 à 2350 – **16 ch** 2250/4000 – ½ P 2625/3250.

KESSEL-LO *Vlaams-Brabant* 213 ⑲ ⑳ et 409 H 3 – *voir à Leuven.*

KLEMSKERKE *West-Vlaanderen* 213 ② et 409 C 2 – *voir à De Haan.*

KLERKEN *8650 West-Vlaanderen* C *Houthulst 8 910 h.* 213 ② et 409 B 3.
Bruxelles 113 – Brugge 48 – Kortrijk 41 – Oostende 44 – Lille 56.

XX **'t Rozenhof,** Stokstraat 2, ☎ (0 51) 50 16 58, *Fax (0 51) 50 16 58*, – P. E VISA.
fermé merc. et du 6 au 26 juin – **Repas** (déjeuner seult) 1600.

KLUISBERGEN *9690 Oost-Vlaanderen* 213 ⑯ et 409 D 3 – *6 050 h.*
Bruxelles 67 – Gent 39 – Kortrijk 24 – Valenciennes 75.

XXX **Te Winde,** Parklaan 17 (Berchem), ☎ (0 55) 38 92 74, – P. AE ① E VISA
fermé dim. soir, lundi, mardi soir, 24 fév.-5 mars et 27 juil.-13 août – **Repas** carte env. 2200.

sur le Kluisberg (Mont de l'Enclus) *S : 4 km* C *Kluisbergen –* ✉ *9690 Kluisbergen :*

La Sablière, Bergstraat 40, ☎ (0 55) 38 95 64, *Fax (0 55) 38 78 11*, – TV ☎ P. AE E VISA.
fermé vend., dern. sem. août et déc. – **Repas** (ouvert jusqu'à 23 h) Lunch 475 – carte env. 1500 – 300 – **12 ch** 2300 – ½ P 2000/2400.

KNOKKE-HEIST *8300 West-Vlaanderen* 212 ⑪ et 409 C 1 – *32 592 h. – Station balnéaire★★ – Casino AY , Zeedijk-Albertstrand 509 ☎ (0 50) 63 05 00, Fax (0 50) 61 20 49.*
Voir *le Zwin★ : réserve naturelle (flore et faune)* EZ.
(2 parcours) au Zoute, Caddiespad 14 ☎ (050) 60 12 27, Fax (0 50) 62 30 29.
Zeedijk 660 (Lichttorenplein) à Knokke ☎ (0 50) 63 03 80, Fax (0 50) 63 03 90 – (juil.-août, vacances scolaires et week-end) Tramhalte, Heldenplein à Heist ☎ (0 50) 63 03 80, Fax (0 50) 63 03 90.
Bruxelles 108 ① – Brugge 18 ① – Gent 49 ① – Oostende 33 ③.

Plans pages suivantes

à Knokke – ✉ *8300 Knokke-Heist :*

des Nations M, Zeedijk 704, ☎ (0 50) 61 99 11, *Fax (0 50) 61 99 99*, ≤, – , rest, TV ☎ – 25. AE ① E VISA. BY f
Repas (dîner pour résidents seult) 950 – **33 ch** 8000, 3 suites.

Figaro sans rest, Dumortierlaan 127, ☎ (0 50) 62 00 62, *Fax (0 50) 62 53 28* – TV ☎. BY x
fermé dern. sem. nov.-prem. sem. déc. et 3 dern. sem. janv. – **18 ch** 2500/3800.

Adagio sans rest, Van Bunnenlaan 12, ℰ (0 50) 62 48 44, Fax (0 50) 62 59 36, ⌂ – 🛗 📺 ☎ 🚗 – 🕍 25. 🅴 *VISA*. 🛠
BY q
20 ch ⌂ 2300/3500.

Van Bunnen sans rest, Van Bunnenlaan 50, ℰ (0 50) 61 15 29, Fax (0 50) 62 29 66 – 🛗 📺 ☎ 🅿. 🅴 *VISA*
BY u
18 ch ⌂ 2400/3700.

Eden sans rest, Zandstraat 18, ℰ (0 50) 61 13 89, Fax (0 50) 61 07 62 – 🛗 📺 ☎. 🆎 🅴 *VISA*
BY n
19 ch ⌂ 1700/2950.

Prins Boudewijn sans rest, Lippenslaan 35, ℰ (0 50) 60 10 16, Fax (0 50) 62 35 46 – 🛗 📺 ☎. 🆎 🅴 *VISA*
ABY g
32 ch ⌂ 2300/2800.

XXX **Ambassador,** Van Bunnenplein 20, ℰ (0 50) 60 17 96, Fax (0 50) 60 17 96, 🌳 – 🍽.
🆎 ⓪ 🅴 *VISA* JCB
BY a
fermé merc. midi en hiver, merc. soir, jeudi, sem. carnaval et nov. – **Repas** 875/1500.

212

XX **La Croisette,** Van Bunnenplein 24, ℰ (0 50) 61 28 39, Fax (0 50) 61 28 39 – 🖭 🕦 🗉
BY q
🟦 *VISA*
fermé mardi hors saison et merc. – **Repas** Lunch 750 – 1250.

XX **Panier d'Or,** Zeedijk 659, ℰ (0 50) 60 31 89, Fax (0 50) 60 31 89, ≤, 🖼 – 🗐. 🖭 🕦
🗉 *VISA*
BY a
fermé mi-nov.-mi-déc. et mardi de sept. à mars – **Repas** Lunch 850 – carte 1200 à
2200.

XX **Casa Borghese,** Bayauxlaan 27, ℰ (0 50) 60 37 39, Fax (0 50) 62 01 88, Avec cuisine
italienne, ouvert jusqu'à 1 h du matin – 🅿. 🖭 🕦 🗉 *VISA*
AY t
fermé merc. en hiver, jeudi et oct. – **Repas** (dîner seult sauf dim. et jours fériés) carte
1350 à 1700.

XX **Le P'tit Bedon,** Zeedijk 672, ℰ (0 50) 60 06 64, Fax (0 50) 60 06 64, 🖼, Avec grillades
– 🖭 🕦 🗉 *VISA*
BY s
fermé 15 nov.-15 déc. et merc. sauf vacances scolaires – **Repas** carte 1050 à 1550.

KNOKKE-HEIST		DUINBERGEN		ALBERTSTRAND		HET ZOUTE	
Dumortierlaan	BY	Driehoeksplein	BY 18	Lichttorenplein	BY 38		
Kustlaan	BCY 34	Duinbergenlaan	BZ 19	Louis Parentstr.	AZ 39		
Lippenslaan	ABY	Graaf d'Ursellaan	AZ 20	Magere Schorre	DZ 40		
		Heldenplein	AZ 21	Marktstraat	AZ 41		
Acacialaan	CZ 2	Hermans-Lybaertstr.	AZ 23	Maurice Lippensplein	AY 43		
Albertplein	BY 3	Jozef Nellenslaan	CZ 24	Meerminlaan	AY 44		
Anemonenlaan	CZ 6	Kapellaan	CZ 25	Ooievaarslaan	EZ 45		
Arkadenlaan	BZ 7	Kerkstraat	AZ 27	Pastoor			
Bergdreef	AZ 9	Konijnendreef	EZ 28	Opdedrinckplein	AY 48		
Bondgenotenlaan	BY 10	Koningslaan	AY 29	Patriottenstraat	BZ 49		
van Bunnenlaan		Koudekerkelaan	AZ 31	Poststraat	BZ 51		
Burgemeester		Krommedijk	BZ 32	Rubensplein	AY 53		
Frans Desmidtplein	BY 12	Kursaalstraat	AZ 33	Theresialaan	CZ 56		
van Cailliedreef	BZ 13	Leeuwerikenlaan	CZ 35	Vissershuldeplein	AZ 60		
Canada Square	AY 14	Lekkerbekhelling	EZ 36	de Wandelaar	BZ 61		
Charles de Costerlaan	BY 15	Leon Lippenslaan	EZ 37	Zeegrasstraat	BZ 63		

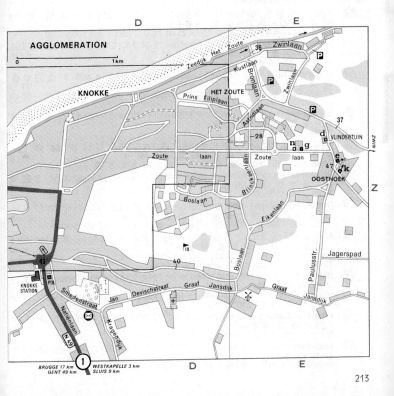

XX **De Savoye,** Dumortierlaan 18, ℘ (0 50) 62 23 61, *Fax (0 50) 62 60 30*, Produits de la mer – ⚫ E *VISA*　　　　　　　　　　　　　　　　　　　　　　　　　　　　BY v
fermé merc. soir en hiver, jeudi, dern. sem. juin et vacances Noël – **Repas** *Lunch* 600 – 1350 (2 pers. min.).

XX **Open Fire,** Zeedijk 658, ℘ (0 50) 60 17 26, *Fax (0 50) 60 17 26*, ≼, 🏠 – 🔲. ⚿ ⚫ E *VISA*　　　　　　　　　　　　　　　　　　　　　　　　　　　　BY a
fermé du 4 au 22 janv. et merc. non fériés sauf en juil.-août – **Repas** *Lunch* 675 – 795/1495.

X **Da Luigi,** Dumortierlaan 30, ℘ (0 50) 60 46 36, 🏠, Avec cuisine italienne – ⚿ ⚫ E *VISA*　　　　　　　　　　　　　　　　　　　　　　　　　　　　BY w
fermé 15 nov.-15 déc., lundi de nov. à mars et mardi sauf en juil.-août – **Repas** *Lunch* 900 – carte 850 à 1500.

X **Le Chardonnay,** Swolfsstraat 5, ℘ (0 50) 62 04 39, *Fax (0 50) 62 58 52* – ⚿ ⚫ E *VISA* JCB　　　　　　　　　　　　　　　　　　　　　　　　　　　　BY h
fermé jeudi d'oct. à Pâques et merc. – **Repas** *Lunch* 675 – 925/1675.

X **L'Orchidée,** Lippenslaan 130, ℘ (0 50) 62 38 84, *Fax (0 50) 62 58 47*, Cuisine thaïlandaise, ouvert jusqu'à 1 h du matin – 🔲. ⚿ ⚫ E *VISA*. 🎘　　　　　　　　　BY t
fermé du 15 au 30 mars, du 15 au 30 nov. et mardi – **Repas** (dîner seult) carte 1000 à 1700.

X **New Alpina,** Lichttorenplein 12, ℘ (0 50) 60 89 85, *Fax (0 50) 60 89 85* – E *VISA*
fermé merc. soir et jeudi soir d'oct. à Pâques, lundi soir, mardi et début déc. – **Repas** *Lunch* 750 – 895.　　　　　　　　　　　　　　　　　　　　　　　　　　　BY a

X **'t Kantientje,** Lippenslaan 103, ℘ (0 50) 60 54 11, *Fax (0 50) 60 54 11*, Moules en saison – 🔲　　　　　　　　　　　　　　　　　　　　　　　　　　　　ABY v
fermé du 6 au 31 mars, 3 nov.-3 déc., lundi soir sauf en juil.-août et mardi – **Repas** *Lunch* 395 – carte 900 à 1400.

X **Castel Normand,** Swolfsstraat 13, ℘ (0 50) 61 14 84, *Fax (0 50) 61 14 84* – ⚿ ⚫ E *VISA*　　　　　　　　　　　　　　　　　　　　　　　　　　　　BY h
fermé du 15 au 27 fév., du 17 au 29 sept., mardi soir et merc. – **Repas** *Lunch* 450 – 895/1375.

au Zoute – ✉ *8300 Knokke-Heist* :

🏨 **Approach** Ⓜ 🐾, Kustlaan 172, ℘ (0 50) 61 11 30, *Fax (0 50) 61 16 28*, 🏠, 🛋 – 🛗 📺 🕿 ⟲ ⚿ – 🏛 25 à 45. ⚿ ⚫ E *VISA*　　　　　　　　　CY e
Repas carte 1800 à 2600 – ⬚ 750 – **23 ch** 7500, 1 suite – ½ P 3900/5500.

🏨 **Manoir du Dragon** 🐾 sans rest, Albertlaan 73, ℘ (0 50) 63 05 80, *Fax (0 50) 63 05 90*, ≼ golf, 🛋 – 🛗 📺 🕿 ⟲ 🅿. ⚿ ⚫ E *VISA*　　　　　　　　　BY m
11 ch ⬚ 9000, 2 suites.

🏨 **Lugano,** Villapad 14, ℘ (0 50) 63 05 30, *Fax (0 50) 63 05 20*, « Jardin » – 🛗 📺 🕿 🅿. ⚿ ⚫ E *VISA*. 🎘　　　　　　　　　　　　　　　　　　　　　BY p
Pâques-fin sept. et vacances scolaires – **Repas** (dîner pour résidents seult) – **30 ch** ⬚ 3900/5400 – ½ P 3650/5650.

🏨 **Elysee** sans rest, Elizabetlaan 39, ℘ (0 50) 61 16 48, *Fax (0 50) 62 17 90* – 🛗 📺 🕿 ♿ 🅿 – 🏛 25 à 40. ⚿ ⚫ E *VISA*　　　　　　　　　　　　　BY b
24 ch ⬚ 6450/6800.

🏨 **Alfa Belfry,** Kustlaan 84, ℘ (0 50) 61 01 28, *Fax (0 50) 61 15 33*, 🏠, 🛁, ≋s, ▨ – 🛗, 🍴 rest, 📺 🕿 ⟲ – 🏛 25 à 40. ⚿ ⚫ E *VISA*. 🎘　　　　　　BY p
Repas 950 – **35 ch** ⬚ 3000/6000, 13 suites – ½ P 3000/3750.

🏨 **Britannia** sans rest, Elizabetlaan 85, ℘ (0 50) 62 10 62, *Fax (0 50) 62 00 63* – 🛗 📺 🕿 🅿 – 🏛 25. ⚿ ⚫ E *VISA*　　　　　　　　　　　　　　　BY c
30 ch ⬚ 3000/5500.

🏨 **Duc de Bourgogne - Golf** 🐾, Zoutelaan 175, ℘ (0 50) 61 16 14, *Fax (0 50) 62 15 90*, 🏠, « Terrasse » – 🛗 📺 🕿 🅿 – 🏛 25. ⚿ ⚫ E *VISA*　　　EZ n
fermé janv. – **Repas** 1000/1500 – **24 ch** ⬚ 4000/6000 – ½ P 3000/4000.

🏨 **Aub. St-Pol** 🐾, Bronlaan 23, ℘ (0 50) 60 15 21, *Fax (0 50) 62 17 60*, 🏠, « Terrasse » – 📺 🕿 🅿 – 🏛 25. ⚿ ⚫ E *VISA*. 🎘　　　　　　　　　　EZ d
Repas (*fermé 20 fév.-1er mars et lundi et mardi de mi-sept. à mai*) carte 1250 à 1700 – **15 ch** ⬚ 2000/4150, 1 suite – ½ P 2150/3025.

🏨 **Balmoral,** Kustlaan 148, ℘ (0 50) 60 16 20, *Fax (0 50) 62 26 20*, « Terrasse » – 🛗 📺 🕿 🅿. ⚿ ⚫ E *VISA*　　　　　　　　　　　　　　　　　　CY u
fermé 14 nov.-20 déc. et 5 janv.-15 fév. – **Repas** *Lunch* 890 – 875/1300 – **24 ch** ⬚ 2900/5700 – ½ P 3100/3650.

🏨 **Rose de Chopin** sans rest, Elizabetlaan 94, ℘ (0 50) 62 08 88, *Fax (0 50) 62 04 13*, 🛋 – 📺 🕿 🅿. ⚿ ⚫ E *VISA*　　　　　　　　　　　　　　　BY k
fermé 15 nov.-19 déc. – **9 ch** ⬚ 5400/7500, 2 suites.

🏨 **Andrews** sans rest, Kustlaan 72, ℘ (0 50) 61 08 47, *Fax (0 50) 61 04 90* – 🛗 📺 🕿 ⟲ 🅿. ⚿ *VISA*. 🎘　　　　　　　　　　　　　　　　　　　BY p
fermé merc. et 5 janv.-5 fév. – **10 ch** ⬚ 2500/7000.

🏨 **Locarno** sans rest, Generaal Lemanpad 5, ℰ (0 50) 63 05 60, Fax (0 50) 63 05 70 – 🛗
📺 ☎ 🄿. 🖭 ① ☰ 𝘝𝘐𝘚𝘈   BY **p**
15 ch ⊆ 3900/4700.

🏨 **Charl's**, Albertplein 18, ℰ (0 50) 60 90 51, Fax (0 50) 61 55 98, �036 – 🛗, ▤ rest, 📺
☎ - 🔬 25. 🖭 ① ☰ 𝘝𝘐𝘚𝘈   BY **z**
Repas (Taverne-rest, ouvert jusqu'à 23 h) Lunch 395 – carte 1000 à 1500 – **25 ch**
⊆ 1950/3950 – ½ P 1750/2650.

🏨 **Gasthof Katelijne**, Kustlaan 166, ℰ (0 50) 60 12 16, Fax (0 50) 61 51 90, �,
« Auberge rustique », � – 📺 ☎ 🄿. 🖭 ① ☰ 𝘝𝘐𝘚𝘈   CY **m**
Repas carte env. 1600 – ⊆ 450 – **13 ch** 3500/4900 – ½ P 2900/3900.

🏨 **Les Arcades** sans rest, Elizabetlaan 50, ℰ (0 50) 60 10 73, Fax (0 50) 60 46 24 – 📺
☎ 🄿. ① ☰ 𝘝𝘐𝘚𝘈   BY **j**
Pâques-15 sept. – **11 ch** ⊆ 3400.

🏨 **The Tudor** sans rest, Elizabetlaan 22, ℰ (0 50) 62 59 69, Fax (0 50) 62 59 99 – 🛗 📺
☎ 🄿. 🖭 ① ☰ 𝘝𝘐𝘚𝘈   BY **d**
14 ch ⊆ 4000/5900.

🏨 **Villa Verdi** 🈯 sans rest, Elizabetlaan 8, ℰ (0 50) 62 35 72, Fax (0 50) 62 11 46, � –
🛗 📺 ☎ 🄿. 🖭 ① ☰ 𝘝𝘐𝘚𝘈 𝖩𝖢𝖡. 🈺   BY **y**
fermé 2 dern. sem. nov. – **8 ch** ⊆ 2950/4950.

🍴🍴🍴 **Aquilon**, Elizabetlaan 6, ℰ (0 50) 60 12 74, Fax (0 50) 62 09 72, �036 – ▤ 🄿. 🖭 ① ☰
𝘝𝘐𝘚𝘈. 🈺   BY **y**
fermé merc. de sept. à Pâques, mardi, 1re quinz. déc. et janv. – **Repas** Lunch 975 bc – 2150.

🍴🍴 **La Sapinière**, Oosthoekplein 7, ℰ (0 50) 60 22 71, Fax (0 50) 60 22 71, �036, « Jardin
fleuri avec pièce d'eau » – 🄿. 🖭 ① ☰ 𝘝𝘐𝘚𝘈 𝖩𝖢𝖡   EZ **e**
fermé jeudi et du 2 au 19 mars – **Repas** Lunch 795 – 1395/2750 bc.

🍴🍴 **L'Echiquier** 1er étage, De Wielingen 8, ℰ (0 50) 60 88 82, Fax (0 50) 60 88 82, �036 –
▤. 🖭 ① ☰ 𝘝𝘐𝘚𝘈   CY **h**
fermé 1 sem. en oct., 1 sem. en janv. et lundi soir, mardi et merc. sauf vacances scolaires
– **Repas** Lunch 1550 bc – 1850.

🍴🍴 **De Oosthoek**, Oosthoekplein 25, ℰ (0 50) 62 23 33, Fax (0 50) 62 25 13, �036 – 🖭 ①
☰ 𝘝𝘐𝘚𝘈   EZ **k**
fermé 2 sem. en mars, 2 sem. en nov., mardi de mi-nov. à mi-mars et merc. sauf en juil.-août
– **Repas** Lunch 695 – 1595/1850.

🍴 **Cantharel**, Sparrendreef 98, ℰ (0 50) 60 40 90, Fax (0 50) 60 40 90 – 🖭 ① ☰ 𝘝𝘐𝘚𝘈
fermé mardi et merc. – **Repas** Lunch 700 – 1500.   CY **z**

🍴 **Marie Siska** avec ch, Zoutelaan 177, ℰ (0 50) 60 17 64, Fax (0 50) 62 32 00, �036, �
– 📺 ☎ 🄿. 🖭 ① ☰ 𝘝𝘐𝘚𝘈. 🈺 ch   EZ **g**
Pâques-oct. et week-end – **Repas** Lunch 375 – carte 1200 à 1700 – **7 ch** ⊆ 2700/4000.

🍴 **Lady Ann**, Kustlaan 301, ℰ (0 50) 60 96 77, Fax (0 50) 62 44 09, �036, Taverne-rest –
▤. 🖭 ① ☰ 𝘝𝘐𝘚𝘈 𝖩𝖢𝖡   CY **n**
fermé du 10 au 30 mars, du 1er au 20 déc., jeudi sauf avril-15 sept. et merc. – **Repas**
875/1095.

à Albertstrand – ✉ 8300 Knokke-Heist :

🏨🏨🏨 **La Réserve**, Elizabetlaan 160, ℰ (0 50) 61 06 06, Telex 81657, Fax (0 50) 60 37 06, �036,
« Terrasse avec ≤ lac », 𝕗る, ⇌s, 🅟, ♣, ⚒ – 🛗 📺 ☎ 🄿 – 🔬 25 à 350. 🖭 ① ☰
𝘝𝘐𝘚𝘈   AY **c**
Repas La Sirène carte 1900 à 2350 – ⊆ 600 – **112 ch** 7200/8000.

🏨🏨 **Binnenhof** Ⓜ sans rest, Jozef Nellenslaan 156, ℰ (0 50) 62 55 51, Fax (0 50) 62 55 50
– 🛗 📺 ☎ ♿ 🄿 – 🔬 25 à 40. 🖭 ☰ 𝘝𝘐𝘚𝘈. 🈺   AY **r**
25 ch ⊆ 3000/4500.

🏨 **Parkhotel**, Elizabetlaan 204, ✉ 8301, ℰ (0 50) 60 09 01, Fax (0 50) 62 36 08, �036 –
🛗, ▤ rest, 📺 ☎ ⇦. ☰ 𝘝𝘐𝘚𝘈. 🈺   CZ **e**
fermé 5 janv.-15 fév. et mardi et merc. d'oct. à Pâques – **Repas** carte 1400 à 1600 – **12 ch**
⊆ 2500/4000 – ½ P 3450.

🏨 **Lido**, Zwaluwenlaan 18, ℰ (0 50) 60 19 25, Fax (0 50) 61 04 57 – 🛗 📺 ☎ 🄿 – 🔬 30.
☰ 𝘝𝘐𝘚𝘈. 🈺 rest   AY **r**
Repas (résidents seult) – **40 ch** ⊆ 3400/3800 – ½ P 2100/2500.

🏨 **Atlanta**, Jozef Nellenslaan 162, ℰ (0 50) 60 55 00, Fax (0 50) 62 28 66 – 🛗 📺 ☎ 🄿.
🖭 ☰ 𝘝𝘐𝘚𝘈. 🈺 rest   AY **r**
fermé 10 janv.-10 fév. – **Repas** (dîner pour résidents seult) – **30 ch** ⊆ 2400/3400 –
½ P 2200/2500.

🏨 **Nelson's**, Meerminlaan 36, ℰ (0 50) 60 68 10, Fax (0 50) 61 18 38 – 🛗, ▤ rest, 📺 ☎
– 🔬 25. 🖭 ① ☰ 𝘝𝘐𝘚𝘈 𝖩𝖢𝖡. 🈺 rest   AY **z**
fermé janv. – **Repas** (résidents seult) – **48 ch** ⊆ 2550/3600 – ½ P 2200/2400.

215

⌂ **Albert Plage** sans rest, Meerminlaan 22, ℘ (0 50) 60 59 64, Fax (0 50) 61 18 38 – 🛗
📺 ☎. 🆔 ⓪ 🅴 𝑉𝐼𝑆𝐴 𝐽𝐶𝐵　　　　　　　　　　　　　　　　　　　　　　　　AY w
fermé du 1er au 21 déc. – **17 ch** ⇆ 3050.

%%% **Esmeralda,** Jozef Nellenslaan 161, ℘ (0 50) 60 33 66, Fax (0 50) 60 33 66 – 🆔 ⓪ 🅴
𝑉𝐼𝑆𝐴　　　　　　　　　　　　　　　　　　　　　　　　　　　　　　　　　　AY p
fermé du 15 au 30 nov., 15 janv.-10 fév., lundi hors saison et mardi – **Repas** Lunch 850 –
1450.

%% **Olivier,** Jozef Nellenslaan 159, ℘ (0 50) 60 55 70, Fax (0 50) 60 55 70 – 🆔 ⓪ 🅴 𝑉𝐼𝑆𝐴
fermé merc. – **Repas** Lunch 695 – carte 1200 à 2050.　　　　　　　　　AY v

%% **Lispanne,** Jozef Nellenslaan 201, ℘ (0 50) 60 05 93, Fax (0 50) 62 64 92 – 🖵. 🆔 ⓪
⊜ 🅴 𝑉𝐼𝑆𝐴 𝐽𝐶𝐵　　　　　　　　　　　　　　　　　　　　　　　　　　　　AY z
fermé du 5 au 15 oct., du 11 au 28 janv., lundi soir sauf vacances scolaires et mardi –
Repas Lunch 600 – 660/1595.

%% **Le Potiron,** Koningslaan 230a, ℘ (0 50) 62 10 80, Fax (0 50) 61 25 16, 🍽 – 🖵. 🆔 ⓪
🅴 𝑉𝐼𝑆𝐴　　　　　　　　　　　　　　　　　　　　　　　　　　　　　　　AY f
fermé mardi soir, merc. et nov. – **Repas** Lunch 695 – carte 1450 à 1900.

%% **Jardin Tropical,** Zwaluwenlaan 12, ℘ (0 50) 61 07 98, Fax (0 50) 61 07 98 – 🆔 ⓪
🅴 𝑉𝐼𝑆𝐴　　　　　　　　　　　　　　　　　　　　　　　　　　　　　　　AY n
fermé merc. soir hors saison, jeudi, fin fév.-début mars et 1 sem. en nov. – **Repas** Lunch
695 – 995/1595.

% **Jean,** Sylvain Dupuisstraat 24, ℘ (0 50) 61 49 57, Fax (0 50) 61 49 57, Bistrot, ouvert
jusqu'à 23 h – 🖵. 🆔 ⓪ 🅴 𝑉𝐼𝑆𝐴　　　　　　　　　　　　　　　　　　　　AY u
fermé mardi hors saison, merc., 2 prem. sem. fév. et 2 dern. sem. juin – **Repas** Lunch 695
– 1595.

à Duinbergen Ⓒ Knokke-Heist – ⊠ 8301 Heist :

🏨 **Monterey** ⑊ sans rest, Bocheldreef 4, ℘ (0 50) 51 58 65, Fax (0 50) 51 01 65, ≼,
« Villa aménagée » – 📺 ☎ ⓟ. 🅴 𝑉𝐼𝑆𝐴　　　　　　　　　　　　　　　　BZ p
8 ch ⇆ 3570/3970.

⌂ **Du Soleil,** Patriottenstraat 15, ℘ (0 50) 51 11 37, Fax (0 50) 51 69 14 – 🛗 📺 ☎ ⟿.
⊜ 🆔 ⓪ 🅴 𝑉𝐼𝑆𝐴　　　　　　　　　　　　　　　　　　　　　　　　　　BZ n
fermé 15 nov.-15 déc. – **Repas** Lunch 500 – 850/1400 – **27 ch** ⇆ 1900/3100 –
½ P 1900/2500.

⌂ **Pauls** sans rest, Elizabetlaan 305, ℘ (0 50) 51 39 32, Fax (0 50) 51 67 40 – 🛗 📺 ☎ ⓟ.
🆔 🅴 𝑉𝐼𝑆𝐴. ⌘　　　　　　　　　　　　　　　　　　　　　　　　　　　BZ f
Pâques-sept., week-end et vacances scolaires – **14 ch** ⇆ 2600/3900.

⌂ **Edelweiss,** Zomerpad 8, ℘ (0 50) 51 50 00, Fax (0 50) 51 58 08 – 📺 ☎. 🆔 ⓪ 🅴 𝑉𝐼𝑆𝐴.
⌘ rest　　　　　　　　　　　　　　　　　　　　　　　　　　　　　　BCZ s
fermé 15 nov.-15 déc. – **Repas** (dîner pour résidents seult) – **9 ch** ⇆ 2300/3300 –
½ P 2000/2350.

%% **Vateli,** Vandaelelaan 6, ℘ (0 50) 51 05 34 – 🆔 🅴 𝑉𝐼𝑆𝐴　　　　　　CZ c
fermé fin janv.-début fév. et jeudi et vend. midi sauf vacances scolaires et en saison –
Repas Lunch 580 – 895/1750.

%% **Den Baigneur,** Elizabetlaan 288, ℘ (0 50) 51 16 81, Fax (0 50) 51 16 81 – 🆔 ⓪ 🅴
𝑉𝐼𝑆𝐴 𝐽𝐶𝐵　　　　　　　　　　　　　　　　　　　　　　　　　　　　BZ r
fermé lundi – **Repas** carte 2000 à 2550.

à Heist Ⓒ Knokke-Heist – ⊠ 8301 Heist :

🏨 **Beau Séjour-Ter Duinen,** Duinenstraat 13, ℘ (0 50) 51 19 71, Fax (0 50) 51 08 40,
≼s – 🛗 📺 ☎. 🆔 🅴 𝑉𝐼𝑆𝐴　　　　　　　　　　　　　　　　　　　　　AZ t
Repas (dîner seult) (fermé lundis et mardis non fériés en hiver) carte 1000 à 1350 – **32 ch**
⇆ 2000/3600 – ½ P 1950/2550.

🏨 **Sint-Yves** Ⓜ, Zeedijk 204, ℘ (0 50) 51 10 29, Fax (0 50) 51 63 87, ≼ – 🛗, 🖵 rest, 📺
☎. 🆔 ⓪ 🅴 𝑉𝐼𝑆𝐴. ⌘ rest　　　　　　　　　　　　　　　　　　　　AZ a
fermé 2 sem. en fév. et 1 sem. en oct. – **Repas** (fermé dim. soir et lundi hors saison) Lunch
500 – 900/1750 – **8 ch** ⇆ 2750/3750 – ½ P 2750/3000.

🏨 **Bristol,** Zeedijk 291, ℘ (0 50) 51 12 20, Fax (0 50) 51 15 54, ≼ – 🛗, 🖵 rest, 📺 ☎ ⓟ.
⊜ 🅴 𝑉𝐼𝑆𝐴. ⌘　　　　　　　　　　　　　　　　　　　　　　　　　　AZ u
3 avril-28 sept. ; fermé du 20 au 30 avril – **Repas** (fermé après 20 h 30) 850/1350 – **27 ch**
⇆ 3900/4300 – ½ P 2700/2900.

%% **Bartholomeus,** Zeedijk 267, ℘ (0 50) 51 75 76, Fax (0 50) 51 75 76, ≼ – 🅴 𝑉𝐼𝑆𝐴. ⌘
fermé jeudi sauf vacances scolaires, merc., jeudi midi, début oct. et début janv. – **Repas**
Lunch 695 – carte env. 1600.　　　　　　　　　　　　　　　　　　　　AZ e

%% **Old Fisher,** Heldenplein 33, ℘ (0 50) 51 11 14, Fax (0 50) 51 71 51 – 🖵. 🆔 ⓪ 🅴 𝑉𝐼𝑆𝐴.
⌘　　　　　　　　　　　　　　　　　　　　　　　　　　　　　　　　AZ c
fermé mardi soir sauf en juil.-août, merc. et oct. – **Repas** 995/1450.

à Westkapelle par ① : 3 km Ⓒ Knokke-Heist – ⊠ 8300 Westkapelle :

🏠 **Ter Zaele**, Oostkerkestraat 40, ℰ (0 50) 60 12 37, Fax (0 50) 61 19 73, ≤, 淼,
« Jardin », ₤₅, ⇔, ☒ – 🔟 ☎ Ⓟ – 🏄 25. ☒ ⓞ ☒ ⓥⓘⓢⓐ
Repas (fermé mardi et merc. hors saison) 1450 – **22 ch** ⊇ 2400/3400 – ½ P 2150/2550.

KOBBEGEM Vlaams-Brabant 𝟚𝟙𝟛 ⑥ et 𝟜𝟘𝟡 F 3 – voir à Bruxelles, environs.

KOEKELBERG Brabant 𝟜𝟘𝟡 ㉑ N – voir à Bruxelles.

KOKSIJDE 8670 West-Vlaanderen 𝟚𝟙𝟛 ① et 𝟜𝟘𝟡 A 2 – 19 215 h. – Station balnéaire.
🛈 Zeelaan (Casino) ℰ (0 58) 51 29 10 – Gemeentehuis ℰ (0 58) 53 30 55,
Fax (0 58) 52 25 77.
Bruxelles 135 ① – Brugge 50 ① – Oostende 31 ① – Veurne 7 ② – Dunkerque 27 ③.

Plan page suivante

à Koksijde-Bad N : 1 km Ⓒ Koksijde – ⊠ 8670 Koksijde :

🏠 **Terlinck**, Terlinckplaats 17, ℰ (0 58) 52 00 00, Fax (0 58) 51 76 15, ≤ – ▯, ▤ rest, 🔟
☎ ⇔ Ⓟ – 🏄 25 à 40. ☒ ⓞ ☒ ⓥⓘⓢⓐ   C a
fermé 15 nov.-20 déc. et du 10 au 31 janv. – Repas (fermé merc. d'oct. à mars) 850/1825
– **36 ch** ⊇ 2200/4500 – ½ P 2150/3250.

🏠 **Apostroff** ⟳ sans rest (avec annexe 🏠 - 15 ch), Lejeunelaan 38, ℰ (0 58) 52 06 09,
Fax (0 58) 52 07 09, ₤₅, ⇔, ☒, ☞, ⟘ – ▯ 🔟 ☎ ⇔ Ⓟ – 🏄 25. ☒ ⓞ ☒ ⓥⓘⓢⓐ ⱼⒸⒷ
40 ch ⊇ 2040/4400.   C c

🏠 **Digue**, Zeedijk 331, ℰ (0 58) 51 14 15, Fax (0 58) 52 27 44, ≤ – ▯ 🔟 ☎ ⇔ Ⓟ. ⓞ
☒ ⓥⓘⓢⓐ. ⟘   C m
fermé mardi et jeudi de janv. à Pâques, merc. et 5 nov.-12 déc. – Repas (résidents seult)
– **23 ch** ⊇ 2400/3500 – ½ P 2000/2500.

🏠 **Chalet Week-End**, Zeelaan 136, ℰ (0 58) 51 12 06, Fax (0 58) 52 09 00, 淼, ☞ – 🔟
Ⓟ. ☒ ☒ ⓥⓘⓢⓐ   C h
fermé 15 nov.-15 déc. – Repas Lunch 500 – carte env. 1000 – **9 ch** ⊇ 2250/2400 –
½ P 2700.

🏠 **Rivella**, Zouavenlaan 1, ℰ (0 58) 51 31 67, Fax (0 58) 52 27 90 – ▯ 🔟 ☎ Ⓟ. ⓥⓘⓢⓐ. ⟘ rest
Pâques-sept. et vacances scolaires – Repas (résidents seult) – **28 ch** ⊇ 2200/2500 –   C b
½ P 1750/1850.

🏠 **Penel**, Koninklijke baan 157, ℰ (0 58) 51 73 23, Fax (0 58) 51 02 03 – ▯ 🔟 Ⓟ. ☒ ⓞ
☒ ⓥⓘⓢⓐ. ⟘ ch   C u
20 mars-15 nov. et vacances scolaires – Repas 850/1500 – **11 ch** ⊇ 2200/3100 –
½ P 2000/2950.

ⵊⵊⵊ **Host. Le Régent** avec ch, A. Bliecklaan 10, ℰ (0 58) 51 12 10, Fax (0 58) 51 66 47 –
▯, ▤ rest, 🔟 ☎ Ⓟ. ☒ ⓞ ☒ ⓥⓘⓢⓐ. ⟘ ch   C f
fermé du 5 au 28 oct. – Repas (fermé dim. soir et lundi sauf vacances scolaires) 1350
(2 pers. min.) – **10 ch** ⊇ 2300/2975 – ½ P 2475/2825.

ⵊⵊ **Sea Horse** avec ch, Zeelaan 254, ℰ (0 58) 52 32 80, Fax (0 58) 52 32 75 – ▤ rest, 🔟
☎. ☒ ⓞ ☒ ⓥⓘⓢⓐ   C q
fermé du 20 au 30 nov. – Repas (fermé lundis soirs et mardis midis non fériés sauf vacances
scolaires) 950/1750 – **6 ch** ⊇ 2300/3200 – ½ P 2300/2600.

ⵊⵊ **Bel-Air**, Koninklijke baan 95, ℰ (0 58) 51 77 05, Fax (0 58) 51 16 93, 淼 – ☒ ☒ ⓥⓘⓢⓐ. ⟘
fermé 23 sept.-2 oct., 12 nov.-4 déc. et merc. soir, jeudi et vend. midi sauf 17 juil.-15 août
– Repas Lunch 1100 – 1500/2450 bc.   C p

ⵊⵊ **Pauillac**, Lejeunelaan 34, ℰ (0 58) 51 12 99, Fax (0 58) 51 02 39, 淼, « Jardin fleuri »
– Ⓟ. ☒ ☒ ⓥⓘⓢⓐ   C e
fermé dim. soir, lundi, mardi, 1 sem. début juil. et déc.-janv. – Repas Lunch 1500 –
2000 bc/2500 bc.

ⵊⵊ **Oxalis et Résid. Loxley Cottage** avec ch, Lejeunelaan 12, ℰ (0 58) 52 08 79,
Fax (0 58) 51 06 34, ☞ – 🔟 Ⓟ. ☒ ☒ ⓥⓘⓢⓐ   C g
fermé 15 nov.-15 déc. – Repas (fermé jeudi) Lunch 1300 – 1600 bc – **7 ch** ⊇ 2400/3000
– ½ P 2200/2300.

ⵊⵊ **Le Coquillage**, Zeelaan 118, ℰ (0 58) 51 26 25, Fax (0 58) 51 15 71, 淼 – ☒ ⓞ ☒ ⓥⓘⓢⓐ
fermé lundi soir, mardi et 15 nov.-10 déc. – Repas Lunch 500 – 950.   C k

ⵊ **La Charmette**, Zeelaan 196, ℰ (0 58) 51 44 70, Fax (0 58) 52 05 30 – ☒ ⓞ
☒ ⓥⓘⓢⓐ   C d
fermé 15 déc.-10 déc. et merc. et jeudi sauf en juil.-août – Repas 1000 bc (2 pers. min.).

ⵊ **De Huifkar**, Markt 8, ℰ (0 58) 51 16 68, Fax (0 58) 52 45 71, 淼 – ▤. ☒ ⓞ ☒ ⓥⓘⓢⓐ
fermé lundi, vend. midi et 15 janv.-15 fév. – Repas carte 1100 à 2050.   C n

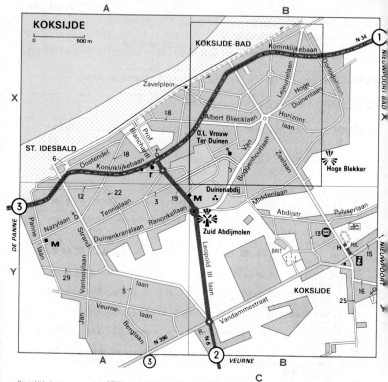

KOKSIJDE

0   500 m

KOKSIJDE-BAD

ST. IDESBALD

| Koninklijkebaan | ABX |
| Zeelaan | BXY |

Begonialaan	C 2
Brialmontlaan	AY 3
Dageraadstr.	AY 5
George Grardplein	AX 6
Gulden Vlieslaan	C 9
Henri Christiaenlaan	AY 12
Hostenstr.	BY 13
Houtsaegerlaan	BY 15
Kerkstraat	BY 16
Koninginnelaan	AX 18
Koninklijke Prinslaan	AXY 19
Majoor d'Hoogelaan	AY 22
Verdedigingslaan	C 23
Veurnestr.	BY 25
Vlaanderenstr.	C 27
W. Elsschotlaan	AY 29

*Cherchez-vous un hôtel
ou un restaurant ?*

*Les **cartes** Michelin
détaillées
(1/200 000 à 1/400 000)
soulignent en rouge
les localités citées
dans les Guides Rouges.*

218

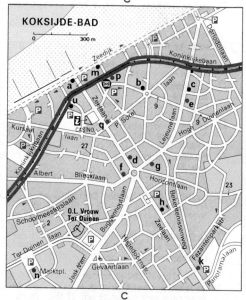

KOKSIJDE-BAD

0   300 m

à Sint-Idesbald ⓒ *Koksijde* – ⊠ *8670 Koksijde :*

🏨 **Soll Cress,** Koninklijke baan 225, ℰ (0 58) 51 23 32, Fax (0 58) 51 91 32, ⅃₅, ≘s, ⬛
– ⌷ ⅢⅤ ☎ ⇔ 🅟 – 🔏 25 à 65. ⅇ 𝘝𝘐𝘚𝘈, ⅏ ch   AX r
fermé du 5 au 23 oct. – **Repas** *(fermé lundi soir du 15 sept. à mai et mardi)* Lunch 395 –
795 – **40 ch** ⊐ 2150/3150 – ½ P 1900/2200.

KONTICH Antwerpen 𝟚𝟙𝟛 ⑥ et 𝟜𝟘𝟡 G 2 – *voir à Antwerpen, environs.*

KORTEMARK 8610 West-Vlaanderen 𝟚𝟙𝟛 ② et 𝟜𝟘𝟡 C 2 – *12 303 h.*
Bruxelles 103 – Brugge 33 – Kortrijk 38 – Oostende 34 – Lille 52.

🍴🍴 **'t Fermetje,** Staatsbaan 3, ℰ (0 51) 57 01 94 – 🅟. Ⅿ ⅇ 𝘝𝘐𝘚𝘈
fermé merc. soir, jeudi et dern. sem. juil.-2 prem. sem. août – **Repas** Lunch 1450 – carte 1450
à 1900.

KORTENBERG Vlaams-Brabant 𝟚𝟙𝟛 ⑲ et 𝟜𝟘𝟡 G 3 - ㉒ N – *voir à Bruxelles, environs.*

KORTRIJK (COURTRAI) 8500 West-Vlaanderen 𝟚𝟙𝟛 ⑮ et 𝟜𝟘𝟡 C 3 – *75 951 h.*

Voir *Hôtel de Ville (Stadhuis) : salle des Échevins★ (Schepenzaal), salle du Conseil★ (Oude
Raadzaal)* CZ **H** – *Église Notre-Dame★ (O.L. Vrouwekerk) : statue de Ste-Catherine★, Éléva-
tion de la Croix★* DY – *Béguinage★ (Begijnhof)* DZ.
Musée : *National du Lin★ (Nationaal Vlasmuseum)* BX **M.**
🛈 *Schouwburgplein 14a* ℰ (0 56) 23 93 71, Fax (0 56) 23 90 03.
Bruxelles 90 ② – Brugge 51 ⑥ – Gent 45 ② – Lille 28 ⑤ – Oostende 70 ⑥.

Plans pages suivantes

🏨 **Broel,** Broelkaai 8, ℰ (0 56) 21 83 51, Fax (0 56) 20 03 02, ㄊ, « Intérieur cossu de
caractère ancien », ≘s, ⬛ – ⌷ ⅏, ▤ rest, ⅢⅤ ☎ ⇔ 🅟 – 🔏 25 à 600. Ⅿ ⓞ ⅇ
𝘝𝘐𝘚𝘈. ⅏ rest   DY e
fermé 27 juil.-10 août – **Repas** *Castel (fermé sam. et dim. non fériés)* 1125/1795 bc –
61 ch ⊐ 3050/5650, 2 suites.

🏨 **Damier,** Grote Markt 41, ℰ (0 56) 22 15 47, Fax (0 56) 22 86 31, ㄊ, ≘s – ⌷, ▤ ch,
ⅢⅤ ☎ – 🔏 25 à 80. Ⅿ ⓞ ⅇ 𝘝𝘐𝘚𝘈. ⅏   CZ a
fermé fin juil.-début août et fin déc.-début janv. – **Repas** *(fermé sam. et dim.)* carte 1300
à 1700 – **46 ch** ⊐ 3500/4600, 3 suites.

🏨 **Parkhotel,** Stationsplein 2, ℰ (0 56) 22 03 03, Fax (0 56) 22 14 02, ≘s – ⌷, ▤ rest,
ⅢⅤ ☎ – 🔏 25 à 80. Ⅿ ⓞ ⅇ 𝘝𝘐𝘚𝘈   CZ r
Repas *Four Seasons (fermé dim. soir et dern. sem. juil.-2 prem. sem. août)* Lunch 1300 bc
- 1695 – **72 ch** *(fermé 2 prem. sem. août)* ⊐ 3500/4400.

🏨 **Belfort,** Grote Markt 52, ℰ (0 56) 22 22 20, Fax (0 56) 20 13 06, ㄊ – ⌷ ⅢⅤ ☎ ⇔
– 🔏 40. Ⅿ ⓞ ⅇ 𝘝𝘐𝘚𝘈   CZ c
Repas Lunch 500 – carte 850 à 1700 – **29 ch** ⊐ 2600/3200.

🏨 **Center Broel,** Graanmarkt 6, ℰ (0 56) 21 97 21, Fax (0 56) 20 03 66, ㄊ, ≘s – ⌷ ⅢⅤ
☎. Ⅿ ⓞ ⅇ 𝘝𝘐𝘚𝘈   CZ a
fermé fin janv.-début fév. – **Repas** *(Taverne-rest)* Lunch 495 – 1085 – ⊐ 295 – **26 ch**
1800/2300 – ½ P 2500/3000.

🍴🍴🍴 **Boxy's,** Minister Liebaertlaan 1, ℰ (0 56) 22 22 05, Fax (0 56) 22 37 65, ㄊ – 🅟. Ⅿ ⓞ
⅏ ⅇ 𝘝𝘐𝘚𝘈   DY n
fermé sam. midi, dim., lundi et fin juil.-début août – **Repas** Lunch 1550 bc – 3200 bc, carte
2600 à 3250
Spéc. Huîtres au lait battu et pommes de terre au caviar (15 oct.-janv.). Foie d'oie rôti aux
épices et chou rouge (15 oct.-15 fév.). Ris de veau, jus de cuisson au soja.

🍴🍴🍴 **St.-Christophe** (Pélissier), Minister Tacklaan 5, ℰ (0 56) 20 03 37, Fax (0 56) 20 01 95,
⅏ ㄊ, « Ancienne demeure bourgeoise avec terrasse ombragée » – Ⅿ ⓞ ⅇ 𝘝𝘐𝘚𝘈   DZ m
fermé dim., lundi, 2 sem. en fév. et 26 juil.-17 août – **Repas** Lunch 1500 – 3000, carte 2100
à 3250
Spéc. Rattes aux truffes et ris de veau tiède en salade. Filet de cabillaud au jus de viande.
Filets de rouget-barbet au citron confit et spaghetti de légumes.

🍴🍴 **Boerenhof,** Walle 184, ℰ (0 56) 21 31 72, Fax (0 56) 21 31 72, « Fermette » – 🅟. Ⅿ
ⅇ 𝘝𝘐𝘚𝘈   BX a
fermé dim. soir, lundi soir, mardi, 1 sem. en fév. et 20 juil.-16 août – **Repas** Lunch 1350 bc
- 2300 bc.

🍴🍴 **Oud Walle,** Walle 199, ℰ (0 56) 22 65 53, ㄊ, « Rustique » – ⅇ 𝘝𝘐𝘚𝘈   BX b
fermé dim. soir, lundi, jeudi soir, 2 sem. Pâques, 2 prem. sem. sept. et après 20 h 30 – **Repas**
1600.

XX **Akkerwinde,** Doorniksewijk 12, ℘ (0 56) 22 82 33, ☞, « Maison bourgeoise fin 19e s. » – AE E *VISA* JCB
DZ **x**
fermé merc., jeudi soir, sam. midi et 22 juil.-22 août – **Repas** *Lunch* 1100 bc – 1850.

XX **'t Waaihof** 1er étage, Graaf de Smet de Naeyerlaan 18, ℘ (0 56) 35 05 40, Fax (0 56) 37 21 75 – ℗ – ⅍ 25 à 350. E *VISA*
CY **z**
fermé dim. soir, lundi, 22 fév.-1er mars et 21 juil.-15 août – **Repas** (déjeuner seult) 950.

XX **Mamma Mia,** K. Albertstraat 13, ℘ (0 56) 20 02 92, Fax (0 56) 25 90 93, Cuisine italienne – ▤, AE ① E *VISA*
CZ **u**
fermé lundi soir, mardi, sam. midi et 15 juil.-5 août – **Repas** *Lunch* 995 bc – 1795.

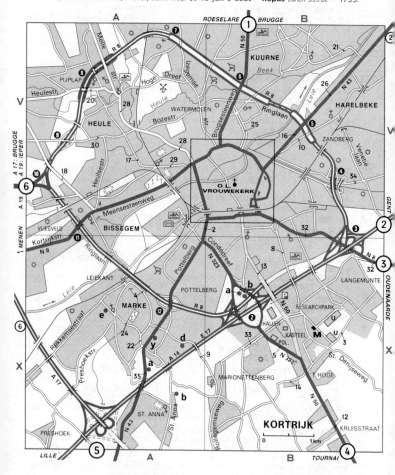

Aalbeeksesteenweg	**ABV** 2	Elleboogstraat	**BX** 14	Kortrijksesteenweg	**BV** 26		
Ambassadeur Baertlaan	**BX** 3	Gentsesteenweg	**BY** 16	Kortrijksestraat	**AV** 28		
Baliestraat	**AX** 4	Guido Gezellelaan	**AV** 17	Moorseelsestraat	**AV** 29		
Beneluxlaan	**BX** 5	Gullegemsesteenweg	**AV** 18	Oude Ieperseweg	**AV** 30		
Burgemeester		Gullegemsestraat	**AV** 20	Oudenaardse-			
Gillonlaan	**BX** 8	Harelbeeksestraat	**BV** 21	steenweg	**BVX** 32		
Cannaertstraat	**ABX** 9	Hellestraat	**AX** 22	President			
Deerlijksestraat	**BV** 10	Kloosterstraat	**AX** 24	Kennedylaan	**BX** 33		
Doornikserijksweg	**BX** 12	Koning		Stasegemsesteenweg	**BV** 34		
Doorniksesteenweg	**BX** 13	Leopold III laan	**BV** 25	Torkonjestraat	**AX** 35		

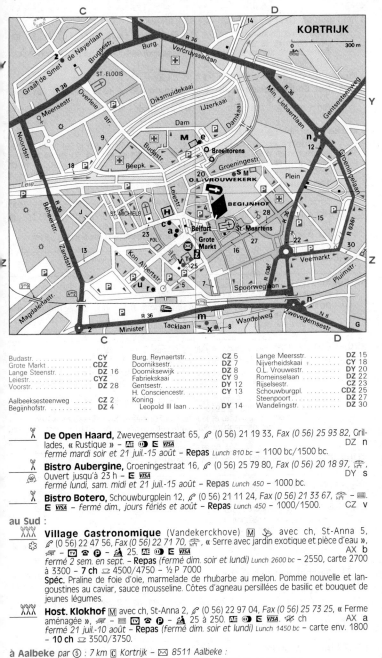

KORTRIJK

Budastr.	**CY**	Burg. Reynaertstr.	**CZ** 5	Lange Meersstr.	**DZ** 15
Grote Markt	**CDZ**	Doorniksestr.	**DZ** 7	Nijverheidskaai	**CY** 18
Lange Steenstr.	**DZ** 16	Doornikseweg	**DZ** 8	O.L. Vrouwestr.	**DY** 20
Leiestr.	**CYZ**	Fabriekskaai	**CY** 9	Romeinselaan	**DZ** 22
Voorstr.	**DZ** 28	Gentsestr.	**DY** 12	Rijselsestr.	**CZ** 23
		H. Consciencestr.	**CY** 13	Schouwburgpl.	**CDZ** 25
Aalbeeksesteenweg	**CZ** 2	Koning		Steenpoort.	**DZ** 27
Begijnhofstr.	**DZ** 4	Leopold III laan	**DY** 14	Wandelingstr.	**DZ** 30

% **De Open Haard,** Zwevegemsestraat 65, ℘ (0 56) 21 19 33, Fax (0 56) 25 93 82, Grillades, « Rustique » – ▦ ﴾ ⅀ **E** 𝗩𝗜𝗦𝗔   DZ n
fermé mardi soir et 21 juil.-15 août – **Repas** Lunch 810 bc – 1100 bc/1500 bc.

% **Bistro Aubergine,** Groeningestraat 16, ℘ (0 56) 25 79 80, Fax (0 56) 20 18 97, 🌫,
Ouvert jusqu'à 23 h – **E** 𝗩𝗜𝗦𝗔   DY s
fermé lundi, sam. midi et 21 juil.-15 août – **Repas** Lunch 450 – 1000 bc.

% **Bistro Botero,** Schouwburgplein 12, ℘ (0 56) 21 11 24, Fax (0 56) 21 33 67, 🌫 – ▤.
E 𝗩𝗜𝗦𝗔 – *fermé dim., jours fériés et août* – **Repas** Lunch 450 – 1000/1500.   CZ v

au Sud :

XXX **Village Gastronomique** (Vandekerckhove) M ॐ avec ch, St-Anna 5,
℘ (0 56) 22 47 56, Fax (0 56) 22 71 70, 🌫, « Serre avec jardin exotique et pièce d'eau »,
🌳 – ▦ ☎ ℗ – ⅍ 25. ▦ ﴾ **E** 𝗩𝗜𝗦𝗔   AX b
fermé 2 sem. en sept. – **Repas** (fermé dim. soir et lundi) Lunch 2600 bc – 2550, carte 2700
à 3300 – **7 ch** ⊒ 4500/4750 – ½ P 7000
Spéc. Praline de foie d'oie, marmelade de rhubarbe au melon. Pomme nouvelle et langoustines au caviar, sauce mousseline. Côtes d'agneau persillées de basilic et bouquet de jeunes légumes.

XXX **Host. Klokhof** M avec ch, St-Anna 2, ℘ (0 56) 22 97 04, Fax (0 56) 25 73 25, « Ferme
aménagée », 🌳 – ▤ ▦ ☎ ℗ – ⅍ 25 à 250. ▦ ﴾ **E** 𝗩𝗜𝗦𝗔 ✂ ch   AX a
fermé 21 juil.-10 août – **Repas** (fermé dim. soir et lundi) Lunch 1450 bc – carte env. 1800
– **10 ch** ⊒ 3500/3750.

à Aalbeke par ⑤ : 7 km © Kortrijk – ⊠ 8511 Aalbeke :

% **St-Cornil,** Plaats 15, ℘ (0 56) 41 35 23, Fax (0 56) 40 29 09, Grillades – ▤
fermé sam., dim., jours fériés et août – **Repas** 1050 bc/1150 bc.

221

à Bellegem *par ④ : 5 km* Ⓒ *Kortrijk* – ✉ *8510 Bellegem :*

Troopeird, Doornikserijksweg 74, ✆ (0 56) 22 26 85, *Fax (0 56) 22 33 63*, – TV ☎ P. E VISA
fermé 20 déc.-10 janv. – **Repas** *(fermé week-end)* 995/1095 – **14 ch** 2300/3000 – ½ P 2400/3195.

à Kuurne *par ① : 3,5 km – 12 961 h.* – ✉ *8520 Kuurne :*

Het Bourgondisch Kruis, Brugsesteenweg 400, ✆ (0 56) 70 24 55, *Fax (0 56) 70 24 55* – P. AE ⓓ E VISA.
fermé mardi soir, merc., dim. soir et du 3 au 20 août – **Repas** *Lunch 1050* – carte 1750 à 2200.

à Marke Ⓒ *Kortrijk* – ✉ *8510 Marke :*

Marquette avec ch, Kannaertstraat 45, ✆ (0 56) 20 18 16, *Fax (0 56) 20 14 37*, « Collection de vins à vue en caveau », – TV ☎ P – 30. AE ⓓ E VISA
fermé dim. et 27 juil.-21 août – **Repas** *Lunch 1925 bc* – carte env. 2800 – **10 ch** 3100/4000. AX d

Ten Beukel, Markekerkstraat 19, ✆ (0 56) 21 54 69, *Fax (0 56) 22 52 90* – AE ⓓ E VISA AX e
fermé dim. soir, lundi, sem. carnaval et 17 août-8 sept. – **Repas** *Lunch 1750 bc* – 1750/2400.

Het Vliegende Tapijt, Pottelberg 189, ✆ (0 56) 22 27 45, *Fax (0 56) 25 85 66* – P
fermé lundi, mardi, 23 fév.-4 mars et 20 juil.-19 août – **Repas** 1250. AX y

Voir aussi : **Wevelgem** *par N 8 (AX) : 6,5 km,* **Zwevegem** *par N 8 (BX) : 5 km*

KRAAINEM *Vlaams-Brabant* 213 ⑲ et 409 G 3 - ㉒ N – *voir à Bruxelles, environs.*

KRUIBEKE *9150 Oost-Vlaanderen* 213 ⑥ et 409 F 2 - ⑧ S – *14 408 h.*
Bruxelles 49 – Gent 53 – Antwerpen 12 – Sint-Niklaas 19.

De Ceder, Molenstraat 1, ✆ (0 3) 774 30 52, *Fax (0 3) 774 30 52*, « Jardin d'hiver » – P. AE ⓓ E VISA.
fermé dim. soir et lundi – **Repas** *Lunch 1175* – 950/1880.

KRUISHOUTEM *9770 Oost-Vlaanderen* 213 ⑯ et 409 D 3 – *7 718 h.*
Bruxelles 73 – Gent 28 – Kortrijk 23 – Oudenaarde 9.

Hof van Cleve (Goossens), Riemegemstraat 1 (près N 459, autoroute E 17 - A 14, sortie ⑥), ✆ (0 9) 383 58 48, *Fax (0 9) 383 77 25*, ≤, « Fermette au milieu des champs » – P. AE ⓓ E VISA
fermé dim., lundi, 1 sem. Pâques, 3 sem. en août et fin déc.-début janv. – **Repas** *Lunch 1450* – 2200/3500, carte 2000 à 2900
Spéc. Ravioli ouvert de girolles et joue de bœuf braisée, sabayon à l'estragon. Pigeonneau au lard croustillant, parmentière aux truffes et Banyuls. Moëlleux au chocolat, gelée au citron et glace au thé vert.

KUURNE *West-Vlaanderen* 213 ⑮ et 409 C 3 – *voir à Kortrijk.*

La – *voir au nom propre.*

LAARNE *9270 Oost-Vlaanderen* 213 ⑤ et 409 E 2 – *11 620 h.*
Voir *Château★ : collection d'argenterie★.*
Bruxelles 51 – Gent 13 – Aalst 29.

Dennenhof, Eekhoekstraat 62, ✆ (0 9) 230 09 56, *Fax (0 9) 231 23 96*, – P. AE ⓓ E VISA
fermé lundi, jeudi soir et 20 juil.-10 août – **Repas** *Lunch 1195* – 1395/2200.

Gasthof van het Kasteel, Eekhoekstraat 7 (dans les dépendances du château), ✆ (0 9) 230 71 78, *Fax (0 9) 230 33 05*, « Terrasse avec ≤ château du 14e s. » – P. AE ⓓ E VISA
fermé lundis et mardis non fériés et 3 dern. sem. juil. – **Repas** 1700 bc/2250 bc.

LACUISINE *Luxembourg belge* 214 ⑯ et 409 I 6 – *voir à Florenville.*

LAETHEM-ST-MARTIN *Oost-Vlaanderen* 213 ④ et 409 D 2 – *voir Sint-Martens-Latem.*

LAFORET *Luxembourg belge* 214 ⑮ – *voir à Vresse-sur-Semois.*

LANAKEN 3620 Limburg 🔢 ⑩ et 🔢 J 3 – 22 990 h.

🅱 Jan Rosierlaan 28 ℰ (0 89) 72 24 67, Fax (0 89) 72 25 30.
Bruxelles 108 – Maastricht 8 – Hasselt 29 – Liège 29.

🏨 **Eurotel,** Koning Albertlaan 264 (N : 2 km sur N 78), ℰ (0 89) 72 28 22, Fax (0 89) 72 28 24, 🌇, ⨍, ⊜, ▤ – ▯ 🔲 ☎ ℗ – 🔏 25 à 140. 🔳 ⓞ 🛑 𝒱𝐼𝒮𝒜. ❄
Repas Arte (fermé sam. midi) Lunch 750 - 950/1850 – **78 ch** ⊑ 2150/3600 – ½ P 2100/3650.

🏨 **Slot Pietersheim** ⌂, Waterstraat 54, ℰ (0 89) 71 03 60, Fax (0 89) 71 40 94, ≤, 🌇, « Ancienne demeure sur parc public » – ▯ 🔲 ☎ ℗ – 🔏 25 à 40. 🔳 ⓞ 🛑 𝒱𝐼𝒮𝒜. ❄
Repas Lunch 1025 – carte env. 1700 – **14 ch** ⊑ 2650/3600 – ½ P 2520.

✕✕ **Kokanje,** Stationsstraat 218, ℰ (0 89) 71 62 57, Fax (0 89) 71 62 57, 🌇 – 🔳 ⓞ 🛑 𝒱𝐼𝒮𝒜. ❄
fermé sam. midi – **Repas** 1065/1800.

à Neerharen N : 3 km sur N 78 ⧇ Lanaken – ⊠ 3620 Neerharen :

🏨 **Host. La Butte aux Bois** ⌂, Paalsteenlaan 90, ℰ (0 89) 72 12 86, Fax (0 89) 72 16 47, 🌇, « Environnement boisé », ⊜, ▤, 🍴 – ▯ 🔲 ☎ ℗ – 🔏 25 à 350. 🔳 ⓞ 🛑 𝒱𝐼𝒮𝒜
Repas Lunch 1150 – 1450/1950 – ⊑ 575 – **38 ch** 3400/6400, 1 suite – ½ P 3750/5150.

à Rekem N : 6 km sur N 78 ⧇ Lanaken – ⊠ 3621 Rekem :

✕ **Vogelsanck,** Steenweg 282, ℰ (0 89) 71 72 50 – ▤ ℗. 🛑 𝒱𝐼𝒮𝒜
fermé mardi et sam. midi – **Repas** Lunch 395 – carte env. 1400.

à Veldwezelt S : 4 km sur N 78 ⧇ Lanaken – ⊠ 3620 Veldwezelt :

✕✕ **'t Winhof,** Heserstraat 22, ℰ (0 89) 71 57 00, « Fermette » – ℗. 🔳 ⓞ 🛑 𝒱𝐼𝒮𝒜. ❄
fermé lundi, mardi et 2 prem. sem. sept. – **Repas** carte env. 1600.

*Rood onderstreepte plaatsnamen op de **Michelinkaarten** van **Nederland**.*

*Op **kaart** nr. 🔢 duiden zij op alle in deze gids vermelde
plaatsen ; op **kaart** nr. 🔢 duiden zij alleen op de plaatsen waar hotels
en restaurants geselekteerd zijn.*

LANGDORP Vlaams-Brabant 🔢 ⑧ et 🔢 H 3 – voir à Aarschot.

LASNE 1380 Brabant Wallon 🔢 ⑲ et 🔢 G 3 – 13 381 h.

🇳¹⁸ (2 parcours) 🇳⁹ à Ohain N : 1 km, Vieux Chemin de Wavre 50 ℰ (0 2) 633 18 50, Fax (0 2) 633 28 66.
Bruxelles 26 – Charleroi 41 – Mons 54 – Nivelles 20.

✕ **Le Four à Pain,** r. Genleau 70, ℰ (0 2) 633 13 70, 🌇, « Auberge » – ℗. 🔳 ⓞ 🛑 𝒱𝐼𝒮𝒜
fermé lundi, mardi, carnaval, 16 août-10 sept. et Noël-Nouvel An – **Repas** carte env. 900.

à Plancenoit SO : 5 km ⧇ Lasne – ⊠ 1380 Plancenoit :

✕✕ **Le Vert d'Eau,** r. Bachée 131, ℰ (0 2) 633 54 52, Fax (0 2) 633 54 52, 🌇 – 🔳 🛑 𝒱𝐼𝒮𝒜
fermé lundi soir, mardi, sam. midi, 2 sem. carnaval et 2 sem. en sept. – **Repas** Lunch 460 – 895/1150.

LATOUR Luxembourg belge 🔢 ⑪ et 🔢 J 7 – voir à Virton.

LAUWE 8930 West-Vlaanderen ⧇ Menen 32 388 h. 🔢 ⑮ et 🔢 C 3.
Bruxelles 100 – Kortrijk 7 – Lille 22.

✕✕✕ **'t Hoveke,** Larstraat 206, ℰ (0 56) 41 35 84, Fax (0 56) 41 55 11, 🌇, « Ferme du 18e s. entourée de douves » – ℗. 🔳 ⓞ 🛑 𝒱𝐼𝒮𝒜
fermé dim. soir, lundi soir, mardi et 10 août-3 sept. – **Repas** Lunch 1650 – carte env. 2100.

✕✕✕ **Ter Biest,** Lauwbergstraat 237, ℰ (0 56) 41 47 49, Fax (0 56) 42 13 86, 🌇, « Cadre champêtre » – ▤ ℗. 🔳 ⓞ 🛑 𝒱𝐼𝒮𝒜
fermé mardi soir, merc., dim. soir, sem. carnaval et du 1er au 10 août – **Repas** Lunch 1400 bc – carte 1500 à 1950.

✕✕ **de Mangerie,** Wevelgemsestraat 37, ℰ (0 56) 42 00 75, Fax (0 56) 42 42 62, 🌇 – ⓞ 🛑 𝒱𝐼𝒮𝒜. ❄
fermé sam. midi, dim. soir, lundi et 2 dern. sem. août-prem. sem. sept. – **Repas** Lunch 995 – 1100/1350.

LAVAUX-SAINTE-ANNE 5580 Namur © Rochefort 11 614 h. 🮒🮒🮒 ⑥ et 🮒🮒🮒 I 5.
Bruxelles 112 – Dinant 34 – Namur 50 – Rochefort 16.

🏨 **Maison Lemonnier** ⟍, r. Baronne Lemonnier 82, ℘ (0 84) 38 72 17,
Fax (0 84) 38 72 20, « En Famenne, au centre du village », 🚲 – 📺 ☎ 🅿. 🖭 ⓪ 🗲 𝑽𝑰𝑺𝑨.
🕸
fermé du 3 au 11 juin, 26 août-3 sept., du 16 au 31 déc., lundi et mardi – Repas voir rest
du Château ci-après – ⊡ 350 – **8 ch** 2700/4500.

XXX **du Château** (Martin) - H. Maison Lemonnier r. Château 10, ℘ (0 84) 38 88 83,
🕸 Fax (0 84) 38 88 95, 🏡, « Dans dépendances du 17ᵉ s. » – 🅿. 🖭 ⓪ 🗲 𝑽𝑰𝑺𝑨
fermé du 3 au 11 juin, 26 août-3 sept., du 16 au 31 déc., lundi et mardi – Repas Lunch
1000 – 1775 (2 pers. min.), carte 1800 à 2600
Spéc. L'Œuf cassé aux asperges et morilles (mai). Salade de homard aux aromates.
Croustillant de pied de porc aux girolles (21 sept.-21 déc.).

Le – voir au nom propre.

LEBBEKE 9280 Oost-Vlaanderen 🮒🮒🮒 ⑤ ⑥ et 🮒🮒🮒 F 3 – 16 974 h.
Bruxelles 25 – Antwerpen 41 – Gent 37.

XX **Rembrandt,** Laurierstraat 6, ℘ (0 52) 41 04 09, Fax (0 52) 41 45 75, Ouvert jusqu'à
23 h – ▤. 🖭 ⓪ 🗲 𝑽𝑰𝑺𝑨
fermé lundi soir, mardi et 3 dern. sem. juil. – Repas 1600.

LEERNES 6142 Hainaut © Fontaine-l'Évêque 17 250 h. 🮒🮒🮒 ③ et 🮒🮒🮒 G 4.
Bruxelles 55 – Charleroi 7 – Mons 29.

🏨 **Le Saint Emilion,** r. Abbaye d'Aulne 8, ℘ (0 71) 51 05 51, Fax (0 71) 51 05 66, 🏡 –
🐭 📺 ☎ 🅿 – 🔬 25. 🖭 ⓪ 🗲 𝑽𝑰𝑺𝑨
Repas (fermé lundi et du 1ᵉʳ au 15 fév.) Lunch 395 – 690/990 – **18 ch** ⊡ 1800/2250 –
½ P 2050.

LEISELE 8691 West-Vlaanderen © Alveringem 4 740 h. 🮒🮒🮒 ① et 🮒🮒🮒 A 3.
Bruxelles 143 – Brugge 67 – Ieper 27 – Oostende 45 – Veurne 20.

🏨 **De Zoeten Inval** ⟍, Lostraat 7, ℘ (0 58) 29 99 64, Fax (0 58) 29 80 55, 🏡,
« Cadre champêtre », 🚲 – 📺 🅿 ⟍. 🖭 ⓪ 🗲 𝑽𝑰𝑺𝑨. 🕸
fermé du 15 au 30 nov. et 2 janv.-carnaval – Repas (fermé lundi et mardi sauf vacances
scolaires) 950/1350 – **6 ch** ⊡ 1800/3500 – ½ P 1750/2500.

LEMBEKE 9971 Oost-Vlaanderen © Kaprijke 6 136 h. 🮒🮒🮒 ④ et 🮒🮒🮒 D 2.
Bruxelles 75 – Antwerpen 63 – Brugge 35 – Gent 20.

🏨 **Host. Ter Heide** ⟍, Tragelstraat 2, ℘ (0 9) 377 19 23, 🏡, « Terrasse et jardin » –
📺 ☎ 🅿 – 🔬 25 à 100. 🖭 ⓪ 🗲 𝑽𝑰𝑺𝑨. 🕸
Repas (fermé lundi) Lunch 690 – carte 1500 à 2000 – ⊡ 500 – **9 ch** 3250/3500 – ½ P 3250.

LENS 7870 Hainaut 🮒🮒🮒 ⑰ et 🮒🮒🮒 E 4 – 3 787 h.
Bruxelles 55 – Mons 13 – Ath 13.

XX **Aub. de Lens** avec ch, r. Calvaire 23 (NO : 1,5 km), ℘ (0 65) 22 90 41, ≤, « Terrasse
et jardin » – 📺 🅿. 🗲 𝑽𝑰𝑺𝑨. 🕸 ch
fermé mi-déc.-mi-janv. – Repas (fermé dim. soir et lundi) Lunch 595 – carte env. 1100 –
⊡ 300 – **6 ch** 1200/1900.

LEOPOLDSBURG (BOURG-LÉOPOLD) 3970 Limburg 🮒🮒🮒 ⑨ et 🮒🮒🮒 I 2 – 13 719 h.
Bruxelles 83 – Antwerpen 64 – Eindhoven 44 – Liège 71 – Maastricht 59

XX **'t Merenhuys,** Vander Elststraat 22, ℘ (0 11) 34 53 91, Fax (0 11) 34 53 91 – 🖭 ⓪
🗲 𝑽𝑰𝑺𝑨 𝒋𝒄𝒃
fermé lundi, mardi, merc., sem. carnaval, Noël et Nouvel An – Repas carte 1150 à 1500.

LESSINES (LESSEN) 7860 Hainaut 🮒🮒🮒 ⑰ et 🮒🮒🮒 E 3 – 16 593 h.
Voir N.-D.-à la Rose★.
🄱 Grand'Place 11 ℘ (0 68) 33 21 13 (ext. 45), Fax (0 68) 33 36 90.
Bruxelles 57 – Mons 35 – Aalst 35 – Gent 49 – Tournai 45.

X **Le Napoléon,** r. Lenoir Scaillet 25, ℘ (0 68) 33 39 39 – ⓪ 🗲 𝑽𝑰𝑺𝑨
fermé merc., 17 août-9 sept. et 2 sem. fin janv. – Repas (déjeuner seult sauf sam.)
800/1055.

LEUVEN (LOUVAIN) 3000 🄿 Vlaams-Brabant 👿👿👿 ⑦ ⑲ et 👿👿👿 H 3 – 87 132 h.

Voir Hôtel de Ville★★★ (Stadhuis) BYZ **H** – Collégiale St-Pierre★ (St-Pieterskerk) : musée d'Art religieux★★, Cène★★, Tabernacle★, Tête de Christ★, Jubé★ BY **A** – Grand béguinage★★ (Groot Begijnhof) BZ – Plafonds★ de l'Abbaye du Parc (Abdij van 't Park) DZ **B** – Façade★ de l'église St-Michel (St-Michielskerk) BZ **C**.

Musée : communal Vander Kelen - Mertens★ (Stedelijk Museum) BY **M**.

Env. Korbeek-Dijle : retable★ de l'église St-Barthélemy (St-Batholomeüskerk) par N 253 : 7 km DZ.

🛪₉ à Duisburg SO : 15 km, Hertswegenstraat 59 ℘ (0 2) 769 45 82, Fax (0 2) 767 97 52 -
🛪₁₈ à Sint-Joris-Winge par ② : 13 km, Leuvensesteenweg 206, ℘ (0 16) 63 40 53, Fax (0 16) 63 21 40.

🄱 L. Vanderkelenstraat 30 ℘ (0 16) 21 15 11, Fax (0 16) 21 18 01 – Fédération provinciale de tourisme, Diestsesteenweg 52, ✉ 3010 Kessel-Lo, ℘ (0 16) 26 76 20, Fax (0 16) 26 76 76.

Bruxelles 26 ⑥ – Antwerpen 48 ⑨ – Liège 74 ④ – Namur 53 ⑤ – Turnhout 60 ①.

Plans pages suivantes

🏩 **Begijnhof** sans rest, Tervuursevest 70, ℘ (0 16) 29 10 10, Fax (0 16) 29 10 22, 🖵, �, 🏊 – 📳 📺 ☎ 🄿 ﹐ 🕮 ⓘ ᴇ 🆅🆂🅰. 🛇
63 ch ☲ 4550/5050, 4 suites.
BZ **g**

🏨 **Holiday Inn Garden Court,** A. Smetsplein 7, ℘ (0 16) 29 07 70, Fax (0 16) 29 12 29, 🖵 – 📳 ﹦ 📺 ☎ 🄿 ﹐ 🄰 25 à 55. 🕮 ⓘ ᴇ 🆅🆂🅰 🅹🅲🅱
Repas Lunch 950 – carte env. 900 – ☲ 500 – **100 ch** 4500 – ½ P 5650/5900.
BZ **a**

🏨 **New Damshire** Ⓜ sans rest, Pater Damiaanplein-Schapenstraat 1, ℘ (0 16) 23 21 15, Fax (0 16) 23 32 08 – 📳 ﹦ ☎ 🄿 ﹐ 🕮 ᴇ 🆅🆂🅰. 🛇
fermé 24 déc.-1ᵉʳ janv. – **22 ch** ☲ 2950/3800.
BZ **m**

🏨 **Binnenhof** sans rest, Maria-Theresiastraat 65, ℘ (0 16) 20 55 92, Fax (0 16) 23 69 26 – 📳 📺 ☎ 🄿 – 🄰 25 à 50. 🕮 ⓘ ᴇ 🆅🆂🅰. 🛇
54 ch ☲ 3250/3950.
CY **a**

🏠 **Ibis** sans rest, Brusselsestraat 52, ℘ (0 16) 29 31 11, Fax (0 16) 23 87 92 – 📳 ﹦ 📺 ☎ & 🄿 ﹐ 🕮 ⓘ ᴇ 🆅🆂🅰
☲ 200 – **71 ch** 2900/3050.
BY **b**

🍴🍴🍴 **Sire Pynnock** (Fol), Hogeschoolplein 10, ℘ (0 16) 20 25 32, Fax (0 16) 20 11 26 – 🄿 ⓢ – 🄰 30. 🕮 ⓘ ᴇ 🆅🆂🅰. 🛇
BZ **n**
fermé sam. midi, dim. soir, lundi et 3 sem. en août – **Repas** Lunch 1450 – 1950, carte 2200 à 2750
Spéc. Turbotin au salpicon façon provençale. Agneau laqué, salade tiède aux lentilles. Meringue à la lavande, groseilles, mûres et rhubarbe.

🍴🍴🍴 **Belle Epoque** (Tubee), Bondgenotenlaan 94, ℘ (0 16) 22 33 89, Fax (0 16) 22 37 42, ⓢ 🍸 – 🕮 ⓘ ᴇ 🆅🆂🅰
CY **d**
fermé dim., lundi, sem. carnaval et 20 juil.-12 août – **Repas** Lunch 950 – 1850 (2 pers. min.), carte 2200 à 2800
Spéc. Langoustines sous un croustillant de pommes de terre. Pavé de cabillaud au beurre de homard. Pigeon de Bresse à l'essence de truffes.

🍴🍴 **Ming Dynasty,** Oude Markt 9, ℘ (0 16) 29 20 20, Fax (0 16) 29 44 04, 🍸, Cuisine chinoise, ouvert jusqu'à 23 h – 🍽. 🕮 ⓘ ᴇ 🆅🆂🅰
BYZ **c**
fermé mardi – **Repas** Lunch 750 – 980/1950.

🍴 **Ramberg Hof,** Naamsestraat 60, ℘ (0 16) 29 32 72, Fax (0 16) 20 10 90, 🍸, « Jardin d'hiver » – 🕮 ᴇ 🆅🆂🅰. 🛇
BZ **k**
fermé dim. soir et lundi – **Repas** Lunch 760 – 1600 bc.

🍴 **'t Zwart Schaap,** Boekhandelstraat 1, ℘ (0 16) 23 24 16, Fax (0 16) 23 24 16 – 🕮 ᴇ. 🛇
BY **e**
fermé dim., lundi, jours fériés, sem. carnaval et 20 juil.-20 août – **Repas** Lunch 600 – carte 1800 à 2100.

🍴 **Y-Sing,** Parijsstraat 18, ℘ (0 16) 22 80 52, Fax (0 16) 23 40 47, Cuisine asiatique – 🍽. 🕮 ⓘ ᴇ 🆅🆂🅰. 🛇
BY **s**
fermé merc. – **Repas** 660.

🍴 **Oesterbar,** Muntstraat 23, ℘ (0 16) 20 28 38, Fax (0 16) 20 34 84, Produits de la mer – 🕮 ᴇ 🆅🆂🅰. 🛇
BYZ **p**
fermé dim., lundi, dern. sem. avril et 2 dern. sem. sept. – **Repas** Lunch 880 – carte 900 à 1650.

à Blanden par ⑤ : 7 km 🄲 Oud-Heverlee 10 436 h. – ✉ 3052 Blanden :

🍴🍴 **Meerdael,** Naamsesteenweg 90 (sur N 25), ℘ (0 16) 40 24 02, Fax (0 16) 40 81 37, 🍸, « Terrasse ombragée et jardin » – 🄿 🕮 ᴇ 🆅🆂🅰. 🛇
fermé sam. midi, dim. soir, lundi, Pâques, sept., Noël et Nouvel An – **Repas** Lunch 950 – 1395.

à **Kessel-Lo** Ⓒ Leuven – ⊠ 3010 Kessel-Lo :

XX **In Den Mol,** Tiensesteenweg 331, ☎ (0 16) 25 11 82, 佘, « Rustique » – ℗, AE ⓪
E VISA JCB, ⋇
fermé mardi et dim. soir – **Repas** Lunch 950 – 1350/1750.
DZ f

à **Oud-Heverlee** par ⑤ : 7,5 km – 10 436 h. – ⊠ 3050 Oud-Heverlee :

XX **Spaans Dak,** Maurits Noëstraat 2 (Zoet Water), ☎ (0 16) 47 33 33, Fax (0 16) 47 38 12,
佘 – ℗, AE E VISA
fermé lundi, mardi, sem. carnaval et 21 juil.-9 août – **Repas** Lunch 975 – carte env. 1500.

à **Vaalbeek** par ⑤ : 6,5 km Ⓒ Oud-Heverlee 10 436 h. – ⊠ 3054 Vaalbeek :

XX **De Bibliotheek,** Gemeentestraat 12, ☎ (0 16) 40 05 58, Fax (0 16) 40 20 69, 佘 – ℗,
E VISA, ⋇
fermé mardi, merc., sam. midi, 13 juil.-3 août et 26 janv.-4 fév. – **Repas** Lunch 750 –
950/1295.

226

LEUVEN

Bondgenotenlaan ...... **BCY** 5
Brusselsestr. .... **AY**
Fochpl. .... **BY** 12
Naamsestr. .... **BZ**
Tiensestr. .... **BCY**

Aarschotsesteenweg .. **BY** 2
Bierbeekpleindreef ... **DZ** 3
Borstelstr. .... **DZ** 6
Celestijnenlaan ...... **DZ** 8
Diestsesteenweg ..... **DZ** 9
Eenmeilaan .... **DZ** 10
Fonteinstr. .... **DZ** 13
Geldenaaksebaan .... **DZ** 15
Grote Markt .... **BY** 16
Grote Molenweg .... **DZ** 18
Holsbeeksesteenweg . **DZ** 19
Jean Baptiste
  van Monsstr. ..... **BCY** 20
Kapucijnenvoer ...... **AZ** 21

Kard. Mercierlaan ...... **DZ** 22
Karel v. Lotharingenstr . . **BY** 24
Koning Albertlaan ..... **BY** 25
Leopoldstr. I .... **BY** 27
Leopold
  Vanderkelenstr. ..... **BY** 28
Margarethapl. .... **BY** 30
Martelarenpl. .... **CY** 31
Mgr Ladeuzepl .... **BY** 34
Muntstr. .... **BY** 35
Naamsesteenweg .... **DZ** 36
Nieuwe
  Mechelsesteenweg .. **DZ** 37
Oude Markt .... **BZ** 38
Pakenstr. .... **DZ** 39
Petermannenstr. ...... **AY** 40
Redingenstr. .... **ABZ** 41
Rijschoolstr. .... **BY** 42
Smolderspl. .... **BY** 44
Tiensesteenweg .... **DZ** 45
Vaartstr. .... **BY** 47
Vismarkt .... **BY** 48
Vital Decosterstr. .... **BY** 50
Waversebaan .... **DZ** 51

*Les principales voies commerçantes
figurent en rouge
au début de la liste des rues
des plans de villes.*

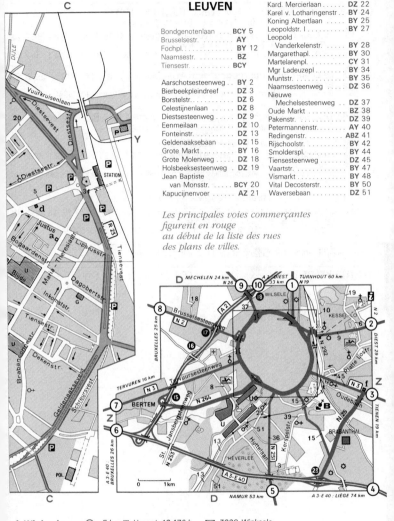

à **Winksele** par ⑧ : 5 km Ⓒ *Herent 18476 h.* – ⊠ *3020 Winksele :*
  De Pachtenhoef, Dorpstraat 29b, ℰ (0 16) 48 85 41 – ▤ **ℙ**. 𝔸𝔼 ⓪ **ℰ** 𝒱𝐼𝑆𝐴.
  ✎
  fermé lundi, mardi, merc. et 17 août-11 sept. – **Repas** carte 1500 à 2150.

En complément à ce guide, utilisez :

- les **cartes** 𝟜𝟘𝟟 𝟜𝟘𝟠 à 1/400 000
    𝟚𝟙𝟘 𝟚𝟙𝟙 𝟚𝟙𝟚 𝟚𝟙𝟛 𝟚𝟙𝟜 𝟚𝟙𝟝 à 1/200 000

- les guides verts touristiques **Belgique-Luxembourg** et **Hollande** :
  itinéraires de visite,
  musées,
  monuments et merveilles artistiques.

LEUZE-EN-HAINAUT 7900 Hainaut 🔳🔳🔳 ⑯ et 🔳🔳🔳 D 4 – 13039 h.
Bruxelles 70 – Gent 56 – Mons 35 – Tournai 16.

🏠 **La Cour Carrée,** chaussée de Tournai 5, ☎ (0 69) 66 48 25, Fax (0 69) 66 18 82, 🛋
– 📺 ☎ 🅿 – 🛡 25 à 40. 🅰🅴 ⦿ 🅴 *VISA*, 🛇
Repas *(fermé sam. midi et dim. soir)* Lunch 500 – carte 900 à 1350 – **9 ch** 🖙 1750/2150
– ½ P 2250.

XX **Le Châlet de la Bourgogne,** chaussée de Tournai 1, ☎ (0 69) 66 19 78 – 🅿. 🅰🅴 ⦿
🍴 🅴 *VISA*
fermé mardi soir, merc., 1ʳᵉ quinz. fév. et 1ʳᵉ quinz. juil. – **Repas** 900/1250.

LIBRAMONT 6800 Luxembourg belge 🅒 Libramont-Chevigny 9 120 h. 🔳🔳🔳 ⑯ ⑰ et 🔳🔳🔳 J 6.
Bruxelles 143 – Arlon 52 – Dinant 68 – La Roche-en-Ardenne 43.

à Bras N : 7 km 🅒 Libramont-Chevigny – ✉ 6800 Bras :

XX **La Michaudière,** Vieux Chemin 9 (Bras-Haut), ☎ (0 61) 61 23 91, Fax (0 61) 61 31 53
🍴 – 🅿. 🅰🅴 🅴 *VISA*
fermé début janv., dim. soir et les lundis non fériés sauf en juil.-août – **Repas** Lunch 950
– 850/1550.

à Recogne SO : 1 km 🅒 Libramont-Chevigny – ✉ 6800 Recogne :

🏠 **L'Amandier,** av. de Bouillon 70, ☎ (0 61) 22 53 73, Fax (0 61) 22 57 10, 🛋, 🖙 – 📳
📺 ☎ 🅿 – 🛡 25 à 250. 🅰🅴 ⦿ 🅴 *VISA* 🅹🅲🅱
Repas Lunch 750 – 1150/1650 – **24 ch** 🖙 2100/2600 – ½ P 2200/3000.

LICHTAART Antwerpen 🔳🔳🔳 ⑯ et 🔳🔳🔳 H 2 – voir à Kasterlee.

LICHTERVELDE West-Vlaanderen 🔳🔳🔳 ② et 🔳🔳🔳 C 2 – voir à Torhout.

LIÈGE – LUIK

4000 **P** **213** ㉒ et **409** J 4 – ⑰ N – 190 525 h.

Bruxelles 97 ⑨ – Amsterdam 242 ① – Antwerpen 119 ⑫ – Köln 122 ② – Luxembourg 159 ⑤ – Maastricht 32 ①.

Plans de Liège	
Agglomération	p. 2 et 3
Liège Centre	p. 4
Agrandissement partie centrale	p. 5
Répertoire des rues	p. 6
Nomenclature des hôtels et des restaurants	
Ville	p. 7 et 8
Périphérie et environs	p. 8 et 9

OFFICES DE TOURISME

En Féronstrée 92 ℰ (04) 221 92 21, Fax (04) 221 92 22 et Gare des Guillemins ℰ (04) 252 44 19 – Fédération provinciale de tourisme, bd de la Sauvenière 77 ℰ (04) 232 65 10, Fax (04) 232 65 11.

RENSEIGNEMENTS PRATIQUES

🛇 r. Bernalmont 2 (BT) ℰ (04) 227 44 66, Fax (04) 227 91 92 – 🛇 à Angleur par ⑥ : 8 km rte du Condroz 541 ℰ (04) 336 20 21, Fax (04) 337 20 26 – 🛇 à Gomzé-Andoumont par ⑤ : 18 km, r. Gomzé 30 ℰ (04) 360 92 07, Fax (04) 360 92 06.

🚗 ℰ (04) 342 52 14.

CURIOSITÉS

Voir Citadelle ≤★★ DW, Parc de Cointe ≤★ CX – Vieille ville★★ : Palais des Princes-Évêques★ : grande cour★★ EY, Le perron★ EY **A**, Cuve baptismale★★★ dans l'église St-Barthélemy FY, Trésor★★ de la Cathédrale St-Paul : reliquaire de Charles le Téméraire★★ EZ – Église St-Jacques★★ : voûtes de la nef★★ EZ – Retable★ dans l'église St-Denis EY – Statues★ en bois du calvaire et Sedes Sapientiae★ de l'église St-Jean EY – Aquarium★ FZ **D**.

Musées : de la Vie wallonne★★ EY – d'Art religieux et d'Art mosan★ FY **M⁵** – Curtius et musée du Verre★ (Musées d'Archéologie et d'Arts décoratifs) : Évangéliaire de Notger★★★, collection d'objets de verre★ FY **M¹** – d'Armes★ FY **M³** – d'Ansembourg★ FY **M²**.

Env. Blégny-Trembleur★★ par ① : 20 km – Fonts baptismaux★ dans l'église★ de St-Séverin par ⑥ : 27 km. Visé par ① : 17 km : Châsse de St-Hadelin★ dans l'église collégiale.

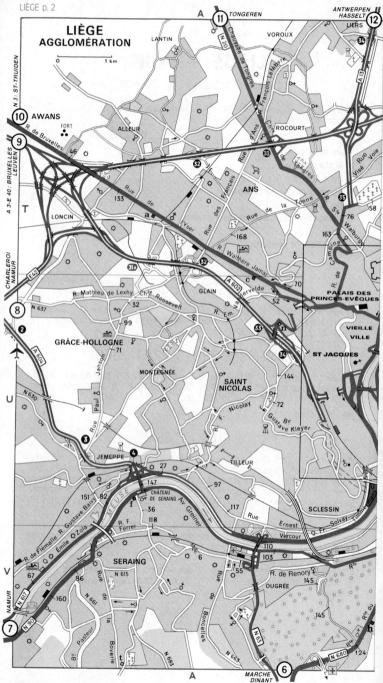

LIÈGE
AGGLOMÉRATION

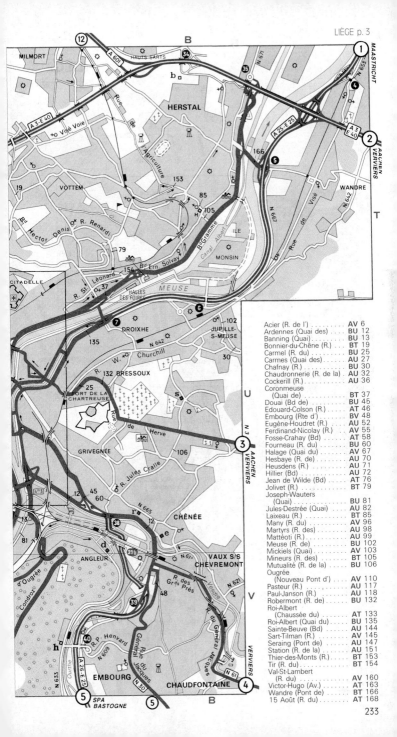

Acier (R. de l') . . . . AV 6
Ardennes (Quai des) . . . BU 12
Banning (Quai) . . . . BU 13
Bonnier-du-Chêne (R.) . . . BT 19
Carmel (R. du) . . . . BU 25
Carmes (Quai des) . . . . . AU 27
Chafnay (R.) . . . . BU 30
Chaudronnerie (R. de la) . AU 32
Cockerill (R.) . . . . AU 36
Coronmeuse
  (Quai de) . . . . BT 37
Douai (Bd de) . . . . BU 45
Edouard-Colson (R.) . . . . AT 46
Embourg (Rte d') . . . . . . BV 48
Eugène-Houdret (R.) . . . . AU 52
Ferdinand-Nicolay (R.) . . . AV 55
Fosse-Crahay (Bd) . . . . . AT 58
Fourneau (R. du) . . . . . . BU 60
Halage (Quai du) . . . . . . AU 67
Hesbaye (R. de) . . . . AU 70
Heusdens (R.) . . . . BT 71
Hillier (Bd) . . . . AU 72
Jean de Wilde (Bd) . . . . . AT 76
Jolivet (R.) . . . . BT 79
Joseph-Wauters
  (Quai) . . . . BU 81
Jules-Destrée (Quai) . . . . AU 82
Laixeau (R.) . . . . BT 85
Many (R. du) . . . . AV 96
Martyrs (R. des) . . . . AU 98
Mattéoti (R.) . . . . AU 99
Meuse (R. de) . . . . BU 102
Mickiels (Quai) . . . . AV 103
Mineurs (R. des) . . . . . . BT 105
Mutualité (R. de la) . . . . . BU 106
Ougrée
  (Nouveau Pont d') . . . . AV 110
Pasteur (R.) . . . . AU 117
Paul-Janson (R.) . . . . . . AU 118
Robermont (R. de) . . . . . BU 132
Roi-Albert
  (Chaussée du) . . . . . . AT 133
Roi-Albert (Quai du) . . . . BU 135
Sainte-Beuve (Bd) . . . . . AU 144
Sart-Tilman (R.) . . . . AU 145
Seraing (Pont de) . . . . . . AU 147
Station (R. de la) . . . . . . AU 151
Thier-des-Monts (R.) . . . . BT 153
Tir (R. du) . . . . BT 154
Val-St-Lambert
  (R. du) . . . . AV 160
Victor-Hugo (Av.) . . . . . . AT 163
Wandre (Pont de) . . . . . . BT 166
15 Août (R. du) . . . . AT 168

233

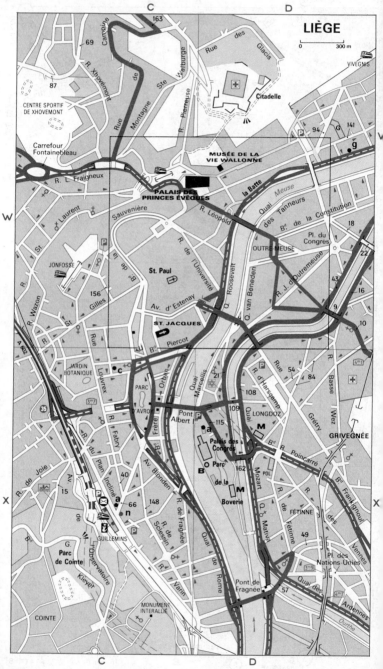

LIÈGE

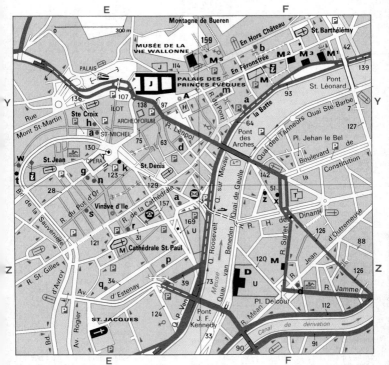

Cathédrale (R. de la)	**EZ**	Dartois (R.)	**CX** 40	Orban (Quai)	**DX** 108
En Féronstrée	**FY**	Déportés (Pl. des)	**FY** 42	Orban ou de Huy (Pont d')	**DX** 109
Léopold (R.)	**EFY**	Dérivation (Quai de la)	**DW** 43	Ourthe (Quai de l')	**FZ** 112
Pont d'Île	**EY** 123	Emile de Laveleye (Bd)	**DX** 49	Palais (R. du)	**EY** 114
Régence (R. de la)	**EYZ** 129	Est (Bd de l')	**FYZ** 51	Parc (R. du)	**DX** 115
Saint-Gilles (R.)	**EZ**	Fer (R. du)	**DX** 54	Pitteurs (R. des)	**FZ** 120
Vinâve d'Île (R.)	**EZ**	Fétinne (Pont de)	**DX** 57	Pont d'Avroy (R.)	**EZ** 121
		Georges Simenon (R.)	**FZ** 61	Prémontrés (R. des)	**EZ** 124
Académie (R. de l')	**EY** 4	Gérardrie (R.)	**EY** 63	Puits-en-Soc (R.)	**FZ** 126
Adolphe Maréchal (R.)	**FY** 7	Goffe (Quai de la)	**FY** 64	Ransonnet (R.)	**FY** 127
Amercoeur (Pont d')	**DW** 9	Guillemins (R. des)	**CX** 66	Rép. Française (Pl.)	**EY** 130
Amercoeur (R. d')	**DW** 10	Hauteurs (Bd des)	**CW** 69	Saint-Hubert (R.)	**EY** 136
Bois-l'Évêque (R.)	**CX** 15	van Hoegaerden (Quai)	**EFZ** 73	Saint-Lambert (Pl.)	**EY** 138
Bonaparte (Quai)	**DW** 16	Joffre (R.)	**EY** 75	Saint-Léonard (Quai)	**FY** 139
Bonnes-Villes (R. des)	**DW** 18	Lairesse (R.)	**DX** 84	Saint-Léonard (R.)	**DW** 141
Boverie (Quai de la)	**DX** 21	Léon Philippet (Bd)	**CW** 87	Saint-Pholien (R. et Pl.)	**FY** 142
Bressoux (Pont de)	**DW** 22	Liberté (R. de la)	**FZ** 88	Serbie (R. de)	**CX** 148
Bruxelles (R. de)	**EY** 24	Longdoz (Pont de)	**FZ** 90	Trappé (R.)	**CW** 156
Casquette (R. de la)	**EYZ** 28	Longdoz (Quai de)	**FZ** 91	Université (R. de l')	**EYZ** 157
Charles Magnette (R.)	**EZ** 31	Maastricht (Quai de)	**FY** 93	Ursulines (Imp. des)	**FY** 159
Churchill (Quai)	**FZ** 33	Maghin (R.)	**DW** 94	Vennes (Pont des)	**DX** 162
Clarisses (R. des)	**EZ** 34	Marché (Pl. du)	**EY** 97	Victor Hugo (Av.)	**CW** 163
Croisiers (R. des)	**EZ** 39	Notger (Square)	**EY** 107	20 Août (Pl. du)	**EZ** 169

Sur la route :

la signalisation routière est rédigée

dans la langue de la zone linguistique traversée.

Dans ce guide,

les localités sont classées selon leur nom officiel :

Antwerpen pour Anvers, **Mechelen** pour Malines.

Cathédrale (R. de la) . . p.5 **EZ**
En Féronstrée . . . . p.5 **FY**
Léopold (R.) . . . . p.5 **EFY**
Pont d'Île . . . . p.5 **EY** 123
Régence (R. de la) . . . p.5 **EYZ** 129
Vinâve d'Île (R.) . . . . . . p.5 **EZ**

Abattoir (R. de l') . . . . . p.3 **BT** 3
Académie (R. de l') . . . p.5 **EY** 4
Acier (R. de l') . . . . . . p.2 **AV** 6
Adolphe Maréchal (R.) . . p.5 **FY** 7
Agriculture (R. de l') . . . p.3 **BT**
Albert Ier (Pont) . . . . . p.4 **CX**
Amercoeur (Pont d') . . p.4 **DW** 9
Amercoeur (R. d') . . . p.4 **DW** 10
Ans (R. d') . . . . p.2 **AT**
Arches (Pont des) . . . . p.5 **EY**
Ardenne (Voie de l') . . p.3 **BV**
Ardennes (Quai des) . . p.4 **DX**
Avroy (Bd d') . . . . p.5 **EZ**
Banning (Quai) . . . . . . p.3 **BU** 13
Basse Wez (R.) . . . . . . p.4 **DX**
Batte (Quai de la) . . . . p.5 **FY**
van Beneden (Quai) . . . p.5 **FZ**
Blonden (Av.) . . . . p.4 **CX**
Bois-l'Évêque (R.) . . . . p.4 **CX** 15
Bonaparte (Quai) . . . . p.4 **DW** 16
Boncelles (R. de) . . . . p.2 **AV**
Bonnes-Villes (R. de) . . p.4 **DW** 18
Bonnier-du-Chêne (R.) . p.3 **BT** 19
Boverie (Quai de la) . . p.4 **DX** 21
Boverie (R. de la) . . . . p.2 **AV**
Bressoux (Pont de) . . . p.4 **DW** 22
Bruxelles (R. de) . . . . . p.5 **EY** 24
Bruxelles
(R. de) (AWANS) . . p.2 **AT**
Campine (R. de) . . . . . p.4 **CW**
Carmel (R. du) . . . . . . p.3 **BU** 25
Carmes (Quai des) . . . p.2 **AU** 27
Casquette (R. de la) . . p.5 **EYZ** 28
Chafnay (R.) . . . . p.3 **BU** 30
Charles-Magnette (R.) . p.5 **EZ** 31
Chaudronnerie
(R. de la) . . . . p.2 **AU** 32
Churchill (Quai) . . . . . p.5 **FZ** 33
Clarisses (R. des) . . . . p.5 **EZ** 34
Cockerill (R.) . . . . p.2 **AU** 36
Condroz (Rte du) . . . . p.3 **BV**
Congrès (R. du) . . . . . p.4 **DW**
Constitution (Bd de la) . p.5 **FY**
Coronmeuse (Quai de) . p.3 **BT** 37
Croisiers (R. des) . . . . p.5 **EZ** 39
Dartois (R.) . . . . p.4 **CX** 40
Delcourt (Pl.) . . . . p.5 **FZ**
Déportés (Pl. des) . . . . p.5 **FY** 42
Dérivation (quai de la) . p.4 **DW** 43
Douai (Bd de) . . . . . . p.3 **BU**
Édouard-Colson (R.) . . p.2 **AT** 46
Embourg (Rte d') . . . . p.3 **BV** 48
Émile de Laveleye (Bd) . p.4 **DX** 49
Émile Vandervelde (R.) . p.2 **AU**
Émile Zola (R.) . . . . . . p.2 **AV**
En Hors Château . . . . . p.5 **FY**
Ernest Solvay (Bd) . . . p.3 **BT**
Ernest Solvay (R.) . . . . p.2 **AU**
Est (Bd de l') . . . . p.5 **FYZ** 51
Esternay (Av. d') . . . . . p.5 **EZ**
Eugène-Houdret (R.) . . p.2 **AU** 52
Fabry (R.) . . . . p.4 **CX**
Fer (R. du) . . . . p.4 **DX** 54
Ferdinand-Nicolay (R.)
(SERAING) . . . . . . p.2 **AV** 55
Ferdinand-Nicolay (R.)
(ST-NICOLAS) . . . . p.2 **AU**
Fétinne (Pont de) . . . . p.4 **DX** 57
Fétinne (R. de) . . . . . . p.4 **DX**
Flémalle (R.) . . . . p.2 **AV**

Fontainebleau
(Carrefour) . . . . . . p.4 **CW**
Fosse-Crahay (Bd) . . . p.2 **AT** 58
Fourneau (R. du) . . . . p.3 **BU** 60
Fragnée (Pont de) . . . . p.4 **DX**
Fragnée (R. de) . . . . . . p.4 **CX**
Français (R. des) . . . . . p.2 **AT**
Francisco-Ferrer (R.) . . p.2 **AUV**
François-Lefebvre (R.) . p.2 **AT**
Frankignoul (Bd) . . . . . p.4 **DX**
Frère Orban (Bd) . . . . . p.4 **CX**
De Gaulle (Quai) . . . . . p.5 **FZ**
Général-Jacques (R. du) . p.3 **BV**
Georges Simenon (R.) . p.5 **FZ** 61
Gérardrie (R.) . . . . p.5 **EY** 63
Glacis (R. des) . . . . . . p.4 **DW**
Goffe (Quai de la) . . . . p.5 **FY** 64
Gramme (Bd) . . . . p.3 **BT**
Grands-Prés (R. des) . . p.3 **BV**
Grétry (R.) . . . . p.4 **DX**
Greiner (Av.) . . . . p.2 **AU**
Guillemins (R. des) . . . p.4 **CX** 66
Gustave Baivy (R.) . . . . p.2 **AU**
Gustave Kleyer (Bd) . . . p.2 **AU**
Halage (Quai du) . . . . p.2 **AV** 67
Harscamp (R. d') . . . . p.4 **DX**
Hauteurs (Bd des) . . . . p.4 **CW** 69
Hector-Denis (Bd) . . . . p.3 **BT**
Herve (R. de) . . . . p.3 **BU**
Hesbaye (R. de) . . . . . p.2 **AU** 70
Heusdens (R.) . . . . . . p.2 **AU** 71
Hillier (Bd) . . . . p.2 **AU** 72
van Hoegaerden (Quai) . p.5 **EZ** 73
Jamme (R.) . . . . p.5 **FZ**
Jean d'Outremeuse (R.) . p.5 **FZ**
Jean de Wilde (Bd) . . . p.2 **AT** 76
Jehan le Bel (Pl.) . . . . . p.5 **FY**
Joffre (R.) . . . . p.5 **EY**
J.F. Kennedy (Pont) . . . p.5 **EZ**
Joie (R. de) . . . . p.4 **CX** 78
Jolivet (R.) . . . . p.3 **BT** 79
Joseph-Wauters (Quai) . p.3 **BU** 81
Jules-Cralle (R.) . . . . . p.3 **BU**
Jules-Destrée (Quai) . . p.2 **AU** 82
Lairesse (R.) . . . . p.4 **DX** 84
Laixeau (R.) . . . . p.3 **BT** 85
Léon Philippet (Bd) . . . p.4 **CW** 87
Liberté (R. de la) . . . . . p.5 **FZ** 88
Longdoz (Pont de) . . . . p.5 **FZ** 90
Longdoz (Quai du) . . . . p.5 **FZ** 91
Louis Fraigneux (R.) . . . p.4 **CW**
Louvrex (R.) . . . . p.4 **CX**
Maastricht (Quai de) . . p.5 **FY** 93
Maghin (R.) . . . . p.4 **DW** 94
Many (R. du) . . . . p.2 **AV** 96
Marcellis (Quai) . . . . . p.4 **DX**
Marché (Pl. du) . . . . . . p.5 **EY** 97
Martyrs (R. des) . . . . . p.2 **AU** 98
Mathieu-de-Lexhy (R.) . p.2 **AU**
Mativa (Quai) . . . . p.4 **DX**
Mattéoti (R.) . . . . p.2 **AU** 99
Méan (R.) . . . . p.5 **FZ** 100
Meuse (Quai sur) . . . . p.5 **FZ**
Meuse (R. de) . . . . p.3 **BU** 102
Mickiels (Quai) . . . . . . p.2 **AV** 103
Mineurs (R. des) . . . . . p.3 **BT** 105
Mont Saint-Aubin (R.) . p.5 **EY**
Montagne
Ste-Walburge . . . . p.4 **CW**
Mozart (Quai) . . . . p.4 **DX**
Mutualité (R. de la) . . . p.3 **BU** 106
Nations Unies (Pl. des) . p.4 **DX**
Notger (Square) . . . . . p.5 **EY** 107
Observatoire (Av. de l') . p.4 **CX**
Orban (Quai) . . . . p.4 **DX** 108
Orban ou de Huy
(Pont d') . . . . p.4 **DX** 109

Ougrée
(Nouveau Pont d') . . p.2 **AV** 110
Ougrée (R.) . . . . p.3 **BV**
Ourthe (Quai de l') . . . p.5 **FZ** 112
Palais (R. du) . . . . p.5 **EY** 114
Parc (R. du) . . . . p.4 **DX** 115
Pasteur (Bd) . . . . p.2 **AV**
Pasteur (R.) . . . . p.2 **AU** 117
Paul-Janson (R.)
(GRACE-HOLLOGNE) . p.2 **AU**
Paul-Janson (R.)
(SERAING) . . . . p.2 **AU** 118
Pierre Henvard (R.) . . . p.3 **BV**
Pierreuse (R.) . . . . p.4 **CW**
Pitteurs (R. des) . . . . . p.5 **FZ** 120
Plan Incliné (R. du) . . . p.4 **CX**
Pont (R. du) . . . . p.5 **FY**
Pont d'Avroy (R.) . . . . . p.5 **EZ** 121
Pot d'Or (R. du) . . . . . p.5 **EZ**
Prémontrés (R. des) . . . p.5 **EZ** 124
Puits-en-Soc (R.) . . . . . p.5 **FZ** 126
Ransonnet (R.) . . . . . . p.5 **FY** 127
Raymond-Poincaré (Bd) . p.4 **DX**
Rénardi (R.) . . . . p.3 **BT**
Renory (R. de) . . . . . . p.2 **AV**
Rép. Française (Pl.) . . . p.5 **EY** 130
Robermont (R. de) . . . p.3 **BU** 132
Rogier (Av.) . . . . p.5 **EZ**
Roi-Albert
(Chaussée de) . . . . p.2 **AT** 133
Roi-Albert (Quai du) . . . p.3 **BU** 135
Rome (Quai de) . . . . . p.4 **DX**
Roosevelt (Chaussée) . . p.2 **AU**
Roosevelt (R.) . . . . p.5 **FZ**
Saint-Gilles (R.) . . . . . p.4 **CW**
Saint-Hubert (R.) . . . . . p.5 **EY** 136
Saint-Lambert (Pl.) . . . p.5 **EY** 138
Saint-Laurent (R.) . . . . p.4 **CW**
Saint-Léonard (Pont) . . p.5 **FY**
Saint-Léonard (Quai) . . p.5 **FY** 139
Saint-Léonard (R.) . . . . p.4 **DW** 141
Saint-Pholien (R. et Pl.) . p.5 **FY** 142
Sainte-Barbe (Quai) . . . p.5 **FY**
Sainte-Beuve (Bd) . . . . p.2 **AU** 144
Sainte-Walburge (R.) . . p.2 **AT**
Sart-Tilman (R.) . . . . . . p.2 **AU** 145
Saucy (Bd) . . . . p.5 **FZ**
Sauvenière (Bd de la) . . p.5 **EZ**
Sclessin (R. de) . . . . . p.2 **CX**
Seraing (Pont de) . . . . p.2 **AU** 147
Serbie (R. de) . . . . p.4 **CX** 148
Station (R. de la) . . . . . p.2 **AU** 151
Surlet (R.) . . . . p.5 **FZ**
Tanneurs (Quai des) . . p.5 **FY**
Thier-des-Monts (R.) . . p.3 **BT** 153
Timmermans (Quai) . . . p.2 **AU**
Tir (R. du) . . . . p.3 **BT** 154
Tongres (Chée de) . . . . p.2 **AU**
Tonne (R. de la) . . . . . p.2 **AT**
Trappé (R.) . . . . p.4 **CW** 156
Université (R. de l') . . . p.5 **EYZ** 157
Ursulines (Imp. des) . . . p.5 **FY** 159
Val-St-Lambert (R. du) . p.2 **AV** 160
Vennes (Pont des) . . . . p.4 **DX** 162
Vennes (R. des) . . . . . p.4 **DX**
Vercour (Quai) . . . . . . p.2 **AV**
Victor-Hugo (Av.) . . . . . p.4 **CW** 163
Visé (R. de) . . . . p.3 **BT**
Walthère-Jamar (R.) . . . p.2 **AT**
Wandre (Pont de) . . . . p.3 **BT** 166
Wason (R.) . . . . p.4 **CW**
Winston Churchill (R.) . . p.3 **BU**
Yser (Pl. de l') . . . . p.5 **FZ**
Yser (R. de l') . . . . p.2 **AU**
15-Août (R. du) . . . . . . p.2 **AT** 168
20-Août (Pl. du) . . . . . p.5 **EZ** 169

plan p. 4 sauf indication spéciale :

🏨 **Bedford** Ⓜ, quai St-Léonard 36, ☎ (0 4) 228 81 11, Fax (0 4) 227 45 75, 佘, « Jardin intérieur » – 📱 ⇔ ≣ 📺 ☎ ⅙, ⇔ Ⓟ – 🏛 25 à 220. ℱ ⓿ ℇ 𝗩𝗜𝗦𝗔   DW g
Repas Lunch 990 – carte env. 1000 – **147 ch** ⛐ 6950/8450, 2 suites – ½ P 4950.

🏨 **Campanile**, r. Jules de Laminne (par A 602, sortie Burenville), ☎ (0 4) 224 02 72, Fax (0 4) 224 03 80 – ⇔ 📺 ☎ Ⓟ – 🏛 25 à 50. ℱ ⓿ ℇ 𝗩𝗜𝗦𝗔   plan p. 2 AU n
Repas (avec buffet) Lunch 450 – 850 – ⛐ 270 – **46 ch** 2200.

Vieille Ville *- plan p. 5 :*

🏨 **Mercure**, bd de la Sauvenière 100, ☎ (0 4) 221 77 11, Fax (0 4) 221 77 01 – 📱 ⇔ ≣ 📺 ☎ ⇔ – 🏛 25 à 100. ℱ ⓿ ℇ 𝗩𝗜𝗦𝗔. ⅝ rest   EY t
Repas (fermé sam. midi et dim. soir) Lunch 700 – carte env. 1400 – **105 ch** ⛐ 4500/4975.

🏨 **Ibis** sans rest, pl. de la République Française 41, ☎ (0 4) 230 33 33, Fax (0 4) 223 04 81 – 📱 ⇔ ≣ 📺 ☎ – 🏛 25 à 40. ℱ ⓿ ℇ 𝗩𝗜𝗦𝗔   EY k
⛐ 200 – **78 ch** 2650.

XXX **Au Vieux Liège**, quai Goffe 41, ☎ (0 4) 223 77 48, Fax (0 4) 223 78 60, « Maison du 16ᵉ s. » – ≣. ℱ ⓿ ℇ 𝗩𝗜𝗦𝗔   FY a
fermé merc. soir, dim., jours fériés, 1 sem. Pâques et mi-juil.-mi-août – **Repas** 1250/1800.

XXX **Chez Max**, pl. de la République Française 12, ☎ (0 4) 222 08 73, Fax (0 4) 222 90 02, 佘, Écailler, ouvert jusqu'à 23 h, « Élégante brasserie décorée par Luc Genot » – ℱ ⓿ ℇ 𝗩𝗜𝗦𝗔   EY a
fermé sam. midi et dim. – **Repas** Lunch 1000 – carte env. 1500.

XX **Le Déjeuner sur l'Herbe aux Bégards**, r. Bégards 2, ☎ (0 4) 222 92 34, Fax (0 4) 223 54 02, 佘, « Cave à vins adossée au mur d'enceinte de la ville » – ℱ ⓿ ℇ 𝗩𝗜𝗦𝗔   EY w
fermé sam. midi, dim., lundi midi, jours fériés, 1 sem. Pâques, 2ᵉ quinz. août et 1 sem. fin déc. – **Repas** 1050/1900.

XX **Robert Lesenne**, r. Boucherie 9, ☎ (0 4) 222 07 93, Fax (0 4) 222 92 33, « Atrium avec tour de guet d'un ancien hospice » – ≣. ℱ ⓿ ℇ 𝗩𝗜𝗦𝗔   FY m
fermé sam. midi, dim. et du 2 au 16 août – **Repas** 1390.

XX **La Parmentière**, pl. Cockerill 10, ☎ (0 4) 222 43 59, Fax (0 4) 222 43 59 – ≣. ℱ ⓿ ℇ 𝗩𝗜𝗦𝗔   EZ a
fermé dim., lundi et août – **Repas** 950.

XX **Folies Gourmandes**, r. Clarisses 48, ☎ (0 4) 223 16 44, 佘, « Maison début du siècle avec jardin-terrasse » – ≣ ℱ ⓿ ℇ 𝗩𝗜𝗦𝗔   EZ q
fermé dim. soir, lundi, sem. Pâques et 2ᵉ quinz. sept. – **Repas** 1150.

XX **Le Shanghai** 1ᵉʳ étage, Galeries Cathédrale 104, ☎ (0 4) 222 22 63, Fax (0 4) 223 00 50, Cuisine chinoise – ≣. ℱ ⓿ ℇ 𝗩𝗜𝗦𝗔   EZ r
fermé mardi et du 7 au 29 juil. – **Repas** Lunch 525 – carte env. 1000.

X **L'Écailler**, r. Dominicains 26, ☎ (0 4) 222 17 49, Fax (0 4) 221 10 09, 佘, Produits de la mer – ≣. ℱ ⓿ ℇ 𝗩𝗜𝗦𝗔   EY n
Repas Lunch 1250 – carte 1350 à 1800.

X **Enoteca**, r. Casquette 5, ☎ (0 4) 222 24 64, Fax (0 4) 223 20 65 ℇ 𝗩𝗜𝗦𝗔   EY g
fermé sam. midi, dim. et jours fériés – **Repas** Lunch 590 – 1090.

X **La Cigale et la Fourmi**, r. Méry 22, ☎ (0 4) 221 32 65, Fax (0 4) 221 32 65 – ℱ ℇ 𝗩𝗜𝗦𝗔   EZ p
fermé du 15 au 22 fév., 2 sem. en juil., sam. midi et dim. – **Repas** Lunch 850 bc – 995.

X **Chez Marcel**, r. Haute Sauvenière 17, ☎ (0 4) 221 22 21, Moules en saison – ℱ ⓿ ℇ 𝗩𝗜𝗦𝗔   EY h
fermé mardi, sam. midi et 7 juil.-7 août – **Repas** carte env. 1100.

X **Le Bistrot du Pot d'Or**, r. Pot d'Or 33, ☎ (0 4) 222 27 14, Fax (0 4) 222 30 84, Brasserie, ouvert jusqu'à 23 h – ℱ ⓿ ℇ 𝗩𝗜𝗦𝗔   EZ s
fermé dim., lundi soir et mardi soir – **Repas** carte 1000 à 1300.

X **Le Danieli**, r. Hors-Château 46, ☎ (0 4) 223 30 91, Avec cuisine italienne – 𝗩𝗜𝗦𝗔   FY b
fermé dim., lundi, 1 sem. Pâques et 3 dern. sem. juil. – **Repas** 595.

X **Lalo's Bar**, r. Madeleine 18, ☎ (0 4) 223 22 57, Fax (0 4) 223 22 57, Cuisine italienne, ouvert jusqu'à 23 h – ≣. ⓿ ℇ 𝗩𝗜𝗦𝗔   EY d
fermé sam. midi, dim., jours fériés et 3 prem. sem. août – **Repas** Lunch 650 – 850.

Guillemins *- plan p. 4 :*

🏨 **L'Univers** sans rest, r. Guillemins 116, ☎ (0 4) 254 55 55, Fax (0 4) 254 55 00 – 📱 ⇔ 📺 ☎ Ⓟ – 🏛 25 à 80. ℱ ⓿ ℇ 𝗩𝗜𝗦𝗔   CX a
⛐ 260 – **47 ch** 1840/2080.

🏠 **Le Cygne d'Argent** sans rest, r. Beeckman 49, ℰ (0 4) 223 70 01, *Fax (0 4) 222 49 66* – 📱 📺 ☎ ⇔ 🅿. 🖭 ⓞ 🄴 *VISA*   CX c
☲ 325 – **22 ch** 1960/2620.

✕ **Le Duc d'Anjou**, r. Guillemins 127, ℰ (0 4) 252 28 58, Moules en saison, ouvert jusqu'à
⇔ 23 h 30 – 🔳. 🖭 ⓞ 🄴 *VISA*   CX n
Repas 820.

Rive droite (Outremeuse – Palais des Congrès) - plans p. 4 et 5 sauf indication spéciale :

🏨 **Holiday Inn** sans rest, Esplanade de l'Europe 2, ☒ 4020, ℰ (0 4) 342 60 20,
Fax (0 4) 343 48 10, ≤, 🏋, 😩, 🔲 – 📱 ‡⊱ 🔳 📺 ☎ ੬ ⇔ 🅿 – 🔏 25 à 70. 🖭 ⓞ
🄴 *VISA*   DX a
☲ 495 – **214 ch** 5400/6000, 5 suites.

🏨 **Simenon**, bd de l'Est 16, ☒ 4020, ℰ (0 4) 342 86 90 – 📱 📺 ☎. 🖭 ⓞ 🄴 *VISA*
Repas (Taverne-rest, déjeuner seult) *(fermé 23 déc.-1er janv.)* carte env. 900 – ☲ 250
– **11 ch** 2000.   FZ x

🏠 **Passerelle** sans rest, chaussée des Prés 24, ☒ 4020, ℰ (0 4) 341 20 20, *Fax (0 4)*
344 36 43 – 📱 📺 ☎ ⇔. 🖭 ⓞ 🄴 *VISA*   FZ z
☲ 250 – **16 ch** 2300.

✕✕ **Les Cyclades**, r. Ourthe 4, ☒ 4020, ℰ (0 4) 342 25 86, *Fax (0 4) 341 23 00* – 🄴 *VISA*. ⁎⁑
fermé merc., jeudi, 2 sem. en mai et 3 sem. en sept. – **Repas** Lunch 790 – 990.   FZ d

Périphérie - plans p. 2 et 3 :

à Angleur ⓒ *Liège* – ☒ 4031 *Angleur* :

🏨 **Le Val de l'Ourthe** sans rest, rte de Tilff 412, ℰ (0 4) 365 91 71, *Fax (0 4) 365 62 89*
– 📺 ☎ ⇔ 🅿. 🖭 ⓞ 🄴 *VISA*. ⁎⁑   BV h
☲ 300 – **12 ch** 3200/3800.

✕✕ **L'Orchidée Blanche**, rte du Condroz 457 (N 680), ℰ (0 4) 365 11 48, *Fax (0 4) 367 09 16*
– 🅿. 🖭 ⓞ 🄴 *VISA*   AV h
fermé mardi soir, merc. et 3 dern. sem. juil. – **Repas** 1000 bc.

✕ **La Devinière**, r. Tilff 39, ℰ (0 4) 365 00 32, *Fax (0 4) 365 00 32* – 🖭 ⓞ 🄴 *VISA*
fermé jeudi soir, sam. midi, dim. et 21 juil.-7 août – **Repas** 850/1280.   BU d

à Chênée ⓒ *Liège* – ☒ 4032 *Chênée* :

✕✕✕ **Le Gourmet**, r. Large 91, ℰ (0 4) 365 87 97, *Fax (0 4) 365 38 12*, ⇗, « Jardin d'hiver »
🍴 – 🅿. 🖭 ⓞ 🄴 *VISA*   BU r
fermé lundi soir, merc., sam. midi, 2 dern. sem. juil. et 2 prem. sem. janv. – **Repas** 980/1500.

✕✕ **Le Vieux Chênée**, r. Gravier 45, ℰ (0 4) 367 00 92, *Fax (0 4) 367 59 15*, Moules en
saison – 🖭 ⓞ 🄴 *VISA*   BU e
fermé jeudis non fériés – **Repas** Lunch 890 – carte 950 à 1350.

à Jupille-sur-Meuse ⓒ *Liège* – ☒ 4020 *Jupille-sur-Meuse* :

✕ **Donati**, r. Bois de Breux 264, ℰ (0 4) 365 03 49, *Fax (0 4) 365 03 49*, Cuisine italienne
– 🅿 🄴 *VISA*. ⁎⁑   BU s
fermé sam. midi, dim., lundi et du 6 au 27 juil. – **Repas** carte env. 1000.

Environs

à Ans - plan p. 2 - 27 600 h. – ☒ 4430 *Ans* :

✕✕ **Le Marguerite**, r. Walthère Jamar 171, ℰ (0 4) 226 43 46, *Fax (0 4) 226 38 35*, ⇗
– 🖭 ⓞ 🄴 *VISA*   AU c
fermé sam. midi, dim., lundi, 3 dern. sem. juil. et Noël-Nouvel An – **Repas** Lunch 980 – 1450.

✕✕ **La Fontaine de Jade**, r. Yser 321, ℰ (0 4) 246 49 72, *Fax (0 4) 263 69 53*, Cuisine chinoise, ouvert jusqu'à 23 h – 🔳. 🖭 ⓞ 🄴 *VISA*   AT a
fermé mardi – **Repas** Lunch 450 – carte 850 à 1200.

à Beyne-Heusay par ③ : 6 km – 11 483 h. – ☒ 4610 *Beyne-Heusay* :

✕✕ **Le Clos Prieur**, r. Herve 552, ℰ (0 4) 366 14 19, *Fax (0 4) 366 07 40*, ⇗ – 🅿. 🖭 ⓞ
⇔ 🄴 *VISA*
fermé mardi, merc. et 2 sem. en sept. – **Repas** 850.

à Flémalle par ⑦ : 16 km – 26 433 h. – ☒ 4400 *Flémalle* :

✕✕✕ **La Ciboulette**, chaussée de Chokier 96, ℰ (0 4) 275 19 65, *Fax (0 4) 275 05 81*, ⇗
– 🔳. 🖭 ⓞ 🄴 *VISA*
fermé sam. midi, dim. soir, lundi, merc. soir, 27 juil.-13 août et 28 déc.-12 janv. – **Repas**
Lunch 1900 bc – carte 2000 à 2450.

✕✕ **Le Gourmet Gourmand**, Grand-Route 411, ℰ (0 4) 233 07 56, *Fax (0 4) 233 19 21*,
⇗ – 🔳. 🖭 ⓞ 🄴 *VISA*
fermé lundi, mardi, merc. soir, jeudi soir et sam. midi – **Repas** Lunch 1100 – 1300/1650.

à Hermalle-sous-Argenteau par ① : 14 km Ⓒ Oupeye 23 671 h. – ⊠ 4681 Hermalle-sous-Argenteau :

🏠 **Mosa**, r. Préixhe 3, ℘ (0 4) 379 71 71, Fax (0 4) 379 91 61, ≤, 😭, 🐎, 🏊, – 🛏 📺 ☎
ⓟ – 🔬 40. 🆎 ⓞ Ⲉ 𝘝𝘐𝘚𝘈, 🛇 ch
Repas Lunch 750 – 980/1500 – **15 ch** ⊡ 1800/3800.

à Herstal - plan p. 3 – 36 565 h. – ⊠ 4040 Herstal :

🏨 **Post** 🦢, r. Hurbise 160 (par E 40, sortie ㉞), ℘ (0 4) 264 64 00, Fax (0 4) 248 06 90,
😭, 🏊 – 🛏, ▤ rest, 📺 ☎ ⓟ – 🔬 25 à 80. 🆎 ⓞ Ⲉ 𝘝𝘐𝘚𝘈   BT **b**
Repas Lunch 800 – carte 950 à 1450 – **98 ch** ⊡ 4400/5900.

à Ivoz-Ramet par ⑦ : 16 km Ⓒ Flémalle 26 433 h. – ⊠ 4400 Ivoz-Ramet :

✗ **Chez Cha-Cha**, pl. François Gérard 10, ℘ (0 4) 337 18 43, 😭, Grillades, ouvert jusqu'à
23 h – ⓟ. 🆎 ⓞ Ⲉ 𝘝𝘐𝘚𝘈
fermé sam. midi, dim., lundi soir, mardi soir et 15 août-1er sept. – **Repas** carte env. 1400.

à Neuville-en-Condroz par ⑥ : 18 km Ⓒ Neupré 9 377 h. – ⊠ 4121 Neuville-en-Condroz :

✗✗✗✗ **Le Chêne Madame** (Mme Tilkin), av. de la Chevauchée 70 (dans le bois de Rognac SE :
❀ 2 km), ℘ (0 4) 371 41 27, Fax (0 4) 371 29 43, 😭, « Relais de campagne » – ⓟ. 🆎 ⓞ
Ⲉ 𝘝𝘐𝘚𝘈
fermé dim. soir, lundi, jeudi soir et août – **Repas** Lunch 1100 – 2650 (2 pers. min.), carte 1700
à 2500
Spéc. Salade de lapereau au vinaigre de Xérès. Truite au bleu. Gibiers en saison.

à Rotheux-Rimière par ⑥ : 16 km Ⓒ Neupré 9 377 h. – ⊠ 4120 Rotheux-Rimière :

✗✗ **Le Vieux Chêne**, r. Bonry 146 (près N 63), ℘ (0 4) 371 46 51 – ⓟ. 🆎 ⓞ Ⲉ 𝘝𝘐𝘚𝘈
fermé lundi soir, mardi soir, merc., août et Noël-Nouvel An – **Repas** carte 1150 à 1450.

à Seraing - plan p. 2 – 61 051 h. – ⊠ 4100 Seraing :

✗✗ **Le Moulin à Poivre**, r. Plainevaux 30, ℘ (0 4) 336 06 13, Fax (0 4) 338 28 95, 😭 –
🆎 ⓞ Ⲉ 𝘝𝘐𝘚𝘈   AV **t**
fermé lundi, mardi, 1 sem. carnaval et 2 sem. en sept. – **Repas** Lunch 850 – 1100/1400.

✗✗ **La Table d'Hôte**, quai Sadoine 7, ℘ (0 4) 337 00 66, Fax (0 4) 336 98 27, 😭 – 🆎 ⓞ
Ⲉ 𝘝𝘐𝘚𝘈   AU **f**
fermé sam. midi, dim. soir, lundi, juin et 23 déc.-3 janv. – **Repas** Lunch 895 – 1350/1950.

à Tilff au Sud : 12 km par N 633 Ⓒ Esneux 13 061 h. – ⊠ 4130 Tilff :

✗✗ **Le Casino**, pl. du Roi Albert 3, ℘ (0 4) 388 22 89, Fax (0 4) 388 22 89, 😭, « Terrasse
au bord de l'Ourthe » – 🆎 ⓞ Ⲉ 𝘝𝘐𝘚𝘈
fermé lundi et sam. midi – **Repas** Lunch 890 – carte 1350 à 1700.

✗✗ **La Mairie**, r. Blandot 15, ℘ (0 4) 388 24 24, Fax (0 4) 388 24 24, 😭 – ⓟ. 🆎 ⓞ Ⲉ
𝘝𝘐𝘚𝘈 ᴊᴄʙ. 🛇
fermé dim. soirs et lundis non fériés et 21 fév.-15 mars – **Repas** 980/1350.

✗ **Roméo et Michette**, r. Damry 11, ℘ (0 4) 388 18 69, 😭, « Terrasse fleurie avec
≤ jardin » – 🆎 ⓞ Ⲉ 𝘝𝘐𝘚𝘈
mars-15 déc. ; fermé lundi et mardi – **Repas** Lunch 895 – carte 950 à 1350.

Voir aussi : **Chaudfontaine** par ④ : 10 km

LIER (LIERRE) 2500 Antwerpen ²⁰⁸ ⑦ et ⁴⁰⁹ G 2 – 31 623 h.

Voir Église St-Gommaire★★ (St-Gummaruskerk) : jubé★★, verrière★ Z – Béguinage★
(Begijnhof) Z – Horloge astronomique★ de la tour Zimmer (Zimmertoren) Z **A**.
🛈 Stadhuis, Grote Markt ℘ (0 3) 488 38 88, Fax (0 3) 488 12 76.
Bruxelles 45 ④ – Antwerpen 17 ⑤ – Mechelen 15 ④.

Plan page suivante

🏠 **Hof van Aragon** 🦢 sans rest, Aragonstraat 6, ℘ (0 3) 491 08 00, Fax (0 3) 491 08 10
– 🛏 📺 ☎ – 🔬 25 à 250. 🆎 ⓞ Ⲉ 𝘝𝘐𝘚𝘈. 🛇   Z **b**
17 ch ⊡ 1800/3000.

✗✗ **Symforosa**, Kesselsesteenweg 11 (direction Herentals : 1 km), ℘ (0 3) 489 17 28,
Fax (0 3) 489 17 28, 😭 – Ⲉ 𝘝𝘐𝘚𝘈. 🛇
fermé lundi, mardi et du 1er au 21 août – **Repas** Lunch 1195 – carte 1350 à 1750.

✗ **'t Cleyn Paradijs**, Heilige Geeststraat 2, ℘ (0 3) 480 78 57, Fax (0 3) 480 78 57 – 🆎
                                                                                     Z **a**
fermé mardi, merc. et 2 dern. sem. sept. – **Repas** 990/1300.

✗ **Plantage** 1er étage, Grote Markt 63b, ℘ (0 3) 488 19 00, Fax (0 3) 480 04 20, 😭 – Ⲉ
𝘝𝘐𝘚𝘈   Z **r**
fermé mardi, merc., sam. midi et dern. sem. août-prem. sem. sept. – **Repas** 1180/1570.

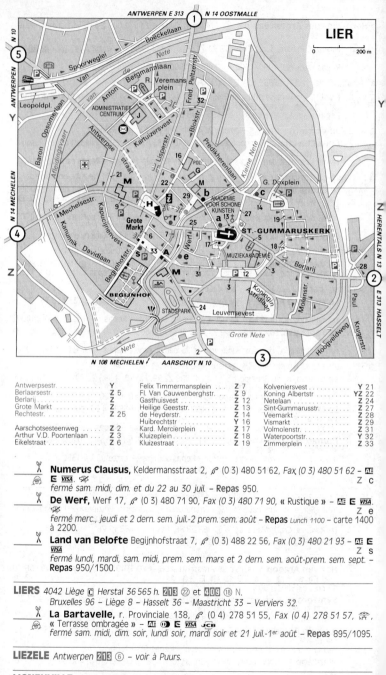

LIER

0   200 m

Antwerpsestr.	**Y**	Felix Timmermansplein	**Z** 7	Kolveniersvest	**Y** 21
Berlaarsestr.	**Z** 5	Fl. Van Cauwenberghstr.	**Z** 9	Koning Albertstr	**YZ** 22
Berlarij	**Z**	Gasthuisvest	**Z** 12	Netelaan	**Z** 24
Grote Markt	**Z**	Heilige Geeststr.	**Z** 13	Sint-Gummarusstr.	**Z** 27
Rechtestr.	**Z** 25	de Heyderstr.	**Z** 14	Veemarkt	**Z** 28
		Huibrechtstr	**Y** 16	Vismarkt	**Z** 29
Aarschotsesteenweg	**Z** 2	Kard. Mercierplein	**Z** 17	Volmolenstr.	**Z** 31
Arthur V.D. Poortenlaan	**Z** 3	Kluizeplein	**Z** 18	Waterpoortstr.	**Y** 32
Eikelstraat	**Z** 6	Kluizestraat	**Z** 19	Zimmerplein	**Z** 33

✗ **Numerus Clausus,** Keldermansstraat 2, ℰ (0 3) 480 51 62, Fax (0 3) 480 51 62 – AE
E VISA. ✗
Z c
fermé sam. midi, dim. et du 22 au 30 juil. – **Repas** 950.

✗ **De Werf,** Werf 17, ℰ (0 3) 480 71 90, Fax (0 3) 480 71 90, « Rustique » – AE E VISA.
✗
Z e
fermé merc., jeudi et 2 dern. sem. juil.-2 prem. sem. août – **Repas** Lunch 1100 – carte 1400
à 2200.

✗ **Land van Belofte** Begijnhofstraat 7, ℰ (0 3) 488 22 56, Fax (0 3) 480 21 93 – AE E
VISA
Z s
fermé lundi, mardi, sam. midi, prem. sem. mars et 2 dern. sem. août-prem. sem. sept. –
Repas 950/1500.

LIERS 4042 Liège ℂ Herstal 36 565 h. **213** ㉒ et **409** ⑱ N.
Bruxelles 96 – Liège 8 – Hasselt 36 – Maastricht 33 – Verviers 32.

✗ **La Bartavelle,** r. Provinciale 138, ℰ (0 4) 278 51 55, Fax (0 4) 278 51 57, ☂,
« Terrasse ombragée » – AE ① E VISA JCB
fermé sam. midi, dim. soir, lundi soir, mardi soir et 21 juil.-1er août – **Repas** 895/1095.

LIEZELE Antwerpen **213** ⑥ – *voir à Puurs.*

LIGNEUVILLE Liège – *voir à Bellevaux-Ligneuville.*

240

LIGNY 5140 Namur 🄲 Sombreffe 6 944 h. 🄄🄀🄂 ⑲ et 🄄🄀🄈 G 4.
Bruxelles 57 – Namur 25 – Charleroi 22 – Mons 51.

✕ **Le Coupe-Choux,** r. Pont Piraux 23 (centre Général Gérard), ℘ (0 71) 88 90 51,
Fax (0 71) 88 90 51 – **℗**. **AE** **⓪** **E** **VISA**
fermé mardi soir, merc. et après 20 h 30 – **Repas** (déjeuner seult sauf vend. et sam.) *Lunch*
690 – 1200/1400.

LILLOIS-WITTERZÉE 1428 Brabant Wallon 🄲 Braine-l'Alleud 34 190 h. 🄄🄀🄂 ⑱ et 🄄🄀🄈 G 4.
Bruxelles 30 – Mons 47 – Namur 43.

🏠 **Le Witterzee** ⌖, av. du Sabotier 40, ℘ (0 2) 384 69 56, Fax (0 2) 385 00 18, 🌧,
« Jardin et ⛄ », ❀ – 🆃🆅 ☎ **℗**. **AE** **⓪** **E** **VISA**. ❀ rest
Repas *Lunch* 495 – 995/1195 – **11 ch** ☲ 2500/3400, 1 suite.

🟫🟫 **Georges Tichoux,** Grand'Route 491, ℘ (0 67) 21 65 33, Fax (0 67) 21 65 33, ≼, 🌧,
« Terrasse » – **℗**. **AE** **⓪** **E** **VISA**
fermé merc. soir, sam. midi et fin juil. – **Repas** *Lunch* 800 bc – 1370/1670.

LIMAL 1300 Brabant Wallon 🄲 Ottignies-Louvain-la-Neuve 25 623 h. 🄄🄀🄂 ⑲ et 🄄🄀🄈 G 3.
Bruxelles 26 – Namur 39 – Charleroi 43 – Wavre 4.

✕ **La mère pierre,** r. Charles Jaumotte 3, ℘ (0 10) 41 16 42, 🌧 – **℗**. **AE** **⓪** **E** **VISA**
Repas *Lunch* 600 – carte 1100 à 1450.

LIMBOURG (LIMBURG) 4830 Liège 🄄🄀🄂 ㉓ et 🄄🄀🄈 K 4 – 5 372 h.
Bruxelles 126 – Maastricht 48 – Liège 36 – Eupen 8 – Verviers 8 – Aachen 23.

🟫🟫 **Aub. Le Dragon** ⌖ avec ch, pl. St-Georges 31 (au centre historique), ℘ (0 87) 76 23 10,
Fax (0 87) 76 44 23 – ☎ – ⚓ 25. **AE** **⓪** **E** **VISA**
fermé 20 sept.-20 oct. – **Repas** (fermé mardi, merc. et après 20 h 30) *Lunch* 1200 – carte
1550 à 2050 – **5 ch** ☲ 2500/5500 – ½ P 3000.

🟫🟫 **Le Casino,** av. Reine Astrid 7 (sur N 61 à Dolhain), ℘ (0 87) 76 23 74, Fax (0 87) 76 44 27
– **℗**. **AE** **⓪** **E** **VISA**. ❀
fermé lundi, mardi, jeudi soir, sam. midi et après 20 h 30 – **Repas** 890/1850.

LIMELETTE 1342 Brabant Wallon 🄲 Ottignies-Louvain-la-Neuve 25 623 h. 🄄🄀🄂 ⑲ et 🄄🄀🄈 G 4.
📕₁₈ à Louvain-la-Neuve E : 1 km, r. A. Hardy 68 ℘ (0 10) 45 05 15, Fax (0 10) 45 44 17.
Bruxelles 29 – Namur 40 – Charleroi 41.

🏨 **Château de Limelette** ⌖, r. Ch. Dubois 87, ℘ (0 10) 42 19 99, Fax (0 10) 41 57 59,
≼, 🌧, « Terrasses et jardins avec cascades », ⌂, 🆘, 🔲, ⚘, ❀ – 🛗, 🍽 rest, 🆃🆅 ☎
℗ – ⚓ 25 à 600. **AE** **⓪** **E** **VISA**. ❀ rest
Repas (fermé 24 déc. soir) *Lunch* 1250 – 1850/2250 – **78 ch** ☲ 4900/6800 – ½ P 5500.

LINKEBEEK Vlaams-Brabant 🄄🄀🄂 ⑱ et 🄄🄀🄈 G 3 - ㉑ S – *voir à Bruxelles, environs.*

LISOGNE Namur 🄄🄀🄃 ⑤ et 🄄🄀🄈 H 5 – *voir à Dinant.*

LISSEWEGE 8380 West-Vlaanderen 🄲 Brugge 115 815 h. 🄄🄀🄂 ③ et 🄄🄀🄈 C 2.
Voir *Grange abbatiale★ de l'ancienne abbaye de Ter Doest.*
Bruxelles 107 – Brugge 11 – Knokke-Heist 12.

🟫🟫🟫 **De Goedendag,** Lisseweegsvaartje 2, ℘ (0 50) 54 53 35, Fax (0 50) 54 57 68,
« Rustique » – **℗**. **AE** **⓪** **E** **VISA**
fermé 3 prem. sem. janv. – **Repas** *Lunch* 1375 bc – 1950 bc/2625.

✕ **Hof Ter Doest,** Ter Doeststraat 4 (S : 2 km, à l'ancienne abbaye), ℘ (0 50) 54 40 82,
Fax (0 50) 54 40 82, ≼, 🌧, « Rustique », Grillades, ouvert jusqu'à 23 h – **℗**. **AE** **⓪** **E**
VISA
Repas carte 1400 à 1800.

LIVES-SUR-MEUSE Namur 🄄🄀🄂 ⑳ et 🄄🄀🄃 ⑤ – *voir à Namur.*

LOBBES 6540 Hainaut 🄄🄀🄃 ③ et 🄄🄀🄈 F 4 – 5 447 h.
Env. *NO : 3 km à Thuin : site★.*
Bruxelles 60 – Charleroi 59 – Mons 40 – Maubeuge 35.

🏠 **Le Relais Thudinien,** r. Fontaine Pépin 12 (au site Avigroup), ℘ (0 71) 59 59 83 et
🕸 59 59 84 (rest), Fax (0 71) 59 59 85, 🌧, ⚘ – 🍽 rest, 🆃🆅 ☎ & **℗**. **AE** **⓪** **E** **VISA** **JCB**
fermé janv. – **Repas** (ouvert jusqu'à 23 h) 795 – **15 ch** ☲ 1850/2250 – ½ P 1775/2500.

LOCHRISTI Oost-Vlaanderen 🗠🗠🗠 ⑤ et 🗠🗠🗠 E 2 – *voir à Gent, environs.*

LOKEREN 9160 Oost-Vlaanderen 🗠🗠🗠 ⑤ et 🗠🗠🗠 E 2 – 35 803 h.
🔼 Markt 2 🖉 *(0 9) 340 94 74.*
Bruxelles 41 – Gent 21 – Aalst 25 – Antwerpen 38.

🏠🏠 **PB Hotel** sans rest, Dijkstraat 9 (près E 17), 🖉 *(0 9) 348 49 20, Fax (0 9) 349 29 93 –*
📺 ☎ 🅿 – 🔬 25 à 250. 🆎 ⓪ 🖪 🎰
fermé 24 déc.-2 janv. – **38 ch** 😅 1700/2700, 1 suite.

🏠🏠 **Bonneville** sans rest, Zelebaan 120 (près E 17), 🖉 *(0 9) 349 33 30, Fax (0 9) 349 33 88*
– 📺 ☎ 🅿. 🆎 ⓪ 🖪 🎰
fermé 21 déc.-4 janv. – **12 ch** 😅 1900/2800.

✕✕✕ **'t Vier Emmershof**, Krommestraat 1 (par Karrestraat 3 km), 🖉 *(0 9) 348 63 98,*
Fax (0 9) 348 63 98, 🍽, « Terrasse et jardin » – 🅿. 🆎 ⓪ 🖪 🎰
fermé dim. soir, lundi, mardi, 1 sem. en fév. et 2 sem. en sept. – **Repas** Lunch 1100 – carte
env. 2100.

✕✕✕ **Brouwershof**, Zelebaan 100 (près E 17), 🖉 *(0 9) 348 33 33, Fax (0 9) 348 95 28,* « Villa
de style flamand » – 🅿. 🆎 ⓪ 🖪 🎰
fermé dim. non fériés, lundi et 15 juil.-15 août – **Repas** Lunch 1300 – carte env. 1600.

✕✕ **La Barakka** avec ch (et annexe 🏠🏠 - 8 ch), Kerkplein 1, 🖉 *(0 9) 348 14 33,*
😖 *Fax (0 9) 348 03 45,* 🍽 – 📺 ☎. 🆎 🖪 🎰 🎰 ch
Repas *(fermé jeudi et 2 sem. début déc.)* Lunch 850 – 750 (2 pers. min.)/1500 bc – 😅 250
– **20 ch** 1750/2700 – ½ P 1700.

LOMMEL 3920 Limburg 🗠🗠🗠 ⑨ et 🗠🗠🗠 I 2 – 29 378 h.
🔼 Dorp 56 🖉 *(0 11) 54 02 21, Fax (0 11) 55 22 66.*
Bruxelles 93 – Hasselt 37 – Eindhoven 30.

🏠🏠 **Die Prince** 🌤 sans rest, Mezenstraat 1, 🖉 *(0 11) 54 44 61, Fax (0 11) 54 64 12 –* 📺
☎ 🅿. 🆎 ⓪ 🖪 🎰 🎰
😅 570 – **29 ch** 1800/2600.

🏠🏠 **Carré,** Dorperheide 31 (O : 2 km sur N 712), 🖉 *(0 11) 54 60 23, Fax (0 11) 55 42 42,* 🌆
– ▤ rest, 📺 ☎ 🅿 – 🔬 25 à 120. 🆎 ⓪ 🖪 🎰 🎰 rest
Repas *(fermé lundi)* Lunch 590 – carte env. 1100 – **12 ch** 😅 1500/2000 – ½ P 1490/2390.

🏠 **Lommel Broek** 🌤 sans rest, Kanaalstraat 91 (S : 9 km, lieu-dit Kerkhoven),
🖉 *(0 11) 39 10 34, Fax (0 11) 39 10 74 –* 📺 ☎ 🅿. 🖪 🎰 🎰
fermé 1 sem. en sept. – **7 ch** 😅 1950/2700.

✕✕✕ **St. Jan,** Koning Leopoldlaan 94, 🖉 *(0 11) 54 10 34, Fax (0 11) 54 10 34,* « Décor style
Art Nouveau » – ▤ 🅿. 🆎 ⓪ 🖪 🎰 🎰
fermé jeudis soirs et dim. non fériés et 2e quinz. juil. – **Repas** Lunch 980 – 1160/1900.

✕✕ **den Bonten Oss,** Dorp 33, 🖉 *(0 11) 54 15 97, Fax (0 11) 54 47 47,* 🍽 – 🅿. 🆎 ⓪
🖪 🎰
fermé lundi, sam. midi et début oct. – **Repas** 990/1400.

✕ **Kempenhof,** Kattenbos 52 (S : 2,5 km sur N 746), 🖉 *(0 11) 54 02 56, Fax (0 11) 54 02 56*
– ▤ 🅿. 🖪 🎰 🎰
fermé merc. soir, dim., sem. carnaval et vacances bâtiment – **Repas** Lunch 1100 – carte env.
1300.

LOMPRET Hainaut 🗠🗠🗠 ⑬ et 🗠🗠🗠 G 5 – *voir à Chimay.*

LONDERZEEL 1840 Vlaams-Brabant 🗠🗠🗠 ⑥ et 🗠🗠🗠 F 2 – 17 211 h.
Bruxelles 20 – Antwerpen 28 – Gent 60 – Mechelen 20.

✕✕ **Ter Wilgen,** Molenhoek 21 (N : 3 km près A 12), 🖉 *(0 52) 30 26 12, Fax (0 52) 30 36 04,*
🍽, 🍽 – 🅿. 🖪 🎰 🎰
Repas Lunch 890 – carte env. 1100.

LOOZ Limburg – *voir Borgloon.*

LOTENHULLE Oost-Vlaanderen 🗠🗠🗠 ③ et 🗠🗠🗠 D 2 – *voir à Aalter.*

LOUVAIN Vlaams-Brabant – *voir Leuven.*

LOUVAIN-LA-NEUVE Brabant Wallon 🗠🗠🗠 ⑲ et 🗠🗠🗠 G 3 – *voir à Ottignies.*

La LOUVIÈRE 7100 Hainaut 🔢 ⑱, 🔢 ② ③ et 🔢 F 4 – 76 714 h.

Env. à Strépy-Thieu O : 6 km, Canal du Centre : les Ascenseurs hydrauliques★.

Bruxelles 52 – Mons 21 – Binche 12 – Charleroi 26.

🏮🏮🏮 **Aub. de la Louve,** r. Bouvy 86, 𝒫 (0 64) 22 87 87, Fax (0 64) 28 20 53, « Intérieur cossu » – 🗏 🅿. 🖭 ⓪ 🗲 𝒱𝒮𝒜. ⅏

fermé dim. soir, lundi, merc. soir, 15 juil.-14 août et janv. – Repas Lunch 1050 – carte 2100 à 2450.

à Haine-St-Paul SO : 2 km 🇨 La Louvière – ⊠ 7100 Haine-St-Paul :

🏮🏮 **La Villa d'Este** avec ch, r. Déportation 63, 𝒫 (0 64) 22 81 60, Fax (0 64) 26 16 46, 🍃 – 🗏 rest, 📺 ☎ 🅿. 🖭 ⓪ 🗲 𝒱𝒮𝒜. ⅏

Repas (fermé dim. soir, lundi soir, mardi soir, 2 sem. en juil. et 1 sem. en janv.) Lunch 690 – 1590/1790 – **8 ch** ⊆ 2050/2550 – ½ P 1900/2600.

à Houdeng-Aimeries O : 2 km 🇨 La Louvière – ⊠ 7110 Houdeng-Aimeries :

🏮🏮 **Le Damier,** r. Hospice 59, 𝒫 (0 64) 22 28 70, Fax (0 64) 22 28 70, 🍃 – 🅿. 🖭 ⓪ 🗲 𝒱𝒮𝒜. ⅏

fermé dim. soir, lundi, merc. soir et fin juil.-début août – Repas Lunch 1150 – 1650.

LOVERVAL Hainaut 🔢 ④ et 🔢 G 4 – voir à Charleroi.

LUBBEEK 3210 Vlaams-Brabant 🔢 ⑳ et 🔢 H 3 – 13 195 h.

Bruxelles 32 – Antwerpen 57 – Liège 71 – Namur 59.

🏮🏮 **Maelendries,** Hertbosweg 28 (S : 3 km), 𝒫 (0 16) 73 48 60, Fax (0 16) 73 46 16, ≼, 🍃, « Fermette, cadre champêtre » – 🅿. 🖭 🗲 𝒱𝒮𝒜. ⅏

fermé merc., sam. midi, dim. soir, 3 prem. sem. août et Noël-Nouvel An – Repas Lunch 1350 – carte env. 1400.

🏮🏮 **De Esdoren,** Geestbeek 6 (NO : 3 km), 𝒫 (0 16) 62 15 21, Fax (0 16) 62 20 37, 🍃 – 🅿. 🖭 ⓪ 🗲 𝒱𝒮𝒜. ⅏

fermé lundi, mardi, sam. midi, 1 sem. en août, 2e quinz. déc. sauf 31 déc. soir et 1 sem. en janv. – Repas Lunch 1100 – 1450/1950.

LUIK Liège – voir Liège.

LUMMEN Limburg 🔢 ⑨ et 🔢 I 3 – voir à Hasselt.

MAASEIK 3680 Limburg 🔢 ⑪ et 🔢 K 2 – 22 153 h.

🅱 Markt 1 𝒫 (0 89) 56 63 72, Fax (0 89) 56 60 23.

Bruxelles 118 – Hasselt 41 – Maastricht 33 – Roermond 20.

🏨 **Kasteel Wurfeld** 🔖, Kapelweg 60, 𝒫 (0 89) 56 81 36, Fax (0 89) 56 87 89, 🍃, « Parc », 🍃 – 📺 ☎ 🅿 – 🔬 25 à 100. 🖭 ⓪ 🗲 𝒱𝒮𝒜. ⅏ rest

Repas (fermé lundi et sam. midi) Lunch 995 – 940/1750 – ⊆ 325 – **14 ch** 2650/2900 – ½ P 2575/2750.

🏨 **Ter Eyckerpoorte,** Venlosesteenweg 3, 𝒫 (0 89) 56 67 57, Fax (0 89) 56 26 56, 🐚, 🔳 – 🗏 rest, 📺 ☎ 🅿 – 🔬 25 à 200. 🖭 ⓪ 🗲 𝒱𝒮𝒜. ⅏

Repas (fermé dim. soir et lundi) Lunch 380 – carte env. 900 – **16 ch** ⊆ 1450/2600 – ½ P 1430/1680.

🏮🏮 **La Strada,** Hepperstraat 4, 𝒫 (0 89) 56 72 29, Fax (0 89) 56 72 29, Cuisine italienne, « Caves voûtées » – 🗏. 🖭 🗲 𝒱𝒮𝒜

fermé merc., sam. midi et 3 sem. en sept. – Repas carte 1250 à 2100.

🏮🏮 **Tiffany's,** Markt 19, 𝒫 (0 89) 56 40 89 – 🖭 ⓪ 🗲. ⅏

fermé lundi et sam. midi – Repas Lunch 1165 – carte env. 1600.

à Opoeteren SO : 12 km par N 778 🇨 Maaseik – ⊠ 3680 Opoeteren :

🏨 **Oeterdal,** Neeroeterenstraat 41, 𝒫 (0 89) 86 37 17, Fax (0 89) 86 73 70, ⨍ – 📺 ☎ ⨠ 🅿 – 🔬 25 à 80. 🖭 ⓪ 🗲 𝒱𝒮𝒜

Repas (résidents seult) – **24 ch** ⊆ 2600/3100 – ½ P 2200/2450.

MAASMECHELEN 3630 Limburg 🔢 ⑩ et 🔢 K 3 – 35 505 h.

Bruxelles 106 – Hasselt 30 – Aachen 42 – Maastricht 15.

à Eisden N : 3 km 🇨 Maasmechelen – ⊠ 3630 Eisden :

🏨 **Lika,** Pauwengraaf 2, 𝒫 (0 89) 76 01 26, Fax (0 89) 76 55 72, 🐚, 🔳 – 🛗 📺 ☎ ⨠ – 🔬 25 à 150. 🖭 ⓪ 🗲 𝒱𝒮𝒜. ⅏ rest

Repas (fermé dim., lundi et juil.) 850/1750 – **42 ch** ⊆ 2250/3950.

à Vucht *N : 1,5 km par N 78* © *Maasmechelen –* ⊠ *3630 Vucht :*

XX **Henri F.,** Rijksweg 263a, ℘ (0 89) 76 53 78, Fax (0 89) 77 30 41 – ☐ ☐ ☐ ☐
fermé jeudi soir, sam. midi, dim. midi et 2 dern. sem. juil.-prem. sem. août – **Repas** *Lunch*
595 – carte 1250 à 2100.

MACHELEN *Vlaams-Brabant* 🔳🔳 ⑥ ⑦ *et* 🔳🔳 *G 3 -* ㉒ *N – voir à Bruxelles, environs.*

MACHELEN *9870 Oost-Vlaanderen* © *Zulte 14 084 h.* 🔳🔳 ③ *et* 🔳🔳 *D 3.*
Bruxelles 72 – Brugge 42 – Gent 22 – Kortrijk 26.

🏠 **Morfeo** *sans rest,* Rijksweg 154b (N 43), ℘ (0 9) 388 79 88, Fax (0 9) 388 70 64, 🌳 –
☐ ☎ ☻ ☐ ☐ ☐ ☐ ☐ ☐. 🛇
8 ch ☑ 2400/2950.

MAISSIN *6852 Luxembourg belge* © *Paliseul 4 853 h.* 🔳🔳 ⑯ *et* 🔳🔳 *I 6.*
Bruxelles 135 – Arlon 65 – Bouillon 23 – Dinant 49 – St-Hubert 19.

🏠 **Chalet-sur-Lesse,** av. Bâtonnier Braun 1, ℘ (0 61) 65 53 91, Fax (0 61) 65 56 88, ☎,
🌳 – 🎦 ☎ ☻ ☐ ☐ ☐. 🛇 rest
Repas *Lunch 750 –* 950/1225 – **28 ch** ☑ 2100/2900 – ½ P 1950/2650.

MALDEGEM *9990 Oost-Vlaanderen* 🔳🔳 ③ *et* 🔳🔳 *D 2 – 21 864 h.*
Bruxelles 89 – Brugge 23 – Antwerpen 73 – Gent 29.

XX **Beukenhof,** Brugse Steenweg 200, ℘ (0 50) 71 55 95, Fax (0 50) 71 55 95, �ு – ☻.
☐ ☐ ☐ ☐
fermé mardi, merc., 17 fév.-4 mars et 2 dern. sem. juil. – **Repas** *Lunch 775 –* 1150/1650.

MALINES *Antwerpen – voir Mechelen.*

MALLE *Antwerpen – voir Oostmalle et Westmalle.*

MALMÉDY *4960 Liège* 🔳🔳 ⑨ *et* 🔳🔳 *L 4 – 10 739 h.*
Voir Site★ – Carnaval★ (dimanche avant Mardi-gras).
Env. N : Hautes Fagnes★★, Signal de Botrange ⩽★, *Sentier de découverte nature★ –
Rocher de Falize★ SO : 6 km – Château de Reinhardstein★ NE :* 6 *km.*
🅱 *Ancienne Abbaye, pl. du Châtelet 10* ℘ (0 80) 33 02 50, Fax (0 80) 77 05 88.
Bruxelles 156 – Liège 57 – Clervaux 57 – Eupen 29.

🏠 **Le Chambertin,** Chemin-Rue 46, ℘ (0 80) 33 03 14, Fax (0 80) 77 03 38 – 🔘 ☐ ☎.
☐ ☐
fermé lundi et 29 juin-10 juil. – **Repas** *(Taverne-rest) Lunch 450 –* carte 850 à 1250 – **10 ch**
☑ 1850/2350 – ½ P 1850/2000.

🏠 **La Forge** *sans rest,* r. Devant-les-Religieuses 31, ℘ (0 80) 79 95 95, Fax (0 80) 79 95 99
– ☐ ☎. ☐ ☐ ☐. 🛇
7 ch ☑ 1800/1950.

XX **Plein Vent** *avec ch,* rte de Spa 44 (O : 7 km, lieu-dit Burnenville), ℘ (0 80) 33 05 54,
Fax (0 80) 33 70 60, ⩽ vallées, 🌳 – ☐ rest, ☐ ☎ ☻ ☐ ☐ ☐ ☐ ☐ ☐ ☐. 🛇
fermé lundi – **Repas** *980/2200 –* **7 ch** ☑ 1500/2700 – ½ P 2000/2350.

XX **Albert I**er *avec ch,* pl. Albert Ier 40, ℘ (0 80) 33 04 52, Fax (0 80) 33 06 16, 🌳 – ☐ ch,
☐ ☎. ☐ ☐ ☐ ☐
fermé merc. soir, jeudi, carnaval et du 1er au 15 juil. – **Repas** *Lunch 1250 –* carte 1400 à
1750 – **5 ch** ☑ 2000/2800 – ½ P 2450/2650.

X **Au Petit Louvain,** Chemin-Rue 47, ℘ (0 80) 33 04 15 – ☐.
☐ ☐ ☐
fermé lundi soir et merc. – **Repas** *750/1200.*

à Bévercé *N : 3 km* © *Malmédy –* ⊠ *4960 Bévercé :*

🏠 **Host. Trôs Marets** 🐾, rte des Trôs Marets 2 (N 68), ℘ (0 80) 33 79 17,
Fax (0 80) 33 79 10, ⩽ vallées, 🌳, ☐ – ☐ ☎ ☻ ☐ ☐ ☐ ☐ ☐ ☐. 🛇 rest
fermé mi-nov.-fin déc. – **Repas** *1750/2750 –* **7 ch** ☑ 3500/8500, 4 suites –
½ P 3750/6100.

🏠 **Du Tchession** 🐾, r. Renier de Brialmont 1 (NE : 5 km, lieu-dit Xhoffraix),
℘ (0 80) 33 00 87, Fax (0 80) 33 79 68, ⩽, 🌳, 🌳 – ☐ ☎ ☻ – 🔬 25. ☐ ☐ ☐ ☐
fermé du 2 au 19 mars et 1 sem. fin sept. – **Repas** *(fermé merc. non fériés et après 20 h 30)*
carte 1050 à 1600 – **16 ch** ☑ 2500/2975 – ½ P 2600/2900.

🏨 **Maison Géron** (annexe 🏠 Géronprés - 6 ch) sans rest, Bévercé-Village 29, ℰ (0 80) 33 00 06, Fax (0 80) 77 03 17, « Terrasse et jardin » – 📺 ☎ 🅿. 🆎 🗲 𝑉𝐼𝑆𝐴. ⋘
10 ch 🖙 1400/2500.

🏨 **Le Grand Champs** 🦢 (annexe 🏠 - 10 ch 🖙 1510/2420), Bévercé-Village 39, ℰ (0 80) 33 72 98, Fax (0 80) 77 05 69, ≤ vallées, 🍴 – 📺 ☎ 🅿 – 🔬 25 à 80. 🆎 ⓞ
🗲 𝑉𝐼𝑆𝐴. ⋘ ch
Repas voir rest **Ferme Libert** ci-après – **16 ch** 🖙 1675/2750 – ½ P 1840/2170.

🗙🗙 **Host. de la Chapelle** avec ch, Bévercé-Village 30, ℰ (0 80) 33 08 65, Fax (0 80) 33 98 66,
🌤, « Terrasse fleurie », 🍴 – 📺 ☎ 🅿 – 🔬 30. 🆎 ⓞ 🗲 𝑉𝐼𝑆𝐴. ⋘
mars-déc. ; fermé dim. soir, lundi et mardi – **Repas** (fermé après 20 h 30) carte env. 1900
– **5 ch** 🖙 3500 – ½ P 2900.

🗙 **Ferme Libert** - H. Le Grand Champs, avec ch, Bévercé-Village 26, ℰ (0 80) 33 02 47,
Fax (0 80) 33 98 85, ≤ vallées, 🌤, 🍴 – 📺 ☎ 🅿. 🆎 🗲 𝑉𝐼𝑆𝐴
Repas (Taverne-rest) (fermé après 20 h 30) Lunch 540 – carte 850 à 1450 – **12 ch**
🖙 1555/2310 – ½ P 1840.

MALONNE Namur 𝟤𝟣𝟦 ⑤ et 𝟦𝟢𝟫 H 4 – voir à Namur.

MANAGE 7170 Hainaut 𝟤𝟣𝟥 ⑱, 𝟤𝟣𝟦 ③ et 𝟦𝟢𝟫 F 4 – 21 926 h.
Bruxelles 47 – Charleroi 24 – Mons 25.

🗙🗙 **Le Petit Cellier,** Grand'rue 88, ℰ (0 64) 55 59 69, Fax (0 64) 55 56 07, 🌤 – 🅿. 🆎
ⓞ 🗲 𝑉𝐼𝑆𝐴
fermé dim. soir, lundi et 20 juil.-17 août – **Repas** (déjeuner seult sauf vend. et sam.) Lunch
1100 – 1570/1890.

MARCHE-EN-FAMENNE 6900 Luxembourg belge 𝟤𝟣𝟦 ⑥ et 𝟦𝟢𝟫 J 5 – 15 904 h.
🛈 "Le Pot d'Étain", r. Brasseurs 7 ℰ (0 84) 31 21 35, Fax (0 84) 31 21 35.
Bruxelles 107 – Arlon 80 – Liège 56 – Namur 46.

🏨🏨 **Quartier Latin,** r. Brasseurs 2, ℰ (0 84) 32 17 13, Fax (0 84) 32 17 12, 🌤, 𝓕ₔ, 🛋
– 🛗, 🗏 rest, 📺 ☎ ⇔ 🅿 – 🔬 25 à 100. 🆎 ⓞ 🗲 𝑉𝐼𝑆𝐴 𝐽𝐶𝐵
Repas (Brasserie) Lunch 495 – 890/1450 – 🖙 300 – **39 ch** 3300/3950, 6 suites –
½ P 2500/3950.

🗙🗙🗙 **Château d'Hassonville** 🦢 avec ch, rte d'Hassonville 105 (SO : 4 km par N 836),
ℰ (0 84) 31 10 25, Fax (0 84) 31 60 27, ≤, 🌤, « Demeure du 17ᵉ s. dans un vaste parc »,
🍴 – 🛗 ☎ 🅿 – 🔬 25 à 60. 🆎 ⓞ 🗲 𝑉𝐼𝑆𝐴. ⋘
fermé lundi soir, mardi et début janv. – **Repas** Lunch 1350 – 1850/2850 – 🖙 800 – **19 ch**
4000/6000 – ½ P 4450/6450.

🗙🗙 **Aux Menus Plaisirs** avec ch, r. Manoir 2, ℰ (0 84) 31 38 71, Fax (0 84) 31 52 81, 🌤,
« Jardin d'hiver » – 🗏 rest, 📺 ☎ 🅿. 🆎 ⓞ 🗲 𝑉𝐼𝑆𝐴. ⋘ ch
fermé lundis non fériés – **Repas** Lunch 700 – 980/1480 – **6 ch** 🖙 2500/3900 – ½ P 2500.

🗙🗙 **Les 4 Saisons,** rte de Bastogne 108 (SE : 2 km, lieu-dit Hollogne), ℰ (0 84) 32 18 10,
Fax (0 84) 32 18 81, 🌤 – 🅿. 🆎 🗲 𝑉𝐼𝑆𝐴
fermé dim. soirs et lundis non fériés et 1 sem. en déc. – **Repas** Lunch 590 – carte env.
1400.

🗙 **des Arts** 1ᵉʳ étage, pl. du Roi Albert Iᵉʳ 21, ℰ (0 84) 31 61 81, Fax (0 84) 31 61 81 – 🆎
ⓞ 🗲 𝑉𝐼𝑆𝐴. ⋘
fermé du 7 au 17 juil., du 13 au 30 janv. et mardi – **Repas** Lunch 695 – 995 (2 pers. min.)/1350.

🗙 **Le Yang-Tsé,** r. Neuve 3, ℰ (0 84) 31 26 88, Cuisine chinoise, ouvert jusqu'à minuit –
🆎 ⓞ 🗲 𝑉𝐼𝑆𝐴
Repas Lunch 290 – carte env. 1000.

MARCOURT 6987 Luxembourg belge 🅲 Rendeux 2 163 h. 𝟤𝟣𝟦 ⑦ et 𝟦𝟢𝟫 J 5.
Bruxelles 126 – Arlon 84 – Marche-en-Famenne 19 – La Roche-en-Ardenne 9.

🏨 **La Grande Cure** 🦢, Les Planesses 12, ℰ (0 84) 47 73 69, Fax (0 84) 47 83 13, ≤, 🌤,
🍴 – ☎ 🅿. 🆎 🗲 𝑉𝐼𝑆𝐴
fermé lundi, mardi, 19 juin-8 juil., du 14 au 23 sept. et janv. – **Repas** Lunch 775 – carte 1150
à 1650 – **10 ch** 🖙 2200/2800 – ½ P 2400/2750.

🗙🗙 **Le Marcourt** avec ch, Pont de Marcourt 7, ℰ (0 84) 47 70 88, Fax (0 84) 47 70 88, 🌤,
🕸 – 🅿. 🆎 🗲. ⋘
fermé merc. et jeudi sauf en juil.-août, 29 juin-3 juil., 7 sept.-2 oct. et 31 déc.-31 janv.
– **Repas** (fermé après 20 h 30) 980/1950 – **9 ch** 🖙 2500 – ½ P 2400.

MARENNE *6990 Luxembourg belge* C *Hotton 4 606 h.* 214 ⑦ et 409 J 5.
Bruxelles 109 – Dinant 44 – Liège 55 – Namur 53 – La Roche-en-Ardenne 22.

Les Pieds dans le Plat, r. Centre 3, ✆ (0 84) 32 17 92, *Fax (0 84) 32 17 92,* , « Cadre champêtre » – P
fermé lundi, mardi, merc. soir, jeudi soir, prem. sem. juin et du 19 au 27 janv. – **Repas** Lunch 750 – 890/1395.

MARIAKERKE *West-Vlaanderen* 213 ② et 409 B 2 – *voir à Oostende.*

MARIEKERKE *Antwerpen* 213 ⑥ et 409 F 2 – *voir à Bornem.*

MARILLES *1350 Brabant Wallon* C *Orp-Jauche 7 120 h.* 213 ⑳ et 409 H 3.
Bruxelles 57 – Namur 43 – Liège 50 – Tienen 19.

La Bergerie, Grand-Route 1 (sur N 240), ✆ (0 19) 63 32 41, « Cadre champêtre » – P. AE O E VISA
fermé lundi, mardi et août – **Repas** Lunch 650 – carte 1400 à 1700.

MARKE *West-Vlaanderen* 213 ⑮ et 409 C 3 – *voir à Kortrijk.*

MARTELANGE *6630 Luxembourg belge* 214 ⑱ et 409 K 6 – *1 513 h.*
Bruxelles 168 – Ettelbrück 36 – Arlon 18 – Bastogne 21 – Diekirch 40 – Luxembourg 44.

Martinot, rte de Bastogne 2, ✆ (0 63) 60 01 22, *Fax (0 63) 60 13 33* – TV P. AE O E VISA
fermé du 9 au 19 déc., 10 janv.-10 fév. et mardi – **Repas** Lunch 720 – 980/1200 – ☐ 350 – **13 ch** 2000/2350 – ½ P 2050/2200.

Host. An der Stuff avec ch (annexe), r. Roche Percée 1 (N : 2 km sur N 4), ✆ (0 63) 60 04 28, *Fax (0 63) 60 13 92*, ≤, « Environnement boisé » – TV ☎ P – 🏠 30. AE E VISA. ✻ ch
fermé 3 dern. sem. janv. et dim. soirs et lundis non fériés – **Repas** Lunch 1250 – 1650 (2 pers. min.) – **12 ch** ☐ 2100/3100 – ½ P 2050/2450.

MASNUY-ST-JEAN *Hainaut* 213 ⑰ et 409 E 4 – *voir à Mons.*

MASSEMEN *9230 Oost-Vlaanderen* C *Wetteren 22 765 h.* 213 ⑤ et 409 E 3.
Bruxelles 45 – Antwerpen 65 – Gent 18.

Geuzenhof, Lambroekstraat 90, ✆ (0 9) 369 80 34, *Fax (0 9) 368 20 68,* – P – 🏠 25 à 120. AE E VISA. ✻
fermé dim. soir, lundi, merc. soir et 22 déc.-5 janv. – **Repas** Lunch 1100 – carte 1350 à 1750.

MATER *Oost-Vlaanderen* 213 ⑯ – *voir à Oudenaarde.*

MECHELEN (MALINES) *2800 Antwerpen* 213 ⑦ et 409 G 2 – *75 294 h.*
Voir *Tour*★★★ *de la cathédrale St-Rombaut*★★ *(St. Romboutskathedraal)* AY – *Grand-Place*★ *(Grote Markt)* ABY **26** – *Hôtel de Ville*★ *(Stadhuis)* BY **H** – *Pont du Wollemarkt (Marché aux laines)* ≤★ AY **F**.
Musée : *Manufacture Royale de Tapisseries Gaspard De Wit*★ *(Koninklijke Manufactuur van Wandtapijten Gaspard De Wit)* AY **M¹**.
Env. *Muizen : Parc zoologique de Plankendael*★★ *par* ③ *: 3 km.*
Stadhuis, Grote Markt ✆ (0 15) 29 76 55, Fax (0 15) 29 76 53.
Bruxelles 28 ④ *– Antwerpen 24* ⑥ *– Leuven 24* ③.

Plans pages suivantes

Alfa Alba sans rest, Korenmarkt 24, ✆ (0 15) 42 03 03, *Fax (0 15) 42 37 88* – |‡| ⇆ TV ☎ ⇔ – 🏠 25. AE O E VISA JCB. ✻ AZ s
43 ch ☐ 2900/6700.

Gulden Anker, Brusselsesteenweg 2, ✆ (0 15) 42 25 35, *Fax (0 15) 42 34 99* – |‡| TV ☎ P – 🏠 25 à 120. AE O E VISA. ✻ AZ u
Repas *(fermé sam. midi et dim. soir)* Lunch 1225 – carte 1400 à 1700 – **27 ch** ☐ 3150/5150 – ½ P 3425.

MECHELEN

Antwerpsesteenweg	**C** 2
Battelsesteenweg	**C** 4
Brusselsesteenweg	**C** 12
Colomalaan	**C** 14
Eikestraat	**C** 20
Europalaan	**C** 23
Hanswijkvaart	**C** 30
Hombeeksesteenweg	**C** 32
Liersesteenweg	**C** 47
Postzegellaan	**C** 57
Steppeke	**C** 66
Stuivenbergbaan	**C** 67
Tervuursesteenweg	**C** 69

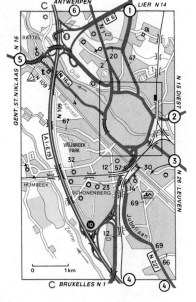

BELGIQUE GRAND-DUCHÉ
DE LUXEMBOURG

Un guide Vert Michelin

Paysages, monuments
Routes touristiques
Géographie
Histoire, Art
Plans de villes
et de monuments

Montreal, Duivenstraat 56, ℰ (0 15) 20 40 77, Fax (0 15) 20 34 30, ≼, « Pièce d'eau »
– 📺 ☎ 🅿 – 🔬 25 à 200. 🖭 ⓪ 🗲 𝘝𝘐𝘚𝘈   C a
Repas (ouvert jusqu'à 23 h) (fermé sam. midi) Lunch 895 – carte 900 à 1500 – **16 ch**
⊊ 3075/4100 – ½ P 3300/3850.

Egmont sans rest, Oude Brusselstraat 50, ℰ (0 15) 42 13 99, Fax (0 15) 41 34 98 – 📳
📺 ☎ 🖚 🅿 🖭 ⓪ 🗲 𝘝𝘐𝘚𝘈   BZ e
fermé 24 et 31 déc. et 1er janv. – **19 ch** ⊊ 2500/3500.

Hobbit sans rest, Battelsesteenweg 455 F, ℰ (0 15) 27 20 27, Fax (0 15) 27 20 28 – ⇌
📺 ☎ 🕭 🅿. 🖭 ⓪ 🗲 𝘝𝘐𝘚𝘈. ⋘   C t
⊊ 220 – **21 ch** 1650.

D'Hoogh 1er étage, Grote Markt 19, ℰ (0 15) 21 75 53, Fax (0 15) 21 67 30, « Demeure
début du siècle » – 🍽. 🖭 ⓪ 🗲 𝘝𝘐𝘚𝘈. ⋘   BY r
fermé sam. midi, dim. soir, lundi, prem. sem. Pâques et 3 prem. sem. août – **Repas** (nombre
de couverts limité - prévenir) Lunch 1750 bc – 1700/2200, carte 2150 à 2600
Spéc. Gibiers en saison. Bouillabaisse. Pot-au-feu de ris de veau aux truffes.

Folliez, Korenmarkt 19, ℰ (0 15) 42 03 02, Fax (0 15) 42 03 02 – 🖭 ⓪ 🗲 𝘝𝘐𝘚𝘈 𝗝𝗖𝗕 AZ f
fermé sam. midi, dim., lundi, 16 fév.-4 mars et 20 juil.-12 août – **Repas** 1200/2100.

Mytilus, Grote Markt 23, ℰ (0 15) 20 19 52, Fax (0 15) 20 19 52, 🎇, Moules en saison
– 🖭 ⓪ 🗲 𝘝𝘐𝘚𝘈   BY d
fermé dim. soir et lundi sauf en juil.-août – **Repas** Lunch 680 – carte env. 1300.

à Bonheiden par ② : 6 km – 13 404 h. – ⊠ 2820 Bonheiden :

't Wit Paard, Rijmenamseweg 85, ℰ (0 15) 51 32 20, 🎇, « Terrasse » – 🅿. 🖭 ⓪
🗲 𝘝𝘐𝘚𝘈. ⋘
fermé mardi et merc. – **Repas** carte 1100 à 1750.

Zellaer, Putsesteenweg 229, ℰ (0 15) 55 07 55, Fax (0 15) 55 07 55 – 🅿. 🖭 ⓪ 🗲 𝘝𝘐𝘚𝘈
fermé merc. et 1re quinz. sept. – **Repas** Lunch 995 – 1450/2750.

à Heffen par ⑥ : 6 km 🄲 Mechelen – ⊠ 2801 Heffen :

Zander, Steenweg op Blaasveld 131 (N 16), ℰ (0 3) 866 10 60, Fax (0 3) 866 10 60, 🎇,
Produits de la mer – 🅿. 🖭 ⓪ 🗲 𝘝𝘐𝘚𝘈. ⋘
fermé lundi et du 6 au 27 juil. – **Repas** Lunch 880 – carte 1350 à 2400.

à Rumst par ⑥ : 8 km – 14 509 h. – ⊠ 2840 Rumst :

La Salade Folle, Antwerpsesteenweg 84, ℰ (0 15) 31 53 41, Fax (0 15) 31 08 28, 🎇
– 🅿. 🖭 ⓪ 🗲 𝘝𝘐𝘚𝘈 𝗝𝗖𝗕. ⋘
fermé sam. midi, dim. soir et du 2 au 13 janv. – **Repas** 1200/1850.

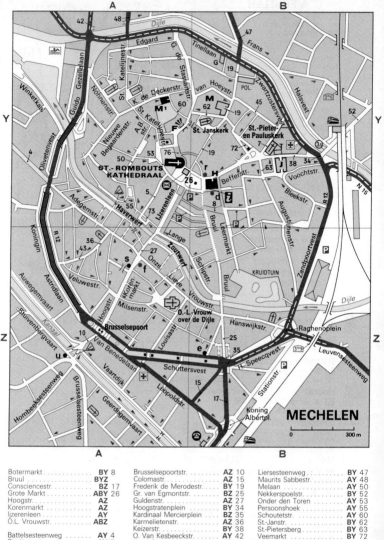

Botermarkt	**BY** 8	Brusselsepoortstr.	**AZ** 10	Liersesteenweg	**BY** 47

Botermarkt	**BY** 8	Brusselsepoortstr.	**AZ** 10	Liersesteenweg	**BY** 47
Bruul	**BYZ**	Colomastr.	**AZ** 15	Maurits Sabbestr.	**AY** 48
Consciencestr.	**BZ** 17	Frederik de Merodestr.	**BY** 19	Melaan	**AY** 50
Grote Markt	**ABY** 26	Gr. van Egmontstr.	**BZ** 25	Nekkerspoelstr.	**BY** 52
Hoogstr.	**AZ**	Guldenstr.	**AZ** 27	Onder den Toren	**AY** 53
Korenmarkt	**AZ**	Hoogstratenplein	**BY** 34	Persoonshoek	**AY** 55
Ijzerenleen	**AY**	Kardinaal Mercierplein	**BZ** 35	Schoutetstr.	**AY** 60
O.L. Vrouwstr.	**ABZ**	Karmelietenstr.	**AZ** 36	St.-Janstr.	**BY** 62
		Keizerstr.	**BY** 38	St.-Pietersberg	**BY** 63
Battelsesteenweg	**AY** 4	O. Van Kesbeeckstr.	**AY** 42	Veemarkt	**BY** 72
Begijnenstr.	**AY** 5	Korte Pennincstr.	**AZ** 43	Vismarkt	**AY** 73
Blokstr.	**BY** 7	Lange Heergracht	**BY** 45	Wollemarkt	**AY** 76

à Rijmenam par ② : 8 km 🅲 Bonheiden 13 404 h. – ⊠ 2820 Rijmenam :

Host. In den Bonten Os, Rijmenamseweg 214, ℘ (0 15) 52 04 50, Fax (0 15) 52 07 19, « Environnement boisé », 🐎 – 📺 ☎ 🅿 – 🔬 25 à 40. 🖭 ⓪ 🅴 VISA
Repas (dîner seult sauf dim.) carte 1550 à 1950 – **24 ch** ⊡ 4050/5300 – ½ P 2650/3450.

Villa Franck, Watermolenstraat 10, ℘ (0 15) 51 57 71, 🏵, « Terrasse » – 🅿 🖭 ⓪ 🅴 VISA. 🛠
fermé mardi, merc., 2 dern. sem. mars et sept. – **Repas** (déjeuner seult) 1250 bc/1900.

MEERHOUT 2450 Antwerpen **213** ⑧ ⑨ et **409** I 2 − 9 249 h.
Bruxelles 79 − Antwerpen 47 − Hasselt 39 − Turnhout 28.

XX **Rembrandt,** Meiberg 10, ℘ (0 14) 30 81 03, Fax (0 14) 30 81 03, �036 − **P**. **AE ① E** **VISA**
fermé lundi, mardi soir, sam. midi, 1 sem. vacances bâtiment et 1 sem. fin août − **Repas**
Lunch 1250 bc − carte 1400 à 1900.

MEEUWEN 3670 Limburg **©** Meeuwen-Gruitrode 12 198 h. **213** ⑩ et **409** J 2.
Bruxelles 105 − Hasselt 26 − Maastricht 42 − Roermond 42.

à Ellikom N : 3 km **©** Meeuwen-Gruitrode − ✉ 3670 Ellikom :

🏠 **Ellekenhuys,** Weg naar Ellikom 286, ℘ (0 11) 63 61 40, Fax (0 11) 63 61 80, �036 − **TV**
☎ **P** − **🔒** 25 à 80. **AE E** **VISA**. ✎
Repas (fermé mardi soir et sam. midi) Lunch 1195 − 1375/2775 bc − **12 ch** 🔄 1800/2800.

MEISE Vlaams-Brabant **213** ⑥ et **409** F 3 - ㉑ N − voir à Bruxelles, environs.

MÉLIN Brabant Wallon **213** ⑳ et **409** H 3 − voir à Jodoigne.

MELLE Oost-Vlaanderen **213** ④ ⑤ et **409** E 2 − voir à Gent, environs.

MELSBROEK Vlaams-Brabant **213** ⑦ et **409** ㉒ N − voir à Bruxelles, environs.

MEMBRE Namur **214** ⑮ et **409** H 6 − voir à Vresse-sur-Semois.

MENEN (MENIN) 8930 West-Vlaanderen **213** ⑭ et **409** C 3 − 32 388 h.
Bruxelles 105 − Ieper 24 − Kortrijk 15 − Lille 23.

XX **Datcha,** Hogeweg 432, ℘ (0 56) 51 20 94, �036, « Terrasse » − **P**. **AE E** **VISA**. ✎
fermé sam. midi, dim. soir, lundi et fin juil.-mi-août − **Repas** Lunch 995 − 1575 (2 pers. min.).

à Rekkem E : 4 km **©** Menen − ✉ 8930 Rekkem :

XX **La Cravache,** Gentstraat 215, ℘ (0 56) 42 67 87, Fax (0 56) 42 67 97, « Jardin » − **P**.
AE E **VISA**
fermé dim. soir et lundi − **Repas** Lunch 950 − 1900.

MERELBEKE Oost-Vlaanderen **213** ④ et **409** E 3 − voir à Gent, environs.

MERENDREE 9850 Oost-Vlaanderen **©** Nevele 10 782 h. **213** ④ et **409** D 2.
Bruxelles 71 − Brugge 42 − Gent 12.

XXX **De Waterhoeve,** Durmenstraat 6, ℘ (0 9) 371 59 42, ≤, « Environnement champêtre,
jardin paysagé avec pièce d'eau » − ▤ **P**. **AE ① E** **VISA**. ✎
fermé merc., sam. midi, dim. soir, 23 fév.-1er mars et 20 juil.-14 août − **Repas** Lunch 995
− carte env. 2000.

MERKSEM Antwerpen **212** ⑮ et **409** G 2 - ⑨ S − voir à Antwerpen, périphérie.

MERKSPLAS 2330 Antwerpen **212** ⑯ et **409** H 1 − 7 856 h.
Bruxelles 58 − Antwerpen 16 − Mechelen 27 − Turnhout 34.

XX **Zwanenhof,** Steenweg op Weelde 13, ℘ (0 14) 63 12 14, Fax (0 14) 63 12 15, �036,
« Étang et terrasse » − **AE ① E** **VISA**. ✎
Repas Lunch 650 − 1750 bc.

MEULEBEKE 8760 West-Vlaanderen **213** ③ et **409** C 3 − 10 916 h.
Bruxelles 84 − Brugge 36 − Gent 39.

XXX **'t Gisthuis,** Baronielaan 28, ℘ (0 51) 48 76 02, Fax (0 51) 48 76 02, �036, « Terrasse »
− **P**. **AE E** **VISA**
fermé dim. soir, lundi et 14 juil.-17 août − **Repas** Lunch 1250 − carte env. 1800.

MEUSE NAMUROISE (Vallée de la) ★★ Namur **213** ⑳ ㉑, **214** ⑤ et **409** H 5 - K 3
G. Belgique-Luxembourg.

MIDDELKERKE-BAD 8430 West-Vlaanderen ⓒ Middelkerke 15 980 h. 🅫 ① et 🅰 B 2 –
Station balnéaire – Casino Kursaal, Zeedijk ℘ (0 59) 30 05 05, Fax (0 59) 30 52 84.
🛈 J. Casselaan 4 ℘ (0 59) 30 03 68, Fax (0 59) 31 11 95.
Bruxelles 124 – Brugge 37 – Dunkerque 43 – Oostende 8.

🏨 **Were-Di,** P. de Smet de Naeyerstraat 19, ℘ (0 59) 30 11 88, Fax (0 59) 31 02 41, ⇌
– 📳 📺 🕿. ⓞ 🔚 🅥🅸🆂🅰. 🦐 ch
fermé du 2 au 19 mars et 16 nov.-11 déc. – Repas (fermé merc. d'oct. à juin sauf vacances
scolaires) Lunch 1200 – 850/1750 – **18 ch** ⊂⊃ 1700/2800 – ½ P 2200.

🏨 **Excelsior** sans rest, A. Degreefplein 9a, ℘ (0 59) 30 18 31, Fax (0 59) 31 27 02, ⇌ –
📳 📺 🕿. 🄰🄴 ⓞ 🔚 🅥🅸🆂🅰. 🦐
Pâques-11 nov., vacances scolaires et week-end – **32 ch** ⊂⊃ 1100/2850.

🏨 **Isaura** sans rest, Koninginnelaan 86, ℘ (0 59) 30 38 13, Fax (0 59) 31 04 11, 🛋 – 📺
🕿 🄿. 🄰🄴 ⓞ 🔚 🅥🅸🆂🅰. 🦐
fermé 17 fév.-14 mars et 16 nov.-5 déc. – **10 ch** ⊂⊃ 2000/2700.

🍴🍴 **De Vlaschaard,** Leopoldlaan 246, ℘ (0 59) 30 18 37, Fax (0 59) 31 40 40 – 🍽. 🄰🄴 ⓞ
⊕ 🔚 🅥🅸🆂🅰
fermé mardi, 1 sem. en juin et 3 sem. en nov. – Repas Lunch 1200 bc – 680/1550.

🍴 **Milord,** Leopoldlaan 94, ℘ (0 59) 30 50 28 – 🍽. 🄰🄴 ⓞ 🔚 🅥🅸🆂🅰
⊕ mars-sept. et week-end ; fermé mardi soir et merc. sauf vacances scolaires – Repas Lunch
595 – 850/1295.

MIRWART 6870 Luxembourg belge ⓒ St-Hubert 5 728 h. 🅫 ⑯ et 🅰 I 5.
Bruxelles 129 – Arlon 71 – Marche-en-Famenne 26 – Namur 68 – St-Hubert 11.

🏨 **Beau Site** 🦐, pl. Communale 5, ℘ (0 84) 36 62 27, Fax (0 84) 36 71 18, 🛋,
« Rustique » – 📺 🕿 🄿. 🔚 🅥🅸🆂🅰. 🦐 rest
Repas Lunch 800 – 1100 – **21 ch** ⊂⊃ 1800/2600 – ½ P 2200/2500.

🍴🍴 **Aub. du Grandgousier** 🦐 avec ch, r. Staplisse 6, ℘ (0 84) 36 62 93,
Fax (0 84) 36 65 77, 🛋, « Rustique », 🐎 – 📺 🕿 🄿. 🔚
fermé 22 juin-10 juil., 23 août-11 sept., 2 janv.-12 fév., mardi midi de janv. à juin et mardi
soir et merc. sauf en juil.-août – Repas Lunch 995 – 1500 (2 pers. min.) – **13 ch**
⊂⊃ 1900/2500 – ½ P 2100/2500.

MODAVE 4577 Liège 🅫 ⑥ et 🅰 I 4 – 3 474 h.
Voir Château★ : ⇆★ de la terrasse de la chambre du Duc de Montmorency.
Env. à Bois-et-Borsu S : 6 km, fresques★ dans l'église romane.
Bruxelles 97 – Liège 38 – Marche-en-Famenne 25 – Namur 46.

🍴🍴🍴 **La Roseraie,** rte de Limet 80, ℘ (0 85) 41 13 60, Fax (0 85) 41 13 60, « Parc ombragé
avec terrasse » – 🄿. 🄰🄴 🔚 🅥🅸🆂🅰
fermé dim. soir, lundi soir, mardi, merc., carnaval, 1 sem. en août et après 20 h 30 – Repas
1445/1845.

🍴 **Le Pavillon du Vieux Château,** Vallée du Houyoux 9 (SO : 2 km, lieu-dit Pont de Vyle),
℘ (0 85) 41 13 43, 🛋 – 🄿. 🔚 🅥🅸🆂🅰
fermé prem. sem. sept. et mardi et sam. midi sauf en juil.-août – Repas Lunch 450 – carte
950 à 1400.

MOERBEKE-WAAS 9180 Oost-Vlaanderen ⓒ Moerbeke 5 766 h. 🅫 ⑤ et 🅰 E 2.
Bruxelles 54 – Antwerpen 38 – Gent 26.

🍴🍴 **Molenhof,** Heirweg 25, ℘ (0 9) 346 71 22, Fax (0 9) 346 71 22, 🛋, « Fermette,
cadre champêtre » – 🄿. 🔚 🅥🅸🆂🅰
fermé sam. midi, dim. soir, lundi, 2 dern. sem. juil.-prem. sem. août et 1 sem. en janv. –
Repas Lunch 1500 – carte 1250 à 1800.

MOERZEKE Oost-Vlaanderen 🅫 ⑥ et 🅰 F 2 – voir à Hamme.

MOESKROEN Hainaut – voir Mouscron.

┌───┐
│   Die Michelin-Länderkarte Nr. 🄰🄾🄷   │
│   **Benelux** im Maßstab 1 : 400 000   │
│   gibt einen Überblick über die Benelux-Staaten   │
└───┘

MOL 2400 Antwerpen 🗾🗾🗾 ⑨ et 🗾🗾🗾 | 2 – 31 003 h.

🐾 Kiezelweg 78 (Rauw) ℘ (0 14) 81 62 34, Fax (0 14) 81 62 78 - 🐾 Steenovens 89 (Postel) ℘ (0 14) 37 36 61, Fax (0 14) 36 36 62.
🅱 Markt ℘ (0 14) 33 07 85, Fax (0 14) 33 07 87.
Bruxelles 78 – Antwerpen 54 – Hasselt 42 – Turnhout 23.

XXX **Hippocampus,** St-Jozeflaan 79 (E : 7 km à Wezel), ℘ (0 14) 81 08 08, Fax (0 14) 81 45 90, 🌿, « Demeure ancienne dans un parc avec pièce d'eau » – 🅿. 🆊 ⓞ 🅴 𝘝𝘐𝘚𝘈. 🌿
fermé dim. soir, lundi, sem. carnaval et 2 dern. sem. août – **Repas** Lunch 1500 bc – carte env. 1900.

XX **De Partituur,** Corbiestraat 59, ℘ (0 14) 31 94 82, Fax (0 14) 32 36 05, 🌿 – 🆊 🅴 𝘝𝘐𝘚𝘈. 🌿
fermé dim. et lundi midi – **Repas** Lunch 1250 – carte env. 1300.

X **'t Zilte,** Rondplein 16, ℘ (0 14) 32 24 33, Fax (0 14) 32 24 33 – ⓞ 🅴 𝘝𝘐𝘚𝘈. 🌿
fermé lundi, mardi midi et du 3 au 20 août – **Repas** Lunch 950 – 1350/1595.

MOLENBEEK-ST-JEAN (SINT-JANS-MOLENBEEK) Région de Bruxelles-Capitale 🗾🗾🗾 ㉑ S – *voir à Bruxelles.*

MOLENSTEDE Vlaams-Brabant 🗾🗾🗾 ⑧ et 🗾🗾🗾 | 8 – *voir à Diest.*

MOMIGNIES Hainaut 🗾🗾🗾 ⑬ et 🗾🗾🗾 F 5 – *voir à Chimay.*

MONS (BERGEN) 7000 🅿 Hainaut 🗾🗾🗾 ② et 🗾🗾🗾 E 4 – 92 260 h.

Voir Collégiale Ste-Waudru★★ CY – Beffroi★ CY D.

Musées : de la Vie montoise★ (Maison Jean Lescarts) DY M¹ – François Duesberg★ YZ M⁵.

Env. à Strépy-Thieu par ① : 15 km, Canal du Centre : les Ascenseurs hydrauliques★.

🐾 🐾 à Erbisoeul par ① : 6 km, Chemin de la Verrerie 2 ℘ (0 65) 22 94 74, Fax (0 65) 22 51 54 - 🐾 à Baudour par ⑥ : 6 km, r. Mont Garni 3 ℘ (0 65) 62 27 19, Fax (0 65) 62 34 10.
🅱 Grand'Place 22 ℘ (0 65) 33 55 80, Fax (0 65) 35 63 36 – Fédération provinciale de tourisme, r. Clercs 31 ℘ (0 65) 36 04 64, Fax (0 65) 33 57 32.
Bruxelles 67 ① – Charleroi 36 ② – Maubeuge 20 ③ – Namur 72 ① – Tournai 48 ⑤.

Plan page suivante

🏨 **Lido** Ⓜ sans rest, r. Arbalestriers 112, ℘ (0 65) 32 78 00, Fax (0 65) 84 37 22, 🚗 – 📶 📺 ☎ 🚗 – 🔬 60 à 300. 🆊 ⓞ 🅴 𝘝𝘐𝘚𝘈   DY b
67 ch ⌑ 2950/3950.

🏨 **Infotel** sans rest, r. Havré 32, ℘ (0 65) 40 18 30, Fax (0 65) 35 62 24 – 📶 📺 ☎ 🅿. 🆊 ⓞ 🅴 𝘝𝘐𝘚𝘈 – **29 ch** ⌑ 2325/3400.   DY s

XXX **Devos,** r. Coupe 7, ℘ (0 65) 35 13 35, Fax (0 65) 35 37 71 – 🍽. 🆊 ⓞ 🅴 𝘝𝘐𝘚𝘈
fermé du 16 au 21 fév., 20 juil.-14 août, merc. et dim. soir – **Repas** Lunch 950 – 1950 (2 pers. min.).   DY r

XXX **Chez John,** av. de l'Hôpital 10, ℘ (0 65) 33 51 21, Fax (0 65) 33 76 87 – 🆊 ⓞ 🅴 𝘝𝘐𝘚𝘈
fermé dim. et lundis non fériés et 22 fév.-10 mars – **Repas** Lunch 950 – 2275 (2 pers. min.).   DY e

XXX **Le Vannes,** chaussée de Binche 177 (par ②), ℘ (0 65) 35 14 43, Fax (0 65) 35 57 58, 🌿 – 🍽 🅿. 🆊 ⓞ 🅴 𝘝𝘐𝘚𝘈
fermé merc. et du 1ᵉʳ au 20 juil. – **Repas** Lunch 975 – 1700.

XX **Marchal,** Rampe Ste-Waudru 4, ℘ (0 65) 31 24 02, Fax (0 65) 31 24 02, 🌿 – 🅿. 🆊 ⓞ 🅴 𝘝𝘐𝘚𝘈 JCB   CY a
fermé 2ᵉ quinz. août et dim. soirs, lundis et mardis non fériés – **Repas** Lunch 720 – 890/1250.

XX **La Biche,** r. Fernand Maréchal 50, ℘ (0 65) 33 98 13, Fax (0 65) 33 98 18, 🌿 – 🅿. 🆊 ⓞ 🅴 𝘝𝘐𝘚𝘈   CZ f
fermé sam. midi, dim. soir, lundi, prem. sem. sept. et prem. sem. janv. – **Repas** Lunch 695 – carte 1200 à 1550.

X **Alter Ego,** r. Nimy 6, ℘ (0 65) 35 52 60, Fax (0 65) 35 16 70
🆊 ⓞ 🅴 𝘝𝘐𝘚𝘈   DY c
fermé dim. soir, lundi, mardi soir et 15 juil.-15 août – **Repas** 780/1350.

X **La Coquille St-Jacques,** r. Poterie 27, ℘ (065) 84 36 53, Fax (0 65) 84 36 53 – 🅴 𝘝𝘐𝘚𝘈
fermé dim. soirs et lundis non fériés et 21 juil.-14 août – **Repas** 850.   CY h

X **L'Impasse,** r. Havré 49, ℘ (0 65) 31 68 38, Fax (0 65) 31 68 38, Brasserie, ouvert jusqu'à 23 h – 🆊 ⓞ 🅴 𝘝𝘐𝘚𝘈   DY d
fermé sam. midi et 21 juil.-15 août – **Repas** carte 850 à 1250.

à Baudour par ⑥ : 6 km 🄲 Saint-Ghislain 22 093 h. – ⌗ 7331 Baudour :

XX **Fernez,** pl. de la Résistance 1, ℘ (0 65) 64 44 67, Fax (0 65) 64 47 92 – 🍽. 🆊 ⓞ 🅴 𝘝𝘐𝘚𝘈
fermé mardi, merc. et dim. soir – **Repas** Lunch 980 – 1380 (2 pers. min.).

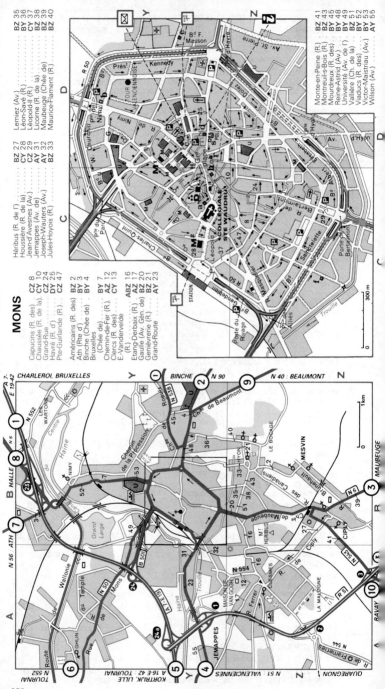

MONS

Capucins (R. des)	CZ 8	Héribus (R. de l')	
Chaussée (R. de la)	CY 10	Houssière (R. de la)	BZ 27
Grand-Rue	DY 26	Jean-d'Avesnes (Av)	CY 28
Havré (R. d')		Jemappes (Av. de)	CZ 29
Pte-Gurlande (R.)	CZ 47	Joseph-Wauters (Av.)	AY 31
		Jules-Hoyois (R.)	AY 32
Américains (R. des)	BZ 2		BZ 33
Ath (Rte d')	BY 3	Lemiez (Av)	BZ 35
Binche (Chée de)	BY 4	Léon-Savé (R.)	BY 36
Bruxelles		Léopold II (R.)	CY 37
(Chée de)	BY 7	Licorne (R. de la)	AY 38
Chemin-de-Fer (R.)	AZ 12	Maubeuge (Chée de)	BZ 39
Clercs (R. des)	CY 13	Maurice-Flament (R.)	BZ 40
E.-Vandervelde		Monte-en-Peine (R.)	BZ 41
(R.)	ABZ 16	Montreuil-s-Bois (R.)	BZ 43
Etang-Derbaix (R.)	AZ 17	Mourdreux (R. des)	BY 45
Gaulle (Av. Gén. de)	BZ 20	Reine-Astrid (Av)	BY 48
Genièvrerie (R.)	BZ 21	Université (Av. de l')	BY 49
Grand-Route	AY 23	Vallière (Ch. de la)	BZ 51
		Viaducs (R. des)	BY 52
		Victor-Maistriau (Av)	BY 53
		Wilson (Av)	AY 55

CHARLEROI, BRUXELLES

BINCHE N 90

N 40 : BEAUMONT

MAUBEUGE

RAVAY

QUAREGNON

KORTRIJK, LILLE A 16-E 42 : TOURNAI

N 51 : VALENCIENNES

TOURNAI Route N 552

300 m

1 km

à Frameries par ⑩ : 2 km – 21 050 h. – ⌧ 7080 Frameries :

※※※ **L'Assiette au beurre**, r. Industrie 278, ℰ (0 65) 67 76 73, Fax (0 65) 66 43 87 – **ℙ**.
ℿ ⓄⒺ 𝘝𝘐𝘚𝘈
fermé dim. soir, lundis midis non fériés, lundi soir et merc. soir – **Repas** Lunch 1200 – 1990.

à Masnuy-St-Jean par ⑦ : 6 km ⓒ Jurbise 8 846 h. – ⌧ 7020 Masnuy-St-Jean :

🏨 **La Forêt** ⬒, chaussée de Brunehault 3, ℰ (0 65) 72 36 85, Fax (0 65) 72 41 44, ⩽,
« Cadre de verdure », 𝐿ẟ, ⌱ – ⧐ 🆃🆅 ☎ **ℙ** – ⛳ 25 à 100. ℿ ⓄⒺ 𝘝𝘐𝘚𝘈. ⅋ rest
Repas (fermé sam., dim. et 15 juil.-mi-août) Lunch 795 – carte env. 1500 – **50 ch**
⫘ 3400/6200, 1 suite – ½ P 2650/3300.

MONT Namur 𝟸𝟷𝟺 ⑤ et 𝟺𝟶𝟿 H 4 – voir à Godinne.

MONTAIGU Vlaams-Brabant – voir Scherpenheuvel.

MONTIGNIES-ST-CHRISTOPHE 6560 Hainaut ⓒ Erquelinnes 9 695 h. 𝟸𝟷𝟺 ③ et 𝟺𝟶𝟿 F 5.
Bruxelles 70 – Charleroi 30 – Mons 25 – Maubeuge 20.

※※ **La Villa Romaine**, chaussée de Mons 52, ℰ (0 71) 55 56 22, Fax (0 71) 55 62 03, ⌁
🕸 – ▤ **ℙ**. ℿ ⓄⒺ 𝘝𝘐𝘚𝘈
fermé lundis non fériés, dim. soir, 16 fév.-3 mars et du 1er au 15 sept. – **Repas** Lunch 1250
– 1480/2380, carte 1600 à 2150
Spéc. Jarret de veau braisé et champignons des bois au jus de truffes. Raviolis croustillants
de caille fourrée au chou, sauce au vieux Porto. Diablotins de Fourme d'Ambert à la chapelure d'amandes et chutney de mangues.

MONTIGNIES-SUR-SAMBRE Hainaut 𝟸𝟷𝟺 ④ et 𝟺𝟶𝟿 G 4 – voir à Charleroi.

MONT-ST-ANDRÉ 1367 Brabant Wallon ⓒ Ramillies 4 992 h. 𝟸𝟷𝟹 ⑳.
Bruxelles 56 – Namur 26 – Charleroi 41 – Hasselt 60 – Liège 64 – Tienen 22.

※※ **La Table de Saint André**, r. Petite Coyarde 10, ℰ (0 81) 87 84 52, ⌁ – ℿ 𝘝𝘐𝘚𝘈
fermé lundi soir et jeudi sauf en juil.-août – **Repas** Lunch 560 – 995.

MONT-ST-AUBERT Hainaut 𝟸𝟷𝟹 ⑮ et 𝟺𝟶𝟿 D 4 – voir à Tournai.

MONT-SUR-MARCHIENNE Hainaut 𝟸𝟷𝟺 ③ et 𝟺𝟶𝟿 G 4 – voir à Charleroi.

MOURCOURT Hainaut 𝟸𝟷𝟹 ⑮ et 𝟺𝟶𝟿 D 4 – voir à Tournai.

MOUSCRON (MOESKROEN) 7700 Hainaut 𝟸𝟷𝟹 ⑮ et 𝟺𝟶𝟿 C 3 – 52 756 h.
🛈 Hôtel de Ville ℰ (0 56) 34 00 61, Fax (0 56) 84 02 68.
Bruxelles 101 ③ – Mons 71 ⑤ – Kortrijk 11 ④ – Lille 23 ③ – Tournai 23 ⑤.

Plan page suivante

※※ **Au Petit Château**, bd des Alliés 243 (par ⑤ : 2 km sur N 58), ⌧ 7700 Luingne, ℰ (0 56)
33 22 07, Fax (0 56) 84 02 11 – ▤ **ℙ**. ℿ ⓄⒺ 𝘝𝘐𝘚𝘈
fermé dim. soir, lundi soir, mardi soir et merc. – **Repas** Lunch 695 – 1095/1895.

※※ **Madame**, r. Roi Chevalier 17, ℰ (0 56) 34 43 53, ⌁
Ⓔ 𝘝𝘐𝘚𝘈   A c
fermé lundis non fériés et dim. soir – **Repas** Lunch 750 – 1050/1290.

※※ **l'Escapade**, Grand'Place 34, ℰ (0 56) 84 13 13, Fax (0 56) 84 36 46, ⌁, Produits de
la mer – ▤. ℿ ⓄⒺ 𝘝𝘐𝘚𝘈   B a
fermé dim. soir, lundi soir et mardi soir – **Repas** Lunch 660 – 990.

※※ **Les Roses**, av. Reine Astrid 111, ℰ (0 56) 34 84 73, Fax (0 56) 84 24 14, ⌁ – ℿ ⓄⒺ 𝘝𝘐𝘚𝘈
fermé merc., dim. soir et 2e quinz. août – **Repas** Lunch 750 – carte 1000 à 1500.   B r

※ **Au Jardin de Pékin**, r. Station 9, ℰ (0 56) 33 72 88, Fax (0 56) 33 77 88, Cuisine chinoise, ouvert jusqu'à 23 h – ▤. ℿ ⓄⒺ 𝘝𝘐𝘚𝘈. ⅋   B u
fermé lundis non fériés – **Repas** Lunch 280 – carte env. 900.

※ **l'Aquarelle**, chaussée de Lille 211, ℰ (0 56) 34 55 36 – Ⓔ 𝘝𝘐𝘚𝘈   A f
fermé lundi soir, mardi, 2 sem. en mars et 3 sem. en sept. – **Repas** Lunch 695 – 1095 bc.

※ **La Cloche**, r. Tournai 9, ℰ (0 56) 33 04 26, Fax (0 56) 34 59 20, Brasserie, ouvert jusqu'à
23 h – ▤. ℿ ⓄⒺ 𝘝𝘐𝘚𝘈   B h
Repas Lunch 390 – 640/990.

※ **Le Galion**, r. Courtils 1a, ℰ (0 56) 34 54 37 – ℿ ⓄⒺ 𝘝𝘐𝘚𝘈   B d
fermé dim. soir, lundi et mardi soir – **Repas** Lunch 600 – carte 950 à 1300.

MOUSCRON

Christ (R. du)		**B**
Grand-Place		**B** 13
Marlière (R. de la)		**A**
Petite-Rue		**B** 18
Tournai (R. de)		**B** 24

Abbé-Coulon (R. de l')	**B**	2
Achille Debacker (R.)	**B**	3
Beau-Chêne (R. du)	**B**	5
Cam. Busschaert (R.)	**B**	7
Charles-Quint (R.)	**B**	8
Courtrai (R. de)	**B**	9
Dixmude (R. de)	**A**	12
Luxembourg (R. du)	**B**	15
Patriotes (R. des)	**B**	16
Pépinière (R. de la)	**B**	17
Rucquoy (R. du)	**B**	19
St. Pierre (R.)	**B**	20
Station (R. de la)	**B**	21
Tourcoing (R. de)	**B**	23

à Herseaux par ⑤ : 4 km © Mouscron – ⊠ 7712 Herseaux :

X **La Broche de Fer,** r. Broche de Fer 273, ℰ (0 56) 33 15 16, Fax (0 56) 34 10 54 – **℗**.
⟨AE⟩ ⓪ **E** *VISA*
fermé mardi, merc. et 15 juil.-15 août – **Repas** *Lunch* 695 – carte 850 à 1200.

MULLEM *Oost-Vlaanderen* **213** ⑯ – *voir à Oudenaarde.*

NADRIN 6660 *Luxembourg belge* © *Houffalize* 4461 h. **214** ⑦ *et* **409** K 5.
Voir *Belvédère des Six Ourthe★★, Le Hérou★★.*
Bruxelles 140 – Arlon 68 – Bastogne 29 – La Roche-en-Ardenne 13.

🏨 **Les Alisiers** ⌖ sans rest, rte du Hérou 53, ℰ (0 84) 44 45 44, Fax (0 84) 44 46 04,
≤ vallées, « Villa sur jardin » – **TV** ☎ **℗**. ⟨AE⟩ **E** – **5 ch** ⊇ 1500/2500.

🏨 **Les Ondes,** r. Villa Romaine 21, ℰ (0 84) 44 41 11, Fax (0 84) 44 41 11, « Jardin
ombragé », ⌖ – ☎ **℗**. **E** *VISA*. ⌖ rest
fermé 18 fév.-5 mars et 17 août-6 sept. – **Repas** *(fermé merc.)* 775/1450 – **13 ch**
⊇ 1875/3140 – ½ P 1850/2395.

XX **Le Cabri** ⌖ avec ch, rte du Hérou 45, ℰ (0 84) 44 41 85, « Auberge avec ≤ vallées »,
⟨🏊⟩, ⌖ – ☎ **℗**. ⟨AE⟩ ⓪ **E** *VISA*. ⌖
fermé mardi, merc., jeudi, 17 fév.-13 mars, 9 juin-3 juil. et du 1er au 25 sept. – **Repas**
1250/1895 – ⊇ 285 – **9 ch** 1250/2690 – ½ P 2100/2600.

XX **Host. du Panorama** ⌖ avec ch, rte du Hérou 41, ℰ (0 84) 44 43 24,
Fax (0 84) 44 46 63, ≤ vallées, ⌖ – **TV** ☎ **℗**. ⟨AE⟩ **E** *VISA*. ⌖ ch
Repas *(fermé merc. et janv.)* Lunch 900 – 1200 (2 pers. min.) – ⊇ 250 – **11 ch** *(Pâques-
15 nov. et week-end ; fermé janv.)* 1650/1950 – ½ P 2100/2300.

XX **La Plume d'Oie,** pl. du Centre 3, ℰ (0 84) 44 44 36, ⌖ – ⟨AE⟩ **E** *VISA*
fermé merc. et juil. – **Repas** 990/1790.

NALINNES *Hainaut* **214** ③ ④ *et* **409** G 5 – *voir à Charleroi.*

NAMUR – NAMEN

5000 **P** **213** ⑳, **214** ⑤ *et* **409** H 4 – *105 059 h.*

Bruxelles 64 ① – *Charleroi 38* ⑥ – *Liège 61* ① – *Luxembourg 158* ③.

Plan de Namur	p. 2 et 3
Nomenclature des hôtels	
et des restaurants	p. 1 à 4

RENSEIGNEMENTS PRATIQUES

Casino BZ, av. Baron de Moreau 1 ☎ *(081) 22 30 21, Fax (081) 22 90 22.*

B *Square Léopold* ☎ *(081) 24 64 49, Fax (081) 24 65 54 et (en saison) Chalet, pl. du Grognon* ☎ *(081) 24 64 48, Fax (081) 24 65 54.*

CURIOSITÉS

Voir *Citadelle*★ ☀★★ BZ – *Trésor*★★ *d'Oignies* BCZ **K** – *Église St-Loup*★ BZ – *Le Centre*★.

Musées : *Archéologique*★ BZ **M²** – *des Arts Anciens du Namurois*★ BY **M³** – *Diocésain et trésor de la cathédrale*★ BYZ **M⁴** – *de Croix*★ BZ **M⁵**.

Env. *Floreffe : stalles*★ *de l'église abbatiale par* ⑤ *: 11 km.*

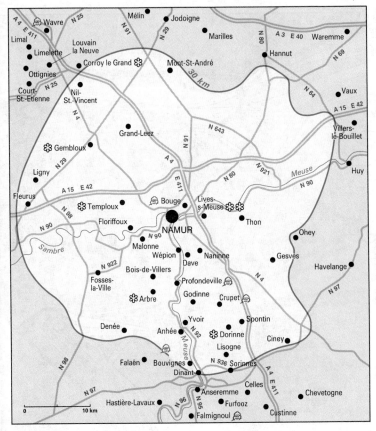

Quartiers du Centre :

🏛 **Les Tanneurs de Namur,** r. Tanneries 13, ☏ (0 81) 23 19 99, Fax (0 81) 26 14 32, 😋, « Architecture moderne dans vieilles demeures » – ▮ 📺 ☎ 🅿 – 🔬 25 à 100. ⅍ ① Ε 𝗩𝗜𝗦𝗔
CZ x
Repas voir rest *L'Espièglerie* ci-après – *Le Grill des Tanneurs de Namur* (ouvert jusqu'à 23 h) (fermé sam. midi) Lunch 375 - carte 850 à 1250 – ☲ 300 – **16 ch** 1250/8500 – ½ P 2000.

🏠 **Gd H. de Flandre** sans rest, pl. de la Station 14, ☏ (0 81) 23 18 68, Fax (0 81) 22 80 60 – ▮ ⇆ 📺 ☎. ⅍ ① Ε 𝗩𝗜𝗦𝗔. ⅏ – **33 ch** ☲ 1950/2600.
BY k

🍴 **L'Espièglerie** H. Les Tanneurs de Namur, r. Tanneries 13a, ☏ (0 81) 23 19 99, Fax (0 81) 26 14 32, « Intérieur rustique » – 🅿. ⅍ ① Ε 𝗩𝗜𝗦𝗔
CZ x
fermé sam. midi, dim. et 15 juil.-15 août – **Repas** Lunch 1000 bc – 1295/1895.

🍴 **Chez Chen,** r. Borgnet 8, ☏ (0 81) 22 48 22, Fax (0 81) 24 12 46, Cuisine chinoise, ouvert jusqu'à 23 h – ▬. ⅍ ① Ε 𝗩𝗜𝗦𝗔. ⅏
BY r
fermé mardi et 3 sem. en juil. – **Repas** 680/1550.

🍴 **Côté Jardin,** r. Halle 2, ☏ (0 81) 23 01 84, Fax (0 81) 23 01 75, 😋 – ① Ε 𝗩𝗜𝗦𝗔
BZ n
fermé dim. midi en juil.-août, dim. soir sauf en juil.-août et lundi – **Repas** Lunch 490 – 850/980.

🍴 **La Bruxelloise,** av. de la Gare 2, ☏ (0 81) 22 09 02, Fax (0 81) 22 09 02, Moules en saison, ouvert jusqu'à 23 h 30 – ▬ 🅿. ⅍ ① Ε 𝗩𝗜𝗦𝗔
BY a
Repas carte 850 à 1550.

🍴 **La Petite Fugue,** pl. Chanoine Descamps 5, ☏ (0 81) 23 13 20, Fax (0 81) 23 13 20, 😋. Ε 𝗩𝗜𝗦𝗔
BZ f
fermé sam. midi, dim. soir, lundi, 1 sem. Pâques et prem. sem. nov. – **Repas** Lunch 650 – 795/1350.

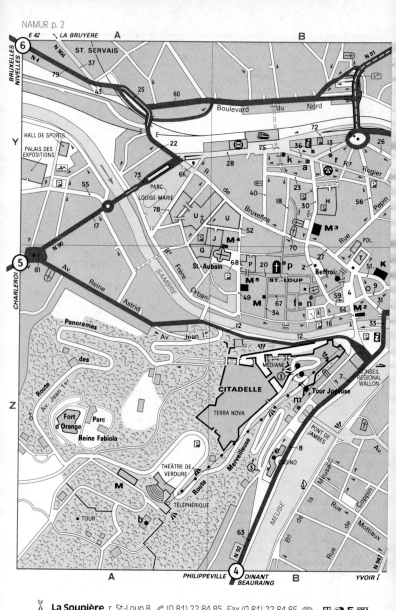

X **La Soupière,** r. St-Loup 8, ℰ (0 81) 22 84 85, Fax (0 81) 22 84 85, ╦ – ₳ℰ ⓪ ℇ 𝖵𝖨𝖲𝖠
fermé merc. et 22 juil.-6 août – **Repas** (déjeuner seult sauf vend. et sam.) Lunch 525 –
780/950.
                                                                                    BZ p

direction Citadelle :

⛪ **Château de Namur** ⌘ (Établissement d'application hôtelière), av. Ermitage 1,
ℰ (0 81) 72 99 00, Fax (0 81) 72 99 99, ≤, ✵ – ⧯ 𝖳𝖵 ☎ ℗ – ⚚ 25 à 150. ₳ℰ ⓪ ℇ
𝖵𝖨𝖲𝖠 𝖩𝖢𝖡. ✸ rest
                                                                                    AZ b
fermé du 24 au 28 déc. – **Repas** Lunch 895 – carte 1350 à 1850 – ⛬ 400 – **30 ch** 3450/3950
– ½ P 3950.

NAMUR

Ange (R.de l')	**BZ** 2
Fer (R. de)	**BY** 30
Marchovelette (R. de)	**BZ** 59
St Jacques (R.)	**BYZ** 70

Ardennes (Pont des)	**CZ** 3
Armes (Pl. d')	**BZ** 4
Baron L. Huart (Bd.)	**BZ** 7
Baron-de-Moreau (Av.)	**BZ** 8
Bas-de-la-Place (R.)	**BZ** 9
Bord-de-l'Eau (R. du)	**ABZ** 12
Borgnet (R.)	**BY** 13
Bourgeois (R. des)	**CY** 14
Brasseurs (R des)	**BZ** 16
Cardinal-Mercier (Av.)	**AY** 17
Carmes (R. des)	**BY** 18
Collège (R. du)	**BZ** 20
Combattants (Av. des)	**AZ** 22
Croisiers (R. des)	**BY** 23
Croix-du-Feu (Av. des)	**AY** 25
Dewez (R.)	**BCY** 26
Emile-Cuvelier (R.)	**BYZ** 27
Ernest-Mélot (Bd.)	**BZ** 28
Fernand-Golenvaux (Av.)	**BZ** 31
France (Pont de)	**BCZ** 33
Fumal (R.)	**BZ** 34
Gare (Av. de la)	**BY** 36
Gembloux (R. de)	**AY** 37
Général-Michel (R.)	**CY** 39
Godefroid (R.)	**BY** 40
Gravière (R. de)	**CZ** 41
Hastedon (Pl. d')	**AY** 43
Ilon (Pl. d')	**CZ** 44
J.-Brabant (R.)	**CY** 46
Joséphine-Charlotte (Pl.)	**CZ** 48
Joseph-Saintraint (R.)	**BZ** 49
Julie-Billiard (R)	**BZ** 51
Lelièvre (R.)	**BY** 52
Léopold (Pl.)	**BY** 54
Léopold II (Av.)	**AY** 55
Lucien-Namèche (R.)	**BY** 56
Merckem (Bd de)	**AY** 60
Omalius (Pl. d')	**AY** 61
Plante (Av. de la)	**BZ** 63
Pont (R. du)	**BZ** 64
Reine Elisabeth (Pl.)	**CY** 65
Rupplémont (R.)	**BZ** 67
St-Aubain (Pl.)	**BZ** 68
St-Nicolas (R.)	**CY** 71
Square-Léopold (Av. du)	**BY** 72
Stassart (Av. de)	**AY** 73
Station (Pl. de la)	**BY** 75
Tanneries (R. des)	**CYZ** 76
Vicrge (Rempart de la)	**AY** 78
Waterloo (chaussée de)	**AY** 79
Wiertz (Pl.)	**AYZ** 81
1er-Lanciers (R. du)	**BY** 82
4 Fils Aymon (R. des)	**CZ** 85

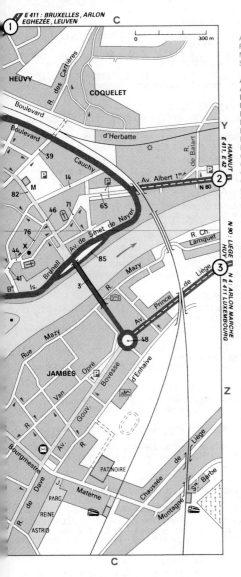

Michelin n'accroche pas de panonceau aux hôtels et restaurants qu'il signale.

Beauregard sans rest, av. Baron de Moreau 1, ☎ (0 81) 23 00 28, Fax (0 81) 24 12 09 – 📱 📺 ☎ ⇔ 🅟 – 🔬 25 à 200. 🆎 ⓞ 🗲 *VISA*   BZ **e**
51 ch 🖙 3450.

Biétrumé Picar, Tienne Maquet 16 (La Plante, par ④ : 3 km sur N 92), ☎ (0 81) 23 07 39, Fax (0 81) 23 10 32, � – 🅟 – 🔬 25. 🆎 ⓞ 🗲 *VISA*
fermé dim. soir et lundi – **Repas** Lunch 950 – 1800/2580 bc.

Au Trois Petits Cochons, av. de la Plante 4, ☎ (0 81) 22 70 10, Fax (0 81) 22 70 10, � – *VISA*   BZ **m**
fermé dim., fin fév.-début mars et fin août-début sept. – **Repas** (dîner seult) carte env. 1100.

à Bouge par ② : 3 km 🄲 Namur – ✉ 5004 Bouge :

🏠 **La Ferme du Quartier** ⬗, pl. Ste Marguerite 4, ℰ (0 81) 21 11 05, Fax (0 81) 21 59 18, ⬗, ⬗ – ☎ 🄿 – 🅰 35. 🄰🄴 ① 🄴 𝚅𝙸𝚂𝙰. ⬗
fermé dim. fériés soirs, juil. et du 23 au 30 déc. – **Repas** Lunch 950 – carte env. 1100 – **14 ch** ⬗ 1000/1400 – ½ P 1500/1800.

🆇🆇 **Les Alisiers**, rte de Hannut 14, ℰ (0 81) 21 36 62, Fax (0 81) 21 36 62, ⬗, ⬗ – 🄿.
🄰🄴 🄴 𝚅𝙸𝚂𝙰 – fermé lundi soir, mardi, 1 sem. carnaval et 1ʳᵉ quinz. août – **Repas** 980/1600.

à Dave par N 947 : 7 km BCZ 🄲 Namur – ✉ 5100 Dave :

🆇 **Le Beau Rivage**, r. Rivage 8, ℰ (0 81) 40 18 97, Fax (0 81) 40 26 81, ⬗, ⬗ – 🄿. 🄰🄴
① 🄴 𝚅𝙸𝚂𝙰. ⬗
fermé sam. midi de sept. à Pâques, dim. soir, lundi, sem. carnaval et dern. sem. août-2 prem. sem. sept. – **Repas** Lunch 590 – carte 1200 à 1600.

à Floriffoux par ⑥ : 8 km sur N 958 🄲 Floreffe 6 904 h. – ✉ 5150 Floriffoux :

🆇 **Le Mousseron**, r. Ste Gertrude 3, ℰ (0 81) 44 07 55, ⬗ – 🄰🄴 ① 🄴 𝚅𝙸𝚂𝙰
fermé dim. soir, lundi, mardi soir et 1ʳᵉ quinz. août – **Repas** Lunch 795 – carte 1250 à 1550.

à Lives-sur-Meuse par ③ : 9 km 🄲 Namur – ✉ 5101 Lives-sur-Meuse :

🏠 **New Hotel de Lives**, chaussée de Liège 1178, ℰ (0 81) 58 05 13, Fax (0 81) 58 15 77
– 📺 ☎ 🄿 – 🅰 35. 🄰🄴 ① 🄴 𝚅𝙸𝚂𝙰 🄹🄲🄱. ⬗ rest
Repas (résidents seult) – **10 ch** ⬗ 2200/2800 – ½ P 2770.

🆇🆇🆇🆇 **La Bergerie** (Lefevere), r. Mosanville 100, ℰ (0 81) 58 06 13, Fax (0 81) 58 19 39, ⬗,
✿✿ « Dominant la vallée, terrasse et jardin avec pièce d'eau » – 🍽 🄿. 🄰🄴 ① 🄴 𝚅𝙸𝚂𝙰
fermé dim. soir en hiver, lundi, mardi, fin fév.-début mars et 2ᵉ quinz. août-début sept.
– **Repas** Lunch 1750 bc – 3000 bc/4250 bc, carte 2500 à 3000
Spéc. Foie d'oie poêlé, création du moment. Agneau rôti "Bergerie". Le gâteau de crêpes soufflées.

à Malonne par ⑤ : 8 km 🄲 Namur – ✉ 5020 Malonne :

🆇🆇 **Alain Peters**, Trieux des Scieurs 22, ℰ (0 81) 44 03 32, Fax (0 81) 44 60 20, ⬗,
« Terrasse avec pièce d'eau » – 🍽 🄿. 🄰🄴 𝚅𝙸𝚂𝙰
fermé du 9 au 30 juil., 21 déc.-7 janv., lundi soir d'oct. à mai, mardi et merc. – **Repas** Lunch 1450 bc – carte 2100 à 2700.

🆇🆇 **Le Relais du Roy Louis**, Allée de la Ferme Blanche 18 (par N 90), ℰ (0 81) 44 48 47,
Fax (0 81) 44 48 47, ⬗ – 🄿. 🄰🄴 ① 🄴 𝚅𝙸𝚂𝙰
fermé jeudi, dim. soir, 2 dern. sem. fév., 2 dern. sem. août et après 20 h 30 – **Repas** Lunch 750 – 1000/1950 bc.

à Temploux par ⑥ : 7 km 🄲 Namur – ✉ 5020 Temploux :

🆇🆇 **L'Essentiel** (Gersdorff), r. Roger Clément 32 (2,5 km par Chemin du Moustier), ℰ (0 81)
✿ 56 86 16, Fax (0 81) 56 86 36, ⬗, « Cadre champêtre, terrasse avec pièce d'eau » – 🄿
– 🅰 25 à 40. 🄰🄴 ① 🄴 𝚅𝙸𝚂𝙰
fermé du 5 au 17 avril, du 23 au 31 août, 20 déc.-5 janv., dim. et lundi – **Repas** Lunch 1280 – 1380/1480
Spéc. Carpaccio de thon et escalope de foie gras poêlée aux échalotes, vinaigrette de soja. Ragoût de homard et poularde aux légumes. Soufflé moelleux au chocolat et glace aux pignons de pin torréfiés.

à Thon par ③ : 11 km 🄲 Andenne 23 364 h. – ✉ 5300 Thon :

🆇🆇 **Léon "Jardins du Luxembourg"**, rte de Liège 2 (N 90), ℰ (0 81) 58 86 51,
Fax (0 81) 58 07 62, ⬗, ⬗ – 🄿. 🄰🄴 🄴 𝚅𝙸𝚂𝙰
fermé mardi soir, merc., 1 sem. carnaval et 22 juil.-6 août – **Repas** Lunch 950 bc – 1100/1995.

🆇 **L'Aub. des 2 Marie**, r. Gramptinne 54a (lieu-dit Vallée du Samson), ℰ (0 81) 58 86 13,
Fax (0 81) 58 86 13, ⬗, « Terrasse au bord de l'eau » – 🄿. 🄰🄴 ① 🄴 𝚅𝙸𝚂𝙰. ⬗
fermé mardi sauf en juil.-août, lundi et 3 prem. sem. janv. – **Repas** Lunch 650 – carte 1050 à 1500.

à Wépion par ④ : 4,5 km 🄲 Namur – ✉ 5100 Wépion :

🏠 **Novotel**, chaussée de Dinant 1149, ℰ (0 81) 46 08 11, Fax (0 81) 46 19 90, ⬗, 🆒, ⬗,
⬗ – ⬗, ⬗ rest, 📺 ☎ 🄿 – 🅰 25 à 270. 🄰🄴 🄴 𝚅𝙸𝚂𝙰 🄹🄲🄱
Repas Lunch 1050 bc – carte env. 800 – ⬗ 450 – **110 ch** 3500/3900.

🏠 **Villa Gracia** ⬗ sans rest, chaussée de Dinant 1455, ℰ (0 81) 41 43 43,
Fax (0 81) 41 12 25, ⬗, « Demeure mosanne en bord de Meuse (Maas) », ⬗, 🆒 – ▯ 📺
☎ 🄿 – 🅰 30. 🄰🄴 ① 🄴 𝚅𝙸𝚂𝙰 🄹🄲🄱 – ⬗ 380 – **8 ch** 3850/6200.

🆇🆇 **La Petite Marmite**, chaussée de Dinant 683, ℰ (0 81) 46 09 06, Fax (0 81) 46 02 06,
⬗ Meuse (Maas), 🆒 – 🄿. 🄰🄴 ① 🄴 𝚅𝙸𝚂𝙰
fermé dim. soirs et lundis non fériés et oct. – **Repas** Lunch 1000 – 1200/1900.

🆇 **Le Père Courtin**, chaussée de Dinant 652, ℰ (0 81) 46 19 61 – 🄰🄴 ① 🄴 𝚅𝙸𝚂𝙰
⬗ fermé mardis non fériés – **Repas** Lunch 450 – 650/1880.

NANDRIN 4550 Liège **213** ② et **409** J 4 – 5 023 h.
Bruxelles 100 – Liège 27 – Huy 17.

XX **La closerie de la Gotte,** r. Gotte 1 (près N 63), ℰ (0 4) 371 43 15, Fax (0 4) 371 43 15,
≼, « Ancien corps de logis d'une ferme hesbignonne » – **Ⓟ** – 🅰️ 25. 🆎 ⓪ **E** 𝓥𝓘𝓢𝓐
fermé merc., dim. soir, 1 sem. en mars et 2 sem. en juil. – **Repas** Lunch 990 – 1380/1850.

NANINNE 5100 Namur Ⓒ Namur 105 059 h. **214** ⑤ et **409** H 4.
🅱️ Fédération provinciale de tourisme, Parc industriel, r. Pieds d'Alouette 18
ℰ (0 81) 40 80 10, Fax (0 81) 40 80 20.
Bruxelles 70 – Namur 13 – Marche-en-Famenne 38.

XX **Clos St-Lambert,** r. Haie Lorrain 2, ℰ (0 81) 40 06 30, Fax (0 81) 40 06 30, Avec grillades – **Ⓟ**. 🆎 ⓪ **E** 𝓥𝓘𝓢𝓐
fermé mardi, merc., 1re quinz. fév. et 2e quinz. août – **Repas** 995/1575.

NASSOGNE 6950 Luxembourg belge **214** ⑥ et **409** J 5 – 4 663 h.
Bruxelles 121 – Dinant 45 – Liège 71 – Namur 62.

🏨 **Beau Séjour** ⌇, r. Masbourg 30, ℰ (0 84) 21 06 96, Fax (0 84) 21 40 62, ⬛, ⬛
– 📺 ☎ **Ⓟ** – 🅰️ 25. 🆎 ⓪ **E** 𝓥𝓘𝓢𝓐 ⅍ rest
fermé merc. et jeudi sauf en saison – **Repas** carte 900 à 1400 – **25 ch** ⬛ 2315/2615
– ½ P 2215/2815.

XXX **La Gourmandine** (Guindet) avec ch, r. Masbourg 2, ℰ (0 84) 21 09 28,
⌘ Fax (0 84) 21 09 23, ⬛, ⬛ – 📺 ☎ **Ⓟ**. 🆎 ⓪ **E** 𝓥𝓘𝓢𝓐
fermé lundis soirs et mardis non fériés sauf en juil.-août, 19 janv.-10 fév., du 2 au 9 juin
et du 1er au 15 sept. – **Repas** Lunch 1250 – 1700/2300, carte 1800 à 2200 – **6 ch**
⬛ 2500/3400 – ½ P 3400
Spéc. Tartelette de ris de veau aux senteurs de Provence. Croustillant de tourteau. Les
gourmandises maison.

NEDERZWALM 9636 Oost-Vlaanderen Ⓒ Zwalm 7 627 h. **213** ⑯ et **409** E 3.
Bruxelles 51 – Gent 23 – Oudenaarde 9.

XX **'t Kapelleke,** Neerstraat 39, ℰ (0 55) 49 85 29, Fax (0 55) 49 66 97, ⬛ – **Ⓟ**. 🆎 ⓪
E 𝓥𝓘𝓢𝓐
fermé dim. soir, lundi, jeudi soir et dern. sem. juil.-prem. sem. août – **Repas** Lunch 800 – 1750.

NEERHAREN Limburg **213** ⑩ et **409** K 3 – voir à Lanaken.

NEERPELT 3910 Limburg **213** ⑩ et **409** J 2 – 14 956 h.
Bruxelles 108 – Antwerpen 86 – Eindhoven 24 – Hasselt 40.

X **Au Bain Marie,** Heerstraat 34, ℰ (0 11) 66 31 17, Fax (0 11) 80 25 61 – 🆎 ⓪ **E** 𝓥𝓘𝓢𝓐.
⅍
fermé mardi midi en juil.-août, mardi soir, merc., carnaval, vacances Pâques et Toussaint
– **Repas** Lunch 950 bc – 1850 bc.

NEERIJSE 3040 Vlaams-Brabant Ⓒ Huldenberg 8 637 h. **213** ⑲ et **409** G 3.
Bruxelles 24 – Charleroi 58 – Leuven 10 – Namur 56.

🏨 **Kasteel van Neerijse** ⌇, Lindenhoflaan 1, ℰ (0 16) 47 28 50, Fax (0 16) 47 23 80,
⬛, « Parc », ⬛ – ⬛ 📺 ☎ **Ⓟ** – 🅰️ 25 à 90. 🆎 ⓪ **E** 𝓥𝓘𝓢𝓐. ⅍
Repas (fermé sam. midi) 1150/1800 – **27 ch** ⬛ 3950/4400 – ½ P 3125/3900.

NEUFCHÂTEAU 6840 Luxembourg belge **214** ⑰ et **409** J 6 – 6 133 h.
Bruxelles 153 – Arlon 36 – Bouillon 40 – Dinant 71.

🏛 **La Potinière,** r. Bataille 5, ℰ (0 61) 27 70 71, Fax (0 61) 27 70 71, ⬛, « Jardin » – 📺
☎ ⬛. 🆎 ⓪ **E** 𝓥𝓘𝓢𝓐 𝒿𝒸𝒷. ⅍
Repas (dîner pour résidents seult) – ⬛ 250 – **6 ch** 1150/1850 – ½ P 1950/2250.

XX **La Tour Griffon,** Grand-Place 15, ℰ (0 61) 27 92 08, Fax (0 61) 27 00 38, ⬛ – 🆎 ⓪
⬛ **E** 𝓥𝓘𝓢𝓐
fermé sem. carnaval, du 1er au 10 juil. et merc. sauf 15 juil.-15 août – **Repas** 850/1350.

à Grandvoir NO : 7 km Ⓒ Neufchâteau – ✉ 6840 Grandvoir :

🏨 **Cap au Vert** ⌇, ℰ (0 61) 27 97 67, Fax (0 61) 27 97 57, ≼, ⬛, « Vallon boisé avec
étang », ⬛ – 📺 ☎ **Ⓟ** – 🅰️ 25. 🆎 ⓪ **E** 𝓥𝓘𝓢𝓐. ⅍
fermé du 7 au 23 sept., du 5 au 19 janv., dim. soir et lundi – **Repas** Lunch 1150 – carte env.
1600 – **12 ch** ⬛ 2800/3600 – ½ P 2950/3900.

NEUVILLE Namur **214** ④ et **409** G 5 - voir à Philippeville.

NEUVILLE-EN-CONDROZ Liège **213** ㉒ et **409** J 4 - ⑰ S - voir à Liège, environs.

NIEUWPOORT 8620 West-Vlaanderen **213** ① et **409** B 2 - 10 169 h. - Station balnéaire.

Musée : K.R. Berquin★ dans la Halle (Stadshalle).

🛈 Stadhuis, Marktplein 7 ℘ (0 58) 22 44 20, Fax (0 58) 22 44 45.

Bruxelles 131 - Brugge 44 - Dunkerque 31 - Oostende 19 - Veurne 13.

🏨 **Martinique,** Brugse Steenweg 7 (à l'écluse), ℘ (0 58) 24 04 08, Fax (0 58) 24 04 07, 🏡 - 📺 ☎ 🅿. 🖭 ◑ ⋿ 𝘝𝘐𝘚𝘈. ⋘
Repas (fermé mardi et merc. sauf vacances scolaires) Lunch 700 - 950/1550 - **5 ch** 🖙 2000/2800 - ½ P 2000/2750.

%% **De Vierboete,** Halve Maanstraat 2a (NE : 2 km au port de plaisance), ℘ (0 58) 23 34 33, Fax (0 58) 23 34 33, ≤, 🏡, 🔟 - 🅿 - 🕿 25 à 80. 🖭 ◑ ⋿ 𝘝𝘐𝘚𝘈. ⋘
fermé sem. carnaval et mardi soir et merc. sauf vacances scolaires - **Repas** 975/1375.

% **'t Vlaemsch Galjoen** 1ᵉʳ étage, Watersportlaan 11 (NE : 1 km), ℘ (0 58) 23 54 95, Fax (0 58) 23 99 73, ≤ port de plaisance, 🔟 - 🖭 ◑ ⋿ 𝘝𝘐𝘚𝘈
fermé 15 janv.-15 fév. - **Repas** (d'oct. à Pâques déjeuner seult sauf week-end) 750/1175.

% **Café de Paris,** Kaai 16, ℘ (0 58) 24 04 80, Fax (0 58) 24 03 90, 🏡, Produits de la mer, ouvert jusqu'à 23 h - 🖭 ⋿ 𝘝𝘐𝘚𝘈
fermé du 16 au 26 juin, 16 nov.-10 déc. et mardis non fériés - **Repas** carte 900 à 1450.

à Nieuwpoort-Bad : (Nieuport-les-Bains) N : 1 km 🅒 Nieuwpoort - ✉ 8620 Nieuwpoort :

🏨 **Cosmopolite** (avec annexe 🏠, 20 ch), Albert I laan 141, ℘ (0 58) 23 33 66, Fax (0 58) 23 81 35 - 📳, 🗏 rest, 📺 ☎ 🅿 - 🕿 25 à 150. 🖭 ◑ ⋿ 𝘝𝘐𝘚𝘈
Repas Lunch 495 - 850 - **58 ch** 🖙 1550/3500 - ½ P 2050/2350.

🏠 **Duinhotel,** Albert I laan 101, ℘ (0 58) 23 31 54, Fax (0 58) 24 27 55, 🏡, 🛋 - 📳, 🗏 rest, 📺 ☎. 🖭 ⋿ 𝘝𝘐𝘚𝘈
fermé mardi - **Repas** (grillades, ouvert jusqu'à 23 h) 850/995 - **21 ch** 🖙 1250/2500 - ½ P 1750/2050.

%% **Au Bon Coin,** Albert I laan 94, ℘ (0 58) 23 33 10, Fax (0 58) 23 11 07 - 🗏. 🖭 ◑ ⋿ 𝘝𝘐𝘚𝘈
fermé merc. et jeudis non fériés ; en fév., avril, juin et oct. ouvert week-end seult - **Repas** Lunch 450 - carte 1700 à 2200.

%% **Gérard,** Albert I laan 253, ℘ (0 58) 23 90 33, Fax (0 58) 23 07 17 - 🖭 ◑ ⋿ 𝘝𝘐𝘚𝘈 𝙅𝘾𝘽
fermé du 17 au 30 nov., du 15 au 31 janv. et mardi et merc. sauf vacances scolaires - **Repas** Lunch 950 - 1375/2625 bc.

%% **Ter Polder,** Victorlaan 17, ℘ (0 58) 23 56 66, Fax (0 58) 23 26 18, 🏡, « Fermette cossue » - 🗏 🅿. 🖭 ⋿ 𝘝𝘐𝘚𝘈 𝙅𝘾𝘽
fermé jeudi et du 15 au 30 nov. - **Repas** Lunch 950 - carte 1200 à 1600.

% **De Tuin,** Zeedijk 6, ℘ (0 58) 23 91 00, Fax (0 58) 23 95 26, 🏡, Taverne-rest - ⋿ 𝘝𝘐𝘚𝘈
fermé mardi et jeudi soir en hiver, merc. et 12 nov.-12 déc. - **Repas** Lunch 375 - carte 850 à 1300.

NIL-ST-VINCENT-ST-MARTIN 1457 Brabant Wallon 🅒 Walhain 5 163 h. **213** ⑲ et **409** H 4.
Bruxelles 39 - Namur 30.

%% **Le Provençal,** rte de Namur 11 (sur N 4), ℘ (0 10) 65 51 84, Fax (0 10) 65 51 75 - 🅿. 🖭 ◑ ⋿ 𝘝𝘐𝘚𝘈
fermé dim. soir, lundi, 21 juil.-8 août et 27 janv.-12 fév. - **Repas** 1000.

NINOVE 9400 Oost-Vlaanderen **213** ⑰ et **409** F 3 - 34 189 h.

Voir Boiseries★ dans l'église abbatiale.

🛈 Oudstrijdersplein 6, ℘ (0 54) 33 78 57, Fax (0 54) 32 48 50.
Bruxelles 24 - Gent 46 - Aalst 15 - Mons 47 - Tournai 58.

🏨 **De Croone,** Geraardsbergsestraat 49, ℘ (0 54) 33 30 03, Fax (0 54) 32 55 88, 🖙 - 📳 🗏 🅿 - 🕿 25 à 200. 🖭 ◑ ⋿ 𝘝𝘐𝘚𝘈. ⋘
Repas (fermé lundi midi, sam. midi et 15 juil.-1ᵉʳ août) Lunch 320 - carte env. 1300 - **18 ch** 🖙 2400/3000 - ½ P 1900/2900.

%%% **De Swaene,** Burchtstraat 27, ℘ (0 54) 32 33 51, Fax (0 54) 32 79 48, 🏡, « Hôtel particulier avec intérieur élégant » - 🖭 ◑ ⋿ 𝘝𝘐𝘚𝘈 𝙅𝘾𝘽. ⋘
fermé 2 sem. carnaval, 2 prem. sem. sept., dim. sauf le 1ᵉʳ du mois et lundi - **Repas** Lunch 1200 - 2100.

XXX **Hof ter Eycken** (Vanheule), Aalstersesteenweg 298 (NE : 2 km par N 405),
⊛   𝒫 (0 54) 33 70 81, Fax (0 54) 32 81 74, « Ancien haras, cadre champêtre » – **Ɒ**. ᴬᴱ ⓞ
     Ɛ ꟾꟾꟾꟾ. ⅏
     fermé mardi soir, merc., sam. midi, sem. carnaval, 2 sem. en juil. et 1 sem. en août – **Repas**
     Lunch 1300 – 1895/2300, carte 2050 à 2450
     Spéc. Asperges sautées et poêlée de langoustines aux dés de tomates et basilic (mai-juil.).
     Cabillaud rôti au jus. Gibiers en saison.

X   **St-Joris,** Burchtdam 27, 𝒫 (0 54) 33 31 52, Fax (0 54) 32 84 08 – ᴬᴱ ⓞ Ɛ ꟾꟾꟾꟾ
     fermé jeudi et 2 prem. sem. oct. – **Repas** *(déjeuner seult sauf vend. et sam.) Lunch 760* –
     carte 1300 à 1700.

X   **De Hommel,** Kerkplein 2, 𝒫 (0 54) 33 31 97, Fax (0 54) 32 06 41 – Ɛ ꟾꟾꟾꟾ
     fermé lundi et mardi – **Repas** *Lunch 850* – 1250/2200.

NISMES 5670 Namur ⓒ Viroinval 5688 h. 𝟮𝟭𝟰 ⑭ et 𝟰𝟬𝟵 G 5.
     Bruxelles 113 – Charleroi 51 – Charleville-Mézières 50 – Couvin 6 – Dinant 42.

▥▥   **Le Melrose** ⍟, r. Albert Grégoire 33, 𝒫 (0 60) 31 23 39, Fax (0 60) 31 10 13, ㈜, ㎝
⊜   – ⊡ ☎ Ɒ – ⌖ 40. ᴬᴱ ⓞ Ɛ ꟾꟾꟾꟾ
     fermé du 23 au 27 fév. – **Repas** *(fermé dim. soir, lundi et après 20 h 30)* 850/980 – **8 ch**
     ⌖ 1500/1850 – ½ P 1800/2100.

NIVELLES (NIJVEL) 1400 Brabant Wallon 𝟮𝟭𝟯 ⑱ et 𝟰𝟬𝟵 G 4 – 23 662 h.
     Voir *Collégiale Ste-Gertrude★★.*
     Env. *Plan incliné de Ronquières★ O : 9 km.*
     ▮₁₈ (2 parcours) Chemin de Baudemont 23 𝒫 (0 67) 21 95 25, Fax (0 67) 21 95 17 - ▮₁₈
     à Vieux-Genappe NE : 10 km, Bruyère d'Hulencourt 15 𝒫 (0 67) 79 40 40,
     Fax (0 67) 79 40 48.
     ▯ Waux-Hall, pl. Albert Iᵉʳ 𝒫 (0 67) 21 54 13, Fax (0 67) 21 57 13.
     Bruxelles 34 – Charleroi 28 – Mons 35.

▥▥   **Nivelles-Sud,** chaussée de Mons 22 (E 19, sortie ⑲), 𝒫 (0 67) 21 87 21,
⊜   Fax (0 67) 22 10 88, ㈜, ⊿ – ▯ ⊡ ☎ Ɒ – ⌖ 25 à 450. ᴬᴱ ⓞ Ɛ ꟾꟾꟾꟾ
     Repas *(ouvert jusqu'à 23 h)* 650/995 bc – ⌖ 290 – **114 ch** 2230/2260, 1 suite.

▣   **Ferme de Grambais** ⍟, chaussée de Braine-le-Comte 102 (O : 3 km sur N 533),
     𝒫 (0 67) 22 01 18, Fax (0 67) 84 13 07, ㈜ – ⊡ ☎ Ɒ – ⌖ 25 à 80. ᴬᴱ ⓞ Ɛ ꟾꟾꟾꟾ
     fermé du 2 au 15 janv. – **Repas** *(Taverne-rest) (fermé lundi)* 900/1350 – **10 ch**
     ⌖ 1750/2000.

à Petit-Rœulx-lez-Nivelles S : 7 km ⓒ Seneffe 10 569 h. – ⊠ 7181 Petit-Rœulx-lez-Nivelles :
XX   **Aub. St. Martin,** r. Grinfaux 44, 𝒫 (0 67) 87 73 80 – **Ɒ**. ᴬᴱ ⓞ Ɛ ꟾꟾꟾꟾ
     fermé merc. et 15 juil.-14 août – **Repas** *(déjeuner seult sauf vend. et sam.) Lunch 995* –
     1395/1595.

NIVEZÉ Liège 𝟮𝟭𝟯 ㉓ – *voir à Spa.*

NOIREFONTAINE 6831 Luxembourg belge ⓒ Bouillon 5 552 h. 𝟮𝟭𝟰 ⑯ et 𝟰𝟬𝟵 I 6.
     Env. *Belvédère de Botassart ≤★★ O : 7 km.*
     Bruxelles 154 – Arlon 67 – Bouillon 4 – Dinant 59.

▥▥▥ **Aub. du Moulin Hideux** ⍟, rte de Dohan 1 (SE : 2,5 km par N 865), 𝒫 (0 61) 46 70 15,
⊛   Fax (0 61) 46 72 81, ≤, ㈜, « Ancien moulin réaménagé dans un environnement boisé,
     terrasse », ⊿, ㎝, ⅍ – ⊡ ☎ Ɒ. ᴬᴱ ⓞ Ɛ ꟾꟾꟾꟾ. ⅏ rest
     15 mars-nov. – **Repas** *(fermé merc. et jeudi midi de mars à juil.) Lunch 2000* – 2500 (2 pers.
     min.)/3500 bc, carte 1900 à 2550 – **11 ch** ⌖ 6500/7500, 2 suites – ½ P 4800/5500
     Spéc. Mousse de jambon et bécasse. Gibiers en saison. Quenelles de brochet de la Semois.

NOSSEGEM Brabant 𝟮𝟭𝟯 ⑲ et 𝟰𝟬𝟵 G 3 - ㉒ N – *voir à Bruxelles, environs.*

NIJVEL Brabant Wallon – *voir Nivelles.*

OCQUIER 4560 Liège ⓒ Clavier 3 958 h. 𝟮𝟭𝟰 ⑥ ⑦ et 𝟰𝟬𝟵 J 4.
     Bruxelles 107 – Liège 41 – Dinant 40 – Marche-en-Famenne 21.

XXX **Castel du Val d'Or** avec ch, Grand'Rue 62, 𝒫 (0 86) 34 41 03, Fax (0 86) 34 49 56, ㈜,
     ㎝ – ⊡ ☎ Ɒ – ⌖ 25 à 200. ᴬᴱ ⓞ Ɛ ꟾꟾꟾꟾ. ⅏
     Repas *(fermé mardi, prem. sem. juil. et 2 sem. en janv.) Lunch 795* – 1250/2200 – **17 ch**
     ⌖ 1950/4100 – ½ P 1750/3600.

OEDELEM West-Vlaanderen **213** ③ et **409** D 2 – voir à Beernem.

OHAIN 1380 Brabant Wallon © Lasne 13 381 h. **213** ⑲ et **409** G 3.
  ₁₈ (2 parcours) 🏌️ Vieux Chemin de Wavre 50 ℰ (0 2) 633 18 50, Fax (0 2) 633 28 66.
  Bruxelles 24 – Charleroi 39 – Nivelles 17.

  🎄🎄🎄 **Aub. d'Ohain,** chaussée de Louvain 709 (N : 2 km sur N 253), ℰ (0 2) 653 64 97,
  Fax (0 2) 653 12 02, 🌧️ – 🗐 **₽. ÆE ① ⊑ VISA**
  fermé dim., lundi, 2ᵉ quinz. juil. et 1ʳᵉ quinz. janv. – **Repas** Lunch 980 – 1500 (2 pers.
  min.)/2100.

  🍴 **Aub. de la Roseraie,** rte de la Marache 4, ℰ (0 2) 633 13 74, Fax (0 2) 633 54 67, 🌧️,
  ⊜ « Fermette avec terrasse » – **₽. ⊑ VISA**
  fermé merc., 2ᵉ quinz. août et Noël-Nouvel An – **Repas** Lunch 395 – 750/1850.

OHEY 5350 Namur **214** ⑥ et **409** I 4 – 3 875 h.
  Bruxelles 84 – Namur 31 – Dinant 32 – Liège 48.

  🍴 **Le Try Joli,** chaussée de Ciney 27, ℰ (0 85) 61 17 05, Fax (0 85) 61 11 94 – **₽. ⊑ VISA**
  ⊜ fermé lundi, merc. et du 2 au 20 janv. – **Repas** Lunch 325 – 850.

OIGNIES-EN-THIÉRACHE 5670 Namur © Viroinval 5 688 h. **214** ⑭ et **409** G 5.
  Bruxelles 120 – Namur 81 – Charleville-Mézières 40 – Chimay 30 – Dinant 42.

  🎄🎄 **Au Sanglier des Ardennes** (Buchet) avec ch, r. J.-B. Périquet 4, ℰ (0 60) 39 90 89,
  ⊗ Fax (0 60) 39 02 83 – 🗐 rest, **₽. ⊑ VISA**. 🕸️ ch
  fermé lundi, mardi, fév.-mi-mars et du 1ᵉʳ au 10 sept. – **Repas** Lunch 1500 bc – 2400, carte
  1700 à 2200 – 🖵 400 – **7 ch** 1200/2000
  Spéc. Œufs à la coque aux truffes, tartine de foie gras. Poêlée de ris et rognons de veau
  à la moutarde de Meaux. Tartelette aux pommes, flambée au Calvados.

OISQUERCQ Brabant Wallon **213** ⑱ – voir à Tubize.

OLEN 2250 Antwerpen **213** ⑧ et **409** H 2 – 10 695 h.
  Bruxelles 67 – Antwerpen 33 – Hasselt 46 – Turnhout 27.

  🎄🎄🎄 **'t Doffenhof,** Geelseweg 28a (NE : 5 km sur N 13), ℰ (0 14) 22 35 28, Fax (0 14) 23 29 12,
  🌧️, « Ancienne maison à colombages reconstituée avec terrasse » – **₽. ÆE ⊑ VISA**. 🕸️
  fermé mardi, merc., 3 prem. sem. vacances bâtiment et 22 déc.-7 janv. – **Repas** Lunch 1100
  – carte env. 2600.

OLSENE 9870 Oost-Vlaanderen © Zulte 14 084 h. **213** ③ et **409** D 3.
  Bruxelles 73 – Gent 28 – Kortrijk 19.

  🎄🎄🎄 **Eikenhof,** Kasteelstraat 20, ℰ (0 9) 388 95 46, Fax (0 9) 388 40 33, 🌧️ – **₽. ÆE ①**
  ⊑ VISA
  fermé mardi soir, merc. et dern. sem. janv.-prem. sem. fév. – **Repas** Lunch 900 – carte 1500
  à 1900.

O.L.V. LOMBEEK Vlaams-Brabant © Roosdaal 10 395 h. **213** ⑰ et **409** F 3 – ✉ 1760 Roosdaal.
  Bruxelles 19 – Halle 16 – Ninove 8.

  🎄🎄 **De Kroon,** Koning Albertstraat 191, ℰ (0 54) 33 23 81, Fax (0 54) 32 62 19, « Relais du
  18ᵉ s., rustique » – **₽. ① ⊑ VISA**. 🕸️
  fermé lundi, mardi, sam. midi, 15 juil.-7 août et dern. sem. janv. – **Repas** 1675.

OOSTAKKER Oost-Vlaanderen **213** ④ et **409** E 2 – voir à Gent, périphérie.

OOSTDUINKERKE 8670 West-Vlaanderen © Koksijde 19 215 h. **213** ① et **409** B 2.
  🅱 Oud-Gemeentehuis, Leopold II laan ℰ (0 58) 51 11 89 – (Pâques-sept.) Albert I laan,
  Astridplein 6 ℰ (0 58) 51 13 89.
  Bruxelles 133 – Brugge 48 – Oostende 24 – Veurne 8 – Dunkerque 34.

à Oostduinkerke-Bad N : 1 km © Koksijde – ✉ 8670 Oostduinkerke :

  🏨 **Britannia Beach** Ⓜ, Zeedijk 435, ℰ (0 58) 51 11 77, Fax (0 58) 52 15 77, ≤, 🚿s –
  ฿ 📺 ☎ ⇔ – 🛗 30. **⊑ VISA**. 🕸️ ch
  Repas (fermé 15 nov.-15 déc., merc. sauf en juil.-août, mardi et après 20 h 30) carte 850
  à 1550 – **29 ch** (fermé mardi et 15 nov.-15 déc.) 🖵 2100/3900 – ½ P 1950/2500.

🏨 **Artan Beach** sans rest, IJslandplein 12 (Zeedijk), ℰ (0 58) 52 11 70, Fax (0 58) 52 07 83, ≼, ⇔, 🖾 – 📳 📺 ☎ ⇗. 🖭 ⓘ ⋿ ⟪VISA⟫
fermé 3 sem. en nov. – **16 ch** ☲ 2150/3900.

🏨 **Argos** ⟪≫⟫, Rozenlaan 20, ℰ (0 58) 52 11 00, Fax (0 58) 52 12 00, 😤 – 📺 ☎ ⓟ. 🖭 ⓘ ⋿ ⟪VISA⟫. ⟪%⟫
fermé 3 dern. sem. janv. – **Repas Bécassine** *(fermé après 20 h 30 et merc. et jeudi sauf vacances scolaires)* 1000/1600 – **6 ch** ☲ 1800/3200 – ½ P 1900/2300.

🏨 **Albert I** sans rest, Astridplein 11, ℰ (0 58) 52 08 69, Fax (0 58) 52 09 04 – 📳 📺 ☎ ⇔. ⋿ ⟪VISA⟫. ⟪%⟫
22 ch ☲ 1700/3500.

🏨 **Hof ter Duinen**, Albert I laan 141, ℰ (0 58) 51 32 41, Fax (0 58) 52 04 21, ⇔, 🛏 – 📳 📺 ⓟ. 🖭 ⓘ ⋿ ⟪VISA⟫ ⟪JCB⟫
fermé 12 janv.-13 fév. – **Repas** voir rest **Eglantier** ci-après – **21 ch** ☲ 2200/3800 – ½ P 1600/2400.

🏠 **Westland** sans rest, Zeedijk 414, ℰ (0 58) 51 31 97, Fax (0 58) 51 42 07, ≼ – 📳 📺 ☎. ⟪%⟫
fermé 15 nov.-20 déc. – ☲ 285 – **27 ch** 1400/2200.

🏠 **Vanneuville**, Albert I laan 109, ℰ (0 58) 51 26 20 – 📺. ⋿ ⟪VISA⟫. ⟪%⟫ ch
fermé jeudi d'oct. à mars – **Repas** 1250 – **12 ch** ☲ 1850/2600 – ½ P 1650/1900.

⟪XX⟫ **Eglantier** - H. Hof ter Duinen, Albert I laan 141, ℰ (0 58) 51 32 41, Fax (0 58) 52 04 21 ⟪⊛⟫ – ⓟ. 🖭 ⓘ ⋿ ⟪VISA⟫ ⟪JCB⟫. ⟪%⟫
fermé 12 janv.-13 fév. – **Repas** *(fermé mardi soir et merc. hors saison et après 20 h 30)* Lunch 650 – 950/1600.

⟪X⟫ **Westland**, IJslandplein 10 (Zeedijk), ℰ (0 58) 51 26 58, Fax (0 58) 23 62 81 – 🖭 ⋿ ⟪VISA⟫. ⟪%⟫
fermé mardi soir, merc. et 12 nov.-20 déc. – **Repas** Lunch 975 – 850/1450.

OOSTENDE (OSTENDE) 8400 West-Vlaanderen ⟪213⟫ ② et ⟪409⟫ B 2 – 68 635 h. – Station balnéaire★ – Casino Kursaal CY , Oosthelling ℰ (0 59) 70 51 11, Fax (0 59) 70 85 86.
🛫 à De Haan par ① : 9 km, Koninklijke baan 2 ℰ (0 59) 23 32 83, Fax (0 59) 23 37 49.
⚓ Liaison maritime Oostende-Ramsgate : Holyman Sally Ferries, Natiënkaai 5, ℰ (0 59) 55 99 55, Fax (0 59) 80 94 17.
🚩 Monacoplein 2 ℰ (0 59) 70 11 99, Fax (0 59) 70 34 77.
Bruxelles 115 ③ – Brugge 27 ③ – Gent 64 ③ – Dunkerque 55 ⑤ – Lille 81 ④.

Plans pages suivantes

🏨 **Andromeda**, Kursaal Westhelling 5, ℰ (0 59) 80 66 11, Fax (0 59) 80 66 29, ≼, 😤, 🏋, ⇔, 🖾, ⟨⟩ – 📳 📺 ☎ ⇔ – 🔏 25 à 80. 🖭 ⓘ ⋿ ⟪VISA⟫. ⟪%⟫ rest   CZ t
Repas 950/1500 – ☲ 350 – **90 ch** 3000/7000 – ½ P 3300/4500.

🏨 **Oostendse Compagnie** ⟪≫⟫, Koningstraat 79, ℰ (0 59) 70 48 16, Fax (0 59) 80 53 16, ≼, « Villa dominant plage et mer », 🛏, ⟪%⟫ – 📳 📺 ☎ ⇔ ⓟ – 🔏 25. 🖭 ⓘ ⋿ ⟪VISA⟫ ⟪JCB⟫   A b
fermé 23 fév.-13 mars, 22 sept.-29 oct. et du 5 au 12 janv. – **Repas** voir rest **Au Vigneron** ci-après – ☲ 350 – **10 ch** 3000/5500, 3 suites.

🏨 **Thermae Palace** ⟪≫⟫, Koningin Astridlaan 7, ℰ (0 59) 80 66 44, Fax (0 59) 80 52 74, ≼ – 📳 ⟪↔⟫ 📺 ☎ ⓟ – 🔏 25 à 1000. 🖭 ⓘ ⋿ ⟪VISA⟫   A
Repas Lunch 875 – carte 1100 à 1500 – ☲ 500 – **141 ch** 4150/6150 – ½ P 3350/4350.

🏨 **Royal Astor**, Hertstraat 15, ℰ (0 59) 80 37 73, Fax (0 59) 80 23 90, 🖾 – 📳 📺 ☎ ⟪ᔕ⟫ ⇔ – 🔏 25 à 70. 🖭 ⓘ ⋿ ⟪VISA⟫ ⟪JCB⟫. ⟪%⟫ rest   CY d
Repas carte 575 – 850/1200 – **95 ch** ☲ 2050/3600 – ½ P 2200/2800.

🏨 **Acces**, Van Iseghemlaan 21, ℰ (0 59) 80 40 82, Fax (0 59) 80 88 39, ⇔ – 📳 ⟪↔⟫, ▤ rest, 📺 ☎ ⇔ – 🔏 60. 🖭 ⓘ ⋿ ⟪VISA⟫. ⟪%⟫   CY a
Repas *(dîner pour résidents seult)* – ☲ 400 – **63 ch** 2200/2800 – ½ P 2100/2400.

🏨 **Holiday Inn Garden Court** ⟪M⟫, Leopold II laan 20, ℰ (0 59) 70 76 63, Fax (0 59) 80 84 06 – 📳 ⟪↔⟫ 📺 ☎ ⟪ᔕ⟫ – 🔏 25 à 70. 🖭 ⓘ ⋿ ⟪VISA⟫ ⟪JCB⟫. ⟪%⟫   CZ b
Repas *(dîner seult)* 850 – ☲ 495 – **90 ch** 3700/5000 – ½ P 2795/4295.

🏨 **Burlington**, Kapellestraat 90, ℰ (0 59) 70 15 52, Fax (0 59) 70 81 93 – 📳, ▤ rest, 📺 ☎ ⇔ – 🔏 25 à 90. 🖭 ⓘ ⋿ ⟪VISA⟫. ⟪%⟫ ch   CZ c
Repas *(Taverne-rest)* Lunch 350 – 850 – **40 ch** ☲ 2400/3700 – ½ P 1750/3000.

🏨 **Strand**, Visserskaai 1, ℰ (0 59) 70 33 83, Fax (0 59) 80 36 78, ≼ – 📳, ▤ rest, 📺 ☎. 🖭 ⓘ ⋿ ⟪VISA⟫. ⟪%⟫ ch   CZ r
fermé déc.-janv. – **Repas** *(Produits de la mer)* 850/1250 – **21 ch** ☲ 2750/4000 – ½ P 2525/3625.

OOSTENDE

Acacialaan	A 2
Blauwkasteelstraat	B 3
Derbylaan	A 5
Fortstraat	B 6
Mariakerkelaan	AB 8
Paul Michielslaan	A 9
Nieuwelangestr.	B 10
Oprit	B 12
Prins Albertlaan	B 13
Sint-Catharinaplein	A 15
Slijkensesteenweg	B 16
Troonstraat	A 18
Zandvoorde- schorredijkstr.	B 20
Zandvoordestr.	A 22

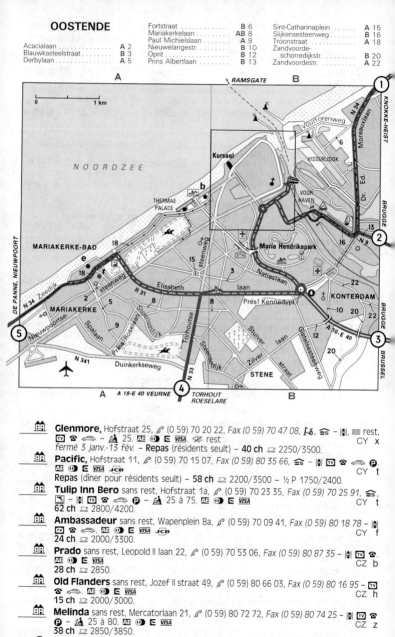

Glenmore, Hofstraat 25, ℰ (0 59) 70 20 22, Fax (0 59) 70 47 08, ♨, ♒ – ♦, ▤ rest, 📺 ☎ ⇔ – 🕍 25. ⁂ ⓓ ⓔ 𝘝𝘐𝘚𝘈. ⅏ rest
CY x
fermé 3 janv.-13 fév. – **Repas** (résidents seult) – **40 ch** ⌷ 2250/3500.

Pacific, Hofstraat 11, ℰ (0 59) 70 15 07, Fax (0 59) 80 35 66, ♒ – ♦ 📺 ☎ ⇔ 🅿.
⁂ ⓓ ⓔ 𝘝𝘐𝘚𝘈 𝘑𝘊𝘉
CY t
Repas (dîner pour résidents seult) – **58 ch** ⌷ 2200/3500 – ½ P 1750/2400.

Tulip Inn Bero sans rest, Hofstraat 1a, ℰ (0 59) 70 23 35, Fax (0 59) 70 25 91, ♒, ▦ – ♦ 📺 ☎ ⇔ 🅿 – 🕍 25 à 75. ⁂ ⓓ ⓔ 𝘝𝘐𝘚𝘈
CY t
62 ch ⌷ 2800/4200.

Ambassadeur sans rest, Wapenplein 8a, ℰ (0 59) 70 09 41, Fax (0 59) 80 18 78 – ♦ 📺 ☎ ⇔. ⁂ ⓓ ⓔ 𝘝𝘐𝘚𝘈 𝘑𝘊𝘉
CY f
24 ch ⌷ 2000/3300.

Prado sans rest, Leopold II laan 22, ℰ (0 59) 70 53 06, Fax (0 59) 80 87 35 – ♦ 📺 ☎.
⁂ ⓓ ⓔ 𝘝𝘐𝘚𝘈
CZ b
28 ch ⌷ 2850.

Old Flanders sans rest, Jozef II straat 49, ℰ (0 59) 80 66 03, Fax (0 59) 80 16 95 – 📺 ☎ ⇔. ⁂ ⓓ ⓔ 𝘝𝘐𝘚𝘈
CZ h
15 ch ⌷ 2000/3000.

Melinda sans rest, Mercatorlaan 21, ℰ (0 59) 80 72 72, Fax (0 59) 80 74 25 – ♦ 📺 ☎ 🅿 – 🕍 25 à 80. ⁂ ⓓ ⓔ 𝘝𝘐𝘚𝘈
CZ z
38 ch ⌷ 2850/3850.

Impérial sans rest, Van Iseghemlaan 76, ℰ (0 59) 80 67 67, Fax (0 59) 80 78 38 – ♦ 📺 ☎ ⇔. ⁂ ⓓ ⓔ 𝘝𝘐𝘚𝘈
CZ a
60 ch ⌷ 2000/3200.

Danielle, IJzerstraat 5, ℰ (0 59) 70 63 49, Fax (0 59) 70 63 49 – ♦ 📺 ☎ ⇔. ⓔ 𝘝𝘐𝘚𝘈. ⅏ rest
CZ u
Repas (déjeuner pour résidents seult) – **24 ch** ⌷ 2000/2600 – ½ P 2000/2200.

OOSTENDE

Adolf Buylstr. .... **CY** 2
Alfons Pieterslaan .... **CZ**
Kapellestr. .... **CZ**
Vlaanderenstr. .... **CY** 30

Edith Cavellstr. .... **CZ** 4

Ernest Feyspl. .... **CZ** 6
Filip Van Maestrichtpl. .... **CZ** 8
Graaf de Smet
 de Naeyerlaan .... **CZ** 9
Groentemarkt .... **CY** 10
Hendrik Serruyslaan ...... **CZ** 13
Kanunnik Dr.
 Louis Colensstr. .... **CZ** 14
Koninginnelaan .... **CZ** 18

Nieuwpoortsesteenweg ... **CZ** 22
Oesterbankstr. .... **CZ** 24
Sir Winston Churchill
 Kaai .... **CY** 27
Stockholmstr. .... **CZ** 28
Wapenpl. .... **CY** 32
Warschaustr. .... **CZ** 33
Wellingtonstr. .... **CZ** 35
Wittenonnenstr. .... **CZ** 36

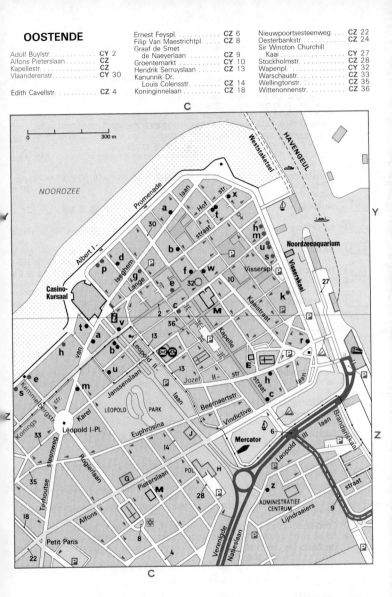

Louisa sans rest, Louisastraat 8b, ℘ (0 59) 50 96 77, Fax (0 59) 51 37 55 – 🛗 📺 ☎.
🖭 ⓘ ᴇ 𝘝𝘐𝘚𝘈. ⚘
CY **b**
15 mars-15 nov. – **15 ch** ⟂ 2800.

Lido 2000, L. Spilliaertstraat 1, ℘ (0 59) 70 08 06, Fax (0 59) 80 40 07 – 🛗 📺 ☎ ⟵.
🖭 ⓘ ᴇ 𝘝𝘐𝘚𝘈. ⚘
CZ **m**
fermé du 1er au 12 fév. et du 11 au 20 déc. – **Repas** (dîner pour résidents seult) – **65 ch**
⟂ 1675/3300 – ½ P 1950/2250.

Pick's, Wapenplein 13, ℘ (0 59) 70 28 97, Fax (0 59) 50 68 62, 🍴 – 🛗 📺 ☎. 🖭 ⓘ
ᴇ 𝘝𝘐𝘚𝘈 𝐉𝐂𝐁
CY **w**
Repas (Taverne-rest) *(fermé mardi en hiver)* Lunch *430* – carte 1100 à 1600 – **15 ch**
⟂ 1900/2500 – ½ P 1750/2400.

🏠 **Du Parc** sans rest, Marie-Joséplein 3, ℰ (0 59) 70 16 80, Fax (0 59) 80 08 79, 🕿 – 🛗
📺 🕿. 🖭 ⓞ Ε 𝚅𝙸𝚂𝙰   CZ v
fermé 15 janv.-1er fév. – **44 ch** ⌑ 2000/2900.

XXX **Au Vigneron** (Daue) - H. Oostendse Compagnie, Koningstraat 79, ℰ (0 59) 70 48 16,
🕸 Fax (0 59) 80 53 16, ≼, 🍴 – ❷. 🖭 ⓞ Ε 𝙹𝙲𝙱   A b
*fermé merc. soir hors saison, dim. soir, lundi, 23 fév.-13 mars, 22 sept.-29 oct. et du 5
au 12 janv.* – **Repas** carte 2200 à 3050
Spéc. Langoustines à l'infusion de pommes vertes et pâtes au citron vert. Turbotin en croûte
de sel, crème de fenouil au caviar. Crêpe normande caramélisée, flambée au Calvados.

XXX **Villa Maritza,** Albert I Promenade 76, ℰ (0 59) 50 88 08, Fax (0 59) 70 08 40, ≼, « Villa
du 19ᵉ s. avec intérieur d'époque » – ❷. 🖭 ⓞ Ε 𝚅𝙸𝚂𝙰   CZ s
fermé lundis non fériés sauf en juil.-août et mardis et dim. soirs non fériés d'oct. à juin
– **Repas** Lunch 1150 – 1950/2500.

XX **'t Vistrapje** avec ch, Visserskaai 37, ℰ (0 59) 80 23 82, Fax (0 59) 80 95 68, ≼ – ▦ rest,
📺 🕿. Ε 𝚅𝙸𝚂𝙰   CY m
Repas 895/1700 – **6 ch** ⌑ 1800/2800 – ½ P 2600.

XX **Auteuil,** Albert I Promenade 54, ℰ (0 59) 70 00 41, ≼ – 🖭 ⓞ Ε 𝚅𝙸𝚂𝙰   CY p
fermé lundi, jeudi et 2 dern. sem. fév. – **Repas** 1500/1900.

XX **Le Grillon,** Visserskaai 31, ℰ (0 59) 70 60 63 – ▦. 🖭 ⓞ Ε 𝚅𝙸𝚂𝙰 𝙹𝙲𝙱   CY s
fermé jeudi et oct. – **Repas** 980.

XX **Richard,** A. Buylstraat 9, ℰ (0 59) 70 32 37, Fax (0 59) 51 43 34 – Ε 𝚅𝙸𝚂𝙰   CY e
fermé merc. de nov. à juin, mardi, 15 juin-4 juil. et 15 janv.-1er fév. – **Repas** carte 1300 à 1850.

XX **Old Fisher,** Visserskaai 34, ℰ (0 59) 50 17 68, Fax (0 59) 51 13 90 – ▦. 🖭 ⓞ Ε 𝚅𝙸𝚂𝙰
⊜ *fermé du 15 au 26 juin, 16 nov.-11 déc., merc. soir sauf en juil.-août et jeudi* – **Repas** Lunch
1095 – 850/1495.   CY u

XX **La Crevette,** Christinastraat 21, ℰ (0 59) 70 71 83, Fax (0 50) 70 71 83 – ▦. 🖭 ⓞ
🐟 Ε 𝚅𝙸𝚂𝙰   CY g
fermé jeudi et vend. midi – **Repas** 790/1660.

XX **Petit Nice,** Albert I Promenade 62b, ℰ (0 59) 80 39 28, Fax (0 59) 80 39 28, ≼ – 🖭
⊜ ⓞ Ε 𝚅𝙸𝚂𝙰. 🍴   CZ h
*fermé mardi soir sauf en juil.-août, merc., sem. après carnaval et dern. sem. nov.-prem.
sem. déc.* – **Repas** 690/1890.

XX **David Dewaele,** Visserskaai 39, ℰ (0 59) 70 42 26, Fax (0 59) 70 42 26 – ▦. 🖭 ⓞ Ε 𝚅𝙸𝚂𝙰
fermé du 16 au 22 juin, du 4 au 24 janv. et lundis non fériés sauf en saison – **Repas** Lunch
1200 bc – 995/1850.   CY h

XX **Vendôme,** Albert I Promenade 54, ℰ (0 59) 50 98 01, Fax (0 59) 50 98 01, ≼ – 🖭
Ε 𝚅𝙸𝚂𝙰 𝙹𝙲𝙱   CY p
fermé mardi soir, merc. et début juil. – **Repas** Lunch 995 – 1495.

XX **Lusitania,** Visserskaai 35, ℰ (0 59) 70 17 65, Fax (0 59) 51 55 50, ≼, « Collection de
tableaux » – ▦. 🖭 ⓞ Ε 𝚅𝙸𝚂𝙰   CY u
fermé vend. – **Repas** 950/1450.

X **Midland,** Visserskaai 20, ℰ (0 59) 70 35 13, Fax (0 59) 70 55 13 – ▦. 🖭 ⓞ Ε 𝚅𝙸𝚂𝙰 CY k
fermé lundi soir et vend. – **Repas** carte 850 à 2000.

X **Groeneveld** avec ch, Torhoutsesteenweg 655 (par ④), ℰ (0 59) 80 86 51,
Fax (0 59) 50 02 81, 🌳 – 📺 ☜ ❷. Ε 𝚅𝙸𝚂𝙰. 🍴
fermé du 14 au 28 fév. – **Repas** *(fermé merc. et après 20 h)* Lunch 550 – carte 900 à 1450
– **7 ch** ⌑ 2400 – ½ P 1500/1700.

X **Cardiff,** St-Sebastiaanstraat 4, ℰ (0 59) 70 28 98 – 🖭 ⓞ Ε 𝚅𝙸𝚂𝙰. 🍴   CY c
🐟 *fermé 3 sem. en nov., mardi hors saison et après 20 h 30* – **Repas** 850.

X **De Zeebries,** Albert I Promenade 73, ℰ (0 59) 51 15 88, Fax (0 59) 51 15 88, ≼, 🌳,
Taverne-rest – 🖭 ⓞ Ε 𝚅𝙸𝚂𝙰   CZ e
fermé 3 sem. en oct. et mardi soir et merc. hors saison – **Repas** Lunch 595 – carte 1050 à 1550.

à Gistel par ④ : 12 km – 10 527 h. – ⊠ 8470 Gistel :

🏠 **Ten Putte,** Stationsstraat 9, ℰ (0 59) 27 70 44, Fax (0 59) 27 92 50, 🌳 – 📺 🕿 ☜
❷ – 🔏 25 à 450. 🖭 Ε 𝚅𝙸𝚂𝙰
Repas *(fermé juin, dim. soir, lundi, mardi et après 20 h 30)* Lunch 650 – carte 1150 à 1600
– **11 ch** *(fermé lundi et juin)* ⌑ 2000/3500 – ½ P 2650.

à Mariakerke Ⓒ Oostende – ⊠ 8400 Oostende :

🏠 **Royal Albert,** Zeedijk 167, ℰ (0 59) 70 42 36, Fax (0 59) 80 61 09, ≼ – 🛗, ▦ rest, 📺
🕿. 🖭 ⓞ Ε. 🍴 rest   A e
3 avril-2 nov. – **Repas** *(fermé après 20 h)* carte 1050 à 1750 – **22 ch** ⌑ 3050/3600 –
½ P 2000/2875.

XX **Au Grenache,** Aartshertogstraat 80, ℰ (0 59) 70 76 85 – 🖭 ⓞ Ε 𝚅𝙸𝚂𝙰   A r
fermé mardi et prem. sem. nov. – **Repas** 1700/2500.

OOSTKERKE West-Vlaanderen 🔢 ③ et 🔢 C 2 – *voir à Damme.*

OOSTMALLE 2390 Antwerpen Ⓒ Malle 13 439 h. 🔢 ⑯ et 🔢 H 2.
Bruxelles 65 – Antwerpen 26 – Turnhout 15.

- ✕✕ **De Eiken** (Smets), Lierselei 173 (S : 2 km sur N 14), *𝒫 (0 3) 311 52 22, Fax (0 3) 311 69 45,*
  ⑳ ❄, 🍴, « Pièce d'eau, environnement boisé » – ⓟ. 🆎 ⓞ 🄴 *VISA* *JCB*. ✖
  fermé sam. midi, dim. soir, lundi, 2ᵉ quinz. juil.-prem. sem. août et 2 sem. en janv. – **Repas**
  Lunch 1800 bc – carte 2000 à 2750
  Spéc. Queues de langoustines panées aux amandes rôties. Filet d'agneau cuit au foin en
  croûte de pain. Tarte aux noisettes et son parfait glacé.

OOSTROZEBEKE 8780 West-Vlaanderen 🔢 ③ et 🔢 D 3 – 7 199 h.
Bruxelles 85 – Brugge 41 – Gent 41 – Kortrijk 15.

- ✕✕ **Swaenenburg** avec ch, Ingelmunstersteenweg 173, *𝒫 (0 56) 66 33 44, Fax (0 56)*
  66 33 55, 🍴, ⑳ – 📺 ☎ ⓟ. 🄴 *VISA*
  fermé 13 juil.-7 août – **Repas** *(fermé merc. et dim. soir)* Lunch 1100 – 1600 bc/2450 bc –
  6 ch ⇆ 2200/3200 – ½ P 2900/3400.

OPGLABBEEK 3660 Limburg 🔢 ⑩ et 🔢 J 2 – 8 656 h.
Bruxelles 94 – Maastricht 36 – Antwerpen 79 – Hasselt 25 – Eindhoven 53.

- ✕✕ **Slagmolen** (Meewis), Molenweg 177, *𝒫 (0 89) 85 48 88, Fax (0 89) 85 48 88,* 🍴,
  ⑳ « Ancien moulin à eau dans un cadre champêtre » – ⓟ. 🄴 *VISA*
  fermé du 16 au 26 fév., 17 août-3 sept., mardi midi en juil.-août, mardi soir, merc. et sam.
  midi – **Repas** Lunch 1200 – 1950, carte env. 2200
  Spéc. Huîtres gratinées au Champagne. Ris de veau croquant, sauce dijonnaise. Tarte aux
  pommes et glace à la vanille.

OPOETEREN Limburg 🔢 ⑩ et 🔢 J 2 – *voir à Maaseik.*

ORROIR 7750 Hainaut Ⓒ Mont-de-l'Enclus 3 072 h. 🔢 ⑮ et 🔢 D 3.
Bruxelles 73 – Gent 48 – Kortrijk 41 – Valenciennes 45.

- ✕✕ **Le Bouquet,** Enclus du Haut 5 (au Mont-de-l'Enclus), *𝒫 (0 69) 45 45 86,*
  Fax (0 69) 45 41 58, 🍴 – 🍽 ⓟ. 🆎 ⓞ 🄴 *VISA* *JCB*. ✖
  fermé mardi sauf en juil.-août – **Repas** Lunch 1500 bc – 1300 (2 pers. min.)/1800.

ORVAL (Abbaye d') ★★ Luxembourg belge 🔢 ⑯ ⑰ et 🔢 J 7 G. Belgique-Luxembourg.

OTTIGNIES 1340 Brabant Wallon Ⓒ Ottignies-Louvain-la-Neuve 25 623 h. 🔢 ⑲ et 🔢 G 3.
Env. Louvain-la-Neuve★ E : 8 km, dans le musée : legs Charles Delsemme★.
🏌 à Louvain-la-Neuve E : 8 km, r. A. Hardy 68 *𝒫 (0 10) 45 05 15, Fax (0 10) 45 44 17.*
Bruxelles 31 – Namur 39 – Charleroi 36.

- 🏨 **Château Balzat** (annexe 6 studios), av. des Villas 14, *𝒫 (0 10) 41 10 08,*
  Fax (0 10) 41 98 15, ⑳, « Villa début du siècle avec parc », 🆙, 🔲, 🌳 – ❚ 📺 ☎ 🚗
  ⓟ – 🔒 25. 🆎 ⓞ 🄴 *VISA*. ✖
  Repas (dîner pour résidents seult) – **9 ch** ⇆ 3100/4700, 1 suite – ½ P 4400/5000.

- ✕✕ **Le Chavignol,** r. Invasion 99, *𝒫 (0 10) 45 10 40, Fax (0 10) 45 54 19,* 🍴 – 🆎 🄴 *VISA*
  fermé mardi soir, merc. et dim. soir – **Repas** Lunch 450 – 990/1390.

à Céroux-Mousty SO : 3 km Ⓒ Ottignies-Louvain-la-Neuve – ✉ 1341 Céroux-Mousty :

- ✕✕ **L'Aub. de Morimont,** r. Bois des Rêves 63 (2 km par Mousty-Gare), *𝒫 (0 10) 45 26 82,*
  🍴 – ⓟ. 🆎 🄴 *VISA*
  fermé lundis midis non fériés, lundi soir, dim. soir et 3 dern. sem. juil. – **Repas** Lunch 900
  – 1990.

- ✕ **La Cinquième Saison,** Grand'Rue 74 (Céroux), *𝒫 (0 10) 61 14 62, Fax (0 10) 61 14 62,*
  🍴 – ⓟ. 🆎 ⓞ 🄴 *VISA*
  fermé du 8 au 23 juin, 22 déc.-6 janv., lundi et mardi – **Repas** Lunch 790 – 995.

à Louvain-la-Neuve E : 8 km Ⓒ Ottignies-Louvain-la-Neuve – ✉ 1348 Louvain-la-Neuve :

- ✕ **Roma,** Traverse d'Esope 12, *𝒫 (0 10) 45 01 28, Fax (0 10) 45 63 37,* Avec cuisine italienne, ouvert jusqu'à 23 h – 🆎 ⓞ 🄴 *VISA*
  Repas Lunch 590 – 850.

OUDENAARDE (AUDENARDE) 9700 Oost-Vlaanderen 🔢 ⑯ et 🔢 D 3 – 27 314 h.

Voir *Hôtel de Ville*★★★ (Stadhuis) Z – *Église N.-D. de Pamele*★ (O.L. Vrouwekerk van Pamele) Z.

🔓 🔓 à Wortegem-Petegem par ④ : 5 km, Kortrijkstraat 52 ℘ (0 55) 31 54 81, Fax (0 55) 31 98 49.

🅱 Stadhuis, Markt ℘ (0 55) 31 72 51, Fax (0 55) 33 00 48.

Bruxelles 61 ② – Gent 27 ⑥ – Kortrijk 33 ④ – Valenciennes 61 ③.

OUDENAARDE

Beverestraat	Y 4
Broodstraat	Z 9
Grote Markt	Z
Hoogstraat	YZ 17
Krekelput	Z 23
Nederstraat	YZ 35
Stationsstraat	Y
Tussenbruggen	Z 40
Aalststraat	Z
Achterburg	Z 2
Achter de Wacht	Y 3
Baarstraat	Z
Bekstraat	Y
Bergstraat	Z
Bourgondiëstraat	Z 7
Burg	Z 10
Burgschelde	Z 14
Dijkstraat	Y
Doornikstraat	Z
Fortstraat	Y
Gevaertsdreef	Y
Jezuïetenplein	Z 18
Kasteelstraat	Z 21
Kattestraat	Y
Louise-Mariekaai	Z 26
Margaretha van Parmastr.	Z 32
Marlboroughlaan	YZ
Matthijs Casteleinstr.	Z
Minderbroedersstr.	Z 33
Parkstraat	Y
Prins Leopoldstraat	Y
Remparden	Z
Tacambaroplein	Y 38
Tussenmuren	Z
Voorburg	Z 42
Wijngaardstraat	Y 46
Woeker	Y

🏨 **de Rantere** ⌂ (et annexe - 9 ch 🅼), Jan Zonder Vreeslaan 8, ℘ (0 55) 31 89 88, Fax (0 55) 33 01 11, 🍴, ☎s – 🛗 📺 ☎ – 🔏 25 à 40. 🖭 ⓞ 🄴 𝗩𝗜𝗦𝗔   Z e
Repas (fermé dim., jours fériés et 12 juil.-3 août) Lunch 850 – 1100/1500 – **28 ch** ☐ 2750/3800.

🏨 **Host. La Pomme d'Or,** Markt 62, ℘ (0 55) 31 19 00, Fax (0 55) 30 08 44, « Ancien relais postal du 15ᵉ s. », ☐ – 🛗 📺 ☎ – 🔏 25 à 60. 🖭 ⓞ 🄴 𝗩𝗜𝗦𝗔 ⁒ ch   Z z
fermé 1ᵉʳ au 24 août et 22 déc.-1ᵉʳ janv. – **Repas** (fermé dim. soir et lundi) Lunch 950 – 1385 – **8 ch** ☐ 2600/3700.

🏨 **Da Vinci** sans rest, Gentstraat 58 (par ⑥), ℘ (0 55) 31 13 05, Fax (0 55) 31 15 03 – 📺 ☎ 🖭 ⓞ 🄴 𝗩𝗜𝗦𝗔 ⁒
5 ch ☐ 2600/3300, 1 suite.

🍴🍴 **De Zalm** avec ch, Hoogstraat 4, ℘ (0 55) 31 13 14, Fax (0 55) 31 84 40 – 🛗, 🍽 ch, 📺 ☎ 🚗 – 🔏 25 à 150. 🖭 ⓞ 🄴 𝗩𝗜𝗦𝗔 ⁒   Z a
fermé 12 juil.-3 août et 24 janv.-2 fév. – **Repas** (fermé dim. soir et lundi) Lunch 425 – carte env. 1200 – **7 ch** ☐ 2500/3000 – ½ P 2100/3100.

à Eine *par* ⑥ : *5 km* Ⓒ *Oudenaarde* – ✉ *9700 Eine :*

XXX **'t Craeneveldt,** Serpentstraat 61a, ℰ *(0 55) 31 72 91, Fax (0 55) 33 01 82,* 🌧,
« Ancienne fermette » – **❷.** 🖭 ⓞ **E** ***VISA***
fermé merc., sam. midi, dim. soir et du 1er au 19 juil. – **Repas** Lunch *1290* – 1080/
1950.

à Mater *par* ② : *4 km sur N 8, puis à gauche* Ⓒ *Oudenaarde* – ✉ *9700 Mater :*

X **Ganzenplas,** Boskant 49, ℰ *(0 55) 45 59 55,* 🌧 – **❷.** 🖭 ⓞ **E** ***VISA***. ✼
fermé mardi soir, merc. et du 5 au 30 oct. – **Repas** Lunch *990* – carte 900 à 1300.

X **Zwadderkotmolen,** Zwadderkotstraat 2, ℰ *(0 55) 49 84 95,* 🌧, « Ancien moulin à
eau, rustique » – **❷.** 🖭 **E**
fermé mardi, merc., 1re quinz. sept. et 1re quinz. janv. – **Repas** 1250/1950.

à Mullem *par* ⑥ : *7,5 km sur N 60* Ⓒ *Oudenaarde* – ✉ *9700 Mullem :*

XX **Moriaanshoofd** avec ch, Moriaanshoofd 27, ℰ *(0 9) 384 37 87, Fax (0 9) 384 67 25,*
🌧, 🍴 – **❷.** ⓞ **E** ***VISA***. ✼ rest
Repas Lunch *1200 bc* – carte 1000 à 1400 – **12 ch** ⊆ 1150/1900 – ½ P 1325/1525.

OUDENBURG 8460 West-Vlaanderen 👁👁👁 ② et 👁👁👁 C 2 – *8 597 h.*
Bruxelles 109 – Brugge 19 – Oostende 8.

🏢 **Abdijhoeve,** Marktstraat 1, ℰ *(0 59) 26 51 67, Fax (0 59) 26 53 10,* 🌧, 🍴, 🌳 – 📺
☎ **❷** – 🔏 25 à 250. 🖭 ⓞ **E** ***VISA***. ✼
Repas (Taverne-rest) *(fermé dim. soir, lundi et mardi soir)* 1150/2500 – **23 ch**
⊆ 2700/3900 – ½ P 2700/2900.

à Roksem *SE : 4 km* Ⓒ *Oudenburg* – ✉ *8460 Roksem :*

🏢 **De Stokerij** Ⓜ ⋙ sans rest, Hoge dijken 2, ℰ *(0 59) 26 83 80, Fax (0 59) 26 89 35,*
🍴, 🌳 – 🖃 📺 ☎ **❷.** 🖭 ⓞ **E** ***VISA*** ⒿⒸⒷ
fermé 2 dern. sem. nov. – **8 ch** ⊆ 2100/5950.

XX **Ten Daele,** Brugsesteenweg 65, ℰ *(0 59) 26 80 35,* 🌧, « Cadre champêtre » – **❷. E**
VISA
fermé lundi soir en déc.-janv., mardi soir, merc., dim. soir, 17 juin-11 juil. et après 20 h 30
– **Repas** Lunch *950* – carte 2000 à 2700.

X **Jan Breydel,** Brugsesteenweg 108, ℰ *(0 59) 26 82 97, Fax (0 59) 26 89 35,* 🌧 – 🖃
❷. 🖭 ⓞ **E** ***VISA*** ⒿⒸⒷ
fermé mardi et 2 dern. sem. nov. – **Repas** Lunch *895* – carte env. 1400.

OUDERGEM Brussels Hoofdstedelijk Gewest – *voir Auderghem à Bruxelles.*

OUD-HEVERLEE Vlaams-Brabant 👁👁👁 ⑲ et 👁👁👁 H 3 – *voir à Leuven.*

OUREN Liège 👁👁👁 ⑨ et 👁👁👁 L 5 – *voir à Burg-Reuland.*

OVERIJSE Vlaams-Brabant 👁👁👁 ⑲ et 👁👁👁 G 3 - ㉒ S – *voir à Bruxelles, environs.*

PALISEUL 6850 Luxembourg belge 👁👁👁 ⑯ et 👁👁👁 I 6 – *4 853 h.*
Bruxelles 146 – Arlon 65 – Bouillon 15 – Dinant 55.

XXX **Au Gastronome** (Libotte) avec ch, r. Bouillon 2 (Paliseul-Gare), ℰ *(0 61) 53 30 64,*
❀❀❀ *Fax (0 61) 53 38 91,* « Hostellerie ardennaise, jardin fleuri avec ⌇ » – 🖃 📺 ☎ **❷.** 🖭
ⓞ **E** ***VISA***
fermé dim. soirs et lundis non fériés, dern. sem. juin-prem. sem. juil. et 1er janv. soir-7 fév.
– **Repas** Lunch *1300* – 2980 (2 pers. min.), carte 2150 à 2800 – **9 ch** ⊆ 3300/4800 –
½ P 3400
Spéc. Gâteau de pied de porc poêlé à la panceta, girolles et queues d'écrevisses. Dos de
turbot au four à l'ail et à la coriandre, sauce hollandaise au cresson. Cochon de lait rôti
au miel, sauce aux épices.

XX **La Hutte Lurette** avec ch, r. Station 64, ℰ *(0 61) 53 33 09, Fax (0 61) 53 52 79,* 🌧,
🚲 🌳 – 📺 ☎ **❷.** 🖭 ⓞ **E** ***VISA***
fermé 17 fév.-25 mars, du 7 au 10 sept. et mardi soir et merc. sauf en juil.-août – **Repas**
Lunch *800* – 850/1650 – **7 ch** ⊆ 2100/2300 – ½ P 1800/2000.

X **Le Clair Val,** Our 25 (N : 7 km, lieu-dit Our), ✉ 6852 Opont, ℰ *(0 61) 53 32 75,* 🌧,
Avec grillades, « Auberge ardennaise » – **E** ***VISA***
fermé mardi et du 8 au 22 sept. – **Repas** carte 900 à 1300.

De PANNE (LA PANNE) 8660 West-Vlaanderen **213** ① et **409** A 2 – 9 958 h. – Station balnéaire.

Voir *Plage*★.

🛈 Gemeentehuis ℰ (0 58) 42 18 18, Fax (0 58) 42 16 17.

Bruxelles 143 ① – Brugge 55 ① – Dunkerque 20 ③ – Oostende 31 ① – Veurne 6 ②.

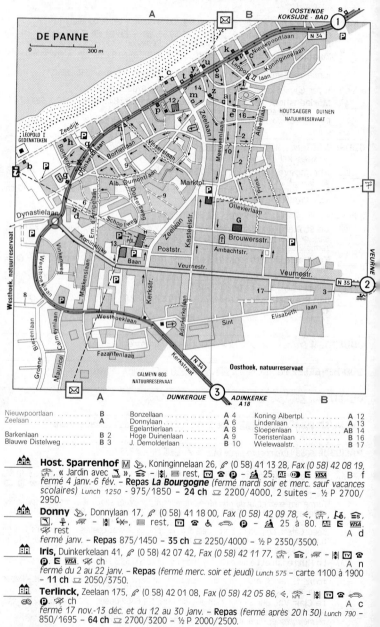

Nieuwpoortlaan	B		Bonzellaan	A 4		Koning Albertpl.	A 12
Zeelaan	A		Donnylaan	A 6		Lindenlaan	A 13
			Egelantierlaan	A 8		Sloepenlaan	AB 14
Barkenlaan	B 2		Hoge Duinenlaan	A 9		Toeristenlaan	B 16
Blauwe Distelweg	B 3		J. Demolderlaan	B 10		Wielewaalstr.	B 17

Host. Sparrenhof M ⑤, Koninginnelaan 26, ℰ (0 58) 41 13 28, Fax (0 58) 42 08 19, 🍴, « Jardin avec 🏊 », 🌡s – 🛗, 🍽 rest, 📺 ☎ 🅿 – 🔏 25. 🆎 ⑩ ㊟ 𝗩𝗜𝗦𝗔   B f
fermé 4 janv.-6 fév. – **Repas La Bourgogne** *(fermé mardi soir et merc. sauf vacances scolaires)* Lunch 1250 - 975/1850 – **24 ch** ⏨ 2200/4000, 2 suites – ½ P 2700/2950.

Donny ⑤, Donnylaan 17, ℰ (0 58) 41 18 00, Fax (0 58) 42 09 78, ≤, 🍴, 🌡♠, 🌡s, 🏊, ♨, 🍃 – 🛗 ✑, 🍽 rest, 📺 ☎ ♿ 🚗 🅿 – 🔏 25 à 80. 🆎 ㊟ 𝗩𝗜𝗦𝗔 ⌖ rest   A d
fermé janv. – **Repas** 875/1450 – **35 ch** ⏨ 2250/4000 – ½ P 2350/3500.

Iris, Duinkerkelaan 41, ℰ (0 58) 42 07 42, Fax (0 58) 42 11 77, 🍴, 🌡s, 🍃 – 🛗 📺 ☎ 🅿. ㊟ 𝗩𝗜𝗦𝗔. ⌖ ch   A n
fermé du 2 au 22 janv. – **Repas** *(fermé merc. soir et jeudi)* Lunch 575 – carte 1100 à 1900 – **11 ch** ⏨ 2050/3750.

Terlinck, Zeelaan 175, ℰ (0 58) 42 01 08, Fax (0 58) 42 05 86, ≤, 🍴 – 🛗 📺 ☎ 🚗 🅿. ⌖ ch   A c
fermé 17 nov.-13 déc. et du 12 au 30 janv. – **Repas** *(fermé après 20 h 30)* Lunch 790 – 850/1695 – **64 ch** ⏨ 2700/3200 – ½ P 2000/2500.

Seahorse ⬚ sans rest, Toeristenlaan 7, ☎ (0 58) 41 27 47, Fax (0 58) 41 27 48 – 🛗
B a
📺 ☎ ⬚. ⬛ ⓞ 🇪 VISA. ❄
3 fév.-oct. – **19 ch** ⬚ 1800/2900.

La Terrasse, Zeelaan 204, ☎ (0 58) 41 51 01, 🍴 – 🛗, ▤ rest, 📺 ☎. ⬛ ⓞ 🇪 VISA.
A t
❄ ch
Repas 850 – **17 ch** ⬚ 2000/2500.

Lotus, Duinkerkelaan 83, ☎ (0 58) 42 06 44, Fax (0 58) 42 07 09 – 📺 ☎ ⓟ. ⬛ ⓞ VISA.
A x
❄ ch
fermé 12 nov.-12 déc. et 30 janv.-13 fév. – **Repas** (fermé merc.) Lunch 850 – carte 1250
à 1700 – **8 ch** ⬚ 1500/3100 – ½ P 2000/2200.

Cajou, Nieuwpoortlaan 42, ☎ (0 58) 41 13 03, Fax (0 58) 42 01 23 – 🛗, ▤ rest, 📺 ☎
B s
ⓟ. ⬛ ⓞ 🇪 VISA. ❄
fermé 5 janv.-5 fév. – **Repas** (fermé dim. soir et lundi sauf vacances scolaires) Lunch 665
– 800/1000 – **19 ch** ⬚ 1700/2900 – ½ P 1825/2075.

Du Val Joli ⬚, Barkenlaan 55, ☎ (0 58) 41 25 19, Fax (0 58) 42 08 45, 🍴, ⬛ – 📺
B e
☎ ⓟ. 🇪 VISA. ❄ rest
avril-21 sept. – **Repas** (résidents seult) – **18 ch** ⬚ 1600/2950 – ½ P 2050/2250.

Ambassador, Duinkerkelaan 43, ☎ (0 58) 41 16 12, Fax (0 58) 42 18 84, 🍴 – 🛗 📺
A q
ⓟ. 🇪 VISA. ❄ ch
carnaval-10 nov. – **Repas** (fermé merc. sauf vacances scolaires) Lunch 525 – carte 850 à
1550 – **28 ch** ⬚ 1350/2700 – ½ P 1550/4000.

Strand Motel ⬚ sans rest, Nieuwpoortlaan 153, ☎ (0 58) 42 00 22, Fax (0 58) 42 06 85,
B s
« Dans les dunes » – 📺 ☎ ⓟ. 🇪 VISA. ❄
fermé 15 nov.-20 déc. et 7 janv.-20 fév. – ⬚ 185 – **54 ch** 2350.

Royal, Zeelaan 180, ☎ (0 58) 41 11 16, Fax (0 58) 41 10 16 – 🛗 📺 ☎. 🇪 VISA   A m
fermé 15 nov.-20 déc. et 5 janv.-5 fév. – **Repas** (résidents seult) – **25 ch** ⬚ 1500/3150
– ½ P 1850/2300.

Host. Le Fox (Buyens) avec ch, Walckiersstraat 2, ☎ (0 58) 41 28 55, Fax (0 58) 41 58 79
A u
❀ – 🛗 📺 ☎ ⬚. ⬛ ⓞ 🇪 VISA
fermé 28 sept.-16 oct. et du 6 au 23 janv. – **Repas** (fermé lundi, mardi midi et vend. midi)
Lunch 1695 bc – 2300 (2 pers. min.), carte env. 2500 – ⬚ 350 – **14 ch** (fermé lundi sauf
en juil.-août) 1800/3200 – ½ P 3450/3550
Spéc. Bar au gros sel, ragoût de tomates et béarnaise à l'huile d'olive. Lasagne de lan-
goustines au beurre de truffes. Pigeonneau du pays au Banyuls.

Host. Avenue avec ch, Nieuwpoortlaan 56, ☎ (0 58) 41 13 70, Fax (0 58) 42 12 21 –
B v
📺. ⬛ ⓞ 🇪 VISA
fermé 10 janv.-10 fév. et mardi et merc. sauf vacances scolaires – **Repas** 1000/1795 –
4 ch ⬚ 2200/2800 – ½ P 3000/3600.

Trio's, Nieuwpoortlaan 75, ☎ (0 58) 41 13 78, Fax (0 58) 42 04 16 – ▤ ⓟ. ⬛ ⓞ 🇪 VISA
fermé du 12 au 28 nov., dim. soir sauf en juil.-août et merc. – **Repas** 995 (2 pers.
min.)/1650.
B k

Le Flore, Duinkerkelaan 19b, ☎ (0 58) 41 22 48, Fax (0 58) 41 53 36 – ⓟ. ⬛ 🇪 VISA.
A p
❄
fermé mardi hors saison sauf vacances scolaires, merc. de fin nov. à carnaval, 1 sem. en
fév. et fin nov.-début déc. – **Repas** Lunch 995 – 1395/2095.

La Coupole, Nieuwpoortlaan 9, ☎ (0 58) 41 54 54, Fax (0 58) 42 05 49, 🍴, Ouvert
A y
jusqu'à 23 h – ⬛ ⓞ 🇪 VISA
fermé merc. de nov. à fév., jeudi sauf vacances scolaires, vend. midi et 2 sem. en janv.
– **Repas** Lunch 545 – carte 850 à 1350.

De Braise, Bortierplein 1, ☎ (0 58) 42 23 09, 🍴, Grillades, ouvert jusqu'à 23 h – ⬛
A g
ⓞ 🇪 VISA
fermé mardi de nov. à Pâques, lundi, 28 sept.-16 oct. et du 6 au 23 janv. – **Repas** 950.

La Bonne Auberge, Zeedijk 3, ☎ (0 58) 41 13 98 – ⬛ ⓞ 🇪 VISA   A r
fermé jeudi sauf en juil.-août – **Repas** 850/1200.

Imperial, Leopold I Esplanade 9, ☎ (0 58) 41 42 28, Fax (0 58) 41 33 61, ≤, 🍴, Taverne-
A b
rest – 🔒 25. ⬛ ⓞ 🇪 VISA JCB
fermé merc. et 10 janv.-1er fév. – **Repas** 995/1345.

Baan Thai, Sloepenplaats 22, ☎ (0 58) 41 49 76, 🍴, Cuisine thaïlandaise, ouvert jusqu'à
AB z
23 h 30 – ⬛ ⓞ 🇪 VISA
fermé 17 nov.-17 déc. et mardi et merc. sauf vacances scolaires – **Repas** Lunch 545 –
895/1495.

Bistrot Merlot, Nieuwpoortlaan 70, ☎ (0 58) 41 40 61, Fax (0 58) 42 23 88, 🍴, Ouvert
B c
jusqu'à 23 h – 🇪 VISA
Repas carte 1000 à 1350.

Parnassia, Zeedijk 103, ☎ (0 58) 42 05 20, 🍴, Taverne-rest – ⓞ 🇪 VISA   A h
Pâques-oct., vacances scolaires et week-end ; fermé merc. – **Repas** Lunch 575 – 980.

PARIKE 9661 Oost-Vlaanderen ⓒ Brakel 13 714 h. **213** ⑯ ⑰ et **409** E 3.
  Bruxelles 48 – Gent 47 – Mons 55 – Tournai 42.

  🏠 **Molenwiek** ⍟, Molenstraat 1, 𝒫 (0 55) 42 26 15, Fax (0 55) 42 77 29, 🌲,
  « Cadre champêtre » – 📺 ❶. 🅴 🆅🅸🆂🅰 ⍋ rest
  fermé vacances Noël – **Repas** Lunch 750 – carte 900 à 1500 – ⟺ 200 – **10 ch** 1800 –
  ½ P 1700/2300.

PEER 3990 Limburg **213** ⑩ et **409** J 2 – 14 767 h.
  Bruxelles 99 – Antwerpen 78 – Eindhoven 33 – Hasselt 30.

  ✕✕ **Fleurie**, Baan naar Bree 27, 𝒫 (0 11) 63 26 33 – 🔲 ❶. 🆀🅴 ❶ 🅴 🆅🅸🆂🅰 ⍋
  fermé merc. – **Repas** Lunch 950 – 1100/1850.

PEPINSTER 4860 Liège **213** ㉓ et **409** K 4 – 9 080 h.
  Env. SO : Tancrémont, Statue★ du Christ dans la chapelle.
  Bruxelles 126 – Liège 26 – Verviers 6.

  ✕✕✕ **Host. Lafarque** ⍟ avec ch, Chemin des Douys 20 (O : 4 km par N 61, lieu-dit Gof-
  ❀❀ fontaine), 𝒫 (0 87) 46 06 51, Fax (0 87) 46 97 28, ≤, 🌲, « Parc », 🐴 – 📺 ☎ ❶. 🆀🅴
  ❶ 🅴 🆅🅸🆂🅰 ⍋ ch
  fermé lundi, mardi, 23 mars-9 avril et 1 sem. en sept. – **Repas** Lunch 1550 – 2375/2675,
  carte 2400 à 2850 – ⟺ 395 – **6 ch** 3000/3950 – ½ P 4275/4775
  Spéc. Langoustines aux artichauts et tomates confites à la badiane. Ravioles de raifort aux
  truffes (déc.-mars). Gibiers en saison.

PETIT-ROEULX-LEZ-NIVELLES Hainaut **213** ⑱ et **409** F 4 – voir à Nivelles.

PHILIPPEVILLE 5600 Namur **214** ④ et **409** G 5 – 7 643 h.
  ⛳ à Florennes NE : 10 km, r. Henri de Rohan Chabot 120 𝒫 (0 71) 68 22 61, Fax (0 71)
  68 26 00.
  🅱 r. Religieuses 2 𝒫 (0 71) 66 89 85.
  Bruxelles 88 – Charleroi 26 – Dinant 29 – Namur 44.

  ✕✕✕ **La Côte d'Or** avec ch, r. Gendarmerie 1, 𝒫 (0 71) 66 81 45, Fax (0 71) 66 67 97, 🌲,
  🐴 – 📺 ☎ 🚗 ❶ – 🕍 25 à 80. 🆀🅴 ❶ 🅴 🆅🅸🆂🅰
  Repas (fermé dim. soir et lundi) Lunch 990 – 1300 – **8 ch** ⟺ 1500/2900 – ½ P 1540/2690.

  ✕ **Aub. des 4 Bras,** r. France 49, 𝒫 (0 71) 66 72 38, Fax (0 71) 66 72 38, 🌲 – ❶. 🆀🅴
  ❶ 🅴 🆅🅸🆂🅰
  fermé dim. soir sauf en juil.-août, lundi, 2e quinz. fév., 1re quinz. sept. et du 24 au 31 déc.
  – **Repas** Lunch 390 – 850/1350.

  à Neuville SE : 3 km ⓒ Philippeville – ✉ 5600 Neuville :

  ✕ **Chez Grand Mère**, rte de Mariembourg 45 (SE : 4 km sur N 5), 𝒫 (0 71) 66 78 34, 🌲
  – ❶. 🅴 🆅🅸🆂🅰
  fermé 15 janv.-13 fév. et lundis et mardis non fériés ; de mi-fév. à mars ouvert week-end
  seult – **Repas** Lunch 550 – 875/1295.

De PINTE Oost-Vlaanderen **213** ④ et **409** D 3 – voir à Gent, environs.

PLANCENOIT Brabant Wallon **213** ⑱ ⑲ et **409** G 4 – voir à Lasne.

POPERINGE 8970 West-Vlaanderen **213** ⑬ et **409** B 3 – 19 184 h.
  🅱 Stadhuis 𝒫 (0 57) 33 40 81, Fax (0 57) 33 75 81.
  Bruxelles 134 – Brugge 64 – Kortrijk 41 – Lille 45 – Oostende 54.

  🏨 **Amfora**, Grote Markt 36, 𝒫 (0 57) 33 88 66, Fax (0 57) 33 88 77, 🌲, « Terrasse » –
  📺 ☎ 🆀🅴 ❶ 🅴 🆅🅸🆂🅰 🄹🄲🄱
  fermé du 1er au 8 avril et du 12 au 30 nov. – **Repas** (fermé merc.) carte 1050 à 1350
  – **7 ch** ⟺ 2050/2500 – ½ P 1800.

  🏠 **Palace**, Ieperstraat 34, 𝒫 (0 57) 33 30 93, Fax (0 57) 33 35 35 – 📺 ☎ ❶ – 🕍 25 à
  70. 🆀🅴 ❶ 🅴 🆅🅸🆂🅰 ⍋
  fermé du 1er au 17 août – **Repas** (fermé merc. et dim. soir) 900 – **11 ch** ⟺ 1500/2300
  – ½ P 1750.

  🏠 **Belfort**, Grote Markt 29, 𝒫 (0 57) 33 88 88, Fax (0 57) 33 74 75 – 📺 ☎ 🚗 – 🕍 200.
  🅴 🆅🅸🆂🅰
  Repas (Taverne-rest) (fermé lundi et 16 nov.-11 déc.) Lunch 300 – 1000 – **7 ch** (fermé
  16 nov.-11 déc. et lundi en hiver) ⟺ 1500/2300 – ½ P 1750.

XXX **D'Hommelkeete,** Hoge Noenweg 3 (S : 3 km par Zuidlaan), ℰ (0 57) 33 43 65, Fax (0 57) 33 65 74, ≤, 숨, « Fermette sur jardin avec pièce d'eau » – **℗. AE ⓞ Ε VISA** *fermé dim. soir, lundi, merc. soir, dern. sem. juil.-2 prem. sem. août et 20 déc.-4 janv.* – **Repas** 1725/2995 bc.

X **De Kring** avec ch, Burg. Bertenplein 7, ℰ (0 57) 33 38 61, Fax (0 57) 33 92 20, 숨 – **TV ☎ – 益** 25 à 200. **AE ⓞ Ε VISA** *fermé sem. carnaval et 27 juil.-13 août* – **Repas** *(fermé dim. soir et lundi)* Lunch 295 – 895/1300 – **7 ch** ☲ 1500/2300 – ½ P 1750/1850.

POUPEHAN 6830 Luxembourg belge Ⓒ Bouillon 5 552 h. **214** ⑮ et **409** I 6.
Bruxelles 165 – Arlon 82 – Dinant 69 – Sedan 23.

à Frahan N : 6 km Ⓒ Bouillon – ⊠ 6830 Poupehan :

🏨 **Aux Roches Fleuries** ⑤, r. Crêtes 32, ℰ (0 61) 46 65 14, Fax (0 61) 46 72 09, ≤, 📵 « Terrasse et jardin » – **TV ☎ ℗. AE ⓞ Ε VISA.** 📵 *fermé 5 janv.-13 fév. et 2 mars-3 avril* – **Repas** 750/1760 – **14 ch** ☲ 2975/3450 – ½ P 2550/2720.

🏠 **Beau Séjour** ⑤, r. Tabac 7, ℰ (0 61) 46 65 21, Fax (0 61) 46 78 80, 숨, 🚝 – **TV ☎ ℗. AE ⓞ Ε VISA.** 📵 *fermé 22 juin-9 juil. et du 5 au 15 janv.* – **Repas** *(fermé merc. non fériés sauf en juil.-août et après 20 h 30)* Lunch 750 – carte 1100 à 1500 – **16 ch** ☲ 2800 – ½ P 1950/2450.

PROFONDEVILLE 5170 Namur **214** ⑤ et **409** H 4 – 10 269 h.
Voir Site★.
Env. SO : 5 km à Annevoie-Rouillon : Parc★★ du Domaine et intérieur★ du château – E : 5 km à Lustin : Rocher de Frênes★, ≤★.
🏗 Chemin du Beau Vallon 45 ℰ (0 81) 41 14 18, Fax (0 81) 41 21 42.
Bruxelles 74 – Namur 14 – Dinant 17.

XX **La Sauvenière,** chaussée de Namur 57, ℰ (0 81) 41 33 03, Fax (0 81) 41 33 03, 숨 📵 – **℗. Ε VISA** *fermé mardi sauf en juil.-août, lundi et dern. sem. août-prem. sem. sept.* – **Repas** 890/1890.

XX **La Source Fleurie,** av. Général Gracia 11, ℰ (0 81) 41 22 28, Fax (0 81) 41 21 86, 숨, « Jardin fleuri » – **℗. AE ⓞ Ε VISA** *fermé mardi soir et merc.* – **Repas** Lunch 850 – 1450/1800.

PUURS 2870 Antwerpen **213** ⑥ et **409** F 2 – 15 409 h.
Bruxelles 32 – Antwerpen 28 – Gent 50 – Mechelen 18.

à Liezele S : 1,5 km Ⓒ Puurs – ⊠ 2870 Liezele :

XX **Hof ten Broeck,** Liezeledorp 3, ℰ (0 3) 899 28 00, Fax (0 3) 899 38 10, ≤, « Ancienne demeure entourée de douves, jardin fleuri » – **℗. Ε VISA JCB** *fermé lundis et mardis non fériés et 25 août-18 sept.* – **Repas** carte env. 1400.

QUAREGNON 7390 Hainaut **214** ① ② et **409** F 4 – 19 395 h.
Bruxelles 77 – Mons 12 – Tournai 37 – Valenciennes 30.

XXX **Dimitri,** pl. du Sud 27 (Lourdes), ℰ (0 65) 66 69 69, Fax (0 65) 66 09 65 – 🍽. **AE ⓞ Ε VISA** *fermé dim. soir, lundi et août* – **Repas** Lunch 1500 bc – 1450/1850.

QUENAST 1430 Brabant Wallon Ⓒ Rebecq 9 559 h. **213** ⑱ et **409** F 3.
Bruxelles 28 – Charleroi 51 – Mons 40.

XX **La Ferme du Faubourg,** r. Faubourg 2, ℰ (0 67) 63 69 03, Fax (0 67) 63 69 03, 숨, « Ferme brabançonne » – **℗. AE ⓞ Ε VISA** *fermé du 2 au 11 sept., 4 janv.-5 fév., lundi et mardi* – **Repas** 880/1750.

RANCE 6470 Hainaut Ⓒ Sivry-Rance 4 576 h. **214** ③ et **409** F 5.
Bruxelles 92 – Charleroi 39 – Chimay 12 – Mons 44.

XXX **La Braisière,** rte de Chimay 13, ℰ (0 60) 41 10 83, Fax (0 60) 41 10 83, 숨 – **℗. AE ⓞ Ε VISA** *fermé du 16 au 27 mars, 22 juin-1er juil., 17 août-18 sept., mardis midis et merc. midis non fériés, dim. soir et lundi soir* – **Repas** 940/1640.

à Sautin *NO : 4 km* © *Sivry-Rance –* ⊠ *6470 Sautin :*

 Le Domaine de la Carrauterie ⑤ sans rest, r. Station 11, ✆ (0 60) 45 53 52, Fax (0 60) 45 53 52, « Style cottage », ⇌, ⌧, ⊯ – 📺 ❶. 🆀 ⓪ ⬛ *VISA*, ⋇
5 ch ☲ 2500/3200.

✗✗ **Château Sautin,** Ry Fromont 2, ✆ (0 60) 41 27 89, Fax (0 60) 41 28 29, ⌂, « Manoir au bord d'un étang dans un vallon boisé » – ❶. ⬛ *VISA*
fermé mardi du 15 sept. au 15 avril, dim. soir, lundi et janv. – **Repas** *Lunch 1200* – 950/1900.

REBECQ *1430 Brabant Wallon* ⧄⧄⧄ ⑱ *et* ⬛⬛⬛ *F 4* – *9 559 h.*

Bruxelles 33 – Charleroi 50 – Mons 40.

✗✗ **Nouveau Relais d'Arenberg,** pl. de Wisbecq 30 (par E 429, sortie ㉔, lieu-dit Wisbecq), ✆ (0 67) 63 60 82, Fax (0 67) 63 72 03, ⌂ – ❶. 🆀 ⓪ ⬛ *VISA*
fermé lundis midis non fériés, dim. soir et lundi soir – **Repas** *Lunch 590* – 900/1650.

RECOGNE *Luxembourg belge* ⧄⧄⧄ ⑯ ⑰ *et* ⬛⬛⬛ *J 6* – *voir à Libramont.*

REET *2840 Antwerpen* © *Rumst 14 509 h.* ⧄⧄⧄ ⑥ *et* ⬛⬛⬛ *G 2.*

Bruxelles 32 – Antwerpen 14 – Gent 56 – Mechelen 11.

✗✗✗ **Pastorale,** Laarstraat 22, ✆ (0 3) 844 65 26, Fax (0 3) 844 73 47, ⌂, « Presbytère du 19ᵉ s. sur parc public » – ⊟ ❶ – ⌂ 45. 🆀 ⓪ ⬛ *VISA*
fermé sam. midi – **Repas** *Lunch 1050* – 1500/1950.

La REID *Liège* ⧄⧄⧄ ㉓ *et* ⬛⬛⬛ *K 4* – *voir à Spa.*

REKEM *Limburg* ⧄⧄⧄ ⑩ ⑪ *et* ⬛⬛⬛ *K 3* – *voir à Lanaken.*

REKKEM *West-Vlaanderen* ⧄⧄⧄ ⑭ *et* ⬛⬛⬛ *C 3* – *voir à Menen.*

RENAIX *Oost-Vlaanderen* – *voir Ronse.*

RENINGE *8647 West-Vlaanderen* © *Lo-Reninge 3 181 h.* ⧄⧄⧄ ① *et* ⬛⬛⬛ *B 3.*

Bruxelles 131 – Brugge 54 – Ieper 22 – Oostende 53 – Veurne 21.

🏚 **'t Convent** (De Volder) ⑤, Halve Reningestraat 1 (direction Oostvleteren), ✆ (0 57) 40 07 71, Fax (0 57) 40 11 27, ≤, ⌂, « Hostellerie avec jardin fleuri et vignoble », ⌘, ⇌, ⌧ – ⧖, ⊟ ch, 📺 ☎ ❶ – ⌂ 25. 🆀 ⓪ ⬛ *VISA*
fermé 2ᵉ quinz. fév.-prem. sem. mars – **Repas** *(fermé mardi soir et merc.) Lunch 2300 bc* –
3000 bc/3900 bc, carte 2900 à 3400 – ☲ 600 – **11 ch** 3800/6500, 4 suites –
½ P 5800/9300
Spéc. Carpaccio de turbot aux truffes de noisetier. Œufs en cocotte aux truffes, mousseline de pommes de terre et crème de truffes. Ragoût de porc en croûte maison.

RESTEIGNE *6927 Luxembourg belge* © *Tellin 2 169 h.* ⧄⧄⧄ ⑥ *et* ⬛⬛⬛ *I 5.*

Bruxelles 116 – Dinant 35 – Namur 57.

🏚 **Host. de la Lesse** ⑤, Grand'rue 25, ✆ (0 84) 38 81 29, Fax (0 84) 38 83 82, ⌂, ⊯
– 📺 ☎ ❶. 🆀 ⓪ ⬛ *VISA*
fermé lundis soirs et mardis non fériés sauf en juil.-août – **Repas** 890 – **10 ch**
☲ 2000/2600 – ½ P 1950/2400.

RETIE *2470 Antwerpen* © *Oud-Turnhout 12 296 h.* ⧄⧄⧄ ⑰ *et* ⬛⬛⬛ *I 2.*

Bruxelles 89 – Antwerpen 51 – Turnhout 12 – Eindhoven 38.

 Postel Ter Heyde ⑤, Postelsebaan 74 (E : 4 km sur N 123), ✆ (0 14) 37 23 21, Fax (0 14) 37 23 31, ⌂ – ☎ ❶ – ⌂ 25. 🆀 ⬛ *VISA*, ⋇ rest
fermé 26 oct.-8 nov. – **Repas** *(fermé lundi) Lunch 995* – carte env. 1400 – **11 ch**
☲ 2200/2750 – ½ P 1950.

✗✗ **De Pas,** Passtraat 11, ✆ (0 14) 37 80 35, Fax (0 14) 37 33 36, ⌂, « Aménagement cossu » – 🆀 ⬛ *VISA*, ⋇
fermé lundi et mardi – **Repas** *Lunch 1100* – 1500.

RHODE-ST-GENÈSE *Région de Bruxelles-Capitale – voir Sint-Genesius-Rode à Bruxelles, environs.*

RIXENSART *Brabant Wallon* 🗹🗹🗹 ⑲ *et* 🗹🗹🗹 G 3 – *voir à Genval.*

ROBERTVILLE *4950 Liège* © *Waimes 6 300 h.* 🗹🗹🗹 ㉔, 🗹🗹🗹 ⑨ *et* 🗹🗹🗹 L 4.

Voir *Lac*★, ≤★.

🚏 *r. Centrale 53* ℘ *(0 80) 44 64 75.*

Bruxelles 154 – Liège 58 – Aachen 40 – Malmédy 14.

🏨🏨🏨 **des Bains,** Lac de Robertville 2 (rte de Waimes S : 1,5 km), ✉ 4950 Waimes, ℘ (0 80) 67 95 71, Fax (0 80) 67 81 43, ≤ lac, 🍴, « Jardin au bord de l'eau », 🔲 – 🛗
📺 ☎ 🚗 🅿 – 🏌 25 à 40. 🖭 🗲 *VISA*. 🛇
avril-3 janv., week-end et vacances scolaires sauf 4 janv.-5 fév. – **Repas** *(fermé merc. non fériés)* 1300 (2 pers. min.) – ***Briscot d'Art*** *(fermé merc. non fériés)* Lunch 770 – 925 – **14 ch**
☲ 3000/5150 – ½ P 3550/4250.

🏨🏨 **Domaine des Hautes Fagnes** 🛇, r. Charmilles 67 (NO : 1,5 km, lieu-dit Ovifat), ℘ (0 80) 44 69 87, Fax (0 80) 44 69 19, ƒ₅, 🛁, 🔲, 🛋, 🍽 – 🛗 📺 ☎ 🅿 – 🏌 25 à
80. 🖭 ⓞ 🗲 *VISA*. 🛇
fermé 1ʳᵉ quinz. juil. – **Repas** 995/1900 – **70 ch** ☲ 3450/5300, 1 suite – ½ P 3650/4450.

🏨 **Aub. du Lac,** r. Lac 24, ℘ (0 80) 44 41 59, Fax (0 80) 44 58 20, 🛁 – 📺 ☎ 🅿. 🗲 *VISA*.
🛇 ch
fermé 2 sem. en juin et fin sept.-début oct. – **Repas** (Taverne-rest) *(fermé lundi et mardi hors saison)* carte 900 à 1250 – **6 ch** ☲ 1250/2000.

🏨 **International,** r. Lac 41, ℘ (0 80) 44 62 58, Fax (0 80) 44 76 93, 🍴 – 🏌 25. 🖭 ⓞ
🗲 *VISA*. 🛇 rest
fermé mardi, merc., 23 mars-10 avril, 29 juin-9 juil. et 31 août-18 sept. – **Repas** *(fermé après 20 h 30)* 950/1560 – **11 ch** ☲ 1500/2300 – ½ P 2210/3770.

🍴 **Du Barrage,** r. Barrage 46, ℘ (0 80) 44 62 61, Fax (0 80) 44 62 61, « Terrasse avec
≤ lac » – 🅿. 🗲 *VISA*
fermé du 16 au 26 mars, 24 août-3 sept., 23 nov.-10 déc., 31 déc., lundi soir et mardi –
Repas 900/1500.

La ROCHE-EN-ARDENNE *6980 Luxembourg belge* 🗹🗹🗹 ⑦ *et* 🗹🗹🗹 J 5 – *4 057 h.*

Voir *Site*★★ – *Chapelle Ste-Marguerite* 🌜★★ A B.

Env. *Belvédère des Six Ourthe*★★, *le Hérou*★★ *par* ② : 14,5 km – *Point de vue des Crestelles*★.

🚏 *pl. du Marché 15* ℘ (0 84) 41 13 42, Fax (0 84) 41 23 43 – *Fédération provinciale de tourisme, Quai de l'Ourthe 9* ℘ (0 84) 41 10 11, Fax (0 84) 41 24 39.

Bruxelles 127 ⑤ – *Arlon 75* ④ – *Liège 77* ① – *Namur 66* ⑤.

Plan page suivante

🏨🏨🏨 **Host. Linchet,** rte de Houffalize 11, ℘ (0 84) 41 13 27, Fax (0 84) 41 24 10, ≤, 🍴,
« Aménagement cossu » – 📺 ☎ 🚗 🅿. 🖭 🗲 *VISA*. 🛇   A w
fermé jeudi de sept. à juin, lundi soir, mardi, merc., mars, 15 juin-15 juil., du 22 au 26 déc. et du 1ᵉʳ au 11 janv. – **Repas** *(fermé après 20 h 30)* Lunch 1000 – 1500/2200 – ☲ 350 –
11 ch 2500/4200 – ½ P 2750/3800.

🏨🏨 **La Claire Fontaine,** rte de Hotton 64 (par ⑤ : 2 km), ℘ (0 84) 41 24 70,
Fax (0 84) 41 21 11, ≤, « Jardin ombragé au bord de l'Ourthe » – 🛗 📺 ☎ 🅿 – 🏌 25
à 60. 🖭 🗲 *VISA*
Repas Lunch 900 – 890/2100 – **29 ch** ☲ 2500/4000 – ½ P 2500/3300.

🏨🏨 **Le Chalet,** r. Chalet 61, ℘ (0 84) 41 24 13, Fax (0 84) 41 13 38, ≤, 🛋 – 📺 ☎ 🅿. 🖭
ⓞ 🗲 *VISA*   B d
fermé 22 juin-3 juil., 30 nov.-18 déc. et 4 janv.-13 fév. – **Repas** *(fermé lundi et mardi sauf en juil.-août et après 20 h 30)* Lunch 990 – 1450/1880 – **17 ch** ☲ 2525/2850 –
½ P 2750/3875.

🏨🏨 **Les Genêts** 🛇, Corniche de Deister 2, ℘ (0 84) 41 18 77, Fax (0 84) 41 18 93, ≤ vallée
de l'Ourthe et ville, 🍴 – 📺. 🖭 ⓞ 🗲 *VISA*   A e
fermé du 1ᵉʳ au 15 juil. et du 1ᵉʳ au 17 déc. – **Repas** *(fermé merc. midi, jeudi et après 19 h 30)* 850/1400 – **8 ch** *(fermé jeudi de nov. à avril)* ☲ 2000/2450 – ½ P 2200/2400.

🏨 **Le Midi,** r. Beausaint 6, ℘ (0 84) 41 11 38, Fax (0 84) 41 22 38 – 📺 ☎. 🖭 ⓞ 🗲 *VISA*
🛁 *2 dern. sem. juin et 3 dern. sem. janv.* – **Repas** 595/1195 – **8 ch** ☲ 1600/2200
– ½ P 1695/1995.   B t

🏨 **Le Luxembourg** sans rest, av. du Hadja 1a, ℘ (0 84) 41 14 15, Fax (0 84) 41 19 71
– 📺 ☎ 🅿. 🖭 🗲 *VISA*   B a
fermé merc. sauf vacances scolaires – **8 ch** ☲ 1250/1600.

LA ROCHE-EN-ARDENNE

Bastogne (Rte de) .... **A** 2
Beausaint (R. de) ..... **B** 3
Beausaint (Vlle Rte de). **A** 4
Bon-Dieu-de-Maka (R.) . **B** 7
Châlet (R. du) .... **B** 8
Chamont (R.) .... **B** 10
Champlon (Rte de) .... **A** 12
Chanteraine (Pl.) ..... **B** 13
Chanteraine (R. de) ... **B** 14
Chats (R. des) .... **B** 15
Cielle (Rte de) .... **A** 16

Église (R. de l') ...... **B** 17
Faubourg (Pont du) ... **B** 18
Gare (R. de la) .... **B** 20
Gravier (Pt du) .... **B** 21
Gravier (Q. du) .... **B** 22
Hospice (R. de l') ..... **B** 24
Hotton (Rte de) ...... **A** 25
Marché (Pl. du) ...... **B** 27
Moulin (R. du) .... **B** 28
Nulay (R.) .... **B** 30
Ourthe (Q. de l') ..... **B** 32
Pafy (Ch. du) .... **A** 33
Presbytère (R. du) .... **B** 35
Purnalet (R. du) ...... **B** 36
Rompré (R.) .... **B** 37
Val-du-Pierreux ...... **A** 39

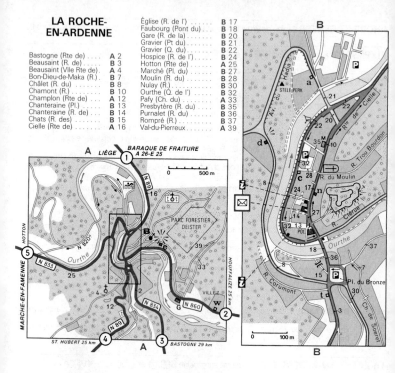

🏠 **Beau Rivage** sans rest, Quai de l'Ourthe 26, ℘ (0 84) 41 12 41, Fax (0 84) 41 12 42 –
📺 ☎. 🅰🅴 🇪 *VISA*. ⚘
fermé du 2 au 13 fév., 24 août-3 sept., 16 nov.-3 déc. et merc. – **8 ch** ⇄ 1750/1950.
B c

XX **La Huchette,** r. Église 6, ℘ (0 84) 41 13 33, Fax (0 84) 41 13 33, 🚿 – 🅰🅴 🇪
⊜ *VISA*
B n
fermé mardi soir, merc. et 2 sem. en janv. – **Repas** 750/1095.

à Jupille par ⑤ : 6 km 🄲 *Rendeux* 2 163 h. – ⊠ *6987 Hodister* :

🏠 **Host. Relais de l'Ourthe,** r. Moulin 3, ℘ (0 84) 47 76 88, Fax (0 84) 47 70 85, 🚿,
⊜ *« Jardin »* – 🍽 ch, 📺 🄿. 🅰🅴 🔾 🇪 *VISA*
fermé janv. sauf week-end et merc. – **Repas** 850 – **12 ch** ⇄ 1900/2200 –
½ P 1800/2100.

XX **Les Tilleuls** ⚘ avec ch, Clos Champs 11, ℘ (0 84) 47 71 31, Fax (0 84) 47 79 55, 🚿,
« Villa sur jardin avec ≤ vallée de l'Ourthe » – 📺 ☎ 🄿 – 🔬 25. 🅰🅴 🇪 *VISA*
fermé du 4 au 15 janv. et lundis non fériés sauf en saison – **Repas** Lunch 680 – 980/1690
– **13 ch** ⇄ 2200/2900 – ½ P 1800/2400.

ROCHEFORT 5580 Namur 🎲🎲🎲 ⑥ et 🎲🎲🎲 15 – 11 614 h.

Voir *Grotte★*.

Env. *SO : 6 km à Han-sur-Lesse, Grotte★★★ - Safari★ - Fragment de diplôme★ (d'un vétéran romain) dans le Musée du Monde souterrain - NO : 15 km à Chevetogne, Domaine provincial Valéry Cousin★.*

🅱 *r. Behogne 5 ℘ (0 84) 21 25 37, Fax (0 84) 22 13 74.*
Bruxelles 117 – Namur 58 – Bouillon 49 – Dinant 32 – Liège 71.

🏛 **La Malle Poste,** r. Behogne 46, ℘ (0 84) 21 09 87, Fax (0 84) 22 11 13, ≤, 🚿,
« Demeure ancienne, terrasse et jardin » – 📺 ☎ 🄿 – 🔬 25. 🅰🅴 🔾 🇪 *VISA*
fermé merc. non fériés sauf en juil.-août – **Repas** Lunch 985 – 1175 – **13 ch** ⇄ 1950/2450
– ½ P 2900/3000.

🏠 **Le Vieux Logis** sans rest, r. Jacquet 71, ℘ (0 84) 21 10 24, Fax (0 84) 22 12 30,
« Demeure fin 17ᵉ s. », 🌿 – 📺 ☎ 🄿. 🇪 *VISA*
fermé dern. sem. sept.-prem. sem. oct. – **10 ch** ⇄ 1450/2100.

XX **Les Falizes** avec ch, r. France 90, ℰ (0 84) 21 12 82, Fax (0 84) 22 10 86, **« Terrasse »**
⊜ – 📺 ☎ 𝐏. AE ① E *VISA*
fermé lundis soirs non fériés sauf en juil.-août, mardis non fériés et fin janv.-début mars
– **Repas** Lunch 950 – 1350/1900 – ☲ 300 – **6 ch** 1900/2200 – ½ P 3100/3300.

XX **Le Limbourg** avec ch, pl. Albert Ier 21, ℰ (0 84) 21 10 36, Fax (0 84) 21 44 23 – 📺 ☎.
⊜ AE ① E *VISA*
Repas *(fermé du 2 au 10 sept., 15 janv.-5 fév. et merc.)* 850/1350 – **6 ch** *(fermé du 2 au 10 sept.)* ☲ 1575/1950 – ½ P 1900.

XX **Trou Maulin** avec ch, rte de Marche 19, ℰ (0 84) 21 32 40, Fax (0 84) 22 13 81, 🍽
⊜ – 📺 ☎ 𝐏. AE ① E *VISA*. ℀ ch
fermé 2e quinz. sept., janv. et mardi et merc. sauf en juil.-août – **Repas** 810/1850 – **6 ch**
☲ 1650/2100 – ½ P 1900/2100.

X **Le Relais du Château**, r. Jacquet 22, ℰ (0 84) 21 09 81, Fax (0 84) 21 09 81 – AE
⊜ ① E *VISA*
fermé merc. soir, jeudi et du 1er au 12 fév. – **Repas** 690/1190.

à Belvaux SO : 9 km © Rochefort – ⊠ 5580 Belvaux :

XX **Aub. des Pérées** ℀ avec ch, r. Pairées 37, ℰ (0 84) 36 62 77, Fax (0 84) 36 72 05,
⊜ 🍽, **« Terrasse fleurie »**, 🌲 – 📺 ☎ 𝐏. E *VISA*. ℀
fermé mardis et merc. non fériés sauf en juil.-août, dern. sem. sept.-2 prem. sem. oct. et dern. sem. janv. 2 prem. sem. fév. – **Repas** *(fermé après 20 h 30)* 795/1550 – **6 ch** ☲ 2050
– ½ P 2200.

à Eprave SO : 7 km © Rochefort – ⊠ 5580 Eprave :

XX **Aub. du Vieux Moulin** ℀ avec ch en annexe, r. Aujoule 51, ℰ (0 84) 37 73 18,
⊜ Fax (0 84) 37 84 60, 🍽, 🌲 – 📺 ☎ ⌂ 𝐏 – 🔬 25. AE ① E *VISA*. ℀
fermé jeudi et dim. soir sauf vacances scolaires – **Repas** 850 – **5 ch** ☲ 1650/1850.

à Han-sur-Lesse SO : 6 km © Rochefort – ⊠ 5580 Han-sur-Lesse :

🏨 **Ardennes 2**, r. Grottes 2, ℰ (0 84) 37 72 20, Fax (0 84) 37 80 62, 🍽, 🌲 – 📺 ☎ 𝐏
⊜ – 🔬 40. AE ① E *VISA*
fermé du 3 au 31 janv. – **Repas** *(fermé merc.)* 695/1595 – **14 ch** ☲ 1650/2975 –
½ P 1695/2695.

🏠 **Host. Henry IV** ℀, r. Chasseurs Ardennais 59 (N : 1 km), ℰ (0 84) 37 72 21,
Fax (0 84) 37 81 78, 🍽, 🌲 – 𝐏. E *VISA*. ℀
Repas *(hors saison dîner seult sauf week-end)* *(fermé jeudi soir)* Lunch 450 – 1190 (2 pers. min.) – ☲ 250 – **8 ch** 1500/1650 – ½ P 1650/2400.

ROCHEHAUT 6830 Luxembourg belge © Bouillon 5 552 h. 🄷🄸🄴 ⑮ et 🄸🄾🄴 I 6.

Voir ≤★★.

🛈 r. Cense 6a ℰ (0 61) 46 69 70.
Bruxelles 159 – Arlon 76 – Dinant 63 – Sedan 26.

🏨 **L'Auberg'Inn** ℀, r. Faligeotte 26, ℰ (0 61) 46 80 65, Fax (0 61) 46 83 23, ≤, 🌲 – 📺
☎ 𝐏
Repas voir rest **Aub. de la Ferme** ci-après – **15 ch** ☲ 2200/2500.

🏠 **Les Tonnelles**, pl. Marie Howet 5, ℰ (0 61) 46 40 18, Fax (0 61) 46 40 12, 🍽 – ☎ ⌂
⊜ 𝐏. AE ① E *VISA*. ℀
Repas Lunch 900 – 850 – **17 ch** ☲ 1650/2000 – ½ P 1700/2000.

XX **L'Aub. de la Ferme** avec ch, r. Cense 12, ℰ (0 61) 46 69 71, Fax (0 61) 46 83 23, 🍽,
⊜ **« Ambiance ardennaise »** – 📺 ☎ 𝐏 – 🔬 60. ℀
en janv. ouvert week-end seult – **Repas** *(fermé après 20 h 30)* Lunch 850 – carte 1050 à 2050 – **20 ch** ☲ 1540/2500 – ½ P 2000/3100.

XX **L'An 1600** avec ch, r. Palis 7, ℰ (0 61) 46 40 60, Fax (0 61) 46 83 82, 🍽, **« Rustique
ardennais »**, 🌲 – 📺 ☎ 𝐏. AE E *VISA*
15 avril-20 nov. et week-end ; fermé 2 janv.-16 fév. et 20 juin-10 juil. – **Repas** *(fermé après 20 h 30)* Lunch 690 – 850 – **10 ch** ☲ 2500/2700 – ½ P 2700.

Les hôtels ou restaurants agréables sont indiqués
dans le guide par un **signe rouge**.

Aidez-nous en nous signalant les maisons où,
par expérience, vous savez qu'il fait bon vivre.

Votre **guide Michelin** sera encore meilleur.

🏨🏨🏨 ... 🏠

XXXXX ... X

ROESELARE (ROULERS) 8800 West-Vlaanderen 213 ② et 409 C 3 – 53 706 h.
🚉 Zuidstraat 3 ℰ (0 51) 26 24 50, Fax (0 51) 26 22 80.
Bruxelles 111 ③ – Brugge 34 ① – Kortrijk 24 ③ – Lille 45 ③.

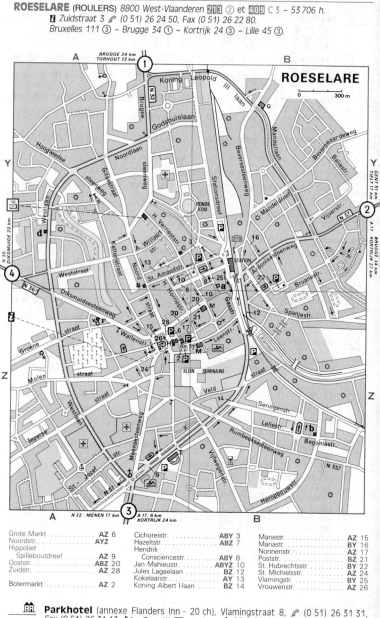

Grote Markt	**AZ** 6	Cichoreistr.	**ABY** 3
Noordstr.	**AYZ**	Hazelstr.	**ABZ** 7
Hippoliet		Hendrik	
Spilleboutdreef	**AZ** 9	Consciencestr.	**ABY** 8
Ooststr.	**ABZ** 20	Jan Mahieustr.	**ABYZ** 10
Zuidstr.	**AZ** 28	Jules Lagaelaan	**BZ** 12
		Kokelaarstr.	**AY** 13
Botermarkt	**AZ** 2	Koning Albert I-laan	**BZ** 14

Manestr.	**AZ** 15
Mariastr.	**BY** 16
Nonnenstr.	**AZ** 17
Poststr.	**BZ** 21
St. Hubrechtsstr.	**BY** 22
St. Michielsstr.	**AZ** 24
Vlamingstr.	**BY** 25
Vrouwenstr.	**AZ** 26

🏨 **Parkhotel** (annexe Flanders Inn - 20 ch), Vlamingstraat 8, ℰ (0 51) 26 31 31, Fax (0 51) 26 31 13, 𝄚, 🍴 – 🛗 📺 ☎ 🅿 – 🔬 25 à 50. 🆎 ⓪ 🈳 𝚅𝙸𝚂𝙰 BY a
Repas Lunch 850 – carte 1150 à 1750 – **40 ch** ⊇ 2250/4500, 6 suites – ½ P 2400/4000.

🍴🍴🍴 **Savarin** avec ch, Westlaan 359, ℰ (0 51) 22 59 16, Fax (0 51) 22 07 99, 🌳, 🐎 – 📺 ☎ 🅿 – 🔬 25 à 60. 🆎 ⓪ 🈳 𝚅𝙸𝚂𝙰 AY d
Repas (fermé dim. midi en juil.-août, dim. soir, lundi et prem. sem. Pâques) Lunch 1350 – carte env. 2300 – **11 ch** ⊇ 2450/2950.

XXX **De Ooievaar,** Noordstraat 91, ✆ (0 51) 20 54 86, Fax (0 51) 24 46 76, 🏤, « Terrasse »
– 🅿. 🕮 ⓘ 🇪 𝗩𝗜𝗦𝗔
AY s
fermé dim. soir, lundi et 2 dern. sem. juil.-prem. sem. août – **Repas** 1100/1950.

XX **Den Haselt,** Diksmuidsesteenweg 53, ✆ (0 51) 22 52 40, Fax (0 51) 24 10 64, 🏤 – 🕮
ⓘ 🇪 𝗩𝗜𝗦𝗔
AZ r
fermé mardi soir et merc. – **Repas** Lunch 850 – carte 1500 à 1850.

X **Orchidee** 12ᵉ étage, Begoniastraat 9, ✆ (0 51) 21 17 23, Fax (0 51) 20 01 14, ≤ ville
– 🛗 🖃 🅿. 🕮 ⓘ 🇪 𝗩𝗜𝗦𝗔
BZ b
fermé dim. soir, lundi, merc. soir, 1 sem. carnaval et 15 juil.-5 août – **Repas** Lunch 900 – carte
1150 à 2300.

X **Bistro Novo,** Hugo Verrieststraat 12, ✆ (0 51) 24 14 77, Fax (0 51) 20 09 90, Ouvert
jusqu'à 23 h – 🖃. 🇪 𝗩𝗜𝗦𝗔
AY c
fermé lundi, mardi, 3 dern. sem. juil. et prem. sem. déc. – **Repas** carte 1300 à 1750.

à Beveren NE : 5 km par Beverseaardeweg – BY Ⓒ Roeselare – ⊠ 8800 Beveren :

🏠 **'t Strohof,** Kruisboommolenstraat 9, ✆ (0 51) 22 58 50, Fax (0 51) 22 63 17, 🏤, 🐎,
🎾 – 🆃🆅 ☎ 🅿 – 🔬 25 à 200. 🕮 ⓘ 🇪 𝗩𝗜𝗦𝗔. 🎾 rest
Repas Lunch 895 – carte 900 à 1600 – ⊒ 250 – **14 ch** 1450/1650 – ½ P 2150.

à Gits par ① : 5 km sur N 32 Ⓒ Hooglede 9 555 h. – ⊠ 8830 Gits :

XXX **Gitsdaele,** Bruggesteenweg 118g, ✆ (0 51) 22 82 27 – 🖃 🅿. 🕮 ⓘ 🇪 𝗩𝗜𝗦𝗔
fermé sam. midi, dim. soir, lundi et août – **Repas** Lunch 995 bc – carte env. 1500.

XX **Epsom,** Bruggesteenweg 175, ✆ (0 51) 20 25 10, 🏤 – 🅿. 🕮 ⓘ 🇪 𝗩𝗜𝗦𝗔
fermé dim. midi en été, dim. soir, merc. soir et 21 juil.-5 août – **Repas** Lunch 950 – carte
1450 à 1900.

à Hooglede par Hoogleedsesteenweg NE : 7 km – AY – 9 555 h. – ⊠ 8830 Hooglede :

🏠 **De Vossenberg,** Hogestraat 194, ✆ (0 51) 70 25 83, Fax (0 51) 70 06 42, ≤, 🏤,
« Environnement campagnard », 🎾 – 🆃🆅 ☎ 🅿 – 🔬 25 à 1300. 🕮 ⓘ 🇪 𝗩𝗜𝗦𝗔
Repas (grillades) (fermé lundi et 15 juil.-5 août) Lunch 750 – 850/1650 – **15 ch**
⊒ 2500/3500 – ½ P 2500/3250.

à Rumbeke SE : 3 km Ⓒ Roeselare – ⊠ 8800 Rumbeke :

🏠 **Host. Vijfwegen** 🅼 sans rest, Groene Herderstraat 171 (au domaine Sterrebos),
✆ (0 51) 24 34 72, Fax (0 51) 24 16 74 – 🖃 🆃🆅 ☎ 🅿. ⓘ 🇪 𝗩𝗜𝗦𝗔
11 ch ⊒ 2390/2750.

XX **Cá d'Oro,** Hoogstraat 97, ✆ (0 51) 24 71 81, Fax (0 51) 24 56 27, 🏤, Avec cuisine
italienne – 🕮 ⓘ 🇪 𝗩𝗜𝗦𝗔
fermé lundi soir et mardi – **Repas** carte 1400 à 1700.

Le RŒULX 7070 Hainaut 𝟚𝟙𝟛 ⑰ ⑱ et 𝟜𝟘𝟡 F 4 – 7 857 h.
Bruxelles 55 – Binche 12 – Charleroi 27 – Mons 14.

X **Aub. Saint-Feuillien,** chaussée de Mons 1, ✆ (0 64) 66 22 85, Fax (0 64) 66 22 85 –
🕮 ⓘ 🇪 𝗩𝗜𝗦𝗔 𝖩𝖢𝖡
fermé mi-juil.-mi-août et dim. soirs, lundis et merc. soirs non fériés – **Repas** Lunch 760 – 1580.

ROKSEM West-Vlaanderen 𝟚𝟙𝟛 ② et 𝟜𝟘𝟡 C 2 – voir à Oudenburg.

ROMERSHOVEN Limburg 𝟚𝟙𝟛 ㉒ – voir à Hasselt.

RONSE (RENAIX) 9600 Oost-Vlaanderen 𝟚𝟙𝟛 ⑯ et 𝟜𝟘𝟡 D 3 – 24 260 h.
Voir Crypte★ de la Collégiale St-Hermès.
🛈 Hoge Mote, Biezenstraat 2, ✆ (0 55) 21 25 01.
Bruxelles 57 – Gent 38 – Kortrijk 32 – Valenciennes 49.

🏠 **Host. Lou Pahou,** Zuidstraat 25, ✆ (0 55) 21 91 11, Fax (0 55) 20 91 04, 🐎 – 🆃🆅 ☎.
🕮 ⓘ 🇪 𝗩𝗜𝗦𝗔. 🎾
fermé 11 juil.-4 août – **Repas** (résidents seult) – **6 ch** ⊒ 1850/2500 – ½ P 1700.

XXX **Host. Shamrock** (De Beyter) 🌿 avec ch, Ommegangstraat 148 (Louise-Marie, NE : 7 km
❀ par N 60 et N 425), ⊠ 9681 Maarkedal, ✆ (0 55) 21 55 29, Fax (0 55) 21 56 83, ≤, 🏤,
« Terrasse et parc », 🐎 – 🆃🆅 ☎ 🅿. 🕮 ⓘ 🇪 𝗩𝗜𝗦𝗔. 🎾
fermé lundis et mardis non fériés et 2ᵉ quinz. juil. – **Repas** Lunch 1800 – 3750 (2 pers. min.),
carte 2350 à 2950 – **5 ch** ⊒ 5800/6800, 1 suite
Spéc. Langoustines sautées, vinaigrette orientale et pâtes croquantes au curry. Rouleau
de coucou de Malines aux poireaux et estragon, sauce moutardée. Meringue italienne aux
fruits de saison.

XXX **Beau Séjour,** Viermaartlaan 109, ✆ (0 55) 21 33 65, *Fax (0 55) 21 92 65,* 🏞 – ▤ P. AE E VISA JCB
fermé dim. soir, lundi, merc. soir, 1 sem. début fév. et 3 dern. sem. juil. – **Repas** Lunch 1000 bc – 1700.

XX **Bois Joly,** Hogerlucht 7, ✆ (0 55) 21 10 17, *Fax (0 55) 21 10 17,* ≤, 🏞 – AE ⓓ E VISA
fermé mardi soir, merc. et 2e quinz. août-prem. sem. sept. – **Repas** 995/1550.

RONSELE *Oost-Vlaanderen* 213 ④ – *voir à Zomergem.*

ROSELIES *Hainaut* 214 ④ – *voir à Charleroi.*

ROTHEUX-RIMIERE *Liège* 213 ㉒ et 409 J 4 – *voir à Liège, environs.*

ROULERS *West-Vlaanderen* – *voir Roeselare.*

ROUVEROY *7120 Hainaut* C *Estinnes 7 459 h.* 214 ② et 409 F 4.
Bruxelles 74 – Mons 13 – Charleroi 33 – Maubeuge 21.

🏠 **Les Ramiers** sans rest, Barrière d'Aubreux 2 (rte de Mons), ✆ (0 64) 77 12 61, *Fax (0 64) 77 12 61* – TV P. AE ⓓ E VISA. ✗
fermé dim. – ☕ 250 – **6 ch** 1850/2300.

X **La Brouette,** Barrière d'Aubreux 4 (rte de Mons), ✆ (0 64) 77 13 42, 🏞 – P. AE ⓓ E VISA. ✗
fermé du 1er au 15 fév., mardi soir, merc. et après 20 h 30 – **Repas** Lunch 800 – carte 1100 à 1950.

RUDDERVOORDE *West-Vlaanderen* 213 ③ et 409 C 2 – *voir à Brugge, environs.*

RUMBEKE *West-Vlaanderen* 213 ② et 409 C 3 – *voir à Roeselare.*

RUMST *Antwerpen* 213 ⑥ et 409 G 2 – *voir à Mechelen.*

RIJKEVORSEL *2310 Antwerpen* 212 ⑯ et 409 H 1 – *10 092 h.*
Bruxelles 80 – Antwerpen 34 – Breda 41 – Turnhout 16.

X **Waterschoot,** Bochtenstraat 11, ✆ (0 3) 314 78 78, *Fax (0 3) 314 78 78,* 🏞 – E VISA
fermé dim., lundi, 1 sem. carnaval et 16 août-7 sept. – **Repas** Lunch 795 – carte 1350 à 1650.

RIJMENAM *Antwerpen* 213 ⑦ et 409 G 2 – *voir à Mechelen.*

SAINTE-CÉCILE *6820 Luxembourg belge* C *Florenville 5 684 h.* 214 ⑯ et 409 I 6.
Bruxelles 171 – Arlon 46 – Bouillon 18 – Neufchâteau 30.

🏨 **Host. Sainte-Cécile** 🐦, r. Neuve 1, ✆ (0 61) 31 31 67, *Fax (0 61) 31 50 04,* « Jardin au bord de l'eau » – TV ☎ P. AE ⓓ E VISA. ✗ rest
fermé 15 janv.-15 mars et prem. sem. sept. – **Repas** *(fermé dim. soirs et lundis non fériés sauf en juil.-août)* 1250/2100 – ☕ 300 – **14 ch** 2300/2800 – ½ P 3050/3660.

SAINTE-ODE *6680 Luxembourg belge* 214 ⑰ et 409 J 5 – *2 192 h.*
Bruxelles 139 – Arlon 57 – Namur 83 – La Roche-en-Ardenne 30.

X **Le Primordia** 1er étage, Beauplateau 1, ✆ (0 61) 68 90 75, *Fax (0 61) 68 87 80* – P. AE ⓓ E VISA
fermé lundi, 15 déc.-6 fév. et 29 juin-9 juil. – **Repas** (déjeuner seult sauf vend. et sam.) 850.

ST-GILLES (SINT-GILLIS) *Région de Bruxelles-Capitale* 409 ㉑ S – *voir à Bruxelles.*

ST-HUBERT 6870 Luxembourg belge 🔢 ⑯ ⑰ et 🔢 J 5 – 5 728 h.

　　Voir *Intérieur*★★ *de la Basilique St-Hubert*★.

　　Musée : *de la Vie rurale en Wallonie*★★.

　　Exc. *Fourneau-St-Michel*★★ *N : 7 km : Musée du Fer et de la Métallurgie ancienne*★.

　　🛈 *r. Liberté 18* 𝒫 *(0 61) 61 20 70 et (vacances scolaires, week-end et jours fériés)*
　　r. St-Gilles 𝒫 *(0 61) 61 30 10.*

　　Bruxelles 137 – Arlon 60 – La Roche-en-Ardenne 25 – Sedan 59.

🏠　**Du Luxembourg,** pl. du Marché 7, 𝒫 (0 61) 61 10 93, Fax (0 61) 61 32 20 – 📺 ☎ 🅿.
　　🖭 ⓘ 🇪 *VISA*. ⚚ ch
　　fermé du 5 au 15 juin, du 14 au 28 janv. et jeudi – **Repas** *Lunch* 825 – 850/1350 – **18 ch**
　　⇌ 900/2250 – ½ P 1500/2150.

🍴🍴　**La Maison Blanche,** r. St-Gilles 36, 𝒫 (0 61) 61 13 51 – 🖭 🇪 *VISA*
　　fermé merc. soir et jeudi hors saison – **Repas** *Lunch* 1150 – carte 1250 à 1700.

🍴　**Le Cor de Chasse** avec ch, av. Nestor Martin 3, 𝒫 (0 61) 61 16 44, Fax (0 61) 61 33 15
🍴　– ☎. 🇪 *VISA*
　　fermé 2e quinz. fév., 2e quinz. juin et 2e quinz. sept. – **Repas** *(fermé lundi et mardi)* *Lunch*
　　400 – 850/1250 – **11 ch** ⇌ 1900/2050 – ½ P 2500/2650.

à Awenne *NO : 9 km* 🆑 *St-Hubert* – ✉ *6870 Awenne :*

🏠🏠　**L'Aub. du Sabotier** ⬡, Grand'rue 21, 𝒫 (0 84) 36 65 23, Fax (0 84) 36 63 68,
　　« Rustique », ⇌ – 📺 ☎ 🅿 – 🔏 30. 🖭 ⓘ 🇪 *VISA*
　　fermé 2 sem. avant Pâques, 29 juin-16 juil. et mardi et merc. sauf en juil.-août – **Repas**
　　voir rest **Les 7 Fontaines** ci-après – **17 ch** ⇌ 1650/2700 – ½ P 2150/2300.

🍴🍴　**Les 7 Fontaines** - H. L'Aub. du Sabotier, Grand'rue 21, 𝒫 (0 84) 36 65 04,
　　Fax (0 84) 36 63 68, ⇌ – 🅿 – 🔏 30. 🖭 ⓘ 🇪 *VISA*. ⚚
　　fermé 2 sem. avant Pâques, 29 juin-16 juil. et mardi et merc. sauf en juil.-août – **Repas**
　　Lunch 980 – carte 1350 à 1650.

ST-JOSSE-TEN-NOODE (SINT-JOOST-TEN-NODE) *Région de Bruxelles-Capitale* 🔢 ㉑ N –
　　voir à Bruxelles.

ST-NICOLAS *Oost-Vlaanderen* – voir Sint-Niklaas.

ST-SAUVEUR 7912 Hainaut 🆑 *Frasnes-lez-Anvaing 10 775 h.* 🔢 ⑯ et 🔢 D 3.
　　Bruxelles 73 – Gent 48 – Kortrijk 41 – Tournai 20 – Valenciennes 45.

🍴　**Les Marronniers,** r. Vertes Feuilles 7, 𝒫 (0 69) 76 99 58, Fax (0 69) 76 99 58, ≤, 🍽,
　　« Auberge dominant une vallée verdoyante » – 🅿. 🇪 *VISA*
　　fermé mardi, merc., 2 sem. en fév. et 2 sem. en sept. – **Repas** 890.

ST-TROND *Limburg* – voir Sint-Truiden.

ST-VITH *Liège* – voir Sankt-Vith.

SALMCHÂTEAU *Luxembourg belge* 🔢 ⑧ et 🔢 K 5 – voir à Vielsalm.

SANKT-VITH (ST-VITH) 4780 Liège 🔢 ⑨ et 🔢 L 5 – 8 880 h.
　　🛈 *Mühlenbachstr. 2* 𝒫 *(0 80) 22 11 37.*
　　Bruxelles 180 – Liège 78 – Clervaux 36 – La Roche-en-Ardenne 51.

🏠🏠　**Pip-Margraff,** Hauptstr. 7, 𝒫 (0 80) 22 86 63, Fax (0 80) 22 87 61, 🍽, 🛁 – 📺 ☎
　　– 🔏 25 à 80. 🖭 🇪 *VISA* 🇯🇨🇧. ⚚ ch
　　fermé 23 mars-8 avril et 29 juin-9 juil. – **Repas** *(fermé dim. soirs et lundis non fériés sauf*
　　en saison) *Lunch* 500 – 975/1950 – **20 ch** ⇌ 2000/3550, 3 suites – ½ P 1750/2450.

🏠　**Am Steineweiher** ⬡, Rodter Str. 32, 𝒫 (0 80) 22 72 70, Fax (0 80) 22 91 53, 🍽,
　　« Terrasse au bord de l'eau », ⇌ – 📺 ☎ 🅿. 🖭 ⓘ 🇪 *VISA* ⚚ rest
　　Repas *(avril-nov.)* 850/1850 – **14 ch** ⇌ 1750/3500 – ½ P 1750.

🍴🍴🍴　**Zur Post** (Pankert) avec ch, Hauptstr. 39, 𝒫 (0 80) 22 80 27, Fax (0 80) 22 93 10 – 📺
🏮🏮　☎. 🖭 ⓘ 🇪 *VISA*. ⚚ rest
　　fermé dim. soir, lundi, mardi midi, 2 prem. sem. juil. et janv. – **Repas** *Lunch* 1450 – 3500 (2 pers.
　　min.), carte env. 2500 – ⇌ 500 – **8 ch** 1800/3000 – ½ P 3500/3750
　　Spéc. Fond d'artichaut farci d'une poêlée de foie d'oie aux épinards. Croustade de loup
　　de mer et jeune fenouil au vinaigre balsamique et huile de noisettes. Cochon de lait en
　　cocotte aux éclats de truffes et champignons sauvages (fév.-15 sept.).

🍴🍴　**Le Luxembourg** arrière-salle, Hauptstr. 71, 𝒫 (0 80) 22 80 22 – 🇪 *VISA*. ⚚
　　fermé du 1er au 17 juin, du 2 au 11 janv., merc. soir et jeudi – **Repas** *Lunch* 1200 bc – carte
　　1500 à 2000.

SART Liège 🔲🔲🔲 ㉓ et 🔲🔲🔲 K 5 – voir à Spa.

SAUTIN Hainaut 🔲🔲🔲 ③ et 🔲🔲🔲 F 5 – voir à Rance.

SCHAERBEEK (SCHAARBEEK) Région de Bruxelles-Capitale 🔲🔲🔲 ㉑ N – voir à Bruxelles.

SCHEPDAAL Vlaams-Brabant 🔲🔲🔲 ⑱ et 🔲🔲🔲 F 3 – voir à Bruxelles, environs.

SCHERPENHEUVEL (MONTAIGU) 3270 Vlaams-Brabant 🄲 Scherpenheuvel-Zichem 21 381 h.
🔲🔲🔲 ⑧ et 🔲🔲🔲 H 3.
Bruxelles 52 – Antwerpen 52 – Hasselt 31.

XX **De Zwaan** avec ch, Albertusplein 12, ℰ (0 13) 77 13 69, Fax (0 13) 78 17 77 – 🍴,
▤ rest, 🔲 ☎ ⇔ 🅿 – 🔏 25. ΑΕ ⓞ Ε 𝘝𝘐𝘚𝘈. ✷
Repas (fermé sam. non fériés de sept. à mars) 950/1985 – **9 ch** ⊆ 1600/2400 –
½ P 2400.

SCHILDE Antwerpen 🔲🔲🔲 ⑦ et 🔲🔲🔲 G 2 – voir à Antwerpen, environs.

SCHOONAARDE 9200 Oost-Vlaanderen 🄲 Dendermonde 42 847 h. 🔲🔲🔲 ⑤ et 🔲🔲🔲 F 2.
Bruxelles 39 – Gent 26 – Aalst 11 – Dendermonde 7.

X **Het Palinghuis,** Oude Brugstraat 16, ℰ (0 52) 42 32 46, Anguilles – ▤ 🅿. ΑΕ Ε 𝘝𝘐𝘚𝘈.
✷
fermé vend., sam. midi et déc. – **Repas** carte 850 à 1450.

SCHOTEN Antwerpen 🔲🔲🔲 ⑮ et 🔲🔲🔲 G 2 - ⑨ S – voir à Antwerpen, environs.

SEMOIS (Vallée de la) ★★ Luxembourg belge et Namur 🔲🔲🔲 ⑮ ⑯ et 🔲🔲🔲 J 7 - H 6 G. Belgique-
Luxembourg.

SERAING Liège 🔲🔲🔲 ㉓ et 🔲🔲🔲 J 4 - ⑰ S – voir à Liège, environs.

SILENRIEUX 5630 Namur 🄲 Cerfontaine 4 168 h. 🔲🔲🔲 ③ et 🔲🔲🔲 G 5.
Env. S : Barrages de l'Eau d'Heure★ – Barrage de la Plate-Taille★.
Bruxelles 77 – Charleroi 25 – Dinant 39 – Maubeuge 40.

XX **La Plume d'Oie** avec ch, r. par delà l'Eau 6, ℰ (0 71) 63 35 35, Fax (0 71) 63 38 22,
🏡 – 🔲 ☎ 🅿. 𝘝𝘐𝘚𝘈. ✷ rest
Repas (fermé du 1er au 10 juil., prem. sem. janv., dim. soir, lundi et mardi soir) Lunch 1500 bc
– carte 1000 à 1450 – **6 ch** (fermé lundi soir et du 1er au 10 juil.) ⊆ 2000/2800 – ½ P 2600.

SINAAI 9112 Oost-Vlaanderen 🄲 Sint-Niklaas 68 134 h. 🔲🔲🔲 ⑤ et 🔲🔲🔲 F 2.
Bruxelles 55 – Antwerpen 33 – Gent 35 – Sint-Niklaas 12.

XX **Klein Londen,** Wapenaarteinde 5, ℰ (0 9) 349 37 47, Fax (0 9) 349 37 44, 🏡,
« Environnement champêtre » – 🅿. Ε 𝘝𝘐𝘚𝘈
fermé sam. midi, dim. soir, lundi et 3 dern. sem. juil. – **Repas** Lunch 1250 – 1800.

SINT-AGATHA-BERCHEM Brussels Hoofdstedelijk Gewest – voir Berchem-Ste-Agathe à
Bruxelles.

SINT-AMANDS 2890 Antwerpen 🔲🔲🔲 ⑥ et 🔲🔲🔲 F 2 – 7 418 h.
Bruxelles 38 – Antwerpen 32 – Mechelen 23.

X **'t Kombuis,** Kaai 24, ℰ (0 52) 33 40 80, Fax (0 52) 34 00 03, ≤, 🏡, Produits de le mer
– ΑΕ ⓞ Ε 𝘝𝘐𝘚𝘈
fermé 1re quinz. oct. et merc. et jeudis non fériés – **Repas** 1650 bc/2500 bc.

X **De Veerman,** Kaai 26, ℰ (0 52) 33 32 75, Fax (0 52) 33 25 70, ≤, 🏡, Taverne-rest
– ▤. ΑΕ ⓞ Ε 𝘝𝘐𝘚𝘈
fermé lundis et mardis non fériés – **Repas** Lunch 1325 – 1275/1450.

SINT-DENIJS-BOEKEL 9630 Oost-Vlaanderen 🄲 Zwalm 7 627 h. 🔲🔲🔲 ⑯ et 🔲🔲🔲 E 3.
Bruxelles 54 – Gent 26 – Oudenaarde 13.

X **Ter Maelder,** Molenberg 8 (direction Horebeke : 3 km), ℰ (0 55) 49 83 26, 🏡,
« Cadre champêtre » – 🅿. ✷
fermé merc., 23 fév.-6 mars et du 19 au 29 août – **Repas** 1050/1600.

SINT-DENIJS-WESTREM Oost-Vlaanderen 🔟🔟🔟 ④ et 🔟🔟🔟 D 2 – voir à Gent, périphérie.

SINT-ELOOIS-VIJVE West-Vlaanderen 🔟🔟🔟 ⑮ et 🔟🔟🔟 D 3 – voir à Waregem.

SINT-GENESIUS-RODE Vlaams-Brabant 🔟🔟🔟 ⑱ et 🔟🔟🔟 G 3 – voir à Bruxelles, environs.

SINT-GILLIS Brussels Hoofdstedelijk Gewest – voir St-Gilles à Bruxelles.

SINT-HUIBRECHTS-LILLE 3910 Limburg 🄲 Neerpelt 14 956 h. 🔟🔟🔟 ⑩ et 🔟🔟🔟 J 2.
Bruxelles 113 – Antwerpen 84 – Eindhoven 23.

　　🅇🅇🅇　**Sint-Hubertushof**, Broekkant 23, ℘ (0 11) 66 27 71, Fax (0 11) 66 28 83, 佘,
« Ancien relais de halage » – **❼**. 🆬 🇪 𝘝𝘐𝘚𝘈. ✜
fermé lundi, mardi soir, sam. midi, dern. sem. fév.-prem. sem. mars et du 9 au 27 août –
Repas Lunch 1650 bc – carte 2000 à 2500.

SINT-IDESBALD West-Vlaanderen 🔟🔟🔟 ① et 🔟🔟🔟 A 2 – voir à Koksijde-Bad.

SINT-JAN-IN-EREMO Oost-Vlaanderen 🔟🔟🔟 ④ et 🔟🔟🔟 D 2 – voir à Sint-Laureins.

SINT-JANS-MOLENBEEK Brussels Hoofdstedelijk Gewest – voir Molenbeek-St-Jean à Bruxelles.

SINT-JOOST-TEN-NODE Brussels Hoofdstedelijk Gewest – voir St-Josse-Ten-Noode à Bruxelles.

SINT-KRUIS West-Vlaanderen 🔟🔟🔟 ③ et 🔟🔟🔟 C 2 – voir à Brugge, périphérie.

SINT-LAMBRECHTS-WOLUWE Brussels Hoofdstedelijk Gewest – voir Woluwé-St-Lambert à Bruxelles.

SINT-LAUREINS 9980 Oost-Vlaanderen 🔟🔟🔟 ④ et 🔟🔟🔟 D 2 – 6 556 h.
Bruxelles 98 – Brugge 31 – Antwerpen 70 – Gent 28.

　　🅇🅇　**Slependamme**, Lege Moerstraat 26 (SE : 5,5 km sur N 434), ℘ (0 9) 377 78 31, Fax (0 9)
377 78 31, 佘 – 🍽 **❼**. 🆬 🇪 𝘝𝘐𝘚𝘈
fermé merc., jeudi midi et 17 août-5 sept. – **Repas** Lunch 1290 bc – 1600 (2 pers. min.).

à **Sint-Jan-in-Eremo** NE : 5,5 km 🄲 Sint-Laureins – ✉ 9982 Sint-Jan-in-Eremo :

　　🅇🅇🅇　**De Warande**, Warande 10 (Bentille), ℘ (0 9) 379 00 51, Fax (0 9) 379 03 77, ≤, 佘,
« Jardin fleuri avec pièce d'eau » – **❼**. 🆬 🅾 🇪 𝘝𝘐𝘚𝘈
fermé lundi soir, merc., sem. carnaval et 1ʳᵉ quinz. oct. – **Repas** Lunch 1800 bc – 1150/1750.

　　🅇🅇　**'t Schuurke**, St-Jansstraat 56 (Bentille), ℘ (0 9) 379 86 61, Fax (0 9) 379 08 00 – **❼**
🇪 𝘝𝘐𝘚𝘈
fermé lundi, mardi et 2ᵉ quinz. oct. – **Repas** carte 1100 à 1650.

SINT-MARTENS-LATEM (LAETHEM-ST-MARTIN) 9830 Oost-Vlaanderen 🔟🔟🔟 ④ et 🔟🔟🔟 D 2
– 8 203 h.

　　🅸⅃₈　Latemstraat 120 ℘ (0 9) 282 54 11, Fax (0 9) 282 90 19.
Bruxelles 65 – Antwerpen 70 – Gent 10.

　　🅇🅇　**'t Oude Veer**, Baarle Frankrijkstraat 90, ℘ (0 9) 281 05 20, Fax (0 9) 281 05 20, ≤, 佘,
« Terrasse au bord de la Lys (Leie) », 🆓 – 🆬 🇪 𝘝𝘐𝘚𝘈. ✜
fermé lundi – **Repas** 1650/2750 bc.

　　🅇🅇　**Sabatini**, Kortrijksesteenweg 114, ℘ (0 9) 282 80 35, Cuisine italienne – 🍽 **❼**. 🆬 🅾
🇪 𝘝𝘐𝘚𝘈
fermé 15 juil.-15 août – **Repas** Lunch 1190 bc – 980/1350.

　　🅇🅇　**Eric Goossens**, Kortrijksesteenweg 198, ℘ (0 9) 281 11 00 – **❼**. 🆬 🅾 🇪 𝘝𝘐𝘚𝘈
fermé sam. midi, dim. soir, lundi et 2 sem. en oct. – **Repas** Lunch 950 – 1000/3000.

　　🅇　**Tampopo**, Kortrijksesteenweg 17, ℘ (0 9) 282 82 85, Fax (0 9) 282 91 90, 佘, Cuisine
asiatique – 🍽 **❼**. 🇪 𝘝𝘐𝘚𝘈. ✜
fermé mardi, merc. midi et juil. – **Repas** Lunch 595 – 885/1185.

Brasserie Latem, Kortrijksesteenweg 9, ✆ (0 9) 282 36 17, Ouvert jusqu'à minuit – P. E VISA.
fermé mardi, 3 sem. en mars et 3 sem. en sept. – **Repas** *Lunch 1250* – carte env. 1400.

Meersschaut, Kortrijksesteenweg 134, ✆ (0 9) 292 38 56 – P. AE O E VISA
fermé dim., lundi et sept. – **Repas** *Lunch 980* – carte 1100 à 1700.

à Deurle *E : 2 km* C *Sint-Martens-Latem* – ✉ *9831 Deurle :*

Aub. du Pêcheur , Pontstraat 41, ✆ (0 9) 282 31 44, *Fax (0 9) 282 90 58*, ←, « Terrasse et jardin au bord de la Lys (Leie) », – TV P – 25 à 80. AE O E VISA
Repas ***Orangerie*** *(fermé dim. soir en hiver, lundi, sam. midi et 2e quinz. déc.) Lunch 990* - carte env. 1900 – ***The Green*** (Taverne-rest) *Lunch 395* - 850/1350 – 350 – **26 ch** *(fermé du 24 au 30 déc.)* 2800/4000, 1 suite – ½ P 2145/3100.

SINT-MARTENS-LEERNE *Oost-Vlaanderen* 213 ④ – *voir à Deinze.*

SINT-NIKLAAS (ST-NICOLAS) *9100 Oost-Vlaanderen* 213 ⑤ ⑥ et 409 F 2 – *68 134 h.*

Musée : *municipal : section "de la boîte à musique au gramophone"★ (Afdeling "van muziekdoos tot grammofoon")* BY **M¹**.

Grote Markt 45 ✆ (0 3) 777 26 81 et (0 3) 776 27 48.
Bruxelles 47 ② – Gent 39 ③ – Antwerpen 25 ② – Mechelen 32 ②.

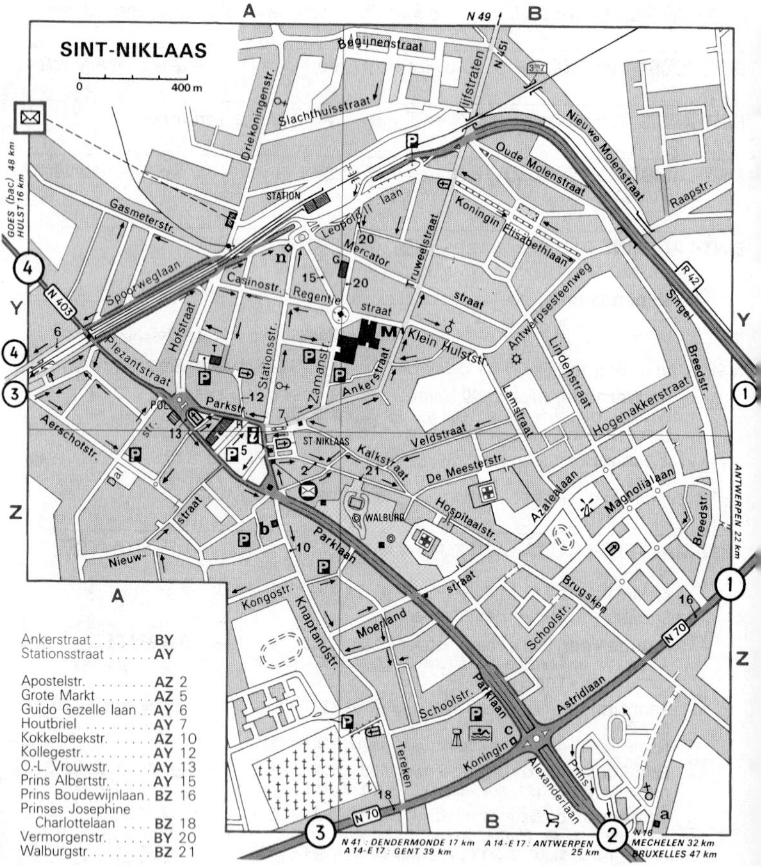

Ankerstraat . . . . BY
Stationsstraat . . . . . . AY

Apostelstr. . . . . AZ 2
Grote Markt . . . . AZ 5
Guido Gezelle laan . . AY 6
Houtbriel . . . . AY 7
Kokkelbeekstr. . . . . . AZ 10
Kollegestr. . . . . AY 12
O.-L. Vrouwstr. . . . . . AY 13
Prins Albertstr. . . . . . AY 15
Prins Boudewijnlaan . BZ 16
Prinses Josephine Charlottelaan . . . . BZ 18
Vermorgenstr. . . . . . BY 20
Walburgstr. . . . . BZ 21

Serwir, Koningin Astridlaan 57, ✆ (0 3) 778 05 11, Fax (0 3) 778 13 73, ☞ – 劇, ▤ rest,
📺 ☎ 🅿 – 🔏 25 à 400. 🎫 ⓪ 🥐 ⅤⅠＳＡ. 彩
BZ **c**
Repas (fermé 2 sem. en juil. et du 25 au 31 déc.) Lunch 435 – 850/1495 – **29 ch** (fermé du 25 au 31 déc.) 🖙 2700/4200.

des Flandres, Stationsplein 5, ✆ (0 3) 777 10 02, Fax (0 3) 777 05 96 – 劇, ▤ rest,
📺 ☎ – 🔏 30. 🎫 ⓪ 🥐 ⅤⅠＳＡ
AY **n**
Repas (fermé vend., sam. midi, 23 fév.-1er mars, du 6 au 19 juil. et 1 sem. en janv.) 850/1650 – **20 ch** 🖙 1900/3300 – ½ P 1850/3400.

Den Silveren Harynck, Grote Baan 51 (par ① : 5 km sur N 70), ✆ (0 3) 777 50 62, ☞, Produits de la mer – 🅿. 🎫 ⓪ 🥐 ⅤⅠＳＡ
fermé sam. midi, dim. soir, lundi, 20 juil.-10 août et 26 déc.-3 janv. – **Repas** 1175/1850.

't Mezennestje, De Meulenaerstraat 2, ✆ (0 3) 776 28 73, Fax (0 3) 766 24 61, ☞, « Villa avec jardin et terrasse » – 🅿. 🎫 ⓪ 🥐 ⅤⅠＳＡ
BZ **a**
fermé mardi, merc., 1 sem. carnaval, du 13 au 29 juil. et du 15 au 23 sept. – **Repas** Lunch 950 – 1450/2100.

't Begijnhofken, Kokkelbeekstraat 73, ✆ (0 3) 776 38 44, Fax (0 3) 778 19 50 – 🅿.
🎫 ⓪ 🥐 ⅤⅠＳＡ
AZ **b**
fermé merc. soir, dim. et dern. sem. juil.-2 prem. sem. août – **Repas** Lunch 1375 bc – carte 1400 à 2100.

Malpertuus, Beeldstraat 10 (par ① : 5 km, près du parc récréatif), ✆ (0 3) 776 73 44, Fax (0 3) 766 50 18 – 🅿 – 🔏 25 à 80. 🎫 ⓪ 🥐 ⅤⅠＳＡ
fermé mardi, merc. et début fév. – **Repas** Lunch 795 – carte env. 1200.

à **Sint-Pauwels** par ④ : 7 km 🄲 Sint-Gillis-Waas 16 873 h. – ✉ 9170 Sint-Pauwels :

De Rietgaard, Zandstraat 221 (sur N 403), ✆ (0 3) 779 55 48, Fax (0 3) 779 55 48, ☞ – 🅿. 🎫 🥐 ⅤⅠＳＡ. 彩
fermé du 23 au 27 fév., 2 dern. sem. août, lundi soir et mardi – **Repas** 990/1675.

*Die im **Michelin-Führer***
*verwendeten Zeichen und Symbole haben - **fett** oder dünn*
*gedruckt, in Rot oder **Schwarz** - jeweils eine andere Bedeutung.*

Lesen Sie daher die Erklärungen aufmerksam durch.

SINT-PAUWELS Oost-Vlaanderen ⅔⅓ ⑤ et ④⓪⑨ F 2 – voir à Sint-Niklaas.

SINT-PIETERS-LEEUW Vlaams-Brabant ⅔⅓ ⑱ et ④⓪⑨ F 3 - ㉑ S – voir à Bruxelles, environs.

SINT-PIETERS-WOLUWE Brussels Hoofdstedelijk Gewest – voir Woluwé-St-Pierre à Bruxelles.

SINT-TRUIDEN (ST-TROND) 3800 Limburg ⅔⅓ ㉑ et ④⓪⑨ I 3 – 37 281 h.
🄱 Stadhuis, Grote Markt ✆ (0 11) 68 62 55, Fax (0 11) 69 11 78.
Bruxelles 63 ⑥ – Hasselt 17 ② – Liège 35 ④ – Maastricht 39 ③ – Namur 50 ⑤.

Plan page suivante

Cicindria sans rest, Abdijstraat 6, ✆ (0 11) 68 13 44, Fax (0 11) 67 41 38 – 劇 📺 ☎
🖙 🅿 – 🔏 30. 🎫 ⓪ 🥐 ⅤⅠＳＡ
A **s**
fermé 20 déc.-5 janv. – **25 ch** 🖙 2200/3800.

De Fakkels, Hasseltsesteenweg 61 (NE : 2 km sur N 722, lieu-dit Melveren), ✆ (0 11) 68 76 34, Fax (0 11) 68 67 63, ☞, « Maison bourgeoise début du siècle » – 🅿 – 🔏 25 à 40. 🎫 ⓪ 🥐 ⅤⅠＳＡ. 彩
fermé dim. soir, lundi, 3 dern. sem. août et dern. sem. janv. – **Repas** Lunch 1100 – 1650/2050.

Aen de Kerck van Melveren, St-Godfriedstraat 15 (NE : 3 km par N 722, lieu-dit Melveren), ✆ (0 11) 68 39 65, Fax (0 11) 69 13 05, ≼, « Environnement champêtre » – 🅿. 🎫 ⓪ 🥐 ⅤⅠＳＡ. 彩
fermé du 2 au 10 mars, 21 juil.-10 août, sam. midi, dim. soir et lundi – **Repas** Lunch 1200 – 1800/2300.

Truiershuis, Naamsesteenweg 42, ✆ (0 11) 67 31 44, Fax (0 11) 69 55 80 – ▤. 🎫 ⓪ 🥐 ⅤⅠＳＡ
B **b**
fermé mardi, merc. midi, sam. midi, 1 sem. en mars, 2 sem. en sept. et 2 sem. en janv. – **Repas** Lunch 1500 bc – 1100/1650.

Amico, Naamsestraat 3, ✆ (0 11) 68 81 50, Fax (0 11) 68 81 50 – 🎫 ⓪ 🥐 ⅤⅠＳＡ
B **e**
fermé mardi et dern. sem. fév. – **Repas** 750/990.

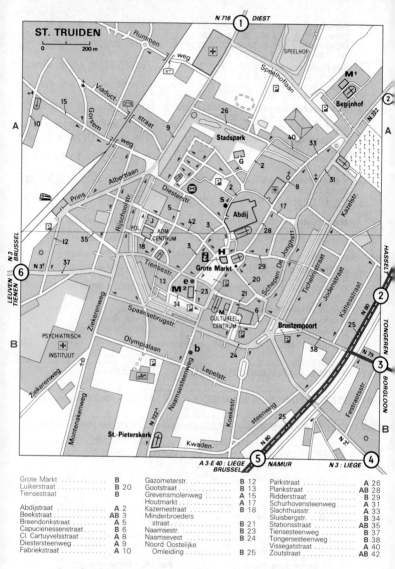

ST. TRUIDEN

0 — 200 m

Grote Markt		**B**
Luikerstraat		**B** 20
Tiensestraat		**B**
Abdijstraat		**A** 2
Beekstraat		**AB** 3
Breendonkstraat		**A** 5
Capucienessenstraat		**B** 6
Cl. Cartuyvelsstraat		**A** 8
Diestersteenweg		**A** 9
Fabriekstraat		**A** 10

Gazometerstr.		**B** 12
Gootstraat		**B** 13
Grevensmolenweg		**A** 15
Houtmarkt		**A** 17
Kazernestraat		**B** 18
Minderbroeders-		
straat		**B** 21
Naamsestr.		**B** 23
Naamsevest		**B** 24
Noord Oostelijke		
Omleiding		**B** 25

Parkstraat		**A** 26
Plankstraat		**AB** 28
Ridderstraat		**B** 29
Schurhovensteenweg		**A** 31
Slachthuisstr.		**A** 33
Sluisbergstr.		**B** 34
Stationsstraat		**AB** 35
Tiensesteenweg		**B** 37
Tongersesteenweg		**B** 38
Vissegatstraat		**A** 40
Zoutstraat		**AB** 42

Onze hotelgidsen, toeristische gidsen en wegenkaarten vullen elkaar aan. Gebruik ze samen.

SOHEIT-TINLOT 4557 Liège Ⓒ Tinlot 2 092 h. 213 ㉒, 214 ⑥ ⑦ et 409 J 4.
Bruxelles 96 – Liège 29 – Huy 13.

XX **Le Coq aux Champs** (Horenbach), r. Montys 33, ℰ (0 85) 51 20 14, « Auberge
❀ ardennaise » – **Ⓟ**. **Æ** **Ⓞ** **E** **VISA**
fermé lundi, mardi, 1ʳᵉ quinz. juil. et 3 dern. sem. déc. – **Repas** *Lunch 1500 bc* – carte 1400
à 1850
Spéc. Tartare de saumon et homard. Éventail de magret et foie de canard, sauce au Porto.
Gibiers en saison.

SOIGNIES (ZINNIK) 7060 Hainaut 213 ⑰ et 409 F 4 – 24 367 h.

Voir *Collégiale St-Vincent*★★.

Bruxelles 41 – Mons 18 – Charleroi 40.

XX **La Fontaine St-Vincent,** r. Léon Hachez 7, ℘ (0 67) 33 95 95, Fax (0 67) 33 25 03
– E 𝘝𝘐𝘚𝘈
fermé lundi soir, mardi et 15 juil.-14 août – **Repas** Lunch 990 – 1790.

XX **L'Embellie,** r. Station 115, ℘ (0 67) 33 31 48, Fax (0 67) 33 31 48, �️ – AE ⓪ E 𝘝𝘐𝘚𝘈
fermé lundi, sam. midi et 21 juil.-6 août – **Repas** Lunch 750 – 1180.

à Casteau S : 7 km par N 6 © Soignies – ⌧ 7061 Casteau :

🏨 **Casteau,** chaussée de Bruxelles 38, ℘ (0 65) 32 04 00, Fax (0 65) 72 87 44, ✵ – ⇆
📺 ☎ ℗ – 🔥 25 à 250. AE ⓪ E 𝘝𝘐𝘚𝘈
Repas *(fermé lundi midi)* Lunch 1100 bc – carte 1000 à 1500 – **71 ch** ⌹ 2750/3650 –
½ P 2475/3500.

à Thieusies S : 6 km par N 6 © Soignies – ⌧ 7061 Thieusies :

XX **La Saisinne,** r. Saisinne 133, ℘ (0 65) 72 86 63, Fax (0 65) 73 02 61,
« Environnement champêtre » – ℗. AE ⓪ E 𝘝𝘐𝘚𝘈. ✾
fermé dim., lundi, 1 sem. carnaval et juil. – **Repas** 1280/1710.

X **La Maison d'Odile,** r. Sirieu 303, ℘ (0 65) 73 00 72 – ⓪ E 𝘝𝘐𝘚𝘈
fermé merc., jeudi midi et dim. soir – **Repas** carte 1050 à 1950.

SOLRE-ST-GÉRY Hainaut 214 ③ et 409 F 5 – voir à Beaumont.

SORINNES Namur 214 ⑤ et 409 H 5 – voir à Dinant.

SOUGNÉ-REMOUCHAMPS 4920 Liège © Aywaille 9 723 h. 213 ㉓, 214 ⑧ et 409 K 4.

Voir *Grotte*★★.

Bruxelles 122 – Liège 28 – Spa 13.

X **Aub. du Cheval Blanc,** r. Louveigné 1, ℘ (0 4) 384 44 17, Fax (0 4) 384 73 10, �️
– AE ⓪ E 𝘝𝘐𝘚𝘈. ✾
fermé 10 déc.-10 janv. et lundi et mardi hors saison – **Repas** 1285/1280.

SOUMOY Namur 214 ③ et 409 G 5 – voir à Cerfontaine.

SPA 4900 Liège 213 ㉓ et 409 K 4 – 10 365 h. – Station thermale★★ – Casino AY , r. Royale 4
℘ (0 87) 77 20 52, Fax (0 87) 77 02 06.

Voir *Promenade des Artistes*★ par ②.

Musée : *de la Ville d'Eau : collection*★ *de "jolités"* AY **M.**

Env. *Circuit autour de Spa*★ - *Parc à gibier de la Reid*★ par ③ : 9 km.

🏌 à Balmoral par ① : 2,5 km, av. de l'Hippodrome 1 ℘ (0 87) 79 30 30, Fax (0 87) 79 30 39.
🛈 Pavillon des Petits Jeux, pl. Royale 41 ℘ (0 87) 79 53 53, Fax (0 87) 77 07 00.

Bruxelles 139 ③ – Liège 38 ③ – Verviers 16 ③.

Plan page suivante

🏰 **La Villa des Fleurs** sans rest, r. Albin Body 31, ℘ (0 87) 79 50 50, Fax (0 87) 79 50 60,
« Maison de maître avec jardin clos de murs » – ⧉ 📺 ☎ ℗. AE ⓪ E 𝘝𝘐𝘚𝘈   AY e
12 ch ⌹ 2200/4600.

🏰 **La Heid des Pairs** ⤳ sans rest, av. Prof. Henrijean 143 (SO : 1,5 km), ℘ (0 87) 77 43 46,
Fax (0 87) 77 06 44, « Villa sur jardin », ⊿ – 📺 ☎ ℗. AE E 𝘝𝘐𝘚𝘈. ✾
11 ch ⌹ 2900/5600.   par av. Clémentine AZ

🏨 **L'Auberge,** pl. du Monument 3, ℘ (0 87) 77 44 10, Fax (0 87) 77 48 40 – ⧉, 🍴 rest,
📺 ☎. AE ⓪ E 𝘝𝘐𝘚𝘈. ✾   AY a
Repas *(fermé 15 nov.-15 déc.)* Lunch 1595 bc – carte 1100 à 1650 – ⌹ 345 – **21 ch**
1895/3300, 10 suites – ½ P 3300/3600.

🏨 **Le Pierre** ⤳, av. Reine Astrid 86, ℘ (0 87) 77 52 10, Fax (0 87) 77 52 20, �️, 🍴 –
📺 ☎ ℗. AE ⓪ E 𝘝𝘐𝘚𝘈. ✾   AY c
Repas (dîner pour résidents seult) – **14 ch** ⌹ 2350/3300 – ½ P 2450/3150.

🏠 **Le Relais,** pl. du Monument 22, ℘ (0 87) 77 11 08, Fax (0 87) 77 25 93, �️ – 📺 ☎.
AE ⓪ E 𝘝𝘐𝘚𝘈 JCB   AY b
fermé 22 nov.-11 déc. – **Repas** Lunch 695 – 1350/1695 – **12 ch** ⌹ 2100/2400 –
½ P 1750/1850.

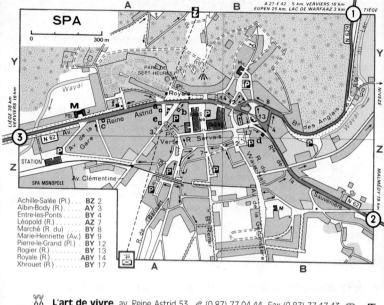

SPA

0 ——— 300 m

A 27-E 42 : 5 km, VERVIERS 18 km
EUPEN 25 km, LAC DE WARFAAZ 3 km

TIÈGE

PARC DE
SEPT-HEURES

Wayai

Pl. Royale

B^d des Anglais

Wayai

LIÈGE 38 km
VERVIERS 18 km

Av. de la Reine Astrid

Av. de la Gare

R. Servais

CASINO
PARIS

NIVEZÉ →

MALMÉDY 19 km

STATION

SPA MONOPOLE

Av. Clémentine

R^{te} de la Sauvenière

Achille-Salée (Pl.) .... **BZ** 2
Albin-Body (R.) ..... **AY** 3
Entre-les-Ponts ..... **BY** 4
Léopold (R.) ...... **AZ** 7
Marché (R. du) ..... **BY** 8
Marie-Henriette (Av.) . **BY** 9
Pierre-le-Grand (Pl.) . **BY** 12
Rogier (R.) .... **BY** 13
Royale (R.) .... **ABY** 14
Xhrouet (R.) ...... **BY** 17

XX **L'art de vivre,** av. Reine Astrid 53, ℘ (0 87) 77 04 44, Fax (0 87) 77 17 43, ㈜ – 🆎
🅾 🇪 *VISA*
AY f
fermé mardi, merc. midi, 1 sem. en juin, 1 sem. en sept. et 1 sem. en janv. – **Repas** *Lunch*
980 bc – carte 1550 à 2350

XX **La Brasserie du Grand Maur,** r. Xhrouet 41, ℘ (0 87) 77 36 16, Fax (0 87) 77 36 16,
㈜, « *Maison du 18e s.* » – 🆎 🅾 🇪 *VISA*
BYZ d
fermé lundi et mardi – **Repas** *Lunch 1075* – carte 900 à 1600.

X **La Source de Barisart,** rte de Barisart 295 (S : 3 km), ℘ (0 87) 77 09 88,
Fax (0 87) 77 09 88, ㈜, Taverne-rest., « *Environnement boisé* » – 🅿 🆎 🅾
🇪 *VISA*
AZ
fermé mardi, merc. et 16 août-1er sept. – **Repas** *Lunch 750* – 710/1450.

à Balmoral par ① : 3 km ℂ Spa – ⊠ 4900 Spa :

▥ **Dorint,** rte de Balmoral 33, ℘ (0 87) 77 25 81, Fax (0 87) 77 41 74, ≤,
㈜, « *Environnement boisé* », ≘s, ⬛, ☞ – 🛗 📺 ☎ 🅿 – 🔬 25 à 200. 🆎 🅾 🇪 *VISA*.
❀ rest
Repas *Lunch 900* – carte 1100 à 2050 – **98 ch** ⊇ 3500/6500 – ½ P 3125/6375.

à Creppe S : 4,5 km par av. Clémentine - AZ ℂ Spa – ⊠ 4900 Spa :

XXX **Manoir de Lebioles** ⑳ avec ch, ℘ (0 87) 77 04 20, Fax (0 87) 77 02 79, ㈜,
« *Demeure seigneuriale, terrasse, ≤ jardin et vallée boisée* », ❀ – 📺 ☎ 🚗 🅿 🆎 🅾
🇪 *VISA*. ❀
27 mars-déc. – **Repas** *(fermé sam. midi, dim. soir, lundi et mardi)* 1450/3250 – **4 ch**
⊇ 6500/8900 – ½ P 9000.

à Nivezé par rte de la Sauvenière, puis à gauche ℂ Spa – ⊠ 4900 Spa :

X **La Fontaine du Tonnelet,** rte du Tonnelet 82, ℘ (0 87) 77 26 03, Cuisine italienne
– 🅿 🆎 🅾 🇪 *VISA*
fermé mardi, merc. et 16 déc.-16 janv. – **Repas** 1180.

à la Reid par ③ : 9 km ℂ Theux 10 629 h. – ⊠ 4910 La Reid :

▦ **Le Menobu** ⑳, rte de Menobu 546, ℘ (0 87) 37 60 42, ㈜, ☞ – ⚡ 📺 ☎ 🅿 🆎
🇪 *VISA*
Repas *(fermé mardi et merc.)* *Lunch 1000* – carte env. 1200 – **6 ch** ⊇ 1500/2200 –
½ P 1750.

XX **A la Retraite de Lempereur,** Basse Desnié 842, ℘ (0 87) 37 62 15,
Fax (0 87) 37 60 58, ㈜, « *Ancienne ferme, jardin* » – 🅿 🆎 🅾 🇪 *VISA*
fermé du 6 au 31 juil., 21 déc.-6 janv., lundi et sam. midi de déc. à mars, mardi et merc.
– **Repas** *Lunch 995* – 1275/1990.

à Sart *par ① : 7 km* 🄲 *Jalhay 6 996 h.* – ✉ *4845 Sart :*

🏠 **L'Aub. du Wayai** 🐁, rte du Stockay 2, ✆ (0 87) 47 53 93, *Fax (0 87) 47 53 95,* ⩽, 🍽,
« Cadre champêtre », 🍽 – TV ☎ 🅟. E VISA. ✗ rest
fermé janv. – **Repas** *(fermé lundi d'oct. à avril) Lunch 650* – 995/1495 – **15 ch** ☕ 1750/2650
– ½ P 1800/1995.

XX **Aub. les Santons** 🐁 avec ch, Cokaifagne 47 (rte de Francorchamps), ✆ (0 87) 47 43 15,
🍽, « Terrasse et jardin » – TV ☎ 🚗 🅟. E VISA
fermé lundis et mardis non fériés du 15 nov. au 15 avril, merc. non fériés et du 2 au 23 déc. – **Repas** *(fermé après 20 h 30) Lunch 1400* – 1795/2000 – ☕ 400 – **6 ch** 1800/2250.

X **Le Petit Normand,** r. Roquez 47 (SE : 3 km, direction Francorchamps), ✆ (0 87) 47 49 04,
Fax (0 87) 47 49 04, « Environnement boisé » – 🅟. VISA
fermé merc. et jeudis non fériés, 1 sem. Toussaint et prem. sem. janv. – **Repas** 1390/
1850.

Voir aussi : **Francorchamps** *par ② : 9 km,* **Stavelot** *par ② : 18 km*

SPONTIN *5530 Namur* 🄲 *Yvoir 7 539 h.* **214** ⑤ et **409** I 5.

Voir Château★ – Bruxelles 83 – Namur 24 – Dinant 11 – Huy 31.

🏠 **Host. du Bocq et Aub. des Nutons,** chaussée de Dinant 13, ✆ (0 83) 69 91 42,
Fax (0 83) 69 91 42 – TV 🚗. E VISA
Repas *(fermé merc.)* 850/2000 – **6 ch** ☕ 2050/2500 – ½ P 2850.

à Dorinne *SO : 2,5 km* 🄲 *Yvoir* – ✉ *5530 Dorinne :*

XXX ✿ **Le Vivier d'Oies** (Godelet), r. État 7, ✆ (0 83) 69 95 71, *Fax (0 83) 69 90 36* – 🅟. AE
⊙ E VISA
fermé mardi soir, merc., 25 juin-10 juil. et 25 sept.-10 oct. – **Repas** *Lunch 1520* – carte 1800
à 2200

Spéc. Fond d'artichaut aux queues d'écrevisses et coriandre (20 mai-nov.). Pigeonneau rôti à la sauge et petits oignons glacés. Fruits de saison caramélisés à l'anis étoilé et glace au miel.

STAVELOT *4970 Liège* **214** ⑧ et **409** K 4 – *6 473 h.*

Voir *Carnaval du Laetare★★ (3e dim. avant Pâques) – Châsse de St-Remacle★★ dans l'église St-Sébastien.*

Musée : *religieux régional dans l'Ancienne Abbaye : section des Tanneries★.*

Env. *O : Vallée de l'Amblève★★ de Stavelot à Comblain-au-Pont – Cascade★ de Coo O : 8,5 km, Montagne de Lancre ✳★.*

🄱 *Musée de l'Ancienne Abbaye, Cour de l'Hôtel de Ville ✆ (0 80) 86 27 06, Fax (0 80) 86 27 06.*

Bruxelles 158 – Liège 59 – Bastogne 64 – Malmédy 9 – Spa 18.

🏠 **d'Orange,** Devant les Capucins 8, ✆ (0 80) 86 20 05, *Fax (0 80) 86 42 92,* « Ancien relais du 18e s. » – TV ☎ 🚗. AE ⊙ E VISA
30 mars-nov., week-end et vacances scolaires – **Repas** *(fermé après 20 h 30) Lunch 550* –
900/1520 – **16 ch** ☕ 2200/3200 – ½ P 2200/3000.

XXX **Le Val d'Amblève** avec ch, rte de Malmédy 7, ✆ (0 80) 86 23 53, *Fax (0 80) 86 41 21,*
⩽, 🍽, « Jardin », ✂ – ▤ rest, TV ☎ 🚗 🅟 – 🏛 35. AE ⊙ E VISA
fermé 3 prem. sem. janv. – **Repas** *(fermé lundis non fériés) Lunch 1350* – 1695/1895 – **13 ch**
☕ 2250/3900.

à la cascade de Coo *O : 8,5 km* 🄲 *Stavelot* – ✉ *4970 Stavelot :*

🏠 **Val de la Cascade,** Petit-Coo 1, ✆ (0 80) 68 40 78, *Fax (0 80) 68 49 80,* 🍽 – |‡| TV
☎ 🅟 – 🏛 30. AE ⊙ E VISA. ✗ ch
Repas 650/1890 – **20 ch** ☕ 1500/2000 – ½ P 2250/3750.

X **Au Vieux Moulin,** Petit-Coo 2, ✆ (0 80) 68 40 41, *Fax (0 80) 68 40 41,* ⩽ – AE E VISA
fermé mardis soirs et merc. non fériés et 15 juil.-15 août – **Repas** *Lunch 900* – 1100.

STEKENE *9190 Oost-Vlaanderen* **213** ⑤ et **409** F 2 – *16 623 h.*

Bruxelles 59 – Antwerpen 30 – Gent 32.

X **'t Oud Gelaag,** Nieuwstraat 66b, ✆ (0 3) 779 82 94 – E VISA. ✗
fermé merc. soir, jeudi, vend. midi et 3 prem. sem. oct. – **Repas** 1200.

STERREBEEK *Vlaams-Brabant* **213** ⑲ et **409** G 3 – ㉒ N – *voir à Bruxelles, environs.*

STEVOORT *Limburg* **213** ⑨ et **409** I 3 – *voir à Hasselt.*

STOUMONT 4987 Liège 214 ⑧ et 409 K 4 – 2 801 h.

Env. O : Belvédère "Le Congo" ⇐★ – Site★ du Fonds de Quareux.
Bruxelles 139 – Liège 45 – Malmédy 24.

⚒ **Zabonprés,** Zabonprés 3 (O : 4,5 km sur N 633, puis route à gauche), ℰ (0 80) 78 56 72, Fax (0 80) 78 61 41, 🏠, « Fermette au bord de l'Amblève » – **P**. 🆎 **⑩** **E** **VISA**
fermé sem. carnaval, sem. Toussaint, Noël-Nouvel An, lundis soir sauf en juil.-août et mardi ; du 21 sept. au 21 mars ouvert seult week-end et jours fériés – **Repas** 900/1350.

STROMBEEK-BEVER Vlaams-Brabant 213 ⑥ et 409 G 3 – voir à Bruxelles, environs.

STUIVEKENSKERKE West-Vlaanderen 213 ① – voir à Diksmuide.

TAMISE Oost-Vlaanderen – voir Temse.

TEMPLOUX Namur 213 ⑳, 214 ④ et 409 H 4 – voir à Namur.

TEMSE (TAMISE) 9140 Oost-Vlaanderen 213 ⑥ et 409 F 2 – 24 911 h.

🛈 De Watermolen, Wilfordkaai 23 ℰ (0 3) 771 51 31, Fax (0 3) 771 01 01.
Bruxelles 40 – Gent 41 – Antwerpen 26 – Mechelen 25 – Sint-Niklaas 7,5.

🏠 **Belle-Vue,** Wilfordkaai 37, ℰ (0 3) 711 08 08, Fax (0 3) 771 57 58, 🏠 – |≜|, ≡ rest, 📺 ☎. 🆎 **⑩** **E** **VISA** **JCB**
fermé du 2 au 15 janv. – **Repas** Lunch 990 – carte 850 à 2800 – **11 ch** 🖙 2300/2700 – ½ P 2750/3100.

XXX **Efgee,** Doornstraat 2 (près N 16), ℰ (0 3) 771 02 16, Fax (0 3) 711 09 64, 🏠 – **P**. 🆎 **⑩** **E** **VISA** **JCB**
fermé jeudi et dim. soir – **Repas** Lunch 1500 bc – 1650 bc/2100 bc.

XX **de Sonne,** Markt 10, ℰ (0 3) 771 37 73, Fax (0 3) 771 37 73 – 🆎 **⑩** **E** **VISA**
fermé du 20 au 27 fév., 15 juil.-7 août, merc. et jeudi – **Repas** Lunch 950 – 1500/1800.

⚒ **De Pepermolen,** Nijverheidsstraat 1 (près N 16), ℰ (0 3) 771 12 41 – **P**. 🆎 **E** **VISA**. ✀
fermé mardi soir, merc., sem. après carnaval et du 8 au 31 juil. – **Repas** Lunch 450 – carte 1000 à 1800.

TERHULPEN Brabant Wallon – voir La Hulpe.

TERMONDE Oost-Vlaanderen – voir Dendermonde.

TERTRE 7333 Hainaut 🄲 St-Ghislain 22 093 h. 214 ① et 409 E 4.

🛈₈ à Baudour NE : 4 km, r. Mont Garni 3 ℰ (0 65) 62 27 19, Fax (0 65) 62 34 10.
Bruxelles 77 – Mons 12 – Tournai 37 – Valenciennes 30.

XX **Le Vieux Colmar,** rte de Tournai 197 (N 50), ℰ (0 65) 62 26 79, Fax (0 65) 62 36 14, 🏠, « Jardin fleuri » – **P**. 🆎 **⑩** **E** **VISA**
fermé mardi, 1 sem. carnaval et 19 juil.-8 août – **Repas** (déjeuner seult sauf vend. et sam.) Lunch 985 – 1490/1790.

XX **La Cense de Lalouette,** rte de Tournai 188 (N 50), ℰ (0 65) 62 08 70, Fax (0 65) 62 35 58, 🏠, « Rustique » – **P**. 🆎 **⑩** **E** **VISA**
fermé 2e quinz. août-1re quinz. sept., 1re quinz. janv., lundi et sam. midi – **Repas** (déjeuner seult sauf sam.) Lunch 895 – 1400/1850.

TERVUREN Vlaams-Brabant 213 ⑲ et 409 G 3 - ⑫ S – voir à Bruxelles, environs.

TESSENDERLO 3980 Limburg 213 ⑧ ⑨ et 409 I 2 – 15 010 h.

Voir Jubé★ de l'église St-Martin (St-Martinuskerk).
🛈 Gemeentehuis, Markt ℰ (0 13) 66 17 15, Fax (0 13) 67 35 53.
Bruxelles 66 – Antwerpen 57 – Liège 70.

🏠 **Lindehoeve** ♨, Zavelberg 12 (O : 3,5 km, lieu-dit Schoot), ℰ (0 13) 66 31 67, Fax (0 13) 67 16 95, ≤, 🏠, « Environnement boisé », ≈s, ⏛, ♒ – 📺 ☎ **P**. 🆎 **⑩** **E** **VISA**. ✀
fermé vacances Noël – **Repas** (fermé dim. soir de sept. à mai et lundi) 850/1250 – **6 ch** 🖙 2500/3000.

XX **La Forchetta,** Stationsstraat 69, ℰ (0 13) 66 40 14, Fax (0 13) 66 40 14, 🏠 – **P**. 🆎 **⑩** **E** **VISA**
fermé lundi, sam. midi, sem. après carnaval et dern. sem. juil.-2 prem. sem. août – **Repas** Lunch 1490 bc – carte 1400 à 1950.

TEUVEN 3793 Limburg © Voeren 4317 h. 213 ㉓ et 409 K 3.
Bruxelles 134 – Maastricht 22 – Liège 43 – Verviers 26 – Aachen 22.

XXX **Hof de Draeck** ⓢ avec ch, Hoofstraat 6, ℘ (0 4) 381 10 17, Fax (0 4) 381 11 88, 龠,
« Ferme-château », 龠 – 🔟 ☎ ℗. ⒶⒺ Ⓔ 𝖵𝖨𝖲𝖠. ℅
fermé du 15 au 28 fév. et du 15 au 31 août – Repas (fermé mardi midi du 15 mars au
15 oct., lundi et mardi) Lunch 890 – 1290/1490 – 7 ch � 2000/3000 – ½ P 2100.

THEUX 4910 Liège 213 ㉓ et 409 K 4 – 10 629 h.
Bruxelles 131 – Liège 31 – Spa 7 – Verviers 12.

XX **Le Relais du Marquisat,** r. Hocheporte 13, ℘ (0 87) 54 21 38, Fax (0 87) 53 01 39,
« Maisonnette restaurée » – ⒶⒺ 𝖵𝖨𝖲𝖠.
fermé lundi et 2ᵉ quinz. juil. – Repas Lunch 795 – 995/1550.

THIEUSIES Hainaut 213 ⑰ et 409 F 4 – voir à Soignies.

THIMISTER 4890 Liège © Thimister-Clermont 4738 h. 213 ㉓ et 409 K 4.
Bruxelles 121 – Maastricht 34 – Liège 29 – Verviers 12 – Aachen 22.

à Clermont E : 2 km © Thimister-Clermont – ⊠ 4890 Clermont :

XXX **Le Charmes-Chambertin,** Crawhez 40, ℘ (0 87) 44 50 37, Fax (0 87) 44 50 37 – ℗.
ⒶⒺ ⓪ Ⓔ 𝖵𝖨𝖲𝖠
fermé merc., dim. soir, fin juil.-début août, Noël-début janv. et après 20 h 30 – Repas Lunch
950 – carte 1500 à 1950.

THON Namur 214 ⑤ et 409 I 4 – voir à Namur.

TIELT 8700 West-Vlaanderen 213 ③ et 409 D 2 – 19 435 h.
Bruxelles 85 – Brugge 34 – Gent 32 – Kortrijk 21.

🏠 **Shamrock,** Euromarktlaan 24 (près rte de ceinture), ℘ (0 51) 40 15 31,
Fax (0 51) 40 40 92, 龠, ⓢ, 龠, ℅ – 🛗, ▤ rest, 🔟 ☎ ℗ – 🔬 25 à 200. ⒶⒺ ⓪ Ⓔ
𝖵𝖨𝖲𝖠
fermé dim. et 2 dern. sem. juil.-début août – Repas (fermé dim. et lundi) Lunch 350 – carte
env. 1300 – 27 ch ⊇ 1650/3200 – ½ P 2000/2500.

XX **De Meersbloem,** Polderstraat 3 (NE : 4,5 km direction Ruiselede, puis rte à gauche),
℘ (0 51) 40 25 01, Fax (0 51) 40 77 52, 龠, « Jardin » – ▤ ℗. ⒶⒺ ⓪ Ⓔ 𝖵𝖨𝖲𝖠
fermé mardi soir, merc. et 10 déc.-20 janv. – Repas Lunch 1100 – carte env. 1800.

X **Charlie's** 1ᵉʳ étage, Markt 3, ℘ (0 51) 40 10 37, Fax (0 51) 40 59 50 – ▤. ⒶⒺ ⓪ Ⓔ 𝖵𝖨𝖲𝖠
fermé lundi, merc. soir et 1 sem. en juil. – Repas Lunch 1100 – 2000 bc.

TIENEN (TIRLEMONT) 3300 Vlaams-Brabant 213 ⑳ et 409 H 3 – 31 634 h.
Voir Église N.-D.-au Lac★ (O.L. Vrouw-ten-Poelkerk) : portails★ ABY D.
Env. Hakendover par ② : 3 km, retable★ de l'église St-Sauveur (Kerk van de Goddelijke
Zaligmaker) – Zoutleeuw E : 15 km, Église St-Léonard★★ (St-Leonarduskerk) : intérieur★★
(musée d'art religieux, tabernacle★★).
🅱 Grote Markt 4 ℘ (0 16) 81 97 85, Fax (0 16) 82 30 71.
Bruxelles 46 ④ – Charleroi 60 ④ – Hasselt 35 ② – Liège 57 ④ – Namur 47 ④.

Plan page suivante

🏠 **Alpha,** Leuvensestraat 95, ℘ (0 16) 82 28 00, Fax (0 16) 82 24 54 – 🛗 🔟 ☎ ℗. ⒶⒺ Ⓔ
𝖵𝖨𝖲𝖠. ℅ rest   AY a
Repas (fermé sam., dim. et fin déc.-début janv.) Lunch 450 – carte 1000 à 1300 – ⊇ 275
– 18 ch 1950/2400 – ½ P 1850/3125.

XX **De Mene,** Broekstraat 9, ℘ (0 16) 82 10 01, Fax (0 16) 82 39 77, 龠, « Intérieur de style
baroque » – ℗. Ⓔ 𝖵𝖨𝖲𝖠 𝖩𝖢𝖡   AY c
fermé lundi, mardi, sam. midi, 2 dern. sem. juil. et prem. sem. janv. – Repas Lunch 1300 –
1750/2100.

XX **Vigiliae,** Grote Markt 10, ℘ (0 16) 81 77 03, Fax (0 16) 82 12 68, 龠, Ouvert jusqu'à
minuit – ▤. ⒶⒺ ⓪ Ⓔ 𝖵𝖨𝖲𝖠. ℅   AY n
fermé lundi et 2 dern. sem. juil.-prem. sem. août – Repas Lunch 750 – 1280.

XX **Parma 2000,** Grote Markt 40, ℘ (0 16) 81 68 55, Fax (0 16) 82 26 56, 龠, Avec cuisine
italienne, ouvert jusqu'à 23 h – ▤. ⒶⒺ ⓪ Ⓔ 𝖵𝖨𝖲𝖠. ℅   AY r
fermé merc. non fériés – Repas Lunch 895 – carte 1000 à 1300.

X **De Valgaer,** Veemarkt 34, ℘ (0 16) 82 12 53, Fax (0 16) 82 28 15, 龠, « Rustique »
– ⒶⒺ Ⓔ   BYZ d
fermé lundi, mardi, 1 sem. en mars et 3 sem. en sept. – Repas Lunch 1000 – carte env. 1300.

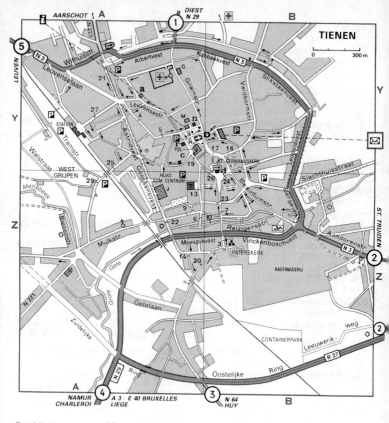

TIENEN

0   300 m

Beauduinstr.	**BZ**	Dr. Joseph Geensstr.	**AY** 5	O. L. V. Broedersstr.	**BY** 18		
Leuvensestr.	**AY**	Driemolenstr.	**AZ** 6	Potterijstr.	**AZ** 20		
Nieuwstr.	**BY** 17	Grote Bergstr.	**BZ** 7	Raeymaeckersvest	**AY** 21		
Peperstr.	**AY** 19	Grote Markt	**AY** 8	St. Helenavest	**AZ** 22		
Veemarkt	**BZ** 24	Hoegaardenstr.	**AZ** 9	Torsinpl.	**BZ** 23		
		Huidevettersstr.	**BZ** 10	Viaductstr.	**AY** 25		
Bostsestr.	**BZ** 3	Minderbroedersstr.	**AZ** 13	Wolmarkt	**BZ** 26		
Delportestr.	**AY** 4	Moespikstr.	**AZ** 14	4de Lansierslaan	**AY** 27		

BELGIQUE GRAND-DUCHÉ DE LUXEMBOURG
Un guide Vert Michelin

Paysages, monuments
Routes touristiques
Géographie
Histoire, Art
Plans de villes et de monuments

TILFF Liège **213** ② et **409** J 4 - ⑱ S – *voir à Liège, environs.*

TIRLEMONT *Vlaams-Brabant – voir Tienen.*

TONGEREN (TONGRES) *3700 Limburg* **213** ② *et* **409** *J 3 – 29 798 h.*

Voir *Basilique Notre-Dame*★★ *(O.L. Vrouwebasiliek) : trésor*★★*, retable*★*, statue polychrome*★ *de Notre-Dame, cloître*★ *Y.*

🛈 *Stadhuis, Stadhuisplein 9 ✆ (0 12) 39 02 55, Fax (0 12) 39 11 43.*
Bruxelles 87 ④ *– Maastricht 19* ② *– Hasselt 20* ⑤ *– Liège 19* ③.

TONGEREN

Grote Markt . . . . Y
Hasseltsestraat . . . . . . Y 12
Maastrichterstraat . . . . Y
St. Truidenstraat . . . . . Y 42

Achttiende-
  Oogstlaan . . . . Y 2
Clarissenstraat . . . . . . Y 4
Corversstraat . . . . YZ 5
Eeuwfeestwal . . . . Y 6
Elisabethwal . . . . Z 9
Hasseltsesteenweg . . . Y 14
Hondsstraat . . . . Y 15
Luikerstraat . . . . Z 17
Looierstraat . . . . Z 17
Minderbroederstraat . . Z 19
Moerenstraat . . . . Y 20
Momberstraat . . . . Z 23
Muntstraat . . . . Z 24
Nevenstraat . . . . Y 25
Piepelpoel . . . . Y 27
Pleinstraat . . . . Y 28
Pliniuswal . . . . Y 30
Predikherenstraat . . . . Y 31
Regulierenplein . . . . . . Z 34
Riddersstraat . . . . Y 35
de Schiervelstraat . . . . Y 37
St. Catharinastraat . . . Y 38
St. Jansstraat . . . . Z 39
St. Maternuswal . . . . . Y 41
Stationslaan . . . . Y 44
Vermeulenstraat . . . . . Y 46
11 Novemberlaan . . . . Y 47

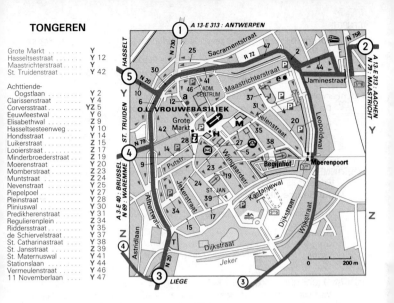

Ambiotel, Veemarkt 2, ℰ (0 12) 26 29 50, Fax (0 12) 26 15 42 – 📶 📺 ☎ 🅿 – ⚙ 25
à 50. 🆎 ⓞ ⋿ 𝚅𝙸𝚂𝙰. ⋙ rest   Y e
Repas (Taverne-rest, ouvert jusqu'à 23 h) 1200 – **22 ch** ⌫ 3100/3750 – ½ P 2400.

ⅩⅩⅩ **Biessenhuys,** Hemelingenstraat 23, ℰ (0 12) 23 47 09, Fax (0 12) 23 83 76, 😋,
« Demeure ancienne, jardin » – 🍽. 🆎 ⓞ ⋿ 𝚅𝙸𝚂𝙰. ⋙   Y a
fermé mardi soir, merc., 22 fév.-5 mars et 20 juil.-13 août – **Repas** Lunch 1450 –
1575/2150.

à 's-Herenelderen NE : 4 km par N 758, direction Mopertingen ⓒ Tongeren – ⊠ 3700 's-Herenelderen :

⌂ **Bavershof,** Elderenstraat 133, ℰ (0 12) 23 43 18, Fax (0 12) 39 25 18 – 🅿. ⋙
Repas (Taverne-rest, dîner seult sauf week-end) (fermé merc.) carte env. 900 – **9 ch**
⌫ 1400/2000 – ½ P 1395/1795.

à Vliermaal par ⑤ : 5 km ⓒ Kortessem 7 916 h. – ⊠ 3724 Vliermaal :

ⅩⅩⅩⅩ **Clos St. Denis** (Denis), Grimmertingenstraat 24, ℰ (0 12) 23 60 96, Fax (0 12) 26 32 07,
🕸🕸 « Ferme-château du 17ᵉ s., terrasse ombragée et jardin » – 🅿. 🆎 ⓞ ⋿ 𝚅𝙸𝚂𝙰. ⋙
fermé du 13 au 29 juil., 4 ct 5 nov., 23 déc.-5 janv., lundi et mardi – **Repas** Lunch 1750 –
3500/4500, carte 3000 à 3900
Spéc. Jarret de veau confit et foie de canard mariné aux truffes façon mille-feuille. Marbré
de foie d'oie et canard aux épices douces. Effilochée de crabe, mayonnaise et fondue de
tomates fraîches.

TORGNY Luxembourg belge 🔲🔲🔲 ⑪ et 🔲🔲🔲 J 7 – voir à Virton.

TORHOUT 8820 West-Vlaanderen 🔲🔲🔲 ② et 🔲🔲🔲 C 2 – 18 693 h.
🇧 Kasteel Ravenhof ℰ (0 50) 22 07 70, Fax (0 50) 22 05 80.
Bruxelles 107 – Brugge 23 – Oostende 25 – Roeselare 13.

🏠 **Kasteel d'Aertrycke** 🅼 ⌾, Zeeweg 42, ℰ (0 50) 22 01 24, Fax (0 50) 22 01 26, ≼,
« Château au milieu d'un parc avec étangs », 🌳 – ↔ 📺 ☎ 🅿 – ⚙ 25 à 60. 🆎 ⓞ
⋿ 𝚅𝙸𝚂𝙰. ⋙
Repas Lunch 1850 bc – carte 1500 à 2000 – **20 ch** ⌫ 3500/5300 – ½ P 5165/6815.

🏠 **Host. 't Gravenhof,** Oostendestraat 343 (NO : 3 km à Wijnendale), ℰ (0 50) 21 23 14,
Fax (0 50) 21 69 36, 😋, 🌳 – 🍽 rest, 📺 ☎ 🅿 – ⚙ 25 à 320. 🆎 ⓞ ⋿ 𝚅𝙸𝚂𝙰.
⋙ rest
Repas (fermé mardi, merc., sem. carnaval et sem. Toussaint) 950/2600 – **10 ch**
⌫ 2000/3000 – ½ P 2400/2900.

XX **Forum,** Rijksweg 42 (SO : 7 km sur N 35), *&* (0 51) 72 54 85, Fax (0 51) 72 63 57 – ▦
P. AE ⓪ E VISA
fermé lundi soir, mardi et du 15 au 31 août – **Repas** Lunch 700 – 950/1700.

X **De Zwaan,** Oostendestraat 3, *&* (0 50) 21 26 58, Fax (0 50) 22 15 50 – ▦ **P.** AE E VISA
fermé dim. soir, lundi et 28 juil.-13 août – **Repas** Lunch 400 – 850/1250.

à Lichtervelde S : 7 km – 8 156 h. – ⊠ 8810 Lichtervelde :

XXX **De Bietemolen,** Hogelaanstraat 3 (direction Ruddervoorde : 3 km à Groenhove),
& (0 50) 21 38 34, Fax (0 50) 22 07 60, ≤, 🌫, « Terrasse fleurie et jardin » – ▦ **P.**
AE ⓪ E VISA
fermé dim. soir, lundi, 3 dern. sem. août et 2 prem. sem. janv. – **Repas** Lunch 2000 bc –
2800 bc.

TOURINNES-ST-LAMBERT 1457 Brabant Wallon Ⓒ Walhain 5 163 h. **213** ⑲ et **409** H 4.
Bruxelles 43 – Namur 26 – Charleroi 39.

X **Au Beurre Blanc,** r. Nil 8, *&* (0 10) 65 03 65, Fax (0 10) 65 05 68 – **P.** AE ⓪
E VISA
fermé dim. soir, lundi et 1 sem. en août – **Repas** Lunch 925 – 1380.

Names of towns listed in the red Guides
are underlined in red on the Michelin Maps
(scale 1 : 200 000, 1 : 350 000 and 1 : 400 000).

TOURNAI (DOORNIK) 7500 Hainaut **213** ⑮ et **409** D 4 – 67 939 h.

Voir Cathédrale Notre-Dame★★★ : trésor★★ C – Pont des Trous★ : ≤★ AY – Beffroi★ C.
Musées : des Beaux-Arts★ (avec peintures anciennes★) C M² – d'histoire et d'archéologie :
sarcophage en plomb gallo-romain★ C M³.
Env. Mont-St-Aubert 🌲★ N : 6 km AY.
🛈 Vieux Marché-aux-Poteries 14 (au pied du Beffroi) *&* (0 69) 22 20 45, Fax (0 69)
21 62 21.
Bruxelles 86 ② – Mons 48 ② – Charleroi 93 ② – Gent 70 ⑥ – Lille 28 ⑥.

Plan page ci-contre

🏨 **Holiday Inn Garden Court,** pl. St-Pierre 2, *&* (0 69) 21 50 77, Fax (0 69) 21 50 78
– ▯ ✻ 🕿 – 🔏 25 à 200. AE ⓪ E VISA, ⅏ rest   C b
Repas (fermé sam. midi et dim. soir) Lunch 350 – 850 – ⊃ 375 – **59 ch** 2950 – ½ P 3875.

🏨 **d'Alcantara** Ⓜ ⍉ sans rest, r. Bouchers St-Jacques 2, *&* (0 69) 21 26 48, Fax (0 69)
21 28 24 – 📺 🕿 **P** – 🔏 40. AE ⓪ E VISA, ⍉   C d
15 ch ⊃ 2700/4200.

XXX **Le Carillon,** Grand'Place 64, *&* (0 69) 21 18 48, Fax (0 69) 21 33 79 – ▦. AE ⓪ E VISA
JCB   C r
fermé sam. midi, dim. soir, lundi et du 1er au 21 août – **Repas** Lunch 695 – 1100/2900.

XX **Charles-Quint,** Grand'Place 3, *&* (0 69) 22 14 41 – AE ⓪ E VISA JCB   C a
fermé du 19 au 26 mars, 10 juil.-3 août, merc. soir et jeudi – **Repas** Lunch 1100 – 1600.

XX **Le Pressoir,** Vieux Marché aux Poteries 2, *&* (0 69) 22 35 13, Fax (0 69) 22 35 13,
« Maison du 17e s. avec ≤ cathédrale » – AE ⓪ E VISA   C u
fermé 1 sem. carnaval et 3 dern. sem. août – **Repas** (déjeuner seult sauf vend. et sam.)
950 bc.

à Froyennes par ⑥ : 4 km Ⓒ Tournai – ⊠ 7503 Froyennes :

XX **l'Oustau du Vert Galant,** chaussée de Lannoy 106, *&* (0 69) 22 44 84, Fax (0 69)
23 54 46 – **P.** AE ⓪ E VISA
fermé sam. midi, dim. soir, lundi soir, mardi soir, merc. soir et 2 sem. en juil. – **Repas** Lunch
850 – carte env. 1600.

à Mont-St-Aubert N : 6 km par r. Viaduc AY Ⓒ Tournai – ⊠ 7542 Mont-St-Aubert :

XXX **Le Manoir de Saint-Aubert** ⍉ avec ch, r. Crupes 14, *&* (0 69) 21 21 63,
Fax (0 69) 84 27 05, 🌫, « Parc avec pièce d'eau » – 📺 🕿 **P.** AE E VISA.
⍉ ch
fermé dim. soir, lundi, 2e quinz. août et 1re quinz. janv. – **Repas** Lunch 990 – 2250 – **7 ch**
⊃ 2400/3600 – ½ P 2400/3100.

à Mourcourt par ① : 7 km Ⓒ Tournai – ⊠ 7543 Mourcourt :

XX **Le Rougefort,** r. Bardeau 2, *&* (0 69) 22 80 74, Fax (0 69) 22 80 74, ≤, 🌫, « Ancienne
ferme dominant la plaine tournaisienne » – **P.** AE ⓪ E VISA, ⍉
fermé merc. et vacances Noël – **Repas** 995.

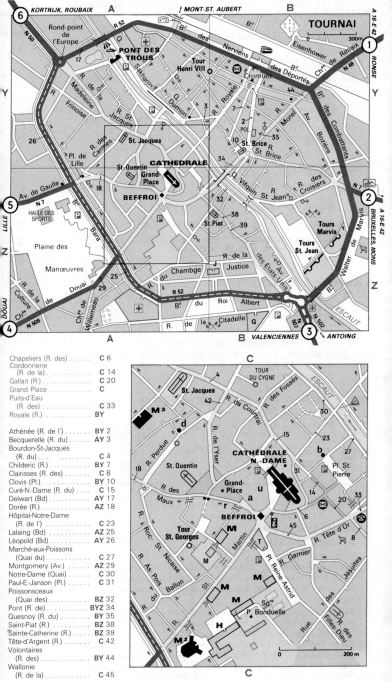

Chapeliers (R. des)	C 6
Cordonnerie (R. de la)	C 14
Gallait (R.)	C 20
Grand Place	C
Puits-d'Eau (R. des)	C 33
Royale (R.)	BY
Athénée (R. de l')	BY 2
Becquerelle (R. du)	AY 3
Bourdon-St-Jacques (R. du)	C 4
Childeric (R.)	BY 7
Clairisses (R. des)	C 8
Clovis (Pl.)	BY 10
Curé-N.-Dame (R. du)	C 15
Delwart (Bd)	AY 17
Dorée (R.)	AZ 18
Hôpital-Notre-Dame (R. de l')	C 23
Lalaing (Bd)	AZ 25
Léopold (Bd)	AY 26
Marché-aux-Poissons (Quai du)	C 27
Montgomery (Av.)	AZ 29
Notre-Dame (Quai)	C 30
Paul-E.-Janson (Pl.)	C 31
Poissonsceaux (Quai des)	BZ 32
Pont (R. de)	BYZ 34
Quesnoy (R. du)	BY 35
Saint-Piat (R.)	BZ 38
Sainte-Catherine (R.)	BZ 39
Tête-d'Argent (R.)	C 42
Volontaires (R. des)	BY 44
Wallonie (R. de la)	C 45

TOURNEPPE Vlaams-Brabant – voir Dworp à Bruxelles, environs.

TRANSINNE 6890 Luxembourg belge 🅲 Libin 4 231 h. 🔢 ⑯ et 🔢 I 6.

Voir *Euro Space Center★*.

Bruxelles 129 – Arlon 64 – Bouillon 28 – Dinant 44 – Namur 73.

🏨 **Host. du Wezerin** ⌕, r. Couvent 50, 𝄢 (0 61) 65 58 74, Fax (0 61) 65 57 92, ≤,
« Cadre champêtre » – 📺 ☎ 🅿. 🆎 🝏 𝖵𝖨𝖲𝖠. 🎀 rest
Repas 750/1700 – **12 ch** ⌑ 1750/2300.

🍴🍴 **La Barrière** avec ch, r. Barrière 2 (carrefour N 899 et N 40), 𝄢 (0 61) 65 50 37,
Fax (0 61) 65 55 32, ☞ – 📺 ☎ 🅿 – 🛎 25. 🆎 🝏 𝖤 𝖵𝖨𝖲𝖠. 🎀 rest
Repas (dîner seult sauf week-end) *(fermé dim. soir, lundi, 2e quinz. juin, 1re quinz. sept. et 2e quinz. déc.-1re quinz. janv.)* carte 1200 à 1850 – **14 ch** ⌑ 2625/3100 – ½ P 2415/3340.

TROIS-PONTS 4980 Liège 🔢 ⑧ et 🔢 K 4 – 2 269 h.

Exc. *Circuit des panoramas★*.

🅱 pl. Communale 10 𝄢 (0 80) 68 40 45.

Bruxelles 152 – Liège 54 – Stavelot 6.

à Basse-Bodeux SO : 4 km 🅲 Trois-Ponts – ✉ 4983 Basse-Bodeux :

🏠 **Aub. Père Boigelot**, r. Pèlerin 1, 𝄢 (0 80) 68 43 22, Fax (0 80) 68 43 22, ☞,
« Jardin » – ⌕ ☎ 🛗 🅿. 🆎 🝏 𝖤 𝖵𝖨𝖲𝖠. 🎀
fermé janv. – **Repas** *(fermé mardi hors saison et merc.)* 750/2300 – **10 ch** ⌑ 1900/2850
– ½ P 1950/2100.

à Haute-Bodeux SO : 7 km 🅲 Trois-Ponts – ✉ 4983 Haute-Bodeux :

🏠 **Host. Doux Repos** ⌕, 𝄢 (0 80) 68 42 07, Fax (0 80) 68 42 82, ≤, ☞, ☞ – 📺 ☎
🅿 🆎 🝏 𝖤 𝖵𝖨𝖲𝖠
fermé merc. et du 1er au 25 mars ; en janv.-fév. ouvert week-end seult – **Repas** Lunch 650
– 900/1600 – **15 ch** ⌑ 3100/3650 – ½ P 2200/2500.

à Wanne SE : 6 km 🅲 Trois-Ponts – ✉ 4980 Wanne :

🍴 **La Métairie**, Wanne 4, 𝄢 (0 80) 86 40 89, Fax (0 80) 86 40 89 – 🆎 🝏 𝖤 𝖵𝖨𝖲𝖠
fermé merc. midi hors saison, mardi, 1 sem. avant Pâques et fin sept.-début oct. – **Repas**
950.

TUBIZE (TUBEKE) 1480 Brabant Wallon 🔢 ⑱ et 🔢 F 3 – 21 268 h.

Bruxelles 24 – Charleroi 47 – Mons 36.

🍴 **Le Pivert**, r. Mons 183, 𝄢 (0 2) 355 29 02 – 🆎 🝏 𝖤 𝖵𝖨𝖲𝖠
fermé dim. soir, lundi soir, mardi et 22 juil.-14 août – **Repas** Lunch 525 – 850/1295.

à Oisquercq SE : 4 km 🅲 Tubize – ✉ 1480 Oisquercq :

🍴🍴 **La Petite Gayolle**, r. Bon Voisin 79, 𝄢 (0 67) 64 84 44, Fax (0 67) 64 82 16, ☞,
« Terrasse fleurie » – 🅿. 🝏 𝖤 𝖵𝖨𝖲𝖠
fermé dim. soir, lundi, jeudi soir et 1re quinz. sept. – **Repas** Lunch 900 – 1200/1700.

TURNHOUT *2300 Antwerpen* 212 ⑯ ⑰ et 409 H 2 – *38 467 h.*

à Oud-Turnhout SE : 4 km, Begijnenhoefstraat 11 ☎ (0 14) 45 05 09, Fax (0 14) 58 42 73.

Grote Markt 44 ☎ (0 14) 44 33 55, Fax (0 14) 44 33 54.

Bruxelles 84 – Antwerpen 45 – Breda 37 – Eindhoven 44 – Liège 99 – Tilburg 28.

Viane, Korte Vianenstraat 2, ☎ (0 14) 41 47 48, *Fax (0 14) 41 53 43* – rest, 25 à 580. AE E VISA. rest
Repas *(fermé dim.)* 850/1950 – 410 – **80 ch** 3055/3420 – ½ P 2310/3870.

Ter Driezen avec ch, Herentalsstraat 18, ☎ (0 14) 41 87 57, *Fax (0 14) 42 03 10*, « Terrasse » – AE E VISA. ch
fermé 3 dern. sem. juil. et fin déc. – **Repas** *(fermé sam. midi et dim.)* 1350/2230 – **10 ch** 2950/4150.

La Gondola, Patersstraat 9, ☎ (0 14) 42 43 81, *Fax (0 14) 43 87 00*, – AE E VISA
fermé sam. midi, dim., lundi midi, prem. sem. avril, prem. sem. sept. et prem. sem. janv. – **Repas** Lunch 999 – 1650/2190.

Boeket, Klein Engeland 67 (N : 5 km direction Breda), ☎ (0 14) 42 70 28, – AE E VISA
fermé merc., jeudi midi, sam. midi, 2 sem. en sept. et prem. sem. janv. – **Repas** *Lunch 900* – 1600.

d'Achterkeuken, Baron Fr. du Fourstraat 4 (Bloemekensgang), ☎ (0 14) 43 86 42, *Fax (0 14) 43 86 42*, – E VISA
fermé mardi – **Repas** carte env. 1200.

UCCLE (UKKEL) *Région de Bruxelles-Capitale* 213 ⑱ et 409 G 3 - ㉑ S – *voir à Bruxelles.*

VAALBEEK *Vlaams-Brabant* 213 ⑲ – *voir à Leuven.*

VARSENARE *West-Vlaanderen* 213 ② et 409 C 2 – *voir à Brugge, environs.*

VAUX-et-BORSET *Liège* 213 ㉑ et 409 I 4 – *voir à Villers-le-Bouillet.*

VELDWEZELT *Limburg* 213 ㉒ et 409 J 3 – *voir à Lanaken.*

VENCIMONT *5575 Namur* C *Gedinne 4 310 h.* 214 ⑮ et 409 H 5.

Bruxelles 129 – Bouillon 39 – Dinant 35.

Le Barbouillon, r. Grande 25, ☎ (0 61) 58 82 60, – E VISA
fermé 15 juin-3 juil., du 19 au 30 janv. et merc. non fériés sauf en juil.-août – **Repas** 1000/1900.

VERVIERS *4800 Liège* 213 ㉓ et 409 K 4 – *53 596 h.*

Musées : *des Beaux-Arts et de la Céramique★* D **M¹** – *d'Archéologie et de Folklore : dentelles★* D **M²**.

Env. *Barrage de la Gileppe★★, ≤★★ par ③ : 14 km.*

à Gomzé-Andoumont par ③ : 16 km, r. Gomzé 30 ☎ (0 4) 360 92 07, Fax (0 4) 360 92 06.

r. Xhavée 61 ☎ (0 87) 33 02 13.

Bruxelles 122 ④ – Liège 32 ④ – Aachen 36 ④.

Plan page suivante

Amigo , r. Herla 1, ☎ (0 87) 22 11 21, *Fax (0 87) 23 03 69*, – 25 à 80. AE E VISA — B a
Repas *Lunch 990* – carte env. 1400 – **49 ch** 4500/6200, 1 suite – ½ P 2840.

Le Château Peltzer, r. Grétry 1, ☎ (0 87) 23 09 70, *Fax (0 87) 23 08 71*, « Dans un parc centenaire » – AE E VISA. — B d
fermé du 1er au 22 janv. et dim. soirs, lundis et mardis non fériés – **Repas** 2350/3500.

à Heusy C *Verviers* – ✉ *4802 Heusy :*

La Toque d'Or, av. Nicolaï 43, ☎ (0 87) 22 11 11, *Fax (0 87) 22 94 59*, « Jardin » – AE E VISA — B u
fermé merc. soir et dim. soir – **Repas** *Lunch 1275* – 1500 bc (2 pers. min.)/2450.

La Croustade, r. Hodiamont 13 (par N 657), ☎ (0 87) 22 68 39, *Fax (0 87) 22 79 21*, « Jardin » – AE E VISA — B
fermé sam. midi, dim. soir, lundi, juil. et fin déc.-prem. sem. janv. – **Repas** 900/1900.

VERVIERS

Brou (R. du)	C 4
Crapaurue	D
Martyr (Pl. du)	C 28
Saint-Laurent (Pont)	C 37
Spintay (R.)	C
Verte (Pl.)	C
Anne de Molina (R.)	B 3
Carmes (R. des)	D 6
Chapelle (R. de la)	B 7
Chêne (Pont du)	C 8
Clément XIV (R.)	B 9
Coronmeuse (R.)	D 10
Déportés (R. des)	B 12
Fabriques (R. des)	B 15
Franchimont (R. de)	B 16
Franchimontois (R. des)	B 17
Grandjean (R.)	B 18
Grappe (R. de la)	B 19
Grétry (R.)	B 20
Harmonie (Av. de l')	B 22
Heid des Fawes	B 24
Lions (Pont aux)	D 25
Maçons (Quai des)	D 27
Namur (R. de)	C 29
Ortmans-Hauzeur (R.)	D 30
Palais de Justice (Pl. du)	D 31
Paroisse (R. de la)	D 33
Raines (R. des)	D 34
Récollets (Pont des)	D 36
Sommeville (Pl.)	D 39
Sommeville (Pont)	D 40
Théâtre (R. du)	C 42
Thier-Mère-Dieu (R.)	D 43
Tribunal (R. du)	D 45
Verviers (R. de)	B 46

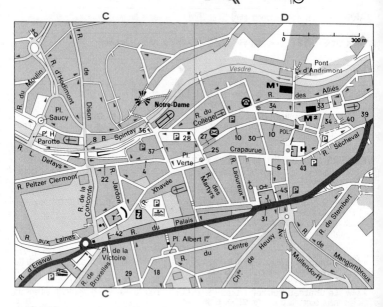

VEURNE (FURNES) *8630 West-Vlaanderen* 🔢 ① *et* 🔢 *B 2 – 11 519 h.*

Voir *Grand-Place★★ (Grote Markt) – Procession des Pénitents★★ (Boetprocessie) – Cuirs★ à l'intérieur de l'Hôtel de Ville (Stadhuis).*

Env. *E : Diksmuide, Tour de l'Yser (IJzertoren)* ⚹★.

🯄 *Grote Markt 29* ℘ *(0 58) 31 21 54, Fax (0 58) 31 55 93.*

Bruxelles 134 – Brugge 47 – Dunkerque 21 – Oostende 26.

🏨 **Croonhof** Ⓜ, Noordstraat 9, ℘ (0 58) 31 31 28, Fax (0 58) 31 56 81 – 📶 📺 ☎. ⒶⒺ ⓪
📧 ⓥⓘⓢⓐ
fermé du 12 au 27 nov. – **Repas** *(fermé dim. soir et lundi) Lunch 1000 –* 1250/1800 – **14 ch** ⊇ 2700/3500 – ½ P 2350/2750.

🏨 **Atrium,** Zwarte Nonnenstraat 19, ℘ (0 58) 31 68 68, Fax (0 58) 31 68 70, 🌤, « Ancienne demeure du peintre Paul Delvaux », 🛏 – 📶 📺 ☎. 📧 ⓥⓘⓢⓐ
fermé janv. – **Repas** *(fermé lundi et mardi midi) Lunch 990 –* 1350 – **6 ch** ⊇ 3200/3900 – ½ P 4550/4950.

🍴🍴 **Ibis,** Grote Markt 10, ℘ (0 58) 31 37 00 – ⒶⒺ ⓪ 📧 ⓥⓘⓢⓐ
🍴 *fermé mardi soir, merc., 21 fév.-7 mars et du 1ᵉʳ au 9 juil.* – **Repas** *Lunch 995 –* 650/1400.

à Beauvoorde *SO : 8 km* Ⓒ *Veurne –* ✉ *8630 Veurne :*

🍴🍴 **Driekoningen** avec ch, Wulveringemstraat 40, ℘ (0 58) 29 90 12, Fax (0 58) 29 80 22, 🌤 – 📺 ☎ 🅿 – 🔬 120. ⒶⒺ ⓪ 📧 ⓥⓘⓢⓐ
fermé du 8 au 18 juin – **Repas** *(fermé mardi soir et merc. sauf en juil.-août) Lunch 850 –* 1290/1850 – **5 ch** *(fermé merc. sauf en juil.-août)* ⊇ 1650/2250 – ½ P 1850/1950.

à Booitshoeke *NE : 5 km* Ⓒ *Veurne –* ✉ *8630 Booitshoeke :*

🍴 **Boikenshoc,** P.H. Scherpereelstraat 23, ℘ (0 58) 23 37 19, Fax (0 58) 24 24 96, 🌤 –
📧. 📧 ⓥⓘⓢⓐ
fermé du 1ᵉʳ au 15 juil., vacances Noël, merc. et jeudi – **Repas** 1500.

à Zoutenaaie *SE : 8 km* Ⓒ *Veurne –* ✉ *8630 Zoutenaaie :*

🍴 **Zoutenaaie,** Zoutenaaiestraat 15, ℘ (0 51) 55 51 00, Fax (0 51) 55 58 88, ≤, 🌤, « Cadre champêtre » – 🅿. ⒶⒺ 📧 ⓥⓘⓢⓐ
fermé lundi, prem. sem. fév. et du 7 au 16 déc. – **Repas** 900/1700.

VICHTE *8570 West-Vlaanderen* Ⓒ *Anzegem 13 449 h.* 🔢 ⑮ *et* 🔢 *D 3.*
Bruxelles 83 – Brugge 49 – Gent 38 – Kortrijk 11 – Lille 37.

🏠 **Rembrandt,** Oudenaardestraat 22, ℘ (0 56) 77 73 55, Fax (0 56) 77 57 04, 🛏 – 📺 ☎ 🅿 – 🔬 25 à 280. ⒶⒺ 📧 ⓥⓘⓢⓐ. 🍸
fermé dim. soir et du 1ᵉʳ au 15 août – **Repas** *Lunch 450 –* carte env. 1300 – **17 ch** ⊇ 1800/3000.

VIELSALM *6690 Luxembourg belge* 🔢 ⑧ *et* 🔢 *K 5 – 7 032 h.*
🯄 *Pavillon d'accueil, r. Chasseurs Ardennais 1* ℘ *(0 80) 21 50 52, Fax (0 80) 21 74 62.*
Bruxelles 171 – Arlon 86 – Clervaux 40 – Malmédy 28.

🏨 **Belle Vue,** r. Jean Bertholet 5, ℘ (0 80) 21 62 61, Fax (0 80) 21 62 01, ≤ lac, 🛏 – 📺
🍴 ☎. ⒶⒺ ⓪ 📧 ⓥⓘⓢⓐ
fermé 30 juin-12 juil., 26 août-12 sept, 31 déc.-15 janv. et dim. soir et lundi sauf vacances scolaires – **Repas** *– 850/1495 –* **14 ch** ⊇ 1700/2250 – ½ P 1800/1900.

à Baraque de Fraiture *O : 15 km* Ⓒ *Vielsalm –* ✉ *6690 Vielsalm :*

🏠 **Aub. du Carrefour,** rte de Liège 42, ℘ (0 80) 41 87 47, Fax (0 80) 41 88 60, 🛏 –
🍴 📺 🅿 – 🔬 25. ⒶⒺ 📧 ⓥⓘⓢⓐ
fermé du 15 au 25 sept., du 14 au 30 avril et merc. non fériés sauf en juil.-août – **Repas** *(fermé mardis soirs et merc. non fériés sauf en juil.-août) Lunch 480 –* 850 – ⊇ 200 – **15 ch** 1000/2200 – ½ P 1550/1650.

à Grand-Halleux *N : 5 km* Ⓒ *Vielsalm –* ✉ *6698 Grand-Halleux :*

🏨 **Host. Les Linaigrettes,** Rocher de Hourt 60, ℘ (0 80) 21 59 68, Fax (0 80) 21 46 64, 🌤, « Terrasse au bord de la Salm » – 📺 ☎ 🅿 – 🔬 25. 🍸
fermé 1ʳᵉ quinz. juin, 1ʳᵉ quinz. sept. et merc. et jeudi sauf en juil.-août – **Repas** *Lunch 650 – 850/2300 –* **9 ch** ⊇ 2100/3800 – ½ P 2200/2750.

🍴 **L'Écurie,** av. de la Résistance 30, ℘ (0 80) 21 59 54, Fax (0 80) 21 76 43, ≤, 🌤, Avec cuisine italienne, ouvert jusqu'à 23 h – 🅿 ⒶⒺ ⓪ 📧 ⓥⓘⓢⓐ
fermé prem. sem. sept. et lundis et mardis midis non fériés sauf vacances scolaires – **Repas** carte 1000 à 1450.

à Hébronval O : 10 km © Vielsalm – ⊠ 6690 Vielsalm :

🏨 **Le Val d'Hébron,** Hébronval 10, ✆ (0 80) 41 88 73, Fax (0 80) 41 80 73, ☞ – 📺 ☎
⊕ **ℙ** – 🍴 25 à 40. 🆑 ⓪ 🇪 𝑽𝑰𝑺𝑨, ⅏ rest
fermé 18 août-2 sept. – **Repas** *(fermé mardi)* Lunch 700 – 980/1500 – 🖙 250 – **12 ch**
1100/1700 – ½ P 1700.

à Salmchâteau S : 2 km © Vielsalm – ⊠ 6690 Vielsalm :

🏨 **Résidence du Vieux Moulin** ॐ, rte de Cierreux 41 (sur N 68), ✆ (0 80) 21 68 45,
Fax (0 80) 21 58 79, 🍴, ☞ – 📺 ☎ ℙ. 🆑 ⓪ 🇪 𝑽𝑰𝑺𝑨
fermé 2 sem. en sept. et 2 sem. en janv. – **Repas** *(fermé mardi soir et merc.)* carte 1000
à 1650 – **11 ch** 🖙 1700/2830 – ½ P 1980/2080.

VIERVES-SUR-VIROIN 5670 Namur © Viroinval 5 688 h. 𝟤𝟣𝟦 ⑭ et 𝟦𝟢𝟫 G 5.
Bruxelles 121 – Charleroi 59 – Chimay 26 – Dinant 35 – Namur 65 – Charleville-Mézières 56.

🏠 **La Bergerie 1880,** r. Centre 2, ✆ (0 60) 39 00 62, Fax (0 60) 39 06 49, ☞
Repas *(résidents seult)* – **10 ch** 🖙 810/1450.

VIEUXVILLE 4190 Liège © Ferrières 4 029 h. 𝟤𝟣𝟦 ⑦ et 𝟦𝟢𝟫 J 4.
🛈 r. Bouverie 1 ✆ (0 86) 21 30 88.
Bruxelles 120 – Liège 42 – Marche-en-Famenne 27 – Spa 30.

🏨 **Château de Palogne** ॐ sans rest, rte du Palogne 3, ✆ (0 86) 21 38 74, Fax (0 86)
21 38 76, « Demeure ancienne, parc », ☞ – 📺 ☎ ℙ. 🆑 ⓪ 🇪 𝑽𝑰𝑺𝑨 𝗝𝗖𝗕
🖙 390 – **11 ch** 2500/3600.

🏠 **Le Lido** ॐ, r. Logne 8, ✆ (0 86) 21 13 67, Fax (0 86) 21 34 22, ≤, 🍴, 🏊, ☞ – ☎
ℙ. 🆑 ⓪ 🇪 𝑽𝑰𝑺𝑨
fermé 2ᵉ quinz. sept., 2ᵉ quinz. janv. et merc. et jeudis non fériés sauf vacances scolaires
– **Repas** Lunch 670 – carte env. 1000 – **13 ch** 🖙 1800/2400 – ½ P 1920.

🏠 **Au Chalet,** rte des Fagnes 2 (NE : 3 km, lieu-dit Ville), ✆ (0 86) 40 03 35,
⇔ Fax (0 86) 21 36 03, ≤ – 📺 ☎ ℙ. 🆑 ⓪ 🇪 𝑽𝑰𝑺𝑨, ⅏ ch
Repas *(fermé lundis et mardis non fériés, 2ᵉ quinz. sept. et après 20 h)* 500/1000 – **8 ch**
(fermé lundis non fériés et 2ᵉ quinz. sept.) 🖙 1500/1900 – ½ P 1450/1850.

🍴🍴 **Au Vieux Logis,** rte de Logne 1, ✆ (0 86) 21 14 60, Fax (0 86) 21 14 60 – ℙ. 🆑 ⓪
🇪 𝑽𝑰𝑺𝑨
fermé 1 sem. carnaval, fin août-début sept., 1 sem. en janv. et mardis et merc. non fériés
– **Repas** Lunch 1250 – 1550/2150.

VILLERS-LA-VILLE 1495 Brabant Wallon 𝟤𝟣𝟥 ⑲ et 𝟦𝟢𝟫 G 4 – 8 821 h.
Voir Ruines de l'abbaye★★.
🛈 r. Châtelet 62 ✆ (0 71) 87 77 65, Fax (0 71) 87 77 83 – 🛈 à Sart-Dames-Avelines SO :
3 km, r. Jumerée 1 ✆ (0 71) 87 72 67, Fax (0 71) 87 72 67.
Bruxelles 36 – Charleroi 28 – Namur 33.

🍴🍴 **des Ruines,** r. Abbaye 55, ✆ (0 71) 87 70 57, Fax (0 71) 87 70 57 – ℙ. 🆑 ⓪ 🇪 𝑽𝑰𝑺𝑨
fermé lundis et mardis non fériés et sem. carnaval – **Repas** Lunch 650 – carte env. 1700.

VILLERS-LE-BOUILLET 4530 Liège 𝟤𝟣𝟥 ㉑ et 𝟦𝟢𝟫 I 4 – 5 267 h.
Bruxelles 86 – Namur 37 – Huy 8 – Liège 25.

à Vaux-et-Borset N : 5 km sur N 65 © Villers-le-Bouillet – ⊠ 4530 Vaux-et-Borset :

🍴 **Le Grandgagnage,** pl. de l'Église 5, ✆ (0 19) 56 70 18 – 🆑 ⓪ 🇪 𝑽𝑰𝑺𝑨
fermé merc. – **Repas** carte env. 1100.

VILLERS-SUR-LESSE 5580 Namur © Rochefort 11 614 h. 𝟤𝟣𝟦 ⑥ et 𝟦𝟢𝟫 I 5.
Bruxelles 115 – Namur 54 – Dinant 25 – Rochefort 9.

🏛 **Beau Séjour** ॐ, r. Platanes 16, ✆ (0 84) 37 71 15, Fax (0 84) 37 81 34, ≤, 🍴, « Jardin
fleuri », 🏊 – 📺 ☎ ℙ – 🍴 25. 🆑 ⓪ 🇪 𝑽𝑰𝑺𝑨
fermé 15 janv.-15 mars, du 15 au 18 sept. et lundi soir et mardi sauf en juil.-août – **Repas**
Lunch 1100 – 1500/1750 – 🖙 280 – **18 ch** 2800/3950 – ½ P 3150/3800.

🏨 **Château de Vignée,** r. Montainpré 27 (O : 3,5 km près E 411 sortie 22, lieu-dit Vignée),
✆ (0 84) 37 84 05, Fax (0 84) 37 84 26, 🍴, « Dans un parc avec terrasse ≤ Lesse et
campagne », ⇔ॐ, ☞ – 📺 ☎ ⇦ ℙ – 🍴 50. 🆑 🇪 𝑽𝑰𝑺𝑨
fermé lundi soir, mardi et du 15 au 31 janv. – **Repas** 980/1600 – 🖙 300 – **7 ch** 3000/4600,
2 suites – ½ P 3450.

VILVOORDE (VILVORDE) Vlaams-Brabant 𝟤𝟣𝟥 ⑦ et 𝟦𝟢𝟫 G 3 - ㉒ N – voir à Bruxelles, environs.

VIRELLES Hainaut 👃👃 ③ et 👃👃 F 5 – voir à Chimay.

VIRTON 6760 Luxembourg belge 👃👃 ⑪ et 👃👃 J 7 – 10 996 h.
  🅱 Pavillon, r. Grasses Oies 2b ℰ (0 63) 57 89 04, Fax (0 63) 57 71 14.
  Bruxelles 221 – Arlon 29 – Longwy 32 – Montmédy 15.

  XX **Le Franc Gourmet,** r. Roche 13, ℰ (0 63) 57 01 36, Fax (0 63) 58 17 19, 🍴 – 🆎 ⓞ
  🗄 𝗩𝗜𝗦𝗔
  fermé dim. soir, lundi et du 21 au 29 fév. – **Repas** 900.

à Latour E : 4 km ⓒ Virton – ⊠ 6761 Latour :

  🏠 **Le Château de Latour** ⑤, r. 24 Août, ℰ (0 63) 57 83 52, Fax (0 63) 57 83 52, ≼,
  🍴, « Dans les ruines d'une demeure ancienne » – 📺 ☎ 🅿. 🆎 ⓞ 🗄 𝗩𝗜𝗦𝗔. ⅝ rest
  Repas (fermé merc., 26 août-4 sept. et du 2 au 31 janv.) Lunch 800 – 850/1850 – 🖙 250
  – **7 ch** 1800/2000 – ½ P 2800/4050.

à Torgny S : 6 km ⓒ Rouvroy 1875 h. – ⊠ 6767 Torgny :

  XX **Aub. de la Grappe d'Or** (Boulanger) ⑤, avec ch, r. Ermitage 18, ℰ (0 63) 57 70 56,
  ⊠ Fax (0 63) 57 03 44, « Maison du 19ᵉ s. dans un village gaumais typique », 🌳 – 🍽 rest,
  📺 ☎ 🅿. 🆎 ⓞ 🗄 𝗩𝗜𝗦𝗔. ⅝ rest
  fermé dim. soir, lundi, dern. sem. janv.-prem. sem. fév. et dern. sem. août-prem. sem. sept.
  – **Repas** Lunch 1450 bc – 1650/2500, carte 2100 à 2400 – **10 ch** 🖙 2850/4000 –
  ½ P 3200/3900
  Spéc. Coulis de pois frais et émincé de foie gras de canard à la vinaigrette de jus de viande.
  Ris de veau en mille-feuille de foie gras et pied de porc fumé. Banane cloutée à la vanille,
  rôtie et crème au Rhum.

VLIERMAAL Limburg 👃👃 ㉒ et 👃👃 J 3 – voir à Tongeren.

VLISSEGEM West-Vlaanderen 👃👃 ② et 👃👃 C 2 – voir à De Haan.

VORST Brussels Hoofdstedelijk Gewest – voir Forest à Bruxelles.

VRESSE-SUR-SEMOIS 5550 Namur 👃👃 ⑮ et 👃👃 H 6 – 2 753 h.
  Env. NE : Gorges du Petit Fays★ – Route de Membre à Gedinne ≼★★ sur "Jambon de la
  Semois" : 6,5 km.
  🅱 r. Albert Raty 112 ℰ (0 61) 50 08 27.
  Bruxelles 154 – Namur 95 – Bouillon 27 – Charleville-Mézières 30.

  🏠 **Le Relais,** r. Albert Raty 72, ℰ (0 61) 50 00 46, Fax (0 61) 50 02 26, 🍴, ⊜s, 🌳 –
  ⊜ 🍽 rest, 📺 ☎ 🅿. 🆎 ⓞ 🗄 𝗩𝗜𝗦𝗔
  avril-déc. – **Repas** (fermé merc. et jeudi sauf en juil.-août et après 20 h 30) Lunch 720 –
  890/1500 – **21 ch** 🖙 1500/2200 – ½ P 1350/1550.

  XX **Pont St. Lambert** avec ch, r. Ruisseau 8, ℰ (0 61) 50 04 49, Fax (0 61) 50 16 93, ≼,
  ⅝ – 🆎 ⓞ 🗄 𝗩𝗜𝗦𝗔. ⅝ rest
  fermé avril, 21 sept.-2 oct. et mardi soir et merc. sauf en juil.-août – **Repas** (fermé après
  20 h 30) Lunch 650 – 990/1390 – **7 ch** 🖙 1200/1900 – ½ P 1300/1850.

à Laforêt S : 2 km ⓒ Vresse-sur-Semois – ⊠ 5550 Laforêt :

  🏠 **Aub. du Moulin Simonis** ⑤, rte de Charleville 42 (sur N 935), ℰ (0 61) 50 00 81,
  ⊜ Fax (0 61) 50 17 41, « Environnement boisé », 🌳 – 🅿. 🗄 𝗩𝗜𝗦𝗔. ⅝ rest
  fermé 2 prem. sem. sept. et merc. hors saison – **Repas** (fermé après 20 h 30) 650/1250
  – **10 ch** 🖙 1800/2100 – ½ P 1600/1650.

à Membre S : 3 km ⓒ Vresse-sur-Semois – ⊠ 5550 Membre :

  🏠 **Des Roches,** rte de Vresse 93, ℰ (0 61) 50 00 51, Fax (0 61) 50 20 67 – ☎ 🅿. 🗄 𝗩𝗜𝗦𝗔.
  ⊜ ⅝
  fermé janv.-carnaval, dern. sem. sept. et merc. hors saison – **Repas** (fermé après 20 h 30)
  750/1250 – **14 ch** 🖙 1500/2000 – ½ P 1600/1700.

VROENHOVEN 3770 Limburg ⓒ Riemst 15 281 h. 👃👃 ㉒ et 👃👃 K 3.
  Bruxelles 106 – Maastricht 6 – Hasselt 37 – Liège 26 – Aachen 42.

  XX **Mary Wong,** Maastrichtersteenweg 242, ℰ (0 12) 45 57 57, Fax (0 12) 45 72 90, 🍴,
  Cuisine chinoise, ouvert jusqu'à 23 h – 🆎 ⓞ 🗄 𝗩𝗜𝗦𝗔
  fermé merc. et 24 août-2 sept. – **Repas** (dîner seult sauf dim.) 890.

VUCHT Limburg 🔲🔲🔲 ⑩ ⑪ – voir à Maasmechelen.

WAARDAMME West-Vlaanderen 🔲🔲🔲 ③ et 🔲🔲🔲 C 2 – voir à Brugge, environs.

WAARMAARDE 8581 West-Vlaanderen 🅒 Avelgem 9 113 h. 🔲🔲🔲 ⑮ et 🔲🔲🔲 D 4.
  Bruxelles 64 – Gent 42 – Kortrijk 24 – Tournai 26.

XXX **De Gouden Klokke,** Trappelstraat 25, ℘ (0 55) 38 85 60, Fax (0 55) 38 79 29, 🌧 –
  🅿. 🆎 ⓞ 🇪 VISA. 🛇
  fermé dim. soir, lundi, mardi soir, sem. carnaval et 17 août-4 sept. – **Repas** Lunch 1100 –
  1750.

WAASMUNSTER 9250 Oost-Vlaanderen 🔲🔲🔲 ⑤ et 🔲🔲🔲 F 2 – 9 899 h.
  Bruxelles 39 – Antwerpen 31 – Gent 31.

XXX **Zilverberk,** Veldstraat 32 (E : 2 km, lieu-dit Sombeke), ℘ (0 52) 46 16 47,
  Fax (0 52) 46 13 61, 🌧 – 🅿 – 🔏 35. 🆎 ⓞ 🇪 VISA
  fermé dim. soir, lundi, merc. soir, sem. carnaval et 2e quinz. juil.-prem. sem. août – **Repas**
  Lunch 1130 – 1250/2100.

XXX **Pichet,** Belselestraat 4 (sur E 17, sortie ⑬), ℘ (0 52) 46 00 29, Fax (0 52) 46 34 59, 🌧
  – 🆎 ⓞ 🇪 VISA
  fermé lundi soir, mardi, sam. midi et 17 août-10 sept. – **Repas** Lunch 1150 – 2200.

XX **De Snip** (De Wolf), Schrijberg 122 (carrefour N 446 et N 70), ℘ (0 3) 772 20 81,
🛇 Fax (0 3) 722 06 95, 🌧, « Villa avec terrasse et pièce d'eau » – 🅿. 🆎 ⓞ
  🇪 VISA
  fermé sam. midi, dim. soir, lundi, 30 mars-9 avril, du 12 au 31 juil. et 22 déc.-4 janv. – **Repas**
  Lunch 1300 – 2100/2600 bc, carte 2000 à 2600
  Spéc. Croustillant de pied de porc aux champignons et artichauts. Rognon de veau à la
  saveur balsamique. Gibiers en saison.

WAIMES (WEISMES) 4950 Liège 🔲🔲🔲 ⑨ et 🔲🔲🔲 L 4 – 6 300 h.
  Bruxelles 164 – Liège 65 – Malmédy 8 – Spa 27.

🏠 **Hotleu,** r. Hottleux 106 (O : 2 km), ℘ (0 80) 67 97 05, Fax (0 80) 67 84 62, 🌧, « Terrasse
  ≤ vallée », 🛋, 🌧, 🛇 – 📺 🕾 🅿 – 🔏 25 à 80. 🇪 VISA. 🛇
  fermé mardi soir, merc. et dern. sem. juin-prem. sem. juil. – **Repas** Lunch 900 – carte 1100
  à 1600 – **12 ch** 🖙 1550/2900 – ½ P 1950/3150.

XX **Cyrano** avec ch, r. Chanteraine 11, ℘ (0 80) 67 99 89, Fax (0 80) 67 83 85, 🌧, 🛋 –
  📺 🕾 🅿 – 🔏 25 à 120. 🆎 🇪 VISA. 🛇 rest
  fermé 2e sem. après Pâques – **Repas** (fermé merc. sauf vacances scolaires) Lunch 990 – carte
  env. 1700 – **10 ch** 🖙 1600/3600 – ½ P 2490/3000.

X **Aub. de la Warchenne** avec ch, r. Centre 20, ℘ (0 80) 67 93 63, Fax (0 80) 67 84 59
🛇 – 📺 🕾 🅿. 🆎 ⓞ 🇪 VISA
  fermé merc. et fin juin-début juil. – **Repas** (fermé après 20 h 30) 750/1295 – 🖙 250 –
  7 ch 1195/1995 – ½ P 1650.

à Faymonville E : 2 km 🅒 Waimes – 🖂 4950 Faymonville :

XXX **Au Vieux Sultan** 🛇 avec ch, r. Wemmel 12, ℘ (0 80) 67 91 97, Fax (0 80) 67 81 28,
  🌧 – 🗏 rest, 📺 🕾 🅿 – 🔏 30. 🆎 ⓞ 🇪 VISA. 🛇 rest
  fermé 29 juin-11 juil. et du 15 au 25 déc. – **Repas** (fermé dim. soir du 15 nov. à Pâques
  et lundi) Lunch 850 – 1100/1750 – **8 ch** (fermé lundi) 🖙 1500/2500 – ½ P 1900/
  2200.

WALCOURT 5650 Namur 🔲🔲🔲 ③ et 🔲🔲🔲 G 5 – 16 405 h.
  Voir Basilique St-Materne★ : jubé★, trésor★.
  Env. Barrage de l'Eau d'Heure★, Barrage de la Plate Taille★ S : 6 km.
  🅱 Grand'Place 25 ℘ (0 71) 61 25 26.
  Bruxelles 81 – Namur 53 – Charleroi 21 – Dinant 43 – Maubeuge 44.

XX **Host. Dispa** 🛇 avec ch, r. Jardinet 7, ℘ (0 71) 61 14 23, Fax (0 71) 61 11 04, 🌧,
  « Jardin d'hiver » – 📺 🕾 🅿. 🆎 ⓞ 🇪 VISA. 🛇 ch
  fermé mardi soir et jeudi soir sauf en juil.-août, merc., 15 fév.-15 mars, 1 sem. fin juin et
  1 sem. fin sept. – **Repas** 890/1980 – **6 ch** 🖙 1900/2900 – ½ P 2500.

WANNE Liège 🔲🔲🔲 ⑧ et 🔲🔲🔲 K 4 – voir à Trois-Ponts.

**Le pneu
fait Homme
(1898)**

BIBENDUM
a cent ans !

Témoin de son temps...

**Il n'a
jamais été
aussi jeune !**

Pas de roue sans
BIBENDUM

Du vélo...

...à la
navette spatiale!

Au service de tous ceux qui roulent.

BIBENDUM
sans frontières...

Il fait avancer le monde !

LE GUIDE MICHELIN
DU PNEUMATIQUE

MICHELIN®

Qu'est-ce qu'un pneu ?

Produit de haute technologie, le pneu constitue le seul point de liaison de la voiture avec le sol. Ce contact correspond, pour une roue, à une surface équivalente à celle d'une carte postale. Le pneu doit donc se contenter de ces quelques centimètres carrés de gomme au sol pour remplir un grand nombre de tâches souvent contradictoires :

Porter le véhicule à l'arrêt, mais aussi résister aux transferts de charge considérables à l'accélération et au freinage.

Transmettre la puissance utile du moteur, les efforts au freinage et en courbe.

Rouler régulièrement, plus sûrement, plus longtemps pour un plus grand plaisir de conduire.

Guider le véhicule avec précision, quels que soient l'état du sol et les conditions climatiques.

Amortir les irrégularités de la route, en assurant le confort du conducteur et des passagers ainsi que la longévité du véhicule.

Durer, c'est-à-dire, garder au meilleur niveau ses performances pendant des millions de tours de roue.

Afin de vous permettre d'exploiter au mieux toutes les qualités de vos pneumatiques, nous vous proposons de lire attentivement les informations et les conseils qui suivent.

*le pneu est le seul
point de liaison de
la voiture avec le sol*

Comment lit-on
un pneu ?

① «Bib» repérant l'emplacement de l'indicateur d'usure.

② Marque enregistrée.

③ Largeur du pneu : ≈ 175 mm.

④ Série du pneu H/S : 70.

⑤ Structure : R (radial).

⑥ Diamètre intérieur : 13 pouces (correspondant à celui de la jante).

⑦ Pneu : MXT.

⑧ Indice de charge : 82 (475 kg).

⑨ Code de vitesse : T (190 km/h).

⑩ Pneu sans chambre : Tubeless.

⑪ Marque enregistrée.

Codes de vitesse
maximum :

Q	160 km/h
R	170 km/h
S	180 km/h
T	190 km/h
H	210 km/h
V	240 km/h
W	270 km/h
ZR	supérieure à 240 km/h.

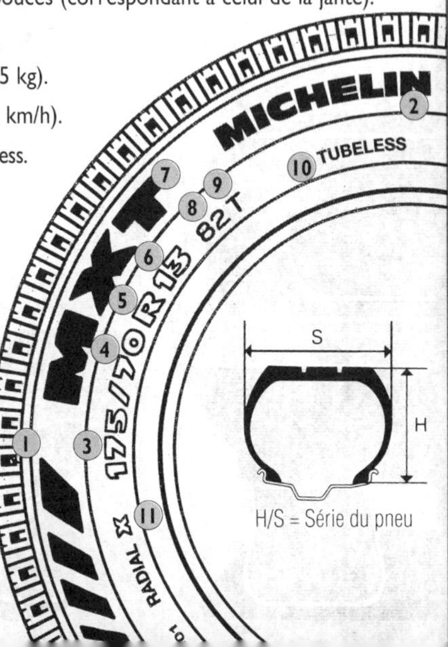

H/S = Série du pneu

Pourquoi vérifier la pression de vos pneus ?

Pour exploiter au mieux leurs performances et assurer votre sécurité.

Contrôlez la pression de vos pneus, sans oublier la roue de secours, dans de bonnes conditions :

Un pneu perd régulièrement de la pression. Les pneus doivent être contrôlés, une fois toutes les 2 semaines, à froid, c'est-à-dire une heure au moins après l'arrêt de la voiture ou après avoir parcouru 2 à 3 kilomètres à faible allure.

En roulage, la pression augmente ; ne dégonflez donc jamais un pneu qui vient de rouler : considérez que, pour être correcte, sa pression doit être au moins supérieure de 0,3 bar à celle préconisée à froid.

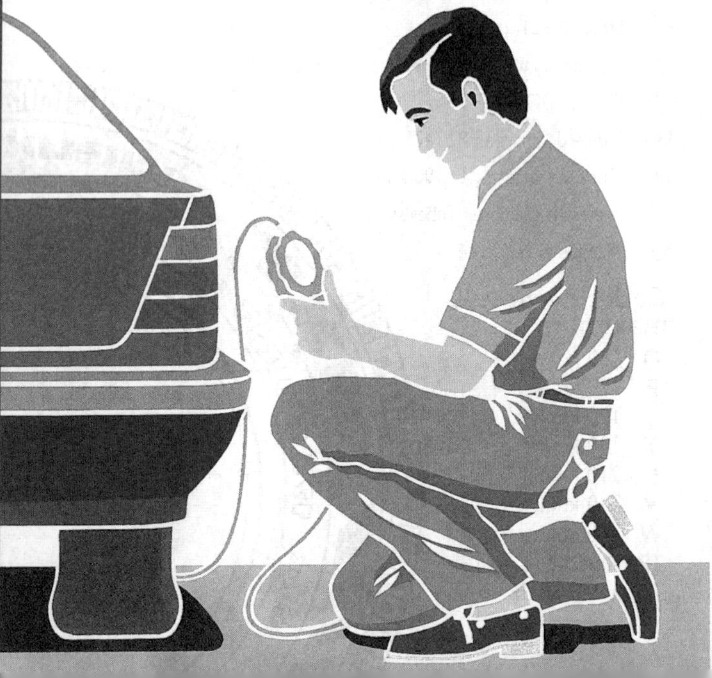

Le surgonflage : si vous devez effectuer un long trajet à vitesse soutenue, ou si la charge de votre voiture est particulièrement importante, il est généralement conseillé de majorer la pression de vos pneus. Attention : l'écart de pression avant-arrière nécessaire à l'équilibre du véhicule doit être impérativement respecté. Consultez les tableaux de gonflage Michelin chez tous les professionnels de l'automobile et chez les spécialistes du pneu, et n'hésitez pas à leur demander conseil.

Le sous-gonflage : lorsque la pression de gonflage est insuffisante, les flancs du pneu travaillent anormalement, ce qui entraîne une fatigue excessive de la carcasse, une élévation de température et une usure anormale.  Le pneu subit alors des dommages irréversibles qui peuvent entraîner sa destruction immédiate ou future. En cas de perte de pression, il est impératif de consulter un spécialiste qui en recherchera la cause et jugera de la réparation éventuelle à effectuer.

Le bouchon de valve : en apparence, il s'agit d'un détail ; c'est pourtant un élément essentiel de l'étanchéité. Aussi, n'oubliez pas de le remettre en place après vérification de la pression, en vous assurant de sa parfaite propreté.

Voiture tractant caravane, bateau... Dans ce cas particulier, il ne faut jamais oublier que le poids de la remorque accroît la charge du véhicule. Il est donc nécessaire d'augmenter la pression des pneus arrière de votre voiture, en vous conformant aux indications des tableaux de gonflage Michelin. Pour de plus amples renseignements, demandez conseil à votre revendeur de pneumatiques, c'est un véritable spécialiste.

Vérifiez la pression de vos pneus régulièrement et avant chaque voyage.

Comment faire durer vos pneus ?

Afin de préserver longtemps les qualités de vos pneus, il est impératif de les faire contrôler régulièrement, et avant chaque grand voyage. Il faut savoir que la durée de vie d'un pneu peut varier dans un rapport de 1 à 4, et parfois plus, selon son entretien, l'état du véhicule, le style de conduite et l'état des routes ! L'ensemble roue-pneumatique doit être parfaitement équilibré pour éviter les vibrations qui peuvent apparaître à partir d'une certaine vitesse. Pour supprimer ces vibrations et leurs désagréments, vous confierez l'équilibrage à un professionnel du pneumatique car cette opération nécessite un savoir-faire et un outillage très spécialisé.

Les facteurs qui influent sur l'usure et la durée de vie de vos pneumatiques :
les caractéristiques du véhicule (poids, puissance...), le profil des routes (rectilignes, sinueuses), le revêtement (granulométrie : sol lisse ou rugueux), l'état mécanique du véhicule (réglage des trains avant, arrière, état des suspensions et des freins...), le style de conduite (accélérations, freinages, vitesse de passage en courbe...), la vitesse (en ligne droite à 120 km/h un pneu s'use deux fois plus vite qu'à 70 km/h), la pression des pneumatiques (si elle est incorrecte, les pneus s'useront beaucoup plus vite et de manière irrégulière).

D'autres événements de nature accidentelle (chocs contre trottoirs, nids de poule...), en plus du risque de déréglage et de détérioration de certains éléments du véhicule, peuvent provoquer des dommages internes au pneumatique dont les conséquences ne se manifesteront parfois que bien plus tard. Un contrôle régulier de vos pneus vous permettra donc de détecter puis de corriger rapidement les anomalies (usure anormale, perte de pression...). A la moindre alerte, adressez-vous immédiatement à un revendeur spécialiste qui interviendra pour préserver les qualités de vos pneus, votre confort et votre sécurité.

Surveillez l'usure de vos pneumatiques :
comment ? Tout simplement en observant la profondeur
de la sculpture. C'est un facteur de sécurité, en particulier
sur sol mouillé. Tous les pneus possèdent des indicateurs
d'usure de 1,6 mm d'épaisseur. Ces indicateurs sont repé-
rés par un Bibendum situé aux « épaules » des pneus
Michelin. Un examen visuel suffit pour connaître le niveau
d'usure de vos pneumatiques. Attention : même si vos
pneus n'ont pas encore atteint la limite d'usure légale (en
France, la profondeur restante de la sculpture doit être
supérieure à 1,6 mm sur l'ensemble de la bande de roulement), leur capacité à évacuer l'eau aura naturellement
diminué avec l'usure.

Les chocs contre
les trottoirs, les nids de
poule… peuvent
endommager
gravement vos pneus.

Comment choisir vos pneus ?

Le type de pneumatique qui équipe d'origine votre véhicule a été déterminé pour optimiser ses performances. Il vous est cependant possible d'effectuer un autre choix en fonction de votre style de conduite, des conditions climatiques, de la nature des routes et des trajets effectués.

Dans tous les cas, il est indispensable de consulter un spécialiste du pneumatique, car lui seul pourra vous aider à trouver la solution la mieux adaptée à votre utilisation dans le respect de la législation.

Montage, démontage, équilibrage du pneu ; c'est l'affaire d'un professionnel :
un mauvais montage ou démontage du pneu peut le détériorer et mettre en cause votre sécurité.

Sauf cas particulier et exception faite de l'utilisation provisoire de la roue de secours, les pneus montés sur un essieu donné doivent être identiques. Il est conseillé de monter les pneus neufs ou les moins usés à l'arrière pour assurer la meilleure tenue de route en situation difficile (freinage d'urgence ou courbe serrée) principalement sur chaussée glissante.

En cas de crevaison, seul un professionnel du pneu saura effectuer les examens nécessaires et décider de son éventuelle réparation.

Il est recommandé de changer la valve ou la chambre à chaque intervention.

Il est déconseillé de monter une chambre à air dans un ensemble tubeless.

L'utilisation de pneus cloutés est strictement réglementée ; il est important de s'informer avant de les faire monter.

Attention : la capacité de vitesse des pneumatiques Hiver « M+S » peut être inférieure à celle des pneus d'origine. Dans ce cas, la vitesse de roulage devra être adaptée à cette limite inférieure. Une étiquette de rappel de cette vitesse sera apposée à l'intérieur du véhicule à un endroit aisément visible du conducteur.

Innover
pour aller plus loin

En 1889, Edouard Michelin prend la direction de l'entreprise qui porte son nom. Peu de temps après, il dépose le brevet du pneumatique démontable pour bicyclette. Tous les efforts de l'entreprise se concentrent alors sur le développement de la technique du pneumatique. C'est ainsi qu'en 1895, pour la première fois au monde, un véhicule baptisé « l'Eclair » roule sur pneumatiques. Testé sur ce véhicule lors de la course Paris-Bordeaux-Paris, le pneumatique démontre immédiatement sa supériorité sur le bandage plein.

Créé en 1898, le Bibendum symbolise l'entreprise qui, de recherche en innovation, du pneu vélocipède au pneu avion, impose le pneumatique à toutes les roues.

En 1946, c'est le dépôt du brevet du pneu radial ceinturé acier, l'une des découvertes majeures du monde du transport.

Cette recherche permanente de progrès a permis la mise au point de nouveaux produits. Ainsi, depuis 1991, le pneu dit « vert » ou « basse résistance au roulement », est devenu une réalité. Ce concept contribue à la protection de l'environnement, en permettant une diminution de la consommation de carburant du véhicule, et le rejet de gaz dans l'atmosphère.

Concevoir les pneus qui font tourner chaque jour 2 milliards de roues sur la terre, faire évoluer sans relâche plus de 3500 types de pneus différents, c'est le combat permanent des 4500 chercheurs Michelin.

Leurs outils : les meilleurs supercalculateurs, des laboratoires à la pointe de l'innovation scientifique, des centres de recherche et d'essais installés sur

6000 hectares en France, en Espagne, aux Etats-Unis et au Japon. Et c'est ainsi que quotidiennement sont parcourus plus d'un million de kilomètres, soit 25 fois le tour du monde.

Leur volonté : écouter, observer puis optimiser chaque fonction du pneumatique, tester sans relâche, et recommencer.

C'est cette volonté permanente de battre demain le pneu d'aujourd'hui pour offrir le meilleur service à l'utilisateur, qui a permis à Michelin de devenir le leader mondial du pneumatique.

Renseignements utiles

Vous avez des observations, vous souhaitez des précisions concernant l'utilisation de vos pneumatiques Michelin, écrivez-nous ou téléphonez-nous à:

BELGIQUE
S.A.Michelin Belux N.V., 33 quai de Willebroekkaai 33, B 1000 BRUXELLES - BRUSSEL
Tel. 02 - 274 42 11 - Fax. 02 - 274 42 12

PAYS-BAS
Michelin Nederland N.V., Huub Van Doorneweg 2, 5151 DT DRUNEN
Telefoon 0416 - 38 41 00 - Telefax 0416 - 38 41 26

FRANCE
Manufacture Française des Pneumatiques Michelin
F 63040 CLERMONT FERRAND CEDEX
Assistance Michelin Itinéraires :
Minitel : 3615 code Michelin

DATE	CHIFFRE COMPTEUR	OPERATIONS

De Banden maken de Man (1898)

BIBENDUM
is honderd jaar!

Hij gaat steeds mee met z'n tijd...

En voelde zich nooit zo jong!

Geen wiel zonder
BIBENDUM
Van de fiets...
MICHELIN
BIB
...tot het
ruimteveer!
Altijd samen op de baan!

BIBENDUM
zonder grenzen...

Hij brengt de wereld in beweging!

DE MICHELIN
BANDEN-GIDS

Wat is een band eigenlijk?

De band is het produkt van hoogwaardige technologie. Hij vormt het enige raakvlak tussen het voertuig en het wegdek. Het raakvlak per band met het wegdek komt qua oppervlakte overeen met dat van een ansichtkaart. De band moet het dus hebben van deze paar vierkante centimeter rubber op het wegdek om een groot aantal verschillende en dikwijls met elkaar in strijd zijnde taken te vervullen.

Dragen: de band moet niet alleen het gewicht van het voertuig in stilstaande toestand dragen, hij moet ook opgewassen zijn tegen de forse belasting die wordt overgebracht bij het optrekken en remmen;

Overbrengen: de band moet zorgen voor de overbrenging van het nuttig motorvermogen, maar ook van de krachten die bij het remmen en in de bochten optreden;

Rollen: voor een goed rijcomfort moet de band goed rond lopen, betrouwbaar zijn en lang meegaan;

Sturen: de band moet het voertuig de grootst mogelijke stuurprecisie verlenen, ongeacht de staat van het wegdek en de klimatologische omstandigheden;

Schokken opvangen: de band moet oneffenheden in het wegdek opvangen en neutraliseren om het rijcomfort van de bestuurder en van de passagiers te verzekeren en de levensduur van het voertuig te verlengen;

Lang meegaan: de band moet lang meegaan, dat wil zeggen dat hij gedurende miljoenen omwentelingen van het wiel topprestaties moet blijven leveren.

Om U in staat te stellen optimaal van alle kwaliteiten van Uw banden te profiteren, raden wij U aan de hierna volgende informatie en adviezen aandachtig te lezen.

De band vormt het enige raakvlak tussen voertuig en wegdek.

Wat betekenen de markeringen op een band?

(1) « Bibendum», het Michelin-mannetje, geeft de plaats aan van de slijtagegraadindicator.

(2) Geregistreerd handelsmerk.

(3) Sectiebreedte van de band (hier ongeveer 175 mm).

(4) Band van de 70-serie; Hoogte/Breedte-verhouding (hier H/B : 0,70).

(5) Opbouw van de band (R: Radiaalband).

(6) Hieldiameter: 13 inch (komt overeen met de velgdiameter).

(7) Profieluitvoering: MXT.

(8) Belastingsindex: 82 (475 kg).

(9) Snelheidssymbool: T (190 km/u).

(10) Band zonder binnenband: Tubeless.

(11) Geregistreerd handelsmerk.

Symbolen voor maximumsnelheden:

Q	160 km/u
R	170 km/u
S	180 km/u
T	190 km/u
H	210 km/u
V	240 km/u
W	270 km/u
ZR	meer dan 240 km/u.

H/S : Serie van de band

Waarom dient U Uw bandenspanning te controleren?

Zo heeft U het meeste profijt van de prestaties van Uw banden en bevordert U Uw eigen veiligheid en die van anderen.

Controleer de bandenspanning, de reserveband inbegrepen, steeds onder de juiste omstandigheden:

Bij elke band treedt voortdurend een natuurlijk, licht verlies van spanning op. Daarom moet de bandenspanning regelmatig (iedere 14 dagen) worden gecontroleerd. De controle moet steeds plaatsvinden wanneer de banden koud zijn, d.w.z. tenminste één uur na het stilzetten van de auto of nadat U slechts 2 à 3 km langzaam heeft gereden. Tijdens het rijden neemt de bandenspanning toe. Verlaag dus nooit de spanning van een band waarmee gereden is. Als de spanning hiervan 0,3 bar hoger is dan de voorgeschreven «koude» waarde, dan kan deze als correct worden beschouwd.

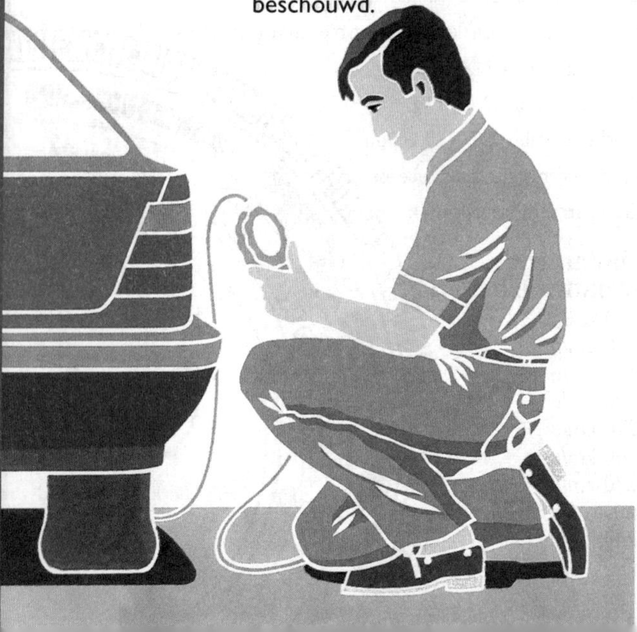

Te hoge bandenspanning: Wanneer U een grote afstand met een constant hoge snelheid moet afleggen of als Uw auto bijzonder zwaar beladen is, verdient het over het algemeen aanbeveling de bandenspanning te verhogen. Maar pas op; het verschil in bandenspanning tussen de voor- en achterbanden, dat noodzakelijk is voor het evenwicht van de wagen, moet daarbij absoluut gehandhaafd blijven. Raadpleeg voor de juiste bandenspanning de Michelin-zakspanningstabel die U bij vrijwel elke garage en bandenspecialist kunt vinden en aarzel niet hen om advies te vragen.

Onderspanning: Wanneer de bandenspanning te laag is, werken de zijwanden van de band abnormaal sterk. Dat kan ertoe leiden dat het karkas van de band oververmoeid raakt, dat de temperatuur van de band sterk oploopt en dat er een overmatige slijtage optreedt? De band kan daardoor onherstelbare beschadigingen oplopen zodat hij vroeg of laat vervangen moet worden. Wanneer spanningsverlies optreedt moet U een specialist raadplegen die de oorzaak opzoekt en eventuele mogelijkheden voor reparatie kan beoordelen.

Het ventieldopje: Ogenschijnlijk gaat het hier om een detail. Toch is het ventieldopje van wezenlijk belang voor de luchtdichte afsluiting van de band. Vergeet dan ook niet het dopje weer op het ventiel te draaien nadat U de bandenspanning hebt gecontroleerd en hebt vastgesteld dat er geen vuil in het dopje of het ventiel aanwezig is.

De auto trekt een caravan, een boottrailer... Wanneer Uw auto een caravan of een boottrailer trekt, mag U nooit vergeten dat het gewicht van de aanhangwagen de belasting van de auto verhoogt. Daarom is het noodzakelijk de spanning van de achterbanden van Uw auto te verhogen, waarbij U het beste kunt afgaan op de Michelin-zakspanningstabellen. Voor uitvoeriger advies kunt U zich het beste wenden tot Uw bandenleverancier: hij is een echte specialist.

Controleer de bandenspanning geregeld en in ieder geval voor elke grote rit.

Hoe verlengt U de levensduur van Uw banden?

Om de kwaliteiten van Uw banden gedurende lange tijd te bewaren is het absoluut noodzakelijk dat U ze geregeld en voor elke grote rit laat controleren. Het is goed te weten dat de ene band vier of zelfs meer keer langer meegaat dan de andere, afhankelijk van de manier waarop hij wordt onderhouden, de staat waarin de auto verkeert, de rijstijl van de bestuurder en de staat van de wegen. De bandwielcombinatie dient nauwkeurig uitgebalanceerd te zijn om trillingen die boven een bepaalde snelheid kunnen optreden te voorkomen. Het uitbalanceren van de banden en wielen, nodig om van deze onaangename trillingen af te komen, kunt U het beste toevertrouwen aan een specialist. Het gaat om een handeling die kennis en gespecialiseerde apparatuur vereist.

Enkele factoren die de slijtage en de levensduur van Uw banden beïnvloeden:

De eigenschappen van de auto (gewicht, vermogen...); het profiel van de wegen (rechte wegen, bochtige wegen), het wegdek (korrelgrootte: glad of ruw wegdek), de mechanische toestand van de auto (de afstelling van voor- en achterassen, de toestand van de wielophanging en de remmen), de rijstijl (optrekken, remmen, snelheid bij het nemen van bochten), de snelheid (bij rechtuit rijden slijt een band bij 120 km/u twee keer zo snel als bij 70 km/u), de bandenspanning (bij een verkeerde bandenspanning zullen de banden veel sneller en onregelmatig slijten), en niet te vergeten allerlei toevallige omstandigheden (zoals het raken van de stoeprand, kuilen in de weg, enz.) die niet alleen het risico met zich mee brengen dat bepaalde onderdelen van de auto ontregeld of beschadigd worden, maar die bovendien inwendige beschadigingen in de banden kunnen veroorzaken waarvan de gevolgen zich soms pas veel later manifesteren. Door een regelmatige controle van Uw banden zult U afwijkingen (zoals een ongewone slijtage, verlies van bandenspanning enz.) sneller kunnen opsporen en corrigeren. Wendt U zich bij het minste signaal van een afwijking onmiddellijk tot een bandenspecialist die dan al het nodige zal doen om de kwaliteit van Uw banden, Uw rijcomfort en Uw veiligheid te verzekeren.

Houd de slijtage van Uw banden in de gaten:
Hoe doet U dat? Heel eenvoudig; door de profieldiepte te controleren. Een goede profieldiepte is een factor voor Uw veiligheid, vooral op een nat wegdek. Alle banden zijn voorzien van slijtage-indicatoren met een hoogte van 1,6 mm. Een op de «schouders» van de band voorkomend Michelin-mannetje geeft de plaats ervan aan. In één oogopslag kunt U vaststellen hoever de slijtage van Uw banden gevorderd is. Maar opgelet: zelfs als Uw banden nog niet de wettelijk toegestane slijtagelimiet hebben bereikt, dan toch zal de grip van de band op nat wegdek bij toenemende slijtage afnemen.

Het raken van de stoeprand, kuilen in de weg... kunnen ernstige beschadigingen aan Uw banden veroorzaken.

Welke banden kiest U?

Het bandentype waarmee Uw auto oorspronkelijk werd uitgerust, is gekozen om de prestaties ervan te optimaliseren. Toch is het soms mogelijk een andere keuze te maken en een bandentype te kiezen dat meer overeenkomt met Uw rijstijl, de klimatologische omstandigheden, de toestand en de soort van de wegen. Daarbij is het echter steeds noodzakelijk een bandenspecialist te raadplegen, want alleen hij kan U helpen bij het vinden van de oplossing die het best is afgestemd op Uw persoonlijke gebruiksomstandigheden en die conform de lokale wetgeving is.

Monteren, demonteren en balanceren van een band: een zaak voor de vakman.

Wanneer een band op ondeskundige wijze wordt gemonteerd of gedemonteerd kan dat niet alleen leiden tot beschadiging van de band, het kan ook uw veiligheid tijdens het rijden nadelig beïnvloeden. Behalve wanneer U bij wijze van uitzondering Uw reserveband gebruikt, moeten de banden op één as van hetzelfde type zijn. Het is aan te bevelen om de nieuwe banden of de minst versleten op de achteras te monteren om de beste grip te garanderen in moeilijke situaties (noodstops of scherpe bochten) speciaal op gladde wegen.
In geval van een lekke band zal slechts een echte vakman de band deskundig kunnen onderzoeken en kunnen vaststellen of hij kan worden gerepareerd.

Het verdient aanbeveling in zulke gevallen ook steeds het ventiel of de binnenband te vervangen.

Wij ontraden bij tubeless-banden een binnenband te monteren.

Het gebruik van spikes is strikt gereglementeerd. Laat U vóór montage hierover informeren.

Attentie: van sommige M+S banden ligt de toegelaten snelheidslimiet lager dan die van de oorspronkelijke banden. In dat geval moet de snelheid aan deze lagere snelheidslimiet worden aangepast. In de auto wordt op een voor de bestuurder duidelijk zichtbare plaats een sticker aangebracht om hem hieraan te herinneren.

Innoveren
om de grenzen te ve

In 1889 neemt Edouard Michelin de leiding op zich van de onderneming die sindsdien zijn naam draagt. Korte tijd later vraagt hij octrooi aan op een demonteerbare fietsband. Vanaf dat moment concentreren alle inspanningen van de onderneming zich op de technische ontwikkeling van de luchtband en zo komt het dat in 1895, voor het eerst in de geschiedenis, een automobiel met de naam «l'Eclair» (de «Bliksemschicht») rondrijdt op luchtbanden. De luchtbanden worden op deze auto uitgetest tijdens de race Parijs-Bordeaux-Parijs en bewijzen al dadelijk veruit superieur te zijn aan de massieve band.

De «Bibendum», het Michelin-mannetje, in 1898 gecreëerd, is het symbool van de onderneming die, dankzij haar op innovatie gerichte research, op alle gebied de luchtband heeft geïntroduceerd - van fietsband tot banden voor vliegtuigen.

In 1946 wordt het octrooi verleend op de van een staaldraadgordel voorziene radiaalband, een van de belangrijkste vernieuwingen in de wereld van het transport.

Dit permanente streven naar vooruitgang resulteerde in de ontwikkeling van nieuwe produkten. Zo is sinds 1991 de zogenaamde «groene» band, oftewel de band met «lage rolweerstand» een feit. Dit concept draagt bij aan de bescherming van het milieu vanwege het lagere brandstofverbruik en de vermindering van schadelijke uitlaatgassen.

Het ontwerpen van banden die dagelijks 2 miljard wielen op aarde doen draaien, voortdurend werken aan de verdere ontwikkeling van meer dan 3500 verschillende bandentypes: dat is de constante uitdaging van de 4500 medewerkers in de onderzoekscentra van Michelin.

Hun gereedschap: de meest geavanceerde computers, laboratoria die kennis hebben van de meest recente wetenschappelijke ontwikkelingen, research- en testcentra in Frankrijk, Spanje en de Verenigde Staten met een gezamenlijke oppervlakte van 6000 hectare, waarop dagelijks een afstand van 25 keer de omtrek van de aarde, oftewel meer dan één miljoen kilometer, wordt afgelegd.

Wat willen zij? Luisteren en kijken. Vervolgens elke functie van de band optimaliseren. Onophoudelijk alle oplossingen uittesten en weer opnieuw beginnen.

Deze permanente wil om de gebruiker steeds de beste service te bieden door morgen de band van vandaag te overtreffen, heeft Michelin in staat gesteld de positie van «leader» op de wereldmarkt op het gebied van de bandentechniek te veroveren.

NUTTIGE INFORMATIE

BANDEN EN REIZEN

Mocht u opmerkingen of wensen kenbaar willen maken ten aanzien van het gebruik van MICHELIN-banden, of reizen, trajecten e.d. belt u of schrijft u dan gerust naar:

FRANKRIJK

Manufacture Française des Pneumatiques Michelin
F 63040 CLERMONT FERRAND CEDEX
Assistance Michelin Itinéraires :
Minitel : 3615 code Michelin

BELGIË

S.A.Michelin Belux N.V., 33 quai de Willebroekkaai 33,
B 1000 BRUXELLES - BRUSSEL
Tel. 02 - 274 42 11 - Fax. 02 - 274 42 12

NEDERLAND

Michelin Nederland N.V., Huub Van Doorneweg 2,
5151 DT DRUNEN
Telefoon 0416 - 38 41 00 - Telefax 0416 - 38 41 26

DATUM	KM STAND	WERKZAAMHEDEN

WAREGEM 8790 West-Vlaanderen **213** ⑮ et **409** D 3 – 35 725 h.

Bergstraat 41 ℘ (0 56) 60 88 08, Fax (0 56) 61 29 42.

Bruxelles 79 – Brugge 47 – Gent 34 – Kortrijk 17.

🏨 **St-Janshof**, Anzegemseweg 26 (S : 3 km, près E 17, sortie ⑤), ℘ (0 56) 61 08 88, Fax (0 56) 60 34 45 – 📺 ☎ ⊕ – ⚐ 25 à 40. 🖭 🗲 𝑽𝑰𝑺𝑨. ⚘
Repas (dîner pour résidents seult) – **21 ch** ⬄ 2395/3030.

🏦 **De Peracker**, Caseelstraat 45 (O : 3 km sur rte de Desselgem, puis rte à gauche), ℘ (0 56) 60 03 31, Fax (0 56) 60 03 25, ≼, 🐟, « Cadre champêtre, étang », 🌳 – 📺 ☎ ⟷ ⊕ – ⚐ 40 à 100. 🖭 🗲 𝑽𝑰𝑺𝑨. ⚘
Repas (dîner pour résidents seult) – **14 ch** ⬄ 2200/3200 – ½ P 2800/3300.

❊❊❊❊
✿✿ **'t Oud Konijntje** (Mmes Desmedt), Bosstraat 53 (S : 2 km près E 17), ℘ (0 56) 60 19 37, Fax (0 56) 60 92 12, 🐟, « Terrasse fleurie » – ⊕. 🖭 🗲
fermé jeudi soir, vend., dim. soir, 21 juil.-13 août et 24 déc.-4 janv. – **Repas** Lunch 1500 – 2750 (2 pers. min.), carte 2250 à 3100
Spéc. Fantaisie de bar de ligne et saumon de Norvège au caviar. Cristalline de homard à la pomme de terre. Nuages de fromage blanc et croustillant de chocolat Noir de Noir.

❊❊ **De Wijngaard**, Holstraat 32, ℘ (0 56) 60 26 56, Fax (0 56) 61 40 85, 🐟 – ⊕. 🖭 ⓞ 🗲 𝑽𝑰𝑺𝑨
fermé mardi soir, merc., dim. soir, sem. carnaval et 1ʳᵉ quinz. juil. – **Repas** Lunch 875 – 1175/1625.

à Sint-Eloois-Vijve NO : 3 km 🅒 Waregem – ✉ 8793 Sint-Eloois-Vijve :

🏦 **De Jager**, St-Elooisplein 2, ℘ (0 56) 60 95 96, Fax (0 56) 60 66 07 – 📺 ☎ ⊕ – ⚐ 25 à 250. 🖭 ⓞ 🗲 𝑽𝑰𝑺𝑨
fermé 21 juil.-15 août – **Repas** (fermé merc. et dim. soir) carte 1000 à 1350 – **12 ch** ⬄ 2200/2600.

🏦 **Anna's Place** Gentseweg 606, ℘ (0 56) 60 11 72, Fax (0 56) 61 45 86 – 📺 ☎. 🗲 𝑽𝑰𝑺𝑨
Repas (fermé lundi midi et merc.) carte env. 1400 – **6 ch** ⬄ 2250/4000.

❊❊ **De Houtsnip**, Posterijstraat 56, ℘ (0 56) 61 13 77, 🐟 – ⊕. 🖭 ⓞ 🗲 𝑽𝑰𝑺𝑨
fermé merc. soir, jeudi, dim. soir, dern. sem. fév. et 22 juil.-14 août – **Repas** Lunch 1600 bc – 1450/2750 bc.

❊ **Bistro Desanto**, Gentseweg 558, ℘ (0 56) 60 24 13, Fax (0 56) 61 17 84, 🐟, Ouvert jusqu'à 23 h – 🖭 🗲 𝑽𝑰𝑺𝑨
fermé sam. midi, dim., jours fériés, 1 sem. fin fév. et 2 sem. en août – **Repas** Lunch 590 – carte 950 à 1300.

WAREMME (BORGWORM) 4300 Liège **213** ㉑ et **409** I 3 – 12 918 h.

Bruxelles 76 – Namur 47 – Liège 28 – Sint-Truiden 19.

❊❊ **Le Petit Axhe**, r. Petit-Axhe 12 (SO : 2 km, lieu-dit Petit Axhe), ℘ (0 19) 32 37 22, Fax (0 19) 32 88 92, « Jardin » – ⊕. 🖭 ⓞ 🗲 𝑽𝑰𝑺𝑨
fermé lundi, mardi, sam. midi, 2ᵉ quinz. juil. et du 3 au 12 janv. – **Repas** Lunch 950 – carte 1300 à 1900.

❊❊ **Armand Bollingh**, av. G. Joachim 25, ℘ (0 19) 32 23 32, 🐟, « Terrasse » – 🗲 𝑽𝑰𝑺𝑨
fermé du 14 au 19 avril, 25 août-10 sept., du 1ᵉʳ au 7 janv., lundi et sam. midi – **Repas** Lunch 995 – carte 1350 à 1800.

WATERLOO 1410 Brabant Wallon **213** ⑱ et **409** G 3 – 28 346 h.

🏌₁₈ (2 parcours) 🎩 à Ohain E : 5 km, Vieux Chemin de Wavre 50 ℘ (0 2) 633 18 50, Fax (0 2) 633 28 66 - 🎩₁₈ (2 parcours) 🎩 à Braine-l'Alleud SO : 5 km, chaussée d'Alsemberg 1021 ℘ (0 2) 353 02 46, Fax (0 2) 354 68 75.

🛈 chaussée de Bruxelles 149 ℘ (0 2) 354 99 10, Fax (0 2) 354 22 23 – Fédération provinciale de tourisme, chaussée de Bruxelles 218 ℘ (0 2) 351 12 00, Fax (0 2) 351 13 00.

Bruxelles 17 – Charleroi 37 – Nivelles 15.

🏨🏨 **Grand H.** Ⓜ, chaussée de Tervuren 198, ℘ (0 2) 352 18 15, Fax (0 2) 352 18 88, 🐟 – 🛗 ⚘ 📺 ☎ ⛸ ⊕ – ⚐ 25 à 85. 🖭 ⓞ 🗲 𝑽𝑰𝑺𝑨
Repas (fermé sam. midi) Lunch 550 – 950 – **71 ch** ⬄ 4800/8800, 8 suites – ½ P 5750.

🏦 **Le 1815** ⚘, rte du Lion 367 (S : 3 km), ℘ (0 2) 387 00 60, Fax (0 2) 387 12 92, 🐟, « Aménagement personnalisé évoquant la bataille », 🌳 – 🍽 rest, 📺 ☎ ⊕ – ⚐ 60. 🖭 ⓞ 🗲 𝑽𝑰𝑺𝑨. ⚘
Repas (fermé sam., dim. soir et 20 déc.-2 janv.) Lunch 450 – carte 850 à 1150 – **15 ch** ⬄ 2250/4750 – ½ P 3250/4500.

🏦 **Le Côté Vert** ⚘, chaussée de Bruxelles 200g, ℘ (0 2) 354 01 05, Fax (0 2) 354 08 60 – 🛗 📺 ☎ ⊕ – ⚐ 30. 🖭 ⓞ 🗲 𝑽𝑰𝑺𝑨
Repas voir rest **La Cuisine au Vert** ci-après – ⬄ 320 – **29 ch** 3700/4050.

Le Joli-Bois ⑤, sans rest, r. Ste-Anne 59 (à Joli-Bois, S : 2 km), ℰ (0 2) 353 18 18, Fax (0 2) 353 05 16, ☞ – ‖ 🛁 📺 ☎ 🅟 🕮 ⋿ 𝘝𝘐𝘚𝘈 𝙅𝘾𝘽
fermé 24 déc.-9 janv. – **14 ch** � 2950/3800.

La Maison du Seigneur, chaussée de Tervuren 389 (NO : 3,5 km sur RO), ℰ (0 2) 354 07 50, Fax (0 2) 353 11 34, ☆, « Ancienne ferme brabançonne du 17ᵉ s. » – 🅟. 🕮 ⓞ ⋿ 𝘝𝘐𝘚𝘈
fermé lundi, mardi, fév. et 2 dern. sem. août – **Repas** Lunch 1350 bc – 1750/2400.

L'Asie Impériale, chaussée de Bruxelles 30, ℰ (0 2) 354 15 16, Fax (0 2) 353 11 64, ☆, Cuisine chinoise – 🔲 🅟. 🕮 ⓞ ⋿ 𝘝𝘐𝘚𝘈
fermé sam. midi – **Repas** Lunch 650 – carte env. 1100.

Rêve Richelle, Drève Richelle 96, ℰ (0 2) 354 82 24, ☆ – 🅟. 🕮 ⋿ 𝘝𝘐𝘚𝘈
fermé sam. midi, dim. soir, lundi et 3 sem. en août – **Repas** Lunch 650 – 995/1490.

Le Sphinx, chaussée de Tervuren 178, ℰ (0 2) 354 86 43, Fax (0 2) 354 19 69, ☆ – 🅟. 🕮 ⓞ ⋿ 𝘝𝘐𝘚𝘈
fermé dim. soir, lundi et du 7 au 28 juil. – **Repas** Lunch 525 – 950/1590.

La Cuisine au Vert - H. Le Côté Vert, chaussée de Bruxelles 200g, ℰ (0 2) 354 88 73, ☆ – 🅟. 🕮 ⋿ 𝘝𝘐𝘚𝘈
fermé sam., dim., 31 août-15 sept. et 25 déc.-10 janv. – **Repas** Lunch 590 – carte 1100 à 1400.

La Tonnelle des Délices, rte du Lion 379 (S : 3 km), ℰ (0 2) 387 33 34, ☆ – 🅟. 🕮 ⓞ ⋿ 𝘝𝘐𝘚𝘈
fermé sam. midi, dim. soir et jours fériés soirs – **Repas** Lunch 475 bc – 950.

Le Jardin des Délices, chaussée de Bruxelles 253, ℰ (0 2) 354 80 33, ☆ – 🕮 ⓞ ⋿ 𝘝𝘐𝘚𝘈
fermé dim. soir, lundi et 30 août-18 sept. – **Repas** Lunch 450 – carte 900 à 1400.

WATERMAEL-BOITSFORT (WATERMAAL-BOSVOORDE) *Région de Bruxelles-Capitale* 𝟮𝟭𝟯 ⑱ ⑲ et 𝟰𝟬𝟵 ㉒ S – *voir à Bruxelles.*

WAUDREZ Hainaut 𝟮𝟭𝟰 ③ ④ – *voir à Binche.*

WAVRE (WAVER) 1300 🅿 Brabant Wallon 𝟮𝟭𝟯 ⑲ et 𝟰𝟬𝟵 G 3 – 29 906 h.
🏌 🏌 chaussée du Château de La Bawette 5 ℰ (0 10) 22 33 32, Fax (0 10) 22 90 04 -
🏌 à Grez-Doiceau NE : 10 km, Les Gottes 1 ℰ (0 10) 84 15 01, Fax (0 10) 84 55 95.
🛈 r. Nivelles 1 ℰ (0 10) 23 03 52, Fax (0 10) 23 03 13.
Bruxelles 27 – Namur 37 – Charleroi 45 – Liège 87.

Novotel, r. Wastinne 45 (près sortie ⑥ sur E 411), ✉ 1301, ℰ (0 10) 41 13 63, Fax (0 10) 41 19 22, ☆, 🏊, ☞ – ‖ ⇄ 📺 ☎ & 🅟 – 🔏 25 à 120. 🕮 ⓞ ⋿ 𝘝𝘐𝘚𝘈 𝙅𝘾𝘽
Repas *(fermé sam. midi)* Lunch 550 – carte env. 1200 – � 450 – **102 ch** 3500 – ½ P 4400.

Le Rocher ⑤ sans rest, chaussée de Namur 221 (N 4), ℰ (0 10) 45 41 44, Fax (0 10) 41 97 33, ≤, ☆, ☞ – ‖ 📺 ☎ 🅟 – 🔏 25 à 150. 🕮 ⓞ ⋿ 𝘝𝘐𝘚𝘈. ⋘
fermé mi-juil.-mi-août – **75 ch** � 2750/3450.

Le Domaine des Champs ⑤, Chemin des Charrons 14 (N 25), ℰ (0 10) 22 75 25, Fax (0 10) 24 17 31, ≤, ☆ – 📺 ☎ 🅟 – 🔏 25 à 50. 🕮 ⓞ ⋿ 𝘝𝘐𝘚𝘈 𝙅𝘾𝘽
Repas *La Cuisine des Champs* *(fermé dim., lundi et 2 sem. Pâques)* Lunch 840 - 1100 – � 300 – **18 ch** 2200/2800, 1 suite.

Wavre, r. Manil 91, ✉ 1301, ℰ (0 10) 24 33 34, Fax (0 10) 24 36 80, ☆ – ⇄ 📺 ☎ 🅟 – 🔏 25 à 45. 🕮 ⓞ ⋿ 𝘝𝘐𝘚𝘈
Repas *(fermé sam. midi et dim.)* Lunch 495 – carte env. 1000 – **70 ch** ⊑ 3000 – ½ P 3500/4200.

Carte Blanche, av. Reine Astrid 8, ℰ (0 10) 24 23 63, Fax (0 10) 24 23 63, ☆ – 🕮 ⋿ 𝘝𝘐𝘚𝘈
fermé sam. midi, dim. soir, lundi et 22 juil.-14 août – **Repas** Lunch 495 – 850/1350.

Le Vert Délice, Chemin du Pauvre Diable 2 (NO : 1 km sur N 4), ℰ (0 10) 22 90 01, Fax (0 10) 22 90 01, ☆ – 🕮 ⓞ ⋿ 𝘝𝘐𝘚𝘈
fermé du 15 au 28 fév., du 16 au 31 juil., mardi soir, sam. midi et dim. soir – **Repas** Lunch 450 – 790/1390.

Le Jardin Gourmand, Ruelle Nuit et Jour 21, ℰ (0 10) 24 15 26, Fax (0 10) 22 29 01, ☆ – 🕮 ⓞ ⋿ 𝘝𝘐𝘚𝘈
fermé merc. – **Repas** Lunch 590 – 690/890.

Le Bateau Ivre, Ruelle Nuit et Jour 17, ℰ (0 10) 24 37 64, Fax (0 10) 24 37 64, ☆, Grillades – 🕮 ⓞ ⋿ 𝘝𝘐𝘚𝘈
fermé dim. et lundi midi – **Repas** Lunch 310 – carte env. 1200.

La Figuière, r. Source 15, ℰ (0 10) 24 21 58, Fax (0 10) 68 89 28 – ⓞ ⋿ 𝘝𝘐𝘚𝘈
fermé sam. midi et dim. – **Repas** Lunch 450 – carte env. 1100.

WEELDE 2381 Antwerpen 🔲 Ravels 12 520 h. 🔢🔢 ⑰ et 🔢🔢🔢 H 1.

Bruxelles 94 – Antwerpen 44 – Turnhout 11 – Breda 38 – Eindhoven 47 – Tilburg 20.

XX **de Groes,** Meir 1, 𝒫 (0 14) 65 64 84, Fax (0 14) 65 64 84, 🍽, « Rustique » – 🅿. 📧
🕐 📧 *VISA*. 🍽
fermé mardi soir, merc., sam. midi, 2 dern. sem. vacances bâtiment et du 1er au 10 janv.
– Repas Lunch 1050 – carte 1100 à 1900.

WEISMES Liège – voir Waimes.

WELLIN 6920 Luxembourg belge 🔢🔢 ⑥ et 🔢🔢🔢 I 5 – 2 826 h.

Bruxelles 110 – Dinant 34 – Namur 53 – Rochefort 14.

X **La Papillote,** r. Station 59, 𝒫 (0 84) 38 88 16, Fax (0 84) 38 97 05 – 📧 *VISA*
fermé mardi soir et merc. hors saison, 2e quinz. juil. et prem. sem. janv. – Repas Lunch 750
– carte 1050 à 1550.

WEMMEL Vlaams-Brabant 🔢🔢🔢 ⑥ et 🔢🔢🔢 F 3 - ㉑ N – voir à Bruxelles, environs.

WENDUINE 8420 West-Vlaanderen 🔲 De Haan 11 199 h. 🔢🔢🔢 ② et 🔢🔢🔢 C 2.

Bruxelles 111 – Brugge 17 – Oostende 16.

🏠 **Georges** sans rest, de Smet de Naeyerlaan 19, 𝒫 (0 50) 41 90 17, Fax (0 50) 41 90 17
– 📶 📺 ☎. 📧 🕐 📧 *VISA*
fermé prem. sem. oct., dern. sem. nov.-prem. sem. déc. et mardi et merc. sauf vacances
scolaires – **18 ch** 🛏 1600/2600.

🏠 **Les Mouettes,** Zeedijk 7, 𝒫 (0 50) 41 15 14, Fax (0 50) 41 15 14, ≤, 🐕 – 📶 📺. 📧
VISA. 🍽 rest
fermé 8 nov.-19 déc. – Repas (résidents seult) – **30 ch** 🛏 1450/2760 – ½ P 1450/1675.

XX **Odette** avec ch, Kerkstraat 34, 𝒫 (0 50) 41 36 90, Fax (0 50) 42 81 34 – 📺 ☎. 📧 🕐
📧 ch
fermé 3 dern. sem. janv. et mardis et merc. non fériés sauf en saison – Repas 675/1950
– 🛏 250 – **6 ch** 2500 – ½ P 1850.

XX **Kallista-Bristol** avec ch, De Bruynehelling 15, 𝒫 (0 50) 41 84 84, Fax (0 50) 42 81 59,
🍽 – 📶 📺 ☎. 📧 🕐 📧 *VISA*
Repas (fermé merc.) Lunch 395 – 995/1495 – **17 ch** 🛏 1200/2100.

X **Rita,** Kerkstraat 6, 𝒫 (0 50) 41 19 09, Fax (0 50) 41 19 09, 🍽 – *VISA*
fermé lundi et 15 nov.-20 déc. – Repas carte 1100 à 1600.

X **Ensor-Inn,** Zeedijk 63, 𝒫 (0 50) 41 41 59, Fax (0 50) 42 87 24, ≤, 🍽, Grillades – 🖼.
📧 🕐 📧 *VISA* *JCB*
fermé 16 nov.-16 déc. et mardi sauf en juil.-août – Repas 895/995.

WÉPION Namur 🔢🔢 ⑤ et 🔢🔢🔢 H 4 – voir à Namur.

WESTENDE-BAD 8434 West-Vlaanderen 🔲 Middelkerke 15 980 h. 🔢🔢🔢 ① et 🔢🔢🔢 B 2 – Station
balnéaire.

Bruxelles 127 – Brugge 40 – Dunkerque 40 – Oostende 11 – Veurne 14.

🏨 **Splendid,** Meeuwenlaan 20, 𝒫 (0 59) 30 00 32, Fax (0 59) 31 09 17 – 📶 📺 ☎. 📧 🕐
📧 *VISA*. 🍽 ch
avril-sept. et week-end ; fermé 15 nov.-23 déc. et 7 janv.-8 fév. – Repas Lunch 475 –
675/1550 bc – **18 ch** 🛏 1800/2800 – ½ P 2100/2300.

🏠 **Isba,** Henri Jasparlaan 148, 𝒫 (0 59) 30 23 64, Fax (0 59) 31 06 26, 🚗 – 📺 ☎ 🅿. 📧
📧 *VISA*. 🍽 rest
fermé du 1er au 7 fév., 16 nov.-7 déc., du 20 au 30 janv. et mardis non fériés de nov. à mars
sauf vacances scolaires – Repas (dîner pour résidents seult) – **6 ch** 🛏 2000/3000.

XXX **Host. Melrose** avec ch, Henri Jasparlaan 127, 𝒫 (0 59) 30 18 67, Fax (0 59) 31 02 35,
🍽 – 📺 ☎ 🅿. 📧 🕐 📧 *VISA*
Repas (fermé du 1er au 14 oct. et merc. et dim. soir sauf en juil.-août) 980/1850 – **10 ch**
🛏 2025/2950 – ½ P 2375.

XX **Nelson,** Priorijlaan 30, 𝒫 (0 59) 30 23 07, Fax (0 59) 30 25 22 – 📧 *VISA*
fermé du 1er au 9 oct., 7 déc.-9 janv., mardi soir et merc. – Repas carte env. 1300.

X **La Plage,** Meeuwenlaan 4, 𝒫 (0 59) 30 11 90 – 🖼. 📧 🕐 📧
fermé 15 nov.-mi-déc., 3 sem. en janv. et jeudi sauf vacances scolaires – Repas carte 850
à 1200.

X **Van Gogh,** Koning Ridderdijk 24, 𝒫 (0 59) 30 28 76, Fax (0 59) 30 28 76, ≤ – 📧 *VISA*
fermé lundi et janv. – Repas 850/995.

WESTERLO 2260 Antwerpen 👁️⑧ et 👁️ H 2 – 21461 h.

Env. N : Tongerlo, Musée Léonard de Vinci★.

🏌️ Britselei ℘ (0 75) 46 29 45, Fax (0 3) 231 72 31.

🅱 Boerenkrijglaan 25 ℘ (0 14) 54 54 28, Fax (0 14) 54 76 56.

Bruxelles 57 – Antwerpen 46 – Diest 20 – Turnhout 30.

🏩 **Vivaldi**, Bell Telephonelaan 4 (près E 313, sortie ㉓), ℘ (0 14) 58 10 03, Fax (0 14) 58 11 20 – 📶 📺 ☎ 📞 – 🅰️ 25 à 80. 🅰🅴 ⓞ 🄴 VISA JCB
Repas (fermé week-end) Lunch 500 – carte env. 1100 – **48 ch** ⊄ 2200/2800 – ½ P 1800/2200.

XXX **Geerts** avec ch, Grote Markt 50, ℘ (0 14) 54 40 17, Fax (0 14) 54 18 80, « Jardin » – 📶, 🍽 rest, 📺 ☎ 📞. 🅰🅴 ⓞ 🄴 VISA. 🎿 ch
fermé 18 fév.-5 mars et 14 sept.-16 oct. – **Repas** (fermé merc. et dim. soir) Lunch 1200 – 1800 – **18 ch** ⊄ 2600/3700 – ½ P 2400/2950.

XX **'t Kempisch Pallet**, Bergveld 120 (O : 4 km sur N 152), ℘ (0 14) 54 70 97, Fax (0 14) 54 70 57, 🎍, « Cadre de verdure » – 📞. 🅰🅴 ⓞ 🄴 VISA. 🎿
fermé jeudi, sam. midi et dim. soir – **Repas** Lunch 1200 – 1750.

WESTKAPELLE West-Vlaanderen 👁️③ et 👁️ C 2 – voir à Knokke-Heist.

WESTMALLE 2390 Antwerpen 🅲 Malle 13439 h. 👁️⑯ et 👁️ H 2.

Bruxelles 65 – Antwerpen 23 – Turnhout 18.

🏰 **Beukenhof**, Antwerpsesteenweg 503 (SE : 3 km sur N 12), ℘ (0 3) 383 41 62, 🎍 – 📺 ☎ 📞. 🅰🅴 ⓞ 🄴 VISA. 🎿
Repas (diner pour résidents seult) – **16 ch** ⊄ 1750/2600 – ½ P 1290/1645.

🏩 **De Witte Lelie**, Antwerpsesteenweg 333, ℘ (0 3) 309 01 55, Fax (0 3) 309 09 61, 🎍 – 📺 ☎ 📞. 🅰🅴 ⓞ 🄴 VISA
Repas (Taverne-rest, ouvert jusqu'à 23 h) Lunch 580 – carte env. 1000 – **14 ch** ⊄ 2200/3300 – ½ P 2650.

XX **Pastourelle**, Antwerpsesteenweg 519 (SE : 3 km sur N 12), ℘ (0 3) 385 20 40, Fax (0 3) 385 20 39, ≤, 🎍, Avec brasserie, « Terrasse et étang » – 📞. 🅰🅴 ⓞ 🄴 VISA
fermé lundi, 2e quinz. fév. et 1re quinz. sept. – **Repas** Lunch 950 – carte 1300 à 2200.

XX **D'Ouwe Keuken**, Antwerpsesteenweg 190, ℘ (0 3) 312 17 32, Fax (0 3) 312 17 32 – 🍽 📞. 🅰🅴 🄴 VISA
fermé dim., lundi, 1 sem. en fév. et 3 sem. en juil. – **Repas** Lunch 895 – carte 1450 à 1800.

Si vous cherchez un hôtel tranquille ou isolé,
consultez d'abord les cartes de l'introduction
ou repérez dans le texte les établissements indiqués avec le signe 🦢 ou 🦢

WESTOUTER 8954 West-Vlaanderen 🅲 Heuvelland 8449 h. 👁️⑬ et 👁️ B 3.

Bruxelles 136 – Brugge 66 – Ieper 14 – Lille 39.

X **Berkenhof**, Bellestraat 53 (à la frontière), ℘ (0 57) 44 44 26, Fax (0 57) 44 75 21, 🎍, ⊄ Taverne-rest – 🄴 VISA
fermé du 1er au 25 fév., lundi de sept. à mars et mardi – **Repas** Lunch 450 – 790/1450.

WEVELGEM 8560 West-Vlaanderen 👁️⑭ ⑮ et 👁️ C 3 – 31056 h.

Bruxelles 99 – Brugge 54 – Kortrijk 6,5 – Lille 23.

🏨 **Cortina**, Lauwestraat 59, ℘ (0 56) 41 25 22, Fax (0 56) 41 45 67 – 📶 📺 ☎ 📞 – 🅰️ 25 à 800. 🅰🅴 ⓞ 🄴 VISA
fermé 21 juil.-15 août – **Repas** voir rest **Pinogri** ci-après – **26 ch** ⊄ 2450/2850.

🏩 **Bell-X** sans rest, Kortrijkstraat 351, ℘ (0 56) 37 17 71, Fax (0 56) 35 92 82 – 📶 📺 ☎ 📞 – 🅰️ 30. 🅰🅴 ⓞ 🄴 VISA
14 ch ⊄ 2700/3500.

X **Pinogri** - H. Cortina, Lauwestraat 59, ℘ (0 56) 42 41 41, Fax (0 56) 41 45 67 – 🍽 📞. 🄴 VISA
fermé 21 juil.-15 août – **Repas** carte 950 à 1350.

à Gullegem N : 5 km 🅲 Wevelgem – ✉️ 8560 Gullegem :

XX **Gouden Kroon**, Koningin Fabiolastraat 41, ℘ (0 56) 40 04 76, Fax (0 56) 40 04 76, 🎍 – 📞. 🅰🅴 🄴 VISA
fermé lundi, merc. soir, sam. midi et 27 juil.-10 août – **Repas** Lunch 1500 – 2000 bc.

WEZEMBEEK-OPPEM Vlaams-Brabant 213 ⑲ et 409 G 3 - ㉒ S – voir à Bruxelles, environs.

WIBRIN Luxembourg belge 214 ⑧ et 409 K 5 – voir à Houffalize.

WILLEBROEK 2830 Antwerpen 213 ⑥ et 409 G 2 – 22 340 h.
Bruxelles 29 – Antwerpen 22 – Mechelen 10 – Sint-Niklaas 22.

XX **Breendonck,** Dendermondsesteenweg 309 (près du fort), ℘ (0 3) 886 61 63, Fax (0 3) 886 25 40, 🌅 – 🅟. 🆄🅴 ⓞ 🅴 ⅤⅡ𝑆𝐴. 🕉
Repas Lunch 395 – carte 1300 à 1700.

WILRIJK Antwerpen 213 ⑥ et 409 G 2 - ⑨ S – voir à Antwerpen, périphérie.

WINKSELE Vlaams-Brabant 213 ⑦ ⑲ et 409 H 3 – voir à Leuven.

WOLUWÉ-ST-LAMBERT (SINT-LAMBRECHTS-WOLUWE) Région de Bruxelles-Capitale 213 ⑱ ⑲ et 409 G 3 - ㉒ S – voir à Bruxelles.

WOLUWÉ-ST-PIERRE (SINT-PIETERS-WOLUWE) Région de Bruxelles-Capitale 213 ⑱ ⑲ et 409 G 3 - ㉒ S – voir à Bruxelles.

WIJNEGEM Antwerpen 212 ⑮ et 409 G 2 – voir à Antwerpen, environs.

YPRES West-Vlaanderen – voir Ieper.

YVOIR 5530 Namur 214 ⑤ et 409 H 5 – 7 539 h.
Env. O : Vallée de la Molignée★.
🎴₁₈ à Profondeville N : 10 km, Chemin du Beau Vallon 45 ℘ (0 81) 41 14 18, Fax (0 81) 41 21 42.
Bruxelles 92 – Namur 22 – Dinant 8.

XXX **Host. Henrotte - Au Vachter** avec ch, chaussée de Namur 140, ⊠ 5537 Anhée, ℘ (0 82) 61 13 14, Fax (0 82) 61 28 58, ≤, 🌅, « Jardin au bord de la Meuse (Maas) », 🅹 – 🆃🆅 🕿 🅟. 🆄🅴 ⓞ 🅴 ⅤⅡ𝑆𝐴. 🕉 ch
fermé dim. soir, lundi et janv.-12 fév. – **Repas** Lunch 1450 bc – 1590/1990 – **9 ch** 🖙 2730/3390 – ½ P 2950.

XX **Le Pré Fleuri,** r. Fostrie 1 (SE : 2 km par N 937), ℘ (0 82) 61 17 75, Fax (0 82) 61 43 39, 🌅 – 🅟. 🆄🅴 ⓞ 🅴 ⅤⅡ𝑆𝐴
fermé lundi soir et mardi sauf en juil.-août, fév. et du 1er au 10 sept. – **Repas** Lunch 1000 – 850/1750.

X **La Tonnelle,** r. Fenderie 41, ℘ (0 82) 61 13 94, 🌅 – 🅟. 🆄🅴 ⓞ 🅴 ⅤⅡ𝑆𝐴
fermé du 1er au 10 fév., 2e quinz. sept., mardi soir hors saison et merc. – **Repas** Lunch 800 – 1400.

ZAVENTEM Vlaams-Brabant 213 ⑲ et 409 G 3 - ㉒ N – voir à Bruxelles, environs.

ZEDELGEM West-Vlaanderen 213 ② et 409 C 2 – voir à Brugge, environs.

ZEEBRUGGE West-Vlaanderen © Brugge 115 815 h. 213 ③ et 409 C 1 – ⊠ 8380 Zeebrugge (Brugge).
🚢 Liaison maritime Zeebrugge-Hull : P and O North Sea Ferries Ltd, Belgian Branch, Leopold II dam 13 (Havendam) ℘ (0 50) 54 34 30, Fax (0 50) 54 71 12.
Bruxelles 111 ② – Brugge 15 ② – Knokke-Heist 8 ① – Oostende 25 ③.

Plan page suivante

🏨 **Monaco,** Baron de Maerelaan 26, ℘ (0 50) 54 44 37, Fax (0 50) 54 44 85 – 🛗 🆃🆅 🕿. 🆄🅴 ⓞ 🅴 ⅤⅡ𝑆𝐴. 🕉   A r
Repas (fermé vend.) carte 850 à 1200 – **15 ch** 🖙 2400/2900.

🏨 **Maritime** sans rest, Zeedijk 6, ℘ (0 50) 54 40 66, Fax (0 50) 54 66 08, ≤ – 🛗 🆃🆅 🕿 🅟 – 🔏 25. 🆄🅴 ⓞ 🅴 ⅤⅡ𝑆𝐴   A e
12 ch 🖙 2750/3500.

🏨 **Maritime Palace** sans rest, Brusselstraat 15, ℘ (0 50) 54 54 19, Fax (0 50) 55 06 44 – 🛗 🆃🆅 🕿 🅟 – 🔏 25. 🆄🅴 ⓞ 🅴 ⅤⅡ𝑆𝐴 ᴊᴄʙ. 🕉   A b
16 ch 🖙 2000/2900.

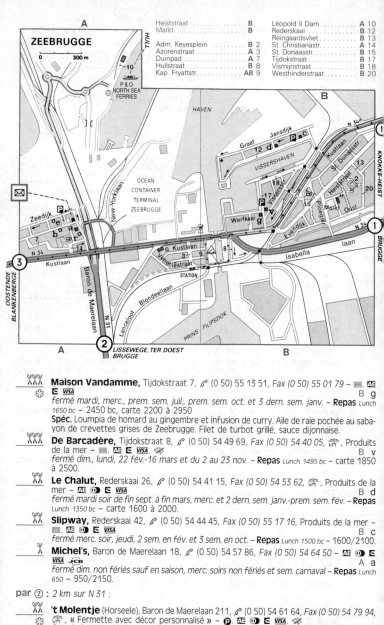

ZEEBRUGGE

0 300 m

Heistraat	B
Markt	B
Adm. Keyesplein	B 2
Azorenstraat	A 3
Duinpad	A 7
Hullstraat	B 8
Kap. Fryattstr.	AB 9
Léopold II Dam	A 10
Rederskaai	B 12
Reingaardsvliet	B 13
St. Christianastr.	A 14
St. Donaasstr.	B 15
Tijdokstraat	B 17
Vismijnstraat	B 18
Westhinderstraat	B 20

Maison Vandamme, Tijdokstraat 7, ℘ (0 50) 55 13 51, Fax (0 50) 55 01 79 – 📺. 🆎 🔲 🆅🆂🅰
B g
fermé mardi, merc., prem. sem. juil., prem. sem. oct. et 3 dern. sem. janv. – **Repas** *Lunch 1650 bc* – 2450 bc, carte 2200 à 2950
Spéc. Loumpia de homard au gingembre et infusion de curry. Aile de raie pochée au sabayon de crevettes grises de Zeebrugge. Filet de turbot grillé, sauce dijonnaise.

De Barcadère, Tijdokstraat 8, ℘ (0 50) 54 49 69, Fax (0 50) 54 40 05, 😤, Produits de la mer – 📺. 🆎 🔲 🆅🆂🅰. ✂
B v
fermé dim., lundi, 22 fév.-16 mars et du 2 au 23 nov. – **Repas** *Lunch 1495 bc* – carte 1850 à 2500.

Le Chalut, Rederskaai 26, ℘ (0 50) 54 41 15, Fax (0 50) 54 53 62, 😤, Produits de la mer – 🆎 🔘 🔲 🆅🆂🅰
B d
fermé mardi soir de fin sept. à fin mars, merc. et 2 dern. sem. janv.-prem. sem. fév. – **Repas** *Lunch 1350 bc* – carte 1600 à 2000.

Slipway, Rederskaai 42, ℘ (0 50) 54 44 45, Fax (0 50) 55 17 16, Produits de la mer – 📺. 🆎 🔘 🔲 🆅🆂🅰
B c
fermé merc. soir, jeudi, 2 sem. en fév. et 3 sem. en oct. – **Repas** *Lunch 1500 bc* – 1600/2100.

Michel's, Baron de Maerelaan 18, ℘ (0 50) 54 57 86, Fax (0 50) 54 64 50 – 🆎 🔘 🔲 🆅🆂🅰 🅹🅲🅱
A a
fermé dim. non fériés sauf en saison, merc. soirs non fériés et sem. carnaval – **Repas** *Lunch 650* – 950/2150.

par ② : 2 km sur N 31 :

't Molentje (Horseele), Baron de Maerelaan 211, ℘ (0 50) 54 61 64, Fax (0 50) 54 79 94, 😤, « Fermette avec décor personnalisé » – 🅿. 🆎 🔘 🔲 🆅🆂🅰. ✂
fermé dim. non fériés, merc. soir, 2 sem. en fév. et 3 sem. en sept. – **Repas** (nombre de couverts limité - prévenir) *Lunch 1600 bc* – carte 2450 à 3550
Spéc. St-Jacques à la poêle, poireaux, lardons et croûtons au beurre d'épices. Blanc de turbot grillé au caramel de chicons et de Sherry aux petits fruits de mer. Gâteau aux deux chocolats, sauce à l'orange.

ZELLIK Vlaams-Brabant 🗘🗘🗘 ⑱ et 🗘🗘🗘 F 2 - ㉑ N – *voir à Bruxelles, environs.*

ZELZATE 9060 Oost-Vlaanderen 🔢 ④ ⑤ et 🔢 E 2 – 12 232 h.
Bruxelles 76 – Brugge 44 – Gent 21.

🏨 **Cosmos,** J. F. Kennedylaan 2, ℰ (0 9) 345 64 15, Fax (0 9) 345 65 53, ⚞ – 📺 ☎ 🅿
– 🛎 25. 🆎 ⓞ ⴹ 🆅🆂🅰. ⅍ ch
fermé 18 juil.-9 août – **Repas** *(fermé vend. soir et sam.)* 895/1595 bc – **17 ch**
⌦ 2000/2700 – ½ P 2300.

🍴🍴 **Den Hof** avec ch, Stationsstraat 22b, ℰ (0 9) 345 60 48, Fax (0 9) 342 93 60, 🍸, ⚞
– 📺 ☎ 🅿. 🆎 ⴹ 🆅🆂🅰. ⅍ ch
fermé 3 dern. sem. juil. et fin déc.-début janv. – **Repas** *(fermé dim. et après 20 h 30)*
Lunch 385 – carte env. 1400 – **7 ch** ⌦ 2150/2750.

ZINGEM 9750 Oost-Vlaanderen 🔢 ⑯ et 🔢 D 3 – 6 492 h.
Bruxelles 57 – Gent 31 – Kortrijk 35 – Oudenaarde 9.

à Huise O : 2,5 km ⓒ Zingem – ✉ 9750 Huise :

🏨 **Gasthof 't Peerdeke,** Gentsesteenweg 45 (N 60), ℰ (0 9) 384 55 11,
Fax (0 9) 384 26 16 – 📺 ☎ 🅿 – 🛎 25 à 50. 🆎 ⴹ 🆅🆂🅰. ⅍
Repas *(ouvert jusqu'à 23 h) (fermé sam. midi, dim., 2 dern. sem. juil.-prem. sem. août, 24 et 25 déc. et 31 déc.-1er janv.) Lunch 1100 –* 1600 – **15 ch** ⌦ 2300/2960 – ½ P 2850.

ZINNIK Hainaut – voir Soignies.

Au moment de chercher un hôtel ou un restaurant, soyez efficace.
*Sachez utiliser les noms des localités **soulignés en rouge***
*sur les **cartes Michelin** n°ˢ 🔢 et 🔢*
Mais ayez une carte à jour.

ZOLDER 3550 Limburg ⓒ Heusden-Zolder 29 424 h. 🔢 ⑨ et 🔢 I 2.
🏌 à Houthalen NE : 10 km, Golfstraat 1 ℰ (0 89) 38 35 43, Fax (0 89) 84 12 08.
🅱 Domein Bovy, Galgeneinde 22 à Heusden ℰ (0 11) 25 13 17, Fax (0 11) 25 65 34.
Bruxelles 77 – Maastricht 46 – Diest 22 – Hasselt 12.

🍴🍴 **Villa Buzet,** Stationstraat 110, ℰ (0 11) 57 13 34, Fax (0 11) 57 13 34 – 🅿. ⓞ ⴹ 🆅🆂🅰.
⅍
fermé mardi soir, merc. et sam. midi – **Repas** *Lunch 950 –* carte 1500 à 2100.

au Sud-Ouest : 7 km par N 729, sur Omloop (circuit) Terlamen – ✉ 3550 Zolder :

🍴🍴🍴 **De Gulden Schalmei,** Sterrenwacht 153, ℰ (0 11) 25 17 50, Fax (0 11) 25 38 75, ≤
– 🅿. 🆎 ⴹ 🆅🆂🅰.
fermé jeudi, dim. soir, 2 sem. en fév. et 2 sem. en juil. – **Repas** *Lunch 1050 –* 1500/2000.

à Bolderberg SO : 8 km sur N 729 ⓒ Heusden-Zolder – ✉ 3550 Zolder :

🏨 **Soete Wey** ⌦, Kluisstraat 48, ℰ (0 11) 25 20 66, Fax (0 11) 87 10 59, « Environnement boisé », ⚞ – 📺 ☎ 🅿 – 🛎 25 à 60. 🆎 ⓞ ⴹ 🆅🆂🅰. ⅍
Repas *(fermé sam. midi, dim. soir et lundi) Lunch 850 –* 1250/2450 – **20 ch** ⌦ 2750/4250 – ½ P 3075/3275.

🍴🍴 **Oud Bolderberg,** St-Jobstraat 83, ℰ (0 11) 25 33 66, Fax (0 11) 25 33 92, 🍸 – ▤
🅿. 🆎 ⓞ ⴹ 🆅🆂🅰
fermé lundi, merc. soir, sam. midi, 2 sem. en juin et 2 sem. en janv. – **Repas** *Lunch 950 –* 1550.

à Heusden NO : 6 km ⓒ Heusden-Zolder – ✉ 3550 Heusden :

🍴🍴 **De Wijnrank,** Kooidries 10, ℰ (0 11) 42 55 57, Fax (0 11) 43 29 73, 🍸, « Terrasse »
– 🅿. 🆎 ⓞ ⴹ 🆅🆂🅰
fermé mardi, sam. midi et 2 sem. en août – **Repas** *Lunch 950 –* 1250/1850.

ZOMERGEM 9930 Oost-Vlaanderen 🔢 ④ et 🔢 D 2 – 8 151 h.
Bruxelles 77 – Gent 21 – Brugge 38 – Roeselare 53.

à Ronsele NE : 3,5 km ⓒ Zomergem – ✉ 9932 Ronsele :

🍴🍴 **Landgoed Den Oker,** Stoktevijverstraat 36, ℰ (0 9) 372 40 76 – 🅿. ⓞ ⴹ 🆅🆂🅰 🅹🅲🅱.
⅍
fermé dim. soir, lundi, 24 fév.-8 mars et du 1er au 10 sept. – **Repas** *Lunch 995 –* carte 1800 à 2100.

ZONHOVEN 3520 Limburg 🔢🔢🔢 ⑨ et 🔢🔢🔢 J 3 – 18 428 h.
Bruxelles 86 – Maastricht 42 – Diest 31 – Hasselt 7.

🏠 **Goudbloem** 🍴 sans rest, Nachtegalenstraat 49 (NO : 3 km par N 72), ℘ (0 11) 81 35 50,
« Terrasse ombragée » – 📺 ☎ 🅿. 🆎 ⓪ ⋿ *VISA*. 🕸
6 ch 🚮 2700/3800.

XX **De 4 Jaargetijden,** Houthalenseweg 32, ℘ (0 11) 82 11 04, Fax (0 11) 82 11 04, 🌼
– 🅿. 🆎 ⓪ ⋿ *VISA*. 🕸
fermé merc., sam. midi, 1 sem. carnaval, 1 sem. en juil. et 1 sem. en août – **Repas**
Lunch 1200 – carte 1500 à 1900.

ZOTTEGEM 9620 Oost-Vlaanderen 🔢🔢🔢 ⑯ ⑰ et 🔢🔢🔢 E 3 – 24 463 h.
Bruxelles 46 – Gent 28 – Aalst 24 – Oudenaarde 18.

à **Elene** N : 2 km 🅲 Zottegem – ✉ 9620 Elene :
XXX **In den Groenen Hond,** Leopold III straat 1, ℘ (0 9) 360 12 94, Fax (0 9) 361 08 03,
🌼, « Ancien moulin à eau » – 🅿. 🆎 ⓪ ⋿ *VISA*
fermé merc. soir, jeudi, dim. soir, 1re quinz. fév. et 3 dern. sem. août-début sept. – **Repas**
Lunch 1690 bc – carte 1950 à 2300.

HET-ZOUTE West-Vlaanderen 🅲 Knokke-Heist 🔢🔢 ⑪ et 🔢🔢🔢 C 1 – *voir à Knokke-Heist.*

ZOUTENAAIE West-Vlaanderen 🔢🔢🔢 ① – *voir à Veurne.*

ZUIENKERKE West-Vlaanderen 🔢🔢🔢 ② et 🔢🔢🔢 C 2 – *voir à Blankenberge.*

ZUTENDAAL 3690 Limburg 🔢🔢🔢 ⑩ et 🔢🔢🔢 J 3 – 6 477 h.
🏢 Oosterzonneplein 1, ℘ (0 89) 61 17 51, Fax (0 89) 61 37 32.
Bruxelles 104 – Maastricht 16 – Hasselt 20 – Liège 38.

🏨 **De Klok,** Daalstraat 9, ℘ (0 89) 61 11 31, Fax (0 89) 61 24 70, 🌼 – 📺 ☎. 🆎 ⓪ ⋿
VISA 🇯🇨🇧. 🕸
Repas *(fermé merc. et sam. midi) Lunch 1100* – carte env. 1800 – **11 ch** 🚮 1800/3000 –
½ P 2250.

ZWEVEGEM 8550 West-Vlaanderen 🔢🔢🔢 ⑮ et 🔢🔢🔢 D 3 – 23 261 h.
Bruxelles 91 – Brugge 48 – Gent 46 – Kortrijk 5 – Lille 31.

🏨 **Sachsen** Ⓜ sans rest, Avelgemstraat 23, ℘ (0 56) 75 94 75, Fax (0 56) 75 50 66 – 📲
📺 ☎ 🅿. 🔩 60. 🆎 ⓪ ⋿ *VISA*
18 ch 🚮 2500/3300.

XX **'t Ovenbuur** (Winne), Bellegemstraat 48, ℘ (0 56) 75 64 40, Fax (0 56) 75 64 65, ≤,
🌸 🌼, « Cadre champêtre » – 🍽 🅿. 🆎 ⓪ ⋿ *VISA*
fermé dim., lundi soir, merc. soir et 23 juil.-20 août – **Repas** *Lunch 1850 bc* – 2250/2950 bc,
carte 2000 à 2600
Spéc. Saumon tiède aux herbes du jardin. Pigeonneau rôti au four au thym et à la gousse
d'ail. Râble de lièvre, sauce smitane (15 oct.-30 déc.).

XX **Molenberg,** Kwadepoelstraat 51, ℘ (0 56) 75 93 97, Fax (0 56) 75 93 97, 🌼,
« Auberge dans un cadre champêtre » – 🅿. 🆎 ⓪ ⋿ *VISA* 🇯🇨🇧
fermé merc., dim. soir et fin juil.-début août – **Repas** *Lunch 1350 bc* – 2100 bc/2950 bc.

ZWIJNAARDE Oost-Vlaanderen 🔢🔢🔢 ④ et 🔢🔢🔢 E 2 – *voir à Gent, périphérie.*

Grand-Duché de Luxembourg

Lëtzebuerg

*Les prix sont donnés en francs luxembourgeois
(les francs belges sont également utilisés au Gd. Duché).*

※ ※ ※ *Les étoiles*
※ ※ *De Sterren*
※ *Die Sterne*
The stars

 "Bib Gourmand"

Repas 1100   *Repas soignés à prix modérés*
Verzorgde Maaltijden voor een schappelijke prijs
Sorgfältig zubereitete preiswerte Mahlzeiten
Good food at moderate prices

L'agrément
Aangenaam Verblijf
Annehmlichkeit
Peaceful atmosphere and setting

AHN (OHN) © Wormeldange 2 123 h. **215** E 6 et **409** M 7.
Luxembourg 26 – Ettelbrück 51 – Remich 15 – Trier 27.

XX **Mathes,** rte du Vin 37, ⊠ 5401, ℰ 76 01 06, Fax 76 06 45, ≤, 龠, « Terrasse et jardin » – **℗**. ⟳ ⓞ **E** ⟳
fermé mardi hors saison, lundi, 23 fév.-5 mars et du 2 au 11 nov. – **Repas** Lunch 1250 – 1450/2400.

ASSELBORN (AASSELBUR) © Wincrange 2 751 h. **215** B 3 et **409** K 5.
Luxembourg 74 – Ettelbrück 47 – Clervaux 13 – Bastogne 26.

🏠 **Vieux Moulin Luxembourg** ⟳, Maison 158, ⊠ 9940, ℰ 99 86 16, Fax 99 86 17, 龠, « Musée, cadre de verdure » – ⟳ ⟳ **℗** – 🔏 25. ⟳ **E** ⟳. ⟳ rest
fermé 11 nov.-2 déc. et du 6 au 27 janv. – **Repas** 950/1750 – **15 ch** ⟳ 1800/2750 – ½ P 2400/2700.

BASCHARAGE (NIDDERKÄERJHÉNG) **215** E 3 et **409** K 7 – 5 034 h.
Luxembourg 19 – Arlon 21 – Esch-sur-Alzette 14 – Longwy 17.

XX **Le Pigeonnier,** av. de Luxembourg 211, ⊠ 4940, ℰ 50 25 65, Fax 50 53 30 – **℗**. ⟳ **E** ⟳. ⟳
fermé lundi soir et mardi – **Repas** Lunch 1200 – 2400.

BASCHLEIDEN (BASCHELT) **215** C 2 – voir à Boulaide.

BEAUFORT (BEFORT) **215** C 5 et **409** L 6 – 1 202 h.
Voir *Ruines du château★ – Gorges du Hallerbach★ SE : 4 km et 30 mn AR à pied.*
🛈 r. Église 9, ⊠ 6315, ℰ 83 60 81, Fax 86 94 14.
Luxembourg 35 – Ettelbrück 25 – Diekirch 15 – Echternach 15.

🏠 **Meyer** ⟳, Grand-Rue 120, ⊠ 6310, ℰ 83 62 62, Fax 86 90 85, « Jardin avec terrasse », 【る, ⟳, ⟳, 🗐 rest, ⟳ ⟳ ⟳ **℗** – 🔏 30. ⟳ ⓞ **E** ⟳. ⟳
21 mars-2 janv. – **Repas** (fermé après 20 h 30) 1400/1750 – **33 ch** ⟳ 3400/3700 – ½ P 2350/2850.

🏠 **Aub. Rustique,** r. Château 55, ⊠ 6313, ℰ 83 60 86, Fax 86 92 22, 龠 – ⟳ ⟳. **E** ⟳
fermé 16 nov.-7 déc. – **Repas** Lunch 390 – carte 850 à 1150 – **8 ch** ⟳ 1400/2200 – ½ P 1390/1510.

BELAIR – voir à Luxembourg, périphérie.

BELVAUX (BIELES) © Sanem 11 534 h. **215** E 3 et **409** K 7.
Luxembourg 24 – Arlon 31 – Esch-sur-Alzette 5 – Longwy 21.

X **St. Laurent,** r. Alliés 24, ⊠ 4412, ℰ 59 10 80, Fax 59 21 82 – ⟳ **E** ⟳
⟳ *fermé du 20 au 27 mai, du 1er au 15 sept., du 11 au 31 janv., mardi soir et merc.* – **Repas** Lunch 350 – 800/1300.

BERDORF (BÄERDREF) **215** D 6 et **409** M 6 – 988 h.
Voir *NO : Ile du Diable★★ – N : Plateau des Sept Gorges★ (Sieweschluff), Kasselt★ – Werschrumschluff★ S : 2 km.*
Exc. *Promenade à pied★★ : Perekop.*
🛈 an der Laach 7, ⊠ 6550, ℰ 79 06 43, Fax 79 91 82.
Luxembourg 32 – Ettelbrück 31 – Diekirch 24 – Echternach 6.

🏠 **Parc** ⟳, rte de Grundhof 16, ⊠ 6550, ℰ 79 01 95, Fax 79 02 23, 龠, « Parc ombragé avec ⟳ », ⟳ ⟳ ⟳ **℗**. ⟳ **E** ⟳
Pâques-oct. – **Repas** (fermé après 20 h 30) Lunch 800 – 1200/1600 – **20 ch** ⟳ 2000/4900 – ½ P 2200/3200.

🏠 **Bisdorff** ⟳, r. Heisbich 39, ⊠ 6551, ℰ 79 02 08, Fax 79 06 29, 龠, « Cadre de verdure », ⟳, ⟳ – ⟳ ⟳ ⟳ & **℗** – 🔏 25. ⓞ **E** ⟳. ⟳ rest
Pâques-2 janv. – **Repas** (fermé lundi, mardi et après 20 h 30) 850 – **27 ch** ⟳ 1750/3500 – ½ P 2000/2400.

🏠 **Herber,** rte d'Echternach 53, ⊠ 6550, ℰ 79 01 88, Fax 79 90 77, ⟳ – ⟳ ⟳ ⟳ ⟳ **℗**. **E** ⟳. ⟳ rest
27 fév.-16 nov. – **Repas** (fermé après 20 h 30) 900/1300 – **16 ch** ⟳ 1300/2600 – ½ P 1550/1950.

XX **Kinnen** avec ch, rte d'Echternach 2, ⊠ 6550, ℰ 79 01 83, Fax 79 90 02 – ⟳ ⟳ ⟳ **℗**. ⟳ **E** ⟳. ⟳
avril-12 nov. – **Repas** 850/1100 – **30 ch** ⟳ 1110/2600 – ½ P 1550/2020.

BOLLENDORF-PONT (BOLLENDORFER-BRÉCK) 🆔 *Berdorf 988 h.* 📔 C 6 et 🔢 M 6.
Luxembourg 36 – Ettelbrück 27 – Diekirch 21 – Echternach 7.

🏨 **André,** rte de Diekirch 23, ⊠ 6555, 🖉 72 03 93, Fax 72 87 70, 🍴, 🚐 – 🛗 📺 ☎ 🅿.
🖪 𝒱𝒾𝒮𝒜. 🎯
fermé 16 mars-28 déc. – Repas (fermé lundi et après 20 h 30) Lunch 850 – carte 1000 à 1550 – 22 ch ⊃⊂ 2000/3200 – ½ P 1950/2050.

BOULAIDE (BAUSCHELT) 📔 C 2 et 🔢 K 6 – *592 h.*
Luxembourg 56 – Ettelbrück 35 – Arlon 30 – Bastogne 27.

🏠 **Hames,** r. Curé 2, ⊠ 9640, 🖉 99 30 07, Fax 99 36 49, 🚐 – 📺 🅿. 🖪 𝒱𝒾𝒮𝒜. 🎯 rest
fermé du 16 au 24 juin, du 1er au 18 sept. et janv.-1er fév. – Repas (fermé mardi soir et merc.) carte 950 à 1450 – 11 ch ⊃⊂ 1000/2400 – ½ P 1450/1550.

à Baschleiden *(Baschelt) N : 1 km* 🆔 *Boulaide :*

🏨 **An der Flébour** 🞀, r. Principale 45, ⊠ 9633, 🖉 99 35 04, Fax 99 30 03, 🍴,
« Ancienne ferme » – 📺 ☎ 🅿. 🖪 𝒱𝒾𝒮𝒜. 🎯 rest
*fermé lundi du 15 sept. au 15 avril et mardi – Repas Lunch 300 – carte env. 1300 – 13 ch
⊃⊂ 1740/2580 – ½ P 1840/2290.*

BOUR (BUR) 🆔 *Tuntange 739 h.* 📔 D 4 et 🔢 L 6.
Luxembourg 16 – Ettelbrück 27 – Arlon 18 – Mersch 12.

🍴🍴🍴 **Janin,** r. Arlon 2, ⊠ 7412, 🖉 30 03 78, Fax 30 79 02, 🍴 – 🅿. 🖪 𝒱𝒾𝒮𝒜
fermé lundis non fériés, mardi midi, prem. sem. sept. et 27 déc.-15 janv. – Repas carte 1600 à 2100.

BOURGLINSTER (BUERGLËNSTER) 🆔 *Junglinster 4 761 h.* 📔 D 5 et 🔢 L 6.
Luxembourg 15 – Echternach 25 – Ettelbruck 29.

🍴🍴 **La Distillerie,** r. Château 8, ⊠ 6162, 🖉 787 87 81, Fax 78 81 84, ≤, « Dans un château-fort dominant la ville » – 🅿 – 🔼 25 à 100. 🖪 🕕 🖪 𝒱𝒾𝒮𝒜. 🎯
fermé sam. midi, dim. soir, lundi et fév. – Repas Lunch 1450 – 1620/2160.

BOURSCHEID (BUURSCHENT) 📔 C 4 et 🔢 L 6 – *1031 h.*
Voir *Route du château* ≤★★ – *Ruines★ du château★*, ≤★.
Luxembourg 37 – Ettelbrück 18 – Diekirch 14 – Wiltz 22.

🏨 **St-Fiacre,** r. Principale 4, ⊠ 9140, 🖉 99 00 23, Fax 99 06 66, ≤, 🌴 – 🛗 📺 ☎ 🅿.
🖪 🕕 🖪 𝒱𝒾𝒮𝒜. 🎯
*fermé 14 janv.-15 mars – Repas (fermé mardi soir et merc. du 15 sept. à mai) Lunch 350
– 850/1250 – 19 ch ⊃⊂ 1735/2560 – ½ P 1950/2100.*

🍴🍴 **Host. de Bourscheid** avec ch, r. Principale 5, ⊠ 9140, 🖉 99 00 08, Fax 90 80 17 –
🅿. 🖪 🕕 🖪 𝒱𝒾𝒮𝒜
fermé lundi soir et mardi – Repas Lunch 990 – 2300 – ⊃⊂ 300 – 8 ch 1500 – ½ P 1790/3000.

à Bourscheid-Moulin *(Buurschenter-millen) E : 4 km :*

🏨 **du Moulin** 🞀, ⊠ 9164, 🖉 99 00 15, Fax 99 07 14, ≤, 🚐, 🌴 – 🛗 📺 ☎ 🖇 🅿. 🖪 𝒱𝒾𝒮𝒜
avril-15 nov. – Repas Lunch 950 – 900/1250 – 13 ch ⊃⊂ 2500/3000 – ½ P 2200.

à Bourscheid-Plage *E : 5 km :*

🏨 **Theis** 🞀, ⊠ 9164, 🖉 99 00 20, Fax 99 07 34, ≤, « Au bord de la Sûre », 🌴, 🎯 –
🛗, 🍽 rest, 📺 ☎ 🖇 🅿 – 🔼 30. 🕕 🖪 𝒱𝒾𝒮𝒜. 🎯
21 mars-16 nov. – Repas 980 – 19 ch ⊃⊂ 1800/3000 – ½ P 1880/2280.

BRIDEL (BRIDDEL) 📔 E 4 – *voir à Luxembourg, environs.*

CAPELLEN (KAPELLEN) 🆔 *Mamer 6 268 h.* 📔 E 3 et 🔢 K 7.
Luxembourg 12 – Ettelbrück 37 – Mondorf-les-Bains 37 – Arlon 18 – Longwy 30.

🏠 **Drive-In** sans rest, rte d'Arlon 1, ⊠ 8310, 🖉 30 91 53, Fax 30 73 53 – 📺 ☎ 🅿. 🖪
🕕 🖪 𝒱𝒾𝒮𝒜
fermé 20 déc.-6 janv. – ⊃⊂ 250 – 22 ch 1800/3000.

Send us your comments on the restaurants we recommend
and your opinion on the specialities
and local wines they offer.

CLERVAUX (KLIERF) 🗺️ B 4 et 🗺️ L 5 – *1 567 h.*

Voir **Site★★** – **Château★** : exposition de maquettes★ – S : route de Luxembourg ⩽★★.

🏌 à Eselborn NO : 3 km, Mecherwee, ⊠ 9748, ℘ 92 93 95, Fax 92 94 51.

🛈 (avril-oct.) Château, ⊠ 9712, ℘ 92 00 72, Fax 92 93 12.

Luxembourg 62 – Ettelbrück 34 – Bastogne 28 – Diekirch 30.

🏨 **International,** Grand-rue 10, ⊠ 9710, ℘ 92 93 91, Fax 92 04 92, 🍽️, 🎛️, 🏊, ☒
– 🛗, 🍴 rest, 📺 ☎ 🚗 – 🏸 25 à 50. ⚠ ⓪ 🄴 🚾. 🕬 rest
Repas 850/1980 – **51 ch** ⊃ 1800/5800, 1 suite – ½ P 2600/3600.

🏨 **Koener,** Grand-rue 14, ⊠ 9710, ℘ 92 10 02, Fax 92 08 26, 🍽️, 🎛️, 🏊, ☒ – 🛗 📺
☎ 🚗. ⚠ ⓪ 🄴 🚾
fermé 20 janv.-fév. – **Repas** *Lunch 380* – 550/990 – **28 ch** ⊃ 1500/2600 – ½ P 1850/2000.

🏨 **Le Claravallis,** r. Gare 3, ⊠ 9707, ℘ 92 10 34, Fax 92 90 89, 🍽️, 🏊 – 🛗 📺 ☎ 🚗. ⚠ ⓪ 🄴 🚾 🄹🄲🄱
fermé 15 fév.-1ᵉʳ mars et jeudi hors saison – **Repas** *Lunch 490* – 790/890 – **28 ch**
⊃ 2000/2950 – ½ P 1900/2300.

🏨 **du Commerce,** r. Marnach 2, ⊠ 9709, ℘ 92 10 32, Fax 92 91 08, 🏊, 🌿 – 🛗 📺
☎ 🚗 – 🏸 60. 🄴
20 mars-6 déc. ; fermé merc. hors saison – **Repas** *(fermé après 20 h 30)* 620/1150 – **52 ch**
⊃ 1950/3000 – ½ P 1830/2000.

🏨 **du Parc** ⑤, r. Parc 2, ⊠ 9708, ℘ 92 10 68, Fax 92 10 68, ⩽, 🏊 – 📺 ☎ 🚗. 🄴 🚾
fermé janv. – **Repas** *(fermé mardi et sam. midi)* carte 1100 à 1500 – **7 ch** ⊃ 1600/2500
– ½ P 2050.

🍴 **L'Ilot Sacré,** Grand-rue 42, ⊠ 9710, ℘ 92 07 06, Fax 92 07 06
⚠ ⓪ 🄴 🚾
fermé merc. soir et jeudi sauf en juil.-août – **Repas** *Lunch 660* – 1000/1200.

à Eselborn *(Eselbuer)* NO : 3 km 🄲 Clervaux :

🏨 **du Golf** ⑤, Mecherwee, ⊠ 9748, ℘ 92 93 95, Fax 92 99 10, 🍽️, « Sur le green avec
⩽ collines boisées », 🏊 – 📺 ☎ 🚗 – 🏸 60. ⚠ 🄴 🚾
fermé janv.-fév. – **Repas** *(fermé lundi soir et mardi)* *Lunch 750* – carte 850 à 1400 – **10 ch**
⊃ 1900/3200 – ½ P 2250/2700.

à Reuler *(Reiler)* E : 1 km par N 18 🄲 Clervaux :

🏨 **St-Hubert,** ⊠ 9768, ℘ 92 04 32, Fax 92 93 04, ⩽, « Chalet fleuri », 🏊, 🌿, 🎾 – 🛗
📺 ☎ 🚗. ⚠ ⓪ 🄴 🚾. 🕬
fermé mi-déc.-mi-fév. – **Repas** *(fermé mardi et après 20 h 30)* carte 950 à 1300 – **21 ch**
⊃ 1700/2800 – ½ P 1900.

à Roder *(Roeder)* E : 4,5 km 🄲 Munshausen 625 h :

🍴🍴 **Kasselslay** ⑤ avec ch, Maison 21, ⊠ 9769, ℘ 92 12 55, Fax 92 91 13 – 🚗. ⚠ 🄴 🚾.
🕬
fermé fin nov.-début déc. et lundi soir et mardi hors saison – **Repas** *(fermé après 20 h 30)*
carte env. 1300 – **10 ch** ⊃ 1000/2300 – ½ P 1500/1900.

CONSDORF (KONSDRËF) 🗺️ D 6 et 🗺️ M 6 – *1 432 h.*

Luxembourg 26 – Ettelbrück 34 – Echternach 11.

🍴 **Domaine Moulin de Consdorf** ⑤ avec ch, r. Moulin 2, ⊠ 6211, ℘ 79 00 02,
Fax 79 95 06, 🍽️, « Auberge dans vallée boisée », 🌿 – 🚗. 🄴 🚾
fermé du 2 au 20 fév. – **Repas** *(fermé merc. sauf en juil.-août)* 850/1800 – **11 ch**
⊃ 1750/2500 – ½ P 1700/1900.

DIEKIRCH (DIKRECH) 🗺️ C 4 et 🗺️ L 6 – *5 586 h.*

Env. **Falaise de Grenglay** ⩽★★ N : 8 km et 15 mn AR à pied.

🛈 Esplanade 1, ⊠ 9227, ℘ 80 30 23, Fax 80 27 86.

Luxembourg 33 – Ettelbrück 5 – Bastogne 46 – Clervaux 30 – Echternach 28.

🏨 **du Parc,** av. de la Gare 28, ⊠ 9233, ℘ 80 34 72, Fax 80 98 61 – 🛗 🕬 📺 ☎ 🚗. 🄴
🚾. 🕬 ch
mars-nov. ; fermé mardi – **Repas** *(fermé après 20 h 30)* carte 1150 à 1600 – **40 ch**
⊃ 2100/3200 – ½ P 2050/2200.

🍴🍴🍴 **Hiertz** (Pretti) avec ch, r. Clairefontaine 1, ⊠ 9220, ℘ 80 35 62, Fax 80 88 69,
❀ « Terrasse et jardin suspendus, fleuris » – 🍴 rest, 📺. ⚠ ⓪ 🄴 🚾
fermé lundi soir, mardi, 2ᵉ août et fin déc.-début janv. – **Repas** *(nombre de couverts
limité - prévenir)* 2800 *(2 pers. min.)*, carte 2000 à 2300 – **9 ch** ⊃ 2300/2900 – ½ P 3000
Spéc. Cassolette de queues d'écrevisses aux herbes du jardin. Saltimbocca de ris de veau.
Terrine de poires au vin de Muscat. **Vins** Riesling, Pinot gris.

DIFFERDANGE (DÉIFFERDANG) **215** E 3 et **409** K 7 – 15 699 h.

Luxembourg 24 – Arlon 27 – Esch-sur-Alzette 9 – Longwy 19.

🏛 **Au Petit Casino**, pl. du Marché 10, ⌂ 4621, ℰ 582 30 11, Fax 58 38 91, 🏠 – 📳 📺
☎ – 🔬 40. 🆎 ⓸ 🆘 🗺
Repas Lunch 320 – carte 850 à 1500 – **24 ch** ⌂ 1800/2600 – ½ P 2200.

DOMMELDANGE (DUMMELDÉNG) **215** E 4 – voir à Luxembourg, périphérie.

ECHTERNACH (IECHTERNACH) **215** D 6 et **409** M 6 – 4 211 h.

Voir Place du Marché★ Y **10** - Abbaye★ X – O : Gorge du Loup★★ (Wolfsschlucht), ≤★ du belvédère de Troosknepchen Z.

🅿 Parvis de la Basilique 9, ⌂ 6486, ℰ 72 02 30, Fax 72 75 24.

Luxembourg 35 ② – Ettelbrück 30 ③ – Diekirch 28 ③ – Bitburg 21 ①.

ECHTERNACH

Gare (R. de la) . . . . **X**
Luxembourg (R. de) . . . . **Y** 9
Marché (Pl. du) . . . . . . **Y** 10
Montagne (R. de la) . . . . **Y** 13
Pont (R. du) . . . . **XY**

Bénédictins (R. des) . . . . **Y** 2
Bons Malades (R. des) . . **Y** 3
Breilekes (R.) . . . . **Y**
Duchscher (R. André) . . **Y**
Ermesinde (R.) . . . . **X** 5
Gibraltar (R.) . . . . **Y**
Haut-Ruisseau (R.) . . . . **X** 6
Hoovelek . . . . **Y**
Hôpital (R. de l') . . . . . . **Y**
Maximilien (R.) . . . . **XY**
Merciers (R. des) . . . . . **X** 12
Remparts (R. des) . . . . . **Y**
Sigefroi (R. Comte) . . . . **Y** 15
Sûre (R. de la) . . . . **Y**
Val des Roses . . . . **X**
Wasserbillig (R. de) . . . . **Y** 17

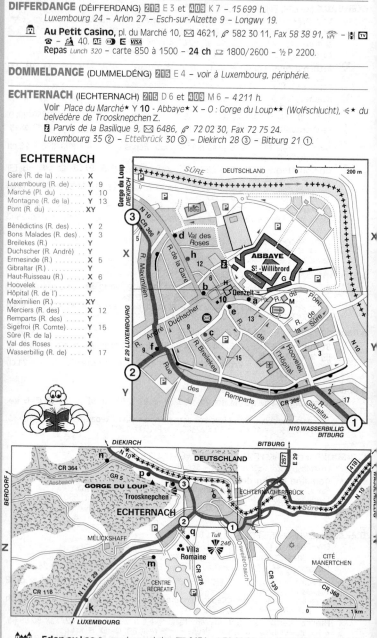

🏨 **Eden au Lac** ⑤, au-dessus du lac, ⌂ 6474, ℰ 72 82 83, Fax 72 81 44, ≤ ville et vallée boisée, 🏠, 🇫🇯, 🇫🇸, 🔲, 🌳, ✱ – 📳, 🍽 rest, 📺 ☎ 🅿 – 🔬 40 à 80. 🆎 ⓸ 🆘 🗺, ✱
fermé 3 janv.-fév. – **Repas** (fermé sam. soir) Lunch 1200 – 2400 (2 pers. min.)/2800 – **65 ch**
⌂ 2850/6100, 3 suites – ½ P 2850/4050.
Z m

Bel Air ⑤, rte de Berdorf 1, ✉ 6409, ☏ 72 93 83, *Fax 72 86 94*, ≤, « Parc avec pièce d'eau », ⇌, ✗ – 📵 ✗ 📺 ☎ ⇌ 🅿 – 🔬 25 à 100. 🖭 ⓪ 🖸
🖭 ✗
Z n
Repas *Lunch 1650* – carte 1300 à 2200 – **23 ch** ⇌ 4800, 9 suites – ½ P 3200/4000.

De la Bergerie, rte de Luxembourg 47, ✉ 6450, ☏ 728 50 41, *Fax 72 85 08*, « Terrasse avec pièce d'eau », 🎿, ≘s, ⇌ – 📵 📺 ☎ 🅿. 🖭 ⓪ 🖸 🖭
Z q
fermé janv.-fév. – **Repas** voir rest **La Bergerie** ci-après, 6,5 km par navette – **15 ch**
⇌ 2000/3200.

Grand H., rte de Diekirch 27, ✉ 6430, ☏ 72 96 72, *Fax 72 90 62*, ≤, ⇌ – 📵 📺 ☎
⇌ 🅿. 🖭 ⓪ 🖸 🖭 ✗
Z p
avril-14 nov. – **Repas** *(fermé après 20 h 30)* *Lunch 875* – 1250 (2 pers. min.)/2400 – **26 ch**
⇌ 2700/3600 – ½ P 2100/2800.

Host. de la Basilique, pl. du Marché 7, ✉ 6460, ☏ 72 94 83, *Fax 72 88 90*, 🍴 –
📵 📺 ☎ ⇌. 🖭 🖸 🖭. ✗ ch
Y a
fermé 16 nov.-8 janv. et jeudi d'oct. à mars – **Repas** 820/1090 – **14 ch** ⇌ 2800/3350
– ½ P 2225/2425.

Le Pavillon, r. Gare 2, ✉ 6440, ☏ 72 98 09, *Fax 72 86 23*, 🍴 – 📺 ☎ ⇌. 🖭 🖸
🖭
XY b
fermé merc. de nov. à mars – **Repas** *Lunch 350* – 850/1580 – **9 ch** ⇌ 1800/2700 –
½ P 2400/2700.

Welcome, rte de Diekirch 9, ✉ 6430, ☏ 72 03 54, *Fax 72 85 81* – 📺 ☎. 🖸 🖭.
✗
Z r
15 mars-nov. – **Repas** *(fermé merc.)* 790/980 – **16 ch** ⇌ 2000/2700 – ½ P 1750/3100.

Ardennes, r. Gare 38, ✉ 6440, ☏ 72 01 08, *Fax 72 94 80*, ≘s, ⇌ – 📵 📺 ☎. 🖭 🖸
🖭 ✗
X d
Repas *(fermé mi-janv.-début mars, dim. soir hors saison et jeudi)* *Lunch 600* – 900/1500 –
30 ch ⇌ 2200/2800 – ½ P 2000/2100.

du Commerce, pl. du Marché 16, ✉ 6460, ☏ 72 03 01, *Fax 72 87 90*, 🍴, ≘s, ⇌
– 📵 📺 ☎. 🖭 🖸 🖭
Y e
10 fév.-15 nov. – **Repas** 750/1580 bc – **44 ch** ⇌ 1750/2600 – ½ P 1850/1950.

Universel, rte de Luxembourg 40, ✉ 6450, ☏ 72 99 91, *Fax 72 87 87* – 📵 📺 ☎ 🅿.
🖸 🖭. ✗ rest
Y f
avril-3 nov. – **Repas** *(fermé jeudi midi et après 20 h 30)* *Lunch 600* – carte 850 à 1300 –
45 ch ⇌ 2100/3000 – ½ P 1900/2000.

Le Postillon, rte de Luxembourg 7, ✉ 6450, ☏ 72 01 88, *Fax 72 91 73* – ▤ rest, 📺
☎. 🖭 🖸 🖭
Y c
Repas (grill) *(fermé sam. midi hors saison, mardi et fév.)* 810/1400 – **7 ch** ⇌ 2100/2750
– ½ P 1950/2100.

La Coppa, r. Gare 22, ✉ 6440, ☏ 72 73 24, *Fax 72 76 07*, 🍴 – 🖸 🖭
X h
fermé mardi, 22 sept.-7 oct. et du 10 au 30 janv. – **Repas** *Lunch 350* – 850.

à Geyershaff *(Geieschhaff)* par ② : 6,5 km par E 27 © Bech 787 h :

La Bergerie (Phal) – H. de la Bergerie, ✉ 6251, ☏ 79 04 64, *Fax 79 07 71*, ≤, 🍴,
« Cadre champêtre, abords fleuris » – 🅿. 🖭 ⓪ 🖸 🖭
❀❀
fermé dim. soir, lundi et janv.-fév. – **Repas** *Lunch 1650* – 2650 (2 pers. min.), carte 2350
à 2650
Spéc. Rosace de St-Jacques. Croustillant d'agneau aux amandes. Soufflé au chocolat et son
cœur glacé à la banane. **Vins** Pinot gris, Riesling.

à Lauterborn *(Lauterbur)* © Echternach :

Au Vieux Moulin ⑤ avec ch, Maison 6, ✉ 6562, ☏ 72 00 68, *Fax 72 71 25* – 📺 🅿.
🖭 🖸 🖭. ✗
Z k
fermé lundi, 2 sem. en nov. et 3 sem. en janv. – **Repas** *(fermé après 20 h 30 en hiver)*
1150 – **4 ch** ⇌ 2000/2200 – ½ P 1800.

à Steinheim *(Stenem)* par ① : 4 km © Rosport 1 429 h :

Gruber, rte d'Echternach 36, ✉ 6585, ☏ 72 04 33, *Fax 72 87 56*, « Jardin », ✗ – 📺
☎ 🅿. 🖸 🖭. ✗ rest
25 mars-nov. – **Repas** *(fermé après 20 h 30)* carte 950 à 1450 – **21 ch** ⇌ 1800/2600
– ½ P 1800/2100.

Voir aussi : **Weilerbach** *par ③ : 3 km*

Don't get lost, use **Michelin Maps** which are kept up to date.

EHNEN (ÉINEN) ⓒ Wormeldange 2 123 h. **215** E 6 et **409** M 7.
Luxembourg 21 – Ettelbrück 55 – Remich 10 – Trier 32.

🏠 **Bamberg's**, rte du Vin 131, ⊠ 5416, ℰ 76 00 22, Fax 76 00 56, ≤ – ☒ 📺 ☎ 🅿. AE E VISA. ✆
fermé mardi et déc.-15 janv. – **Repas** 1650/2000 – **14 ch** ⊆ 2300/3200 – ½ P 2300/2500.

🏛 **Simmer** avec ch, rte du Vin 117, ⊠ 5416, ℰ 76 00 30, Fax 76 03 06, ≤, 🏠, « Terrasse » – 📺 ☎ 🅿. AE E VISA. ✆
fermé mardi, fév. et fin nov. – **Repas** 980/1880 – **15 ch** ⊆ 2200/2700 – ½ P 2700.

EICH (EECH) – *voir à Luxembourg, périphérie.*

ELLANGE (ELLÉNG) **215** E 5 – *voir à Mondorf-les-Bains.*

ERNZ NOIRE (Vallée de l') (MULLERTHAL-MËLLERDALL) ★★★ **215** D 5 et **409** L 6
G. Belgique-Luxembourg.

ERPELDANGE (IERPELDÉNG) **215** C 4 et **409** L 6 – *voir à Ettelbruck.*

ESCHDORF (ESCHDUERF) ⓒ Heiderscheid 1 015 h. **215** C 3 et **409** K 6.
Env. *S : 4,5 km à Rindschleiden : Église paroissiale★.*
Luxembourg 43 – Ettelbrück 17 – Bastogne 30 – Diekirch 22.

🏠 **Braas,** an Haesbich 1, ⊠ 9150, ℰ 83 92 13, Fax 83 95 78 – ☒ 📺 ☎ 🅿. E VISA. ✆
fermé janv.-1er fév. – **Repas** *(fermé lundi soir, mardi et après 20 h 30)* Lunch 350 – carte env. 1100 – **15 ch** ⊆ 1600/2500 – ½ P 2000.

ESCH-SUR-ALZETTE (ESCH-UELZECHT) **215** F 3 et **409** K 7 – 24 012 h.
🚺 Hôtel de Ville, bureau 8, ⊠ 4004, ℰ 54 73 83 (ext. 246), Fax 54 26 27.
Luxembourg 19 ① – Longwy 26 ④ – Thionville 32 ③.

ESCH-SUR-ALZETTE

Alzette (R. de l')
Boltgen (Pl.) 8
Gare (Av. de la) 15

Acacias (R. des) 2
Belvaux (Rte de) 4
Bernard-Zénon (R.) 5
Berwart (Bd) 6
Brill (R. du) 10
Commerce (R. du) 12
Charbons (R. des) 13
Grand-Rue 16
Grobirchen (Pl.) 17
Hôtel-de-Ville (Pl. de l') . 18
Jean-Jaurès (Pl.) 19
Joseph-Wester (R.) 20
Léon-Jouhaux (R.) 21
Léon-Weirich (R.) 23
Libération (R. de la) ... 24
Norbert-Metz (Pl.) 26
Pierre-Krier (Bd) 27
Remparts (Pl. des) 29
Remparts (R. des) 30
Résistance (Pl. de la) .. 32
Sacrifiés 1940-45
   (Pl. des) 33
St. Vincent (Pl.) 34
St. Vincent (R.) 36
Sidney-Thomas (R.) 37
Stalingrad (Pl.) 39
Stalingrad (R.) 40
Terres-Rouges
   (Av. des) 42
Xavier-Brasseur (R.) ... 44
10-Septembre (R. du) ... 45

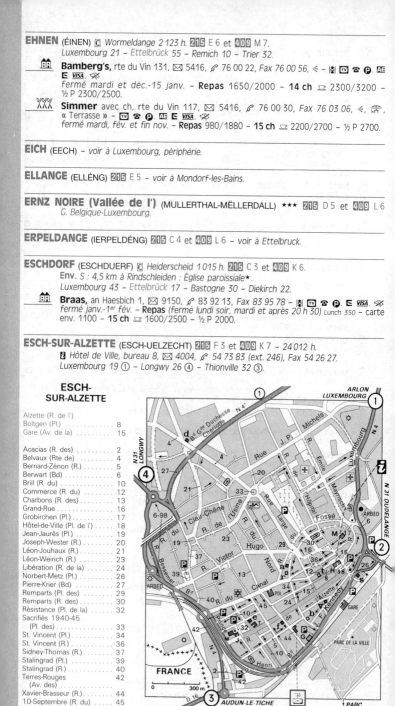

🏨 **Mercure Renaissance** ⚜, pl. Boltgen 2, ✉ 4044, ☎ 54 19 91, Fax 54 19 90, 🏤
– 📶 🔄, 🍴 rest, 📺 ☎ 🔄 – 🔏 25 à 100. 🅰🅴 ⓪ 🅴 🆅🅸🆂🅰. ⚜ rest   t
Repas *(fermé dim. soir)* carte env. 900 – **41 ch** ☵ 3200/4500 – ½ P 2750/4850.

🏨 **Topaz** M sans rest, r. Remparts 5, ✉ 4303, ☎ 531 44 11, Fax 53 14 54 – 📶 📺 ☎ 🅿.
🅰🅴 🅴 🆅🅸🆂🅰. ⚜   r
22 ch ☵ 2400/3400.

🏨 **Acacia**, r. Libération 10, ✉ 4210, ☎ 54 10 61, Fax 54 35 02 – 📶, 🍴 rest, 📺 ☎. 🅰🅴
⓪ 🅴 🆅🅸🆂🅰   b
Repas *(fermé dim., jours fériés et 24 déc.-1er janv.)* 1400/2300 – **23 ch** ☵ 1900/2850
– ½ P 2250/2700.

%%% **Fridrici**, rte de Belvaux 116, ✉ 4026, ☎ 55 80 94, Fax 57 33 35 – 🅰🅴 🅴 🆅🅸🆂🅰. ⚜
🕸 *fermé mardi, sam. midi, août et du 1er au 10 janv.* – **Repas** *Lunch* 1500 – 2700 (2 pers. min.),
carte 1800 à 2450   d
Spéc. Croustade de navarin de homard au caviar. Langoustines au parfum d'orange.
Pigeonneau à l'artichaut et pommes de terre. **Vins** Riesling Koëppchen, Pinot gris.

%%% **Aub. Royale** avec ch, r. Remparts 19, ✉ 4303, ☎ 54 91 47, Fax 53 08 15, Avec cuisine
italienne – 📺 ☎ 🔄 – 🔏 40. 🅰🅴 ⓪ 🅴 🆅🅸🆂🅰. ⚜   a
fermé dim. soir, lundi et fin août-début sept. – **Repas** *Lunch* 1480 – 1680/2600 – **7 ch**
☵ 2000/2600 – ½ P 2900.

%% **Postkutsch**, r. Xavier Brasseur 8, ✉ 4040, ☎ 54 51 69, Fax 54 82 35 – 🍴. 🅰🅴 ⓪ 🅴
🆅🅸🆂🅰   f
fermé lundi et sam. midi – **Repas** 1000/1490.

%% **Domus** (Mosconi), r. Brill 60, ✉ 4042, ☎ 54 69 94, Fax 54 00 43, Cuisine italienne – 🍴.
🕸 🅰🅴 ⓪ 🅴 🆅🅸🆂🅰 🅹🅲🅱   e
fermé dim. soir, lundi, 31 janv.-9 fév., du 10 au 31 août et 24 déc.-1er janv. – **Repas** *Lunch*
1350 – 2200 (2 pers. min.), carte 1800 à 2600
Spéc. Zupetta d'haricots blancs zolfini, seiches, palourdes et gamberetti. Risotto aux
truffes blanches (oct.-déc.). Brasato au Barolo et ragoût de légumes. **Vins** Pinot gris,
Riesling.

% **Délices de la Mer,** r. Erny Reitz 6, ✉ 4151, ☎ 54 72 46, Fax 54 06 47, Produits de
la mer – 🍴. 🅴   v
fermé lundi – **Repas** *Lunch* 350 – carte 1250 à 1800.

% **Au Bec Fin**, pl. Norbert Metz 15, ✉ 4239, ☎ 54 33 22, Fax 54 00 99 – 🅰🅴 🅴 🆅🅸🆂🅰s
fermé mardi, 2 sem. carnaval et 2 sem. en août – **Repas** carte env. 1600.

à Foetz *(Féitz)* par ① : 5 km 🆎 Mondercange 4 931 h :

🏨 **De Foetz**, r. Avenir 1 (dans zoning commercial), ✉ 3895, ☎ 57 25 45, Fax 57 25 65
🔄 – 📺 ☎ 🅿 – 🔏 40. 🅴 🆅🅸🆂🅰
fermé 21 déc.-4 janv. – **Repas** *(fermé dim. et jours fériés)* *Lunch* 300 – 850 – **40 ch**
☵ 1600/2400.

ESCH-SUR-SÛRE (ESCH SAUER) 🔢 C 3 et 🔢 K 6 – 199 h.

Voir Site★ – Tour de Guet ⩽★.

Env. O : rte de Kaundorf ⩽★ – O : Lac de la Haute-Sûre★, ⩽★ – SO : Hochfels★.
🅱 *(Pâques, Pentecôte et juil.-mi-sept.)* Hôtel de Ville, Parking, ✉ 9650, ☎ 83 93 67 et
83 95 14.
Luxembourg 45 – Ettelbrück 19 – Bastogne 27 – Diekirch 24.

🏨 **de la Sûre** ⚜, r. Pont 1, ✉ 9650, ☎ 83 91 10, Fax 89 91 01, ⩽, 🏤 – 📺 ☎ 🅿. 🅴
🆅🅸🆂🅰
15 mars-15 nov. – **Repas** *Lunch* 595 – 995/1895 – **14 ch** ☵ 2000/3000 – ½ P 1995/2300.

🏨 **Le Postillon**, r. Eglise 1, ✉ 9650, ☎ 89 90 33, Fax 89 90 34, 🛎, 🔄, 🌳 – 📶 📺 ☎.
🅰🅴 ⓪ 🅴 🆅🅸🆂🅰. ⚜
fermé du 5 au 27 janv. – **Repas** 1080/1700 – **24 ch** ☵ 2200/3000 – ½ P 2000/2500.

🏨 **du Moulin,** r. Moulin 6, ✉ 9650, ☎ 83 91 07, Fax 89 91 37, 🏤 – 📺 ☎ 🅿. ⓪ 🅴 🆅🅸🆂🅰.
⚜
mars-nov. ; fermé lundi hors saison – **Repas** *(fermé après 20 h 30)* 800/1350 – **25 ch**
☵ 1760/3000 – ½ P 1960.

ESELBORN (ESELBUER) 🔢 B 4 – *voir à Clervaux.*

L'**EUROPE** en une seule **Carte Michelin** :
– routière (pliée) : no 🔢
– politique (plastifiée) : no 🔢.

ETTELBRÜCK (ETTELBRÉCK) 🔲🔲🔲 C 4 et 🔲🔲🔲 L 6 – 6 565 h.

Env. *NE : 2,5 km à Erpeldange : cadre★.*

🅱 *pl. de la Gare 1,* ☒ *9044,* 𝒫 *81 20 68, Fax 81 98 39.*

Luxembourg 28 – Bastogne 41 – Clervaux 34.

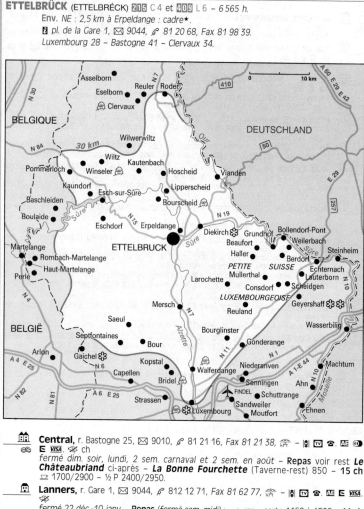

🏠 **Central,** r. Bastogne 25, ☒ 9010, 𝒫 81 21 16, Fax 81 21 38, 🍽 – 🛗 📺 ☎. 🆎 ⓞ
🈹 E 𝘝𝘐𝘚𝘈. 🍽 ch
fermé dim. soir, lundi, 2 sem. carnaval et 2 sem. en août – **Repas** *voir rest* **Le**
Châteaubriand *ci-après –* **La Bonne Fourchette** *(Taverne-rest) 850 –* **15 ch**
☒ 1700/2900 – ½ P 2400/2950.

🏠 **Lanners,** r. Gare 1, ☒ 9044, 𝒫 812 12 71, Fax 81 62 77, 🍽 – 🛗 📺 ☎. 🆎 E 𝘝𝘐𝘚𝘈.
🍽
fermé 22 déc.-10 janv. – **Repas** *(fermé sam. midi)* Lunch 450 – carte 1150 à 1800 – **11 ch**
☒ 1700/2300 – ½ P 1800.

🍴🍴 **Le Châteaubriand** - H. Central, 1er étage, r. Bastogne 25, ☒ 9010, 𝒫 81 21 16,
Fax 81 21 38 – 🆎 ⓞ E 𝘝𝘐𝘚𝘈. 🍽
fermé dim. soir, lundi, 2 sem. carnaval et 2 sem. en août – **Repas** Lunch 950 – 1250/1450.

🍴 **Le Navarin,** r. Prince Henri 15, ☒ 9047, 𝒫 81 80 82, Fax 81 13 12 – 🆎 ⓞ
🈹
fermé lundi soir, mardi et du 1er au 21 août – **Repas** Lunch 390 – 850/1500.

à Erpeldange *(Ierpeldéng) NE : 2,5 km par N 27 – 1546 h.*

🏠 **Dahm,** Porte des Ardennes 57, ☒ 9145, 𝒫 816 25 51, Fax 816 25 52 10, 🍽 , « Jardin
fleuri » – 🛗 📺 ☎ 🤚 🥿 🚗 ⓟ – 🧺 25 à 120. 🆎 ⓞ E 𝘝𝘐𝘚𝘈. 🍽 rest
fermé 21 déc.-22 janv. – **Repas** *(fermé lundi et jeudi soir)* Lunch 500 – 650/1800 – **25 ch**
☒ 2300/3350 – ½ P 2100/2290.

FOETZ (FÉITZ) 🔲🔲🔲 E 4 – *voir à Esch-sur-Alzette.*

FRISANGE (FRÉISENG) 📓 E 5 et 📕 L 7 – 2 049 h.

Luxembourg 12 – Thionville 20.

🏠 **de la Frontière,** r. Robert Schuman 52 (au poste frontière), ⌨ 5751, ☎ 66 84 05, Fax 66 17 53, 🌃, 🌿 – 📺 ☎ 🅿 🗲 *VISA*. 🍴 rest
fermé lundi, mardi midi, fin fév. et oct. – **Repas** carte env. 1000 – **18 ch** ⚌ 1500/2100 – ½ P 1800.

🍴🍴🍴 **Lea Linster,** rte de Luxembourg 17, ⌨ 5752, ☎ 66 84 11, Fax 67 64 47, ≤, 🌃 – 🅿.
✿ 🝐 ⓐ 🗲 *VISA*. 🍴
fermé lundi, mardi et 24 déc.-prem. sem. janv. – **Repas** *Lunch 1800* – 2600 (2 pers. min.), carte 2450 à 2750
Spéc. Terrine pressée de légumes aux aubergines (mi-juin-mi-sept.). Selle d'agneau en croûte de pomme de terre. Soufflé chaud au cacao. **Vins** Elbling, Pinot gris.

à Hellange *(Helléng) O : 3 km* 📓 *Frisange :*

🍴 **Lëtzebuerger Kaschthaus,** r. Bettembourg 4, ⌨ 3333, ☎ 51 65 73, Fax 52 18 80,
🏡 « Auberge » – ⌨ 🗲 *VISA*. 🍴
fermé mardi, merc. midi, août et fin déc.-début janv. – **Repas** *Lunch 720* – carte env. 1000.

GAICHEL (GÄICHEL) 📓 *Hobscheid 2 099 h.* 📓 D 3 et 📕 K 6.

🝐 ☎ 39 71 08, Fax 39 00 75.
Luxembourg 26 – Arlon 4,5 – Diekirch 35.

🍴🍴🍴🍴 **La Gaichel** 🝐 avec ch, Maison 5, ⌨ 8469 Eischen, ☎ 39 01 29, Fax 39 00 37, ≤,
✿ 🌃, « Parc ombragé avec 🝐 », 🝐, 🌿, 🍴 – 📺 ☎ 🅿 – 🝐 30. ⌨ ⓐ 🗲 *VISA* 🝐. 🍴
fermé dim. soir, lundi, 11 janv.-11 fév. et 23 août-2 sept. – **Repas** *Lunch 1600* – 1950/2650, carte 2200 à 2600 – **12 ch** ⚌ 3750/4750 – ½ P 4875
Spéc. Salade de queues de langoustines rôties, vinaigrette de truffes. Tartare de saumon. Magret de canard sauvage au poivre vert (15 août-déc.). **Vins** Riesling Koëppchen.

🍴🍴🍴 **La Bonne Auberge** 🝐 avec ch, Maison 7, ⌨ 8469 Eischen, ☎ 39 01 40, Fax 39 71 13,
≤, « Parc avec pièce d'eau », 🌿 – 📺 ☎ 🅿. ⌨ ⓐ 🗲 *VISA*
fermé du 1er au 14 juil. et 29 déc.-12 janv. – **Repas** *(fermé mardi et sam. midi)* *Lunch 980* – 1460/2250 – **17 ch** ⚌ 2100/3000 – ½ P 2550.

GASPERICH (GAASPERECH) – *voir à Luxembourg, périphérie.*

GEYERSHAFF (GEIESCHHAFF) 📓 D 6 – *voir à Echternach.*

GONDERANGE (GONNERÉNG) 📓 *Junglinster 4 761 h.* 📓 D 5 et 📕 L 6.

🝐 *à Junglinster N : 3 km, Domaine de Behlenhaff* ☎ 780 06 81, Fax 78 71 28.
Luxembourg 14 – Ettelbrück 30 – Echternach 22.

🏠 **Euro,** rte de Luxembourg 11, ⌨ 6182, ☎ 78 85 51, Fax 78 85 50 – 🛗, 🍴 rest, 📺 ☎
🝐 🅿 – 🝐 25 à 100. ⌨ ⓐ 🗲 *VISA*. 🍴 rest
Repas 980/1950 – **40 ch** ⚌ 2500/3100 – ½ P 1900/3150.

GORGE DU LOUP (WOLLEFSSCHLUCHT) ★★ 📓 D 6 et 📕 M 6 *G. Belgique-Luxembourg.*

GRUNDHOF (GRONDHAFF) 📓 *Beaufort 1 202 h.* 📓 D 5 et 📕 L 6.

Luxembourg 32 – Ettelbrück 24 – Diekirch 18 – Echternach 10.

🏠 **Brimer,** rte de Beaufort, ⌨ 6360, ☎ 83 62 51, Fax 83 62 12, 🝐, 🝐, 🝐 – 🛗 📺 ☎
🅿. ⌨ ⓐ 🗲 *VISA*. 🍴
27 fév.-14 nov. – **Repas** *(fermé après 20 h 30)* 1275 (2 pers. min.)/1475 – **23 ch**
⚌ 2400/3400 – ½ P 2450/2590.

🏠 **Ferring,** rte de Beaufort 4, ⌨ 6360, ☎ 83 60 15, Fax 86 91 40 – 🛗 📺 ☎ 🅿. ⌨ ⓐ
🗲 *VISA*. 🍴
10 avril-15 nov. – **Repas** (dîner pour résidents seult) – **25 ch** ⚌ 1800/2700 –
½ P 1800/2350.

🍴🍴🍴 **L'Ernz Noire** avec ch, rte de Beaufort 2, ⌨ 6360, ☎ 83 60 40, Fax 86 91 51 – 📺 ☎
🅿. ⌨ 🗲 *VISA*. 🍴
fermé janv.-fév. – **Repas** *(fermé mardi)* *Lunch 1400* – carte 1800 à 2150 – **11 ch**
⚌ 2200/3600 – ½ P 2150/2600.

HALLER (HALER) © *Waldbillig 843 h.* 215 D 5 et 409 L 6.

Voir *Gorges du Hallerbach★ : 30 mn AR à pied.*

Luxembourg 32 – Ettelbrück 20 – Echternach 20 – Mersch 19.

Hallerbach ⑤, r. Romains 2, ⊠ 6370, ℰ 83 65 26, Fax 83 61 51, ⬚, « Terrasse ombragée, jardin avec pièce d'eau », ⅙, ⬚, 🅂, % – 🛗 📺 ☎ 🅿 – 🔬 25. 🆎 ⑩ 🅴 𝗩𝗜𝗦𝗔, % rest

21 fév.-5 déc. – **Repas** *Le Botrytis* carte 1300 à 1900 – **28 ch** ⊇ 2500/4200 – ½ P 2850/3150.

HAUT-MARTELANGE (UEWER-MAARTEL) © *Rambrouch 2 742 h.* 215 D 2 et 409 K 6.

Luxembourg 49 – Ettelbrück 38 – Bastogne 22 – Diekirch 38.

à Rombach *(Rombech)* N : 1,5 km © *Rambrouch :*

✕✕ **Maison Rouge,** rte d'Arlon 5, ⊠ 8832, ℰ 64 00 06, Fax 64 90 14, ⬚, « Jardin d'hiver » – ⬚ 🅿. 🆎 🅴 𝗩𝗜𝗦𝗔, %

fermé merc. soir, jeudi, fin fév.-début mars, dern. sem. août et 25 déc.-3 janv. – **Repas** carte 1100 à 1550.

HELLANGE (HELLÉNG) 215 E 4 – *voir à Frisange.*

HESPERANGE (HESPER) 215 E 4 et 409 L 7 – *voir à Luxembourg, environs.*

HOSCHEID (HOUSCHENT) 215 C 4 et 409 L 6 – *315 h.*

Luxembourg 47 – Ettelbrück 15 – Clervaux 19 – Vianden 14.

🏠 **Des Ardennes,** Haaptstr. 33, ⊠ 9376, ℰ 99 00 77, Fax 99 07 19 – 📺 ☎ 🅿. ⑩ 🅴 𝗩𝗜𝗦𝗔

fermé 16 déc.-24 janv. – **Repas** *(fermé mardi de nov. à mars)* Lunch 350 – carte 1200 à 1600 – **24 ch** ⊇ 1225/2300 – ½ P 1525/1700.

HULDANGE (HULDANG) © *Troisvierges 1 994 h.* 215 B 4 et 409 L 5.

Luxembourg 74 – Ettelbrück 47 – Clervaux 22.

✕✕ **Knauf** avec ch, r. Stavelot 67 (E : sur N 7), ⊠ 9964, ℰ 97 90 56, Fax 99 75 16, Grillades – 📺 🅿. 🆎 ⑩ 🅴 𝗩𝗜𝗦𝗔

fermé lundis non fériés, 24 et 25 déc. et 1ᵉʳ et 2 janv. – **Repas** *(fermé après 20 h 30)* 720/1350 – **10 ch** ⊇ 1000/1700.

KAUNDORF (KAUNEREF) © *Lac Haute-Sûre 1 125 h.* 215 C 3 et 409 K 6.

Luxembourg 52 – Ettelbrück 23 – Bastogne 24 – Diekirch 28.

🏠 **Naturpark-H. Zeimen,** Am Enneschtduerf 2, ⊠ 9662, ℰ 83 91 72, Fax 83 95 73 – 📺 ☎ 🅿. 🅴 𝗩𝗜𝗦𝗔

fermé lundis non fériés sauf 15 juil.-15 août – **Repas** Lunch 780 – 620 – **6 ch** ⊇ 2500 – ½ P 1850/1950.

KAUTENBACH (KAUTEBAACH) 215 C 4 et 409 L 6 – *239 h.*

Luxembourg 58 – Ettelbrück 28 – Clervaux 24 – Wiltz 11.

🏠 **Hatz** ⑤, Maison 24, ⊠ 9663, ℰ 95 85 61, Fax 95 81 31, ⬚ – 🛗 📺 ☎ 🅿. 🅴 𝗩𝗜𝗦𝗔, % rest

21 mars-6 déc. – **Repas** *(fermé merc. et jeudi midi)* 690/1435 – ⊇ 250 – **18 ch** 1500/2350, 1 suite – ½ P 1690/1960.

KOPSTAL (KOPLESCHT) 215 E 4 et 409 L 7 – *voir à Luxembourg, environs.*

Pleasant hotels and restaurants are shown
in the Guide by a red sign.

Please let us know the places
where you have enjoyed your stay.

Your **Michelin Guide** will be even better.

🏨🏨🏨 ... 🏠

✕✕✕✕✕ ... ✕

LAROCHETTE (an der FIELS) 🆋🆋🆋 D 5 et 🆋🆋🆋 L 6 – *1291 h.*

> **Voir** *Nommerlayen*★ *O : 5 km.*
> 🯄 *Hôtel de Ville,* ✉ 7619, 🕾 *83 76 76, Fax 87 96 46.*
> *Luxembourg 26 – Ettelbrück 17 – Arlon 35 – Diekirch 12 – Echternach 20.*

🏨 **Château,** r. Medernach 1, ✉ 7619, 🕾 *83 70 09, Fax 87 96 36,* 🍴 – 📶 📺 🕾 – 🔬 40.
🝙 ⓘ ⅇ 🆅🆂🅰. 🕸 rest
Repas *Lunch 650* – carte 1050 à 1400 – **38 ch** ⊆ 2000/2900 – ½ P 2100/2250.

🏠 **Résidence,** r. Medernach 14, ✉ 7619, 🕾 *87 93 47, Fax 87 94 42,* 🍴, 🖼 – 📺 🕾 🅿.
🝙 ⓘ ⅇ 🆅🆂🅰. 🕸 rest
15 fév.-15 nov. – **Repas** *Lunch 650* – carte 900 à 1550 – **20 ch** ⊆ 2000/2200 –
½ P 2100/2250.

🍴 **Aub. Op der Bleech** avec ch, pl. Bleiche 4, ✉ 7610, 🕾 *87 80 58, Fax 87 97 25,* 🍴,
🍴🅂, 🖼 – 📺 🕾. 🝙 ⅇ 🆅🆂🅰
fermé 20 déc.-10 janv. – **Repas** *(fermé mardi et merc. de sept. à avril)* carte 850 à 1150
– **9 ch** ⊆ 1700/2750 – ½ P 2000.

LAUTERBORN (LAUTERBUR) 🆋🆋🆋 D 6 – *voir à Echternach.*

LIMPERTSBERG (LAMPERTSBIERG) – *voir à Luxembourg, périphérie.*

LIPPERSCHEID (LËPSCHT) 🄲 *Bourscheid 1031 h.* 🆋🆋🆋 C 4 et 🆋🆋🆋 L 6.

> **Voir** *Falaise de Grenglay* ≤★★ *E : 2 km et 15 mn AR à pied.*
> *Luxembourg 43 – Ettelbrück 18 – Clervaux 24 – Diekirch 10.*

🏨 **Leweck,** contrebas E 420, ✉ 9378, 🕾 *99 00 22, Fax 99 06 77,* « Jardin avec pièce d'eau
et ≤ vallée », 🕬, 🍴🅂, 🏊, 🍴 – 📶 📺 🕾 🚗 🅿 – 🔬 25 à 80. 🝙 ⓘ ⅇ 🆅🆂🅰
fermé 16 fév.-12 mars – **Repas** *(fermé mardi midi)* 1000/1750 – **40 ch** ⊆ 1825/3700
– ½ P 2175/4350.

🏠 **Ponies Haff** 🐎, r. Principale 6, ✉ 9164, 🕾 *99 03 78, Fax 99 06 77,* ≤ vallée et ruines,
🍴 – 📺 🕾 🅿. 🝙 ⓘ ⅇ 🆅🆂🅰
13 mars-déc. – **Repas** *(fermé mardi et merc. midi hors saison)* carte 850 à 1200 – **13 ch**
⊆ 1500/2500 – ½ P 1850/1975.

LUXEMBOURG – LËTZEBUERG

215 E 4 *et* **409** L 7 – 75 377 h.

Amsterdam 391 ⑧ – *Bonn 190* ③ – *Bruxelles 219* ⑧ – *Ettelbrück 30* ①

Plans de Luxembourg	
Agglomération	p. 3
Luxembourg Centre	p. 4 et 5
Nomenclature des hôtels et des restaurants	p. 2 à 9

OFFICES DE TOURISME

pl. d'Armes, ✉ *2011,* ✆ *22 28 09, Fax 47 48 18*
Air Terminus, gare centrale, ✉ *1010,* ✆ *42 82 82 20, Fax 42 82 82 30.*
Aérogare à Findel ✆ *42 82 82 21*

RENSEIGNEMENTS PRATIQUES

BUREAUX DE CHANGE

La ville de Luxembourg est connue pour la multitude de banques qui y sont représentées, et vous n'aurez donc aucune difficulté à changer de l'argent.

TRANSPORTS

Il est préférable d'emprunter les bus (fréquents) qui desservent quelques parkings périphériques.
Principale compagnie de Taxi : Taxi Colux ✆ *48 22 33.*
Transports en commun : Pour toute information ✆ *47 96 29 75.*

COMPAGNIES DE TRANSPORT AÉRIEN

Renseignements départs-arrivées ✆ *47 98 50 50 et 47 98 50 51. Findel par E 44 : 6 km*
✆ *40 08 08 – Aérogare : pl. de la Gare* ✆ *48 11 99.*

GOLF

🛈 *Hoehenhof (Senningerberg) près de l'Aéroport, rte de Trèves 1,* ✉ *2633,* ✆ *34 00 90, Fax 34 83 91.*

LE SHOPPING

Grand'Rue et rues piétonnières autour de la Place d'Armes F – Quartier de la Gare CDZ.

CURIOSITÉS

POINTS DE VUE

Place de la Constitution★★ *F – Plateau St-Esprit*★★ *G – Chemin de la Corniche*★★ *G*
– Le Bock★★ *G – Boulevard Victor Thorn*★ *G 121 – Les Trois Glands*★ *DY.*

MUSÉE

Musée national d'Histoire et d'Art★ *: section gallo-romaine*★ *et section Vie luxembourgeoise (arts décoratifs, arts et traditions populaires)*★★ *G* **M¹.**

AUTRES CURIOSITÉS

Les Casemates du Bock★★ *G – Palais Grand-Ducal*★ *G – Cathédrale Notre-Dame*★ *F – Pont Grande-Duchesse Charlotte*★ *DY.*

ARCHITECTURE MODERNE

Sur le plateau de Kirchberg : Centre Européen DEY.

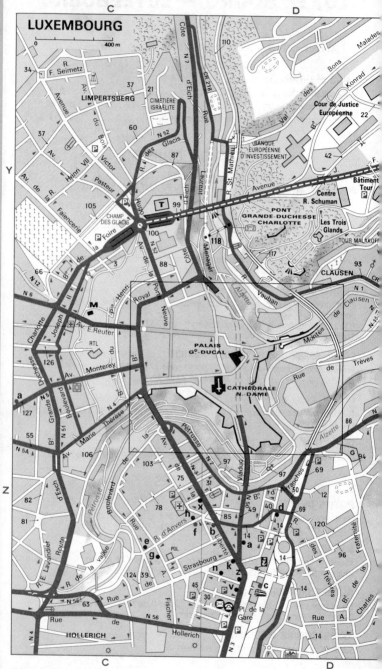

Capucins (R. des) . . . . . . **F**
Chimay (R.) . . . . **F** 24
Curé (R. du) . . . . **F**
Fossé (R. du) . . . . **F** 46
Gare (Av. de la) . . . . **DZ** 49
Grand-Rue . . . . **F**
Liberté (Av. de la) . . . **CDZ**
Philippe II (R.) . . . . **F** 91
Porte-Neuve
   (Av. de la) . . . . **CY**
Strasbourg (R. de) . . . . **CDZ**

Adames (R.) . . . . **CY** 3
Albert Wehrer (R.) . . . . . **EY** 4
Alcide de Gasperi (R.) . . . **EY** 6
Aldringen (R.) . . . . **F** 7
Athénée (R. de l'Ancien) . **F** 9
Auguste-Lumière (R.) . . . **DZ** 12
Bains (R. des) . . . . **F** 13
Bonnevoie (R.) . . . . **DZ** 14
Boucherie (R. de la) . . . . **G** 15
Bruxelles (Pl. de) . . . . **F** 16
Cerisiers (R. des) . . . . . . **CY** 21
Charles-Léon Hammes
   (R.) . . . . **DY** 22
Clairefontaine (Pl.) . . . . . . **FG** 27
Clausen (R. de) . . . . **EY** 28
Commerce (R. du) . . . . **CDZ** 30
Dicks (R.) . . . . **CDZ** 31
Eau (R. de l') . . . . **G** 33
Edouard-André
   (Square) . . . . **CY** 34
Ermesinde (R.) . . . . **CY** 37
Etats-Unis (R. des) . . . . **CZ** 39
Fort Neipperg (R. du) . . . **DZ** 40
Fort Niedergrünewald
   (R. du) . . . . **DY** 42
Fort Thüngen (R. du) . . . **EY** 43
Fort Wedell (R. du) . . . **CDZ** 45
Franklin-Roosevelt (Bd) . **F** 48
Gaulle (Av. du Gén. de) . **DZ** 50
Guillaume (Av.) . . . . **CZ** 55
Guillaume-Schneider
   (R.) . . . . **CY** 60
Jean-Baptiste-Merkels
   (R.) . . . . **CZ** 63

Jean Ulveling (Bd) . . . . . **FG** 64
J.P. Probst (R.) . . . . **CY** 66
Jules Wilhem (R.) . . . . . **EY** 67
Laboratoire (R. du) . . . . **DZ** 69
Léon Hengen (R.) . . . . . **EY** 70
Marché (Pl. du) . . . . **G** 72
Marché-aux-Herbes
   (R. du) . . . . **FG** 73
Martyrs (Pl. des) . . . . . . **CZ** 75
Michel-Rodange (R.) . . . **CZ** 78
Nancy (Pl. de) . . . . **CZ** 81
Nassau (R. de) . . . . **CZ** 82
Notre-Dame (R.) . . . . **F** 84
Paris (Pl. de) . . . . **DZ** 85
Patton (Bd du Général) . **DZ** 86
Paul Eyschen (R.) . . . . . **CY** 87
Pescatore (Av.) . . . . **CY** 88
Pfaffenthal
   (Montée de) . . . . **FG** 90
Pierre de Mansfeld
   (Allée) . . . . **DY** 93
Pierre-et-Marie-Curie
   (R.) . . . . **DZ** 94
Pierre Hentges (R.) . . . **DZ** 96
Prague (R. de) . . . . **DZ** 97
Robert-Schuman (Bd) . . **CY** 99
Robert-Schuman
   (Rond-Point) . . . . **CY** 100
Sainte-Zithe (R.) . . . . . . **CZ** 103
Scheffer (Allée) . . . . **CY** 105
Semois (R. de la) . . . . . **CZ** 106
Sigefroi (R.) . . . . **G** 108
Sosthène Weis (R.) . . . . **G** 109
Stavelot (R. de) . . . . **DY** 110
Théâtre (Pl. du) . . . . **F** 114
Tour Jacob
   (Av. de la) . . . . **EY** 115
Trois-Glands (R. des) . . **DY** 117
Vauban (Pont) . . . . **DY** 118
Verger (R. du) . . . . **DZ** 120
Victor Thorn (Bd) . . . . . . **G** 121
Willy Georgen (R.) . . . . . **F** 123
Wilson (R.) . . . . **CZ** 124
Winston Churchill (Pl.) . . **CZ** 126
10-Septembre
   (Av. du) . . . . **CZ** 127

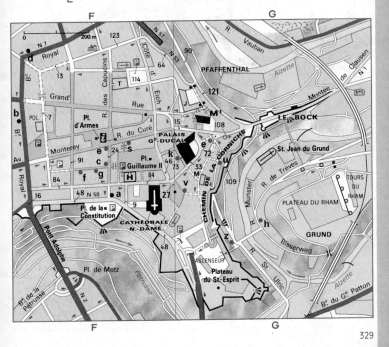

LUXEMBOURG

Arlon (Rte d') .... **AV**
Auguste Charles (R.) ...... **BX** 10
Beggen (R. de) .... **ABV**
Carrefours (R. des) .... **AV** 18
Cents (R.) .... **BV** 19
Cimetière (R. du) .... **BX** 25

Echternach (Rte d') ...... **BV**
Eich (R. d') .... **BV** 36
Général Patton (Bd du) .. **BV** 51
Guillaume (Av.) .... **AV** 55
Hamm (R. de) .... **BVX**
Hamm (Val de) .... **BVX**
Hespérange (R. d') ...... **BV**
Itzig (R. d') .... **BX**
Kohlenberg .... **AX**

Kopstal (Rte de) .... **AV**
Longwy (Rte de) .... **AVX**
Merl (R. de) .... **AX** 76
Mulhenbach (R. de) ..... **AV** 79
Neudorf (R. de) .... **BV**
Rollingergrund (R. de) .. **AV** 102
Strassen (R. de) .... **AV** 112
Thionville (Rte de) ...... **BX**
10-Septembre (Av. du) .. **AV** 127

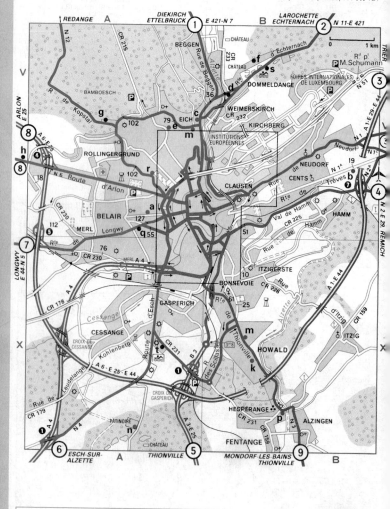

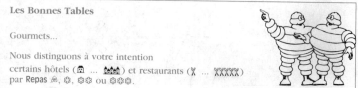

Les Bonnes Tables

Gourmets...

Nous distinguons à votre intention

certains hôtels (🏠 ... 🏨) et restaurants (✗ ... ✗✗✗✗✗)
par Repas 🍴, ✿, ✿✿ ou ✿✿✿.

Luxembourg-Centre - *plan p. 5* :

🏨🏨🏨 **Le Royal**, bd Royal 12, ✉ 2449, ☎ 241 61 61, Fax 22 59 48, 🍴, **I₅**, ≋s, 🔲 – 🗗 ⇄
■ 📺 ☎ 🚗 – 🔬 25 à 350. 🖭 ⓪ ⋿ 𝘝𝘐𝘚𝘈 𝗝𝗖𝗕   **F d**
Repas voir rest *La Pomme Cannelle* ci-après – **Le Jardin** Lunch 1080 - carte env. 1300
– **190 ch** ⇆ 8200/12500, 20 suites.

🏨🏨 **Gd H. Cravat**, bd Roosevelt 29, ✉ 2450, ☎ 22 19 75, Telex 2846, Fax 22 67 11 – 🗗
⇄, ■ rest, 📺 ☎ – 🔬 25. 🖭 ⓪ ⋿ 𝘝𝘐𝘚𝘈   **F a**
Repas (Taverne-rest) *(fermé juil.-août)* Lunch 490 – 950/1250 – **58 ch** ⇆ 5900/7200 –
½ P 4500/4700.

🏨 **Rix** sans rest, bd Royal 20, ✉ 2449, ☎ 47 16 66, Fax 22 75 35 – 🗗 📺 ☎ 🅿 ⋿ 𝘝𝘐𝘚𝘈.
⋈   **F b**
fermé 18 déc.-4 janv. – **20 ch** ⇆ 4380/6480.

XXXX **Clairefontaine** (Tintinger), pl. de Clairefontaine 9, ✉ 1341, ☎ 46 22 11, Fax 47 08 21,
❀ 🍴 – ■. 🖭 ⓪ ⋿ 𝘝𝘐𝘚𝘈   **G v**
fermé dim. soir, lundi, 9 fév.-2 mars et du 15 au 31 août – **Repas** Lunch 1750 – 2560, carte
env. 2200
Spéc. Foie gras d'oie et gelée au Porto. Poularde de Bresse en vessie, sauce Albufera.
Tronçon de lotte à l'ardennaise. **Vins** Pinot gris, Riesling.

XXX **St-Michel** (Glauben) 1er étage, r. Eau 32, ✉ 1449, ☎ 22 32 15, Fax 46 25 93, « Dans
❀ la vieille ville, cadre rustique » – 🖭 ⓪ ⋿ 𝘝𝘐𝘚𝘈   **G e**
fermé du 1er au 17 août, 24 déc.-4 janv., sam. midi, dim. et jours fériés – **Repas** Lunch 1750
– 3300 bc, carte 2250 à 2700
Spéc. Carpaccio de lotte et saumon parfumé au citron vert. Filet de St-Pierre au coulis
de truffes (janv.-mars). Pigeonneau à la fricassée de champignons des bois et ravioles de
foie gras. **Vins** Riesling, Pinot gris.

XXX **La Pomme Cannelle** - H. Le Royal, bd Royal 12, ✉ 2449, ☎ 241 61 61, Fax 22 59 48,
« Évocation d'un intérieur de style Empire des Indes » – ■ 🅿. 🖭 ⓪ ⋿ 𝘝𝘐𝘚𝘈
𝗝𝗖𝗕   **F d**
fermé sam. midi, dim. et jours fériés – **Repas** Lunch 1450 – 1920.

XXX **Speltz**, r. Chimay 8, ✉ 1333, ☎ 47 49 50, Fax 47 46 77, 🍴 – 🖭 ⓪ ⋿ 𝘝𝘐𝘚𝘈   **F c**
fermé du 11 au 19 avril, du 1er au 16 août, 24 déc.-3 janv., sam., dim. et jours fériés –
Repas 1450/2350.

XXX **La Lorraine**, pl. d'Armes 7, ✉ 1136, ☎ 47 46 20, Fax 47 09 64, 🍴, Écailler et produits
de la mer – ■. 🖭 ⓪ ⋿ 𝘝𝘐𝘚𝘈   **F e**
fermé dim. et du 15 au 31 août – **Repas** carte 1700 à 2400.

XX **Jan Schneidewind**, r. Curé 20, ✉ 1368, ☎ 22 26 18, Fax 46 24 40, 🍴, Produits de
la mer – 🖭 ⓪ ⋿ 𝘝𝘐𝘚𝘈. ⋈   **F s**
fermé lundi, sam. midi et fév. – **Repas** 1480/1980 bc.

XX **Poêle d'Or**, r. Marché-aux-Herbes 20, ✉ 1728, ☎ 22 26 06, Fax 22 26 05 – 🖭
⋿ 𝘝𝘐𝘚𝘈   **G k**
fermé lundi soir et mardi – **Repas** Lunch 990 – carte env. 1300.

XX **L'Océan**, r. Louvigny 7, ✉ 1946, ☎ 22 88 66, Fax 22 88 67, Écailler et produits de la
mer – 🖭 ⋿ 𝘝𝘐𝘚𝘈   **F f**
fermé du 6 au 30 juil., 24 déc.-4 janv., dim. soir et lundi – **Repas** carte 1550 à
2000.

X **Roma**, r. Louvigny 5, ✉ 1946, ☎ 22 36 92, Fax 22 03 30, 🍴, Cuisine italienne – ■.
🖭 ⓪ ⋿ 𝘝𝘐𝘚𝘈   **F g**
fermé dim. soir, lundi et du 7 au 30 août – **Repas** carte 1400 à 1750.

X **Breedewee**, r. Large 9, ✉ 1917, ☎ 22 26 96, Fax 46 77 20, 🍴, « Terrasse avec
≤ Grund » – 🖭 ⋿ 𝘝𝘐𝘚𝘈   **G u**
fermé dim., dern. sem. août-prem. sem. sept. et prem. sem. janv. – **Repas** Lunch 550 –
1000/1200.

X **Caves Gourmandes**, r. Eau 32, ✉ 1449, ☎ 46 11 24, Fax 46 11 24, « Ancienne cave
voûtée » – ■. 🖭 ⋿ 𝘝𝘐𝘚𝘈   **G e**
fermé sam. midi et dim. – **Repas** Lunch 890 – 1050/1780.

Luxembourg-Grund - *plan p. 5* :

X **Kamakura**, r. Münster 4, ✉ 2160, ☎ 47 06 04, Fax 46 73 30, Cuisine japonaise – 🖭
⓪ ⋿ 𝘝𝘐𝘚𝘈. ⋈   **G h**
fermé jours fériés midis, sam. midi et dim. – **Repas** Lunch 360 – 755/1650.

X **Thai Céladon**, Montée du Grund 28, ✉ 1645, ☎ 47 49 34, Fax 37 91 73, 🍴, Cuisine
thaïlandaise – 🖭 ⓪ ⋿ 𝘝𝘐𝘚𝘈. ⋈   **G z**
fermé sam. midi, dim. et du 1er au 15 nov. – **Repas** carte 1100 à 1500.

Luxembourg-Gare - *plan p. 4* :

President, pl. de la Gare 32, ⊠ 1024, ☏ 48 61 61, Telex 1510, Fax 48 61 80 – 劇 ▤ 📺 ☎ – 🏛 40. 📧 ⓞ 🄴 𝗩𝗜𝗦𝗔, 🛇 rest

DZ v

Repas (dîner seult) (fermé dim., jours fériés et août) carte env. 1400 – **35 ch** ⊊ 4400/6500.

City Ⓜ sans rest, r. Strasbourg 1, ⊠ 2561, ☏ 29 11 22, Fax 29 11 33 – 劇 📺 ☎ 🚗 – 🏛 25 à 100. 📧 ⓞ 🄴 𝗩𝗜𝗦𝗔

DZ k

35 ch ⊊ 3950/5350.

Christophe Colomb, r. Anvers 10, ⊠ 1130, ☏ 408 41 41, Fax 40 84 08, 🏡 – 劇, ▤ rest, 📺 ☎. 📧 ⓞ 🄴 𝗩𝗜𝗦𝗔

CZ h

Repas (Taverne-rest) (fermé sam. et dim.) Lunch 340 – carte 850 à 1300 – **24 ch** ⊊ 3600/3950 – ½ P 2450/4075.

International, pl. de la Gare 20, ⊠ 1616, ☏ 48 59 11, Fax 49 32 27 – 劇 ↭ ▤ 📺 ☎ – 🏛 25 à 50. 📧 ⓞ 🄴 𝗩𝗜𝗦𝗔, 🛇 ch

DZ z

Repas (fermé 22 déc.-10 janv.) 1450 – **48 ch** ⊊ 3950/7750, 1 suite.

Arcotel sans rest, 1er étage, av. de la Gare 43, ⊠ 1611, ☏ 49 40 01, Fax 40 56 24 – 劇 📺 ☎. 📧 ⓞ 🄴 𝗩𝗜𝗦𝗔. 🛇

DZ a

22 ch ⊊ 4800.

Central Molitor, av. de la Liberté 28, ⊠ 1930, ☏ 48 99 11, Fax 48 33 82 – 劇, ▤ rest, ☎ 📺 ☎ 🚗. 📧 ⓞ 🄴 𝗩𝗜𝗦𝗔

CDZ x

Repas (fermé sam., dim. soir et 21 déc.-3 janv.) Lunch 360 – 750 – **36 ch** ⊊ 3400/4400 – ½ P 4150.

Marco Polo sans rest, r. Fort Neipperg 27, ⊠ 2230, ☏ 406 41 41, Fax 40 48 84 – 劇 📺 ☎ 🚗. 📧 ⓞ 🄴 𝗩𝗜𝗦𝗔

DZ d

18 ch ⊊ 3600/3950.

Aub. Le Châtelet (en annexe 🏠 - 9 ch), bd de la Pétrusse 2, ⊠ 2320, ☏ 40 21 01, Fax 40 36 66 – 劇 📺 📺 ☎ 🅿. 📧 ⓞ 🄴 𝗩𝗜𝗦𝗔

CZ e

Repas (dîner pour résidents seult) – **33 ch** ⊊ 2300/4700 – ½ P 3050/4450.

Delta, r. Ad. Fischer 74, ⊠ 1521, ☏ 49 30 96, Fax 40 43 20, 🏡 – 劇 📺 ☎ 🅿. 📧 ⓞ 🄴 𝗩𝗜𝗦𝗔

CZ g

fermé 15 août-7 sept. et du 24 au 28 déc. – **Repas** (fermé sam., dim. et jours fériés) Lunch 450 – carte 1150 à 1500 – **18 ch** ⊊ 2800/4000 – ½ P 3420/4020.

Relais Mercure sans rest, r. Joseph Junck 30, ⊠ 1839, ☏ 49 24 96, Fax 49 21 09 – 劇 ↭ 📺 ☎ 🚗. 📧 ⓞ 🄴 𝗩𝗜𝗦𝗔

DZ n

⊊ 300 – **67 ch** 2300/2700.

Cordial 1er étage, pl. de Paris 1, ⊠ 2314, ☏ 48 85 38, Fax 40 77 76 – 🄴 𝗩𝗜𝗦𝗔

DZ b

fermé vend., sam. midi, sem. carnaval et 15 juil.-15 août – **Repas** 1450/2650.

Italia avec ch, r. Anvers 15, ⊠ 1130, ☏ 48 66 26, Fax 48 08 07, 🏡, Avec cuisine italienne – 📺 ☎. 📧 ⓞ 🄴 𝗩𝗜𝗦𝗔

CZ f

Repas carte 1150 à 1800 – **20 ch** ⊊ 2500/3100.

Relais Gastronomique dans la gare, 1er étage, pl. de la Gare 13, ⊠ 1616, ☏ 48 61 71, Fax 40 46 12 – 📧 ⓞ 🄴 𝗩𝗜𝗦𝗔

DZ c

fermé sam., dim. et jours fériés – **Repas** (déjeuner seult) carte env. 1400.

Périphérie - *plan p. 6 sauf indication spéciale* :

à l'Aéroport par ③ : 8 km :

Sheraton Aérogolf 🐾, rte de Trèves 1, ⊠ 1019, ☏ 34 05 71, Fax 34 02 17 – 劇 ↭ ▤ 📺 ☎ 🅿 – 🏛 25 à 120. 📧 ⓞ 🄴 𝗩𝗜𝗦𝗔

Repas *Le Montgolfier* (ouvert jusqu'à minuit) Lunch 990 - carte 1100 à 1700 – ⊊ 590 – **137 ch** 6350/9050, 8 suites.

Ibis, rte de Trèves, ⊠ 2632, ☏ 43 88 01, Fax 43 88 02, ⩽ – 劇 ▤ 📺 ☎ 🅿 – 🏛 25 à 80. 📧 ⓞ 🄴 𝗩𝗜𝗦𝗔

Repas Lunch 380 – 850 – **120 ch** ⊊ 2900/3700.

Campanile, rte de Trèves 22, ⊠ 2633, ☏ 34 95 95, Fax 34 94 95, 🏡 – 劇 ↭ 📺 ☎ 🅿 – 🏛 25 à 90. 📧 ⓞ 🄴 𝗩𝗜𝗦𝗔

Repas (avec buffet) Lunch 450 – 860 – ⊊ 270 – **108 ch** 2400 – ½ P 3300.

Trust Inn sans rest, r. Neudorf 679, ⊠ 2220, ☏ 42 30 51, Fax 42 30 56 – ▤ 📺 ☎ 🅿. 📧 ⓞ 🄴 𝗩𝗜𝗦𝗔

⊊ 200 – **7 ch** 1700/2400.

Le Grimpereau, r. Cents 140, ⊠ 1319, ☏ 43 67 87, Fax 42 60 26, 🏡 – 🅿. 📧 🄴 𝗩𝗜𝗦𝗔. 🛇

BV b

fermé mardi du 1er juil. au 15 sept., lundi, 1 sem. carnaval, 3 sem. en août et 1 sem. Toussaint – **Repas** 1250/1550.

à Belair [L] *Luxembourg* :

Parc Belair [M] ⚭, av. du X Septembre 109, ✉ 2551, ℘ 44 23 23, Fax 44 44 84, ≼ – 🛗 ❄, 🗏 rest, 📺 ☎ ⇔ – 🔥 25 à 60. 🝰 ⓪ 🗲 🆅🆂🅰
AV q
Repas (dîner seult sauf dim.) carte 1100 à 1500 – **45 ch** ⯑ 6150/6700, 7 suites – ½ P 4250.

Astoria, av. du X Septembre 44, ✉ 2550, ℘ 44 62 23, Fax 45 82 96, 🏤 – 🗏 – 🔥 25.
🝰 ⓪ 🗲 🆅🆂🅰
plan p. 2 CZ a
fermé sam. midi, dim. soir et lundi soir – Repas 1450.

Thailand, av. Gaston Diderich 72, ✉ 1420, ℘ 44 27 66, Fax 37 91 73, Cuisine thaï-landaise – 🝰 ⓪ 🗲 🆅🆂🅰, ❄
AV a
fermé lundi, sam. midi et 15 août-4 sept. – **Repas** Lunch 690 – carte 1150 à 1500.

à Dommeldange *(Dummeldéng)* [L] *Luxembourg* :

Inter.Continental ⚭, r. Jean Engling 12, ✉ 1466, ℘ 4 37 81, Fax 43 60 95, ≼, 🏤, ℔, 🚌, 🟦, – 🛗 ❄ 🗏 📺 ☎ 🅿 – 🔥 25 à 360. 🝰 ⓪ 🗲 🆅🆂🅰 🅹🅲🅱. ❄ rest BV f
Repas **Les Continents** *(fermé sam. midi, dim. midi et août)* carte 1650 à 2500 – **Café Stiffchen** carte 1050 à 1500 – ⯑ 690 – **324 ch** 7200/9450, 15 suites.

Parc, rte d'Echternach 120, ✉ 1453, ℘ 43 56 43, Fax 43 69 03, ℔, 🚌, 🟦, 🌴, ❄
– 🛗 📺 ☎ 🅰 🅿 – 🔥 40 à 1500. 🝰 ⓪ 🗲 🆅🆂🅰
BV s
Repas *(ouvert jusqu'à 23 h 30)* Lunch 750 – carte 850 à 1300 – **218 ch** ⯑ 3800/5600, 3 suites – ½ P 3050/3550.

Host. du Grünewald, rte d'Echternach 10, ✉ 1453, ℘ 43 18 82 et 42 03 14 (rest), Fax 42 06 46 et 42 03 14 (rest), 🌴 – 🛗, 🗏 rest, 📺 ☎ 🅿 – 🔥 25 à 40. 🝰 ⓪ 🗲 🆅🆂🅰
❄ rest
BV d
Repas *(fermé sam. midi, dim., jours fériés et du 1er au 22 janv.)* Lunch 1590 – carte 1800 à 2450 – **23 ch** ⯑ 3900/4900, 2 suites.

à Eich *(Eech)* [L] *Luxembourg* :

La Mirabelle, pl. d'Argent 9, ✉ 1413, ℘ 42 22 69, Fax 42 22 69, 🏤, Ouvert jusqu'à 23 h – 🝰 🗲 🆅🆂🅰
AV c
fermé sam. midi et dim. – **Repas** Lunch 320 – carte 1300 à 1600.

Chez Omar, r. Mühlenbach 136 (pl. d'Argent), ✉ 2168, ℘ 42 09 09, Fax 42 00 14, 🏤, Cuisine algérienne – 🗲 🆅🆂🅰
AV m
fermé du 1er au 15 août, 24 déc.-5 janv. et dim. – **Repas** (dîner seult) carte env. 1300.

à Gasperich *(Gaasperech)* [L] *Luxembourg* :

Inn Side [M], r. Henri Schnadt 1 (Zone d'activité Cloche d'Or), ✉ 2530, ℘ 490 00 61, Fax 49 06 80, 🏤, « Architecture design », ℔, 🚌 – 🛗 ❄, 🗏 rest, 📺 ☎ 🅰 ⇔ –
🔥 25 à 200. 🝰 ⓪ 🗲 🆅🆂🅰, ❄
AX t
Repas (buffets) carte env. 1300 – **158 ch** ⯑ 4900/9200.

au plateau de Kirchberg *(Kiirchbierg)* :

Sofitel [M] ⚭, r. Fort Niedergrünewald 6 (Centre Européen), ✉ 2015, ℘ 43 77 61, Fax 42 50 91 – 🛗 ❄ 🗏 📺 ☎ 🅰 – 🔥 25 à 300. 🝰 ⓪ 🗲 🆅🆂🅰. ❄ rest
Repas **Brasserie Europa** Lunch 1200 - carte 1350 à 1650 – ⯑ 750 – **100 ch** 8500/9000, 4 suites.
plan p. 3 EY a

Novotel, r. Fort Niedergrünewald 6 (Centre Européen), ✉ 2015, ℘ 43 77 61, Fax 43 86 58, 🚌, 🟦 – 🛗 ❄ 🗏 📺 ☎ 🅰 – 🔥 25 à 300. 🝰 ⓪ 🗲 🆅🆂🅰.
❄ rest
plan p. 3 EY a
Repas (ouvert jusqu'à minuit) Lunch 750 – carte env. 1200 – ⯑ 500 – **258 ch** 4900, 1 suite.

à la patinoire de Kockelscheuer *(Kockelscheier)* :

Patin d'Or (Berring), rte de Bettembourg 40, ✉ 1899, ℘ 22 64 99, Fax 40 40 11 – 🗏 🅿. 🝰 ⓪ 🗲 🆅🆂🅰. ❄
AX n
fermé sam., dim., jours fériés, prem. sem. sept. et Noël-Nouvel An – **Repas** 2000, carte 2200 à 2850
Spéc. Salade de homard aux herbes du jardin et beurre de Sauternes. Médaillon de lotte au jambon de Parme et basilic. Pied-de-porc truffé et farci à l'ancienne, lentilles vertes.
Vins Pinot gris, Riesling Koëppchen.

à Limpertsberg *(Lampertsbierg)* [L] *Luxembourg* :

Bouzonviller, r. A. Unden 138, ✉ 2652, ℘ 47 22 59, Fax 46 43 89, ≼, 🏤 – 🗏. 🝰 🗲 🆅🆂🅰
AV e
fermé sam., dim., jours fériés, 1 sem. Pâques, dern. sem. juil.-2 prem. sem. août et Noël-Nouvel An – **Repas** Lunch 1600 – carte env. 2100.

352

à Rollingergrund (Rolléngergronn) ⓒ Luxembourg :

Sieweburen, r. Septfontaines 36, ⊠ 2534, ℘ 44 23 56, Fax 44 23 53, ≤, 🍴, « Environnement boisé », 🌳 – 📺 ☎ 🅿. 🅴 𝑉𝐼𝑆𝐴
AV g
fermé 23 déc.-6 janv. – **Repas** (Taverne-rest) (fermé merc.) Lunch 360 – carte 900 à 1500 – **14 ch** ⊡ 2700/3700.

✗ **Théâtre de l'Opéra,** r. Rollingergrund 100, ⊠ 2440, ℘ 25 10 33, Fax 25 10 29, 🍴 – 🅰🅴 ⓞ 🅴 𝑉𝐼𝑆𝐴
AV r
fermé sam. midi et dim. – **Repas** Lunch 430 – carte 1200 à 1800.

Environs

à Bridel (Briddel) par N 12 : 7 km - AV - ⓒ Kopstal 2 974 h :

✗✗ **Le Rondeau,** r. Luxembourg 82, ⊠ 8140, ℘ 33 94 73, Fax 33 37 46 – 🅿. 🅰🅴 ⓞ 🅴
fermé lundi soir, mardi, 3 dern. sem. août et 2 sem. en janv. – **Repas** Lunch 900 – 980/1900.

à Hesperange (Hesper) - plan p. 6 – 9 918 h.

✗✗✗ **L'Agath** (Steichen) avec ch, rte de Thionville 274 (Howald), ⊠ 5884, ℘ 48 86 87, Fax 48 55 05, 🍴, 🌳 – 📺 ☎ 🅿 – 🔬 60. 🅰🅴 ⓞ 🅴 𝑉𝐼𝑆𝐴
BX k
fermé sam. midi, dim. soir, lundi, juil. et 21 déc.-4 janv. – **Repas** Lunch 1600 – 1850, carte env. 2300 – **5 ch** ⊡ 2200/3200
Spéc. Carpaccio infusé à la truffe, salade et copeaux de foie gras. Filets de sole au Riesling et ciboulette. Poularde maison aux morilles. **Vins** Riesling, Pinot gris.

✗✗✗ **Klein,** rte de Thionville 432, ⊠ 5886, ℘ 36 08 42, Fax 36 08 43 – 🅰🅴 🅴 𝑉𝐼𝑆𝐴 BX p
fermé dim. soir et lundi – **Repas** Lunch 980 – 1400/2500.

à Kopstal (Koplescht) par N 12 : 9 km - AV – 2 974 h.

✗✗ **Weidendall** avec ch, r. Mersch 5, ⊠ 8181, ℘ 30 74 66, Fax 30 74 67 – 📺 ☎. 🅰🅴 ⓞ 🅴 𝑉𝐼𝑆𝐴
Repas (fermé mardi, 2 sem. carnaval et du 1er au 15 sept.) Lunch 380 – 1280 – **9 ch** ⊡ 1700/2500 – ½ P 1775/2350.

à Sandweiler par ④ : 7 km – 2 024 h.

✗✗ **Hoffmann,** r. Principale 21, ⊠ 5240, ℘ 35 01 80, Fax 35 79 36, 🍴 – 🅿. 🅰🅴 ⓞ 🅴 𝑉𝐼𝑆𝐴. 🍽
fermé dim. soir, lundi, 3 sem. en août et 2 sem. en janv. – **Repas** 1350/1550.

à Strassen (Stroossen) - plan p. 6 – 4 919 h.

🏨 **L'Olivier** avec appartements, rte d'Arlon 140, ⊠ 8008, ℘ 31 36 66, Fax 31 36 27 – 🛗 📺 ☎ & 🚗 🅿 – 🔬 25 à 350. 🅰🅴 ⓞ 🅴 𝑉𝐼𝑆𝐴
AV h
Repas voir rest **La Cime** ci-après – **42 ch** ⊡ 3290/4990, 4 suites – ½ P 2795/3600.

🏨 **Mon Plaisir** sans rest, rte d'Arlon 218 (par ⑧ : 4 km), ⊠ 8010, ℘ 31 15 41, Fax 31 61 44 – 🛗 📺 ☎ 🅿. 🅰🅴 🅴 𝑉𝐼𝑆𝐴
26 ch ⊡ 2200/2850.

✗✗ **La Cime** - H. L'Olivier, rte d'Arlon 140a, ⊠ 8008, ℘ 31 88 13, Fax 31 36 27, 🍴 – 🅿. 🅰🅴 ⓞ 🅴 𝑉𝐼𝑆𝐴
AV h
fermé dim., jours fériés et du 3 au 17 août – **Repas** 990/1590.

✗✗ **Le Nouveau Riquewihr,** rte d'Arlon 373 (par ⑧ : 5 km), ⊠ 8011, ℘ 31 99 80, Fax 31 97 05, 🍴 – 🅿. 🅰🅴 ⓞ 🅴 𝑉𝐼𝑆𝐴
fermé dim., 24, 25, 26 et 31 déc. et 1er janv. – **Repas** Lunch 980 – carte env. 1300.

à Walferdange (Walfer) par ① : 5 km – 5 818 h.

🏨 **Moris** Ⓜ, pl. des Martyrs, ⊠ 7201, ℘ 330 10 51, Fax 33 30 70, 🍴 – 🛗, 🍽 rest, 📺 ☎ 🅿 – 🔬 50. 🅰🅴 ⓞ 🅴 𝑉𝐼𝑆𝐴
Repas 1050/1180 – **23 ch** ⊡ 2700/3700 – ½ P 3400.

✗✗ **l'Etiquette,** rte de Diekirch 50, ⊠ 7220, ℘ 33 51 67, Fax 33 51 69, 🍴 – 🅿. 🅰🅴 ⓞ 🅴 𝑉𝐼𝑆𝐴
Repas 750/1600.

MACHTUM (MIECHTEM) ⓒ Wormeldange 2 123 h. 𝟤𝟣𝟧 E 6 et 𝟜𝟢𝟫 M 7.
Luxembourg 32 – Ettelbrück 46 – Grevenmacher 4 – Mondorf-les-Bains 29.

✗ **Aub. du Lac,** rte du Vin 77, ⊠ 6841, ℘ 75 02 53, Fax 75 88 87, ≤, 🍴 – 🅿. 🅰🅴 🅴 𝑉𝐼𝑆𝐴
fermé mardi et 15 déc.-15 janv. – **Repas** 890/1500.

MERSCH (MIERSCH) 216 D 4 et 409 L 6 – 5 965 h.

Voir *Vallée de l'Eisch★ de Koerich à Mersch.*

Env. *SO : 4 km, Hunnebour : cadre★.*

🛈 *Hôtel de Ville (Château),* ⊠ 7501, ℘ 32 50 23.

Luxembourg 17 – Ettelbrück 12 – Bastogne 53 – Diekirch 20.

🏨 **Chalet Mierscherbierg,** rte de Colmar-Berg, ⊠ 7525, ℘ 32 02 57, Fax 32 98 38 –
▤ rest, 📺 ☎ 🅿 – 🔬 25 à 350. ⓪ 🖻 *VISA*. ⋘
Repas *(ouvert jusqu'à minuit) Lunch 325* – carte 1100 à 1400 – **22 ch** ⊆ 2450/3200 –
½ P 2200/3050.

🏨 **Host. Val Fleuri,** r. Lohr 28, ⊠ 7545, ℘ 32 89 75, Fax 32 61 09, 🍴 – ▮ 📺 ☎ ⇔
🅿 ⓪ 🖻 *VISA*. ⋘ rest
Repas *(fermé sam.)* carte 1100 à 1500 – **13 ch** ⊆ 2100/3250 – ½ P 2450/2850.

MERTERT (MÄERTERT) 216 D 6 et 409 M 6 – 2 923 h.

Luxembourg 32 – Ettelbrück 46 – Thionville 56 – Trier 15.

XXX **Goedert** avec ch, pl. de la Gare 4, ⊠ 6674, ℘ 74 84 89, Fax 74 84 71, 🍴 – ▤ rest,
📺 ☎ 🅿. 🖭 🖻 *VISA*
fermé janv. – **Repas** *(fermé lundi soir et mardi) Lunch 950* – 1500/1850 – **10 ch**
⊆ 1800/2600 – ½ P 2400/2600.

X **Paulus,** r. Haute 1, ⊠ 6680, ℘ 74 00 70, Fax 74 84 02 – ▤. ⓪ 🖻 *VISA*
fermé lundis soirs et mardis non fériés, 17 fév.-4 mars et du 3 au 27 août – **Repas** *Lunch
320* – 1200/1930.

*Nos guides hôteliers, nos guides touristiques et nos cartes routières
sont complémentaires. Utilisez-les ensemble.*

MONDORF-LES-BAINS (MUNNERËF) 216 E 5 et 409 L 7 – 2 878 h. – Station thermale – Casino
2000, r. Flammang, ⊠ 5618, ℘ 661 01 01, Fax 661 01 02 29.

Voir *Parc★ – Mobilier★ de l'église St-Michel.*

Env. *E : Vallée de la Moselle Luxembourgeoise★ de Schengen à Wasserbillig.*

🛈 *av. des Bains 26,* ⊠ 5610, ℘ 66 75 75, Fax 66 16 17.

Luxembourg 19 – Remich 11 – Thionville 20.

🏨 **Parc** ⅏, Domaine thermal, ⊠ 5601, ℘ 661 21 21, Fax 66 10 93, 🍴, 🎽, �, 🔲, 🎣,
🍴, 🍴 – ▮ 📺 ☎ 🕭 ⇔ 🅿 – 🔬 25 à 90. 🖭 ⓪ 🖻 *VISA*. ⋘
fermé du 2 au 10 janv. – **Repas Brasserie de Jangeli** *Lunch 850* – carte 950 à 1550 – **97 ch**
⊆ 3800/6240, 16 suites – ½ P 4500/4850.

🏨 **Casino 2000,** r. Flammang, ⊠ 5618, ℘ 661 01 01, Fax 661 01 02 29, 🍴 – ▮ ▤ 📺
☎ 🅿 – 🔬 25 à 700. 🖭 ⓪ 🖻 *VISA*. ⋘ rest
Repas La Calèche *(fermé 24 déc.) Lunch 1000* - 1650/2420 – **28 ch** *(fermé 23 et 24 déc.)*
⊆ 3600/4500, 3 suites – ½ P 4600.

🏨 **Grand Chef** ⅏, av. des Bains 36, ⊠ 5610, ℘ 66 80 12, Fax 66 15 10, 🎣, 🍴 – ▮
📺 ☎ ⇔ 🅿 – 🔬 30. 🖭 ⓪ 🖻 *VISA*. ⋘ rest
21 mars-fin nov. – **Repas** *Lunch 680* – 1020/1500 – **34 ch** ⊆ 2350/3650, 2 suites –
½ P 2330/2820.

🏨 **Beau Séjour,** av. Dr Klein 3, ⊠ 5630, ℘ 66 81 08, Fax 66 08 89 – 📺 ☎. 🖭 🖻 *VISA*.
⋘
fermé jeudi et 15 déc.-15 janv. – **Repas** *Lunch 800* – 850/1750 – ⊆ 350 – **10 ch** 2100/3100
– ½ P 2300/2500.

à Ellange-gare *(Elléng) NO : 2,5 km* ⓒ *Mondorf-les-Bains :*

XXX **La Rameaudière,** r. Gare 10, ⊠ 5690, ℘ 66 10 63, Fax 66 10 64, 🍴, « Terrasse et
verger » – 🅿. 🖭 ⓪ 🖻 *VISA*
fermé lundis non fériés, fév., prem. sem. juil. et dern. sem. oct.-prem. sem. nov. – **Repas**
1400/1700.

MOUTFORT (MUTFERT) ⓒ *Contern 967 h.* 216 E 5 et 409 L 7.

Luxembourg 12 – Grevenmacher 24 – Remich 11.

XX **Le Bouquet Garni** *(Duhr),* rte de Remich 57, ⊠ 5330, ℘ 35 99 77, Fax 35 98 60 –
🅿. 🖭 ⓪ 🖻 *VISA*
fermé lundi, mardi midi, dern. sem. août-1re quinz. sept. et 28 déc.-8 janv. – **Repas** 2450
(2 pers. min.), carte env. 2000
Spéc. Huîtres gratinées au beurre moussant (sept.-mars). Ravioles de langoustines dans leur
jus corsé. Pot-au-feu de pigeonneau au jus de truffes. **Vins** Pinot gris, Gewürztraminer.

MULLERTHAL (MËLLERDALL) 🄲 *Waldbillig 843 h.* 🆈🅸🅱 D 5 et 🄰🄾🄶 L 6.

> **Voir** *Vallée des meuniers*★★★ *(Vallée de l'Ernz Noire).*
> 🛏 à Christnach SO : 2 km, ✉ 7641, 🖉 87 83 83, Fax 79 93 90.
> *Luxembourg 26 – Ettelbrück 31 – Echternach 14.*

🍴🍴 **Le Cigalon** avec ch, r. Ernz Noire 1, ✉ 6245, 🖉 79 94 95, Fax 79 93 83, 🌳, 🐎 – 📺 🐎 🅿 🄰🄴 🅴 𝗩𝗜𝗦𝗔, 🛇 rest
fermé janv.-fév. – **Repas** *(fermé mardi de sept. à Pâques)* carte 1450 à 1850 – **13 ch** ⏛ 2000/3100 – ½ P 2350.

NIEDERANVEN (NIDDERANWEN) 🆈🅸🅱 E 5 et 🄰🄾🄶 L 7 – *5 054 h.*

> *Luxembourg 12 – Ettelbrück 36 – Grevenmacher 16 – Remich 19.*

🍴🍴 **Host. de Niederanven,** r. Munsbach 2, ✉ 6941, 🖉 34 00 61, Fax 34 93 92 – 🄰🄴 🅴 𝗩𝗜𝗦𝗔, 🛇
fermé merc. soir, jeudi, sem. carnaval, 2ᵉ quinz. août et sem. Toussaint – **Repas** *Lunch 750* – 1350/1650.

OUR (Vallée de l') (URDALL) ★★ 🆈🅸🅱 B 4, C 5 et 🄰🄾🄶 L 5, 6 *G. Belgique-Luxembourg.*

PERLÉ (PÄREL) 🄲 *Rambrouch 2 742 h.* 🆈🅸🅱 D 2 et 🄰🄾🄶 K 6.

> *Luxembourg 42 – Ettelbrück 36 – Arlon 16 – Bastogne 25.*

🍴 **Roder** 🦢 avec ch, r. Église 13, ✉ 8826, 🖉 64 00 32, Fax 64 91 42, 🌳 – 📺 🅿 🄾 🅴 𝗩𝗜𝗦𝗔
fermé du 23 au 28 fév., du 1ᵉʳ au 15 sept. et mardi – **Repas** *Lunch 300* – carte 1100 à 1650 – ⏛ 350 – **8 ch** 1300/1900 – ½ P 1700.

PÉTANGE (PÉITÉNG) 🆈🅸🅱 E 3 et 🄰🄾🄶 K 7 – *12 345 h.*

> *Luxembourg 22 – Arlon 18 – Esch-sur-Alzette 15 – Longwy 14.*

🏨🏨 **Threeland,** r. Pierre Hamer 52, ✉ 4737, 🖉 50 59 50, Fax 50 59 54, 🌳 – 🛗 📺 🐎 🅿 – 🛆 25 à 300. 🄰🄴 🄾 🅴 𝗩𝗜𝗦𝗔
Repas *(fermé sam. midi)* *Lunch 850* – carte env. 1000 – **59 ch** ⏛ 2600/2800 – ½ P 1700/2900.

POMMERLOCH (POMMERLACH) 🄲 *Winseler 641 h.* 🆈🅸🅱 C 3 et 🄰🄾🄶 K 6.

> *Luxembourg 59 – Ettelbrück 7 – Bastogne 12 – Diekirch 37 – Wiltz 7.*

🏨🏨 **Motel Bereler Stuff** sans rest, rte de Bastogne 6, ✉ 9638, 🖉 95 79 09, Fax 95 79 08 – 📺 🐎 🅿 🅴 𝗩𝗜𝗦𝗔
18 ch ⏛ 1000/1750.

REMICH (RÉIMECH) 🆈🅸🅱 E 6 et 🄰🄾🄶 M 7 – *2 590 h.*

> **Voir** *Vallée de la Moselle Luxembourgeoise*★ *de Schengen à Wasserbillig.*
> 🛏 à Canach NO : 12 km, Scheierhaff, ✉ 5412, 🖉 66 61 35, Fax 35 74 50.
> 🄱 *(juil.-août)* Esplanade (gare routière), ✉ 5533, 🖉 69 84 88, Fax 69 72 95.
> *Luxembourg 23 – Mondorf-les-Bains 11 – Saarbrücken 77.*

🏨🏨 **Saint Nicolas,** Esplanade 31, ✉ 5533, 🖉 69 88 88, Fax 69 90 69, ≤, 🌳, 🐳, 🐎 – 🛗 ⇆ 📺 🐎 🅿 – 🛆 60. 🄰🄴 🄾 🅴 𝗩𝗜𝗦𝗔 𝗝𝗖𝗕, 🛇 ch
Repas *Lohengrin* 950/1750 – **40 ch** ⏛ 2900/3900 – ½ P 2450/2750.

🏨🏨 **des Vignes** 🦢, rte de Mondorf 29, ✉ 5552, 🖉 69 91 49, Fax 69 84 63, ≤ vignobles et vallée de la Moselle – 🛗, 🍽 rest, 📺 🐎 🅿 – 🛆 25 à 40. 🄰🄴 🄾 🅴 𝗩𝗜𝗦𝗔
fermé 20 déc.-20 janv. – **Repas** 900/1850 – **24 ch** ⏛ 2600/3300 – ½ P 2450/3400.

🏩 **Esplanade,** Esplanade 5, ✉ 5533, 🖉 66 91 71, Fax 69 89 24, ≤, 🌳 – 📺 🐎 🅴 𝗩𝗜𝗦𝗔, 🛇 rest
fermé déc.-janv. et lundi sauf 15 juin-15 sept. – **Repas** *Lunch 585* – carte 950 à 1350 – **18 ch** ⏛ 1950/2800 – ½ P 1900/2000.

🍴🍴 **de la Forêt,** rte de l'Europe 36, ✉ 5531, 🖉 66 94 73, Fax 69 77 02, ≤, 🌳 – 🅿 🄰🄴 🄾 🅴 𝗩𝗜𝗦𝗔, 🛇
fermé lundis non fériés et 3 prem. sem. nov. – **Repas** 1180/1800.

REULAND 🄲 *Heffingen 686 h.* 🆈🅸🅱 D 5 et 🄰🄾🄶 L 6.

> *Luxembourg 22 – Ettelbrück 24 – Diekirch 18 – Echternach 19.*

🍴🍴 **Reilander Millen,** E : 2 km sur rte Junglinster-Müllerthal, ✉ 7639, 🖉 83 72 52, Fax 87 97 43, 🌳, « Moulin du 18ᵉ s., intérieur rustique » – 🅿 🅴 𝗩𝗜𝗦𝗔, 🛇
fermé lundi, mardi midi, 3 sem. carnaval et dern. sem. août-prem. sem. sept. – **Repas** *Lunch 1500* – carte env. 1800.

REULER (REILER) 215 B 4 – *voir à Clervaux.*

RODER (ROEDER) 215 B 4 – *voir à Clervaux.*

ROLLINGERGRUND (ROLLÉNGERGRONN) – *voir à Luxembourg, périphérie.*

ROMBACH (ROMBECH) 215 D 2 – *voir à Haut-Martelange.*

SAEUL (SËLL) 215 D 3 et 409 K 6 – *444 h.*
   Luxembourg 21 – Ettelbrück 22 – Arlon 14 – Mersch 11.

   XX **Maison Rouge,** r. Principale 10, ⊠ 7470, ℘ 63 02 21, Fax 63 07 58 –
   fermé lundi, mardi, 3 sem. en fév. et 3 sem. en août – **Repas** *Lunch 980* – 1650/1850.

SANDWEILER 215 E 5 et 409 L 7 – *voir à Luxembourg, environs.*

SCHEIDGEN (SCHEEDGEN) © Consdorf *1 432 h.* 215 D 6 et 409 M 6.
   Luxembourg 29 – Ettelbrück 36 – Echternach 8.

   🏠 **de la Station** ⑤, rte d'Echternach 10, ⊠ 6250, ℘ 79 08 91, Fax 79 91 64, ≤, ☞
   – 🛗 📺 ☎ ⇔ 🅿 🄴 VISA ⅝ rest
   mi-mars-déc. – **Repas** *(fermé lundi et mardi sauf en juil.-août) Lunch 900* – carte env. 1500
   – **25 ch** � 1600/2700 – ½ P 1950/2100.

SCHOUWEILER (SCHULLER) © Dippach *2 598 h.* 215 E 3 et 409 K 7.
   Luxembourg 13 – Arlon 20 – Longwy 18 – Mondorf-les-Bains 29.

   XX **La table des Guilloux,** r. Résistance 17, ⊠ 4996, ℘ 37 00 08, Fax 37 11 61, 斎,
   ⑳ « Ferme-auberge »
   fermé lundi, mardi, sam. midi, 29 janv.-10 fév. et du 3 au 18 août – **Repas** carte 1500
   à 1900
   Spéc. Salade de truffes de Meuse au cornes de Florenville (21 sept.-21 déc.). Raie bouclée
   au beurre noir. Queue de bœuf au foie gras purée grand-mère. **Vins** Pinot gris, Riesling.

   XX **La Chaumière,** r. Gare 65, ⊠ 4999, ℘ 37 05 66, Fax 37 11 05, 斎 – 🅿. 🄴 VISA
   fermé lundi soir, mardi et 2 sem. en août – **Repas** carte 1200 à 1500.

SCHUTTRANGE (SCHËTTER) 215 E 5 et 409 L 7 – *2 501 h.*
   Luxembourg 13 – Ettelbrück 43 – Grevenmacher 18 – Mondorf-les-Bains 22.

   X **Aub. de Schuttrange,** r. Principale 73, ⊠ 5367, ℘ 35 01 43, Fax 35 87 78, 斎 –
   🅿. 🄴 VISA
   fermé dim. soir, lundi, 3 prem. sem. août et prem. sem. janv. – **Repas** *Lunch 550* – carte 1100
   à 1700.

SCHWEBSANGE (SCHWÉIDSBÉNG) © Wellenstein *991 h.* 215 E 6 et 409 M 7.
   Luxembourg 27 – Mondorf-les-Bains 10 – Thionville 28.

   X **La Rotonde,** rte du Vin 11, ⊠ 5447, ℘ 66 41 51, Fax 66 46 79 – 🅿. 🄴 VISA
   fermé lundis non fériés, mardi, 1 sem. en juin, 1 sem. en sept. et mi-déc.-début janv. –
   Repas carte env. 1200.

SENNINGEN (SENNÉNG) © Niederanven *5 054 h.* 215 E 5.
   Luxembourg 10 – Ettelbrück 33 – Grevenmacher 19 – Mondorf-les-Bains 31.

   XX **Host. du Château,** rte de Trèves 122, ⊠ 6960, ℘ 34 83 28, Fax 34 91 46, 斎 – 🅿.
   🄰🄴 ① 🄴 VISA
   fermé dim. soir et lundi – **Repas** *Lunch 650* – 1250/1450.

SEPTFONTAINES (SIMMER) 215 D 3 et 409 K 6 – *623 h.*
   Luxembourg 21 – Ettelbrück 28 – Arlon 13 – Diekirch 32.

   XXX **Host. du Vieux Moulin,** Léisbech (E : 1 km), ⊠ 8363, ℘ 30 50 27, ≤, 斎, « Au creux
   d'un vallon boisé » – 🔲 🅿. 🄴 VISA
   fermé 10 janv.-10 fév. et lundis et mardis midis non fériés – **Repas** carte 1450 à 1750.

SOLEUVRE (ZOLWER) Ⓒ Sanem 11 534 h. 📠🆖 E 3 et 🆖🆖 K 7.

    Luxembourg 19 – Arlon 27 – Esch-sur-Alzette 8 – Longwy 22.

XX **La Petite Auberge,** r. Aessen 1, ✉ 4411, 𝒫 59 44 80, Fax 59 53 51 – **℗**. 🆎 ⓞ Ⓔ
    𝗩𝗜𝗦𝗔. ✘
    fermé dim. soir, lundi, 17 août-6 sept. et fin déc.-début janv. – **Repas** Lunch 450 – carte
    env. 1500.

STADTBREDIMUS (STADBRIEDEMES) 📠🆖 E 6 et 🆖🆖 K 7 – 879 h.

    Env. N : rte de Greiveldange ⩽★.

    Luxembourg 22 – Mondorf-les-Bains 14 – Saarbrücken 80.

🏠 **l'Écluse,** rte du Vin 29, ✉ 5450, 𝒫 66 95 46, Fax 69 76 12, 😊, 🚲 – 🆃🆅 ☎ 🚗 **℗**.
    🆎 Ⓔ 𝗩𝗜𝗦𝗔. ✘ rest
    fermé jeudi et 2 sem. Noël-Nouvel An – **Repas** (Taverne-rest) carte 850 à 1300 – **16 ch**
    ⊊ 1700/2200 – ½ P 1700.

STEINHEIM (STENEM) 📠🆖 D 6 – voir à Echternach.

STRASSEN (STROOSSEN) 📠🆖 E 4 et 🆖🆖 L 7 – voir à Luxembourg, environs.

SUISSE LUXEMBOURGEOISE (Petite) ★★★ 📠🆖 D 6 et 🆖🆖 L 6, M 6 G. Belgique-Luxembourg.

SÛRE (Vallée de la) (SAUERDALL) ★★ 📠🆖 C 2 et 🆖🆖 K 6 G. Belgique-Luxembourg.

TROISVIERGES (ELWEN) 📠🆖 B 4 et 🆖🆖 L 5 – 1994 h.

    Luxembourg 100 – Bastogne 28 – Clervaux 19.

XX **Aub. Lamy** avec ch, r. Asselborn 51, ✉ 9907, 𝒫 99 80 41, Fax 97 80 72, ⩽ – 📶 🆃🆅
🚗 **℗**. Ⓔ 𝗩𝗜𝗦𝗔. ✘
    fermé 23 fév.-13 mars, 23 août-18 sept., merc. soir de sept. à Pâques, lundi soir et mardi
    – **Repas** (fermé après 20 h 30) Lunch 495 – 850/1600 – **7 ch** ⊊ 1600/2600 – ½ P 2100.

VIANDEN (VEIANEN) 📠🆖 C 5 et 🆖🆖 L 6 – 1471 h.

    Voir Site★★, ⩽★★, ※★★ par le télésiège – Château★★ : chemin de ronde ⩽★ – Bassins
    supérieurs du Mont St-Nicolas (route ⩽★★ et ⩽★) NO : 4 km – Bivels : site★ N : 3,5 km.

    Exc. N : Vallée de l'Our★★.

    🅱 (avril-oct.) Maison Victor-Hugo, r. Gare 37, ✉ 9420, 𝒫 83 42 57, Fax 84 90 81.

    Luxembourg 44 – Ettelbrück 16 – Clervaux 31 – Diekirch 11.

🏨🏨 **Oranienburg,** Grand-Rue 126, ✉ 9411, 𝒫 83 43 34, Fax 83 43 33, « Terrasse », 🚲
🚗 – 📶 🆃🆅 ☎ – 🛏 25 à 40. 🆎 ⓞ Ⓔ 𝗩𝗜𝗦𝗔
    10 mars-15 nov. et 10 déc.-5 janv. – **Repas** voir rest **Le Châtelain** ci-après – **12 ch**
    ⊊ 1700/3400, 2 suites – ½ P 1900/2350.

🏨🏨 **Host. des Remparts,** Grand-Rue 77, ✉ 9411, 𝒫 83 45 74, Fax 83 47 20, 😊 – 📶
🚗 🆃🆅 ☎. Ⓔ 𝗩𝗜𝗦𝗔. ✘ ch
    fermé 7 déc.-20 janv. – **Repas** (Taverne-rest, grillades) (fermé jeudi et vend. midi sauf
    en juil.-août) 395 – **14 ch** ⊊ 2100/2900 – ½ P 1700/1850.

🏨🏨 **Heintz,** Grand-Rue 55, ✉ 9410, 𝒫 83 41 55, Fax 83 45 59, 😊, 🚲 – 📶 🆃🆅 ☎ **℗**. 🆎
🚗 ⓞ Ⓔ 𝗩𝗜𝗦𝗔
    11 avril-14 nov. – **Repas** (fermé merc. et jeudi midi sauf en juil.-août) Lunch 580 – 850/1250
    – **30 ch** ⊊ 2000/2600 – ½ P 2100/2700.

XX **Le Châtelain** - H. Oranienburg, Grand-Rue 126, ✉ 9411, 𝒫 83 43 34, Fax 83 43 33, 😊
    – 🍽. 🆎 ⓞ Ⓔ 𝗩𝗜𝗦𝗔
    10 mars-15 nov. et 10 déc.-5 janv. ; fermé lundi et mardi hors saison – **Repas** carte 1100
    à 1900.

XX **Aub. du Château** avec ch, Grand-Rue 74, ✉ 9410, 𝒫 83 45 74, Fax 83 47 20, 😊,
    🚲 – 🆃🆅 ☎. Ⓔ 𝗩𝗜𝗦𝗔. ✘
    10 avril-15 déc. – **Repas** (fermé mardi et merc. midi) 895/1725 – **14 ch** ⊊ 2100/2900,
    2 suites – ½ P 1700/1850.

X **Aub. Aal Veinen "Beim Hunn"** avec ch, Grand-Rue 114, ✉ 9411, 𝒫 83 43 68,
🚗 Fax 83 40 84, 😊, « Rustique » – 🆃🆅. Ⓔ 𝗩𝗜𝗦𝗔
    Repas (grillades) (fermé lundi soir et mardi d'oct. à avril et lundi midi sauf en saison) Lunch
    350 – 500/995 – **8 ch** ⊊ 1750/2000 – ½ P 1700.

WALFERDANGE (WALFER) 📠🆖 E 4 et 🆖🆖 L 7 – voir à Luxembourg, environs.

WASSERBILLIG (WAASSERBËLLEG) © *Mertert 2 923 h.* **216** D 6 et **409** M 6.
Luxembourg 35 – Ettelbrück 48 – Thionville 58 – Trier 18.

XX **Kinnen** avec ch, rte de Luxembourg 32, ✉ 6633, ℘ 74 00 88, Fax 74 01 08, 鴦 – 阆
🔲 ☎ **🄿**. ⅍ **E** *VISA*. ✾
Repas *(fermé du 15 au 31 mars, du 15 au 31 juil. et merc.)* Lunch 1150 – carte 1250 à 2100
– **10 ch** ⊇ 1500/2200.

WEILERBACH (WEILERBAACH) © *Berdorf 988 h.* **216** D 6 et **409** M 6.
Luxembourg 39 – Ettelbrück 29 – Diekirch 24 – Echternach 5.

🏨 **Schumacher,** rte de Diekirch 1, ✉ 6590, ℘ 72 01 33, Fax 72 87 13, ≼, 鴦, 霎 – 阆
🔲 ☎ **🄿**. **E** *VISA*. ✾
15 mars-20 nov. – **Repas** *(fermé jeudi et après 20 h 30)* 1100 – **25 ch** ⊇ 2200/2900 –
½ P 1800/1900.

XX **Bois Fleuri** avec ch, rte de Diekirch 8, ✉ 6590, ℘ 72 02 11, Fax 72 84 38, 鴦, 霎
– 🔲 ☎ **🄿**. ⅍ **⒪ E** *VISA*. ✾ rest
mars-nov. – **Repas** *(fermé merc.)* 870/1150 – **15 ch** ⊇ 1200/2100 – ½ P 1700/1800.

WEISWAMPACH (WÄISWAMPECH) **216** B 4 et **409** L 5 – *976 h.*
Luxembourg 68 – Ettelbrück 41 – Clervaux 16 – Diekirch 36.

🏨 **Keup,** rte de Stavelot 143 (sur N 7), ✉ 9991, ℘ 99 75 42 et 99 75 99 (rest),
Fax 99 75 99 – 阆, 🍽 rest, 🔲 ☎ 丸 **🄿** – 🛎 40. ⅍ **⒪ E** *VISA*
Repas *(fermé merc.)* 850/1800 – **25 ch** ⊇ 2400 – ½ P 1965.

XX **Host. du Nord** avec ch, rte de Stavelot 113, ✉ 9991, ℘ 99 83 19, Fax 99 74 61, 鴦,
霎 – 🔲 **🄿**. **E** *VISA*
fermé 26 août-12 sept. – **Repas** *(fermé lundi soir et mardi)* Lunch 360 – 990/1380 – **11 ch**
⊇ 1050/2050 – ½ P 1250/1450.

WILTZ (WOLZ) **216** C 3 et **409** K 6 – *3 957 h.*
🄱 *Château,* ✉ 9516, ℘ 95 74 44, Fax 95 75 56.
Luxembourg 54 – Ettelbrück 26 – Bastogne 21 – Clervaux 21.

🏨 **Aux Anciennes Tanneries** ⬮, r. Jos Simon 42a, ✉ 9550, ℘ 95 75 99, Fax 95 75 95,
鴦, « Terrasse en bordure de rivière » – 🔲 ☎ **🄿** – 🛎 25 à 80. **E** *VISA*
fermé 24 août-12 sept. – **Repas** *(ouvert jusqu'à 23 h)* Lunch 500 – 900 – **16 ch**
⊇ 2300/3000, 1 suite – ½ P 2700/3100.

🏠 **du Commerce,** r. Tondeurs 9, ✉ 9570, ℘ 95 82 20, Fax 95 78 06 – ⤝ 🔲 – 🛎 25
à 80. **E** *VISA*. ✾
fermé lundi, mars et oct. – **Repas** *(fermé dim. soir, lundi et après 20 h)* Lunch 800 – carte
1400 à 1750 – **14 ch** ⊇ 2000/3000 – ½ P 2000/2200.

XXX **du Vieux Château** ⬮ avec ch, Grand-Rue 1, ✉ 9530, ℘ 95 80 18, Fax 95 77 55, 鴦,
« Terrasse ombragée », ≋, 霎 – 🔲 ☎ **🄿**. ⅍ **E** *VISA*
fermé dim. soir, lundi, 3 prem. sem. août et 2 prem. sem. janv. – **Repas** carte 1500 à 2100
– **7 ch** ⊇ 2800/3950, 1 suite – ½ P 3000.

XX **Host. des Ardennes,** Grand-Rue 61, ✉ 9530, ℘ 95 81 52, Fax 95 94 47, ≼ – ⅍ **E**
VISA. ✾
fermé sam., 14 fév.-1er mars, du 2 au 23 août et après 20 h 30 – **Repas** carte 1150 à 1750.

à Winseler *(Wanseler)* O : 3 km – *641 h.*

X **L'Aub. Campagnarde,** Duerfstrooss 12, ✉ 9696, ℘ 95 84 71, Fax 95 84 71, 鴦 –
⅍ **E** *VISA*
fermé lundi soir, mardi, 9 fév.-2 mars, dern. sem. août-1re quinz. sept. et après 20 h 30
– **Repas** Lunch 890 – 1100/1360.

WILWERDANGE (WILWERDANG) © *Troisvierges 1 994 h.* **216** B 4 et **409** L 5.
Luxembourg 73 – Ettelbrück 43 – Bastogne 31 – Diekirch 41.

XX **L'Ecuelle,** r. Principale 15, ✉ 9980, ℘ 99 89 56, Fax 97 93 44, 鴦 – **🄿**. ⅍ **E** *VISA*. ✾
fermé mardi soir, merc., dern. sem. juil. et 25 déc.-21 janv. – **Repas** Lunch 700 – 980/1380.

WILWERWILTZ (WËLWERWOLZ) **216** C 4 et **409** L 6 – *503 h.*
Luxembourg 65 – Ettelbrück 11 – Bastogne 32 – Clervaux 11 – Wiltz 11.

🏠 **Host. La Bascule,** r. Principale 24, ✉ 9776, ℘ 92 14 15, Fax 92 10 88 – 🔲 ☎ **🄿**.
E *VISA*. ✾
fermé 28 déc.-6 fév. – **Repas** *(fermé lundi et mardi)* 650/895 – **12 ch** ⊇ 1600/2400 –
½ P 1850/2025.

WINSELER (WANSELER) **216** C 3 et **409** K 6 – *voir à Wiltz.*

Nederland
Pays-Bas

*Het is gebruikelijk, dat bepaalde restaurants
in Nederland pas geopend zijn vanaf 16 uur,
vooral in het weekend.
Reserveert u daarom uit voorzorg.
De prijzen zijn vermeld in guldens.*

*L'usage veut que certains restaurants aux Pays-Bas
n'ouvrent qu'à partir de 16 heures,
en week-end particulièrement.
Prenez donc la précaution de réserver en conséquence.
Les prix sont donnés en florins (guldens).*

MICHELIN BANDEN
Huub van Doorneweg 2 – 5151 DT DRUNEN
☎ (0416) 38 41 00

❀ ❀ ❀ *Les étoiles*
❀ ❀ *De Sterren*
❀ *Die Sterne*
The stars

🍴 **"Bib Gourmand"**

Repas 60 *Repas soignés à prix modérés*
Verzorgde Maaltijden voor een schappelijke prijs
Sorgfältig zubereitete preiswerte Mahlzeiten
Good food at moderate prices

🦢 *L'agrément*
🏠🏠🏠 ... 🍴 *Aangenaam Verblijf*
Annehmlichkeit
Peaceful atmosphere and setting

Schoorl ❀
Egmond aan Zee 🦢
Alkmaa
XXXX Zaandar
Heemskerk
Wijk aan Zee 🦢
Beverwijk
Bloemendaal 🦢
XXX ❀❀ Overveen
🦢 Bennebroek Amstelve

🦢 Oegstgeest
🦢 Leiden ○
❀ Den Haag ○ Leidschendam ❀
Voorburg ❀ XXXsch
XXX 🦢 ❀ Delft ○
🦢 ❀❀ Rotterdam Bergambac

❀ Zwijndrecht

🦢 Middelharnis ○

❀ Etten-Leur

Wolphaartsdijk XX
○
🦢 ❀ Middelburg ○ A 58- E 312 Yerseke ❀
🦢 🏠🏠 XXXX ❀❀ Kruiningen
🦢 Groede ○ Breskens 🦢
Sluis ❀ XX

Lele

Ijzer A 18-E 40 A 10-E 40 Schelde

A 17

342

Bruxelles
Brussel A 3-E 40

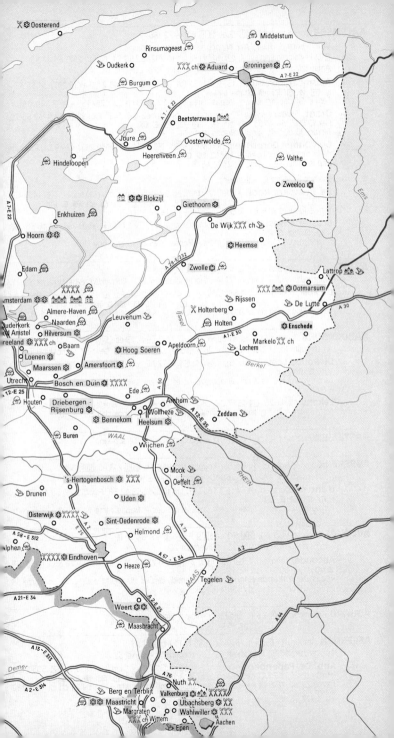

AALSMEER Noord-Holland 211 I 9 et 408 F 5 – 22 186 h.

Voir *Vente de fleurs aux enchères*★★ *(Bloemenveiling).*

🎪 Drie Kolommenplein 1, ⊠ 1431 LA, ℘ (0 297) 32 53 74, Fax (0 297) 35 42 55.

Amsterdam 19 – Hilversum 31 – Rotterdam 59 – Utrecht 36.

🏨 **Aalsmeer,** Dorpsstraat 15, ⊠ 1431 CA, ℘ (0 297) 32 43 21, Fax (0 297) 34 35 35 –
🛗 📺 ☎ 🅿. 🆎 ① Ɛ 🆅🆂🅰 🄹🄲🄱
fermé 24 déc.-1er janv. – **Repas** carte 51 à 67 – **58 ch** ⊇ 125/155 – ½ P 140/160.

XX **Dragt,** Stommeerweg 72 (au port de plaisance), ⊠ 1431 EX, ℘ (0 297) 32 55 79,
Fax (0 297) 34 74 63, ≤, 🍽, ⬛ – 🅿. 🆎 ① Ɛ 🆅🆂🅰
fermé 20 déc.-10 janv. – **Repas** carte 66 à 97.

X **Den Ouden Dorpshoek,** Dorpsstraat 93, ⊠ 1431 CB, ℘ (0 297) 32 49 51, Produits
de la mer, « Rustique » – 🅿. 🆎 ① Ɛ 🆅🆂🅰 🄹🄲🄱
Repas (dîner seult jusqu'à 23 h) 45/85.

à Kudelstaart S : 4 km © Aalsmeer :

XX **De Kempers Roef,** Kudelstaartseweg 226 (au port de plaisance), ⊠ 1433 GR,
℘ (0 297) 32 41 45, Fax (0 297) 32 98 19, ≤, 🍽, ⬛ – ⬛ 🅿. 🆎 ① Ɛ 🆅🆂🅰
fermé lundi et mardi – **Repas** Lunch 48 – carte 76 à 91.

X **Brasserie Westeinder,** Kudelstaartseweg 222, ⊠ 1433 GR, ℘ (0 297) 34 18 36, 🍽
– 🅿. 🆎 ① Ɛ 🆅🆂🅰
fermé merc. et 3 prem. sem. mars – **Repas** Lunch 46 – carte env. 70.

AALST Gelderland © Brakel 6 915 h. 211 K 12 et 408 G 6.
Amsterdam 82 – Arnhem 77 – 's-Hertogenbosch 20 – Rotterdam 68 – Utrecht 50.

XXX **De Fuik,** Maasdijk 1, ⊠ 5308 JA, ℘ (0 418) 55 22 47, Fax (0 418) 55 29 80, 🍽, « Au
bord de l'eau, ≤ Meuse (Maas) », ⬛ – 🅿 – 🔬 40. 🆎 ① Ɛ 🆅🆂🅰. 🍴
fermé lundis non fériés et fin déc.-début janv. – **Repas** Lunch 60 – carte 88 à 118.

AARDENBURG Zeeland © Sluis-Aardenburg 6 478 h. 211 A 15 et 408 B 8.
Amsterdam (bac) 226 – Brugge 26 – Middelburg (bac) 28 – Gent 37 – Knokke-Heist 16.

XX **De Roode Leeuw** avec ch, Kaai 31, ⊠ 4527 AE, ℘ (0 117) 49 14 00, 🍽 – 🔬 25 à
100. Ɛ 🆅🆂🅰
fermé mardi soir sauf en juil.-août, merc. et 2 prem. sem. nov. – **Repas** Lunch 43 – 75/85
– **6 ch** ⊇ 80/110.

X **Lekens,** Markt 25, ⊠ 4527 CN, ℘ (0 117) 49 14 35, Anguilles et moules en saison – ⬛
fermé juin et merc. soir et jeudi sauf en juil.-août – **Repas** carte 61 à 80.

AASTEREIN Friesland – voir Oosterend à Waddeneilanden (Terschelling).

ABBEKERK Noord-Holland © Noorder-Koggenland 9 938 h. 210 K 6 et 408 G 3.
Amsterdam 49 – Alkmaar 26 – Den Helder 50 – Enkhuizen 20 – Hoorn 9.

XX **d'entrée,** Dorpsstraat 54, ⊠ 1657 AD, ℘ (0 229) 58 12 58, Fax (0 229) 58 12 58, 🍽
– 🅿. 🆎 ① Ɛ 🆅🆂🅰
fermé mardi, merc., 3 dern. sem. août et fin déc. – **Repas** carte 71 à 100.

ABCOUDE Utrecht 210 J 9, 211 J 9 et 408 F 5 – ㉘ S – 8 001 h.
Amsterdam 14 – Utrecht 25 – Hilversum 20.

🏨 **Abcoude,** Kerkplein 7, ⊠ 1391 GJ, ℘ (0 294) 28 12 71, Fax (0 294) 28 56 21 – 🛗 📺
☎ 🅿 – 🔬 50
Repas *De Wakende Haan (fermé sam. midi, dim. et 20 juil.-11 août)* Lunch 48 - carte 53
à 69 – **19 ch** ⊇ 150/175 – ½ P 198.

ADUARD Groningen 210 S 3 et 408 K 2 – voir à Groningen.

AFFERDEN Limburg © Bergen 13 243 h. 211 N 11 et 408 J 7.
Amsterdam 142 – Eindhoven 61 – Nijmegen 30 – Venlo 32.

XXX **Aub. De Papenberg** avec ch, Hengeland 1a (N : 1 km sur N 271), ⊠ 5851 EA,
℘ (0 485) 53 17 44, 🍽, « Terrasse et jardin » – 📺 ☎ 🅿. 🆎 ① Ɛ 🆅🆂🅰. 🍴
fermé 23 juil.-10 août – **Repas** (dîner seult) *(fermé dim.)* carte 64 à 81 – **21 ch** ⊇ 135/180
– ½ P 125.

AFSLUITDIJK (DIGUE DU NORD) ★★ *Friesland et Noord-Holland* 210 L 4 et 408 G 3 *G. Hollande.*

AKERSLOOT *Noord-Holland* 210 I 7 et 408 F 4 – *4 831 h.*
Amsterdam 31 – Haarlem 23 – Alkmaar 13.

🏠 **Akersloot,** Geesterweg 1a (près A 9), ⊠ 1921 NV, ℰ (0 251) 31 91 02, Fax (0 251) 31 45 08, 🌫, 𝄞, ⩥, ▨, ℅ – ᵇ, 🍴 rest, 📺 ☎ 𝐏 – 🔬 25 à 600. 🖭
① 🖳 𝖵𝖨𝖲𝖠. ℅
Repas (ouvert jusqu'à 23 h) carte env. 55 – ⊑ 13 – **179 ch** 110/120, 3 suites – ½ P 150.

AKKRUM *Friesland* ⓒ *Boarnsterhim 17 924 h.* 210 P 4 et 408 I 2.
Amsterdam 137 – Leeuwarden 20 – Groningen 60 – Zwolle 74.

🍴🍴 **De Oude Schouw** avec ch, Oude Schouw 6 (NO : 3 km), ⊠ 8491 MP, ℰ (0 566) 65 21 25, Fax (0 566) 65 21 02, ⩥, 🌫, « Terrasse au bord de l'eau », ℅, 🗌
– 🍴 rest, 📺 ☎ 𝐏 – 🔬 25 à 80. 🖭 ① 🖳 𝖵𝖨𝖲𝖠. ℅ rest
fermé 27 déc.-10 janv. – **Repas** Lunch 45 – 47/85 – **14 ch** ⊑ 127/148, 1 suite – ½ P 120/140.

ALBERGEN *Overijssel* 210 U 8 et 408 L 4 – *voir à Tubbergen.*

ALBLASSERDAM *Zuid-Holland* 211 I 11 et 408 F 6 – *17 656 h.*
Voir *Moulins de Kinderdijk★★, ⩥★ (de la rive gauche du Lek) N : 5 km.*
Amsterdam 92 – Den Haag 46 – Arnhem 101 – Breda 45 – Rotterdam 20 – Utrecht 59.

🏠 **Het Wapen van Alblasserdam,** Dam 24, ⊠ 2952 AB, ℰ (0 78) 691 47 11, Fax (0 78) 691 61 16 – 🍴 rest, 📺 ☎ 𝐏 – 🔬 40 à 170. 🖭 ① 🖳 𝖵𝖨𝖲𝖠 𝖩𝖢𝖡
Repas Lunch 45 – **60 – 20 ch** ⊑ 95/140 – ½ P 123/150.

🏠 **Kinderdijk,** West-Kinderdijk 361 (NO : 3 km), ⊠ 2953 XV, ℰ (0 78) 691 24 25, Fax (0 78) 691 50 71, ⩥ moulins et rivière Noord, 🌫 – 🍴 rest, 📺 ☎ 𝐏. 🖭 ① 🖳 𝖵𝖨𝖲𝖠
𝖩𝖢𝖡. ℅ ch
Repas carte env. 45 – **12 ch** ⊑ 80/100.

In deze gids
heeft of een zelfde letter of teken,
zwart *of* **rood,** *dun of* **dik** *gedrukt*
niet helemaal dezelfde betekenis.

Lees aandachtig de bladzijden met verklarende tekst.

ALDTSJERK *Friesland* – *voir Oudkerk à Leeuwarden.*

ALKMAAR *Noord-Holland* 210 I 7 et 408 F 4 – *93 052 h.*
Voir *Marché au fromage★★ (Kaasmarkt) sur la place du Poids public (Waagplein)* Y 34 – *Grandes orgues★, petit orgue★ dans la Grande église ou église St-Laurent (Grote- of St. Laurenskerk)* Y **A.**

🛏 *Sluispolderweg 6,* ⊠ 1817 BM, ℰ (0 72) 515 68 07.
🔳 *Waagplein 3,* ⊠ 1811 JP, ℰ (0 72) 511 42 84, Fax (0 72) 511 75 13.
Amsterdam 40 ③ – Haarlem 31 ③ – Leeuwarden 109 ②.

Plan page suivante

🏠 **Tulip Inn,** Arcadialaan 2 (par ③, près sortie A 9), ⊠ 1813 KN, ℰ (0 72) 540 14 14,
🐝 Fax (0 72) 540 12 32, 🌫 – 📺 ☎ 𝐏 – 🔬 60. 🖭 ① 🖳 𝖵𝖨𝖲𝖠
Repas 38 – **29 ch** ⊑ 115/160 – ½ P 118/153.

🍴 **Bios** 1ᵉʳ étage, Gedempte Nieuwesloot 54a, ⊠ 1811 KT, ℰ (0 72) 512 44 22,
😋 Fax (0 72) 512 44 99, « Brasserie moderne dans une demeure historique » – 🍴. 🖭 ①
🖳 𝖵𝖨𝖲𝖠. ℅   Y a
Repas Lunch 45 – 53/88.

🍴 **Het Paleis** (arrière-salle), Verdronkenoord 102, ⊠ 1811 BH, ℰ (0 72) 520 20 00,
Fax (0 72) 520 20 21 – 🖭 ① 🖳 𝖵𝖨𝖲𝖠 𝖩𝖢𝖡   Z b
Repas Lunch 50 – 68.

🍴 **Eric's Stokpaardje,** Vrouwenstraat 1, ⊠ 1811 GA, ℰ (0 72) 512 88 70,
Fax (0 72) 511 28 58 – 🍴. 🖭 🖳 𝖵𝖨𝖲𝖠. ℅   Z e
fermé sam. midi, dim. midi, lundi, mardi et dern. sem. juil.-début août – **Repas** Lunch 45 –
50/73.

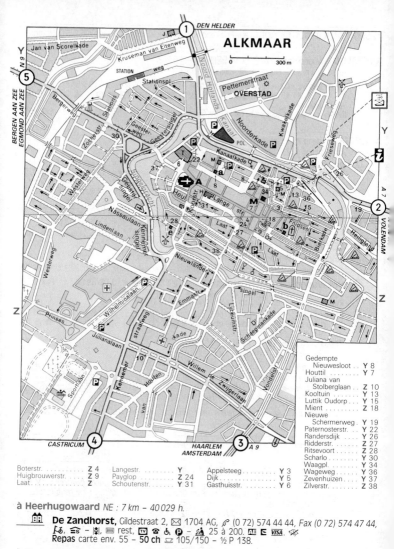

ALKMAAR

0   300 m

DEN HELDER

BERGEN AAN ZEE
EGMOND AAN ZEE

CASTRICUM

HAARLEM
AMSTERDAM

Gedempte Nieuwesloot	Y 8
Houttil	Y 7
Juliana van Stolberglaan	Z 10
Kooltuin	Y 13
Luttik Oudorp	Y 15
Mient	Z 18
Nieuwe Schermerweg	Y 19
Paternosterstr.	Y 22
Randersdijk	Y 26
Ridderstr.	Z 27
Ritsevoort	Z 28
Scharlo	Y 30
Waagpl.	Y 34
Wageweg	Y 36
Zevenhuizen	Y 37
Zilverstr.	Z 38

Boterstr.	Z 4	Langestr.	Y	Appelsteeg	Y 3
Huigbrouwerstr.	Z 9	Payglop	Z 24	Dijk	Y 5
Laat	Z	Schoutenstr.	Y 31	Gasthuisstr.	Y 6

à Heerhugowaard NE : 7 km – 40 029 h.

De Zandhorst, Gildestraat 2, ⊠ 1704 AG, 𝒫 (0 72) 574 44 44, Fax (0 72) 574 47 44, ♨, ⇔ – ⧄, ▤ rest, ⅋ ☎ ⅙ 🅿 – 🛦 25 à 200. 🆀 🄴 𝑽𝑰𝑺𝑨. 𝒮
Repas carte env. 55 – **50 ch** ⊇ 105/150 – ½ P 138.

à Noord-Scharwoude N : 8 km Ⓒ Langedijk 22 635 h :

De Buizerd ⏴, Spoorstraat 124, ⊠ 1723 NG, 𝒫 (0 226) 31 23 88, Fax (0 226) 31 76 27, 🏭, ⬗, – ▤ rest, ⅋ ☎ 🅿 – 🛦 80. 🄴 𝑽𝑰𝑺𝑨
Repas Lunch 25 – carte 46 à 73 – **11 ch** ⊇ 68/145.
Voir aussi : **Heiloo** par ④ : 5 km

ALMELO Overijssel 🔢 U 8, 🔢 U 8 et 🔢 K 4 – 65 211 h.

🏌 à Wierden O : 4 km, Rijssensestraat 142a, ⊠ 7642 NN, 𝒫 (0 546) 57 61 50, Fax (0 546) 57 81 09.

🅱 Centrumplein 2, ⊠ 7607 SB, 𝒫 (0 546) 81 87 65, Fax (0 546) 82 30 12.
Amsterdam 146 – Zwolle 48 – Enschede 23.

Theater, Schouwburgplein 1, ⊠ 7607 AE, 𝒫 (0 546) 81 00 61, Fax (0 546) 82 16 65, 🏭, 🕃 – ⧄ ⅋ ☎ ⟷ 🅿 – 🛦 25 à 750. 🆀 ⓞ 🄴 𝑽𝑰𝑺𝑨
Repas (ouvert jusqu'à 23 h) Lunch 25 – carte 55 à 80 – ⊇ 20 – **112 ch** 110 – ½ P 95.

ALMEN *Gelderland* © *Gorssel 13 470 h.* **211** R 10 et **408** J 5.
Amsterdam 119 – Arnhem 42 – Apeldoorn 32 – Enschede 52.

De Hoofdige Boer, Dorpsstraat 38, ⊠ 7218 AH, ☞ (0 575) 43 17 44,
Fax (0 575) 43 15 67, 🏤, « Terrasse et jardin » – 📺 ☎ & 🅿 – 🕍 25 à 100. 🖭 ⓞ
🗲 🆅🆂🅰. ❄
fermé du 1er au 10 janv. – **Repas** 50/73 – **23 ch** ⊊ 125/195 – ½ P 115/153.

ALMERE *Flevoland* **211** L 8 et **408** G 4 – *112 704 h.*
  🛆 🛆 *Watersnipweg 21,* ⊠ *1341 AA,* ☞ *(0 36) 538 44 74, Fax (0 36) 538 44 35.*
  🄳 *Spoordreef 20 (Almere-Stad),* ⊠ *1315 GP,* ☞ *(0 36) 533 46 00, Fax (0 36) 534 36 65.*
  Amsterdam 30 – Apeldoorn 86 – Lelystad 34 – Utrecht 46.

à Almere-Haven © *Almere :*
  Rivendal, Kruisstraat 33, ⊠ 1357 NA, ☞ (0 36) 531 90 00, Fax (0 36) 531 90 00 – ▤.
  🖭 ⓞ 🗲 🆅🆂🅰. ❄
  fermé du 15 au 31 juil., 26 déc.-1er janv. et lundi de juin à août – **Repas** 50/70.

  Bestevaer, Sluiskade 16, ⊠ 1357 NX, ☞ (0 36) 531 15 57, Fax (0 36) 537 69 09, 🏤
  – 🖭 🗲 🆅🆂🅰
  fermé lundi de sept. à avril, mardi, 2 prem. sem. sept. et 2 prem. sem. janv. – Repas 43/55.

à Almere-Stad © *Almere :*
  Bastion, Audioweg 1 (près A 6, sortie ③, Almere-West), ⊠ 1322 AT, ☞ (0 36) 536 77 55,
  Fax (0 36) 536 70 09 – 📺 ☎ 🅿. 🖭 ⓞ 🗲 🆅🆂🅰. ❄
  Repas (grillades, ouvert jusqu'à 23 h) 45 – **40 ch** ⊊ 131/147.

ALPHEN *Noord-Brabant* © *Alphen en Riel 6 244 h.* **211** J 14 et **408** H 6.
Amsterdam 122 – 's-Hertogenbosch 37 – Breda 25 – Tilburg 14.

  Bunga Melati, Oude Rielseweg 2 (NE : 2 km), ⊠ 5131 NR, ☞ (0 13) 508 17 28,
  Fax (0 13) 508 19 63, 🏤, Cuisine indonésienne, ouvert jusqu'à 23 h, « Terrasse et jardin »
  – ▤ 🅿. 🖭 ⓞ 🗲 🆅🆂🅰. ❄
  Repas Lunch 25 – 45/55.

Pour visiter la Belgique utilisez
le guide vert Michelin BELGIQUE - GRAND-DUCHÉ DE LUXEMBOURG.

ALPHEN AAN DEN RIJN *Zuid-Holland* **211** H 10 et **408** F 5 – *67 583 h.*
  🛆 🛆 *Kromme Aarweg 5,* ⊠ *2403 NB,* ☞ *(0 172) 47 45 67, Fax (0 172) 49 46 60.*
  🄳 *Wilhelminalaan 1,* ⊠ *2405 EB,* ☞ *(0 172) 49 56 00, Fax (0 172) 47 33 53.*
  Amsterdam 36 – Den Haag 32 – Rotterdam 35 – Utrecht 38.

Toor, Stationsplein 2, ⊠ 2405 BK, ☞ (0 172) 49 01 00, Fax (0 172) 49 37 81 – 🛗, ▤ rest,
  📺 ☎ 🅿 – 🕍 25 à 200. 🖭 ⓞ 🗲 🆅🆂🅰
  Repas carte 45 à 63 – **57 ch** ⊊ 135/185 – ½ P 98/137.

Avifauna, Hoorn 65, ⊠ 2404 HG, ☞ (0 172) 48 75 75, Fax (0 172) 48 75 06, 🏤,
  « Parc ornithologique », 🐎, 🐾, 🎱 – 🛗, ▤ rest, 📺 ☎ 🅿 – 🕍 25 à 400. 🖭 ⓞ
  🗲 🆅🆂🅰
  Repas (ouvert jusqu'à 23 h) carte 45 à 63 – ⊊ 13 – **94 ch** 89/99 – ½ P 89/128.

AMELAND (Ile de) *Friesland* **210** O 2 - et **408** I 1 – *voir à Waddeneilanden.*

AMERONGEN *Utrecht* **211** M 10 et **408** H 5 – *7 339 h.*
Amsterdam 71 – Arnhem 38 – Utrecht 33.

  Herberg Den Rooden Leeuw, Drostestraat 35, ⊠ 3958 BK, ☞ (0 343) 45 40 55,
  Fax (0 343) 45 77 65 – 🅿. 🖭 ⓞ 🗲 🆅🆂🅰
  fermé mardi, merc. et dern. sem. juil.-prem. sem. août – **Repas** carte env. 70.

AMERSFOORT *Utrecht* **211** M 10 et **408** H 5 – *114 884 h.*

Voir *Vieille Cité*★ : *Muurhuizen*★ *(maisons de rempart)* BYZ – *Tour Notre-Dame*★ *(O. L. V-
rouwe Toren)* AZ **C** – *Koppelpoort*★ AY.

Env. *S : 14 km à Doorn : Collection d'objets d'art*★ *dans le château (Huis Doorn).*
  🄳 *Stationsplein 9,* ⊠ *3818 LE,* ☞ *(0 33) 461 94 75, Fax (0 33) 465 01 08.*
  Amsterdam 51 ① *– Utrecht 22* ④ *– Apeldoorn 46* ① *– Arnhem 51* ③*.*

AMERSFOORT

Arnhemsestr.	**AZ** 5
Krommestr.	**AY** 20
Langestr.	**ABZ**
Utrechtsestr.	**AZ** 26
Appelmarkt	**BY** 2

Arnehmseweg	**AZ** 3
Bloemendalse Binnenpoort	**ABY** 6
van Campenstr.	**AX** 8
Everard Meysterweg	**BX** 9
Gasthuislaan	**BX** 10
Groenmarkt	**BY** 12
Grote Spui	**AY** 14
Herenstr.	**BZ** 15

Kleine Spui	**AY** 17
Krandeledenstr.	**AZ** 18
Kwekersweg	**AX** 21
Lieve Vrouwekerkhof	**AZ** 23
Lieve Vrouwestr.	**AY** 24
Varkensmarkt	**AY** 27
Vondellan	**AX** 29
Windsteeg	**BY** 30

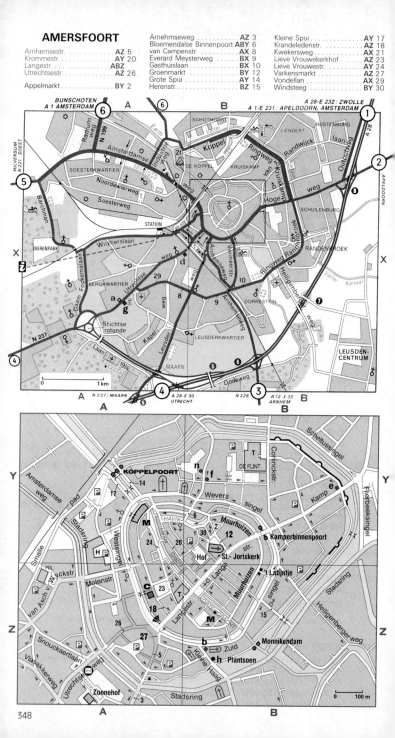

348

Berghotel, Utrechtseweg 225, ⊠ 3818 EG, ℰ (0 33) 422 42 22, Fax (0 33) 465 05 05,
🛋, ➡, 🔲 – 📶 🐬 📺 🐾 🐧 🐧 – ⚖ 25 à 160. 🖭 ⓪ 🅴 *VISA* ᴊᴄʙ AX **a**
Repas (fermé dîm.) Lunch 33 – 45 – ☲ 23 – **90 ch** 198/233.

Campanile, De Brand 50 (NE : 4 km près A 1), ⊠ 3823 LM, ℰ (0 33) 455 87 57,
Fax (0 33) 456 26 20, 🛋 – 📶 📺 🐬 🐾 🐧 – ⚖ 25 à 50. 🖭 ⓪ 🅴 *VISA* ᴊᴄʙ
Repas (avec buffet) 45 – ☲ 13 – **75 ch** 110 – ½ P 93/168.

𝖃𝖃𝖃𝖃 **Mariënhof,** Kleine Haag 2, ⊠ 3811 HE, ℰ (0 33) 463 29 79, Fax (0 33) 465 51 26, 🛋,
☼ « Dans un couvent-musée, jardin intérieur » – 🕮, 🖭 ⓪ 🅴 *VISA* BZ **h**
fermé sam. midi, dim., lundi, 19 juil.-10 août et fin déc.-début janv. – **Repas** Lunch 63 –
115/155, carte env. 120
Spéc. Foie gras d'oie sauté à la cardamome, bigorneaux et moules (21 déc.-21 mars).
Poularde fermière au four, truffée à la tapenade et champignons des bois.

𝖃𝖃 **De Rôtisserie,** Kleine Haag 2 (dans le complexe Mariënhof), ⊠ 3811 HE,
ℰ (0 33) 463 29 79, Fax (0 33) 465 51 26, 🛋 – 🕮 – 🛎 40. 🖭 ⓪ 🅴 *VISA* BZ **b**
fermé dim., lundi, 19 juil.-10 août et 28 déc.-6 janv. – **Repas** (dîner seult) 63/75.

𝖃𝖃 **Dorloté,** Bloemendalsestraat 24, ⊠ 3811 ES, ℰ (0 33) 472 04 44, 🛋 – 🐧. 🖭 ⓪ 🅴
VISA. ✺ BY **n**
fermé sam. midi, dim., lundi, 28 juil.-11 août et 22 déc.-12 janv. – **Repas** Lunch 55 – 63.

𝖃𝖃 **Tollius,** Utrechtseweg 42, ⊠ 3818 EM, ℰ (0 33) 465 17 93, 🛋 – 🖭 🅴 *VISA* ABX **d**
fermé dim. et du 14 au 28 juil. – **Repas** Lunch 50 – carte env. 70.

𝖃𝖃 **De Kraton,** Utrechtseweg 180, ⊠ 3818 ES, ℰ (0 33) 461 50 00, Fax (0 33) 461 89 45,
Cuisine indonésienne – 🐧. 🖭 ⓪ 🅴 *VISA* AX **g**
fermé dim., lundi et 20 juil.-20 août – **Repas** (dîner seult) carte env. 65.

𝖃𝖃 **'t Bloemendaeltje,** Bloemendalsestraat 3, ⊠ 3811 EP, ℰ (0 33) 475 00 01,
Fax (0 33) 475 00 01 – 🖭 ⓪ 🅴 *VISA* BY **f**
fermé mardi, merc., sam. midi, dim. midi et 3 sem. vacances bâtiment – **Repas** Lunch 53 –
80.

𝖃 **De Verliefde Kreeft,** Kamp 88, ⊠ 3811 AT, ℰ (0 33) 475 60 96, Fax (0 33) 470 01 26
– 🖭 ⓪ 🅴 *VISA* BY **e**
fermé sam. midi et dim. midi – **Repas** carte 57 à 90.

Voir aussi : **Leusden** SE : 4 km

AMMERZODEN Gelderland 𝟤𝟣𝟣 L 12 et 𝟦𝟢𝟪 G 6 – 4 439 h.
Amsterdam 81 – 's-Hertogenbosch 8 – Utrecht 49.

𝖃 **'t Oude Veerhuis,** Molendijk 1, ⊠ 5324 BC, ℰ (0 73) 599 13 42, Fax (0 73) 599 44 02,
≤, 🛋, « Terrasse », 🔳 – 🐧. 🖭 ⓪ 🅴 *VISA* ᴊᴄʙ
fermé lundi – **Repas** carte 48 à 80.

AMSTELVEEN Noord-Holland 𝟤𝟣𝟢 J 9, 𝟤𝟣𝟣 J 9 et 𝟦𝟢𝟪 F 5 - ㉗ S – voir à Amsterdam, environs.

AMSTERDAM

Noord-Holland 210 J 8, 211 J 8 *et* 408 G 4 – ㉑ S – *718 119 h.*

Bruxelles 204 ③ – *Düsseldorf 227* ③ – *Den Haag 60* ④ – *Luxembourg 419* ③ –
Rotterdam 76 ④.

Répertoire des rues	**p. 3**
Plans d'Amsterdam	
Agglomération	p. 4 et 5
Amsterdam Centre	p. 6 et 7
Agrandissement partie centrale	p. 8 et 9
Liste alphabétique des hôtels et des restaurants	p. 10 et 11
La cuisine que vous recherchez	p. 12 et 13
Nomenclature des hôtels et des restaurants	p. 14 à 21

OFFICE DE TOURISME

V.V.V. Amsterdam, Stationsplein 10. ⊠ *1012 AB* ☎ *0 900-400 40 40, Fax (020)
625 28 69.*

RENSEIGNEMENTS PRATIQUES

TRANSPORTS

*Un réseau étendu de transports publics (tram, bus et métro) dessert toute la ville, et
le "canalbus" couvre toute la ceinture des canaux grâce à une série d'embarcadères. Les
taxis sur l'eau ou "Water Taxi" sont également très rapides.
Le soir, il est préférable et conseillé de se déplacer en taxi.*

AÉROPORT

À Schiphol (p. 2 AS) : 9,5 km ☎ *(020) 601 91 11.*

QUELQUES GOLFS

🏌18 *Bauduinlaan 35* ⊠ *1165 NE à Halfweg* (AR) ☎ *(020) 497 78 66, Fax (020) 497 59 66 –*
🏌9 *Zwarte Laantje 4* ⊠ *1099 CE à Duivendrecht* (DS) ☎ *(020) 694 36 50,
Fax (020) 663 46 21 –* 🏌18 🏌9 *Buikslotermeerdijk 141* ⊠ *1027 AC par* ① ☎ *(020)
632 56 50, Fax (020) 634 35 06 –* 🏌18 *Abcouderstraatweg 46* ⊠ *1105 AA à Holendrecht*
(DS) ☎ *(0294) 28 12 41, Fax (0294) 28 63 47.*

LE SHOPPING

Grands Magasins :
Centre piétonnier, Shopping Center et Magna Plaza.

Commerces de luxe :
Beethovenstraat FV-FU – P.C. Hooftstraat FV-FU – Van Baerlestraat.

Marché aux fleurs★ *(Bloemenmarkt) LY.*

Marché aux puces *(Vlooienmarkt) :*
Waterlooplein MY.

Antiquités et Objets d'Art :
Autour du Rijksmuseum et du Spiegelgracht.

CASINO

Casino KZ, Max Euweplein 62, ⊠ *1017 MB (près Leidseplein)* ☎ *(020) 620 10 06,
Fax (020) 620 36 66.*

CURIOSITÉS

POINTS DE VUE

Reguliersgracht★ MX – *Keizersgracht*★ MX – *du Pont-écluse Oudezijds Kolk-Oudezijds Voorburgwal*★ MX – *Groenburgwal*★ LMY.

QUELQUES MONUMENTS HISTORIQUES

Dam : Palais Royal★ *(Koninklijk Paleis)* LY – *Béguinage*★★ LY – *Maisons Cromhout*★ *(Cromhouthuizen)* KY – *Westerkerk* KX.

MUSÉES HISTORIQUES

Musée Historique d'Amsterdam★★ *(Amsterdams Historisch Museum)* LY – *Madame Tussaud Scenerama*★ : *musée de cires* LY **M¹** – *Musée Historique Juif*★ *(Joods Historisch Museum)* MY **M⁶** – *Allard Pierson*★ : *collections archéologiques* LY **M⁷** – *Maison d'Anne Frank*★★ KX **M⁸** – *Musée d'Histoire maritime des Pays-Bas*★ *(Nederlands Scheepvaart Museum)* HU **M¹⁵** – *Musée des Tropiques*★ *(Tropenmuseum)* HU.

COLLECTIONS CÉLÈBRES

Rijksmuseum★★★ KZ – *National (Rijksmuseum) Vincent van Gogh*★★★ FUV **M²** – *Municipal*★★ *(Stedelijk Museum)* : *art moderne* FUV **M³** – *Amstelkring "Le Bon Dieu au Grenier"*★ *(Museum Amstelkring Ons' Lieve Heer op Solder)* : *ancienne chapelle clandestine* MY **M⁴** – *Maison de Rembrandt*★ *(Rembrandthuis)* : *œuvres graphiques du maître* MY **M⁵**.

ARCHITECTURE MODERNE

Logements sociaux dans le quartier Jordaan et autour du Nieuwmarkt – *Créations contemporaines à Amsterdam Zuid-Oost (banque ING).*

QUARTIERS PITTORESQUES ET PARCS

Vieil Amsterdam★★★ – *Les canaux*★★★ *(Grachten) avec bateaux-logements (Amstel)* – *Le Jordaan (Prinsengracht, Brouwergracht, Lijnbaansgracht, Looiersgracht)* JY-KY – *Realeneiland* CR – *Dam* LY – *Pont Maigre*★ *(Magere Brug)* MZ – *De Walletjes (Quartier chaud)* MX-LY – *Sarphatipark* GU – *Oosterpark* HU – *Vondelpark* EV – *Artis (jardin zoologique)*★ HU.

RÉPERTOIRE GÉNÉRAL DES RUES D'AMSTERDAM

van Baerlestr. ......p.8 JZ 6
Damrak ....p.9 LX
Damstr. ....p.9 LY 19
Heiligeweg ....p.9 LY 36
Kalverstr. ....p.8 JY
Kinkerstr. ....p.8 KYZ
Leidsestr. ....p.9 LX
Nieuwendijk ....p.9 KZ
P. C. Hooftstr. ......p.8 KZ
Raadhuisstr. ....p.8 KXY
Reguliersbreestr. ....p.9 LY 90
Rokin ....p.9 LY
Rozengracht ....p.8 JKY
Spui ....p.9 LY
Utrechtsestr. ....p.9 MZ

Aalsmeerweg ....p.6 EV 3
Admiraal de
Ruyterweg ....p.6 ET
Amstel ....p.9 MYZ
Amsteldijk ....p.6 GHV
Amstelstr. ....p.9 MY
Amstelveenseweg ...p.6 EV
Amstelveld ....LMZ
Amsterdamseweg ...p.4 BS
Angeliersstr. ....KX
Apollolaan ....p.6 EFV
Archimedesweg .....p.5 DR 4
Baden Powellweg ...p.4 AR
Basisweg ....p.4 BR
Beethovenstr. ......p.6 FV
Beneluxbaan ....p.5 CS
Bernard Zweerskade .p.6 FV 7
Beukenweg ....p.7 HV
Beursplein ....p.9 LX
Bijlmerdreef ....p.5 DS
Bilderdijkkade .....p.6 EU
Bilderdijkstr. ....p.8 JY
Blauwbrug ....p.9 MY
de Boelelaan ....p.5 CS
Bolsboom
Toussaintstr. ......JYZ
Bos en Lommerweg .p.4 BR 9
Bosrandweg ....p.4 ABS
Bovenkerkerweg ...p.4 BS 10
Buiksloterweg .....p.7 GT
Buitenveldertselaan .p.5 CS 12
Burgemeester
Amersfoordtlaan ...p.4 AS 13
Burgemeester
de Vlugtlaan ......p.4 BR 15
Burgemeester
Röellstr. ....p.4 BR 16
Burgemeester
Stramanweg ......p.5 CD
Ceintuurbaan ......p.7 GV
Churchilllaan ....p.7 GV
de Clercqstr. ....p.8 JY
Constantijn
Huygensstr.(1e) ...p.8 JZ
Cornelis
Krusemanstr. .....p.6 EV
Cornelis Lelylaan ...p.6 EUV 18
Cornelis Schuytstr. ..p.6 EFV
Daalwijkdreef ......p.5 DS
Dam ....p.9 LY
Diepenbrockstr. ....p.6 FV 21
Dolingadreef ......p.5 DS 22
Dorpsstr. ....p.4 BS 24
van Eeghenstr. .....p.6 EFV
Egelantiersstr. ......KX
Elandsgracht ....p.8 KY
Elandsstr. ....JKY
Elsrijkdreef ....p.5 DS 25
Europaboulevard ...p.5 CS 27
Ferdinand Bolstr. ...p.7 GV
Flevoweg ....p.5 DR 28
Fokkerweg ....p.4 AS
Frederik Hendrikstr. .p.8 JX
Frederikspl. ....p.9 MZ
Galileiplantsoen ....p.5 DR 30
Geer Ban ....p.4 AR 31
Gerrit v. d. Veenstr. .p.6 EFV
Gooiseweg ....p.5 DRS
Haarlemmer
Houttuinen ......p.6 FT

Haarlemmermeerstr. .p.6 EV
Haarlemmerweg ....p.6 EFT
Handweg ....p.4 BS 33
Hartenstr. ....KY
Hartveldseweg .....p.5 DS 34
Hekelveld ....p.9 LX 37
van der Helststr. (2e) .p.7 GV
van Hilligaertstr. ....p.6 FV 39
Hobbemakade ......p.6 FV
Hogesluis-Brug .....MZ
Hoofddorpweg .....p.6 EV 40
Hoofdweg ....p.6 ETU
van der Hooplaan ...p.4 BS 42
Hornweg ....p.4 AR
Hugo de
Grootstr.(2e) ....p.8 JX
Hugo de Vrieslaan ..p.5 DR 43
IJdoornlaan ....p.5 DR
Insulindeweg ......p.5 DR 45
Jacob Obrechtstr. ..p.6 FV 46
Jacob van
Lennepstr. ......p.6 EFU
Jan Evertsenstr. ...p.6 EU
Jan Pieter Heijestr. ..p.6 EU 48
Jan van Galenstr. ...p.6 ET
Jodenbreestr. ......p.9 MY
Johan Huizingalaan ..p.4 BR 49
Joh. M. Coenenstr. ..p.6 FV
Johan van
Hasseltweg ......p.5 CR 51
Johan van
Kamperfoelieweg ..p.5 CR 52
Kattenburgergracht ..p.7 HU 54
Kattenburgerstr. ....p.7 HTU
Kattengat ....p.9 LX 55
Keizer Karelweg ....p.4 BS
Kerkstr. ....p.9 KLZ
Klaprozenweg .....p.5 CR 57
Koninginneweg .....p.6 EV
Krugerpl. ....p.7 HV
Kruislaan ....p.5 DR
de Lairessestr. .....p.6 EFV
Langebrugsteeg ....p.9 LY 58
Langsomlaan ......p.4 AR 60
Laurierstr. ....JKY
Leidseplein ....p.8 KZ
van Leijenberghlaan .p.5 CS 61
Linnaeusstr. ....p.7 HUV
Lutmastr. ....p.7 GV
Magerebrug ....p.9 MZ
Maritzstr. ....p.7 HV 63
Marnixstr. ....p.8 JXY
Martelaarsgracht ...p.9 LX 64
Mauritskade ....p.7 HU
Meer en Vaart ......p.4 AR 66
Meeuwenlaan .....p.7 HT
Middenweg ....p.5 DR
Molukkenstr. ......p.5 DR 67
Mr. G. Groen v.
Prinstererlaan ....p.5 CS 69
Muiderstraatweg ...p.5 DS 70
Muntplein ....p.9 LY 72
Nassaukade ....p.8 JXY
Nieuwe Amstelstr. ..p.9 MY
Nieuwe Doelenstr. ..p.9 LY
Nieuwe Hemweg ..p.4 BR
Nieuwe Hoogstr. ...p.9 MY 73
Nieuwe Leliestr. ....KX
Nieuwe Spiegelstr. ..p.9 LZ
Nieuwezijds
Voorburgwal .....p.9 LXY
Nieuwendijk ....p.9 LX
Nieuwmarkt ......p.9 MY
van Nijenrodeweg ..p.5 CS 75
Nobelweg ....p.7 HV
Noordzeeweg .....p.4 AR
Olympiaweg ....p.6 EV
Ookmeerweg ......p.4 AR
Oostenburgerstr. ...p.7 HU 76
Oosterparkstr. (1e) ..p.7 HV
Oosterringdijk .....p.5 DR
Oranjebaan ....p.5 CS
Osdorperweg ......p.4 AR
Oude Doelenstr. ...p.9 LY 78
Oude Hoogstr. ....p.9 LMY 79
Oude Turfmarkt ...p.9 LY 81
Oudebrugsteeg ....p.9 LMX 82

Overtoom ....p.6 EFU
Panamalaan ....p.5 DR 83
Pa Verkuyllaan ....p.4 AS 84
Paulus Potterstr. ...p.8 KZ
Piet Heinkade .....p.7 HT
Plantage
Middenlaan ......p.7 HU
Plesmanlaan ......p.4 ABR
Postjesweg ....p.6 EU
President
Allendelaan ......p.4 AR 85
Pretoriusstr. ....p.7 HV
Prins Bernhardpl. ...p.7 HV
Prins Hendrikkade ..p.9 LMX
Provincialeweg .....p.5 DS 87
Purmerweg ....p.5 DR
Raamstr. ....KY
Reestraat ....p.8 KY 88
Reguliersdwarsstr. ..p.9 LY
Reijnier Vinkeleskade .p.6 FV
Rembrandtplein ....p.9 LMY
Rembrandtweg ....p.4 BS 91
Rhijnspoorpl. ......p.7 HU
Rijnstr. ....p.7 GV
Roelof Hartstr. .....p.6 FV 93
Ronde Hoep Oost ..p.5 CS 94
Rooseveltlaan ......p.7 GV 96
Ruijgoordweg .....p.4 AR
de Ruijterkade .....p.7 GT
Runstr. ....KY
Ruyschstr. ....p.7 HV
Ruysdaelkade .....p.6 FV
Sarphatistr. ....p.7 GHU
Schalk Burgerstr. ...p.7 HV 97
Scheldestr. ....p.7 GV
Schipholdijk ......p.4 AS
Schipholweg ......p.4 AS
Sint
Antoniesbreestr. ..p.9 MY
Sint Luciensteeg ...p.9 LY 99
Slotermeerlaan ....p.4 BR 100
Sloterweg ....p.4 AS
Spaarndammerstr. ..p.5 CR 102
van Speijkstr. ......p.6 EU
Sportlaan ....p.4 BS
Spuistr. ....p.9 LX
Stadhouderskade ...p.8 KZ
Stadionkade ......p.6 EFV
Stadionpl. ....p.6 EV
Stadionweg ....p.6 EV
Stationsplein ......p.9 MX
Stromarkt ....p.9 LX 103
Surinamepl. ....p.6 EU
Thorbeckepl. ......p.9 LZ 105
Transformatorweg ..p.4 BR 106
Treublaan ....p.7 HV 108
Tweeduizend El ....p.4 AS
Valkenburgerstr. ...p.9 MY
Victoriepl. ....p.7 GV
Vijzelgracht ....p.9 LZ
Vijzelstr. ....p.9 LZ
Volendammerweg ..p.5 DR 109
Vondelstr. ....p.8 JZ
Vrijheidslaan ......p.7 GHV
Waterlooplein .....p.9 MY
Weesperstr. ....p.9 MZ
Weesperzijde .....p.7 HV
Westeinde ....p.9 MZ
Westermarkt ......p.8 KX 110
Westerstr. ....p.8 KX
Weteringplantsoen ..p.9 LZ
Weteringschans ...p.8 KLZ
Wibautstr. ....p.7 HV
Wielingenstr. ......p.7 HV 112
Wilhelminastr. .....p.6 EU
Willem de
Zwijgerlaan .....p.6 ET
Willemsparkweg ...p.6 FV
Wittenburgergracht .p.7 HU 114
Wolvenstr. ....KY
van Woustr. ....p.7 GV
Zeeburgerdijk .....p.5 DR 115
Zeeburgerstr. .....p.7 HU 117
Zeedijk ....p.9 MX
Zeilstr. ....p.6 EV
Zuiderzeeweg .....p.5 DR

*Nos guides hôteliers, nos guides touristiques et nos cartes routières
sont complémentaires. Utilisez-les ensemble.*

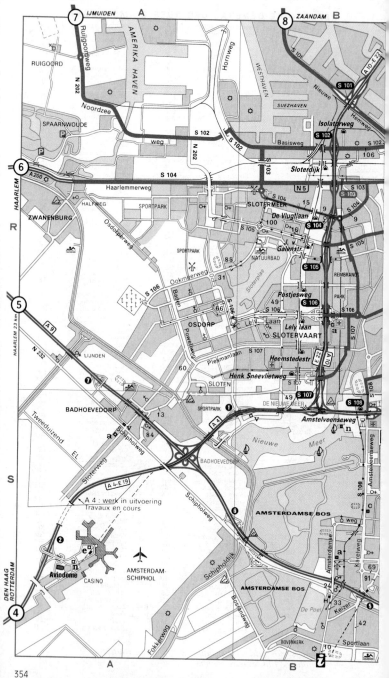

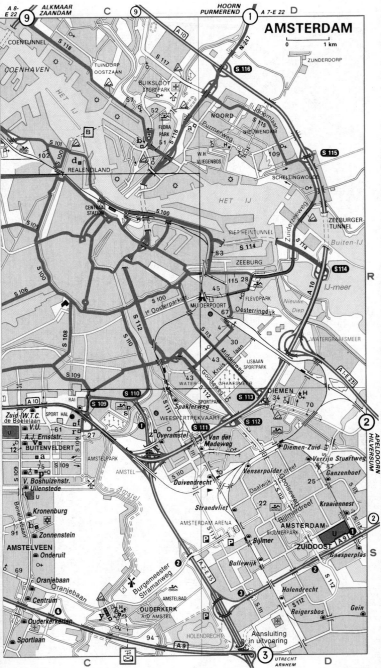

AMSTERDAM

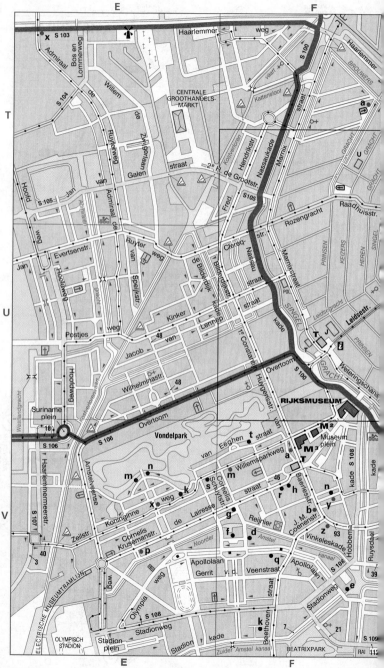

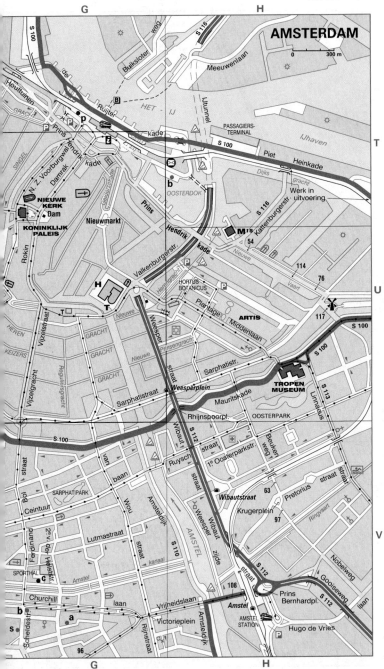

AMSTERDAM

0   300 m

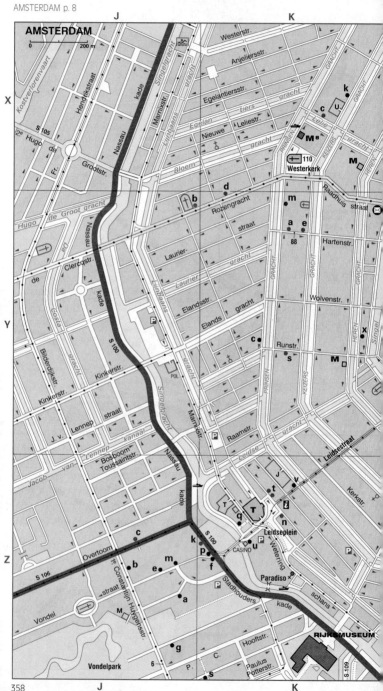

AMSTERDAM

0   200 m

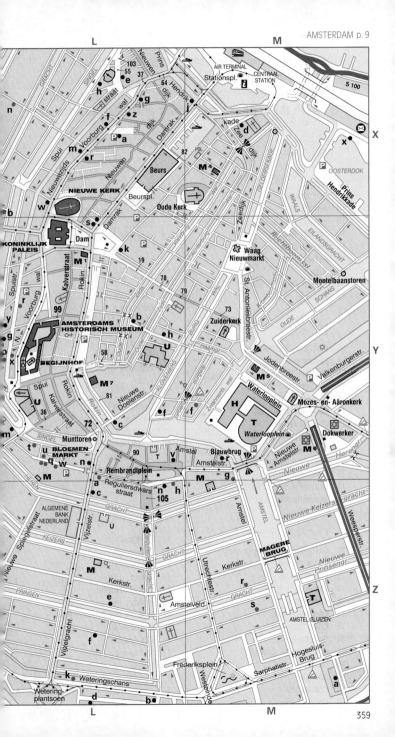

Liste alphabétique des hôtels et restaurants
Alfabetische lijst van hotels en restaurants
Alphabetisches Hotel- und Restaurantverzeichnis
Alphabetical list of hotels and restaurants

A

16 Agora
15 Ambassade
14 American
14 Amstel
16 Amstel Botel
15 Amsterdam
15 Asterisk
18 Atlas
18 Aujourd'hui
15 Avenue

B

18 Barbizon Centre
14 Barbizon Palace
20 Bastion Noord
19 Bastion Zuid-West
19 Beddington's
20 Belle Auberge (La)
16 Bols Taverne
17 Bordewijk
19 Bosch (Het)
19 Brasserie Beau Bourg
20 Brasserie Richard
21 Brasserie Sjef Schets
19 Brasserie Van Baerle

C

16 Café Roux (H. The Grand)
14 Canal Crown
15 Canal House
15 Caransa
19 Casaló (La)
20 Castheele (De)
17 Chez Georges
16 Christophe
19 Ciel Bleu (H. Okura)
15 Citadel
15 Cok City
18 Cok Hotels
18 Concert Inn

D

19 Delphi
21 Deurtje ('t)
15 Dikker en Thijs Fenice
21 Dorint
16 Dynasty

E – F – G

15 Eden
17 Edo and Kyo
   (H. Gd H. Krasnapolsky)
15 Estheréa
18 Europa 92
14 Europe
16 Excelsior (H. Europe)
18 Fita
20 Galaxy
18 Garage (Le)
19 Garden
17 Gouden Reael (De)
16 Goudsbloem (H. The Grand)
20 Grand Hotel
14 Gd H. Krasnapolsky
14 Grand (The)

H – I – J

17 Haesje Claes
20 Halvemaan
21 Herbergh (De)
19 Hilton
21 Hilton Schiphol
20 Holiday Inn
14 Holiday Inn Crowne Plaza
17 Hosokawa
16 Ibis Centre
17 Indrapura
15 Inntel
21 Jagershuis ('t)
14 Jolly Carlton
20 Jonge Dikkert (De)

K – L

20 Kaiko
21 Kampje (Het)
19 Kartika
19 Keyzer
21 Klein Paardenburg
17 Koriander
18 Lairesse
17 Long Pura
17 Lucius

M – N

17 Manchurian
19 Mangerie De Kersentuin
   (H. Garden)
18 Marriott
17 Memories of India
18 Memphis
20 Mercure Airport
19 Mercure a/d Amstel
15 Mercure Arthur Frommer
19 Meridien Apollo (Le)
16 Nes
16 Nicolaas Witsen
20 Novotel
19 Nuova Vita (La)

O – P – Q – R

17 Oesterbar (De)
19 Okura
18 Owl
21 Paardenburg
20 Pakistan
17 Pêcheur (Le)
20 Pescadou (Le)
18 Piet Hein
15 Port van Cleve (Die)
18 Prinsen
15 Prinsengracht
14 Pulitzer
16 Quatre Canetons (Les)

18 Radèn Mas
14 Radisson SAS
20 Ravel
20 Reghthuys ('t)
14 Renaissance
20 Résidence Fontaine Royale
   (H. Grand Hotel)
19 Richelle (La)
16 Rive (La) (H. Amstel)

S – T

17 Sampurna
16 Sancerre
15 Schiller
17 Sea Palace
21 Sheraton Airport
17 Sichuan Food
15 Singel
14 Sofitel
16 Swarte Schaep ('t)
14 Swissôtel
17 theeboom (d')
17 Tom Yam
18 Toro
16 Tout Court
15 Tulip Inn
16 Tuynhuys (Het)

V – W – Y – Z

17 Van Vlaanderen
16 Vermeer (H. Barbizon Palace)
14 Victoria
18 Villa Borgmann
21 Voetangel (De)
18 Vondel
16 Vijff Vlieghen (D')
18 Washington
15 Wiechmann
19 Yamazato (H. Okura)
18 Zandbergen
17 Zuidlande

La cuisine que vous recherchez...
Het soort keuken dat u zoekt
Welche Küche, welcher Nation suchen Sie
That special cuisine

Buffets

21   Greenhouse *H. Hilton Schiphol, Env. à Schiphol*

Grillades

20   Bastion Noord *Q. Nord*   19   Bastion Zuid-West *Q. Sud et Ouest*

Produits de la mer

17   Lucius *Q. Centre*
17   De Oesterbar *Q. Centre*

17   Le Pêcheur *Q. Centre*
20   Le Pescadou *Env. à Amstelveen*

Taverne – Brasseries

14   American *Q. Centre*
14   The Amstel Bar and Brasserie *H. Amstel Q. Centre*
16   Bols Taverne *Q. Centre*
19   Brasserie Beau Bourg *Q. Rijksmuseum*
19   Brasserie Camelia *H. Okura, Q. Sud et Ouest*
14   Brasserie De Palmboom *H. Radisson SAS, Q. Centre*
14   Brasserie Reflet *H. Gd H. Krasnapolsky, Q. Centre*
20   Brasserie Richard *Q. Sud et Ouest*

21   Brasserie Sjef Schets *Env. à Landsmeer*
19   Brasserie van Baerle *Q. Rijksmuseum*
14   Café Barbizon *H. Barbizon Palace, Q. Centre*
14   Café Pulitzer *H. Pulitzer, Q. Centre*
16   Café Roux *H. The Grand, Q. Centre*
18   Le Garage *Q. Rijksmuseum*
19   Keyzer *Q. Rijksmuseum*
15   Die Port van Cleve *Q. Centre*
20   Ravel *Q. Buitenveldert*
21   Run-Way Café *H. Sheraton Airport, Env. à Schiphol*
15   Tulip Inn *Q. Centre*

Asiatique

17   Sea Palace *Q. Centre*

Chinoise

17   Sichuan Food *Q. Centre*

Hollandaise régionale

14   Dorrius *H. Holiday Inn Crowne Plaza, Q. Centre*

15   De Roode Leeuw *H. Amsterdam, Q. Centre*

Indienne

17   Memories of India *Q. Centre*

20   Pakistan *Q. Sud et Ouest*

Indonésienne

17   Indrapura *Q. Centre*
19   Kartika *Q. Rijksmuseum*
17   Long Pura *Q. Centre*

18   Radèn Mas *Q. Rijksmuseum*
17   Sampurna *Q. Centre*

Italienne

14 Caruso *H. Jolly Carlton, Q. Centre*
19 La Nuova Vita *Q. Rijksmuseum*

19 Roberto's *H. Hilton, Q. Sud et Ouest*
15 Tulip Inn *Q. Centre*

Japonaise

17 Edo and Kyo *H. Gd H. Krasnapolsky Q. Centre*
17 Hosokawa *Q. Centre*

20 Kaiko *Q. Sud et Ouest*
19 Sazanka *H. Okura, Q. Sud et Ouest*
19 Yamazato *H. Okura, Q. Sud et Ouest*

Orientale

16 Dynasty *Q. Centre*

17 Manchurian *Q. Centre*

Suisse

14 Swissôtel *Q. Centre*

Thaïlandaise

17 Tom Yam *Q. Centre*

Quartiers du Centre - *plans p. 8 et 9 sauf indication spéciale :*

Amstel ⚘, Prof. Tulpplein 1, ✉ 1018 GX, ✆ (0 20) 622 60 60, Fax (0 20) 622 58 08, ≤, ↕6, ⌕s, 🔲, 🔟 – 🔊 ᔭ 🗏 📺 ☎ 🅟 – 🏛 25 à 180. 🖭 ① 🗲 VISA JCB. ✦
MZ a
Repas voir rest *La Rive* ci-après – *The Amstel Bar and Brasserie* (ouvert jusqu'à 23 h 30) carte env. 65 – 🖙 40 – **64 ch** 775/925, 15 suites.

The Grand ⚘, O.Z. Voorburgwal 197, ✉ 1012 EX, ✆ (0 20) 555 31 11, Fax (0 20) 555 32 22, « Immeuble historique, salons Art Nouveau authentiques, jardin intérieur », ⌕s, 🔲, ᔭ – 🔊 ᔭ 🗏 📺 ☎ ⌖ – 🏛 25 à 300. 🖭 ① 🗲 VISA JCB. ✦
LY b
Repas voir rest *Café Roux* ci-après – 🖙 33 – **138 ch** 645/745, 13 suites.

Europe, Nieuwe Doelenstraat 2, ✉ 1012 CP, ✆ (0 20) 531 17 77, Fax (0 20) 531 17 78, ≤, 🍽, « Lounge du 19e s., collection de tableaux de paysagistes néerlandais », ↕6, ⌕s, 🔲, 🔟 – 🔊 ᔭ 🗏 📺 ☎ 🅟 – 🏛 25 à 80. 🖭 ① 🗲 VISA JCB.
LY c
Repas voir rest *Excelsior* ci-après – *Le Relais* Lunch 43 - 45/53 – 🖙 40 – **94 ch** 420/820, 6 suites.

Barbizon Palace, Prins Hendrikkade 59, ✉ 1012 AD, ✆ (0 20) 556 45 64, Fax (0 20) 624 33 53, ↕6, ⌕s – 🔊 ᔭ 🗏 📺 ☎ ⅙ ⌖ – 🏛 25 à 300. 🖭 ① 🗲 VISA JCB. ✦ rest
MX d
Repas voir rest *Vermeer* ci-après – *Café Barbizon* (ouvert jusqu'à 23 h) Lunch 48 - carte 59 à 86 – 🖙 35 – **265 ch** 395/545, 3 suites.

Gd H. Krasnapolsky, Dam 9, ✉ 1012 JS, ✆ (0 20) 554 91 11, Fax (0 20) 622 86 07, « Jardin d'hiver 19e s. », ↕6, 🍽 – 🔊 ᔭ 🗏 ch, 📺 ☎ ⅙ ⌖ – 🏛 25 à 700. 🖭 ①
🗲 VISA JCB
LY k
Repas voir rest *Edo and Kyo* ci-après – *Brasserie Reflet* (dîner seult jusqu'à 23 h) 60 – 🖙 35 – **415 ch** 400/535, 14 suites.

Radisson SAS M ⚘, Rusland 17, ✉ 1012 CK, ✆ (0 20) 623 12 31, Fax (0 20) 520 82 00, « Atrium avec presbytère du 18e s. », ↕6, ⌕s, 🔟 – 🔊 ᔭ 🗏 📺 ☎ ⌖ – 🏛 25 à 300. 🖭 ①
🗲 VISA JCB. ✦
LY h
Repas *Laxen Oxen* (dîner seult) 58/68 – *Brasserie De Palmboom* 58 – 🖙 33 – **242 ch** 475/495, 1 suite.

Holiday Inn Crowne Plaza, N.Z. Voorburgwal 5, ✉ 1012 RC, ✆ (0 20) 620 05 00 et 420 22 24 (rest), Fax (0 20) 620 11 73 et 420 04 65 (rest), ↕6, ⌕s, 🔲 – 🔊 ᔭ 🗏 📺 ☎ ⅙ – 🏛 25 à 260. 🖭 ① 🗲 VISA JCB
LX g
Repas *Dorrius* (avec cuisine hollandaise, dîner seult jusqu'à 23 h) carte 45 à 83 – 🖙 43 – **268 ch** 385/510, 2 suites – ½ P 444.

Pulitzer ⚘, Prinsengracht 323, ✉ 1016 GZ, ✆ (0 20) 523 52 35, Fax (0 73) 627 67 53, « Façade composée de 24 maisons 17 et 18e s. », 🍽, 🔟 – 🔊 ᔭ 🗏 📺 ☎ ⌖ – 🏛 25 à 150. 🖭 ① 🗲 VISA JCB. ✦ rest
KY m
Repas voir rest *De Goudsbloem* ci-après – *Café Pulitzer* (de mi-nov. à mi-mars déjeuner seult) Lunch 33 - 45 – 🖙 33 – **230 ch** 405/595, 2 suites – ½ P 333/396.

Victoria, Damrak 1, ✉ 1012 LG, ✆ (0 20) 623 42 55, Fax (0 20) 625 29 97, ↕6, ⌕s, 🔲 – 🔊 ᔭ 🗏 📺 ☎ ⅙ – 🏛 30 à 150. 🖭 ① 🗲 VISA JCB
LMX j
Repas 57 – 🖙 30 – **296 ch** 405, 9 suites – ½ P 448.

Renaissance, Kattengat 1, ✉ 1012 SZ, ✆ (0 20) 621 22 23, Fax (0 20) 627 52 42, « Collection d'œuvres d'art contemporain », ↕6, ⌕s, 🔟 – 🔊 ᔭ 🗏 📺 ☎ ⅙ ⌖ – 🏛 25 à 400. 🖭 🗲 VISA JCB. ✦ rest
LX e
Repas (ouvert jusqu'à 23 h) Lunch 45 – carte 68 à 88 – 🖙 33 – **370 ch** 395/455, 6 suites.

Jolly Carlton, Vijzelstraat 4, ✉ 1017 HK, ✆ (0 20) 622 22 66 et 623 83 20 (rest), Telex 11670, Fax (0 20) 626 61 83 – 🔊 ᔭ 🗏 📺 ☎ ⅙ ⌖ – 🏛 25 à 180. 🖭 ① 🗲 VISA JCB. ✦ rest
LY n
Repas *Caruso* (cuisine italienne, dîner seult jusqu'à 23 h) (fermé lundi) carte 79 à 110 – 🖙 40 – **219 ch** 300/400 – ½ P 388/403.

American, Leidsekade 97, ✉ 1017 PN, ✆ (0 20) 624 53 22, Fax (0 20) 625 32 36, 🍽, ↕6, ⌕s, 🔟 – 🔊 ᔭ, 🗏 ch, 📺 ☎ – 🏛 40 à 160. 🖭 ① 🗲 VISA JCB. ✦
KZ q
Repas (Taverne-rest Art Déco) Lunch 50 – carte 69 à 87 – 🖙 32 – **188 ch** 575.

Swissôtel, Damrak 95, ✉ 1012 LP, ✆ (0 20) 626 00 66, Fax (0 20) 627 09 82 – 🔊 ᔭ 🗏 📺 ☎ ⅙ – 🏛 25 à 60. 🖭 ① 🗲 VISA JCB.
LXY s
Repas (cuisine suisse) Lunch 37 – carte env. 60 – 🖙 28 – **109 ch** 350/500 – ½ P 360/465.

Sofitel sans rest, N.Z. Voorburgwal 67, ✉ 1012 RE, ✆ (0 20) 627 59 00, Fax (0 20) 623 89 32, ⌕s – 🔊 ᔭ 🗏 📺 ☎ ⅙ – 🏛 25 à 80. 🖭 ① 🗲 VISA
LX r
🖙 30 – **148 ch** 360/399.

Canal Crown sans rest, Herengracht 519, ✉ 1017 BV, ✆ (0 20) 420 00 55, Fax (0 20) 420 09 93 – 🔊 📺 ☎. 🖭 ① 🗲 VISA
LZ c
🖙 25 – **57 ch** 180/350.

🏨 **Ambassade** sans rest, Herengracht 341, ✉ 1016 AZ, ℰ (0 20) 626 23 33, *Fax (0 20) 624 53 21*, ≼, « Ensemble de maisons typiques du 17ᵉ s. » – 📶 📺 ☎. 🆎 ⓪ 🄴 VISA
KY x
46 ch ⌷ 245/325, 6 suites.

🏨 **Schiller,** Rembrandtsplein 26, ✉ 1017 CV, ℰ (0 20) 554 07 77, *Fax (0 20) 626 68 31*, 🍽, ♨ – 📶 ↤ 📺 ☎. 🆎 ⓪ 🄴 VISA JCB. ❈
LZ n
Repas (ouvert jusqu'à 23 h) carte env. 55 – ⌷ 30 – **90 ch** 320/455, 2 suites – ½ P 395/460.

🏨 **Inntel** Ⓜ sans rest, Nieuwezijdskolk 19, ✉ 1012 PV, ℰ (0 20) 530 18 18, *Fax (0 20) 422 19 19* – 📶 ↤ ▤ 📺 ☎ ♿. 🆎 ⓪ 🄴 VISA JCB
LX a
⌷ 28 – **236 ch** 325/350.

🏨 **Tulip Inn,** Spuistraat 288, ✉ 1012 VX, ℰ (0 20) 420 45 45, *Fax (0 20) 420 43 00*, 🈴 – 📶 ↤ ▤ 📺 ☎ ♿. ⟿. 🆎 ⓪ 🄴 VISA JCB. ❈
LY g
Repas (Taverne-rest avec cuisine italienne) carte env. 45 – ⌷ 20 – **208 ch** 225/275.

🏨 **Eden,** Amstel 144, ✉ 1017 AE, ℰ (0 20) 530 78 88, *Fax (0 20) 624 29 46*, 🈴 – 📶 ↤ 📺 ♿. 🆎 ⓪ 🄴 VISA JCB. ❈
MY r
Repas carte 45 à 60 – **338 ch** ⌷ 255/275 – ½ P 175/233.

🏨 **Mercure Arthur Frommer** sans rest, Noorderstraat 46, ✉ 1017 TV, ℰ (0 20) 622 03 28, *Fax (0 20) 620 32 08* – 📶 ↤ ▤ 📺 ☎ ⟿ 🄿. 🆎 ⓪ 🄴 VISA
LZ f
⌷ 24 – **90 ch** 170/275.

🏨 **Cok City** Ⓜ sans rest, N.Z. Voorburgwal 50, ✉ 1012 SC, ℰ (0 20) 422 00 11, *Fax (0 20) 420 03 57* – 📶 ↤ 📺 ☎. 🆎 ⓪ 🄴 VISA JCB
LX f
106 ch ⌷ 225/265.

🏨 **Estheréa** sans rest, Singel 305, ✉ 1012 WJ, ℰ (0 20) 624 51 46, *Fax (0 20) 623 90 01* – 📶 📺 ☎. 🆎 ⓪ 🄴 VISA JCB
LY y
70 ch ⌷ 335/385.

🏨 **Canal House** ⬙ sans rest, Keizersgracht 148, ✉ 1015 CX, ℰ (0 20) 622 51 82, *Fax (0 20) 624 13 17*, « Intérieur avec mobilier de style » – 📶 ☎. 🆎 ⓪ 🄴 VISA JCB. ❈
KX k
26 ch ⌷ 270.

🏨 **Die Port van Cleve,** N.Z. Voorburgwal 178, ✉ 1012 SJ, ℰ (0 20) 624 48 60, *Fax (0 20) 622 02 40* – 📶 📺 ☎ – ⚖ 25 à 50. 🆎 ⓪ 🄴 VISA JCB
LX w
Repas (Brasserie) *Lunch 43* – carte env. 45 – **117 ch** ⌷ 135/342.

🏨 **Amsterdam,** Damrak 93, ✉ 1012 LP, ℰ (0 20) 555 06 66, *Fax (0 20) 620 47 16* – 📶 ↤ ▤ 📺 ☎. 🆎 ⓪ 🄴 VISA JCB
LXY s
Repas *De Roode Leeuw* (cuisine régionale hollandaise) *Lunch 38* - 50 – **80 ch** ⌷ 204/240 – ½ P 168.

🏨 **Dikker en Thijs Fenice,** Prinsengracht 444, ✉ 1017 EK, ℰ (0 20) 626 77 21, *Fax (0 20) 625 89 86*, 🈴 – 📶 📺 ☎ – ⚖ 25. 🆎 ⓪ 🄴 VISA JCB
KZ v
Repas *De Prinsenkelder* (dîner seult) carte 62 à 85 – **26 ch** ⌷ 180/450 – ½ P 173/310.

🏨 **Avenue** sans rest, N.Z. Voorburgwal 27, ✉ 1012 RD, ℰ (0 20) 623 83 07, *Fax (0 20) 638 39 46* – 📶 📺 ☎. 🆎 ⓪ 🄴 VISA JCB
LX z
50 ch ⌷ 145/260.

🏨 **Caransa** sans rest, Rembrandtsplein 19, ✉ 1017 CT, ℰ (0 20) 554 07 77, *Fax (0 20) 626 68 31* – 📶 ▤ 📺 ☎. 🆎 ⓪ 🄴 VISA JCB. ❈
LY v
⌷ 30 – **66 ch** 300/435.

🏨 **Singel** sans rest, Singel 15, ✉ 1012 VC, ℰ (0 20) 626 31 08, *Fax (0 20) 620 37 77* – 📶 📺 ☎. 🆎 ⓪ 🄴 VISA JCB
LX h
32 ch ⌷ 215/260.

🏨 **Citadel** sans rest, N.Z. Voorburgwal 100, ✉ 1012 SG, ℰ (0 20) 627 38 82, *Fax (0 20) 627 46 84* – 📶 📺 ☎. 🆎 ⓪ 🄴 VISA JCB
LX m
38 ch ⌷ 145/260.

🏨 **Wiechmann** sans rest, Prinsengracht 328, ✉ 1016 HX, ℰ (0 20) 626 33 21, *Fax (0 20) 626 89 62* – 📺 ☎. ❈
KY c
38 ch ⌷ 250.

🏨 **Asterisk** sans rest, Den Texstraat 16, ✉ 1017 ZA, ℰ (0 20) 626 23 96, *Fax (0 20) 638 27 90* – 📶 📺 ☎. 🄴 VISA
LZ d
29 ch ⌷ 149/185.

🏛 **Agora** sans rest, Singel 462, ✉ 1017 AW, ℰ (0 20) 627 22 00, *Fax (0 20) 627 22 02*, 🍽 – 📺 ☎. 🆎 ⓪ 🄴 VISA
LY m
15 ch ⌷ 180/210.

🏛 **Prinsengracht** sans rest, Prinsengracht 1015, ✉ 1017 KN, ℰ (0 20) 623 77 79, *Fax (0 20) 623 89 26*, 🍽 – 📶 📺 ☎. 🆎 ⓪ 🄴 VISA
LZ e
34 ch ⌷ 115/245.

🏨 **Amstel Botel** sans rest, Oosterdokskade 2, ⊠ 1011 AE, ℰ (0 20) 626 42 47, Fax (0 20) 639 19 52, « Bâteau amarré » – 📱 📺 ☎. 🆎 ⓞ ⴹ 𝖵𝖨𝖲𝖠 𝖩𝖢𝖡. ⅏ MX **x**
⌘ 11 – **176 ch** 113/153.

🏨 **Nicolaas Witsen** sans rest, Nicolaas Witsenstraat 4, ⊠ 1017 ZH, ℰ (0 20) 626 65 46, Fax (0 20) 620 51 13 – 📱 📺 ☎. 🆎 ⴹ 𝖵𝖨𝖲𝖠 LZ **b**
31 ch ⌘ 80/180.

🏨 **Ibis Centre**, Stationsplein 49, ⊠ 1012 AB, ℰ (0 20) 638 99 99, Fax (0 20) 620 01 56 – 📱 ⅏, ☰ rest, 📺 ☎ & – 🔒 25 à 80. 🆎 ⓞ ⴹ 𝖵𝖨𝖲𝖠 plan p. 7 GT **p**
Repas (ouvert jusqu'à 23 h) carte env. 45 – ⌘ 20 – **180 ch** 180/190 – ½ P 210.

🏨 **Nes** sans rest, Kloveniersburgwal 137, ⊠ 1011 KE, ℰ (0 20) 624 47 73, Fax (0 20) 620 98 42 – 📱 📺 ☎. 🆎 ⓞ ⴹ 𝖵𝖨𝖲𝖠 LY **f**
36 ch ⌘ 100/250.

XXXX **La Rive** - H. Amstel, Prof. Tulpplein 1, ⊠ 1018 GX, ℰ (0 20) 622 60 60, Fax (0 20) 622 58 08, ≤, 🍴, « Au bord de l'Amstel », 🔳 – ☰ ⓟ. 🆎 ⓞ ⴹ 𝖵𝖨𝖲𝖠 𝖩𝖢𝖡. ⅏
🏵🏵 fermé sam. midi, dim. et du 1er au 11 janv. – **Repas** Lunch 60 – 135/175, carte env. 165
Spéc. Filet de rouget en persillade de jambon sec, crème de thon étuvée aux herbes. Loup fumé minute, vinaigrette aux truffes. Pigeonneau rôti parfumé au laurier, sauce salmis. MZ **a**

XXX **Vermeer** - H. Barbizon Palace, Prins Hendrikkade 59, ⊠ 1012 AD, ℰ (0 20) 556 48 85, 🏵 Fax (0 20) 624 33 53 – ☰ ⓟ. 🆎 ⓞ ⴹ 𝖵𝖨𝖲𝖠 𝖩𝖢𝖡. ⅏ MX **d**
fermé sam. midi, dim., 13 juil.-2 août et 26 déc.-10 janv. – **Repas** Lunch 65 – 95/130, carte 100 à 148
Spéc. Terrine de jambon Jabugo et foie d'oie en gelée de queue de bœuf. Turbot et truffe enrobés de spaghetti de pommes de terre. Quatre-quarts d'amandes et de chocolat.

XXX **Excelsior** - H. Europe, Nieuwe Doelenstraat 2, ⊠ 1012 CP, ℰ (0 20) 531 17 77, Fax (0 20) 531 17 78, ≤, 🍴, Ouvert jusqu'à 23 h, 🔳 – ☰ ⓟ. 🆎 ⓞ ⴹ 𝖵𝖨𝖲𝖠 𝖩𝖢𝖡
fermé sam. midi – **Repas** Lunch 70 – 75/175 bc. LY **c**

XXX **De Goudsbloem** - H. Pulitzer, Reestraat 8, ⊠ 1016 GZ, ℰ (0 20) 523 52 35, Fax (0 20) 627 67 53, « Dans un décor de boutique d'apothicaire fin 19e s. », 🔳 – ☰. 🆎 ⓞ ⴹ 𝖵𝖨𝖲𝖠 𝖩𝖢𝖡. ⅏
fermé 2 sem. en juil. – **Repas** (dîner seult) carte 72 à 87. KY **e**

XXX **Christophe** (Royer), Leliegracht 46, ⊠ 1015 DH, ℰ (0 20) 625 08 07, 🏵 Fax (0 20) 638 91 32 – ☰. 🆎 ⓞ ⴹ 𝖵𝖨𝖲𝖠 KX **c**
fermé dim., lundi et début janv. – **Repas** (dîner seult) 85/105, carte 100 à 130
Spéc. Vinaigrette de jeunes poireaux et langoustines (21 mars-21 sept.). Turbot rôti aux épices, sauce au vin rouge. Pigeonneau à la marocaine.

XXX **D'Vijff Vlieghen**, Spuistraat 294, ⊠ 1012 VX, ℰ (0 20) 624 83 69, Fax (0 20) 623 64 04, « Maisonettes du 17e s. », 🔳 – 🆎 ⓞ ⴹ 𝖵𝖨𝖲𝖠 𝖩𝖢𝖡 LY **p**
fermé du 24 au 30 déc. et 1er janv. – **Repas** (dîner seult) carte 70 à 97.

XXX **'t Swarte Schaep** 1er étage, Korte Leidsedwarsstraat 24, ⊠ 1017 RC, ℰ (0 20) 622 30 21, Fax (0 20) 624 82 68, Ouvert jusqu'à 23 h, « Intérieur vieil hollandais du 17e s. » – ☰. 🆎 ⓞ ⴹ 𝖵𝖨𝖲𝖠 𝖩𝖢𝖡 KZ **n**
fermé 30 avril, 25, 26 et 31 déc. et 1er janv. – **Repas** Lunch 55 – carte 83 à 105.

XXX **Dynasty,** Reguliersdwarsstraat 30, ⊠ 1017 BM, ℰ (0 20) 626 84 00, Fax (0 20) 622 30 38, 🍴, Cuisine orientale, « Terrasse » – ☰. 🆎 ⓞ ⴹ 𝖵𝖨𝖲𝖠 ⅏
fermé mardi et janv. – **Repas** (dîner seult jusqu'à 23 h) 70/98. LY **q**

XX **Het Tuynhuys,** Reguliersdwarsstraat 28, ⊠ 1017 BM, ℰ (0 20) 627 66 03, Fax (0 20) 627 66 03, 🍴, « Terrasse » – ☰. 🆎 ⓞ ⴹ 𝖵𝖨𝖲𝖠 LY **q**
Repas Lunch 55 – carte 83 à 102.

XX **Café Roux** - H. The Grand, O.Z. Voorburgwal 197, ⊠ 1012 EX, ℰ (0 20) 555 31 11, Fax (0 20) 555 32 22, 🍴, Ouvert jusqu'à 23 h – ☰ ⓟ. 🆎 ⓞ ⴹ 𝖵𝖨𝖲𝖠 𝖩𝖢𝖡. ⅏
Repas Lunch 38 – 43. LY **b**

XX **Les Quatre Canetons,** Prinsengracht 1111, ⊠ 1017 JJ, ℰ (0 20) 624 63 07, Fax (0 20) 638 45 99, ⅏ – ☰. 🆎 ⓞ ⴹ 𝖵𝖨𝖲𝖠 𝖩𝖢𝖡 MZ **r**
fermé dim., Pâques, Pentecôte et Nouvel An – **Repas** Lunch 60 – 95/115.

XX **Bols Taverne,** Rozengracht 106, ⊠ 1016 NH, ℰ (0 20) 624 57 52, Fax (0 20) 620 41 94, 🍴 – ☰. 🆎 ⓞ ⴹ 𝖵𝖨𝖲𝖠 𝖩𝖢𝖡 JKY **b**
fermé dim. – **Repas** Lunch 50 – 60/70.

XX **Tout Court,** Runstraat 13, ⊠ 1016 GJ, ℰ (0 20) 625 86 37, Fax (0 20) 625 44 11 – 🆎 ⓞ ⴹ 𝖵𝖨𝖲𝖠 KY **s**
fermé fin déc.-prem. sem. janv. – **Repas** (dîner seult jusqu'à 23 h 30) 53/105.

XX **Sancerre,** Reestraat 28, ⊠ 1016 DN, ℰ (0 20) 627 87 94, Fax (0 20) 623 87 49 – 🆎 ⓞ ⴹ 𝖵𝖨𝖲𝖠 𝖩𝖢𝖡 KY **a**
fermé 24 et 31 déc. et 1er janv. – **Repas** (dîner seult) carte 76 à 102.

XXX ⊗ **Sichuan Food,** Reguliersdwarsstraat 35, ⊠ 1017 BK, 𝒫 (0 20) 626 93 27, Fax *(0 20) 627 72 81*, Cuisine chinoise – ▤. 𝔸𝔼 ⓞ 𝔼 𝘝𝘐𝘚𝘈. 🛇   LY u
fermé 31 déc. – **Repas** (dîner seult jusqu'à 23 h, nombre de couverts limité - prévenir) 58 (2 pers. min.), carte 60 à 85
Spéc. Dim Sum. Canard laqué à la pékinoise. Huîtres sautées maison.

XX **Long Pura,** Rozengracht 46, ⊠ 1016 ND, 𝒫 (0 20) 623 89 50, Fax *(0 20) 623 46 54*, Cuisine indonésienne, « Décor exotique » – ▤. 𝔸𝔼 ⓞ 𝔼 𝘝𝘐𝘚𝘈. 🛇   KXY d
Repas (dîner seult jusqu'à 23 h) 55/95.

XX **Le Pêcheur,** Reguliersdwarsstraat 32, ⊠ 1017 BM, 𝒫 (0 20) 624 31 21, Fax *(0 20) 624 31 21*, 🌫, Produits de la mer, ouvert jusqu'à 23 h – 𝔸𝔼 ⓞ 𝔼 𝘝𝘐𝘚𝘈 𝗝𝗖𝗕
fermé dim. – **Repas** *Lunch 52 bc* – 66.   LY w

XX **d' theeboom,** Singel 210, ⊠ 1016 AB, 𝒫 (0 20) 623 84 20, Fax *(0 20) 623 84 20*, 🌫 – 𝔸𝔼 ⓞ 𝔼 𝘝𝘐𝘚𝘈 𝗝𝗖𝗕   LX b
fermé sam. midi, dim. et du 5 au 19 janv. – **Repas** 48.

XX ⊛ **Van Vlaanderen,** Weteringschans 175, ⊠ 1017 XD, 𝒫 (0 20) 622 82 92, 🌫 – 𝔸𝔼 𝔼 𝘝𝘐𝘚𝘈   LZ k
fermé dim., lundi, 2e quinz. juil. et 31 déc.-6 janv. – **Repas** (dîner seult) 58/68.

XX **Indrapura,** Rembrandtsplein 42, ⊠ 1017 CV, 𝒫 (0 20) 623 73 29, Fax *(0 20) 624 90 78*, Cuisine indonésienne – ▤. 𝔸𝔼 ⓞ 𝔼 𝘝𝘐𝘚𝘈 𝗝𝗖𝗕. 🛇   LYZ h
Repas (dîner seult jusqu'à 23 h) carte 47 à 76.

XX **Manchurian,** Leidseplein 10a, ⊠ 1017 PT, 𝒫 (0 20) 623 13 30, Fax *(0 20) 626 21 05*, Cuisine orientale – ▤. 𝔸𝔼 ⓞ 𝔼 𝘝𝘐𝘚𝘈. 🛇   KZ t
Repas 58/88.

XX **Hosokawa,** Max Euweplein 22, ⊠ 1017 MB, 𝒫 (0 20) 638 80 86, Fax *(0 20) 638 22 19*, Cuisine japonaise, teppan-yaki – 𝔸𝔼 ⓞ 𝔼 𝘝𝘐𝘚𝘈. 🛇   KZ u
fermé 3 sem. en juil. – **Repas** (dîner seult) 85/120.

XX **De Oesterbar,** Leidseplein 10, ⊠ 1017 PT, 𝒫 (0 20) 626 34 63, Fax *(0 20) 623 21 99*, Produits de la mer, ouvert jusqu'à minuit – ▤. 𝔸𝔼 ⓞ 𝔼 𝘝𝘐𝘚𝘈. 🛇   KZ t
fermé 25, 26 et 31 déc. – **Repas** carte 81 à 106.

XX **Sea Palace,** Oosterdokskade 8, ⊠ 1011 AE, 𝒫 (0 20) 626 47 77, Fax *(0 20) 620 42 66*, Cuisine asiatique, ouvert jusqu'à 23 h, « Restaurant flottant avec ≼ ville » – ▤. 𝔸𝔼 ⓞ 𝔼 𝘝𝘐𝘚𝘈 𝗝𝗖𝗕. 🛇   plan p. 7 HT b
Repas 48.

X **Bordewijk,** Noordermarkt 7, ⊠ 1015 MV, 𝒫 (0 20) 624 38 99, Fax *(0 20) 420 66 03*, 🌫, « Trendy ambiance amstellodamoise » – 𝔸𝔼 𝔼 𝘝𝘐𝘚𝘈. 🛇   plan p. 6 FT a
fermé lundi, fin juil.-début août et fin déc.-début janv. – **Repas** (dîner seult) carte env. 85.

X ⊛ **De Gouden Reael,** Zandhoek 14, ⊠ 1013 KT, 𝒫 (0 20) 623 38 83, 🌫, « Maison du 17e s. dans site typique », 🔲 – 𝔸𝔼 ⓞ 𝔼 𝘝𝘐𝘚𝘈. 🛇   plan p. 5 CR d
fermé dim. et dern sem. déc.-prem. sem. janv. – **Repas** 55/95.

X **Zuidlande,** Utrechtsedwarsstraat 141, ⊠ 1017 WE, 𝒫 (0 20) 620 73 93, Fax *(0 20) 620 73 93*, 🌫 – 𝔸𝔼 𝔼 𝘝𝘐𝘚𝘈. 🛇   MZ s
fermé dim., 3 prem. sem. août et prem. sem. janv. – **Repas** (dîner seult) carte env. 70.

X **Lucius,** Spuistraat 247, ⊠ 1012 VP, 𝒫 (0 20) 624 18 31, Fax *(0 20) 627 61 53*, Produits de la mer – 𝔸𝔼 ⓞ 𝔼 𝘝𝘐𝘚𝘈   LY r
fermé dim. – **Repas** (dîner seult jusqu'à minuit) 50.

X ⊜ **Koriander,** Amstel 212, ⊠ 1017 AH, 𝒫 (0 20) 627 78 79, Fax *(0 20) 423 08 09*, ≼ – 𝔸𝔼 𝘝𝘐𝘚𝘈 𝗝𝗖𝗕   MYZ g
fermé 31 déc.-1er janv. – **Repas** (dîner seult jusqu'à minuit) 40/59.

X **Chez Georges,** Herenstraat 3, ⊠ 1015 BX, 𝒫 (0 20) 626 33 32 – ▤. 𝔸𝔼 ⓞ 𝔼 𝘝𝘐𝘚𝘈
fermé merc., dim., 2 dern. sem. juil.-prem. sem. août, 1er janv. et dern. sem. janv. – **Repas** (dîner seult) 57/75.   LX n

X ⊜ **Haesje Claes,** Spuistraat 275, ⊠ 1012 VR, 𝒫 (0 20) 624 99 98, Fax *(0 20) 627 48 17*, « Ambiance amstellodamoise » – 𝔸𝔼 ⓞ 𝔼 𝘝𝘐𝘚𝘈 𝗝𝗖𝗕. 🛇   LY x
Repas 45.

X **Memories of India,** Reguliersdwarsstraat 88, ⊠ 1017 BN, 𝒫 (0 20) 623 57 10, Cuisine indienne – ▤. 𝔸𝔼 ⓞ 𝔼 𝘝𝘐𝘚𝘈. 🛇   LYZ a
Repas (dîner seult jusqu'à 23 h 30) 35/85.

X **Tom Yam,** Staalstraat 22, ⊠ 1011 JM, 𝒫 (0 20) 622 95 33, Fax *(0 20) 624 90 62*, Cuisine thaïlandaise – ▤. 𝔸𝔼 ⓞ 𝔼 𝘝𝘐𝘚𝘈 𝗝𝗖𝗕   MY f
Repas (dîner seult) 40 (2 pers. min.)/88.

X **Edo and Kyo** - H. Gd H. Krasnapolsky, Dam 9, ⊠ 1012 JS, 𝒫 (0 20) 554 60 96, Fax *(0 20) 639 31 46*, Cuisine japonaise – 𝔸𝔼 ⓞ 𝔼 𝘝𝘐𝘚𝘈 𝗝𝗖𝗕. 🛇   LY k
Repas 45/100.

X **Sampurna,** Singel 498, ⊠ 1017 AX, 𝒫 (0 20) 625 32 64, Fax *(0 20) 659 44 51*, 🌫, Cuisine indonésienne – ▤. 𝔸𝔼 ⓞ 𝔼 𝘝𝘐𝘚𝘈. 🛇   LY t
Repas 45/50.

Quartier Rijksmuseum (Vondelpark) - *plans p. 6 et 8 :*

Marriott, Stadhouderskade 12, ⊠ 1054 ES, ℰ (0 20) 607 55 55, Fax (0 20) 607 55 67, ₺₃, ⇔ - ┆ ⤬ ▤ ▥ ☎ ₺, ⇔ - 🄰 25 à 500. ◭ ⓪ ☒ 𝘝𝘐𝘚𝘈. ⅍ KZ f
Repas **Port O'Amsterdam** *(fermé dim. et lundi)* Lunch 30 - 45 - **387 ch** ⇆ 335, 5 suites.

Barbizon Centre Ⓜ, Stadhouderskade 7, ⊠ 1054 ES, ℰ (0 20) 685 13 51, Fax (0 20) 685 16 11, ₺₃, ⇔ - ┆ ⤬ ▤ ▥ ☎ ₺, - 🄰 25 à 280. ◭ ⓪ ☒ 𝘝𝘐𝘚𝘈 𝗝𝗖𝗕 KZ p
Repas Lunch 55 - carte 54 à 73 - ⇆ 33 - **234 ch** 360/485, 2 suites - ½ P 310/595.

Memphis sans rest, De Lairessestraat 87, ⊠ 1071 NX, ℰ (0 20) 673 31 41, Telex 12450, Fax (0 20) 673 73 12 - ┆ ⤬ ▥ ☎ - 🄰 25 à 60. ◭ ⓪ ☒ 𝘝𝘐𝘚𝘈 𝗝𝗖𝗕. ⅍ FV g
⇆ 34 - **74 ch** 460.

Toro ⋑ sans rest, Koningslaan 64, ⊠ 1075 AC, ℰ (0 20) 673 72 23, Fax (0 20) 675 00 31, « Terrasse au bord de l'eau, face au parc » - ┆ ▥ ☎. ◭ ⓪ ☒ 𝘝𝘐𝘚𝘈 𝗝𝗖𝗕. ⅍ EV m
22 ch ⇆ 195/240.

Vondel (avec annexe) sans rest, Vondelstraat 28, ⊠ 1054 GE, ℰ (0 20) 612 01 20, Fax (0 20) 685 43 21, « Intérieur cossu », ⇔, ⚘ - ┆ ▥ ☎ - 🄰 25. ◭ ⓪ ☒ 𝘝𝘐𝘚𝘈 𝗝𝗖𝗕. ⅍ JZ m
⇆ 31 - **38 ch** 245/320.

Lairesse sans rest, De Lairessestraat 7, ⊠ 1071 NR, ℰ (0 20) 671 95 96, Fax (0 20) 671 17 56 - ┆ ▥ ☎. ◭ ⓪ ☒ 𝘝𝘐𝘚𝘈 𝗝𝗖𝗕 FV h
34 ch ⇆ 250/310.

Cok Hotels sans rest, Koninginneweg 34, ⊠ 1075 CZ, ℰ (0 20) 664 61 11, Fax (0 20) 664 53 04 - ┆ ▥ ☎ - 🄰 25 à 80. ◭ ⓪ ☒ 𝘝𝘐𝘚𝘈 𝗝𝗖𝗕 EV k
152 ch ⇆ 200/335.

Villa Borgmann ⋑ sans rest, Koningslaan 48, ⊠ 1075 AE, ℰ (0 20) 673 52 52, Fax (0 20) 676 25 80 - ┆ ▥ ☎. ◭ ⓪ ☒ 𝘝𝘐𝘚𝘈 𝗝𝗖𝗕. ⅍ EV n
15 ch ⇆ 125/235.

Fita sans rest, Jan Luykenstraat 37, ⊠ 1071 CL, ℰ (0 20) 679 09 76, Fax (0 20) 664 39 69 - ┆ ▥ ☎. ◭ ⓪ ☒ 𝘝𝘐𝘚𝘈. ⅍ KZ s
16 ch ⇆ 110/220.

Owl sans rest, Roemer Visscherstraat 1, ⊠ 1054 EV, ℰ (0 20) 618 94 84, Fax (0 20) 618 94 41, ⚘ - ┆ ▥ ☎. ◭ ⓪ ☒ 𝘝𝘐𝘚𝘈 𝗝𝗖𝗕. ⅍ JZ a
34 ch ⇆ 115/195.

Piet Hein sans rest, Vossiusstraat 53, ⊠ 1071 AK, ℰ (0 20) 662 72 05, Fax (0 20) 662 15 26 - ┆ ▥ ☎. ◭ ⓪ ☒ 𝘝𝘐𝘚𝘈 𝗝𝗖𝗕. JZ g
36 ch ⇆ 138/198.

Prinsen sans rest, Vondelstraat 36, ⊠ 1054 GE, ℰ (0 20) 616 23 23, Fax (0 20) 616 61 12, ⚘ - ┆ ▥ ☎. ◭ ⓪ ☒ 𝘝𝘐𝘚𝘈 JZ e
41 ch ⇆ 175/235.

Atlas, Van Eeghenstraat 64, ⊠ 1071 GK, ℰ (0 20) 676 63 36, Fax (0 20) 671 76 33 - ┆ ▥ ☎. ◭ ⓪ ☒ 𝘝𝘐𝘚𝘈 𝗝𝗖𝗕. ⅍ rest FV t
Repas (résidents seult) - **23 ch** ⇆ 165/195.

Europa 92 sans rest, 1e Constantijn Huygensstraat 103, ⊠ 1054 BV, ℰ (0 20) 618 88 08, Fax (0 20) 683 64 05 - ┆ ▥ ☎. ◭ ⓪ ☒ 𝘝𝘐𝘚𝘈. ⅍ JZ b
32 ch ⇆ 160/215.

Concert Inn sans rest, De Lairessestraat 11, ⊠ 1071 NR, ℰ (0 20) 305 72 72, Fax (0 20) 305 72 71 - ┆ ▥ ☎. ◭ ⓪ ☒ 𝘝𝘐𝘚𝘈 𝗝𝗖𝗕. ⅍ FV r
24 ch ⇆ 110/215.

Washington sans rest, Frans van Mierisstraat 10, ⊠ 1071 RS, ℰ (0 20) 679 67 54, Fax (0 20) 673 44 35 - ▥ ☎. ◭ ⓪ ☒ 𝘝𝘐𝘚𝘈. ⅍ FV n
17 ch ⇆ 90/185.

Zandbergen sans rest, Willemsparkweg 205, ⊠ 1071 HB, ℰ (0 20) 676 93 21, Fax (0 20) 676 18 60 - ┆ ▥ ☎. ◭ ⓪ ☒ 𝘝𝘐𝘚𝘈. ⅍ EV s
18 ch ⇆ 125/195.

Radèn Mas, Stadhouderskade 6, ⊠ 1054 ES, ℰ (0 20) 685 40 41, Fax (0 20) 685 39 81, Cuisine indonésienne, ouvert jusqu'à 23 h - ▤. ◭ ⓪ ☒ 𝘝𝘐𝘚𝘈 𝗝𝗖𝗕 JKZ k
Repas Lunch 33 - 55/99.

Le Garage, Ruysdaelstraat 54, ⊠ 1071 XE, ℰ (0 20) 679 71 76, Fax (0 20) 662 22 49, Ouvert jusqu'à 23 h, « Ambiance artistique dans une brasserie actuelle, cosmopolite » - ◭ ⓪ ☒ 𝘝𝘐𝘚𝘈 𝗝𝗖𝗕. ⅍ FV y
fermé sam. midi, dim. midi et jours fériés - Repas Lunch 40 - 73.

Aujourd'hui, C. Krusemanstraat 15, ⊠ 1075 NB, ℰ (0 20) 679 08 77, Fax (0 20) 676 76 27, ⨳ - ◭ ⓪ ☒ 𝘝𝘐𝘚𝘈 𝗝𝗖𝗕 EV p
fermé sam., dim. et 3 dern. sem. août - Repas Lunch 55 - carte env. 80.

XX **Beddington's**, Roelof Hartstraat 6, ⊠ 1071 VH, ℰ (0 20) 676 52 01,
Fax (0 20) 671 74 29 – ⒶⒺ ◉ Ⓔ ᵥₛₐ. ⅀%   FV z
fermé sam. midi, dim., lundi midi, 19 juil.-9 août et 20 déc.-3 janv. – **Repas** Lunch 55 – 70/85.

XX **Brasserie Beau Bourg** 1ᵉʳ étage, Emmalaan 25, ⊠ 1075 AT, ℰ (0 20) 664 01 55,
Fax (0 20) 664 01 57, 佘, Ouvert jusqu'à 23 h 30 – ⊜. ⒶⒺ ◉ Ⓔ ᵥₛₐ ⱼⒸⒷ   EV x
fermé sam. midi, dim. midi et 31 déc. – **Repas** 48/58.

XX **Keyzer**, Van Baerlestraat 96, ⊠ 1071 BB, ℰ (0 20) 671 14 41, Fax (0 20) 673 73 53,
Taverne-rest. ouvert jusqu'à 23 h 30, « Ambiance amstellodamoise » – ⒶⒺ ◉ Ⓔ. ⅀%
fermé sam. et jours fériés – **Repas** 60.   FV a

X **Brasserie van Baerle**, Van Baerlestraat 158, ⊠ 1071 BG, ℰ (0 20) 679 15 32,
Fax (0 20) 671 71 96, 佘, Taverne-rest – ⒶⒺ ◉ Ⓔ ᵥₛₐ   FV b
fermé sam. midi-1ᵉʳ janv. – **Repas** Lunch 45 – 57/68.

X **La Nuova Vita**, Willemsparkweg 155, ⊠ 1071 GX, ℰ (0 20) 679 38 68,
Fax (0 20) 679 38 68, Cuisine italienne – ⊜. ⒶⒺ Ⓔ ᵥₛₐ ⱼⒸⒷ   FV m
fermé 5, 24 et 31 déc. et 1ᵉʳ janv. – **Repas** (dîner seult) 65.

X **Kartika**, Overtoom 68, ⊠ 1054 HL, ℰ (0 20) 618 18 79, Fax (0 20) 421 86 38, Cuisine
indonésienne – ⒶⒺ ◉ Ⓔ ᵥₛₐ ⱼⒸⒷ   JZ c
fermé lundi et fév. – **Repas** (dîner seult) 45/55.

Quartiers Sud et Ouest - plans p. 6 et 7 sauf indication spéciale :

🏨 **Okura** Ⓜ ⋟, Ferdinand Bolstraat 333, ⊠ 1072 LH, ℰ (0 20) 678 71 11,
Fax (0 20) 671 23 44, ≼, Ⅰ₆, ⇆, ⬛, Ⅰ,Ⅰ – 🛗 ⅙⇆ ⊜ Ⓣ ☎ ⇦ Ⓟ – 🔏 25 à 650. ⒶⒺ
◉ Ⓔ ᵥₛₐ ⱼⒸⒷ. ⅀%   GV c
Repas voir rest **Ciel Bleu** et **Yamazato** ci-après – **Sazanka** (fermé sam. midi et dim. midi)
(cuisine japonaise, teppan-yaki) Lunch 38 - 90/148 – **Brasserie Le Camelia** (ouvert jusqu'à
23 h) carte env. 65 – ☲ 42 – **358 ch** 385/555, **12 suites**.

🏨 **Le Meridien Apollo**, Apollolaan 2, ⊠ 1077 BA, ℰ (0 20) 673 59 22,
Fax (0 20) 570 57 44, 佘, « Terrasse avec ≼ canal », Ⅰ,Ⅰ – 🛗 ⅙⇆, ⊜ ch, Ⓣ ☎ Ⓟ – 🔏 25
à 200. ⒶⒺ ◉ Ⓔ ᵥₛₐ ⱼⒸⒷ. ⅀% rest   FV e
Repas (ouvert jusqu'à 23 h) Lunch 55 – carte 59 à 75 – ☲ 33 – **217 ch** 375/470, 2 suites.

🏨 **Garden**, Dijsselhofplantsoen 7, ⊠ 1077 BJ, ℰ (0 20) 664 21 21, Fax (0 20) 679 93 56
– 🛗 ⅙⇆ ⊜ Ⓣ ☎ – 🔏 25 à 150. ⒶⒺ ◉ Ⓔ ᵥₛₐ ⱼⒸⒷ   FV d
Repas voir rest **Mangerie De Kersentuin** ci-après – ☲ 38 – **96 ch** 225/495, 2 suites
– ½ P 185/205.

🏨 **Hilton**, Apollolaan 138, ⊠ 1077 BG, ℰ (0 20) 678 07 80, Telex 11025,
Fax (0 20) 571 12 71, 佘, « Jardin et terrasses le long d'un canal », Ⅰ₆, ⇆, Ⅰ,Ⅰ – 🛗 ⅙⇆
⊜ Ⓣ ☎ & Ⓟ – 🔏 25 à 350. ⒶⒺ ◉ Ⓔ ᵥₛₐ ⱼⒸⒷ. ⅀% rest   FV f
Repas **Roberto's** (cuisine italienne) carte 64 à 90 – ☲ 38 – **268 ch** 385/415, 3 suites.

🏨 **Mercure a/d Amstel**, Joan Muyskenweg 10, ⊠ 1096 CJ, ℰ (0 20) 665 81 81,
Fax (0 20) 694 87 35, Ⅰ₆, ⇆ – 🛗 ⅙⇆, ⊜ ch, Ⓣ ☎ Ⓟ – 🔏 25 à 450. ⒶⒺ ◉ Ⓔ ᵥₛₐ. ⅀%
Repas carte 62 à 82 – ☲ 35 – **178 ch** 325/350 – ½ P 208/255.   plan p. 5 CS z

🏨 **Delphi** sans rest, Apollolaan 105, ⊠ 1077 AN, ℰ (0 20) 679 51 52, Fax (0 20) 675 29 41
– 🛗 Ⓣ ☎. ⒶⒺ ◉ Ⓔ ᵥₛₐ   FV q
47 ch ☲ 180/265.

🏠 **La Richelle** sans rest, Holbeinstraat 41, ⊠ 1077 VC, ℰ (0 20) 671 79 71,
Fax (0 20) 671 05 41 – Ⓣ ☎. ⒶⒺ ◉ Ⓔ ᵥₛₐ ⱼⒸⒷ   FV k
15 ch ☲ 165/225.

🏠 **La Casaló** ⋟ sans rest, Amsteldijk 862, ⊠ 1079 LN, ℰ (0 20) 642 36 80,
Fax (0 20) 644 74 09, ≼, « Hôtel flottant sur l'Amstel », Ⅰ,Ⅰ – Ⓣ ☎. ⒶⒺ ◉ Ⓔ ᵥₛₐ ⱼⒸⒷ
4 ch ☲ 225/275.   plan p. 5 CS s

🏠 **Bastion Zuid-West**, Nachtwachtlaan 11, ⊠ 1058 EV, ℰ (0 20) 669 16 21,
⊜ஃ Fax (0 20) 669 16 31 – Ⓣ ☎ Ⓟ. ⒶⒺ ◉ Ⓔ ᵥₛₐ. ⅀%   plan p. 4 BR a
Repas (grillades, ouvert jusqu'à 23 h) 45 – **80 ch** ☲ 151/166.

XXX **Ciel Bleu** - H. Okura, 23ᵉ étage, Ferdinand Bolstraat 333, ⊠ 1072 LH, ℰ (0 20) 678 71 11,
Fax (0 20) 671 23 44, ≼ ville, Ⅰ,Ⅰ – 🛗 ⊜ Ⓟ. ⒶⒺ ◉ Ⓔ ᵥₛₐ ⱼⒸⒷ. ⅀%   GV c
Repas (dîner seult) 80/120.

XX **Mangerie De Kersentuin** - H. Garden, Dijsselhofplantsoen 7, ⊠ 1077 BJ,
ℰ (0 20) 664 21 21, Fax (0 20) 679 93 56, 佘, Ouvert jusqu'à 23 h – ⊜. ⒶⒺ ◉ Ⓔ ᵥₛₐ
ⱼⒸⒷ. ⅀%   FV d
fermé dim., 31 déc. et 1ᵉʳ janv. – **Repas** Lunch 45 – 63/73.

XX **Yamazato** - H. Okura, Ferdinand Bolstraat 333, ⊠ 1072 LH, ℰ (0 20) 678 71 11,
Fax (0 20) 671 23 44, Cuisine japonaise, Ⅰ,Ⅰ – ⊜ Ⓟ. ⒶⒺ ◉ Ⓔ ᵥₛₐ ⱼⒸⒷ. ⅀%   GV c
Repas Lunch 45 – 80/130.

XX **Het Bosch**, Jollenpad 10, ⊠ 1081 KC, ℰ (0 20) 644 58 00, Fax (0 20) 644 19 64, ≼,
佘, « Terrasse au bord du lac », Ⅰ,Ⅰ – Ⓟ. ⒶⒺ ◉ Ⓔ ᵥₛₐ ⱼⒸⒷ. ⅀%   plan p. 4 BS n
fermé sam. de sept. à avril, dim. et 27 déc.-5 janv. – **Repas** Lunch 55 – carte env. 80.

XX **'t Reghthuys,** Adm. de Ruyterweg 468, ⌧ 1055 NH, ℘ (0 20) 686 11 58,
Fax (0 20) 682 72 21 – ⚿ ⓪ ⴹ 𝚅𝙸𝚂𝙰   ET x
fermé week-end – **Repas** carte env. 85.

X **Pakistan,** Scheldestraat 100, ⌧ 1078 GP, ℘ (0 20) 675 39 76, Fax (0 20) 675 39 76,
Cuisine indienne – ⚿ ⓪ ⴹ 𝚅𝙸𝚂𝙰   GV s
Repas (dîner seult jusqu'à 23 h) 43/65.

X **Kaiko,** Jekerstraat 114 (angle Maasstraat), ⌧ 1078 MJ, ℘ (0 20) 662 56 41,
Fax (0 20) 676 54 66, Cuisine japonaise, sushi bar – ▪. ⚿ ⓪ ⴹ 𝚅𝙸𝚂𝙰 𝙹𝙲𝙱. ⨯ GV a
fermé jeudi, dim., dern. sem. juil.-2 prem. sem. août et dern. sem. déc. – **Repas** (dîner seult)
45/110.

X **Brasserie Richard,** Scheldestraat 23, ⌧ 1078 GD, ℘ (0 20) 675 78 08 – ⚿ ⓪ ⴹ 𝚅𝙸𝚂𝙰
fermé dim. et dern. sem. juil.-prem. sem. août – **Repas** carte env. 60.   GV b

Quartier Buitenveldert (RAI) - plan p. 5 :

🏨 **Holiday Inn,** De Boelelaan 2, ⌧ 1083 HJ, ℘ (0 20) 646 23 00, Fax (0 20) 646 47 90 –
🛗 ⨯ ▤ ⺀ ☎ ⅙ ❶ – 🛎 25 à 350. ⚿ ⓪ ⴹ 𝚅𝙸𝚂𝙰 𝙹𝙲𝙱   CS f
Repas (ouvert jusqu'à 23 h) 55/70 – ⌧ 34 – **256 ch** 380/540, 2 suites.

🏨 **Novotel,** Europaboulevard 10, ⌧ 1083 AD, ℘ (0 20) 541 11 23, Fax (0 20) 646 28 23
⊜ – 🛗 ⨯ ▤ ⺀ ☎ ⅙ ❶ – 🛎 25 à 225. ⚿ ⓪ ⴹ 𝚅𝙸𝚂𝙰 𝙹𝙲𝙱   CS r
Repas (ouvert jusqu'à minuit) *Lunch* 28 – 45 – ⌧ 28 – **599 ch** 275 – ½ P 358.

XXX **Halvemaan,** van Leyenberghlaan 320 (Gijsbrecht van Aemstelpark), ⌧ 1082 DD,
℘ (0 20) 644 04 03 48, Fax (0 20) 644 17 77, 🌧, « Terrasse avec ≤ pièce d'eau » – ❶. ⚿
⓪ ⴹ 𝚅𝙸𝚂𝙰. ⨯   CS a
fermé sam., dim. et 24 déc.-mi-janv. – **Repas** *Lunch* 65 – 120.

XX **De Castheele,** Kastelenstraat 172, ⌧ 1082 EJ, ℘ (0 20) 644 72 67,
Fax (0 20) 644 72 67, 🌧 – ⚿ ⓪ ⴹ 𝚅𝙸𝚂𝙰   CS p
fermé dim., lundi et dern. sem. juil.-2 prem. sem. août – **Repas** *Lunch* 33 – 55.

XX **Ravel,** Gelderlandplein 233 (dans centre commercial), ⌧ 1082 LX, ℘ (0 20) 644 16 43,
Fax (0 20) 642 86 84, Taverne-rest – ▪. ⚿ ⓪ ⴹ 𝚅𝙸𝚂𝙰   CS v
fermé dim. midi – **Repas** 50.

Quartiers Nord - plan p. 5 :

🏨 **Galaxy,** Distelkade 21, ⌧ 1031 XP, ℘ (0 20) 634 43 66, Telex 18607,
Fax (0 20) 636 03 45 – 🛗, ▤ rest, ⺀ ☎ ❶ – 🛎 25 à 200. ⚿ ⓪ ⴹ 𝚅𝙸𝚂𝙰   CR b
Repas *Lunch* 25 – carte env. 50 – **281 ch** ⌧ 225/260.

🏨 **Bastion Noord,** Rode Kruisstraat 28 (par Nieuwe Purmerweg), ⌧ 1025 KN, ℘ (0 20)
⊜ 632 31 31, Fax (0 20) 634 44 96 – ⺀ ☎ ❶. ⚿ ⓪ ⴹ 𝚅𝙸𝚂𝙰. ⨯   CDR a
Repas (grillades, ouvert jusqu'à 23 h) 45 – **40 ch** ⌧ 151/166.

Périphérie - plan p. 4 :

par autoroute de Den Haag (A 4) :

🏨 **Mercure Airport,** Oude Haagseweg 20 (sortie ①), ⌧ 1066 BW, ℘ (0 20) 617 90 05,
⊜ Fax (0 20) 615 90 27 – 🛗 ⨯ ▤ ⺀ ☎ ❶ – 🛎 25 à 300. ⚿ ⓪ ⴹ 𝚅𝙸𝚂𝙰. ⨯ rest
Repas *Lunch* 40 – 45/65 – ⌧ 30 – **151 ch** 250/350 – ½ P 275/375.   BS v

Environs

à Amstelveen - plans p. 4 et 5 – 75 869 h.

🛈 Thomas Cookstraat 1, ⌧ 1181 ZS, ℘ (0 20) 441 55 45, Fax (0 20) 647 19 66

🏨 **Grand Hotel** Ⓜ ⨮, Bovenkerkerweg 81 (S : 2,5 km direction Uithoorn), ⌧ 1187 XC,
℘ (0 20) 645 55 58, Fax (0 20) 641 21 21 – 🛗 ⨯ ⺀ ☎ ⅙ ❶. ⚿ ⓪ ⴹ 𝚅𝙸𝚂𝙰. ⨯
Repas voir rest **Résidence Fontaine Royale** ci-après, par navette – ⌧ 35 – **81 ch**
200/320, 10 suites.

XXX **De Jonge Dikkert,** Amsterdamseweg 104a, ⌧ 1182 HG, ℘ (0 20) 641 13 78,
Fax (0 20) 645 91 62, 🌧, « Moulin à vent du 17ᵉ s. » – ❶. ⚿ ⓪ ⴹ 𝚅𝙸𝚂𝙰   BS a
fermé jours fériés midis et 31 déc. – **Repas** 58/68.

XXX **Résidence Fontaine Royale** - H. Grand Hotel, Dr Willem Dreesweg 1 (S : 2 km,
direction Uithoorn), ⌧ 1185 VA, ℘ (0 20) 640 15 01, Fax (0 20) 640 16 61, 🌧 – ▪ ❶
– 🛎 25 à 225. ⚿ ⓪ ⴹ 𝚅𝙸𝚂𝙰 𝙹𝙲𝙱
fermé dim. – **Repas** *Lunch* 50 – carte 59 à 84.

XX **Le Pescadou,** Amsterdamseweg 448, ⌧ 1181 BW, ℘ (0 20) 647 04 43,
Fax (0 20) 647 04 43, Produits de la mer – ▪. ⚿ ⓪ ⴹ 𝚅𝙸𝚂𝙰 𝙹𝙲𝙱   BS c
fermé 23 déc.-4 janv. – **Repas** *Lunch* 50 – carte 75 à 90.

XX **La Belle Auberge,** Kostverlorenhof 54 (dans un centre commercial), ⌧ 1183 HG,
℘ (0 20) 643 31 00 – ▪. ⚿ ⴹ 𝚅𝙸𝚂𝙰 𝙹𝙲𝙱   CS b
fermé sam., dim., 3 sem. en juil. et fin déc.-début janv. – **Repas** *Lunch* 55 – carte 65 à 83.

à Badhoevedorp - plan p. 4 - Ⓒ Haarlemmermeer 106 095 h :

🏨🏨🏨 **Dorint,** Sloterweg 299, ⌂ 1171 VB, ℘ (0 20) 658 81 11, Fax (0 20) 659 71 01, 🖢, 🔲 – 🔃 ⇄, 🗏 ch, 📺 ☎ 🅿 – 🔏 25 à 150. 🖭 ➋ 🖿 𝑉𝐼𝑆𝐴 𝐽𝐶𝐵. ⅏ rest   AS a
Repas (ouvert jusqu'à 23 h) Lunch 40 – carte 45 à 76 – ⌹ 30 – **196 ch** 330/385.

XX **De Herbergh** avec ch, Sloterweg 259, ⌂ 1171 CP, ℘ (0 20) 659 26 00, Fax (0 20) 659 83 90, 🗟 – 🗏 rest, 📺 ☎ 🅿. 🖭 🖿 𝑉𝐼𝑆𝐴. ⅏ ch   AS v
Repas carte env. 65 – ⌹ 17 – **15 ch** 155/175.

à Landsmeer N : 9 km – 10 425 h :

X **Brasserie Sjef Schets,** Dorpsstraat 40a, ⌂ 1121 BX, ℘ (0 20) 482 23 25, Fax (0 20) 482 45 84, 🗟
fermé sam. midi, dim. midi, lundi et mardi – **Repas** Lunch 30 – 53.

à Ouderkerk aan de Amstel - plan p. 5 - Ⓒ Amstelveen 75 869 h :

XXX **Paardenburg,** Amstelzijde 55, ⌂ 1184 TZ, ℘ (0 20) 496 12 10, Fax (0 20) 496 40 17, 🗟, « Peintures murales du 19ᵉ s., terrasse au bord de l'eau » – 🅿. 🖭 ➋ 🖿 𝑉𝐼𝑆𝐴 𝐽𝐶𝐵. ⅏   CS y
fermé sam. midi, dim. et 26 déc.-19 janv. – **Repas** 60/100.

XX **'t Jagershuis** avec ch, Amstelzijde 2, ⌂ 1184 VA, ℘ (0 20) 496 20 20, Fax (0 20) 496 45 41, ⇆, 🗟, « Auberge avec terrasse au bord de l'Amstel », 🎣 – 🗏 – 🗏 📺 ☎ 🅿 – 🔏 30. 🖭 ➋ 🖿 𝑉𝐼𝑆𝐴 𝐽𝐶𝐵. ⅏   CS y
fermé 31 déc. et 1ᵉʳ janv. – **Repas** Lunch 50 – 60/68 – ⌹ 25 – **12 ch** 195/315.

XX **Klein Paardenburg,** Amstelzijde 59, ⌂ 1184 TZ, ℘ (0 20) 496 13 35, 🗟, « Terrasse au bord de l'eau » – 🖭 ➋ 🖿 𝑉𝐼𝑆𝐴   CS y
fermé dim. et 25 déc.-4 janv. – **Repas** Lunch 68 – 95.

XX **Het Kampje,** Kerkstraat 56, ⌂ 1191 JE, ℘ (0 20) 496 19 43, Fax (0 20) 496 57 01, 🗟 – 🖭 🖿 𝑉𝐼𝑆𝐴 𝐽𝐶𝐵   CS e
fermé sam., dim., 27 avril-15 mai et 21 déc.-4 janv. – **Repas** Lunch 40 – 50/60.

X **'t Deurtje,** Amstelzijde 51, ⌂ 1184 TZ, ℘ (0 20) 496 37 32, Fax (0 20) 496 38 09, 🗟 – 🖭 ➋ 🖿 𝑉𝐼𝑆𝐴 𝐽𝐶𝐵   CS y
fermé mardi, vacances bâtiment, 25 et 26 déc. et 1ᵉʳ janv. – **Repas** carte 66 à 85.

X **De Voetangel,** Ronde Hoep Oost 3 (SE : 3 km), ⌂ 1191 KA, ℘ (0 294) 28 13 73, Fax (0 294) 28 49 39, 🗟 – 🅿. 🖭 🖿 𝑉𝐼𝑆𝐴.
fermé merc. et jeudi – **Repas** Lunch 39 – carte env. 60.

à Schiphol (Aéroport international) - plan p. 4 - Ⓒ Haarlemmermeer 106 095 h : – Casino, Luchthaven Schiphol, Terminal Centraal AS, ℘ (0 23) 571 80 44, Fax (0 23) 571 62 26

🏨🏨🏨 **Sheraton Airport** Ⓜ, Schiphol bd 101, ⌂ 1118 BG, ℘ (0 20) 316 43 00, Fax (0 20) 316 43 99, 🎣, 🖢, 🔲 – 🔃 ⇄ 🗏 📺 ☎ 🕭 ⇦ 🅿 – 🔏 25 à 500. 🖭 ➋ 🖿 𝑉𝐼𝑆𝐴 𝐽𝐶𝐵   AS e
Repas Voyager (ouvert jusqu'à 23 h) carte 74 à 98 – **Run-Way Café** (ouvert jusqu'à 1 h du matin) carte env. 55 – ⌹ 40 – **399 ch** 555/755, 9 suites – ½ P 382/423.

🏨🏨🏨 **Hilton Schiphol,** Herbergierstraat 1, ⌂ 1118 CA, ℘ (0 20) 603 45 67, Fax (0 20) 648 09 17, 🖢, 🔲 – 🔃 ⇄ 🗏 📺 ☎ 🕭 🅿 – 🔏 25 à 110. 🖭 ➋ 🖿 𝑉𝐼𝑆𝐴 𝐽𝐶𝐵. **265 ch**
Repas Greenhouse (buffets, ouvert jusqu'à 23 h 30) Lunch 62 - 65 – ⌹ 38 – **265 ch** 425/605, 1 suite.   AS n

Voir aussi : **Hoofddorp** S : 2,5 km

APELDOORN Gelderland 🔟🔟🔟 P 9 et 🔟🔟🔟 I 5 – 150 915 h.

Voir Musée-Palais (Rijksmuseum Paleis) Het Loo★★★ : nouvelle salle à manger★★★, cabinet privé★★★ de la reine, porte★★★ vers la terrasse X – Appartements★★★, Salon et bureau de la reine Wilhelmine★, Les Jardins★★.

🏌 à Hoog Soeren O : 6 km par Soerenseweg, Hoog Soeren 57, ⌂ 7346 AC, ℘ (0 55) 519 12 75 - 🏌 au Domaine de Bussloo par ④ : 10 km, Bussloselaan 6, ⌂ 7383 RP, ℘ (0 571) 26 19 55, Fax (0 571) 26 20 89.
🛈 Stationsstraat 72, ⌂ 7311 MH, ℘ 0 900-168 16 36, Fax (0 55) 521 12 90.
Amsterdam 90 ⑦ – Arnhem 33 ⑥ – Enschede 73 ④ – Groningen 335 ② – Utrecht 72 ⑦.

Plan page suivante

🏨🏨 **De Keizerskroon,** Koningstraat 7, ⌂ 7315 HR, ℘ (0 55) 521 77 44, Fax (0 55) 521 47 37, 🗟, 🎣, 🖢, 🔲 – 🔃 ⇄, 🗏 rest, 📺 ☎ 🕭 ⇦ 🅿 – 🔏 25 à 220. 🖭 ➋ 🖿 𝑉𝐼𝑆𝐴 𝐽𝐶𝐵. ⅏ rest   X a
Repas carte env. 60 – **93 ch** ⌹ 295/370, 4 suites – ½ P 160/195.

🏨🏨 **De Cantharel,** Van Golsteinlaan 20 à Ugchelen (SO : par Europaweg, près A 1), ⌂ 7339 GT, ℘ (0 55) 541 44 55, Fax (0 55) 533 41 07, 🗟, 🖢, �, ⅏ – 🔃, 🗏 rest, 📺 ☎ 🅿 – 🔏 50 à 500. 🖭 ➋ 🖿 𝑉𝐼𝑆𝐴. ⅏ rest   Y
Repas (ouvert jusqu'à 23 h) carte env. 50 – ⌹ 12 – **92 ch** 90.

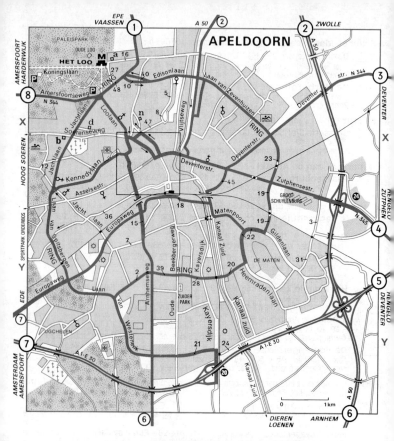

APELDOORN

Hoofdstr. . . . . **Z**

Aluminiumweg . . . . **Y** 2
Barnewinkel . . . . **Y** 3
Boerhaavestr. . . . . **X** 5
Eendrachtstr. . . . . **Y** 7
Gen. van Heutszlaan . . . **X** 8
Hertenlaan . . . . **X** 10
J. C. Wilslaan . . . . **X** 12
Kapelstr. . . . . **Z** 13
Koning Stadhouderlaan . **Y** 15
Koningstr. . . . . **X** 16
Korenstr. . . . . **Z** 17
Laan van de
  Mensenrechten . . . . **XY** 18
Laan van Erica . . . . **X** 19
Laan van Kuipershof . . . **Y** 20
Laan
  van Malkenschoten . . **Y** 21
Laan van Maten . . . . . . **Y** 22
Laan van Osseveld . . . . **X** 23
Lange Amerikaweg . . . . **Y** 24
Marchantstr. . . . . **Y** 28
Marktpl. . . . . **Z** 30
Marskramersdonk . . . . . **Y** 31
Molenstr. . . . . **Z** 32
Mr. van Rhemenslaan . . **Z** 34
Paul Krügerstr. . . . . **Z** 35
Prins W. Alexanderlaan . **Y** 36
Ravenweg . . . . **Y** 39
Reeënlaan . . . . **Z** 40
Sprengenweg . . . . **Z** 43
Stationspl. . . . . **Z** 44
Wapenrustlaan . . . . **X** 45
Wilhelminapark . . . . . . **X** 47
Zwolseweg . . . . **X** 48

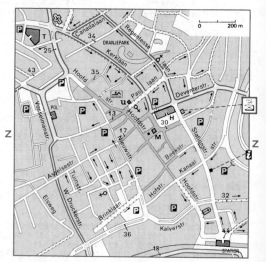

Apeldoorn, Soerenseweg 73, ✉ 7313 EH, ✆ (0 55) 355 45 55, *Fax (0 55) 355 73 61*, – TV – 25 à 225. AE ⓓ E VISA JCB X b
Repas carte 60 à 77 – **38 ch** 115/150 – ½ P 145/185.

Astra, Bas Backerlaan 14, ✉ 7316 DZ, ✆ (0 55) 522 30 22, *Fax (0 55) 522 30 21*, – TV. AE ⓓ E VISA. X n
Repas (dîner pour résidents seult) – **28 ch** 91/118.

Berg en Bos, Aquamarijnstraat 58, ✉ 7314 HZ, ✆ (0 55) 355 23 52, *Fax (0 55) 355 47 82*, – TV. AE ⓓ E VISA JCB X d
Repas carte env. 45 – **16 ch** 49/120 – ½ P 80/85.

Poppe, Paslaan 7, ✉ 7311 AH, ✆ (0 55) 522 32 86, *Fax (0 55) 578 51 73*, – . AE ⓓ E VISA Z u
fermé lundi et 31 déc.-2 janv. – **Repas** Lunch 45 – 50/55.

à Beekbergen *par ⑥ : 5 km* C *Apeldoorn :*

Engelanderhof, Arnhemseweg 484, ✉ 7361 CM, ✆ (0 55) 506 33 18, *Fax (0 55) 506 32 20*, – TV. AE ⓓ E VISA. rest
Repas *(fermé dim. de mi-oct. à mars)* 45/65 – **17 ch** 95/140 – ½ P 103/128.

à Hoog Soeren *O : 6 km par Soerenseweg X* C *Apeldoorn :*

Oranjeoord , Hoog Soeren 134, ✉ 7346 AH, ✆ (0 55) 519 12 27, *Fax (0 55) 519 14 51*, , « Dans les bois », – TV – 25. AE ⓓ E VISA JCB. rest
Repas 53/60 – **31 ch** 104/158, 1 suite – ½ P 125/150.

De Echoput, Amersfoortseweg 86 (par ⑧ : 5 km), ✉ 7346 AA, ✆ (0 55) 519 12 48, *Fax (0 55) 519 14 09*, , « Terrasse et jardin » – . AE ⓓ E VISA
fermé lundi, sam. midi et 27 déc.-10 janv. – **Repas** Lunch 70 – 98/150.

Het Jachthuis, Hoog Soeren 55, ✉ 7346 AC, ✆ (0 55) 519 13 97, *Fax (0 55) 519 18 06*, , « Terrasse et jardin » – . AE ⓓ E VISA JCB
fermé lundi et 20 juil.-10 août – **Repas** Lunch 53 – 65/93, carte 73 à 108.
Spéc. Terrine de champignons (août-déc.). Risotto de tomates au homard. Piccata de veau, truffes d'été et pâtes.

APPELSCHA *Friesland* C *Ooststellingwerf 25 070 h.* 210 S 5 et 408 K 3.
Amsterdam 190 – Leeuwarden 55 – Assen 19.

Appelscha, Boerestreek 2, ✉ 8426 BP, ✆ (0 516) 43 15 93, *Fax (0 516) 43 26 63* – TV – 50. AE ⓓ E VISA JCB. rest
Repas *(fermé après 20 h 30)* carte 45 à 65 – 15 – **34 ch** 100 – ½ P 85/95.

APPINGEDAM *Groningen* 210 V 3 et 408 L 2 – *12 389 h.*
Voir ≤★ *de la passerelle (Smalle brug).*
Env. *NO : 20 km à Uithuizen★ : Château Menkemaborg★.*
Wijkstraat 38, ✉ 9901 AJ, ✆ (0 596) 62 03 00.
Amsterdam 208 – Groningen 25.

Landgoed Ekenstein , Alberdaweg 70 (O : 3 km), ✉ 9901 TA, ✆ (0 596) 62 85 28, *Fax (0 596) 62 06 21*, , , – TV – 25 à 200. AE ⓓ E VISA JCB. rest
Repas 50/90 – **28 ch** 145/175 – ½ P 123/135.

Het Wapen van Leiden, Wijkstraat 44, ✉ 9901 AJ, ✆ (0 596) 62 29 63, *Fax (0 596) 62 48 53* – TV. AE ⓓ E VISA. rest
Repas *(fermé après 20 h)* carte env. 60 – **28 ch** 115/135.

ARCEN *Limburg* C *Arcen en Velden 9 012 h.* 211 R 14 et 408 J 7.
Wal 26, ✉ 5944 AW, ✆ (0 77) 473 12 47, Fax (0 77) 473 30 19.
Amsterdam 167 – Maastricht 88 – Nijmegen 53 – Venlo 13.

Rooland, Roobeekweg 1 (N : 3 km sur N 271), ✉ 5944 EZ, ✆ (0 77) 473 21 21, *Fax (0 77) 473 29 15*, – TV – 25 à 250. AE ⓓ E VISA
Repas Lunch 28 – 45 – **54 ch** 108/130 – ½ P 90.

De Oude Hoeve, Raadhuisplein 6, ✉ 5944 AH, ✆ (0 77) 473 20 98, *Fax (0 77) 473 19 62* – TV – 25 à 200. AE ⓓ E VISA.
Repas 55/90 – **11 ch** 100/198 – ½ P 103/139.

de Maasparel, Schans 3, ✉ 5944 AE, ✆ (0 77) 473 12 96, *Fax (0 77) 473 13 35*, – TV. E VISA JCB.
Repas (dîner seult) *(fermé lundi d'oct. à mars)* 45 – **10 ch** 85/120 – ½ P 90/105.

ARNEMUIDEN Zeeland **211** C 13 et **408** C 7 – 5 024 h.

Amsterdam 195 – Middelburg 6 – Antwerpen 82 – Breda 93.

Oranjeplaat, Muidenweg 1 (NE : 3 km, Jachthaven), ⊠ 4341 PS, ℰ (0 118) 60 16 21, Fax (0 118) 60 35 75, ≤ lac et port de plaisance, 斎, ⬓ – ➋. ᴬᴱ ➋ Ɛ 𝒱𝐼𝑆𝐴
avril-sept. et week-end ; fermé lundi – **Repas** Lunch 15 – 45.

*La **carte Michelin** **408** à 1/400 000 (1 cm = 4 Km),
donne, en une feuille, une image complète des **Pays-Bas.***

*Elle présente en outre des agrandissements détaillés
des régions d'Amsterdam et de Rotterdam et une nomenclature des
localités.*

ARNHEM **P** Gelderland **211** P 11 et **408** I 6 – 135 026 h.

Voir Parc de Sonsbeek★ (Sonsbeek Park) CY.

Musées : Néerlandais de plein air★★ (Het Nederlands Openluchtmuseum) AV – Municipal★ (Gemeentemuseum) AVX **M.**

Env. NE : Parc National (Nationaal Park) Veluwezoom★, route de Posbank ⚹★ par ②.
☌ Papendallaan 22, ⊠ 6816 VD, ℰ (0 26) 482 12 82, Fax (0 26) 482 13 48 - ☌ à Elst SO : 8 km, Grote Molenstraat 173, ⊠ 6661 NH, ℰ (0 481) 37 65 91, Fax (0 481) 37 70 55.
B Stationsplein 45, ⊠ 6811 KL, ℰ 0 900-202 40 75, Fax (0 26) 442 26 44.
Amsterdam 100 ⑥ – Apeldoorn 27 ① – Essen 110 ③ – Nijmegen 19 ④ – Utrecht 64 ⑥.

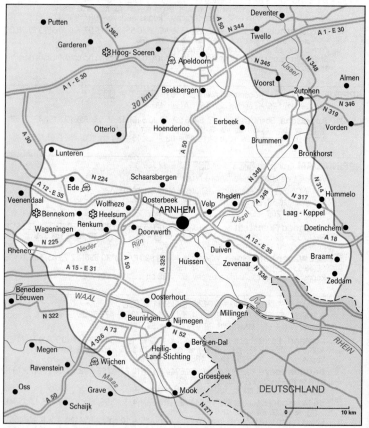

ARNHEM

Arnhemsestraatweg ...... **BV** 4
Beekhuizenseweg ...... **BV** 6
Beukenweg ...... **BV** 6
Bronbeeklaan ...... **BV** 10
Burg Matsersingel ...... **AX** 12
Cattepoelseweg ...... **AV** 13
van Heemstralaan ...... **AV** 18

Heijenoordseweg ...... **AV** 19
Hulkesteinseweg ...... **AX** 22
Huygenslaan ...... **BV** 24
Jacob Marislaan ...... **AV** 27
Johan de Wittlaan ...... **AX** 33
Koppelstraat ...... **AX** 36
Lerensteinselaan ...... **BV** 37
Nijmeegseweg ...... **AV** 42
Nordlaan ...... **BV** 43
van Oldenbarneveldstr. ... **AX** 45

Onderlangs ...... **AX** 46
Parkweg ...... **AV** 49
President Kennedylaan ... **BV** 52
Ringallee ...... **BV** 54
Rosendaalseweg ...... **BV** 57
Thomas a Kempislaan .... **AV** 58
Voetiuslaan ...... **ABX** 64
Weg achter het Bos ..... **AX** 67
Zijpendaalseweg ...... **AV** 69
Zutphensestraatweg ..... **BV** 70

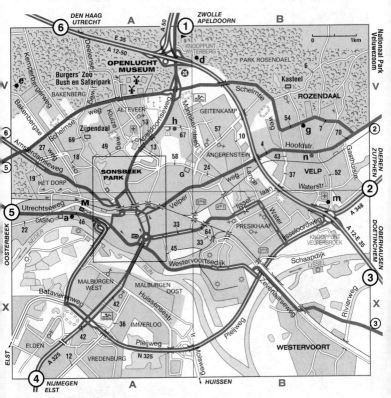

Landgoed Groot Warnsborn 🏡, Bakenbergseweg 277, ☒ 6816 VP, 𝄞 (0 26) 445 57 51, Fax (0 26) 443 10 10, ≤, �, « Environnement boisé », 🍴 – 📺 ☎ 🅟 – 🔏 25 à 100. 🆎 ① ⓔ 𝕍𝕀𝕊𝔸 𝙹𝙲𝙱. ⌖ rest
AV e
fermé 27 déc.-11 janv. – **Repas** (fermé dim. midi) Lunch 53 – carte env. 85 – ☲ 20 – **30 ch** 150/330 – ½ P 168/215.

Rijnhotel, Onderlangs 10, ☒ 6812 CG, 𝄞 (0 26) 443 46 42, Fax (0 26) 445 48 47, ≤, 🌿, « Au bord du Rhin (Rijn) » – 🛗 ⬚ 📺 ☎ 🅟 – 🔏 25 à 80. 🆎 ① ⓔ 𝕍𝕀𝕊𝔸 𝙹𝙲𝙱 AX a
Repas *Le Saumon* carte env. 95 – **67 ch** ☲ 215/295, 1 suite – ½ P 135/213.

Haarhuis, Stationsplein 1, ☒ 6811 KG, 𝄞 (0 26) 442 74 41, Fax (0 26) 442 74 49, 🏋, 🍴 – 🛗, 🍽 rest, 📺 ☎ 🅟 – 🔏 25 à 600. 🆎 ① ⓔ 𝕍𝕀𝕊𝔸 𝙹𝙲𝙱 CZ f
Repas 43 – **84 ch** ☲ 160/265 – ½ P 155/220.

Postiljon, Europaweg 25 (près A 12), ☒ 6816 SL, 𝄞 (0 26) 357 33 33, Fax (0 26) 357 33 61, 🌿 – 🛗 ⬚ 📺 ☎ & 🅟 – 🔏 25 à 500. 🆎 ① ⓔ 𝕍𝕀𝕊𝔸
Repas (buffets) – ☲ 18 – **84 ch** 127/176. ABV d

Blanc sans rest, Coehoornstraat 4, ☒ 6811 LA, 𝄞 (0 26) 442 80 72, Fax (0 26) 443 47 49 – 🛗 📺 ☎ 🚗 – 🔏 25 à 50. 🆎 ① ⓔ 𝕍𝕀𝕊𝔸 CZ c
fermé 24 déc.-1er janv. – **22 ch** ☲ 116/157.

Old Dutch sans rest, Stationsplein 8, ☒ 6811 KG, 𝄞 (0 26) 442 07 92, Fax (0 26) 445 78 30 – 🛗 📺 ☎. 🆎 ① ⓔ 𝕍𝕀𝕊𝔸 𝙹𝙲𝙱 CZ k
22 ch ☲ 115/175.

ARNHEM

Jansbinnensingel . . . . **CZ** 28
Janstraat . . . . **CZ** 31
Ketelstraat . . . . **CDZ** 34
Looierstraat . . . . **DZ** 39

Rijnstraat . . . . **CZ**
Roggestraat . . . . **DZ** 55
Vijzelstraat . . . . **CZ** 63

Apeldoornsestr. . . . . **DY** 3
Bouriciusstraat . . . . **CY** 9
Eusebiusbinnensingel . . . . . **DZ** 16

Heuvelink Bd. . . . . **DZ** 21
Ir. J. P. van Muylwijkstr. . . . **DZ** 25
Jansplein . . . . **CZ** 30
Oranjewachtstr. . . . . **DZ** 48
Velperbinnensingel . . . . . . **DZ** 60
Velperbuitensingel . . . . . . **DZ** 61
Walburgstraat . . . . **DZ** 66

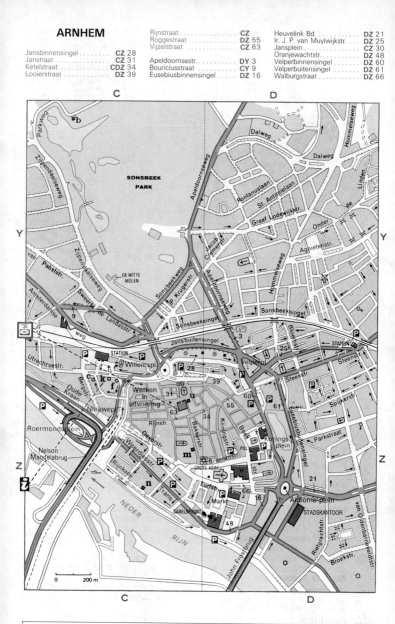

Bijzonder aangename hotels of restaurants
worden in de gids in het rood aangeduid.

U kunt helpen door ons attent te maken
op bedrijven, waarvan u uit ervaring weet dat zij
aangenaam zijn.

Uw **Michelingids** zal dan nog beter zijn.

XX **Da Zilli,** Mariënburgstraat 1, ⊠ 6811 CS, ℘ (0 26) 442 02 88, *Fax (0 26) 442 48 95,*
Cuisine italienne – AE ① E VISA. ※ CZ u
fermé lundi – **Repas** (dîner seult) carte 66 à 83.

XX **De Steenen Tafel,** Weg achter het Bosch 1, ⊠ 6822 LV, ℘ (0 26) 443 53 13 – ◉.
AE ① E VISA. ※ AV h
fermé 27 juil.-13 août et 2 prem. sem. janv. – **Repas** Lunch 58 – carte 64 à 82.

XX **De Boerderij,** Parkweg 2, ⊠ 6815 DJ, ℘ (0 26) 442 43 96, *Fax (0 26) 442 82 60,* 🌦,
« Ferme du 19e s. » – ◉. AE ① E VISA CY b
fermé 27 déc.-7 janv. et merc. de sept. à mai – **Repas** 58/98.

XX **La Rusticana,** Bakkerstraat 58, ⊠ 6811 EJ, ℘ (0 26) 351 56 07, *Fax (0 26) 351 56 07,*
🌦, Cuisine italienne – AE ① E VISA CZ m
fermé mardi et prem. sem. sept. – **Repas** (dîner seult) carte 65 à 82.

XX **CocoLinie,** Rijnkade 39, ⊠ 6811 HA, ℘ (0 26) 442 66 64, *Fax (0 26) 442 32 63,* 🌦,
Ouvert jusqu'à 23 h – AE ① E VISA CZ n
fermé mardi – **Repas** Lunch 48 – 50/73.

à Duiven *par* ③ *: 10 km – 23 954 h :*

🏠 **Duiven,** Nieuwgraaf 3 (sortie ㉗ sur A 12), ⊠ 6921 RJ, ℘ (0 26) 311 11 50,
Fax (0 26) 311 74 60, 🌦 – ⇆ 🕾 ☎ ◉. AE ① E VISA. ※
Repas Lunch 25 – carte env. 45 – ⊡ 10 – **40 ch** 99.

à Schaarsbergen *10 km par Kemperbergerweg AV* ⓒ *Arnhem :*

XX **Rijzenburg,** Koningsweg 17 (à l'entrée du parc national), ⊠ 6816 TC, ℘ (0 26)
443 67 33, *Fax (0 26) 443 77 07,* 🌦 – ▤ ◉. AE ① E VISA
Repas 55/88.

à Velp ⓒ *Rheden 44 975 h :*

🏨 **Velp,** Pres. Kennedylaan 102, ⊠ 6883 AX, ℘ (0 26) 364 98 49, *Fax (0 26) 364 24 27,* 🌦,
⇆ – ⇆ 🕾 ☎ ◉ – 🔬 25 à 150. AE ① E VISA JCB. ※ rest BVX m
fermé 31 déc.-1er janv. – **Repas** Lunch 35 – carte env. 85 – ⊡ 27 – **74 ch** 205/220 –
½ P 130/295.

🏠 **Hugen's Rozenhoek,** Rozendaalselaan 60, ⊠ 6881 LE, ℘ (0 26) 364 72 90,
Fax (0 26) 361 75 88, 🌦 – 🕾 ☎ ◉. AE ① E VISA. ※ ch BV g
Repas Lunch 35 – 39/54 – **8 ch** ⊡ 84/110 – ½ P 139/175.

X **La Coquerie,** Emmastraat 25, ⊠ 6881 SN, ℘ (0 26) 364 39 29, *Fax (0 26) 361 39 32,*
🌦 – ▤. AE ① E VISA BV n
fermé mardi et merc. – **Repas** (dîner seult) carte env. 70.

BELGIË GROOTHERTOGDOM LUXEMBURG
Een groene **Michelingids,** *Nederlandstalige uitgave*

Beschrijvingen van bezienswaardigheden
Landschappen, toeristische routes
Aardrijkskundige gegevens
Geschiedenis, Kunst
Plattegronden van steden en gebouwen

ASSEN 🅿 *Drenthe* 🔢 *T 5 et* 🔢 *K 3 – 53 480 h.*

Voir *Musée de la Drenthe★ (Drents Museum) : section archéologique★ –*
Ontvangershuis★ Y M'.

Env. *NO : Midwolde, monument funéraire★ dans l'église – E : Eexterhalte, hunebed★*
(dolmen).

🛈 *Brink 42,* ⊠ *9401 HV,* ℘ *(0 592) 31 43 24.*
Amsterdam 187 ③ *– Groningen 26* ① *– Zwolle 76* ③.

Plan page suivante

🏨 **Assen,** Balkenweg 1 (par ④ : 2 km), ⊠ 9405 CC, ℘ (0 592) 35 15 15, *Fax (0 592) 35 56 37,*
🌦, ※ – ▤ ⇆ 🕾 ☎ ◉ – 🔬 25 à 500. AE ① E VISA JCB
Repas (ouvert jusqu'à 23 h) carte env. 45 – ⊡ 13 – **136 ch** 120 – ½ P 103/163.

XX **de Eetkamer van Assen,** Markt 6, ⊠ 9401 GS, ℘ (0 592) 31 58 18,
Fax (0 592) 31 86 10, 🌦 – ▤. E VISA JCB Y s
fermé dim. et lundi – **Repas** Lunch 45 – carte env. 60.

ASSEN

Gedemptesingel	Y	13
Kruisstr.	Y	27
Marktstr.	Y	30
Oudestr.	Y	37
Singelpassage	Y	43
Brinkstr.	Y	3
Burg. Jollesstr.	Z	4
Ceresstr.	Y	5
Collardslaan	Z	6
van de Feltzpark	Z	12
Havenkade	Y	18
Julianastr.	Y	22
Kloekhorststr.	Y	23
Kloosterstr.	YZ	24
Koopmansplein	Y	25
Minervalaan	Y	31
Neptunusplein	Y	32
Nieuwe Huizen	Y	33
Noordersingel	Y	34
Oude Molenstr.	Y	36
Parkstr.	Z	39
Prinses Beatrixlaan	Z	40
Torenlaan	Z	48
Zuidersingel	Z	57

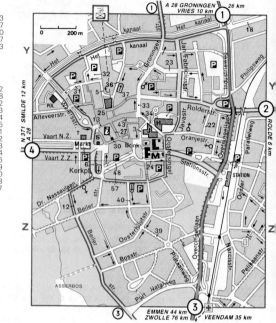

ASTEN *Noord-Brabant* 🔲🔲 O 14 *et* 🔲🔲🔲 17 – *16 032 h.*

Musée : *National du Carillon★ (Nationaal Beiaardmuseum).*

Env. *SE : De Groote Peel★ (réserve naturelle d'oiseaux).*

Amsterdam 152 – 's-Hertogenbosch 63 – Eindhoven 24 – Helmond 14 – Venlo 33.

Nobis, Nobisweg 1 (près A 67), ⊠ 5721 VA, ℘ (0 493) 69 68 00, Fax (0 493) 69 10 58,
🛋 – 📺 ☎ 🅿 – 🔏 25 à 400. 🖭 ⓞ 🗲 𝑉𝐼𝑆𝐴. ⅋ ch
Repas 45/50 – ⊇ 15 – **24 ch** 118/145 – ½ P 92/180.

In 't Eeuwig Leven, Pr. Bernhardstraat 22, ⊠ 5721 GC, ℘ (0 493) 69 35 62,
Fax (0 493) 69 53 17, 🛋 – 🖭 ⓞ 🗲 𝑉𝐼𝑆𝐴.
fermé merc. et 2 sem. vacances bâtiment – **Repas** *Lunch* 38 – 60/68.

AXEL *Zeeland* 🔲🔲 D 15 *et* 🔲🔲🔲 C 8 – *12 145 h.*

🏌 *Justaasweg 4,* ⊠ *4571 NB,* ℘ *(0 115) 56 44 67, Fax (0 115) 56 44 67.*

Amsterdam (bac) 193 – Middelburg (bac) 50 – Antwerpen 42 – Gent 29.

Zomerlust, Boslaan 1, ⊠ 4571 SW, ℘ (0 115) 56 16 93, Fax (0 115) 56 36 45, 🛋,
« Terrasse et jardin au bord de l'eau » – 🅿. 🖭 ⓞ 🗲 𝑉𝐼𝑆𝐴 ᴊᴄʙ. ⅋
fermé lundi, sam. midi, 22 juil.-5 août et 15 janv.-6 fév. – **Repas** *Lunch* 75 – *carte* 59 à 103.

in d'Ouwe Baencke, Kerkstraat 10, ⊠ 4571 BC, ℘ (0 115) 56 33 73,
Fax (0 115) 56 33 73, 🛋 – 🖭 ⓞ 🗲 𝑉𝐼𝑆𝐴. ⅋
fermé mardi, merc., dern. sem. juil.-prem. sem. août et 31 déc.-prem. sem. janv. – **Repas**
Lunch 50 – *carte env.* 70.

à Zuiddorpe *S : 3 km* 🅲 *Axel :*

Onder de Linden, Dorpsplein 12, ⊠ 4574 RD, ℘ (0 115) 60 82 95, Fax (0 115) 60 84 63
– 🖭 🗲 𝑉𝐼𝑆𝐴. ⅋
fermé mardi soir de juil.-à mars, merc., 1 sem. carnaval et 20 juin-20 juil. – **Repas**
Lunch 68 – *carte* 84 à 99.

BAARLE-NASSAU Noord-Brabant 211 J 14 et 408 F 7 – 6 063 h.

🚹 Nieuwstraat 16, ⊠ 5111 CW, ℰ (0 13) 507 99 21.

Amsterdam 126 – 's-Hertogenbosch 43 – Antwerpen 57 – Breda 23 – Eindhoven 54.

XX **Den Engel** avec ch, Singel 3, ⊠ 5111 CD, ℰ (0 13) 507 93 30, Fax (0 13) 507 82 69, 🏠 – 🗏 rest, 📺 ☎ ⓪ 🗲 VISA JCB
Repas (Taverne-rest) 65/110 – 🖵 15 – **7 ch** 100/150 – ½ P 155/200.

BAARN Utrecht 211 L 9 et 408 G 5 – 24 701 h.

🚹 Stationsplein 7, ⊠ 3743 KK, ℰ (0 35) 541 32 26, Fax (0 35) 543 08 28.

Amsterdam 38 – Utrecht 25 – Apeldoorn 53.

🏰 **Kasteel De Hooge Vuursche** ⑤, Hilversumsestraatweg 14 (O : 2 km), ⊠ 3744 KC, ℰ (0 35) 541 25 41, Fax (0 35) 542 32 88, ≤, 🏠, « Parc en terrasse et fontaines », 🌳 – 📳, 🗏 rest, 📺 ☎ ⓟ – 🛦 25 à 100. 🖭 ⓪ 🗲 VISA. 🧇
Repas (dîner pour résidents seult) – 🖵 30 – **26 ch** 175/410 – ½ P 235.

🏨 **La Promenade**, Amalialaan 1, ⊠ 3743 KE, ℰ (0 35) 541 29 13, Fax (0 35) 541 57 75, 🏠 – 📺 ☎ ⓟ – 🛦 25 à 70. 🖭 ⓪ 🗲 VISA
fermé 1er janv. – **Repas** (ouvert jusqu'à 23 h) Lunch 33 – carte 70 à 83 – 🖵 18 – **18 ch** 120/180.

à Lage-Vuursche SO : 7 km ⓒ Baarn :

XXX **De Kastanjehof** ⑤ avec ch, Kloosterlaan 1, ⊠ 3749 AJ, ℰ (0 35) 666 82 48, Fax (0 35) 666 84 44, 🏠, « Terrasses et jardin fleuri » – 📺 ☎ ⓟ – 🛦 30. 🖭 ⓪ 🗲 VISA
Repas (fermé 25, 26 et 31 déc. et 1er janv.) Lunch 50 – 60/70 – **10 ch** (fermé 24, 25, 26, 30 et 31 déc. et 1er janv.) 🖵 155/189.

BADHOEVEDORP Noord-Holland 210 I 8, 211 I 8 et 408 F 4 - ㉗ S – voir à Amsterdam, environs.

BAKKEVEEN (BAKKEFEAN) Friesland ⓒ Opsterland 28 200 h. 210 R 4 et 408 J 2.

Amsterdam 159 – Assen 31 – Groningen 36 – Leeuwarden 41.

XX **De Slotplaats,** Foarwûrkerwei 3, ⊠ 9243 JZ, ℰ (0 516) 54 13 33, Fax (0 516) 54 12 59, 🏠, « Demeure du 19e s., jardin » – ⓟ 🖭 ⓪ 🗲 VISA
fermé dim., lundi, juil. et 27 déc.-8 janv. – **Repas** (dîner seult) carte 70 à 90.

BALK Friesland ⓒ Gaasterlân-Sleat 9 532 h. 210 N 5 et 408 H 3.

Amsterdam 119 – Groningen 84 – Leeuwarden 50 – Zwolle 63.

à Harich NO : 1 km ⓒ Gaasterlân-Sleat :

🏨 **Welgelegen** ⑤, Welgelegen 15, ⊠ 8571 RG, ℰ (0 514) 60 50 50, Fax (0 514) 60 51 99 – 📺 ☎ ⓟ – 🛦 200. 🖭 ⓪ 🗲 VISA JCB. 🧇 rest
Repas (dîner pour résidents seult) – **20 ch** 🖵 75/135 – ½ P 98/105.

BALLUM Friesland 210 O 2 et 408 I 1 – voir à Waddeneilanden (Ameland).

BARENDRECHT Zuid-Holland 211 H 11 et 408 E 6 - ㉕ S – voir à Rotterdam, environs.

BAVEL Noord-Brabant 211 J 13 – voir à Breda.

BEEK Limburg 211 O 17 et 408 I 9 – voir à Maastricht.

BEEKBERGEN Gelderland 211 P 11 et 408 I 5 – voir à Apeldoorn.

BEEK EN DONK Noord-Brabant 211 N 13 et 408 H 7 – 9 655 h.

Amsterdam 116 – Eindhoven 20 – Nijmegen 54.

X **Woo Ping,** Piet van Thielplein 10 (Donk), ⊠ 5741 CP, ℰ (0 492) 46 22 13, Fax (0 492) 46 57 98, Cuisine asiatique – 🖭 ⓪ 🗲 VISA. 🧇
Repas carte 45 à 73.

BEETSTERZWAAG (BEETSTERSWEACH) *Friesland* © *Opsterland 28 200 h.* **210** Q 4 et **408** J 2.
⟦ₜ₈⟧ *van Harinxmaweg 8a*, ⊠ 9244 CJ, ℘ *(0 512) 38 25 94, Fax (0 512) 38 37 39.*
Amsterdam 143 – Leeuwarden 34 – Groningen 43.

⟦🏨⟧ **Lauswolt** ⟦⟧, van Harinxmaweg 10, ⊠ 9244 CJ, ℘ (0 512) 38 12 45,
Fax (0 512) 38 14 96, 🍴, « Demeure du 19ᵉ s. sur parc », 🛋, 🔲, 🍴 – 📶 📺 ☎ 🅿
– 🔏 25 à 80. 🅰🅴 ⓪ 🄴 *VISA*. ⟦⟧ rest
Repas *Lunch* 63 – 85/135 – ⊑ 35 – **58 ch** 200/495 – ½ P 250/335.

⟦XX⟧ **Prins Heerlijck**, Hoofdstraat 23, ⊠ 9244 CL, ℘ (0 512) 38 24 55, Fax (0 512) 38 33 71,
🍴, « Terrasse » – 🅿. 🅰🅴 ⓪ 🄴 *VISA* JⒸB
fermé mardi et prem. sem. janv. – **Repas** 55.

à Olterterp *NE : 2 km* © *Opsterland :*

⟦XX⟧ **Het Witte Huis** *avec ch, van Harinxmaweg 20,* ⊠ 9246 TL, ℘ (0 512) 38 22 22,
Fax (0 512) 38 23 07, 🍴 – 📺 ☎ 🅿 – 🔏 25 à 75. 🅰🅴 ⓪ 🄴 *VISA*. ⟦⟧ rest
fermé 1ᵉʳ janv. – **Repas** *(fermé lundi midi)* 53/90 – **8 ch** ⊑ 90/140 – ½ P 100/120.

BEILEN *Drenthe* **210** T 5 et **408** K 3 – *14 952 h.*
Amsterdam 169 – Assen 17 – Groningen 44 – Leeuwarden 70 – Zwolle 59.

à Spier *SO : 5 km* © *Beilen :*

⟦🏨⟧ **De Woudzoom,** Oude Postweg 2, ⊠ 9417 TG, ℘ (0 593) 56 26 45, Fax (0 593) 56 25 50,
🍴, « Terrasse », 🛋 – 📺 ☎ 🕹 🅿 – 🔏 25 à 250. 🅰🅴 ⓪ 🄴 *VISA*. ⟦⟧
fermé 28 déc.-10 janv. – **Repas** 66/73 – **35 ch** ⊑ 115/220 – ½ P 125/150.

BELFELD *Limburg* **211** Q 15 et **408** J 8 – *5 356 h.*
Amsterdam 172 – Eindhoven 61 – Maastricht 67 – Roermond 17.

⟦🏨⟧ **De Krekelberg,** Parallelweg 11 (NE : 2 km sur N 271), ⊠ 5951 AP, ℘ (0 77) 475 12 66,
Fax (0 77) 475 35 05, 🛋 – 📺 ☎ 🅿 – 🔏 100. 🅰🅴 🄴 *VISA*. ⟦⟧
Repas carte 57 à 70 – **7 ch** ⊑ 90/120.

BENEDEN-LEEUWEN *Gelderland* © *West Maas en Waal 17 729 h.* **211** N 11 et **408** H 6.
Amsterdam 90 – Arnhem 42 – 's-Hertogenbosch 34 – Nijmegen 30.

⟦🏨⟧ **De Twee Linden,** Zandstraat 100, ⊠ 6658 CX, ℘ (0 487) 59 12 34, Fax (0 487) 59 42 24
– 📺 ☎ 🅿 – 🔏 25 à 350. 🅰🅴 🄴 *VISA*. ⟦⟧
fermé 24 déc.-3 janv. – **Repas** (dîner pour résidents seult) – **14 ch** ⊑ 95/125 –
½ P 90/125.

⟦XX⟧ **Brouwershof,** Brouwersstraat 1, ⊠ 6658 AD, ℘ (0 487) 59 40 00, Fax (0 487)
59 40 40, 🍴 – 🅿 – 🔏 25 à 100. 🅰🅴 ⓪ 🄴 *VISA* JⒸB
fermé du 22 au 27 fév., 20 juil.-9 août et lundi – **Repas** *Lunch* 50 – 58/90.

BENNEBROEK *Noord-Holland* **210** H 9, **211** H 9 et **408** E 5 – *5 098 h.*
Voir *Vogelenzang* ⩽★ : *Tulipshow★ N : 1,5 km.*
Amsterdam 30 – Den Haag 37 – Haarlem 8 – Rotterdam 62.

⟦XX⟧ **De Jonge Geleerde Man,** Rijksstraatweg 51, ⊠ 2121 AB, ℘ (0 23) 584 87 32,
⟦⟧ Fax (0 23) 584 61 98, 🍴 – 🅿. 🅰🅴 ⓪ 🄴 *VISA* JⒸB
fermé lundi et du 1ᵉʳ au 5 janv. – **Repas** *Lunch* 48 – 58/68.

⟦XX⟧ **Les Jumeaux,** Bennebroekerlaan 19b, ⊠ 2121 GP, ℘ (0 23) 584 63 34,
Fax (0 23) 584 96 83, 🍴 – 🍽. 🅰🅴 ⓪ 🄴 *VISA*
Repas *Lunch* 48 – carte env. 70.

BENNEKOM *Gelderland* © *Ede 99 927 h.* **211** O 10 et **408** I 5.
Amsterdam 83 – Arnhem 21 – Apeldoorn 45 – Utrecht 45.

⟦XX⟧ **Het Koetshuis,** Panoramaweg 23a (E : 3 km), ⊠ 6721 MK, ℘ (0 318) 41 73 70,
⟦⟧ Fax (0 318) 42 01 16, 🍴, « Ancien hangar à chariots et lisière des bois » – 🅿. 🅰🅴 ⓪
🄴 *VISA*
Repas (dîner seult) 85 bc/105 bc, carte 76 à 96
Spéc. Tourte de cailles au shii-take. Lapin braisé aux raisins, sauce moutardée. Glace nou-
gatine au miel.

BENTVELD *Noord-Holland* **210** H 8 et **211** H 8 – *voir à Zandvoort.*

380

BERGAMBACHT Zuid-Holland 🔲🔲🔲 I 11 et 🔲🔲🔲 F 6 – 9 275 h.

Amsterdam 64 – Gouda 11 – Rotterdam 23 – Utrecht 34.

🏨 **De Arendshoeve,** Molenlaan 14 (O : par N 207), ⊠ 2861 LB, 𝒫 (0 182) 35 10 00 et
35 13 00 (rest), Fax (0 182) 35 11 55 et 35 39 69 (rest), �, 🚗, 🔲, 🚗, ⚒ – 🛗 ↭,
🍽 rest, 🔲 ☎ 🅟 – 🔏 25 à 150. 🆎 ⑩ 🅴 𝘝𝘐𝘚𝘈
voir rest **Puccini** ci-après – **Onder de Molen** (dîner seult) (fermé 31 déc.-2 janv.) 55/68
– 🖵 30 – **24 ch** (fermé 28 déc.-9 janv.) 215/425, 3 suites – ½ P 210/375.

🍴 **Puccini** – H. De Arendshoeve, Molenlaan 14 (O : par N 207), ⊠ 2861 LB,
𝒫 (0 182) 35 10 00, Fax (0 182) 35 11 55, 🌿 – 🍽 🅟 🆎 ⑩ 🅴 𝘝𝘐𝘚𝘈 𝘑𝘊𝘉. ⚒
fermé 28 déc.-9 janv. – **Repas** Lunch 55 – carte 105 à 119.

BERGEN Noord-Holland 🔲🔲🔲 I 6 et 🔲🔲🔲 F 3 – 14 162 h.

🅱 Plein 1, ⊠ 1861 JX, 𝒫 (0 72) 581 31 00, Fax (0 72) 581 38 90.

Amsterdam 45 – Alkmaar 6 – Haarlem 38.

🏨 **Parkhotel,** Breelaan 19, ⊠ 1861 GC, 𝒫 (0 72) 581 22 23, Fax (0 72) 589 74 35, 🌿
– 🛗 🔲 ☎ – 🔏 30 à 70. 🆎 ⑩ 🅴 𝘝𝘐𝘚𝘈 𝘑𝘊𝘉
Repas Lunch 23 – carte 45 à 63 – **26 ch** 🖵 100/160 – ½ P 98/108.

🏨 **Het Witte Huis,** Ruinelaan 15, ⊠ 1861 LK, 𝒫 (0 72) 581 25 30, Fax (0 72) 581 39 57,
🌿 – 🛗 🔲 ☎ 🅟 – 🔏 60. 🆎 ⑩ 🅴 𝘝𝘐𝘚𝘈. ⚒
Repas (dîner pour résidents seult) – **31 ch** 🖵 100/185 – ½ P 100/130.

🏨 **Sans Souci** ⚒, sans rest, Hoflaan 7, ⊠ 1861 CP, 𝒫 (0 72) 581 80 55, « Jardin » – 🔲
☎ 🅟. 🆎 🅴 𝘝𝘐𝘚𝘈. ⚒
5 ch 🖵 150.

🏨 **Duinpost** ⚒, Kerkelaan 5, ⊠ 1861 EA, 𝒫 (0 72) 581 21 50, Fax (0 72) 589 96 96, 🚗
– 🔲 ☎ 🅟.
avril-oct. – **Repas** (dîner pour résidents seult) – **16 ch** 🖵 75/120 – ½ P 73/88.

🍴 **De Kleine Prins,** Oude Prinsweg 29, ⊠ 1861 CS, 𝒫 (0 72) 589 69 69 – 🍽. 🆎 ⑩ 🅴
𝘝𝘐𝘚𝘈
fermé lundi et mardi – **Repas** (dîner seult) carte 59 à 79.

à Bergen aan Zee O : 5 km 🅒 Bergen – Station balnéaire.

🅱 Van der Wijckplein 8, ⊠ 1865 AP, 𝒫 (0 72) 581 24 00, Fax (0 72) 581 31 73

🏨 **Nassau Bergen,** Van der Wijckplein 4, ⊠ 1865 AP, 𝒫 (0 72) 589 75 41,
Fax (0 72) 589 70 44, ≤, 𝑓₆, 🔲 – 🔲 ☎ 🅟 – 🔏 25 à 60. 🅴 𝘝𝘐𝘚𝘈. ⚒ rest
fermé 24 déc.-2 janv. – **Repas** (résidents seult) – **42 ch** 🖵 145/270 – ½ P 195/235.

🏨 **Victoria,** Zeeweg 33, ⊠ 1865 AB, 𝒫 (0 72) 581 23 58, Fax (0 72) 589 60 01, ⚒ –
🍽 rest, 🔲 ☎ 🅟 – 🔏 25. 🆎 ⑩ 🅴 𝘝𝘐𝘚𝘈
Repas (Taverne-rest) carte env. 50 – **30 ch** 🖵 85/190 – ½ P 115/150.

🏨 **Prins Maurits,** Van Hasseltweg 7, ⊠ 1865 AL, 𝒫 (0 72) 581 23 64, Fax (0 72) 581 82 98 –
🔲 ☎ 🚗 🅟. ⚒ rest
mars-oct. – **Repas** (dîner pour résidents seult) – **22 ch** 🖵 85/175 – ½ P 105/120.

BERG EN DAL Gelderland 🔲🔲🔲 P 12 et 🔲🔲🔲 I 6 – voir à Nijmegen.

BERG EN TERBLIJT Limburg 🔲🔲🔲 O 16 et 🔲🔲🔲 I 9 – voir à Valkenburg.

BERGEN OP ZOOM Noord-Brabant 🔲🔲🔲 F 14 et 🔲🔲🔲 D 7 – 48 735 h.

Voir Markiezenhof★ AY M¹.

📠 par ② : 9 km, Zoomvlietweg 66, ⊠ 4624 RP, 𝒫 (0 165) 37 96 42, Fax (0 165) 37 98 88.

🅱 Beursplein 7, ⊠ 4611 JG, 𝒫 (0 164) 26 60 00, Fax (0 164) 24 60 31.

Amsterdam 143 ② – 's-Hertogenbosch 90 ② – Antwerpen 39 ③ – Breda 40 ② –
Rotterdam 70 ②.

Plan page suivante

🏨 **Mercure De Draak,** Grote Markt 36, ⊠ 4611 NT, 𝒫 (0 164) 25 20 50,
Fax (0 164) 25 70 01, 🌿 – 🛗 ↭, 🍽 ch, 🔲 ☎ 🅟 – 🔏 25 à 120. 🆎 ⑩ 🅴 𝘝𝘐𝘚𝘈 𝘑𝘊𝘉.
⚒   AY a
Repas *De Beurze* (fermé sam. midi, dim. midi, et août) Lunch 55 – 63/80 – **48 ch**
🖵 215/295, 3 suites.

🏨 **De Gouden Leeuw** sans rest, Fortuinstraat 14, ⊠ 4611 NP, 𝒫 (0 164) 23 50 00,
Fax (0 164) 23 60 01 – 🛗 🔲 ☎. 🆎 ⑩ 🅴 𝘝𝘐𝘚𝘈 𝘑𝘊𝘉. ⚒   AY c
27 ch 🖵 105/175.

BERGEN OP ZOOM

Fortuinstr.	AY	13
Kortemeestr.	AZ	23
Kremerstr.	AY	24
Zuivelstr.	BY	43

Antwerpsestraatweg	BZ	3
Arn. Asselbergsstr.	BY	4

Auvergnestr.	AZ	6
Blauwehandstr.	BY	7
Boutershemstr.	AZ	8
Burg. Stulemeijerlaan	AY	9
Burg. van Hasseltstr.	BZ	10
Glymesstr.	AZ	14
Grote Markt	AY	15
Halsterseweg	AY	16
Kerkstr.	BZ	20
Kloosterstr.	BZ	22

Lange Parkstr.	BY	25
Lieve Vrouwestr.	AY	26
Minderbroedersstr.	ABY	28
van Overstratenlaan	AY	30
van der Rijtstr.	BY	32
St. Josephstr.	BYZ	34
Stationsstr.	BY	36
Steenbergsestr.	BY	37
Rooseveltlaan	BZ	39
Wouwsestraatweg	BY	41

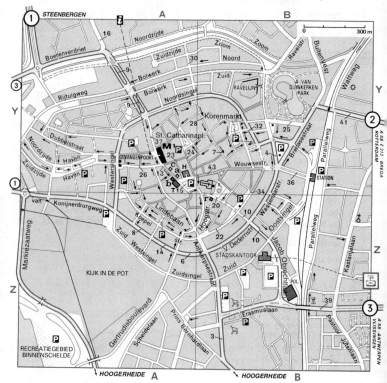

Moerstede, Vogelenzang 5 (Moerstraatsebaan, N : 2 km), ⊠ 4614 PP, ℰ (0 164) 25 88 00, Fax (0 164) 25 99 21, ☂, « Cadre de verdure » – 🗏 ℗ – 🔏 40. par Ravelstraat BY
AE ➀ E VISA
fermé lundi – **Repas** *Lunch* 58 – 80.

La Pucelle, Hofstraat 2a (dans le musée Markiezenhof **M'**), ⊠ 4611 TJ, ℰ (0 164) 26 64 45, Fax (0 164) 25 93 77 – AE ➀ E VISA JCB
AY
fermé du 2 au 17 août, 25 déc.-1er janv. et dim. – **Repas** 55/128.

De Fortuyn, Molstraat 1, ⊠ 4611 NL, ℰ (0 164) 23 43 40, Fax (0 164) 26 53 82 – 🗏.
AE E VISA, ✀
AY b
fermé lundi et 1 sem. carnaval – **Repas** *Lunch* 50 – carte 67 à 95.

Napoli, Kerkstraat 10, ⊠ 4611 NV, ℰ (0 164) 24 37 04, Cuisine italienne – AE ➀ E VISA
BZ r
fermé 24 et 31 déc. – **Repas** 45/105.

De Bloemkool, Wouwsestraatweg 146 (par ②), ⊠ 4623 AS, ℰ (0 164) 23 30 45, Fax (0 164) 21 01 22, ☂ – ℗ AE ➀ E VISA
fermé mardi, sam. midi et dim. midi – **Repas** 50 bc/85 bc.

Voor een overzicht van de Benelux gebruikt u de **Michelinkaart**
Benelux 🔢 schaal 1 : 400 000.

BEST Noord-Brabant 𝟮𝟭𝟭 M 13 et 𝟰𝟬𝟴 H 7 – 23 891 h.

ᵢ₈ Golflaan 1, ✉ 5683 RZ, ℰ (0 499) 39 14 43, Fax (0 499) 39 32 21.
Amsterdam 111 – 's-Hertogenbosch 22 – Breda 53 – Eindhoven 11.

🏨 **Days Inn** ⌂, De Maas 2 (S : 2 km par A 58), ✉ 5684 PL, ℰ (0 499) 39 01 00,
Fax (0 499) 39 16 50, 🍴, 🔲 – 📶 ⇄ 📺 ☎ ઙ 🅿 – 🔏 25 à 250. 🆎 ⓪ Ⲉ 𝘝𝘐𝘚𝘈 ᴊᴄʙ.
🞧 rest
Repas Lunch 30 – carte env. 65 – 😐 28 – **68 ch** 125/155 – ½ P 150/180.

✕✕ **Le Bouquet** 1ᵉʳ étage, Golflaan 1 (SE : 2 km, au golf), ✉ 5683 RZ, ℰ (0 499) 39 33 74,
Fax (0 499) 39 30 59, ≼ parcours de golf, 🍴 – 🔲 🅿 – 🔏 25 à 125. 🆎 ⓪ Ⲉ 𝘝𝘐𝘚𝘈. 🞧
fermé 2 prem. sem. fév. – **Repas** Lunch 53 – 73.

BEUNINGEN Gelderland 𝟮𝟭𝟭 O 11 et 𝟰𝟬𝟴 I 6 – voir à Nijmegen.

BEVERWIJK Noord-Holland 𝟮𝟭𝟬 H 8 et 𝟰𝟬𝟴 E 4 – 35 637 h.
Amsterdam 26 – Alkmaar 22 – Haarlem 13.

✕✕✕ **'t Gildehuys,** Baanstraat 32, ✉ 1942 CJ, ℰ (0 251) 22 15 15, Fax (0 251) 21 38 66,
🍴 – 𝘝𝘐𝘚𝘈
fermé lundi et 23 déc.-4 janv. – **Repas** (dîner seult) 50.

✕✕ **Ind' Hooghe Heeren** 1ᵉʳ étage, Meerstraat 82, ✉ 1941 JD, ℰ (0 251) 21 18 77,
Fax (0 251) 21 44 67 – 🆎 ⓪ Ⲉ 𝘝𝘐𝘚𝘈
fermé lundi et 2 prem. sem. août – **Repas** 50/80.

✕ **de Halewijn,** Duinwijklaan 46, ✉ 1942 GC, ℰ (0 251) 22 08 59, 🍴 – 🆎 ⓪ Ⲉ 𝘝𝘐𝘚𝘈
ᴊᴄʙ. 🞧
fermé mardi – **Repas** 50.

BIDDINGHUIZEN Flevoland 🅒 Dronten 30 917 h. 𝟮𝟭𝟬 O 8 et 𝟰𝟬𝟴 I 4.
Amsterdam 70 – Apeldoorn 58 – Utrecht 74 – Zwolle 41.

🏨 **Dorhout Mees** ⌂, Strandgaperweg 30 (S : 6 km, direction Veluwemeer), ✉ 8256 PZ,
ℰ (0 321) 33 11 38, Fax (0 321) 33 10 57, 🕿 – 📶 📺 ☎ 🅿 – 🔏 25 à 300
fermé Pâques, Pentecôte, 25 et 26 déc. et 1ᵉʳ janv. – **Repas** carte 59 à 100 – **42 ch**
😐 140/300 – ½ P 185/360.

✕ **De Klink,** Bremerbergdijk 27 (SE : 8 km, Veluwemeer), ✉ 8256 RD, ℰ (0 321) 33 14 65,
Fax (0 321) 33 41 43, ≼, 🍴, 🔲 – 🅿. 🞧
avril-sept. ; fermé lundi – **Repas** carte env. 45.

De BILT Utrecht 𝟮𝟭𝟭 K 10 et 𝟰𝟬𝟴 G 5 – 32 562 h.
Amsterdam 49 – Utrecht 6 – Apeldoorn 65.

🏨 **Motel De Biltsche Hoek,** De Holle Bilt 1 (sur N 225), ✉ 3732 HM, ℰ (0 30) 220 58 11,
Fax (0 30) 220 28 12, 🍴, 🔲 – 📶 📺 ☎ 🅿 – 🔏 25 à 250. 🆎 ⓪ Ⲉ 𝘝𝘐𝘚𝘈. 🞧 ch
Repas (ouvert jusqu'à minuit) 45/75 – **102 ch** 😐 111/132.

BILTHOVEN Utrecht 🅒 De Bilt 32 562 h. 𝟮𝟭𝟭 L 10 et 𝟰𝟬𝟴 G 5.
Amsterdam 48 – Utrecht 9 – Apeldoorn 65.

🏨 **Heidepark** ⌂, Jan Steenlaan 22, ✉ 3723 BV, ℰ (0 30) 228 24 77, Fax (0 30) 229 21 84,
🍴 – 🍽 rest, 📺 ☎ 🅿 – 🔏 25 à 200. 🆎 ⓪ Ⲉ 𝘝𝘐𝘚𝘈
Repas *Rib Room* Lunch 50 - carte env. 75 – 😐 18 – **20 ch** 120/200 – ½ P 193/223.

✕ **De Kuuk,** Soestdijkseweg Noord 492 (N : 2 km), ✉ 3723 HM, ℰ (0 30) 225 00 52,
Fax (0 30) 225 00 35 – 🍽 🅿. 🆎 ⓪ Ⲉ 𝘝𝘐𝘚𝘈
fermé lundi, sam. midi, 21 juil.-3 août et 27 déc.-4 janv. – **Repas** Lunch 38 – carte env. 60.

BLADEL Noord-Brabant 🅒 Bladel en Netersel 10 575 h. 𝟮𝟭𝟭 L 14 et 𝟰𝟬𝟴 G 7.
🏢 Markt 20, ✉ 5531 BC, ℰ (0 497) 38 33 00, Fax (0 497) 38 59 22.
Amsterdam 141 – 's-Hertogenbosch 52 – Antwerpen 67 – Eindhoven 21.

🏨 **Bladel,** Europalaan 75, ✉ 5531 BE, ℰ (0 497) 38 33 19, Fax (0 497) 38 36 30 – 📺 ☎
🔏 25. 🆎 ⓪ Ⲉ 𝘝𝘐𝘚𝘈 ᴊᴄʙ. 🞧
Repas carte 45 à 78 – **10 ch** 😐 95/130 – ½ P 110/140.

✕✕ **De Hofstee,** Snierslaan 121, ✉ 5531 EK, ℰ (0 497) 38 15 00, Fax (0 497) 38 80 93,
🍴, « Ancienne fermette avec terrasse et jardin » – 🅿
fermé merc. et sam. midi – **Repas** Lunch 55 – carte 60 à 75.

BLARICUM Noord-Holland **210** L 9, **211** L 9 et **408** G 5 – 10 064 h.

Amsterdam 34 – Apeldoorn 63 – Hilversum 9 – Utrecht 24.

XX **Rust Wat**, Schapendrift 79, ⌂ 1261 HP, ℰ (0 35) 538 32 86, 佘, « Auberge avec terrasse au bord de l'eau » – **Q**. **AE** **①** **E** **VISA** **JCB**
fermé lundi et fin déc. – **Repas** Lunch 49 – 65.

XX **Nelson's**, Huizerweg 1, ⌂ 1261 AR, ℰ (0 35) 531 56 93, 佘, Produits de la mer, « Terrasse ombragée » – **AE** **①** **E** **VISA** **JCB**
fermé merc. – **Repas** (dîner seult) 55.

BLERICK Limburg **211** Q 14 et **408** J 7 – voir à Venlo.

BLOEMENDAAL Noord-Holland **210** H 8, **211** H 8 et **408** E 4 – voir à Haarlem.

BLOKZIJL Overijssel **ⓒ** Brederwiede 12 102 h. **210** P 6 et **408** I 3.

Amsterdam 102 – Zwolle 33 – Assen 66 – Leeuwarden 65.

🏠 **Kaatje bij de Sluis** 🦢, Brouwerstraat 20, ⌂ 8356 DV, ℰ (0 527) 29 18 33,
✸✸ Fax (0 527) 29 18 36, ≤, 佘, « Terrasse et jardin le long d'un croisement de canaux »,
佘, 🏓 – 🖳 📺 ☎ **Q**. **AE** **①** **E** **VISA**
fermé lundi, mardi, sam. midi, fév. et fin déc.-début janv. – **Repas** 98, carte 110 à 165
– ⌂ 38 – **8 ch** 210/270 – ½ P 208/308
Spéc. Carpaccio de hareng au caviar. Gratin de homard aux tomates et basilic. Feuillantine
aux chocolat et pamplemousse rose.

BODEGRAVEN Zuid-Holland **211** I 10 et **408** F 5 – 19 131 h.

Amsterdam 48 – Den Haag 45 – Rotterdam 37 – Utrecht 30.

🏠 **AC Hotel**, Goudseweg 32 (près A 12, sortie ⑫), ⌂ 2411 HL, ℰ (0 172) 65 00 03,
🍴 Fax (0 172) 61 81 01 – 📳 ↩️, ☰ rest, 📺 ☎ ⅙ **Q** – 🔬 25 à 250. **AE** **①** **E** **VISA**
Repas (avec buffet) 45 – ⌂ 15 – **64 ch** 115.

BOEKEL Noord-Brabant **211** O 13 et **408** I 7 – 9 022 h.

Amsterdam 119 – 's-Hertogenbosch 31 – Eindhoven 31 – Nijmegen 43.

XX **Brabants Hof**, Erpseweg 16 (O : 1 km), ⌂ 5427 PG, ℰ (0 492) 32 20 03,
Fax (0 492) 32 46 60, 佘, « Ferme du 18ᵉ s., terrasse et jardin anglais » – **Q**. **AE** **①** **E**
VISA
fermé lundi et 2 dern. sem. juil.-prem. sem. août – **Repas** carte env. 80.

BOEKELO Overijssel **211** U 9 et **408** L 5 – voir à Enschede.

BOLLENVELDEN (CHAMPS DE FLEURS) ★★★ Zuid-Holland **210** H 11 à J 5, **211** G 9 - H 8 et **408** E 5 à G 3 G. Hollande.

BOLSWARD Friesland **210** N 4 et **408** H 2 – 9 336 h.

Voir Hôtel de ville★ (Stadhuis) – Stalles★ et chaire★ de l'église St-Martin (Martinikerk).
Exc. SO : Digue du Nord★★ (Afsluitdijk).
🛈 Marktplein 1, ⌂ 8701 KG, ℰ (0 515) 57 27 27, Fax (0 515) 57 77 18.
Amsterdam 114 – Leeuwarden 30 – Zwolle 85.

🏠 **Hid Hiero Hiem** 🦢, Kerkstraat 51, ⌂ 8701 HR, ℰ (0 515) 57 52 99 et 57 48 97 (rest),
Fax (0 515) 57 34 45, 佘 – 📺 ☎ **Q**. **AE** **①** **E** **VISA** **JCB**. 🛠 rest
Repas (dîner seult) (fermé dim. et lundi) 68 – ⌂ 18 – **14 ch** 125/150 – ½ P 133.

🏠 **De Wijnberg**, Marktplein 5, ⌂ 8701 KG, ℰ (0 515) 57 22 20, Fax (0 515) 57 26 65, 佘,
⇔ – 📳 📺 – 🔬 25 à 75. **AE** **①** **E** **VISA** **JCB**
Repas carte 45 à 82 – **31 ch** ⌂ 68/150 – ½ P 85/100.

BORCULO Gelderland **211** T 10 et **408** K 5 – 10 204 h.

🛈 Hofstraat 5, ⌂ 7271 AP, ℰ (0 545) 27 19 66, Fax (0 545) 27 14 05.
Amsterdam 134 – Arnhem 61 – Apeldoorn 48 – Enschede 34.

XX **De Stenen Tafel**, Het Eiland 1, ⌂ 7271 BK, ℰ (0 545) 27 20 30, Fax (0 545) 27 33 36,
佘, « Moulin à eau du 17ᵉ s. » – **Q**. **AE** **E** **VISA**
fermé sam. midi, dim. midi et lundi – **Repas** Lunch 50 – 70/90.

BORGER Drenthe 210 U 5 et 408 L 3 – 12 989 h.

Voir Hunebed★ (dolmen).

Amsterdam 198 – Assen 22 – Groningen 39.

🏠 **Bieze,** Hoofdstraat 21, ☒ 9531 AA, ℰ (0 599) 23 43 21, Fax (0 599) 23 61 45 – 📺 ☎
⊕ – 🏄 25 à 150. 🏧 ⓪ 🇪 𝘝𝘐𝘚𝘈 𝗝𝗖𝗕. ℀ rest
fermé 1er janv. – **Repas** Lunch 28 – carte 55 à 75 – **28 ch** ⊑ 83/140 – ½ P 103/116.

BORN Limburg 211 O 16 et 408 I 8 – 14 749 h.

Amsterdam 190 – Maastricht 28 – Aachen 43 – Eindhoven 62 – Roermond 23.

🏨 **Golden Tulip,** Langereweg 21 (E : 2 km près A 2), ☒ 6121 SB, ℰ (0 46) 485 16 66,
☜ Fax (0 46) 485 12 23, ⇔, ℀ – 📶 ⇆, 🍽 ch, 📺 ☎ ⊕ – 🏄 25 à 200. 🏧 ⓪ 🇪 𝘝𝘐𝘚𝘈
𝗝𝗖𝗕
Repas 45/69 – ⊑ 15 – **59 ch** 132/160.

BORNE Overijssel 210 U 9, 211 U 9 et 408 L 5 – 21 778 h.

🅱 Nieuwe Markt 7, ☒ 7622 DD, ℰ (0 74) 266 65 02, Fax (0 74) 266 93 01.

Amsterdam 145 – Apeldoorn 61 – Arnhem 83 – Groningen 135 – Munster 77.

à Hertme N : 3 km 🆑 Borne :

🏨 **Jachtlust** ⊜, Weerselosestraat 306, ☒ 7626 LJ, ℰ (0 74) 266 16 65,
Fax (0 74) 266 81 50, ⇔, ℀ – 📺 ☎ ⊕. 🏧 🇪 𝘝𝘐𝘚𝘈. ℀
Repas carte 60 à 75 – **19 ch** ⊑ 110/125 – ½ P 90/110.

Den BOSCH 🅿 Noord-Brabant – voir 's-Hertogenbosch.

BOSCH EN DUIN Utrecht 211 L 10 et 408 G 5 – voir à Zeist.

BOSSCHENHOOFD Noord-Brabant 211 H 13 et 408 E 7 – voir à Roosendaal.

BOXMEER Noord-Brabant 211 P 13 et 408 I 7 – 20 503 h.

Amsterdam 139 – 's-Hertogenbosch 57 – Eindhoven 46 – Nijmegen 31.

🏰 **van Diepen,** Spoorstraat 74, ☒ 5831 CM, ℰ (0 485) 57 13 45, Fax (0 485) 57 62 13
☜ – 📺 ☎ ⊕ – 🏄 25 à 100. 🏧 ⓪ 🇪 𝘝𝘐𝘚𝘈
fermé 24 déc.-5 janv. – **Repas** (fermé sam.) 45 – **18 ch** ⊑ 105/145 – ½ P 98/130.

🏠 **Riche,** Steenstraat 51, ☒ 5831 JB, ℰ (0 485) 57 82 22, Fax (0 485) 57 81 01 – 📺 ☎
⇌ ⊕ – 🏄 25 à 150. 🏧 ⓪ 🇪 𝘝𝘐𝘚𝘈
Repas (fermé sam. et dim.) carte 63 à 93 – **22 ch** ⊑ 95/155 – ½ P 130.

BOXTEL Noord-Brabant 211 L 13 et 408 G 7 – 29 035 h.

Amsterdam 101 – 's-Hertogenbosch 12 – Breda 48 – Eindhoven 21.

🏠 **Aub. Van Boxtel,** Stationsplein 2, ☒ 5281 GH, ℰ (0 411) 67 22 37, Fax (0 411) 67 41 24
– 🍽 rest, 📺 ☎ ⊕ – 🏄 30. 🏧 ⓪ 🇪 𝘝𝘐𝘚𝘈 𝗝𝗖𝗕
Repas Lunch 45 – carte 55 à 80 – **11 ch** ⊑ 80/130.

🍽🍽 **De Ceulse Kaar,** Eindhovenseweg 41 (SE : 2 km), ☒ 5283 RA, ℰ (0 411) 67 62 82,
Fax (0 411) 68 52 12, ⇔, « Auberge du 18e s. » – ⊕. 🏧 ⓪ 🇪 𝘝𝘐𝘚𝘈 𝗝𝗖𝗕
fermé lundi, mardi et 27 déc.-2 janv. – **Repas** Lunch 43 – 45/70.

🍽🍽 **De Negenmannen,** Fellenoord 8, ☒ 5281 CB, ℰ (0 411) 67 85 64, Fax (0 411)
67 62 76 – 🍽. 🏧 ⓪ 🇪 𝘝𝘐𝘚𝘈. ℀
fermé du 1er au 6 mars, du 3 au 27 août et merc. – **Repas** (dîner seult) carte 54 à 76.

BRAAMT Gelderland 211 R 11 – voir à Zeddam.

BREDA Noord-Brabant 211 I 13 et 408 F 7 – 130 033 h. – Casino B , Bijster 30, ☒ 4817 HX,
ℰ (0 76) 525 11 00, Fax (0 76) 522 50 29.

Voir Carnaval★ – Grande église ou Église Notre-Dame★ (Grote- of O. L. Vrouwekerk) :
clocher★, tombeau★ d'Englebert II de Nassau C **B** – Valkenberg★ D.

Env. N : Parc national De Biesbosch★ : promenade et bateau★ par ①.

Exc. Raamsdonksveer par ① : 15 km : Musée national de l'Automobile★.

🏌 à Molenschot par ② : 4 km, Veenstraat 89, ☒ 5124 NC, ℰ (0 161) 41 12 00,
Fax (0 161) 41 17 15.

🅱 Willemstraat 17, ☒ 4811 AJ, ℰ (0 76) 522 24 44, Fax (0 76) 521 85 30.

Amsterdam 103 ① – Antwerpen 56 ⑤ – Rotterdam 52 ⑦ – Tilburg 22 ② – Utrecht 72 ①.

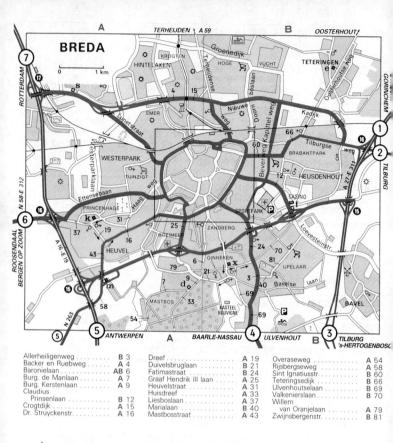

Allerheiligenweg	**B** 3
Backer en Ruebweg	**A** 4
Baronielaan	**AB** 6
Burg. de Manlaan	**A** 7
Burg. Kerstenlaan	**A** 9
Claudius Prinsenlaan	**B** 12
Crogtdijk	**A** 15
Dr. Struyckenstr.	**A** 16

Dreef	**A** 19
Duivelsbruglaan	**B** 21
Fatimastraat	**B** 24
Graaf Hendrik III laan	**A** 25
Heuvelstraat	**A** 31
Huisdreef	**A** 33
Liesboslaan	**A** 37
Marialaan	**B** 40
Mastbosstraat	**A** 43

Overaseweg	**A** 54
Rijsbergseweg	**A** 58
Sint Ignatiusstr.	**B** 60
Teteringsedijk	**B** 66
Ulvenhoutselaan	**B** 69
Valkenierslaan	**B** 70
Willem van Oranjelaan	**A** 79
Zwijnsbergenstr.	**B** 81

Mercure, Stationsplein 14, ⊠ 4811 BB, ℰ (0 76) 522 02 00, Fax (0 76) 521 49 67, 🏤 – 🛊 ⇆ ▤ 🖵 ☎ 🅿 – 🕍 25 à 180. 🆎 ⓪ 🗲 𝗩𝗜𝗦𝗔 𝖩𝖢𝖡
CD **b**
Repas (fermé sam. et dim. midi) carte env. 65 – � 20 – **40 ch** 155/230.

Novotel, Dr. Batenburglaan 74, ⊠ 4837 BR, ℰ (0 76) 565 92 20, Fax (0 76) 565 87 58, 🏤, 🌲, 🏊, ⁂ – 🛊 ⇆ ▤ 🖵 ☎ & 🅿 – 🕍 25 à 150. 🆎 ⓪ 🗲 𝗩𝗜𝗦𝗔 𝖩𝖢𝖡   A **m**
Repas carte 62 à 83 – � 23 – **106 ch** 180.

Brabant, Heerbaan 4, ⊠ 4817 NL, ℰ (0 76) 522 46 66, Fax (0 76) 521 95 92, ⓢ, 🖾 – 🛊 🖵 ☎ 🅿 – 🕍 25 à 300. 🆎 ⓪ 🗲 𝗩𝗜𝗦𝗔 𝖩𝖢𝖡
B **f**
Repas 35/70 – **71 ch** ⊇ 225 – ½ P 170/255.

Keyser, Keizerstraat 5, ⊠ 4811 HL, ℰ (0 76) 520 51 73, Fax (0 76) 520 52 25 – 🛊 🖵 ☎ ⬜ – 🕍 30. 🆎 ⓪ 🗲 𝗩𝗜𝗦𝗔 𝖩𝖢𝖡 ⁂
D **h**
Repas (fermé carnaval et 1er janv.) Lunch 35 – 40/50 – ⊇ 15 – **20 ch** 120/135 – ½ P 110/150.

Bastion, Lage Mosten 4, ⊠ 4822 NJ, ℰ (0 76) 542 04 03, Fax (0 76) 542 06 03 – 🖵 ☎ 🅿. 🆎 ⓪ 🗲 𝗩𝗜𝗦𝗔. ⁂
A **s**
Repas (grillades, ouvert jusqu'à 23 h) 45 – **40 ch** ⊇ 110/125.

Mirabelle, Dr. Batenburglaan 76, ⊠ 4837 BR, ℰ (0 76) 565 66 50, Fax (0 76) 565 50 40, 🏤 – 🅿 – 🕍 25 à 40. 🆎 ⓪ 🗲 𝗩𝗜𝗦𝗔 𝖩𝖢𝖡. ⁂
A **m**
fermé dim. – **Repas** 50.

Bali, Markendaalseweg 68, ⊠ 4811 KD, ℰ (0 76) 521 32 06, Fax (0 76) 520 64 64, Cuisine indonésienne – ▤. 🆎 ⓪ 🗲 𝗩𝗜𝗦𝗔. ⁂
C **f**
Repas 47.

La Grille d'Or, Nieuwe Ginnekenstraat 20, ⊠ 4811 NR, ℰ (0 76) 520 43 33 – 🆎 ⓪ 🗲 𝗩𝗜𝗦𝗔 𝖩𝖢𝖡
C **r**
fermé lundi, mardi, carnaval et 3 prem. sem. sept. – **Repas** 53/93.

386

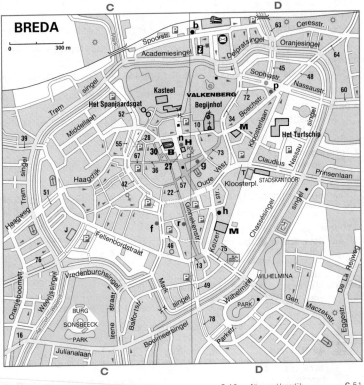

BREDA

0 _____ 300 m

Eindstraat	C 22	Dr. Struyckenstr.	C 16	Nieuwe Haagdijk	C 51
Ginnekenstraat	C	Haven	C 28	Nieuwe Prinsenkade	C 52
Grote Markt	C 27	Havermarkt	C 30	Prinsenkade	C 55
Lange Brugstraat	C 36	J. F. Kennedylaan	D 34	Sint Ignatiusstraat	D 60
Ridderstraat	C 57	Lunetstraat	C 39	Terheijdenstraat	D 63
Tolbrugstraat	C 67	Markendaalseweg	C 42	Teteringenstraat	D 64
Veemarktstraat	D 73	Mauritsstraat	D 45	Valkenstraat	D 72
		Mr. Dr. Frederickstr.	C 46	Vierwindenstraat	D 75
Catharinastraat	CD 10	Nieuwe Boschstraat	D 48	Vincent van Goghstr.	C 76
van Coothplein	CD 13	Nieuwe Ginnekenstraat	CD 49	Wilhelminastraat	D 78

✃✃ **den Coninck van Vranckrijk,** St. Janstraat 21, ✉ 4811 ZK, ℮ (0 76) 514 38 92 –
AE ⓞ E *VISA*   D g
fermé dim., lundi, carnaval et 3 dern. sem. août – **Repas** (dîner seult) 60/90.

✃ **Walliser Stube,** Grote Markt 44, ✉ 4811 XS, ℮ (0 76) 521 50 27, 😁 – AE ⓞ
E *VISA*   C n
fermé lundi – **Repas** Lunch 33 – 35/50.

✃ **De Pepermolen,** Korte Boschstraat 8, ✉ 4811 ES, ℮ (0 76) 521 73 74 – ■. AE ⓞ
E *VISA*. ✂   D p
fermé dim., lundi et du 2 au 16 août – **Repas** carte 59 à 75.

à Ginneken C *Breda :*

✃✃ **Vivaldi,** Ginnekenweg 309, ✉ 4835 NC, ℮ (0 76) 560 02 01, Fax (0 76) 565 20 42, 😁
– AE ⓞ E *VISA*. ✂   B x
fermé dim., carnaval et 2 prem. sem. août – **Repas** Lunch 50 – 60/80.

au Mastbos :

🏨 **Mastbosch,** Burg. Kerstenslaan 20, ✉ 4837 BM, ℮ (0 76) 565 00 50, Fax (0 76)
560 00 40, 😁 – 🕘 TV ☎ P – ⚔ 25 à 120. AE ⓞ E *VISA*. ✂   A d
Repas 50/68 – **51 ch** 🛌 125/175 – ½ P 165/190.

à Princenhage C *Breda* :

XXX **Le Canard,** Haagsemarkt 22, ✉ 4813 BB, ℘ (0 76) 522 16 40, *Fax (0 76) 522 68 03*, 🏖, « Terrasse » – AE ⓓ E VISA A k
fermé dim., lundi, sem. carnaval et dern. sem. juil.-prem. sem. août – **Repas** *Lunch 48* – 58/98.

à Bavel *par ③ : 5 km* C *Nieuw-Ginneken 12 020 h* :

XX **Vanouds' de Brouwers,** Gilzeweg 24, ✉ 4854 SG, ℘ (0 161) 43 22 72, *Fax (0 161) 43 39 67*, 🏖, « Terrasse » – P. AE E. ✂
fermé sam. midi, dim. midi, lundi et mardi – **Repas** *Lunch 49* – 60/79.

à Dorst *par ② : 5 km* C *Oosterhout 51 046 h* :

X **de Beijerse Hoeve,** Rijksweg 118, ✉ 4849 BS, ℘ (0 161) 41 12 82, *Fax (0 161) 41 12 82* – P. E
fermé merc. – **Repas** (dîner seult) carte 52 à 68.

à Teteringen *NE : 2,5 km – 5 623 h.*

XXX **Boschlust,** Oosterhoutseweg 139, ✉ 4847 DB, ℘ (0 76) 571 33 83, *Fax (0 76) 571 17 47*, 🏖 – P. AE ⓓ E VISA JCB. ✂ B
fermé lundi et 2 prem. sem. août – **Repas** *Lunch 49* – carte 63 à 80.

XX **Heestermans,** A. Oomenstraat 1a, ✉ 4847 DH, ℘ (0 76) 571 32 59, 🏖 – P. AE ⓓ E VISA B e
fermé dim., lundi et 2 dern. sem. juil.-2 prem. sem. août – **Repas** 55/85.

à l'Ouest : *par ⑥ : 8 km* :

XX **Boswachter Liesbosch,** Nieuwe Dreef 4, ✉ 4839 AJ, ℘ (0 76) 521 27 36, *Fax (0 76) 520 06 34*, 🏖, « Dans les bois » – P – 🎤 25. AE ⓓ E VISA. ✂
fermé lundi – **Repas** 45/88.

BRESKENS *Zeeland* C *Oostburg 17 780 h.* **211** B 14 et **408** B 7.

⛴ *vers Vlissingen : Prov. Stoombootdiensten Zeeland ℘ (0 117) 38 16 63. Durée de la traversée : 20 min. Prix passager : gratuit (en hiver) et 1,00 Fl (en été) ; voiture : 11,00 Fl (en hiver) et 16,00 Fl (en été).*

ℹ *Boulevard 14, ✉ 4511 AC, ℘ (0 117) 38 18 88.*

Amsterdam 205 – Middelburg 8 – Antwerpen 87 – Brugge 41.

🏨 **de Milliano** 🌿 sans rest, Promenade 4, ✉ 4511 RB, ℘ (0 117) 38 18 55, *Fax (0 117) 38 35 92*, ≤ embouchure de l'Escaut (Schelde), 🏖 – TV ☎ P. AE ⓓ E VISA
24 ch ☕ 120/170.

🏠 **Scaldis,** Langeweg 3, ✉ 4511 GA, ℘ (0 117) 38 24 20, *Fax (0 117) 38 60 21* – ☎ P – 🎤 30. E VISA JCB. ✂ ch
fermé fin oct.-mi-nov. – **Repas** *Lunch 30* – carte 55 à 85 – **12 ch** ☕ 145.

XX **de Milliano,** Scheldekade 27, ✉ 4511 AW, ℘ (0 117) 38 18 12, *Fax (0 117) 38 35 92*, Produits de la mer – P. AE ⓓ E VISA
fermé lundi et janv. – **Repas** *Lunch 43* – 80 (2 pers. min.).

BREUGEL *Noord-Brabant* C *Son en Breugel 14 627 h.* **211** N 13 et **408** H 7.

Amsterdam 114 – 's-Hertogenbosch 27 – Eindhoven 8.

XX **de Gertruda Hoeve,** Van den Elsenstraat 23, ✉ 5694 ND, ℘ (0 499) 47 10 37, *Fax (0 499) 47 68 84*, 🏖, « Ferme du 17e s. » – P. AE ⓓ E VISA. ✂
fermé lundi, mardi et 10 juil.-4 août – **Repas** 55/80.

BREUKELEN *Utrecht* **211** K 9 et **408** G 5 – *13 912 h.*

Env. *S : route* ≤★.

Amsterdam 27 – Utrecht 14.

🏨 **Motel Breukelen,** Stationsweg 91 (près A 2), ✉ 3621 LK, ℘ (0 346) 26 58 88, *Fax (0 346) 26 28 94*, 🏖, « Pavillon et jardin chinois », 🏊 – 🛗 ✂ ▤ TV ☎ P – 🎤 25 à 180. AE ⓓ E VISA. ✂ ch
Repas (ouvert jusqu'à minuit) carte 45 à 62 – ☕ 23 – **137 ch** 110, 4 suites – ½ P 97/152.

XX **Slangevegt,** Straatweg 40, ✉ 3621 BN, ℘ (0 346) 25 00 11, *Fax (0 346) 25 04 11*, ≤, 🏖, « Demeure du 18e s. au bord de l'eau, terrasses », ⚓ – P. E VISA. ✂
Repas 53.

XX **L'Escargot,** Stationsweg 1, ✉ 3621 LJ, ℘ (0 346) 26 32 22, *Fax (0 346) 26 39 48*, 🏖, Ouvert jusqu'à 23 h – E VISA
fermé merc. et 3 dern. sem. juil. – **Repas** *Lunch 43* – 70.

X **Bisantiek,** Stationsweg 16, ✉ 3621 LL, ℘ (0 346) 26 34 40 – AE ⓓ E
fermé dim. – **Repas** (dîner seult) 45/63.

BRIELLE Zuid-Holland **211** E 11 et **408** D 6 - ② S - 15 819 h.

☞ Krabbeweg 9, ⊠ 3231 NB, ℰ (0 181) 41 78 09, Fax (0 181) 41 00 26.
🛈 Markt 1, ⊠ 3231 AH, ℰ (0 181) 47 54 75, Fax (0 181) 47 54 70.
Amsterdam 100 – Den Haag (bac) 37 – Breda 75 – Rotterdam 34.

🏨 **De Zalm,** Voorstraat 6, ⊠ 3231 BJ, ℰ (0 181) 41 33 88, Fax (0 181) 41 77 12 – 📺 ☎
🅿 🖭 ⓞ 🄴 𝘝𝘐𝘚𝘈. ⬥
fermé Noël – **Repas De Gekroonde Zalm** carte 55 à 72 – **32 ch** � 125/180.

🏨 **Bastion,** Amer 1, ⊠ 3232 HA, ℰ (0 181) 41 65 88, Fax (0 181) 41 01 15 – 📺 ☎ 🅿.
🄰🄴 ⓞ 🄴 𝘝𝘐𝘚𝘈. ⬥
Repas (grillades, ouvert jusqu'à 23 h) 45 – **40 ch** ⊒ 131/147.

🍴🍴 **Pablo,** Voorstraat 89, ⊠ 3231 BG, ℰ (0 181) 41 29 60, Fax (0 181) 41 02 06, Cuisine
indonésienne – ▤. 🄰🄴 🄴
fermé lundi et 21 sept.-21 oct. – **Repas** carte 45 à 72.

🍴 **Paraplu Parasol,** Voorstraat 41, ⊠ 3231 BE, ℰ (0 181) 41 52 30, Fax (0 181) 41 80 84,
🏡 – 🄴 𝘝𝘐𝘚𝘈
fermé mardi, merc. et du 1er au 18 janv. – **Repas** (dîner seult) 48.

BROEKHUIZENVORST Limburg 🄲 Broekhuizen 1 897 h. **211** Q 14 et **408** J 7.
Amsterdam 162 – Eindhoven 65 – Maastricht 91 – Nijmegen 51 – Venlo 18.

🍴🍴🍴 **Kasteel Ooyen,** Blitterswijckseweg 2, ⊠ 5871 CE, ℰ (0 77) 463 23 32,
Fax (0 77) 463 23 76, 🏡, « Auberge, terrasse fleurie avec pièce d'eau » – 🅿. 🄰🄴 🄴 𝘝𝘐𝘚𝘈. ⬥
fermé lundi, mardi et sem. carnaval – **Repas** Lunch 55 – 75/125.

BROEK IN WATERLAND Noord-Holland 🄲 Waterland 17 825 h. **210** J 8 et **408** F 4 - ② N.
Amsterdam 12 – Alkmaar 40 – Leeuwarden 124.

🍴🍴 **Neeltje Pater,** Dorpsstraat 4, ⊠ 1151 AD, ℰ (0 20) 403 33 11, ≤, 🏡, « Terrasse au
bord de l'eau » – 🄰🄴 ⓞ 🄴 𝘝𝘐𝘚𝘈 𝘑𝘊𝘉
fermé lundi et 31 déc.-1er janv. – **Repas** Lunch 48 – carte 75 à 95.

BRONKHORST Gelderland 🄲 Steenderen 4 771 h. **211** R 10 et **408** J 5.
Amsterdam 119 – Arnhem 25 – Apeldoorn 33 – Enschede 67.

🍴🍴🍴 **Herberg de Gouden Leeuw** avec ch, Bovenstraat 2, ⊠ 7226 LM, ℰ (0 575) 45 12 31,
Fax (0 575) 45 25 66, 🏡, « Auberge du 17e s. » – 📺 🅿. 🄰🄴 ⓞ 🄴 𝘝𝘐𝘚𝘈. ⬥ ch
Repas (fermé lundi) Lunch 55 – 73/98 – **12 ch** ⊒ 49/155 – ½ P 128/161.

BROUWERSHAVEN Zeeland **211** D 12 et **408** C 6 – 3 891 h.
Amsterdam 143 – Middelburg 57 – Rotterdam 79.

🍴 **De Brouwerie,** Molenstraat 31, ⊠ 4318 BS, ℰ (0 111) 69 18 80, Fax (0 111) 69 25 51,
🏡 – 🅿. 🄰🄴 ⓞ 🄴 𝘝𝘐𝘚𝘈
23 avril-11 oct. ; fermé lundi et mardi sauf en juil.-août – **Repas** (dîner seult) 45/68.

BRUMMEN Gelderland **211** Q 10 et **408** J 5 – 21 061 h.
Amsterdam 113 – Arnhem 22 – Apeldoorn 25 – Enschede 63.

🏨 **Kasteel Landgoed Engelenburg,** Eerbeekseweg 6, ⊠ 6971 LB,
ℰ (0 575) 56 36 11, Fax (0 575) 56 10 77, ≤, 🏡, « Manoir dans un parc ombragé avec
🎽 », ⛵, 🎾 – 📺 ☎ 🅿 – 🔬 25 à 80. 🄰🄴 ⓞ 🄴 𝘝𝘐𝘚𝘈. ⬥
fermé 24 déc.-9 janv. – **Repas** Lunch 60 – carte env. 65 – ⊒ 22 – **21 ch** 155/210, 1 suite
– ½ P 187/237.

BUNNIK Utrecht **211** L 10 et **408** G 5 – 14 148 h.
Amsterdam 49 – Arnhem 52 – Utrecht 8.

🏨 **Postiljon,** Kosterijland 8 (sur A 12), ⊠ 3981 AJ, ℰ (0 30) 656 92 22, Fax (0 30) 656 40 74
– 🛗 ⬥, ▤ rest, 📺 ☎ 🅿 – 🔬 25 à 300. 🄰🄴 ⓞ 🄴 𝘝𝘐𝘚𝘈
Repas (buffets) – ⊒ 18 – **84 ch** 150/190.

BUNSCHOTEN Utrecht **211** M 9 et **408** H 5 – 19 224 h.

Voir Costumes traditionnels★.
🛈 Oude Schans 25 à Spakenburg, ⊠ 3752 AG, ℰ (0 33) 298 21 56, Fax (0 33) 299 62 35.
Amsterdam 46 – Utrecht 36 – Amersfoort 12 – Apeldoorn 52.

à Spakenburg N : 2,5 km 🄲 Bunschoten :

🍴 **De Mandemaaker,** Kerkstraat 103, ⊠ 3751 AT, ℰ (0 33) 298 16 15,
Fax (0 33) 298 18 58 – 🄰🄴 ⓞ 🄴 𝘝𝘐𝘚𝘈
fermé dim. – **Repas** Lunch 20 – carte env. 50.

BUREN Friesland **210** O 2 et **408** I 1 – voir à Waddeneilanden (Ameland).

BUREN Gelderland **211** M 11 et **408** H 6 – 10085 h.

🏌 🏌 à Zoelen E : 4 km, Oost Kanaalweg 1, ⊠ 4011 LA, ℰ (0 344) 62 43 70, Fax (0 344) 61 30 96.

🎫 Markt 1, ⊠ 4116 BE, ℰ (0 344) 57 19 22, Fax (0 344) 57 25 58.

Amsterdam 74 – Nijmegen 48 – 's-Hertogenbosch 29 – Utrecht 42.

XXX **Proeverijen de Gravin,** Kerkstraat 4, ⊠ 4116 BL, ℰ (0 344) 57 16 63, Fax (0 344) 57 21 81, 🏤 – **AE ⓞ E VISA**
fermé sam. midi, lundi, 12 et 13 avril, 31 mai-1er juin, 27 juil.-17 août, 5 et 31 déc. et 1er janv. – **Repas** 70/145.

X **Brasserie Proeverijen de Gravin,** Kerkstraat 5, ⊠ 4116 BL, ℰ (0 344) 57 16 63, Fax (0 344) 57 21 81, 🏤 – **VISA**
fermé lundis non fériés, 5 et 31 déc. et 1er janv. – **Repas** Lunch 33 – 50.

Den BURG Noord-Holland **210** I 4 et **408** F 2 – voir à Waddeneilanden (Texel).

BURGUM Friesland **©** Tytsjerksteradiel 31029 h. **210** P 3 et **408** I 2.

Amsterdam 158 – Drachten 14 – Groningen 47 – Leeuwarden 18.

XX **Koriander,** Passaazje 1 (dans centre commercial), ⊠ 9251 CX, ℰ (0 511) 46 25 80, Fax (0 511) 51 50 95, 🏤 – **AE ⓞ E VISA** ❄ rest
fermé 28 déc.-14 janv. – **Repas** (dîner seult) 55.

BUSSUM Noord-Holland **210** K 9, **211** K 9 et **408** G 5 – 30893 h.

🏌 à Hilversum S : 7 km, Soestdijkerstraatweg 172, ⊠ 1213 XJ, ℰ (0 35) 685 86 88, Fax (0 35) 685 38 13.

Amsterdam 21 – Apeldoorn 66 – Utrecht 30.

🏨 **Jan Tabak,** Amersfoortsestraatweg 27, ⊠ 1401 CV, ℰ (0 35) 695 99 11, Fax (0 35) 695 94 16, 🏤, ❄ – 📶 ❄, 🍴 rest, 📺 ☎ 🐧 ⇔ 🅿 – 🕍 25 à 350. **AE ⓞ**
E VISA JCB
Repas *The Garden* (fermé sam. midi et dim.) 45/56 – 🖙 32 – **85 ch** 295/380, 2 suites.

XX **Man Wah,** Havenstraat 9, ⊠ 1404 EK, ℰ (0 35) 691 06 66, Fax (0 35) 692 03 29, Cuisine chinoise – 🍴. **AE ⓞ E VISA**
Repas carte 45 à 60.

CADZAND Zeeland **©** Oostburg 17780 h. **211** A 14 et **408** B 7.

🎫 Boulevard de Wielingen 44d à Cadzand-Bad, ⊠ 4506 JK, ℰ (0 117) 39 12 98.

Amsterdam 218 – Brugge 29 – Middelburg (bac) 21 – Gent 53 – Knokke-Heist 12.

à Cadzand-Bad NO : 3 km **©** Oostburg :

🏨 **De Blanke Top** 🌊, Boulevard de Wielingen 1, ⊠ 4506 JH, ℰ (0 117) 39 20 40, Fax (0 117) 39 14 27, < mer et dunes, 🏤, 🗗, ⇌, 🔲 – 📶, 🍴 rest, 📺 ☎ 🐧 – 🕍 25 à 70. **AE ⓞ E VISA**. ❄
fermé 5 janv.-5 fév. – **Repas** 60/90 – **27 ch** 🖙 133/345 – ½ P 153/238.

🏨 **Strandhotel** 🌊, Boulevard de Wielingen 49, ⊠ 4506 JK, ℰ (0 117) 39 21 10, Fax (0 117) 39 15 35, <, 🏤, 🗗, ⇌, 🔲, ❄ – 📶 📺 ☎ 🐧 🐧 – 🕍 25 à 40. **AE ⓞ**
E VISA. ❄
fermé 23 nov.-18 déc. – **Repas** (fermé après 20 h 30) 55/85 – **42 ch** 🖙 113/210 – ½ P 103/145.

🏨 **De Wielingen** 🌊, Kanaalweg 1, ⊠ 4506 KN, ℰ (0 117) 39 15 11, Fax (0 117) 39 16 30, <, 🏤, ⇌, 🔲 – 📶 📺 ☎ 🐧 – 🕍 25 à 40. **E VISA**
Repas (fermé après 20 h 30) 45 – **31 ch** 🖙 105/275 – ½ P 108/163.

🏨 **Noordzee** 🌊, Noordzeestraat 2, ⊠ 4506 KM, ℰ (0 117) 39 18 10, Fax (0 117) 39 14 16, <, 🏤, ⇌, 🔲 – 📶, 🍴 rest, 📺 ☎ 🐧 – 🕍 30. **AE ⓞ E VISA**
Repas (fermé après 20 h 30) Lunch 45 – carte 62 à 77 – **34 ch** 🖙 92/236 – ½ P 120/155.

🏨 **De Schelde,** Scheldestraat 1, ⊠ 4506 KL, ℰ (0 117) 39 17 20, Fax (0 117) 39 22 24, 🏤, ⇌, 🔲 – 📺 ☎ 🐧 – 🕍 30. **AE ⓞ E VISA JCB**
Repas 55/68 – **29 ch** 🖙 120/220 – ½ P 103/135.

CALLANTSOOG Noord-Holland **©** Zijpe 11140 h. **210** I 5 et **408** F 3.

🎫 Jewelweg 8, ⊠ 1759 HA, ℰ (0 224) 58 15 41, Fax (0 224) 58 15 40.

Amsterdam 67 – Alkmaar 27 – Den Helder 22.

🏨 **Landgoed de Horn** 🌊, Previnaireweg 4a, ⊠ 1759 GX, ℰ (0 224) 58 12 42, Fax (0 224) 58 25 18, <, 🏤, ⇌ – 📺 ☎ 🐧 – 🕍 25. **E VISA**. ❄
Repas (dîner seult) 45/65 – **30 ch** 🖙 105/150 – ½ P 103.

CAMPERDUIN Noord-Holland **210** H 6 et **408** E 3 – *voir à Schoorl.*

CAPELLE AAN DEN IJSSEL Zuid-Holland **211** H 11 et **408** E 6 - ㉕ N – *voir à Rotterdam, environs.*

CASTRICUM Noord-Holland **210** H 7 et **408** E 4 – *22 643 h.*
Amsterdam 32 – Alkmaar 11 – Haarlem 20.

XX **Le Moulin,** Dorpsstraat 96, ⊠ 1901 EN, ℰ (0 251) 65 15 00, 斎, « Rustique » – **AE** ⓞ **E**. ⅏
fermé lundi, mardi, 3 sem. vacances bâtiment et 2 prem. sem. janv. – **Repas** (dîner seult)
68.

CHAMPS DE FLEURS – *voir Bollenvelden.*

De COCKSDORP Noord-Holland **210** J 4 et **408** F 2 – *voir à Waddeneilanden (Texel).*

COEVORDEN Drenthe **210** U 7 et **408** L 4 – *15 014 h.*
🛈 Kasteel 31, ⊠ 7741 GC, ℰ (0 524) 59 42 77.
Amsterdam 163 – Assen 54 – Enschede 72 – Groningen 75 – Zwolle 53.

XX **Gasterie Het Kasteel,** Kasteel 29, ⊠ 7741 GC, ℰ (0 524) 51 21 70, Fax (0 524)
🕾 51 57 80, « Dans une cave voûtée » – **AE** ⓞ **E** **VISA** **JCB**
Repas Lunch 30 – 45/80.

DALFSEN Overijssel **210** R 7 et **408** J 4 – *15 902 h.*
🛈 Prinsenstraat 18, ⊠ 7721 AJ, ℰ (0 529) 43 37 11, Fax (0 529) 43 46 27.
Amsterdam 130 – Assen 64 – Enschede 64 – Zwolle 20.

XXX **Pien,** Kerkplein 23, ⊠ 7721 AD, ℰ (0 529) 43 44 44, Fax (0 529) 43 47 44, 斎 – **AE** **E**
VISA
fermé dim., lundi, 28 juil.-15 août et 27 déc.-4 janv. – **Repas** Lunch 45 – carte 64 à 88.

De – *voir au nom propre.*

DEIL Gelderland ⓒ Geldermalsen 23 223 h. **211** L 11 et **408** G 6.
Amsterdam 63 – Arnhem 56 – Gorinchem 28 – 's-Hertogenbosch 25 – Utrecht 36.

X **de Os en het Paard** ⌇ avec ch, Deilsedijk 73, ⊠ 4158 EG, ℰ (0 345) 65 16 13,
Fax (0 345) 65 22 87, 🖵 – **TV** 🕾 ❷. **AE** ⓞ **E** **VISA**. ⅏ ch
fermé dern. sem. juil.-3 prem. sem. août – **Repas** (fermé dim.) Lunch 50 – 75/95 – **4 ch**
⊑ 135/185 – ½ P 153/160.

DELDEN Overijssel ⓒ Stad Delden 7 364 h. **210** U 9, **211** U 9 et **408** L 5.
🛐 à Bornerbroek NO : 5 km, Almelosestraat 17, ⊠ 7495 TG, ℰ (0 74) 384 11 67,
Fax (0 74) 384 10 67.
🛈 Langestraat 29, ⊠ 7491 AA, ℰ (0 74) 376 63 63, Fax (0 74) 376 63 64.
Amsterdam 144 – Zwolle 60 – Apeldoorn 59 – Enschede 17.

🏨 **Carelshaven,** Hengelosestraat 30, ⊠ 7491 BR, ℰ (0 74) 376 13 05,
Fax (0 74) 376 12 91, 斎, « Terrasse et jardin fleuri » – **TV** 🕾 ⇦ ❷ – 🏤 40. **AE** ⓞ
E **VISA** **JCB**. ⅏ ch
fermé 28 déc.-10 janv. – **Repas** 63/75 – ⊑ 20 – **20 ch** 115/175 – ½ P 160/180.

🏠 **De Zwaan,** Langestraat 2, ⊠ 7491 AE, ℰ (0 74) 376 12 06, Fax (0 74) 376 44 45, 斎
– **TV** 🕾 ❷ – 🏤 75. **AE** ⓞ **E** **VISA**. ⅏
fermé fin déc.-début janv. – **Repas** carte 45 à 60 – **9 ch** ⊑ 130 – ½ P 100/130.

XXX **In den Drost van Twenthe** avec ch, Hengelosestraat 8, ⊠ 7491 BR,
ℰ (0 74) 376 40 55, Fax (0 74) 376 11 85, 斎, 🕾, ⅏ – **TV** ❷. **AE** ⓞ **E** **VISA** **JCB**
fermé 24 déc. et 27 déc.-10 janv. – **Repas** Lunch 53 – 68 (2 pers. min.)/90 – **6 ch** ⊑ 100/175
– ½ P 123/190.

XX **In den Weijenborg,** Spoorstraat 16, ⊠ 7491 CK, ℰ (0 74) 376 30 79,
🕾 Fax (0 74) 376 13 27, 斎 – **AE** ⓞ **E** **VISA** **JCB**
fermé du 15 au 27 fév., 26 juil.-7 août et merc. – **Repas** (dîner seult) 40/80.

DELDEN

à Deldenerbroek N : 3 km sur la rte de Bornerbroek Ⓒ Stad Delden :

XX **'t Schaafje**, Almelosestraat 23, ⊠ 7495 TG, 𝒫 (0 74) 384 12 30, Fax (0 74) 384 12 30,
⛲ – **🅿**. 🆎 **E** *VISA*
fermé jeudi, sam. midi, dim. midi, 1 sem. en fév. et 3 sem. vacances bâtiment – **Repas**
Lunch 53 – *carte 67 à 86.*

DELDENERBROEK *Overijssel – voir à Delden.*

Les prix   Pour toutes précisions sur les prix indiqués dans ce guide,
reportez-vous aux pages de l'introduction.

DELFT *Zuid-Holland* 🔢 G 10 *et* 🔢 E 5 - ㉔ N – *93 229 h.*

Voir *Nouvelle Église★ (Nieuwe Kerk) : mausolée de Guillaume le Taciturne★, de la tour
≼★ CDY – Vieux canal★ (Oude Delft) CYZ – Pont de Nieuwstraat ≼★ CY – Porte de l'Est★
(Oostpoort) DZ – Promenade sur les canaux★* ⚓ *CZ – Centre historique et canaux★★.*
Musées : *Prinsenhof★ CY – "Huis Lambert van Meerten" : collection de carreaux de
faïence★ CY M³ – royal de l'Armée et des Armes des Pays-Bas★ (Koninklijk Nederlands
Leger- en Wapenmuseum) CZ M².*

🏌 *à Bergschenhoek E : 12 km, Rottebandreef 40, ⊠ 2661 JK, 𝒫 (0 10) 522 07 03,
Fax (0 10) 522 93 50.*

🅱 *Markt 85, ⊠ 2611 GS, 𝒫 (0 15) 212 61 00, Fax (0 15) 215 86 95.*

Amsterdam 58 ④ – Den Haag 13 ④ – Rotterdam 15 ② – Utrecht 62 ④.

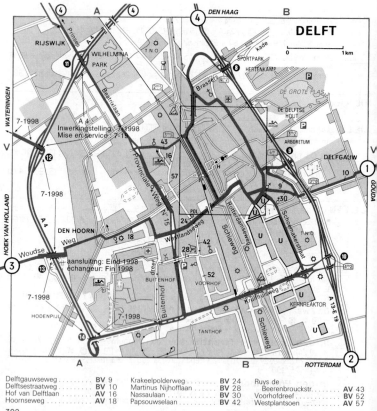

Delftgauwseweg . . . . **BV** 9	Krakeelpolderweg . . . . **BV** 24	Ruys de
Delftsestraatweg . . . . **BV** 10	Martinus Nijhofflaan . . . . . . **BV** 28	Beerenbrouckstr. . . . . **AV** 43
Hof van Delftlaan . . . . . . **AV** 16	Nassaulaan . . . . **BV** 30	Voorhofdreef . . . . **BV** 52
Hoornseweg . . . . **AV** 18	Papsouwselaan . . . . **BV** 42	Westplantsoen . . . . **AV** 57

DELFT

Choorstraat . . . . **CY** 7
Hippolytusbuurt . . . . **CY** 15
Jacob Gerritstr. . . . . **CYZ** 19
Markt . . . . **CY** 27
Oude Langendijk . . . . **CYZ** 40
Voldersgracht . . . . **CY** 51
Wijnhaven . . . . **CYZ** 58

Brabantse Turfmarkt . . . . . **DZ** 3
Breestraat . . . . **CZ** 4
Camaretten . . . . **CY** 6
Doelenstraat . . . . **CY** 12
Havenstraat . . . . **CZ** 13
Koornmarkt . . . . **CZ** 22
Lange Geer . . . . **CDZ** 25
Nassaulaan . . . . **DZ** 30
Nieuwe Langendijk . . . . . **DY** 33
Nieuwstraat . . . . **CY** 34

Noordeinde . . . . **CY** 36
Oostpoortweg . . . . **DZ** 37
Oude Kerkstraat . . . . **CY** 39
Schoemakerstraat . . . . . . **DZ** 45
Schoolstraat . . . . **CY** 46
Sint Agathaplein . . . . **CY** 48
Sint Jorisweg . . . . **DY** 49
Stalpaert v. d. Wieleweg . . **DY** 50
Voorstraat . . . . **CY** 54
Westlandseweg . . . . **CZ** 55

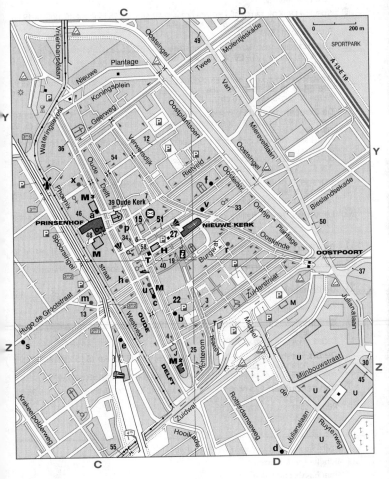

Museumhotel en Residence sans rest, Oude Delft 189, ✉ 2611 HD, ℘ (0 15) 214 09 30, Fax (0 15) 214 09 35, « Collection de céramiques contemporaines » – 📶 📺 ☎. 🆎 ① 🅴 VISA JCB
fermé 22 déc.-2 janv. – **49 ch** ⊇ 225/335, 2 suites. CY **a**

De Kok sans rest, Houttuinen 15, ✉ 2611 AJ, ℘ (0 15) 212 21 25, Fax (0 15) 212 21 25 – 📺 ☎ – ⚠ 25. 🆎 ① 🅴 VISA CZ **e**
24 ch ⊇ 125/145.

Leeuwenbrug sans rest, Koornmarkt 16, ✉ 2611 EE, ℘ (0 15) 214 77 41, Fax (0 15) 215 97 59 – 📶 📺 ☎ – ⚠ 40. 🆎 🅴 VISA JCB. ✳ CZ **b**
fermé 2e quinz. déc. – **38 ch** ⊇ 134/161.

🏠 **Herberg de Emauspoort,** Vrouwenregt 11, ⊠ 2611 KK, ℰ (0 15) 219 02 19,
⊜ Fax (0 15) 214 82 51, � – 📺 ☎ 🅿. 🖭 ⋿ 𝘝𝘐𝘚𝘈 𝗝𝗖𝗕   DY V
Repas (fermé lundi, mardi et merc.) Lunch 30 – 45 – **13 ch** ⊑ 100/175 – ½ P 140/
215.

🏠 **De Vlaming** sans rest, Vlamingstraat 52, ⊠ 2611 KZ, ℰ (0 15) 213 21 27,
Fax (0 15) 212 20 06 – 📺 ☎. 🖭 ⓸ ⋿ 𝘝𝘐𝘚𝘈 𝗝𝗖𝗕   DY f
12 ch ⊑ 160/190.

🏠 **Special De Kok** sans rest, Hugo de Grootstraat 145, ⊠ 2613 VS, ℰ (0 15) 214 18 95,
Fax (0 15) 214 18 95 – 📺 ☎. 🖭 ⓸ ⋿ 𝘝𝘐𝘚𝘈   CZ s
9 ch ⊑ 95/135.

🏠 **Juliana** sans rest, Maerten Trompstraat 33, ⊠ 2628 RC, ℰ (0 15) 256 76 12,
Fax (0 15) 256 57 07 – 📺 ☎. 🖭 ⓸ ⋿ 𝘝𝘐𝘚𝘈   DZ d
28 ch ⊑ 110/145.

🏠 **De Ark** sans rest, Koornmarkt 65, ⊠ 2611 EC, ℰ (0 15) 215 79 99, Fax (0 15) 214 49 97
– 🛗 📺 ☎ 🅿. 🖭 ⓸ ⋿ 𝘝𝘐𝘚𝘈 𝗝𝗖𝗕   CZ c
fermé 20 déc.-5 janv. – **16 ch** ⊑ 175/235.

XXX **De Zwethheul,** Rotterdamseweg 480 (SE : 5 km), ⊠ 2629 HJ, ℰ (0 10) 470 41 66,
⊛ Fax (0 10) 470 65 22, 🌭, « Au bord de l'eau avec ≼ trafic de péniches » – 🍽 🅿. 🖭
⓸ ⋿ 𝘝𝘐𝘚𝘈   BV
fermé sam. midi, dim. midi, lundi et 25 déc.-1er janv. – **Repas** Lunch 70 – 98/120, carte 90
à 125
Spéc. Raviolis de poulet de Bresse aux langoustines sautées. Éventail d'agneau aux beignets
d'ail et jus au basilic. Dessert tout moka.

XX **L'Orage,** Oude Delft 111b, ⊠ 2611 BE, ℰ (0 15) 212 36 29, Fax (0 15) 214 19 34, 🌭
⊛ – 🖭 ⓸ ⋿ 𝘝𝘐𝘚𝘈   CZ h
fermé lundi et 3 sem. vacances bâtiment – **Repas** Lunch 48 – 58/79.

XX **Le Vieux Jean,** Heilige Geestkerkhof 3, ⊠ 2611 HP, ℰ (0 15) 213 04 33,
Fax (0 15) 214 67 20 – 🖭 ⓸ ⋿ 𝘝𝘐𝘚𝘈   CY p
fermé dim., lundi et 2 dern. sem. juil.-prem. sem. août – **Repas** 50/90.

XX **De Klikspaan,** Koornmarkt 85, ⊠ 2611 ED, ℰ (0 15) 214 15 62, Fax (0 15) 214 74 30
– 🖭 ⋿ 𝘝𝘐𝘚𝘈 𝗝𝗖𝗕   CZ u
fermé lundi, mardi, prem. sem. avril et 2 prem. sem. sept. – **Repas** (dîner seult jusqu'à 23 h)
carte 72 à 86.

XX **De Prinsenkelder,** Schoolstraat 11 (dans le musée Prinsenhof), ⊠ 2611 HS, ℰ (0 15)
212 18 60, Fax (0 15) 213 33 13, 🌭 – 🖭 ⓸ ⋿ 𝘝𝘐𝘚𝘈   CY
fermé sam. midi, dim. et du 27 au 31 déc. – **Repas** 50/68.

XX **Bastille,** Havenstraat 6, ⊠ 2613 VK, ℰ (0 15) 213 23 90, Fax (0 15) 214 65 31 – 🅿.
🖭 ⓸ ⋿ 𝘝𝘐𝘚𝘈 𝗝𝗖𝗕   CZ m
Repas Lunch 50 – carte env. 75.

X **De Dis,** Beestenmarkt 36, ⊠ 2611 GC, ℰ (0 15) 213 17 82, Fax (0 15) 215 77 46, 🌭,
Cuisine hollandaise – 🖭 ⋿ 𝘝𝘐𝘚𝘈. ⋇   DY r
fermé merc., 24, 25 et 26 déc. – **Repas** (dîner seult) carte env. 50.

X **Van der Dussen,** Bagijnhof 118, ⊠ 2611 AS, ℰ (0 15) 214 72 12, Fax (0 15) 215 95 01,
« Ancien béguinage du 13e s. » – 🖭 ⋿ 𝘝𝘐𝘚𝘈. ⋇   CY x
Repas (dîner seult) carte env. 65.

Benutzen Sie auf Ihren Reisen in **EUROPA** :

die **Michelin-Länderkarten**

die **Michelin-Abschnittskarten**

die Roten **Michelin-Führer** (Hotels und Restaurants)
Benelux - Deutschland - España Portugal - Europe - France -
Great Britain and Ireland - Italia - Schweiz

die Grünen **Michelin-Führer** (Sehenswürdigkeiten und interessante Reisegebiete)
Deutschland, Frankreich, Italien, Österreich, Schweiz, Spanien

die Grünen **Regionalführer** von **Frankreich**
(Sehenswürdigkeiten und interessante Reisegebiete) :

Paris - Atlantikküste - Bretagne - Burgund Jura - Côte d'Azur (Französische
Riviera) - Elsaß Vogesen Champagne - Korsika - Provence - Schlösser an der Loire

DELFZIJL Groningen **210** V 3 et **408** L 1 – 30 743 h.

  🛈 J. v.d. Kornputplein 1, ⊠ 9934 EA, ℘ (0 596) 61 81 04.

  Amsterdam 213 – Groningen 30.

  🏨 **Eemshotel,** Zeebadweg 2, ⊠ 9933 AV, ℘ (0 596) 61 26 36, Fax (0 596) 61 96 54, ≼, « Sur pilotis au bord de l'eau », 🚗 – ▤ rest, 📺 ☎ 🅿. 쬬 ◑ 🄴 📼 🗜. ✀
  Repas carte env. 65 – **20 ch** ⊇ 125/165 – ½ P 111/154.

  🏨 **du Bastion,** Waterstraat 78, ⊠ 9934 AX, ℘ (0 596) 61 87 71, Fax (0 596) 61 71 47 – 📺 ☎ 🅿. 쬬 ◑ 🄴 📼 🗜
  Repas Lunch 30 – carte env. 50 – **40 ch** ⊇ 90/110 – ½ P 120/130.

  🍴 **De Kakebrug,** Waterstraat 8, ⊠ 9934 AV, ℘ (0 596) 61 71 22, Fax (0 596) 61 71 22, 🐟 🏠 – 쬬 ◑ 🄴 📼
  Repas 45/58.

à Woldendorp SE : 7 km par N 362 🄲 Delfzijl :

  🏨 **Wilhelmina,** A.E. Gorterweg 1, ⊠ 9946 PA, ℘ (0 596) 60 16 41, Fax (0 596) 60 15 21 – 📺 ☎ 🅿. 쬬 🄴 📼. ✀ ch
  Repas (fermé lundi et du 4 au 18 janv.) Lunch 33 – carte env. 50 – **11 ch** ⊇ 80/115 – ½ P 110/130.

Den – voir au nom propre.

DENEKAMP Overijssel **210** W 8 et **408** M 4 – 12 413 h.

  🛈 Kerkplein 2, ⊠ 7591 DD, ℘ (0 541) 35 12 05, Fax (0 541) 35 12 39.

  Amsterdam 169 – Zwolle 77 – Apeldoorn 85 – Enschede 19.

  🏨 **Dinkeloord,** Denekamperstraat 48 (SO : 2 km), ⊠ 7588 PW, ℘ (0 541) 35 13 87, Fax (0 541) 35 38 75, 🏠, 🚗, 🏊 – 🛠 🌳 📺 ☎ 🅿 – 🔬 25 à 200. 쬬 ◑ 🄴 📼. ✀ rest
  Repas Lunch 38 – carte env. 65 – ⊇ 30 – **55 ch** 98/171 – ½ P 150.

  🍴 **De Watermolen,** Schiphorstdijk 4 (près château Singraven), ⊠ 7591 PS, ℘ (0 541) 35 13 72, Fax (0 541) 35 51 50, ≼, 🏠, « Ancien moulin à eau avec musée » – 🅿. 🄴
  fermé lundi – **Repas** carte 57 à 82.

DEURNE Noord-Brabant **211** O 14 et **408** I 7 – 31 574 h.

  Amsterdam 136 – 's-Hertogenbosch 51 – Eindhoven 25 – Venlo 33.

  🍴🍴 **Hof van Deurne,** Haageind 29, ⊠ 5751 BB, ℘ (0 493) 31 21 41, Fax (0 493) 31 21 41, « Ancienne ferme » – 🔬 40 à 125. 🄴 📼
  fermé lundi, 1 sem. carnaval et 2 dern. sem. vacances bâtiment – **Repas** Lunch 45 – carte env. 70.

DEVENTER Overijssel **210** R 9, **211** R 9 et **408** J 5 – 69 023 h.

  Voir Ville★.

  🛈⁸ à Diepenveen N : 4 km par Laan van Borgele, Golfweg 2, ⊠ 7431 PR, ℘ (0 570) 59 32 69, Fax (0 570) 59 32 69.

  🛈 Keizerstraat 22, ⊠ 7401 JH, ℘ (0 570) 61 31 00, Fax (0 570) 64 33 38.

  Amsterdam 106 ④ – Arnhem 44 ④ – Apeldoorn 16 ⑤ – Enschede 59 ④ – Zwolle 38 ②

Plan page suivante

  🏨 **Postiljon,** Deventerweg 121 (par ④ : 2 km près A 1), ⊠ 7418 DA, ℘ (0 570) 62 40 22, Fax (0 570) 62 53 46, 🏠 – 🛠 🌳 📺 ☎ 🅿 – 🔬 25 à 250. 쬬 ◑ 🄴 📼
  Repas (buffets) – ⊇ 18 – **99 ch** 138/180.

  🍴🍴 **'t Diekhuus,** Bandijk 2 (E : 6 km par Lage Steenweg, à Terwolde), ⊠ 7396 NB, ℘ (0 571) 27 39 68, Fax (0 571) 27 04 07, ≼, 🏠 – 🅿. 쬬 🄴 📼   X
  fermé lundi et sam. midi – **Repas** Lunch 58 – carte env. 80.

  🍴🍴 **'t Arsenaal,** Nieuwe Markt 33, ⊠ 7411 PC, ℘ (0 570) 61 64 95, Fax (0 570) 61 57 52, 🏠 – 쬬 ◑ 🄴 📼   Z a
  fermé sam. et dim. – **Repas** Lunch 40 – carte env. 55.

  🍴 **de Bistro,** Golstraat 6, ⊠ 7411 BP, ℘ (0 570) 61 95 08, Fax (0 570) 64 44 33, « Cadre rustique » – 쬬 ◑ 🄴 📼. ✀   Z c
  Repas carte 50 à 65.

  🍴 **da Mario,** Vleeshouwerstraat 6, ⊠ 7411 JN, ℘ (0 570) 61 93 93, Fax (0 570) 64 44 33, 🏠, Cuisine italienne – 쬬 ◑ 🄴 📼. ✀   Z b
  fermé lundi et 25 déc. – **Repas** (dîner seult) 45/85.

DEVENTER

Brink . . . . Z
Broederenstr. . . . . Z 16
Engestraat . . . . Z 19
Grote Poot . . . . Z 28
Kleine Overstr. . . . . Z 40
Kleine Poot . . . . Z 42
Korte Bisschopstr. . . . . . Z 45
Lange Bisschopstr. . . . . Z 46
Nieuwstraat . . . . YZ
Waalstraat . . . . Z

Amstellaan . . . . X 3
Bagijnenstraat . . . . Y 4
Bergkerkplein . . . . Z 6
Bergstraat . . . . Z 7
Binnensingel . . . . Y 9
Bokkingshang . . . . Z 10
Brinkgreverweg . . . . X 13
Brinkpoortstr. . . . . Y 15
Burseplein . . . . Z 17
Deensestraat . . . . X 18
Europaplein . . . . X 21
Gedampte Gracht . . . . . Y 22
Graven . . . . Z 24
Grote Kerkhof . . . . Z 25
Grote Overstraat . . . . . . Z 27
Henri Dunantlaan . . . . . X 30
Herman Boerhaavelaan . X 31
Hofstraat . . . . Z 33
Hoge Hondstraat . . . . . . Y 34
Industrieweg . . . . Z 36
Joh. van Vlotenlaan . . . . X 37
Kapjeswelle . . . . Y 39
Lebuinuslaan . . . . Z 48
Leeuwenbrug . . . . Y 49
Margijnenenk . . . . Z 51
Menstraat . . . . Z 52
Mr. H. F. de Boerlaan . . Z 54
Noordenbergstr. . . . . . . Z 57
van Oldenielstr. . . . . Z 58
Oosterwechelsweg . . . . X 60
Ossenweerdstraat . . . . . Y 61
Pontsteeg . . . . Z 63
Roggestraat . . . . Z 64

Sijzenbaanpl. . . . . Y 65
Snipperlingsdijk . . . . XZ 66
Spijkerboorsteeg . . . . . . Z 67
Stromarkt . . . . Z 69
T. G. Gibsonstraat . . . . Y 71
van Twickelostraat . . . . Y 72

Verlengde Kazernestr. . . . . . . Z 73
Verzetslaan . . . . Y 75
Zamenhoffplein . . . . X 76
Zandpoort . . . . Z 78
Zutphenselaan . . . . X 79
Zutphenseweg . . . . X 81

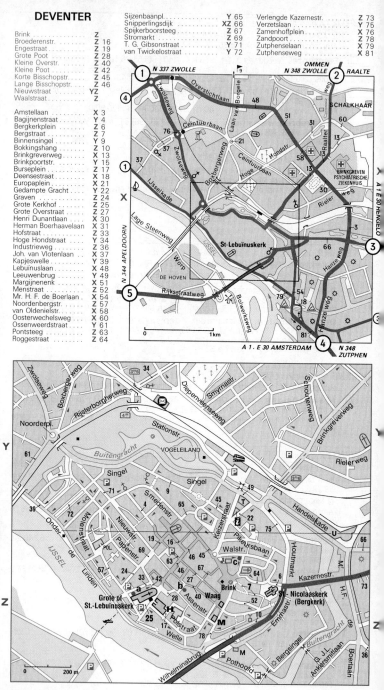

à Diepenveen *N : 5 km – 10 543 h.*

XX **De Roetertshof,** Kerkplein 6, ⊠ 7431 EE, ℰ (0 570) 59 25 28, Fax (0 570) 59 32 60,
🏤 – 🆎 ⓪ 🅴 *VISA* 🄹🄲🄱
fermé merc., 29 juil.-12 août et 31 déc.-6 janv. – **Repas** *Lunch 50* – carte env. 65.

DIEPENVEEN *Overijssel* 🔢🔢🔢 Q 9 *et* 🔢🔢🔢 J 5 – *voir à Deventer.*

DIEVER *Drenthe* 🔢🔢🔢 R 5 *et* 🔢🔢🔢 J 3 – *3 708 h.*
Amsterdam 159 – Assen 27 – Groningen 52 – Leeuwarden 69 – Zwolle 49.

X **De Walhof** 🍴 avec ch, Hezenes 6, ⊠ 7981 LC, ℰ (0 521) 59 17 93, Fax (0 521) 59 25 57,
🏤 , « Environnement boisé » – 📺 ☎ 🅿. 🆎 ⓪ 🅴 *VISA*. 🍽
fermé 31 déc.-24 janv. – **Repas** *(fermé après 20 h 30) Lunch 49* – 63 – **9 ch** ⊡ 100/140
– ½ P 165/180.

DIFFELEN *Overijssel* 🔢🔢🔢 T 7 – *voir à Hardenberg.*

DIGUE DU NORD – *voir Afsluitdijk.*

DOENRADE *Limburg* 🔢🔢🔢 7 – *voir à Sittard.*

DOETINCHEM *Gelderland* 🔢🔢🔢 R 11 *et* 🔢🔢🔢 J 6 – *44 050 h.*
🏌 à Hoog-Keppel NO : 8 km, Oude Zutphenseweg 15, ⊠ 6997 CH, ℰ (0 314) 38 14 16,
Fax (0 57) 546 43 99.
🛈 Walmolen, IJsselkade 30, ⊠ 7001 AP, ℰ (0 314) 32 33 55, Fax (0 314) 34 50 27.
Amsterdam 130 – Arnhem 33 – Apeldoorn 43 – Enschede 60.

🏨 **de Graafschap,** Simonsplein 12, ⊠ 7001 BM, ℰ (0 314) 32 45 41, Fax (0 314) 32 58 63,
🏤 – 📺 ☎ 🅿 – 🔔 25 à 70. 🆎 ⓪ 🅴 *VISA*. 🍽 rest
Repas carte env. 50 – **26 ch** ⊡ 90/190 – ½ P 110/115.

DOKKUM *Friesland* 🄲 *Dongeradeel 24 315 h.* 🔢🔢🔢 Q 3 *et* 🔢🔢🔢 I 2.
Env. O : Hoogebeintum, 16 armoiries funéraires★ dans l'église.
🛈 Grote Breedstraat 1, ⊠ 9101 KH, ℰ (0 519) 29 38 00, Fax (0 519) 29 80 15.
Amsterdam 163 – Leeuwarden 24 – Groningen 58.

XX **Old Inn,** Aalsumerpoort 21, ⊠ 9101 JK, ℰ (0 519) 29 23 08, Fax (0 519) 22 03 51, 🏤
– 🆎 ⓪ 🅴 *VISA*
fermé dim. – **Repas** carte 45 à 70.

Den DOLDER *Utrecht* 🔢🔢🔢 L 10 *et* 🔢🔢🔢 G 5 – *voir à Zeist.*

DOMBURG *Zeeland* 🔢🔢🔢 A 13 *et* 🔢🔢🔢 B 7 – *3 905 h.* – *Station balnéaire.*
🏌 Schelpweg 26, ⊠ 4357 BP, ℰ (0 118) 58 15 73, Fax (0 118) 58 27 28.
🛈 Schuitvlotstraat 32, ⊠ 4357 EB, ℰ (0 118) 58 13 42.
Amsterdam 190 – Middelburg 16 – Rotterdam 111.

🏨 **Badhotel** Ⓜ 🍴, Domburgseweg 1a, ⊠ 4357 BA, ℰ (0 118) 58 88 88,
Fax (0 118) 58 88 99, 🛏, 🏊, 💪, 🎾 – 🛗 🔀 📺 ☎ 🅿 – 🔔 25 à 120. 🆎 ⓪ 🅴 *VISA*
🄹🄲🄱. 🍽 rest
Repas (dîner seult) 48 – **113 ch** ⊡ 270/330, 3 suites – ½ P 188/210.

🏨 **The Wigwam** 🍴, Herenstraat 12, ⊠ 4357 AL, ℰ (0 118) 58 12 75, Fax (0 118) 58 25 25
– 🛗 📺 ☎ 🅿. 🅴 *VISA*. 🍽
12 fév.-oct. ; fermé 28 fév.-20 mars – **Repas** (dîner pour résidents seult) – **31 ch**
⊡ 114/225 – ½ P 90/138.

🏨 **Duinvliet** 🍴 sans rest, Domburgseweg 44, ⊠ 4357 NH, ℰ (0 118) 58 39 21,
Fax (0 118) 58 39 22, « Ancienne demeure dans un parc », 🎾 – 📺 ☎ 🅿. 🆎 ⓪ 🅴 *VISA*
fermé 2 prem. sem. nov. – **7 ch** ⊡ 115/245.

🏨 **Wilhelmina** 🍴 sans rest, Noordstraat 20, ⊠ 4357 AP, ℰ (0 118) 58 12 62,
Fax (0 118) 58 41 10, 🎾 – 📺 ☎ 🅿. 🆎 🅴 *VISA*
16 ch ⊡ 195/265, 4 suites.

🏨 **Strandhotel Duinheuvel** sans rest, Badhuisweg 2, ⊠ 4357 AV, ℰ (0 118) 58 12 82,
Fax (0 118) 58 33 45 – 🛗 📺 ☎ 🅿. 🆎 🅴 *VISA* 🄹🄲🄱
20 ch ⊡ 170/240.

🏠 **De Burg,** Ooststraat 5, ⊠ 4357 BE, ℰ (0 118) 58 13 37, Fax (0 118) 58 20 72 – ▯ ▥
☎ 🅿. ⅍ 🄴 *VISA*
fermé 10 nov.-27 déc. et 10 janv.-14 fév. – **Repas** carte env. 50 – **22 ch** � 52/140 –
½ P 77/120.

XX **In den Walcherschen Dolphijn,** Markt 9, ⊠ 4357 BG, ℰ (0 118) 58 28 39,
Fax (0 118) 58 66 00 – ⅍ ⓪ 🄴 *VISA*
fermé 5 janv.-5 fév. et jeudi d'oct. à avril – **Repas** Lunch 45 – carte env. 75.

X **Mondriaan,** Ooststraat 6, ⊠ 4357 BE, ℰ (0 118) 58 44 34, Fax (0 118) 58 44 34 – ▤.
⅍ ⓪ 🄴 *VISA*. ✻
fermé lundi sauf en été, mardi en hiver et janv. – **Repas** (dîner seult) carte 45 à 85.

DOORWERTH Gelderland © Renkum 32 453 h. ❷❶❶ O 11 et ❹⓪❽ I 6.
Amsterdam 98 – Arnhem 9.

XX **Kasteel Doorwerth,** Fonteinallee 4, ⊠ 6865 ND, ℰ (0 26) 333 34 20,
Fax (0 26) 333 81 16, 斧, « Dans les dépendances du château » – 🅿. ⅍ ⓪ 🄴 *VISA*. ✻
fermé mardi – **Repas** (dîner seult) 50/75.

XX **de Valkenier,** Oude Oosterbeekseweg 8 (Heveadorp), ⊠ 6865 VS, ℰ (0 26) 333 64 23,
Fax (0 26) 339 04 98, 斧 – 🅿. ⅍ ⓪ 🄴 *VISA* JCB
fermé lundi et 29 déc.-8 janv. – **Repas** Lunch 50 – carte env. 75.

DORDRECHT Zuid-Holland ❷❶❶ I 12 et ❹⓪❽ F 6 – 116 196 h.

Voir La Vieille Ville★ – Grande Église ou église Notre-Dame★ (Grote- of O.L. Vrouwekerk) :
stalles★, de la tour ≤★★ CV B – Groothoofdspoort : du quai ≤★ DV.
Musée : Mr. Simon van Gijn★ CV **M'**.

🛞 Baanhoekweg 50, ⊠ 3313 LP, ℰ (0 78) 621 12 21, Fax (0 78) 616 10 36 - 🛞 🛞 à
Numansdorp SO : 20 km, Veerweg 26, ⊠ 3281 LX, ℰ (0 186) 65 44 55,
Fax (0 186) 65 46 81.

✈ à Rotterdam-Zestienhoven NO : 23 km par ④ ℰ (0 10) 446 34 44.
🖪 Stationsweg 1, ⊠ 3311 JW, ℰ (0 78) 613 28 00, Fax (0 78) 613 17 83.
*Amsterdam 95 ① – Den Haag 53 ④ – Arnhem 106 ① – Breda 29 ② – Rotterdam 23 ④
– Utrecht 58 ①.*

Plans pages suivantes

🏠 **Bellevue,** Boomstraat 37, ⊠ 3311 TC, ℰ (0 78) 613 79 00, Fax (0 78) 613 79 21,
≤ confluent de rivières et port de plaisance, 斧 – ▤ rest, ▥ ☎ – 🕎 25 à 50. ⅍ ⓪
🄴 *VISA*   DV b
Repas Lunch 25 – carte 49 à 80 – **26 ch** � 130/160, 1 suite – ½ P 155.

🏠 **Dordrecht,** Achterhakkers 72, ⊠ 3311 JA, ℰ (0 78) 613 60 11, Fax (0 78) 613 74 70,
斧 – ▥ ☎ 🅿. ⅍ ⓪ 🄴 *VISA* JCB   CX d
fermé 24 déc.-2 janv. – **Repas** (dîner seult) (fermé vend., sam. et dim.) carte 45 à 71 –
21 ch � 130/190.

🏠 **Postiljon,** Rijksstraatweg 30 ('s-Gravendeel), ⊠ 3316 EH, ℰ (0 78) 618 44 44,
Fax (0 78) 618 79 40 – ▯ ✻, ▤ rest, ▥ ☎ 🅿 – 🕎 25 à 500. ⅍ ⓪ 🄴 *VISA* AZ u
Repas (buffets) – � 18 – **96 ch** 146/189.

🏠 **Bastion,** Laan der Verenigde Naties 363, ⊠ 3318 LA, ℰ (0 78) 651 15 33,
Fax (0 78) 617 81 63 – ▥ ☎ 🅿. ⅍ ⓪ 🄴 *VISA*. ✻   BZ a
Repas (grillades, ouvert jusqu'à 23 h) 45 – **40 ch** � 110/125.

🏠 **Klarenbeek,** Joh. de Wittstraat 35, ⊠ 3311 KG, ℰ (0 78) 614 41 33,
Fax (0 78) 614 08 61, 斧 – ▯ ▥ ☎. ✻   DX s
fermé 24 déc.-4 janv. – **Repas** (dîner pour résidents seult) – **23 ch** � 95/125.

XX **Le Mouton,** Toulonselaan 12, ⊠ 3312 ET, ℰ (0 78) 613 50 09, Fax (0 78) 631 57 37,
斧 – ⅍ ⓪ 🄴 *VISA*   DX u
fermé lundi – **Repas** Lunch 30 – 45/90.

X **Bonne Bouche,** Groenmarkt 8, ⊠ 3311 BE, ℰ (0 78) 614 05 00, Fax (0 78) 631 25 36
– ▤. ⅍ ⓪ 🄴 *VISA* JCB   CV a
fermé mardi, vacances bâtiment et Noël-début janv. – **Repas** 53/93.

X **De Stroper,** Wijnbrug 1, ⊠ 3311 EV, ℰ (0 78) 613 00 94, Fax (0 78) 631 57 37, 斧,
Produits de la mer – ▤. ⅍ ⓪ 🄴 *VISA*   DV v
fermé 24 et 31 déc. – **Repas** Lunch 30 – 45/90.

X **Marktzicht,** Varkenmarkt 17, ⊠ 3311 BR, ℰ (0 78) 613 25 84, Fax (0 78) 613 61 69,
Produits de la mer – ▤. ⅍ ⓪ 🄴 *VISA*. ✻   CV e
fermé dim., lundi et 2 dern. sem. juil.-prem. sem. août – **Repas** 63/73.

X **Jongepier** 1er étage, Groothoofd 8, ⊠ 3311 AG, ℰ (0 78) 613 06 16,
Fax (0 78) 631 77 33, ≤, 斧 – ⅍ ⓪ 🄴 *VISA*   DV r
Repas (d'oct. à mars dîner seult) Lunch 33 – 50/63.

DORDRECHT

Brouwersdijk . . . . **AZ** 10
Burgemeester
  Jaslaan . . . . **BZ** 12
Dubbelsteynlaan . . . . **BZ** 15
Jan Vethkade . . . . **AZ** 24
Kapteynweg . . . . **BZ** 27
Kotterstr. . . . . **AZ** 28
Krispijnseweg . . . . **AZ** 30
Laan der Verenigde Naties . **AZ** 31
Maarten Harpertszoon
  Trompweg . . . . **AZ** 33

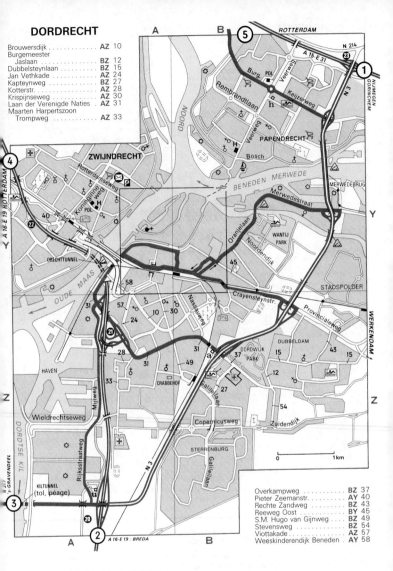

Overkampweg . . . . **BZ** 37
Pieter Zeemanstr. . . . . **AY** 40
Rechte Zandweg . . . . **BZ** 43
Reeweg Oost . . . . **BY** 45
S.M. Hugo van Gijnweg . . . **BZ** 49
Stevensweg . . . . **BZ** 54
Viottakade . . . . **AZ** 57
Weeskinderendijk Beneden . **AY** 58

à Papendrecht *NE : 4 km – 28 576 h.*

Mercure, Lange Tiendweg 2, ⊠ 3353 CW, ℰ (0 78) 615 20 99, Fax (0 78) 615 85 97, 🍴 – 📶 ↳, 📖 rest, 📺 ☎ 🅿 – 🔏 25 à 200. 🆎 ⓪ 🅴 🆅🅸🆂🅰   BY **h**
Repas carte env. 60 – **76 ch** ⊆ 200/250.

à Zwijndrecht *NO : 4 km – 42 348 h.*

Hermitage (Klein), Veerplein 16, ⊠ 3331 LE, ℰ (0 78) 612 84 89, Fax (0 78) 619 23 11
– 🆎 ⓪ 🅴 🆅🅸🆂🅰. ✖   CV **k**
fermé dim., lundi, dern. sem. fév., 3 prem. sem. août et prem. sem. janv. – **Repas** 70/175 bc
carte 80 à 100
Spéc. Gigotin d'agneau de lait au thym, lavande et miel (mai-sept.). Bœuf braisé et gratiné, sauce aux truffes (sept.-mai). Vinaigrette de soja aux gambas et graines de
sésame.

DORDRECHT

Bagijnhof		**DV** 6
Groenmarkt		**CV** 16
Grote Spuistr.		**CV** 21
Spuiweg		**CX**
Visstr.		**CV** 57
Voorstr.		**CDV**
Vriesestr.		**DV**

Achterhakkers		**CX** 3
Aert de Gelderstr.		**CX** 4
Blauwpoortspl.		**CV** 7
Bleijenhoek		**DV** 9
Dubbeldamseweg		**DX** 13
Groothoofd		**DV** 18
Grote Kerksbuurt		**CV** 19
Hoogstratensingel		**DVX** 22
Johan de Wittstr.		**DX** 25
Museumstr.		**DV** 34

Oranjelaan		**DX** 36
Papeterspad		**CX** 39
Prinsenstr.		**CV** 42
Riedijk		**DV** 46
Schefferspl.		**CDV** 48
Stationsweg		**DX** 51
Steegoversloot		**DV** 52
Twintighuizen		**CX** 55
Wilgenbos		**CX** 60
Wolwevershaven		**CV** 61

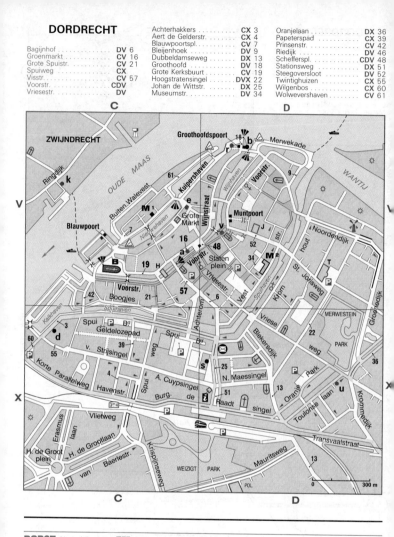

DORST Noord-Brabant **211** J 13 – *voir à Breda.*

DRACHTEN Friesland Ⓒ Smallingerland 50 199 h. **210** Q 4 et **408** J 2.
🛈 Burg. Wuiteweg 56, ⊠ 9203 KL, 𝒫 (0 512) 51 77 71, Fax (0 512) 53 24 13.
Amsterdam 147 – Leeuwarden 27 – Groningen 36 – Zwolle 85.

Golden Tulip, Zonnedauw 1, ⊠ 9202 PE, 𝒫 (0 512) 52 07 05, Fax (0 512) 52 32 32,
※ – 🛗 ⇆ 📺 ☎ 🅿 – 🕍 25 à 200. 🕮 ⓪ 🗲 𝘝𝘐𝘚𝘈 𝘑𝘊𝘉. ⊗ rest
fermé 25 et 26 déc. – **Repas** 45/75 – � 25 – **48 ch** 140/170 – ½ P 95/125.

De Wilgenhoeve, De Warren 2, ⊠ 9203 HT, 𝒫 (0 512) 51 25 10, Fax (0 512) 53 14 19,
🏠, « Ancienne ferme » – 🅿. 🕮 ⓪ 🗲 𝘝𝘐𝘚𝘈
fermé lundi – **Repas** Lunch 50 – 60/88.

à Rottevalle N : 4 km Ⓒ Smallingerland :

De Herberg van Smallingerland, Muldersplein 2, ⊠ 9221 SP, 𝒫 (0 512) 34 20 64,
Fax (0 512) 34 22 39, 🏠, « Auberge du 18e s. » – 🅿 – 🕍 25 à 40. 🗲 𝘝𝘐𝘚𝘈
fermé lundi – **Repas** Lunch 43 – carte env. 65.

400

DRIEBERGEN-RIJSENBURG Utrecht 🗺️ L 10 et 🗺️ G 5 – 18 420 h.

🏛️ Hoofdstraat 87a, ✉️ 3971 KE, ✆ (0 343) 51 31 62, Fax (0 343) 53 24 11.
Amsterdam 54 – Utrecht 16 – Amersfoort 22 – Arnhem 49.

🏛️ **De Koperen Ketel** 🦢 sans rest, Welgelegenlaan 28, ✉️ 3971 HN, ✆ (0 343) 51 61 74, Fax (0 343) 53 24 65, « Terrasse » – 🅿️. 🅰️🅴 ⓪ 🇪 𝖵𝖨𝖲𝖠. ✑
15 ch ⌿ 95/180.

XX **Lai Sin**, Arnhemse Bovenweg 46, ✉️ 3971 MK, ✆ (0 343) 51 68 58, Fax (0 343) 51 71 97, 🏡, Cuisine chinoise – 🅿️. 🅰️🅴 ⓪ 🇪 𝖵𝖨𝖲𝖠. ✑
fermé du 24 au 28 fév., 21 juil.-8 août, sam. midi, dim. et lundi – **Repas** Lunch 58 – 63/98, carte 65 à 85
Spéc. Poulet cent fleurs. Potage piquant et aigre. Macédoine de ramier en salade.

XX **La Provence**, Hoofdstraat 109, ✉️ 3971 KG, ✆ (0 343) 51 29 20, Fax (0 343) 52 08 33, 🏡 – 🅿️. 🅰️🅴 ⓪ 🇪 𝖵𝖨𝖲𝖠
fermé lundi, 2 sem. en juil. et 1 sem. en août – **Repas** 55.

DRONTEN Flevoland 🗺️ O 7 et 🗺️ I 4 – 30 917 h.
Amsterdam 72 – Apeldoorn 51 – Leeuwarden 94 – Lelystad 23 – Zwolle 31.

🏛️ **Het Galjoen**, De Rede 50, ✉️ 8251 EW, ✆ (0 321) 31 70 30, Fax (0 321) 31 58 22 – 📶 📺 ☎️ 🅿️ – 🔬 25 à 300. 🅰️🅴 ⓪ 🇪 𝖵𝖨𝖲𝖠 𝖩𝖢𝖡
Repas Lunch 25 – carte 45 à 60 – **19 ch** ⌿ 85/180 – ½ P 100/125.

à Ketelhaven N : 8 km 🅒 Dronten :

X **Lands-End**, Vossemeerdijk 23, ✉️ 8251 PM, ✆ (0 321) 31 33 18, ≼, 🔳 – 🅿️. 🇪 𝖵𝖨𝖲𝖠
fermé lundis non fériés et 19 janv.-11 fév. – **Repas** carte 55 à 82.

DRUNEN Noord-Brabant 🗺️ K 12 et 🗺️ G 6 – 19 013 h.
Amsterdam 101 – 's-Hertogenbosch 15 – Breda 34 – Rotterdam 73.

XXX **de Duinrand** 🦢 avec ch, Steegerf 2 (S : 2 km), ✉️ 5151 RB, ✆ (0 416) 37 24 98, Fax (0 416) 37 49 19, ≼, 🏡, « Pavillons élégants à l'orée du bois », 🐾, ✕ – 🍽️ rest, 📺 ☎️ 🅿️ – 🔬 25 à 40. 🅰️🅴 ⓪ 🇪 𝖵𝖨𝖲𝖠
fermé du 15 au 27 fév. et 31 déc. – **Repas** Lunch 60 – 80/130 – ⌿ 25 – **10 ch** 195/225, 5 suites.

MICHELIN NEDERLAND N.V., Bedrijvenpark Groenewoud II, Huub van Doorneweg 2 – ✉️ 5151 DT, ✆ (0 416) 38 41 00, Fax (0 416) 38 41 26

DUIVEN Gelderland 🗺️ Q 11 et 🗺️ J 6 – voir à Arnhem.

Den DUNGEN Noord-Brabant 🅒 Sint-Michielsgestel 27 223 h. 🗺️ M 12 et 🗺️ H 7.
Amsterdam 91 – 's-Hertogenbosch 6.

🏛️ **Boer Goossens**, Heilig Hartplein 2, ✉️ 5275 BM, ✆ (0 73) 594 12 91, Fax (0 73) 594 31 11 – 📺 ☎️ 🅿️ – 🔬 25 à 300. 🅰️🅴 🇪 𝖵𝖨𝖲𝖠
fermé du 1er au 20 août – **Repas** Lunch 20 – 60 – **15 ch** ⌿ 60/160 – ½ P 85/118.

DWINGELOO Drenthe 🗺️ S 5 et 🗺️ K 3 – 3 976 h.

🏛️ Brink 46, ✉️ 7991 CJ, ✆ 59 13 31.
Amsterdam 158 – Assen 30 – Groningen 50 – Leeuwarden 70 – Zwolle 50.

🏛️ **Wesseling**, Brink 26, ✉️ 7991 CH, ✆ (0 521) 59 15 44, Fax (0 521) 59 15 44, 🏡 – 📶 📺 ☎️ 🛁 🅿️ – 🔬 50. 🅰️🅴 ⓪ 🇪 𝖵𝖨𝖲𝖠
fermé 31 déc.-17 janv. – **Repas** (fermé après 20 h 30) Lunch 33 – 45/88 – **23 ch** ⌿ 155 – ½ P 105/118.

🏛️ **De Brink**, Brink 30, ✉️ 7991 CH, ✆ (0 521) 59 13 19, Fax (0 521) 59 25 87, 🏡 – ☎️ 🅿️
fermé 15 janv.-1er mars et nov.-15 déc. – **Repas** Lunch 33 – 45/50 – **6 ch** ⌿ 75/120 – ½ P 85.

à Lhee SO : 1,5 km 🅒 Dwingeloo :

🏛️ **De Börken** 🦢, Lhee 76, ✉️ 7991 PJ, ✆ (0 521) 59 72 00, Fax (0 521) 59 72 87, 🏡, 🐾 – 📺 ☎️ 🅿️ – 🔬 25 à 100. 🅰️🅴 ⓪ 🇪 𝖵𝖨𝖲𝖠. ✑ rest
fermé 31 déc.-5 janv. – **Repas** Lunch 35 – carte env. 55 – **35 ch** ⌿ 115/170.

EARNEWÂLD Friesland – voir Eernewoude.

EDAM Noord-Holland 🄲 Edam-Volendam 26 255 h. 🄩🄰🄾 K 7 et 🄸🄾🄸 G 4.
🄴 Damplein 1, ✉ 1135 BK, 𝒫 (0 299) 37 17 27, Fax (0 299) 37 42 36.
Amsterdam 22 – Alkmaar 28 – Leeuwarden 116.

🏠 **De Fortuna**, Spuistraat 3, ✉ 1135 AV, 𝒫 (0 299) 37 16 71, Fax (0 299) 37 14 69, 🌹,
🍴 « Maisonnettes typiques dans un jardin fleuri » – 🆃🆅 ☎. 🄰🄴 ① 🄴 𝑉𝐼𝑆𝐴 🄹🄲🄱. ✵
Repas (dîner seult) 50 – **26 ch** ☷ 138/182.

EDE Gelderland 🄩🄸🄸 N 10 et 🄸🄾🄸 I 5 – 99 927 h.
Env. Parc National de la Haute Veluwe★★★ (Nationaal Park de Hoge Veluwe) : Parc★★★,
Musée national (Rijksmuseum) Kröller-Müller★★★ – Parc à sculptures★★ (Beeldenpark)
NE : 13 km.
🄴 Achterdoelen 36, ✉ 6711 AV, 𝒫 (0 318) 61 44 44, Fax (0 318) 65 03 35.
Amsterdam 81 – Arnhem 23 – Apeldoorn 32 – Utrecht 43.

🏨 **De Reehorst**, Bennekomseweg 24, ✉ 6717 LM, 𝒫 (0 318) 64 11 88, Fax (0 318) 64 13 49
– 🛗 🆃🆅 ☎ 🕭 🄿 – 🛕 25 à 600. 🄰🄴 ① 🄴 𝑉𝐼𝑆𝐴
Repas Lunch 33 – carte 48 à 68 – **90 ch** (fermé 31 déc.) ☷ 143/195 – ½ P 108/130.

🍴 **La Façade**, Notaris Fischerstraat 31, ✉ 6711 BB, 𝒫 (0 318) 61 62 54,
Fax (0 318) 61 62 54, 🌹 – ▤. 🄰🄴 🄴 𝑉𝐼𝑆𝐴
fermé mardi et 1ʳᵉ quinz. fév. – **Repas** (dîner seult) 58/85.

🍴 **Het Pomphuis**, Klinkenbergerweg 41, ✉ 6711 MJ, 𝒫 (0 318) 65 31 33,
Fax (0 318) 65 39 24, 🌹, « Terrasse » – 🄿. 🄰🄴 🄴 𝑉𝐼𝑆𝐴
fermé lundi et 2 dern. sem. janv. – **Repas** Lunch 45 – 53.

EERBEEK Gelderland 🄲 Brummen 21 061 h. 🄩🄸🄸 Q 10 et 🄸🄾🄸 J 5.
Amsterdam 107 – Arnhem 26 – Apeldoorn 23 – Enschede 71.

🏨 **Landgoed Het Huis te Eerbeek** ⑊, Prof. Weberlaan 1, ✉ 6961 LX,
🕾 𝒫 (0 313) 65 91 35, Fax (0 313) 65 41 75, « Parc », 🌲 – 🆃🆅 ☎ 🄿 – 🛕 25 à 80. 🄰🄴
① 🄴 𝑉𝐼𝑆𝐴. ✵
fermé 31 déc.-1ᵉʳ janv. – **Repas** (fermé dim.) Lunch 29 – 43 – **39 ch** ☷ 130/300 – ½ P 99.

EERNEWOUDE (EARNEWÂLD) Friesland 🄲 Tytsjerksteradiel 31 029 h. 🄩🄸🄸 P 4 et 🄸🄾🄸 I 2.
Amsterdam 148 – Drachten 18 – Groningen 50 – Leeuwarden 17.

🏨 **Princenhof** ⑊, P. Miedemaweg 15, ✉ 9264 TJ, 𝒫 (0 511) 53 92 06,
Fax (0 511) 53 93 19, ≤, 🌹, 🄻 – 🆃🆅 ☎ 🕭 🄿 – 🛕 25 à 200. 🄰🄴 ① 🄴 𝑉𝐼𝑆𝐴. ✵
15 mars-oct. – **Repas** Lunch 35 – carte 58 à 77 – **43 ch** ☷ 105/190 – ½ P 115/130.

EERSEL Noord-Brabant 🄩🄸🄸 L 14 et 🄸🄾🄸 G 7 – 12 768 h.
🄴 Markt 30a, ✉ 5521 AN, 𝒫 (0 497) 51 31 63, Fax (0 497) 51 41 32.
Amsterdam 136 – 's-Hertogenbosch 47 – Antwerpen 72 – Eindhoven 16.

🍴 **De Acht Zaligheden**, Markt 3, ✉ 5521 AJ, 𝒫 (0 497) 51 28 11, Fax (0 497) 51 89 61,
🌹 – ▤. 🄰🄴 ① 🄴 𝑉𝐼𝑆𝐴 🄹🄲🄱
fermé dim., carnaval et du 3 au 21 août – **Repas** Lunch 53 – 65/85.

🍴 **De Linde**, Markt 21, ✉ 5521 AK, 𝒫 (0 497) 51 71 74, Fax (0 497) 51 72 95, 🌹 – 🄰🄴
① 🄴 𝑉𝐼𝑆𝐴 🄹🄲🄱. ✵
fermé merc., carnaval et 26 juil.-12 août – **Repas** Lunch 48 – 65.

🍴 **Ereslo**, Markt 14, ✉ 5521 AL, 𝒫 (0 497) 51 77 77, Fax (0 497) 51 85 28, 🌹 – 🄰🄴 ①
🄴 𝑉𝐼𝑆𝐴 🄹🄲🄱
fermé du 1ᵉʳ au 8 juil., 28 déc.-8 janv. et merc. – **Repas** Lunch 40 – 45/80.

EGMOND AAN ZEE Noord-Holland 🄲 Egmond 11 556 h. 🄩🄸🄸 H 7 et 🄸🄾🄸 E 4.
🄴 Voorstraat 82a, ✉ 1931 AN, 𝒫 (0 72) 506 13 62, Fax (0 72) 506 50 54.
Amsterdam 41 – Alkmaar 10 – Haarlem 34.

🏨 **Bellevue**, Strandboulevard A 7, ✉ 1931 CJ, 𝒫 (0 72) 506 10 25, Fax (0 72) 506 11 16,
≤, 🌹 – 🛗, ▤ rest, 🆃🆅 ☎ – 🛕 40 à 60. 🄰🄴 ① 🄴 𝑉𝐼𝑆𝐴. ✵ rest
Repas 45/65 – **50 ch** ☷ 84/221 – ½ P 97/285.

🏠 **De Boei**, Westeinde 2, ✉ 1931 AB, 𝒫 (0 72) 506 93 93, Fax (0 72) 506 24 54, 🌹 –
🛗 🆃🆅 ☎ – 🛕 40. 🄴 𝑉𝐼𝑆𝐴
Repas Lunch 18 – 45 – ☷ 15 – **37 ch** 84/141 – ½ P 124.

🏠 **Golfzang**, Boulevard Ir. de Vassy 19, ✉ 1931 CN, 𝒫 (0 72) 506 15 16,
Fax (0 72) 506 22 22 – 🆃🆅 ☎. 🄰🄴 ① 🄴 𝑉𝐼𝑆𝐴. ✵
fermé déc.-janv. – **Repas** (dîner pour résidents seult) – **24 ch** ☷ 95/150 – ½ P 90/100.

De Vassy sans rest, Boulevard Ir. de Vassy 3, ⊠ 1931 CN, ℰ (0 72) 506 15 73, Fax (0 72) 506 53 06 – 🔲 ☎. 🖪 VISA. ⫸
mars-27 oct. – **17 ch** ⊆ 160.

La Châtelaine, Smidstraat 7, ⊠ 1931 EX, ℰ (0 72) 506 23 55, Fax (0 72) 506 69 26, « Rustique » – 🖭 ⓪ 🖪 VISA
fermé merc. et 3 dern. sem. janv. – **Repas** (dîner seult) 50/60.

EIBERGEN Gelderland 🟦🟦🟦 T 10 et 🟦🟦🟦 K 5 – 16 430 h.
Amsterdam 146 – Apeldoorn 60 – Arnhem 71 – Enschede 24.

De Greune Weide ⤜, Lutterweg 1 (S : 2 km), ⊠ 7152 CC, ℰ (0 545) 47 16 92, Fax (0 545) 47 56 04, ⇪, « Cadre champêtre », ⬚ – 🔲 ☎ ☎ – 🔬 25. 🖭 🖪 VISA. ⫸
fermé fév. – **Repas** Lunch 38 – carte env. 75 – **12 ch** ⊆ 93/185 – ½ P 105/130.

Belle Fleur, J.W. Hagemanstraat 85, ⊠ 7151 AE, ℰ (0 545) 47 21 49, Fax (0 545) 47 59 53, ⇪ – ❶. 🖪 VISA. ⫸
fermé sam. midi, dim. midi, lundi, 27 juil.-14 août et 28 déc.-11 janv. – **Repas** Lunch 45 – 73 (2 pers. min.).

EINDHOVEN Noord-Brabant 🟦🟦🟦 N 14 et 🟦🟦🟦 H 7 – 197 374 h. – Casino BY, Heuvel Galerie 134, ⊠ 5611 DK, ℰ (0 40) 243 54 54, Fax (0 40) 243 81 38.
Musée : Van Abbe★ (Stedelijk Van Abbemuseum) BY M¹.

🔓 Ch. Roelslaan 15, ⊠ 5644 HX, ℰ (0 40) 252 09 62, Fax (0 40) 221 38 99 – 🔓 à Valkenswaard par ④ : 11 km, Eindhovenseweg 300, ⊠ 5553 VB, (0 40) 201 27 13, Fax (0 40) 204 40 38 – 🔓 à Veldhoven O : 5 km, Locht 140, ⊠ 5504 RP, ℰ (0 40) 253 44 44, Fax (0 40) 254 97 47.
⤏ 5 km par Noord Brabantlaan AV ℰ (0 40) 251 61 42.
🛈 Stationsplein 17, ⊠ 5611 AC, ℰ 0 900-112 23 63, Fax (0 40) 243 31 35.
Amsterdam 122 ⑦ – 's-Hertogenbosch 35 ⑦ – Antwerpen 86 ④ – Duisburg 99 ③ – Maastricht 86 ③ – Tilburg 36 ⑥.

Plan page suivante

Holiday Inn, Veldm. Montgomerylaan 1, ⊠ 5612 BA, ℰ (0 40) 243 32 22, Fax (0 40) 244 92 35, ⇄, 🔲 – 📶 ⫷⊨ 🔲 ☎ ὅ ❶ – 🔬 40 à 150. 🖭 ⓪ 🖪 VISA JCB. ⫸ rest
BY t
Repas (dîner seult) (fermé mi-juil.-mi-août) carte 50 à 78 – **201 ch** ⊆ 225.

Dorint, Vestdijk 47, ⊠ 5611 CA, ℰ (0 40) 232 61 11, Fax (0 40) 244 01 48, 🖪ᛏ, ⇄, 🔲 – 📶 ⫷⊨ 🔲 ☎ ⇌ – 🔬 25 à 400. 🖭 ⓪ 🖪 JCB
BY h
Repas Lunch 28 – 45 – **186 ch** ⊆ 278/363, 6 suites – ½ P 293/318.

Mandarin Park Plaza, Geldropseweg 17, ⊠ 5611 SC, ℰ (0 40) 212 50 55 et 212 12 25 (rest), Fax (0 40) 212 15 55 et 211 66 67 (rest), ⇄, 🔲 – 📶 ⫷⊨ 🔲 ☎ ❶ – 🔬 30 à 120. 🖭 ⓪ 🖪 VISA
BZ y
Repas Mandarin Garden (cuisine chinoise, dîner seult jusqu'à 23 h) 80/120 – **Mei Ling** (cuisine asiatique, ouvert jusqu'à 23 h) Lunch 25 – 55/65 – **Momoyama** (cuisine japonaise, dîner seult jusqu'à 23 h) 69/110 – ⊆ 30 – **102 ch** 270/575.

Pierre, Leenderweg 80, ⊠ 5615 AB, ℰ (0 40) 212 10 12, Fax (0 40) 212 12 61 – 📶 ⫷⊨, ▤ rest, 🔲 ☎ ❶ – 🔬 25 à 150. 🖭 ⓪ 🖪 VISA
BX n
Repas (dîner seult) 45/75 – **60 ch** ⊆ 130/190 – ½ P 160/190.

Tulip Inn, Markt 35, ⊠ 5611 EC, ℰ (0 40) 245 45 45, Fax (0 40) 243 56 45 – 📶 ▤ 🔲 ☎ ❶ 🖭 ⓪ 🖪 VISA. ⫸ rest
BY f
Repas carte 50 à 76 – **74 ch** ⊆ 125/195, 1 suite – ½ P 100/200.

Motel Eindhoven, Aalsterweg 322 (par ④ : 3 km), ⊠ 5644 RL, ℰ (0 40) 211 60 33, Fax (0 40) 212 07 74, ⇪, 🖪ᛏ, ⇄, 🔲, ✕ – 📶 ⫷⊨ 🔲 ☎ ❶ – 🔬 25 à 500. 🖭 ⓪ 🖪 VISA
Repas (ouvert jusqu'à minuit) Lunch 18 – carte 48 à 63 – ⊆ 12 – **177 ch** 110/225 – ½ P 93/148.

Campanile, Noord-Brabantlaan 309 (O : 2 km par A 2), ⊠ 5657 GB, ℰ (0 40) 254 54 00, Fax (0 40) 254 44 10, ⇪ – 📶 ⫷⊨ 🔲 ☎ ὅ – 🔬 40. 🖭 ⓪ 🖪 VISA
Repas (brasserie) 45 – ⊆ 13 – **83 ch** 96 – ½ P 143.

Parkzicht ⤜, Alb. Thijmlaan 18, ⊠ 5615 EB, ℰ (0 40) 211 41 00, Fax (0 40) 211 41 00, ⇪ – 🔲 ☎ ❶. 🖭 ⓪ 🖪 VISA JCB
BZ c
Repas Lunch 25 – carte 45 à 75 – **44 ch** ⊆ 120/150.

De Karpendonkse Hoeve, Sumatralaan 3, ⊠ 5631 AA, ℰ (0 40) 281 36 63, Fax (0 40) 281 11 45, ⇪, « Terrasse avec ⫷ parc et lac » – ❶. 🖭 ⓪ 🖪 VISA. ⫸
fermé du 24 au 26 fév., 10 avril, du 4 au 18 août, 24 et 31 déc. et dim. et lundis non fériés – **Repas** Lunch 70 – 98/140, carte env. 110
BV b
Spéc. Filets de sole en feuille de riz, sauce au soja. Cassolette de homard aux pieds de céléri. Côtelettes d'agneau en chapelure de pain brioché et jus au romarin.

403

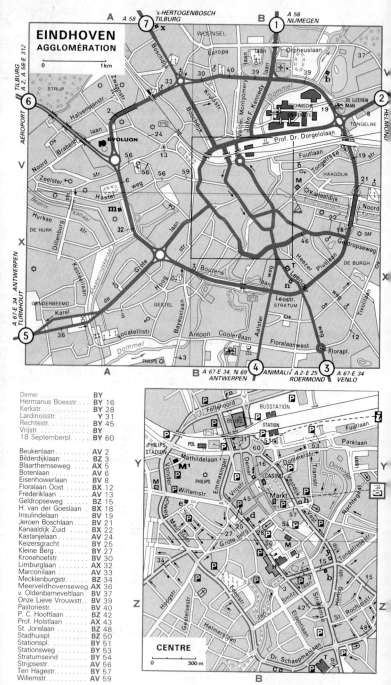

EINDHOVEN
AGGLOMÉRATION

0   1 km

A 58 's-HERTOGENBOSCH TILBURG

A 58 NIJMEGEN

Demer	BY	
Hermanus Boexstr.	BY	16
Kerkstr.	BY	28
Lardinoisstr.	Y	31
Rechtestr.	BY	45
Vrijstr.	BY	
18 Septemberpl.	BY	60

Beukenlaan	AV	2
Bilderdijklaan	BZ	3
Blaarthemseweg	AX	5
Botenlaan	AV	6
Eisenhowerlaan	BV	8
Floralaan Oost	AV	12
Frederiklaan	AV	13
Geldropseweg	BZ	15
H. van der Goeslaan	BX	18
Insulindelaan	BV	19
Jeroen Boschlaan	BV	21
Kanaaldijk Zuid	BX	22
Kastanjelaan	AV	24
Keizersgracht	BY	25
Kleine Berg	BY	27
Kronehoefstr.	BV	30
Limburglaan	AX	32
Marconilaan	AV	33
Mecklenburgstr.	BZ	34
Meerveldhovenseweg	AX	36
v. Oldenbarneveltlaan	BV	37
Onze Lieve Vrouwstr.	BV	39
Pastoriestr.	BV	40
P. C. Hooftlaan	BZ	42
Prof. Holstlaan	AX	43
St. Jorislaan	BZ	48
Stadhuispl.	BZ	50
Stationspl.	BY	51
Stationsweg	BY	53
Stratumseind	BY	54
Strijpsestr.	AV	56
Ten Hagestr.	BY	57
Willemstr.	AV	59

CENTRE

0   300 m

XXX **De Luytervelde,** Jo Goudkuillaan 11 (à Acht, NO : 7 km par ⑦), ⊠ 5626 GC, ℘ (0 40) 262 31 11, Fax (0 40) 262 20 90, 斎, « Jardin fleuri » – **⓿**. ⚠ ⓪ **E** ̅V̅I̅S̅A̅. ※
fermé sam. midi, dim., carnaval, vacances bâtiment et du 27 au 31 déc. – **Repas** Lunch 40 – 60/90.

XX **Bali,** Keizersgracht 13, ⊠ 5611 GC, ℘ (0 40) 244 56 49, Fax (0 40) 246 01 90, Cuisine indonésienne – ▤. ⚠ ⓪ **E** ̅V̅I̅S̅A̅. ※　　　　　　　　　　　　　　　　　　　　BY d
Repas Lunch 19 – 47.

XX **De Blauwe Lotus,** Limburglaan 20, ⊠ 5652 AA, ℘ (0 40) 251 48 76, Fax (0 40) 251 15 25, Cuisine asiatique, « Décor oriental » – ▤. ⚠ ⓪ **E** ̅V̅I̅S̅A̅.　　　　　　　　　　　　　　　　　　　　　　　　　　　　　　　　　　AX m
※
fermé sam. midi et dim. midi – **Repas** 50/95.

XX **The Gandhi,** Willemstraat 43a, ⊠ 5611 HC, ℘ (0 40) 244 54 52, Fax (0 40) 244 78 33, Cuisine indienne – ▤. ⚠ ⓪ **E** ̅V̅I̅S̅A̅. ※　　　　　　　　　　　　　BY e
Repas (dîner seult) 50/85.

X **De Waterkers,** Geldropseweg 4, ⊠ 5611 SH, ℘ (0 40) 212 49 99 – ▤. ⚠ ⓪ **E** ̅V̅I̅S̅A̅
JCB　　　　　　　　　　　　　　　　　　　　　　　　　　　　　　　　　　　BZ b
fermé du 22 au 28 fév., 27 juil.-19 août, 27 déc.-5 janv. et lundi – **Repas** (dîner seult) carte 64 à 81.

X **Djawa,** Keldermansstraat 58, ⊠ 5622 PJ, ℘ (0 40) 244 37 86, Fax (0 40) 245 48 07, Cuisine indonésienne – ▤. ※　　　　　　　　　　　　　　　　　　AV x
fermé merc. – **Repas** (dîner seult) 55.

à l'aéroport O : 5 km :

🏨 **Novotel,** Anthony Fokkerweg 101, ⊠ 5657 EJ, ℘ (0 40) 252 65 75, Fax (0 40) 252 28 50, 斎, ⌧, – ⧉ ⇄ ▤ 🆃🆅 ☎ ⓰ ⓿ – 🔔 25 à 200. ⚠ ⓪ **E** ̅V̅I̅S̅A̅ JCB.
Repas (ouvert jusqu'à minuit) Lunch 20 – carte 55 à 74 – ☲ 23 – **92 ch** 180.

à Veldhoven O : 5 km – 40 313 h.

XX **The Fisherman,** Kruisstraat 23, ⊠ 5502 JA, ℘ (0 40) 254 58 38, Fax (0 40) 254 58 57, 斎, Produits de la mer – ⓿. ⚠ ⓪ **E** ̅V̅I̅S̅A̅ JCB. ※
fermé dern. sem. déc. – **Repas** Lunch 45 – 60/83.

ELSLOO Limburg ⓒ Stein 26 612 h. 🄟🄟🄟 O 17 et 🄠🄟🄠 I 9.
Amsterdam 205 – Maastricht 20 – Eindhoven 70.

🏨 **Kasteel Elsloo,** Maasberg 1, ⊠ 6181 GV, ℘ (0 46) 437 76 66, Fax (0 46) 437 75 70, 斎, « En bordure de parc », ※ – 🆃🆅 ☎ ⓿ – 🔔 25 à 90. ⚠ ⓪ **E** ̅V̅I̅S̅A̅ JCB.
※ rest
fermé 27 déc.-3 janv. – **Repas** (fermé sam. midi et dim. midi) Lunch 55 – 63/75 – **24 ch** ☲ 120/165 – ½ P 138/165.

EMMELOORD Flevoland ⓒ Noordoostpolder 40 551 h. 🄟🄟🄞 O 6 et 🄠🄟🄠 I 3.
🄱 De Deel 25a, ⊠ 8302 EK, ℘ (0 527) 61 20 00, Fax (0 527) 61 44 57.
Amsterdam 89 – Zwolle 36 – Groningen 94 – Leeuwarden 66.

X **Le Mirage** 2ᵉ étage, Beursstraat 2, ⊠ 8302 CW, ℘ (0 527) 69 91 04, ⊖ Fax (0 527) 69 80 35 – ▤. ⚠ ⓪ **E** ̅V̅I̅S̅A̅. ※
fermé sam. midi et dim. midi – **Repas** Lunch 48 – 45/55.

EMMEN Drenthe 🄟🄟🄞 V 6 et 🄠🄟🄠 L 3 – 94 114 h.
Voir Hunebed d'Emmerdennen★ (dolmen) – Jardin zoologique★ (Noorder Dierenpark).
Env. Noordsleen : Hunebed★ (dolmen) O : 6,5 km – Orvelte★ NO : 18 km.
🄵 à Aalden O : 12 km, Gebbeveenweg 1, ⊠ 7854 TD, ℘ (0 591) 37 17 84, Fax (0 591) 37 24 22.
🄱 Marktplein 17, ⊠ 7811 AM, ℘ (0 591) 61 30 00.
Amsterdam 180 – Assen 44 – Groningen 57 – Leeuwarden 97 – Zwolle 70.

🏨 **Tulip Inn Ten Cate,** Noordbargerstraat 44, ⊠ 7812 AB, ℘ (0 591) 61 76 00, Fax (0 591) 61 84 32, 斎 – 🆃🆅 ☎ ⓿ – 🔔 35 à 65. ⚠ ⓪ **E** ̅V̅I̅S̅A̅ JCB. ※ ch
Repas carte 66 à 79 – ☲ 13 – **33 ch** 85/138 – ½ P 113/165.

🏨 **De Giraf,** Van Schaikweg 55, ⊠ 7811 HN, ℘ (0 591) 64 20 02, Fax (0 591) 64 69 54, 斎, ⑭, ⚖, ※ – ⧉ ⇄ 🆃🆅 ☎ ⓿ – 🔔 25 à 1000. ⚠ **E** ̅V̅I̅S̅A̅. ※ rest
Repas carte env. 50 – **43 ch** ☲ 110/185 – ½ P 110/190.

Boerland sans rest, Hoofdstraat 57, ⊠ 7811 ED, ℘ (0 591) 61 37 46, Fax (0 591) 61 65 25 – 📺 ☎ 🅿. 🆊 ⓞ 㵔 𝗩𝗜𝗦𝗔 𝗝𝗖𝗕. ⋇
fermé 24 déc.-1er janv. – **14 ch** ⊑ 99/135.

✕✕ **Zuudbarge,** Zuudbargerstraat 108 (S : 3 km à Zuidbarge), ⊠ 7812 AK, ℘ (0 591) 63 08 13, Fax (0 591) 63 33 64, 🍽, « Terrasse » – 🅿 – 🔐 25. 🆊 㵔
fermé lundi, 2 sem. vacances bâtiment et 31 déc.-1er janv. – **Repas** Lunch 46 – carte 45 à 65.

à Nieuw-Amsterdam N : 7 km ⓒ Emmen :

✕ **La Couronne,** Vaart Z.Z. 4, ⊠ 7833 AA, ℘ (0 591) 55 18 58, Fax (0 591) 55 33 45 –
🅿 🆊 㵔 𝗩𝗜𝗦𝗔 𝗝𝗖𝗕
fermé mardi, dim. midi, 27 juil.-13 août et 28 déc.-3 janv. – **Repas** Lunch 45 – 65.

ENGELEN Noord-Brabant 𝟮𝟭𝟭 L 12 et 𝟰𝟬𝟴 G 6 – voir à 's-Hertogenbosch.

ENKHUIZEN Noord-Holland 𝟮𝟭𝟬 L 6 et 𝟰𝟬𝟴 G 3 – 16 186 h.

Voir La vieille ville★ – Jubé★ dans l'église de l'Ouest ou de St-Gommaire (Wester- of St.Gomaruskerk) AB – Dromedaris★ : du sommet ⁕★, du quai ⩽★ B.
Musée : du Zuiderzee★ (Zuiderzeemuseum) : Binnenmuseum★ en Buitenmuseum★★ B.
🚢 vers Stavoren : Rederij Naco B.V., De Ruyterkade, Steiger 7 à Amsterdam ℘ (0 20) 626 24 66, Fax (0 20) 624 40 61. Durée de la traversée : 1 h 25. Prix AR : 16,50 Fl, bicyclette : 9,50 Fl. - vers Urk : Rederij F.R.O. à Urk ℘ (0 527) 68 34 07, Fax (0 527) 68 33 91. Durée de la traversée : 1 h 30. Prix AR : 18,50 Fl, bicyclette : 10,50 Fl.
🖪 Tussen Twee Havens 1, ⊠ 1601 EM, ℘ (0 228) 31 31 64, Fax (0 228) 31 55 31.
Amsterdam 62 ① – Leeuwarden 113 ① – Hoorn 19 ②.

ENKHUIZEN

Westerstraat	**AB**
Vijzelstr.	**B**
Bocht	**B** 3
Driebanen	**B** 4
Hoornseveer	**A** 6

Kaasmarkt	**B** 7
Karnemelksluis	**B** 9
Klopperstraat	**A** 10
Melkmarkt	**B** 12
Nieuwstraat	**B** 13
Noorder Havendijk	**B** 15
Oosterhavenstr.	**B** 16
St. Janstraat	**B** 19
Spijtbroeksburgwal	**A** 21

Staeleversgracht	**B** 22
Sijbrandsplein	**B** 24
Venedie	**B** 25
Waagstraat	**B** 27
Wegje	**B** 28
Zuider Boerenvaart	**A** 30
Zuider Havendijk	**B** 31
Zuiderspui	**B** 33
Zwaanstraat	**B** 34

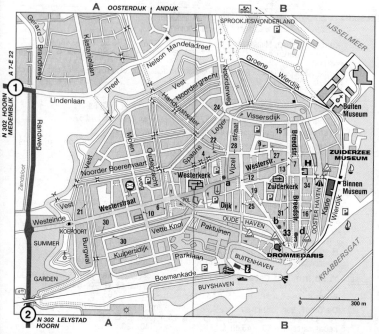

XX **Die Drie Haringhe,** Dijk 28, ⌧ 1601 GJ, *ℰ* (0 228) 31 86 10, *Fax (0 228) 32 11 35,*
⋘, 🍽, « Entrepôt du 17ᵉ s. » – 𝔸𝔼 ⓞ 𝔼 𝑽𝑰𝑺𝑨   B b
fermé lundi d'oct. à mars et mardi – **Repas** *Lunch* 48 – 55/85.

XX **d'Alsace,** Westerstraat 116, ⌧ 1601 AM, *ℰ* (0 228) 31 52 25, *Fax (0 228) 31 52 25,*
🍽, « Terrasse fleurie » – 𝔸𝔼 ⓞ 𝔼 𝑽𝑰𝑺𝑨   B a
Repas *Lunch* 55 – carte env. 75.

X **De Smederij,** Breedstraat 158, ⌧ 1601 KG, *ℰ* (0 228) 31 46 04, « Rustique » – 𝔸𝔼 ⓞ
𝔼 𝑽𝑰𝑺𝑨   B d
fermé merc. sauf en juil.-août ; nov.-mars ouvert week-end seult – **Repas** (dîner seult)
carte env. 60.

HOLLANDE
Un guide Vert Michelin

Paysages, Monuments
Routes touristiques
Géographie
Histoire, Art
Plans de villes et de monuments

ENSCHEDE *Overijssel* 🄛🄞🄞 V 9, 🄛🄞🄞 V 9 et 🄛🄞🄞 L 5 – *147 832 h.*

Musée : de la Twente★ *(Rijksmuseum Twenthe)* V.

🚲 à Hengelo par ③ : 9 km, Enschedesestraat 381, ⌧ 7552 CV, *ℰ* (0 74) 291 27 73 -
🚲 par ① : Veendijk 100, ⌧ 7525 PZ, *ℰ* (0 541) 53 03 31, *Fax* (0 541) 53 16 90.
✈ Twente *ℰ* (0 53) 486 22 22.
🄳 Oude Markt 31, ⌧ 7511 GB, *ℰ* (0 53) 432 32 00, *Fax* (0 53) 430 41 62.
Amsterdam 160 ⑤ – *Zwolle* 73 ⑥ – *Düsseldorf* 141 ④ – *Groningen* 148 ① – *Münster*
64 ②.

Plan page suivante

🏰 **De Broeierd** 🄼, Hengelosestraat 725 (par ⑥ : 3 km), ⌧ 7521 PA, *ℰ* (0 53) 435 98 82,
Fax (0 53) 434 05 02, 🍽, « Terrasse » – 📶 📺 ☎ 🄿 𝔸𝔼 ⓞ 𝔼 𝑽𝑰𝑺𝑨 𝐉𝐂𝐁. 🎿
Repas *Lunch* 50 – carte env. 80 – **30 ch** 🛏 175/225 – ½ P 138.

🏨 **Dish,** Boulevard 1945 nʳ 2, ⌧ 7511 AE, *ℰ* (0 53) 486 66 66, *Fax* (0 53) 435 31 04 – 📶,
🍽 rest, 📺 ☎ 🄿 – 🔊 25 à 250. 𝔸𝔼 ⓞ 𝔼 𝑽𝑰𝑺𝑨 𝐉𝐂𝐁. 🎿   Z b
Repas (fermé dim. midi) carte 55 à 90 – 🛏 31 – **76 ch** 145, 4 suites – ½ P 130/
250.

🏨 **Amadeus** sans rest, Oldenzaalsestraat 103, ⌧ 7511 DZ, *ℰ* (0 53) 435 74 86,
Fax (0 53) 430 43 83 – 📺 ☎ 🄿. 𝔸𝔼 ⓞ 𝔼 𝑽𝑰𝑺𝑨. 🎿   Y c
12 ch 🛏 125/155.

XXX **Het Koetshuis Schuttersveld** (Böhnke), Hengelosestraat 111, ⌧ 7514 AE,
⌘ *ℰ* (0 53) 432 28 66, *Fax* (0 53) 433 39 57, 🍽 – 🄿. 𝔸𝔼 ⓞ 𝔼 𝑽𝑰𝑺𝑨. 🎿   V r
fermé sam. midi, dim. midi, lundi, 27 juil.-11 août et 21 déc.-5 janv. – **Repas** *Lunch* 60 – 70,
carte 85 à 105
Spéc. Filet de daurade sur sa peau aux queues de langoustines, nouilles d'épinards et anis
étoilé. Poulet de ferme rôti au four. Queues de langoustines aux asperges régionales, sauce
mousseline aux huîtres (avril-juin).

XX **La Petite Bouffe,** Deurningerstraat 11, ⌧ 7514 BC, *ℰ* (0 53) 435 85 91, 🍽 – 🍽.
𝔸𝔼 ⓞ 𝔼 𝑽𝑰𝑺𝑨   Y u
fermé lundi, mardi et du 13 au 28 juil. – **Repas** (dîner seult) carte 63 à 88.

à Boekelo par ④ : 8 km 🄲 *Enschede :*

🏨 Bad Boekelo, 🎐, Oude Deldenerweg 203, ⌧ 7548 PM, *ℰ* (0 53) 428 30 05,
Fax (0 53) 428 30 35, 🍽, « Environnement boisé », ⇖, 🔲, 🌱, 🎾 – 📺 ☎ 🄿 – 🔊 25
à 220. 🎿
76 ch, 2 suites.

à Usselo par ④ : 4 km 🄲 *Enschede :*

XXX **Hanninck's Hof,** Usselerhofweg 5, ⌧ 7548 RZ, *ℰ* (0 53) 428 31 29,
Fax (0 53) 428 21 29, 🍽 – 🄿. 𝔸𝔼 ⓞ 𝔼 𝑽𝑰𝑺𝑨
fermé merc. – **Repas** *Lunch* 55 – 56/85.

ENSCHEDE

Haverstraatpassage .... Z 10
Hendrik Jan
  van Heekpl. .... Z 12
Hengelosestr. V
Hofpassage .... Z 13
Kalanderstr. .... Z 16
Langestr. .... Z 22
van Loenshof .... Z 25
Marktstr. .... Y 27
Raadhuisstr. .... Z 36

Achter 't Hofje .... Z 3
Bisschopstr. .... X 4
Blijdensteinlaan .... V 6
Brammelerstr. .... X 7
Gronausestr. .... X 9
Klokkenplas .... YZ 18
Korte Haaksbergerstr. .. YZ 19
Korte Hengelosestr. .... Y 21
Lochemstr. .... Y 24
Minkaatstr. .... V 28
Nijverheidstr. .... Z 31
Piet Heinstr. .... Y 33
Pijpenstr. .... Z 34
Schouwinkstr. .... V 37
Stadsgravenstr. .... Y 39
Visserijstr. .... Y 40
Volksparksingel .... X 42
Walstr. .... YZ 43
Windbrugstr. .... Z 46

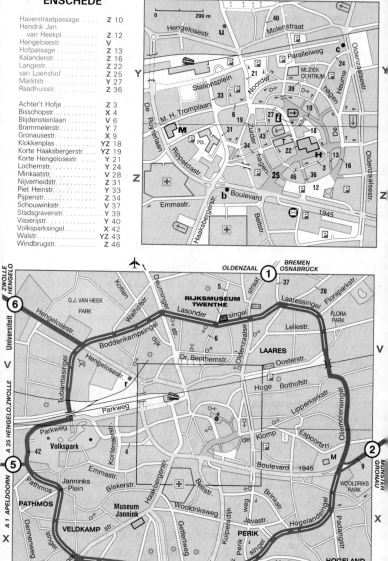

Bediening en belasting

In België, in Luxemburg en in Nederland zijn bediening en belasting
bij de prijzen inbegrepen.

ENTER Overijssel © Wierden 22 784 h. 210 T 9, 211 T 9 et 408 K 5.

🛈 Hoge Brink 4, ✉ 7468 HV, ✆ (0 547) 38 38 54.

Amsterdam 131 – Zwolle 45 – Apeldoorn 45 – Enschede 33.

🍴 **Bistro T-Bone**, Dorpsstraat 154, ✉ 7468 CS, ✆ (0 547) 38 12 59, Fax (0 547) 38 27 67, 佘, Grillades – **Ⓟ**. 🖭 ⑩ 🅴 *VISA*. 🛠
fermé mardi, merc. et 11 août-3 sept. – **Repas** (dîner seult) 55.

EPE Gelderland 210 P 8, 211 P 8 et 408 I 4 – 33 403 h.

🛈 Past. Somstraat 6, ✉ 8162 AK, ✆ (0 578) 61 26 96, Fax (0 578) 61 55 81.

Amsterdam 97 – Arnhem 44 – Apeldoorn 21 – Zwolle 25.

🏨 **Golden Tulip** ⑤, Dellenweg 115, ✉ 8161 PW, ✆ (0 578) 61 28 14, Fax (0 578) 61 54 93, 佘, 🚗, 🔲, 🎾 – |🛗|, 🗐 rest, 🖭 ☎ **Ⓟ** – 🔬 25 à 275. 🖭 ⑩ 🅴 *VISA* *JCB*. 🛠
Repas Lunch 28 – 56/65 – **138 ch** ⫻ 230/270 – ½ P 113/153.

🏨 **Dennenheuvel**, Heerderweg 27 (N : 2 km), ✉ 8161 BK, ✆ (0 578) 61 23 26, Fax (0 578) 67 76 99, 佘, 🚗 – 🗐 rest, 🖭 ☎ **Ⓟ** – 🔬 25 à 50. 🖭 ⑩ 🅴 *VISA*
Repas Lunch 43 – carte 56 à 77 – **34 ch** ⫻ 135/175 – ½ P 103/110.

🍴 **'t Soerel**, Soerelseweg 22 (O : 7 km, direction Nunspeet), ✉ 8162 PB, ✆ (0 578) 68 82 76, Fax (0 578) 68 82 86, 佘, « Environnement boisé » – **Ⓟ**. 🖭 ⑩ 🅴 *VISA*
fermé du 3 au 15 fév., 29 sept.-13 oct. et lundi – **Repas** Lunch 53 – 60.

EPEN Limburg © Wittem 7 807 h. 211 P 18 et 408 I 9.

Voir Route de Epen à Slenaken ⬉★.

🛈 Julianastraat 15, ✉ 6285 AG, ✆ (0 43) 455 13 46, Fax (0 43) 455 24 33.

Amsterdam 235 – Maastricht 24 – Aachen 35.

🏨 **Zuid Limburg**, Julianastraat 23a, ✉ 6285 AH, ✆ (0 43) 455 18 18, Fax (0 43) 455 24 15, ⬉, 🌲, 🚗, 🔲, 🎾 – |🛗| ☎ **Ⓟ** – 🔬 25 à 60. 🖭 ⑩ 🅴 *VISA* *JCB*. 🛠 rest
Repas (fermé après 20 h 30) Lunch 28 – carte 60 à 78 – **47 ch** ⫻ 195/240 – ½ P 155/230.

🏨 **Creusen** ⑤, Wilhelminastraat 50, ✉ 6285 AW, ✆ (0 43) 455 12 15, Fax (0 43) 455 21 01, ⬉, 🌲 – |🛗|, 🗐 rest, 🖭 ☎ **Ⓟ**. 🖭 🅴 *VISA* *JCB*. 🛠
mars-nov. et 23 déc.-2 janv. – **Repas** (résidents seult) – **18 ch** ⫻ 105/186.

🏨 **Ons Krijtland**, Julianastraat 22, ✉ 6285 AJ, ✆ (0 43) 455 15 57, Fax (0 43) 455 21 45, ⬉ – |🛗| 🖭 ☎ **Ⓟ** – 🔬 30. 🅴. 🛠
fermé 24 déc.-30 janv. – **Repas** (fermé lundi et après 20 h) 45 – **32 ch** ⫻ 140/180.

🏨 **Alkema**, Kap. Houbenstraat 12, ✉ 6285 AB, ✆ (0 43) 455 13 35, Fax (0 43) 455 27 44 – |🛗| 🖭 ☎ **Ⓟ**. ⑩ 🅴 *VISA*
fermé janv.-fév. – **Repas** (dîner pour résidents seult) – **16 ch** ⫻ 100/200, 2 suites.

🏨 **Os Heem** 🅼, Wilhelminastraat 19, ✉ 6285 AS, ✆ (0 43) 455 16 23, Fax (0 43) 455 22 85 – |🛗|, 🗐 rest, 🖭 ☎ **Ⓟ**. 🖭 ⑩ 🅴 *VISA* *JCB*. 🛠 rest
Repas (dîner pour résidents seult) – **24 ch** ⫻ 108/175 – ½ P 125/145.

🏨 **Schoutenhof** ⑤ sans rest, Molenweg 1, ✉ 6285 NJ, ✆ (0 43) 455 20 02, Fax (0 43) 455 26 05, ⬉ campagne vallonnée, 🌲 – 🖭 ☎ **Ⓟ**. 🖭 🅴 *VISA*. 🛠
11 ch ⫻ 143/195.

🏨 **Berg en Dal**, Roodweg 18, ✉ 6285 AA, ✆ (0 43) 455 13 83, Fax (0 43) 455 27 05, 佘, 🌲 – 🖭 ☎ **Ⓟ**. 🅴 *VISA*. 🛠
Repas (fermé jeudi de nov. à avril et après 20 h) Lunch 28 – 53 – **32 ch** ⫻ 100/135 – ½ P 78/85.

🏨 **De Kroon**, Wilhelminastraat 8, ✉ 6285 AV, ✆ (0 43) 455 21 20, Fax (0 43) 455 26 25 – 🖭 ☎ **Ⓟ**. 🖭 ⑩ 🅴 *VISA*. 🛠
fermé 30 déc.-2 janv. – **Repas** (dîner seult) (fermé lundi) carte env. 55 – **18 ch** ⫻ 95/140 – ½ P 90/100.

ESCAUT ORIENTAL (Barrage de l'), Stormvloedkering – voir Oosterscheldedam, Stormvloedkering.

ETTEN-LEUR Noord-Brabant 211 H 13 et 408 E 7 – 34 839 h.

Amsterdam 115 – 's-Hertogenbosch 63 – Antwerpen 59 – Breda 13 – Rotterdam 56.

🍴 **De Zwaan**, Markt 7, ✉ 4875 CB, ✆ (0 76) 501 26 96, Fax (0 76) 501 73 59, « Collection de tableaux » – 🗐. 🖭 🅴 *VISA* *JCB*
ⓢ fermé du 3 au 24 août, 27 déc.-1er janv., sam. midi, dim. midi et lundi – **Repas** Lunch 70 – 98 (2 pers. min.) carte env. 100
Spéc. Pâté de foie d'oie mariné au jus de truffes. Suprême de canard sauvage et son boudin au céleri et truffe d'été (mi-août-oct.). Soufflé à la compote d'agrumes et noix.

EXLOO Drenthe 🔟🔟 V 5 et 🔟🔟🔟 L 3 – voir à Odoorn.

FRANEKER Friesland 🅲 Franekeradeel 20 373 h. 🔟🔟 N 3 et 🔟🔟🔟 H 2.

Voir Hôtel de Ville★ (Stadhuis) – Planetarium★.

🅱 Voorstraat 51, ⊠ 8801 LA, 𝒫 0 900-919 19 99, Fax (0 517) 41 51 76.

Amsterdam 122 – Leeuwarden 17.

🏨 **Tulip Inn De Valk**, Hertog van Saxenlaan 78, ⊠ 8802 PP, 𝒫 (0 517) 39 80 00,
🐝 Fax (0 517) 39 31 11, 🍽 – 📳 📺 ☎ 🕭 🅿 – 🔏 25 à 350. 🖭 ① 🝙 🗺
Repas Lunch 40 – 45 – **42 ch** ⊇ 115/195 – ½ P 115/128.

FREDERIKSOORD Drenthe 🅲 Vledder 3 965 h. 🔟🔟 R 5 et 🔟🔟🔟 J 3.

Amsterdam 154 – Assen 37 – Groningen 62 – Leeuwarden 62 – Zwolle 44.

🏨 **Frederiksoord**, Maj. van Swietenlaan 20, ⊠ 8382 CG, 𝒫 (0 521) 38 55 55,
Fax (0 521) 38 15 24, 🍽 – ☎ 🕭 🖭 ① 🝙 🗺 🝚
fermé 27 déc.-3 janv. et lundi d'oct. à mars – Repas Lunch 30 – carte 64 à 81 – **11 ch**
⊇ 80/140 – ½ P 105/115.

GARDEREN Gelderland 🅲 Barneveld 45 874 h. 🔟🔟 O 9 et 🔟🔟🔟 I 5.

Amsterdam 72 – Arnhem 47 – Apeldoorn 20 – Utrecht 54.

🏨 **Résidence Groot Heideborgh** 🅼 🍃, Hogesteeg 50 (S : 1,5 km), ⊠ 3886 MA,
𝒫 (0 577) 46 27 00, Fax (0 577) 46 28 00, 🍽, « Bois et landes de bruyères », 🎣,
≋s, 🔲, 🐎, 🛳 – 📳 🍴 📺 ☎ 🕭 🅿 – 🔏 25 à 300. 🖭 ① 🝙 🗺 🝚
🝚 rest
fermé 1er janv. – Repas Lunch 45 – carte 73 à 97 – ⊇ 33 – **84 ch** 215/275 – ½ P 180/195.

🏨 **'t Speulderbos** 🍃, Speulderbosweg 54, ⊠ 3886 AP, 𝒫 (0 577) 46 15 46,
Fax (0 577) 46 11 24, 🍽, « Dans les bois », 🎣, ≋s, 🔲, 🐎, 🛳 – 📳 🍴 📺 ☎ 🕭 🅿
– 🔏 25 à 250. 🖭 ① 🝙 🗺 🝚 🝚 rest
fermé 31 déc.-1er janv. – Repas Lunch 55 – carte 60 à 88 – ⊇ 25 – **100 ch** 180/235, 2 suites
– ½ P 175/203.

🏨 **Anastasius** 🍃, Speulderweg 40, ⊠ 3886 LB, 𝒫 (0 577) 46 12 54, Fax (0 577)
🐝 46 21 76, 🍽, 🐎 – 📺 ☎ 🅿 – 🔏 25. 🖭 ① 🝙 🗺 🝚
Repas 45 – **14 ch** ⊇ 98/155 – ½ P 108.

✕ **Camposing**, Oud Milligenseweg 7, ⊠ 3886 MB, 𝒫 (0 577) 46 22 88, Fax (0 577) 46 22 88,
🍽, Cuisine chinoise – 🍽 🅿. 🝙 🗺
fermé lundi sauf en juil.-août – Repas 45/65.

✕ **Gasterij Zondag**, Apeldoornsestraat 163 (S : 2 km), ⊠ 3886 MN, 𝒫 (0 577) 46 12 51,
Fax (0 577) 46 17 33, 🍽 – 🅿. 🖭 ① 🝙 🗺
fermé fév. – Repas carte 49 à 77.

GASSELTE Drenthe 🔟🔟 U 5 et 🔟🔟🔟 L 3 – 4 287 h.

🏌 à Gasselternijveen NE : 4 km, Nieuwe Dijk 1, ⊠ 9514 BX, 𝒫 (0 599) 56 53 53,
Fax (0 599) 32 64 88.

Amsterdam 206 – Assen 25 – Groningen 34.

✕✕ **Gasterie De Wiemel**, Gieterweg 2 (N : 1 km), ⊠ 9462 TD, 𝒫 (0 599) 56 47 25,
Fax (0 599) 56 44 43, 🍽 – 🅿. 🖭 ① 🝙 🗺 🝚
fermé 5 et 31 déc. et 1er janv. – Repas carte env. 50.

GEERTRUIDENBERG Noord-Brabant 🔟🔟 J 13 et 🔟🔟🔟 F 6 – 6 687 h.

🏌 à Hank N : 6 km, Kurenpolderweg 33, ⊠ 4273 LA, 𝒫 (0 162) 40 28 20.

Amsterdam 90 – Breda 20 – Rotterdam 55 – 's-Hertogenbosch 36.

✕ **'t Weeshuys**, Markt 52, ⊠ 4931 BT, 𝒫 (0 162) 51 36 98, Fax (0 162) 51 60 02, 🍽,
« Dans une chapelle du 15e s. » – 🖭 ① 🝙 🗺 🝚
fermé du 5 au 18 juil. et 27 déc.-1er janv. – Repas 49/85.

GEERVLIET Zuid-Holland 🅲 Bernisse 12 495 h. 🔟🔟 F 11 et 🔟🔟🔟 D 6 - ㉓ S.

Amsterdam 93 – Den Haag 41 – Rotterdam 20.

✕✕✕ **In de Bernisse Molen**, Spuikade 1, ⊠ 3211 BG, 𝒫 (0 181) 66 12 92,
Fax (0 181) 64 14 46, 🍽, « Moulin du 19e s. » – 🅿. 🖭 ① 🝙 🗺 🝚
fermé dim., lundi et 26 juil.-17 août – Repas Lunch 58 – carte 74 à 93.

410

GELDROP *Noord-Brabant* 211 N 14 et 408 H 7 – *27015 h.*
Amsterdam 137 – 's-Hertogenbosch 49 – Aachen 106 – Eindhoven 6 – Venlo 48.

Golden Tulip, Bogardeind 219 (près A 67), ✉ 5664 EG, ✆ (0 40) 286 75 10, *Fax (0 40) 285 57 64*, – 25 à 300. AE ⓓ E VISA JCB. rest
Repas *Lunch 35* – carte env. 70 – **138 ch** ☐ 135/325.

De Gouden Leeuw sans rest, Korte Kerkstraat 46, ✉ 5664 HH, ✆ (0 40) 286 23 93, *Fax (0 40) 285 69 41* – ☎ P – 25 à 60. AE E VISA.
18 ch ☐ 75/125.

GELEEN *Limburg* 211 P 17 et 408 I 9 – *34070 h.*
Amsterdam 202 – Maastricht 23 – Eindhoven 74 – Aachen 33.

Normandie sans rest, Wolfstraat 7, ✉ 6162 BB, ✆ (0 46) 474 58 83, *Fax (0 46) 475 33 88* – TV ☎. AE ⓓ E VISA.
26 ch ☐ 88/118.

Bastion, Rijksweg Zuid 301, ✉ 6161 BN, ✆ (0 46) 474 75 17, *Fax (0 46) 474 89 33* – TV ☎ P. AE ⓓ E VISA.
Repas (grillades, ouvert jusqu'à 23 h) 45 – **40 ch** ☐ 110/125.

XXX **De Lijster,** Rijksweg Zuid 172, ✉ 6161 BV, ✆ (0 46) 474 39 57, *Fax (0 46) 474 38 38*, – P. AE ⓓ E VISA
fermé mardi, sam. midi, dim. midi et sem. carnaval – **Repas** *Lunch 55* – 65/75.

XX **Chez Jean,** Rijksweg Centrum 24, ✉ 6161 EE, ✆ (0 46) 474 22 63 – ▤. AE ⓓ E VISA
fermé sam. midi, dim. midi, lundi, 20 fév.-2 mars et 24 juil.-13 août – **Repas** *Lunch 48* – 68.

GEMERT *Noord-Brabant* 211 O 13 et 408 I 7 – *18677 h.*
Amsterdam 111 – Eindhoven 25 – Nijmegen 54.

à Handel *NE : 3,5 km* C *Gemert* :

Handelia, Past. Castelijnsstraat 1, ✉ 5423 SP, ✆ (0 492) 32 12 90, *Fax (0 492) 32 38 41*, – TV ☎ P.
fermé 25 déc.-1er janv. – **Repas** (résidents seult) – **9 ch** ☐ 95/130 – ½ P 85/90.

GEYSTEREN *Limburg* 211 Q 13 et 408 J 7 – *voir à Wanssum.*

GIETHOORN *Overijssel* C *Brederwiede 12102 h.* 210 Q 6 et 408 J 3.
Voir *Village lacustre★★.*
(bateau) Beulakerweg a/b ark, ✉ 8355 AM, ✆ (0 521) 36 12 48, Fax (0 521) 36 22 81.
Amsterdam 135 – Zwolle 28 – Assen 63 – Leeuwarden 63.

De Pergola, Ds. T.O. Hylkemaweg 7, ✉ 8355 CD, ✆ (0 521) 36 13 21, *Fax (0 521) 36 24 08*, – TV ☎ P
Repas (Taverne-rest) *(avril-15 oct. ; fermé après 20 h 30)* 45 – **15 ch** *(15 mars-nov.)* ☐ 120.

XX **De Lindenhof** (Kruithof), Beulakerweg 77 (N : 1,5 km), ✉ 8355 AC, ✆ (0 521) 36 14 44, *Fax (0 521) 36 14 44*, – P. AE ⓓ E VISA JCB.
fermé jeudi, 2 prem. sem. mars et 2 dern. sem. oct. – **Repas** (dîner seult) 79/99, carte env. 100
Spéc. St-Jacques marinées au basilic et saumon fumé. Lasagne de ris de veau aux champignons des bois. Soufflé au citron et sorbet aux fruits de la passion.

à Wanneperveen *S : 6 km* C *Brederwiede* :

Marina, Veneweg 292 (Beulaeke Haven), ✉ 7946 LX, ✆ (0 522) 28 18 15, *Fax (0 522) 28 17 01*, – TV ☎ P. AE E VISA. ch
Repas *Lunch 35* – carte 45 à 65 – **15 ch** ☐ 110/148 – ½ P 140.

GILZE *Noord-Brabant* C *Gilze en Rijen 23843 h.* 211 J 13 et 408 F 7.
18 Bavelseweg 153, ✉ 5126 NM, ✆ (0 161) 43 15 31, Fax (0 76) 565 78 71.
Amsterdam 105 – Breda 15 – 's-Hertogenbosch 37 – Tilburg 10.

Motel Gilze-Rijen, Klein Zwitserland 8 (près A 58), ✉ 5126 TA, ✆ (0 161) 45 49 51, *Fax (0 161) 45 21 71*, – TV ☎ P – 25 à 450. AE ⓓ E VISA
Repas (ouvert jusqu'à minuit) carte 50 à 72 – ☐ 13 – **130 ch** 100, 7 suites.

GINNEKEN *Noord-Brabant* 211 I 13 et 408 F 7 – *voir à Breda.*

GLIMMEN *Groningen* 210 T 4 et 408 K 2 – *voir à Haren.*

GOEDEREEDE Zuid-Holland 🔲 D 12 et 🔲 C 6 – *10 947 h.*

Amsterdam 118 – Den Haag 66 – Middelburg 76 – Rotterdam 49.

✗ **De Gouden Leeuw,** Markt 11, ⊠ 3252 BC, ℰ (0 187) 49 13 71 – 🖭 ⬛
ⓢ *fermé lundi et du 7 au 31 janv.* – **Repas** 45/65.

GOES Zeeland 🔲 D 13 et 🔲 C 7 – *33 998 h.*

🔲 *Golfpark 1,* ⊠ 4465 BH, ℰ (0 113) 22 95 56, Fax (0 113) 22 95 54.
🔲 *Stationsplein 3,* ⊠ 4461 HP, ℰ 0 900-168 16 66, Fax (0 113) 25 13 50.
Amsterdam 165 ② – Middelburg 22 ③ – Antwerpen 68 ② – Breda 78 ② – Rotterdam 87 ①.

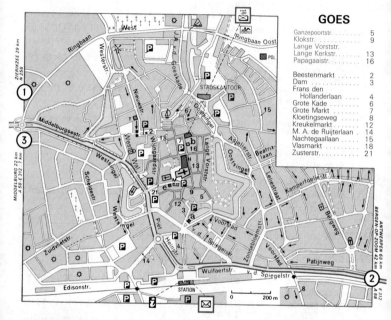

GOES

Ganzepoortstr.	5
Klokstr.	9
Lange Vorststr.	
Lange Kerkstr.	13
Papagaaistr.	16
Beestenmarkt	2
Dam	3
Frans den Hollanderlaan	4
Grote Kade	6
Grote Markt	7
Kloetingseweg	8
Kreukelmarkt	12
M. A. de Ruijterlaan	14
Nachtegaallaan	15
Vlasmarkt	18
Zusterstr.	21

🔲 **Bolsjoi,** Grote Markt 28, ⊠ 4461 AJ, ℰ (0 113) 23 23 23, 🛋 – 🖭 ☎ 🅿 – 🔏 25 à 60. 🖭 ⓞ ⬛ 𝘝𝘐𝘚𝘈
Repas (Taverne-rest) carte 45 à 63 – **12 ch** *(fermé 25 et 26 déc.)* ⊇ 125/145. b

✗✗ **De Stadsschuur,** Schuttershof 32, ⊠ 4461 DZ, ℰ (0 113) 21 23 32, Fax (0 113) 25 02 29, 🛋, « Grange aménagée avec terrasse ombragée » – 🖭 ⓞ ⬛ 𝘝𝘐𝘚𝘈
fermé sam. midi, dim. midi et 31 déc.-2 janv. – **Repas** 50/70. e

✗✗ **Bon Vivant,** Dam 2, ⊠ 4461 HV, ℰ (0 113) 23 00 66, Fax (0 113) 23 00 66, 🛋, « Terrasse au bord de l'eau » – 🍽. 🖭 ⓞ ⬛ 𝘝𝘐𝘚𝘈 𝐉𝐂𝐁
fermé dim. midi, lundi et 27 déc.-13 janv. – **Repas** 60/93. a

GOIRLE Noord-Brabant 🔲 K 13 et 🔲 G 7 – *voir à Tilburg.*

GORINCHEM Zuid-Holland 🔲 J 11 et 🔲 F 6 – *32 066 h.*

🔲 *Grote Markt 17,* ⊠ 4201 EB, ℰ (0 183) 63 15 25, Fax (0 183) 63 40 40.
Amsterdam 74 – Den Haag 68 – Breda 41 – 's-Hertogenbosch 40 – Rotterdam 42 – Utrecht 41.

🔲 **Gorinchem,** Van Hogendorpweg 10 (échangeur A 27/A 15, sortie ㉗), ⊠ 4204 XW, ℰ (0 183) 62 24 00, Fax (0 183) 62 29 48, 🛋 – 🖭 ☎ 🅿 – 🔏 25 à 250. 🖭 ⓞ ⬛ 𝘝𝘐𝘚𝘈
Repas *(fermé sam. soir et dim.)* 45 – ⊇ 13 – **25 ch** 100/115.

🔲 **Campanile,** Franklinweg 1 (sur A 15, sortie ㉘), ⊠ 4207 HX, ℰ (0 183) 62 58 77, Fax (0 183) 62 95 36, 🛋 – 🖭 ☎ & 🅿 – 🔏 25. 🖭 ⓞ ⬛ 𝘝𝘐𝘚𝘈
Repas *(avec buffet)* Lunch 15 – 45 – ⊇ 13 – **52 ch** 96 – ½ P 115/136.

XX **Merwezicht,** Eind 19, ⊠ 4201 CP, ℰ (0 183) 66 05 22, Fax (0 183) 66 09 91, 🍴,
« Terrasse sur écluse, ≤ Merwede » – AE ⓪ E 𝘝𝘐𝘚𝘈
fermé dim. et 27 déc.-4 janv. – **Repas** Lunch 50 – 59/69.

XX **Solo,** Zusterhuis 1, ⊠ 4201 EH, ℰ (0 183) 63 77 90, Fax (0 183) 63 77 91 – 🍽 – 🛗 35.
AE ⓪ E 𝘝𝘐𝘚𝘈
fermé 2 sem. vacances bâtiment – **Repas** Lunch 53 – 73.

*Our **hotel and restaurant guides**, our **tourist guides** and our **road maps**
are complementary. Use them together.*

GOUDA Zuid-Holland 𝟮𝟭𝟭 | 10 et 𝟰𝟬𝟴 F 5 – 70 935 h.

Voir *Le Cœur de la ville★ – Hôtel de Ville★ (Stadhuis)* BY **H'** – *Vitraux★★★ de l'église
St-Jean★ (St. Janskerk)* BY **A**.

Musée : *municipal (Stedelijk Museum) Het Catharina Gasthuis★* BY **M'**.

Env. *Étangs de Reeuwijk★ (Reeuwijkse Plassen) par ① – de Gouda à Oudewater route de
digue ≤★ par Goejanverwelledijk* BZ.

🛈 Markt 27, ⊠ 2801 JJ, ℰ (0 182) 51 36 66, Fax (0 182) 58 32 10.
Amsterdam 53 ④ – Den Haag 30 ④ – Rotterdam 23 ③ – Utrecht 36 ④.

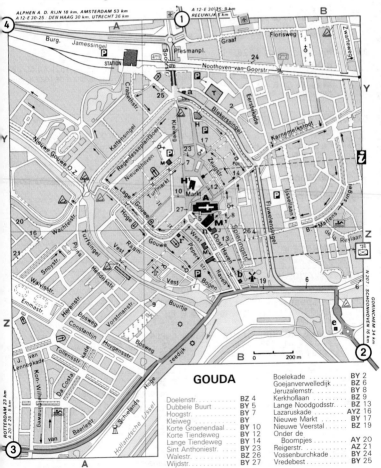

GOUDA

Doelenstr. . . . . BZ 4
Dubbele Buurt . . . . . BY 5
Hoogstr. . . . . BY 7
Kleiweg . . . . BY
Korte Groenendaal . . . BY 10
Korte Tiendeweg . . . BY 12
Lange Tiendeweg . . . BY 14
Sint Anthoniestr. . . . . BY 23
Walestr. . . . . BZ 26
Wijdstr. . . . . BY 27

Boelekade . . . . BY 2
Goejanverwelledijk . . . . BZ 6
Jeruzalemstr. . . . . BY 8
Kerkhoflaan . . . . BZ 9
Lange Noodgodsstr. . . . BZ 13
Lazaruskade . . . . AYZ 16
Nieuwe Markt . . . . BY 17
Nieuwe Veerstal . . . . . . BZ 19
Onder de
 Boompjes . . . . AY 20
Reigerstr. . . . . AZ 21
Vossenburchkade . . . . . BY 24
Vredebest . . . . BY 25

413

Campanile, Kampenringweg 39 (par ④ : 3 km près A 12), ✉ 2803 PE, ☎ (0 182) 53 55 55, *Fax (0 182) 57 15 75,* – 30. AE ⓓ E VISA AY
Repas (avec buffet) *Lunch 15* – 39 – 13 – **74 ch** 98/104 – ½ P 128.

Rôtiss. l'Etoile, Blekerssingel 1, ✉ 2806 AA, ☎ (0 182) 51 22 53, *Fax (0 182) 51 22 53,* – – 80. AE ⓓ E VISA JCB BY a
fermé dim., lundi et 27 déc.-6 janv. – **Repas** *Lunch 55* – 58.

Jean Marie, Oude Brugweg 4, ✉ 2808 NP, ☎ (0 182) 51 62 62, – Ⓟ. AE ⓓ E VISA BZ e
fermé sam. midi, dim., lundi et 21 juil.-15 août – **Repas** *Lunch 50* – carte 51 à 72.

Brunel, Hoge Gouwe 23, ✉ 2801 LA, ☎ (0 182) 51 89 79, *Fax (0 182) 58 60 08,* – AE ⓓ E VISA BZ r
Repas (dîner seult) 59.

La Grenouille, Oosthaven 20, ✉ 2801 PC, ☎ (0 182) 51 27 31, *Fax (0 182) 51 27 31* – . AE ⓓ E VISA JCB BZ n
fermé lundi et 20 juil.-11 août – **Repas** carte env. 75.

De Mallemolen, Oosthaven 72, ✉ 2801 PG, ☎ (0 182) 51 54 30, *Fax (0 182) 51 54 30* – . AE ⓓ E VISA BZ b
fermé lundi – **Repas** *Lunch 35* – carte 64 à 87.

De Zes Sterren, Achter de Kerk 14 (dans le musée municipal **M**[1]), ✉ 2801 JX, ☎ (0 182) 51 60 95, *Fax (0 182) 51 97 27,* , Avec cuisine traditionelle hollandaise – . AE ⓓ E VISA JCB BY
fermé dim., lundi et 3 sem. en juil. – **Repas** 50/70.

à Reeuwijk *par ① : 6 km – 12 837 h.*

d'Ouwe Stee, 's Gravenbroekseweg 80, ✉ 2811 GG, ☎ (0 182) 39 40 08, *Fax (0 182) 39 51 92,* , « Intérieur vieil hollandais et terrasse au bord de l'eau », – Ⓟ. AE ⓓ E VISA
fermé mardi – **Repas** *Lunch 60* – carte 58 à 80.

GRAVE *Noord-Brabant* 211 O 12 et 408 I 6 – *12 127 h.*
Amsterdam 115 – Arnhem 33 – Eindhoven 47 – 's-Hertogenbosch 33 – Nijmegen 15.

De Stadspoort, Maasstraat 22, ✉ 5361 GG, ☎ (0 486) 47 59 75, *Fax (0 486) 47 59 75* – AE ⓓ E VISA.
fermé lundi, mardi, 3 sem. carnaval et 2 sem. en oct. – **Repas** carte 69 à 90.

Het Wapen van Grave, Arnoud van Gelderweg 61, ✉ 5361 CV, ☎ (0 486) 47 32 68, *Fax (0 486) 47 32 68,* – Ⓟ. AE E VISA
fermé lundi – **Repas** *Lunch 43* – 45/63.

's-GRAVELAND *Noord-Holland* 211 K 9 et 408 G 5 – *voir à Hilversum.*

's-GRAVENHAGE Ⓟ *Zuid-Holland – voir Den Haag.*

's-GRAVENZANDE *Zuid-Holland* 211 E 10 et 408 D 5 - ㉕ N – *18 878 h.*
Amsterdam 77 – Den Haag 17 – Rotterdam 30.

De Spaansche Vloot, Langestraat 137, ✉ 2691 BD, ☎ (0 174) 41 24 95, *Fax (0 174) 41 71 24,* – Ⓟ. AE ⓓ E VISA JCB
fermé dim. sauf en mai-juin – **Repas** *Lunch 43* – 50/75.

Hoeve de Viersprong, Nieuwlandsedijk 10 (SO : 1 km), ✉ 2691 KW, ☎ (0 174) 41 33 22, *Fax (0 174) 41 77 24,* – Ⓟ. AE ⓓ E VISA
fermé lundi et mardi – **Repas** *Lunch 45* – 55/78.

GROEDE *Zeeland* Ⓒ *Oostburg 17 780 h.* 211 B 14 et 408 B 7.
Amsterdam 209 – Middelburg (bac) 12 – Antwerpen 89 – Brugge 33 – Knokke-Heist 22.

Het Vlaemsche Duyn , Gerard de Moorsweg 4, ✉ 4503 PD, ☎ (0 117) 37 12 10, *Fax (0 117) 37 17 28,* , – Ⓟ. ⓓ E VISA. rest
fermé janv. – **Repas** (dîner seult) *(fermé lundi)* carte 45 à 76 – **14 ch** 110/140 – ½ P 100/105.

GROESBEEK *Gelderland* 211 P 12 408 I 6 – *voir à Nijmegen.*

GRONINGEN ⓟ **210** T 3 et **408** K 2 – 169 627 h. – Casino Z, Gedempte Kattendiep 150, ✉ 9711 PV, ℰ (0 50) 312 34 00, Fax (0 50) 312 98 31.

Voir Goudkantoor★ Z **A** – Tour★ (Martinitoren) de l'église St-Martin (Martinikerk) Z.

Musée : maritime du Nord★ (Noordelijk Scheepvaartmuseum) Z **M¹** – Groninger Museum★ Z **M²**.

Env. Les églises rurales★ par ② : Loppersum (fresques★ dans l'église) – par ② : Zeerijp (coupoles★ dans l'église) – par ⑦ : Uithuizen : château Menkemaborg★★ – par ⑥ Leens : buffet d'orgues★ dans l'église St-Pierre (Petruskerk).

Exc. par ② à Garmerwolde : église★.

🏌 à Glimmen (Haren) par ④ : 12 km, Pollselaan 5, ✉ 9756 GJ, ℰ (0 50) 406 20 04, Fax (0 50) 406 19 22.

✈ à Eelde par ④ : 12 km ℰ (0 50) 309 34 00.

🛈 Gedempte Kattendiep 6, ✉ 9711 PN, ℰ 0 900-202 30 50, Fax (0 50) 313 63 58.

Amsterdam 181 ⑤ – Bremen 181 ③ – Leeuwarden 59 ⑥.

GRONINGEN

Asingastraat	X 6
Emmaviaduct	X 13
Europaweg	X 16
Helperbrink	X 19
Helperzoom	X 21
Hoendiep	X 24
van Iddekingeweg	X 25
Ieperlaan	X 27
Julianaplein	X 28
Julianaweg	X 30
Kastanjelaan	X 31
Metaallaan	X 36
Noorderstationsstr.	X 40
Oosterhamriklaan	X 42
Overwinningsplein	X 48
Paterswoldseweg	X 49
Pleiadenlaan	X 52
Prof. Dr. J. C. Kapteijnlaan	X 54
Sontweg	X 61
Sumatralaan	X 64
Weg der Verenigde Naties	X 69
Winsumerweg	X 73
Zonnelaan	X 75

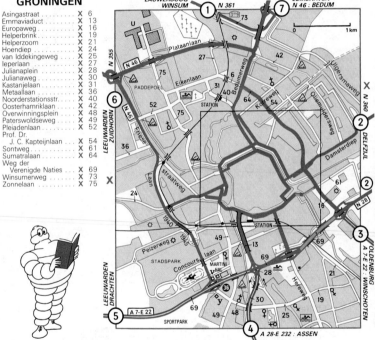

🏨🏨 **Mercure,** Expositielaan 7 (S : 2 km près N 7), ✉ 9727 KA, ℰ (0 50) 525 84 00, Fax (0 50) 527 18 28, ☎, 🔲 – 🛗 🌿 ☰ 📺 ☎ 🅿 – 🔬 30 à 60. 🆎 ⓘ 🇪 VISA. �། rest
Repas Lunch 40 – carte env. 60 – **155 ch** ☷ 160/270, 2 suites. X v

🏨 **Schimmelpenninck Huys,** Oosterstraat 53, ✉ 9711 NR, ℰ (0 50) 318 95 02, Fax (0 50) 318 31 64, 🍴, « Maison classée » – 📺 ☎ – 🔬 25 à 70. 🆎 ⓘ 🇪 VISA
Repas Lunch 53 – 65 – **38 ch** ☷ 185/195 – ½ P 135/193. Z h

🏨🏨 **Martini,** Donderslaan 156 (S : 2 km près N 7), ✉ 9728 KX, ℰ (0 50) 525 20 40, Fax (0 50) 526 21 09, ☎ – 🛗 🌿, ☰ rest, 📺 ☎ 🅿 – 🔬 25 à 200. 🆎 🇪 VISA. 🌾
Repas (fermé dim. midi) carte env. 55 – **58 ch** ☷ 135/185. X y

🏨 **Aub. Corps de Garde,** Oude Boteringestraat 74, ✉ 9712 GN, ℰ (0 50) 314 54 37, Fax (0 50) 313 63 20 – 📺 ☎. 🆎 🇪 VISA. 🌾 ch
Repas carte 45 à 62 – **24 ch** ☷ 135/180. Y n

🏨 **Bastion,** Bornholmstraat 99 (par ③ : 5 km), ✉ 9723 AW, ℰ (0 50) 541 49 77, Fax (0 50) 541 30 12 – 📺 ☎ 🅿. 🆎 ⓘ 🇪 VISA. 🌾
Repas (grillades, ouvert jusqu'à 23 h) 45 – **40 ch** ☷ 130/145.

GRONINGEN

Grote Markt . . . . **Z**
Herestraat . . . . **Z**
Oosterstraat . . . . **Z**
Oude Boteringestr. . . . . **Z** 45
Oude Ebbingestr. . . . . **Y** 46
Vismarkt . . . . **Z** 67

A-Kerkhof . . . . **Z** 3

A-Straat . . . . **Z** 4
de Brink . . . . **Z** 7
Brugstraat . . . . **Z** 9
Eeldersingel . . . . **Z** 10
Eendrachtskade . . . . **Z** 12
Emmaviaduct . . . . **Z** 13
Gedempte Zuiderdiep . . . . . **Z** 18
Lopende Diep . . . . **Y** 33
Martinikerkhof . . . . **Z** 34
Noorderhaven N. Z. . . . . **Y** 37
Noorderhaven Z. Z. . . . . **Z** 39

Ossenmarkt . . . . **Y** 43
Paterswoldseweg . . . . **Z** 49
Rademarkt . . . . **Z** 55
Radesingel . . . . **Z** 57
Schuitendiep . . . . **Z** 58
St. Jansstraat . . . . **Z** 60
Verlengde Oosterstr. . . . . . . **Z** 66
Spilsluizen . . . . **Y** 63
Westerhaven . . . . **Z** 70
Westersingel . . . . **Z** 72
Zuiderpark . . . . **Z** 76

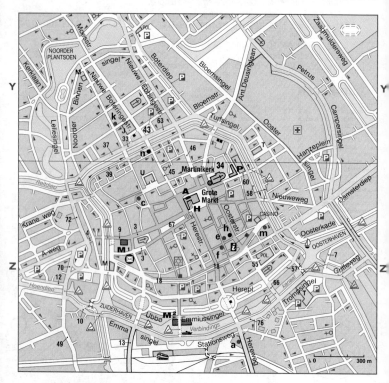

XX **Muller** (Hengge), Grote Kromme Elleboog 13, ⊠ 9712 BJ, ℘ (0 50) 318 32 08,
⊗ Fax (0 50) 312 58 76 – ▤. **AE ① E VISA JCB**
Z c
fermé dim., lundi, 26 juil.-17 août et 27 déc.-11 janv. – **Repas** (dîner seult) 65/103
Spéc. Ballottine de foie d'oie et de canard. Rognonnade d'agneau dans son jus (avril-août).
Homard tiède à la vanille.

XX **De Pauw,** Gelkingestraat 52, ⊠ 9711 NE, ℘ (0 50) 318 13 32, Fax (0 50) 313 34 63 –
▤ **AE ① E VISA JCB**
Z e
fermé fin déc.-début janv. et lundi et mardi en juil.-août – **Repas** (dîner seult) 55/70.

XX **Passe Pierre,** Gedempte Kattendiep 23, ⊠ 9711 PL, ℘ (0 50) 314 39 86, 斎 – **AE ①**
E VISA
Z m
fermé dim. – **Repas** Lunch 63 – carte 75 à 115.

XX **Ni Hao,** Hereweg 1, ⊠ 9726 AA, ℘ (0 50) 318 14 00, Fax (0 50) 313 11 37, Cui-
sine chinoise – ▤ **P AE ① E VISA**. ⨯
Z a
Repas Lunch 28 – 45/108.

X **De Benjamin,** Kleine Leliestraat 33, ⊠ 9712 TD, ℘ (0 50) 314 00 98, Fax (0 50) 313 15 13,
斎 – **AE E VISA JCB**. ⨯
Y k
fermé sam. midi, dim., lundi soir, vacances bâtiment et fin déc. – **Repas** Lunch 45 – 50/68.

X **Ganga,** Carolieweg 11, ⊠ 9711 LP, ℘ (0 50) 313 32 20, Fax (0 50) 313 34 80, Cuisine
indienne – **AE ① E VISA**. ⨯
Z f
Repas (dîner seult jusqu'à 23 h) carte env. 50.

à Aduard par ⑧ : 6 km © Zuidhorn 17842 h :

🏛 **Aduard,** Friesestraatweg 13 (sur N 355), ✉ 9831 TB, ✆ (0 50) 403 14 00, Fax (0 50) 403 12 16, 🍽 – 📺 ☎ 🅿 – 🏛 80. 🆎 ⑩ 🅴 *VISA*. ✸ rest
Repas (ouvert jusqu'à minuit) Lunch 25 – carte 45 à 80 – **22 ch** ♀ 45/155 – ½ P 70/105.

XXX **Herberg Onder de Linden** (Slenema) 🌿 avec ch, Burg. van Barneveldweg 3, ✉ 9831 RD, ✆ (0 50) 403 14 06, Fax (0 50) 403 18 14, 🍽, « Auberge typique frisonne du 18ᵉ s. avec jardin » – 📺 ☎ 🅿. 🆎 ⑩ 🅴 *VISA* JCB
fermé du 13 au 20 juil., 28 déc.-5 janv., dim. et lundi – **Repas** Lunch 75 – 110 (2 pers. min.), carte 100 à 115 – **5 ch** ½ P seult 155/195
Spéc. Risotto de homard et ris de veau croquant. Canard sauvage au chou rouge servi avec compote de coings (21 sept.-21 mars). Filet de loup de mer au sabayon à la moutarde régionale.

à Paterswolde S : 5 km par Paterswoldseweg X © Eelde 10737 h :

🏛 **'t Familiehotel,** Groningerweg 19, ✉ 9765 TA, ✆ (0 50) 309 54 00, Fax (0 50) 309 11 57, 🚲, 🏊, ✂, 🧖 – 🛗 🔄 📺 ☎ ♿ 🅿 – 🏛 25 à 150. 🆎 ⑩ 🅴 *VISA*. ✸ rest
Repas (ouvert jusqu'à 23 h) Lunch 48 – carte env. 70 – **71 ch** ♀ 170/310, 2 suites – ½ P 163/213.

GRONSVELD Limburg © Eijsden 11829 h. 🗺 O 18 et 🗺 I 9.
Amsterdam 217 – Maastricht 8 – Aachen 31.

XXX **De Keizerskroon,** Europapark 1, ✉ 6247 AX, ✆ (0 43) 408 15 32, Fax (0 43) 408 35 55, 🍽, « Terrasse avec ≼ jardin fleuri » – 🍴 🅿. 🆎 ⑩ 🅴 *VISA*. ✸
fermé lundi – **Repas** Lunch 55 – 50/90.

GULPEN Limburg 🗺 P 18 et 🗺 I 9 – 7803 h.
🏠 à Mechelen SE : 6 km, Dalbissenweg 22, ✉ 6281 NC, ✆ (0 43) 455 13 97, Fax (0 43) 455 15 76.
Amsterdam 229 – Maastricht 16 – Aachen 16.

🏛 **De Oude Geul,** Oude Rijksweg 20, ✉ 6271 AA, ✆ (0 43) 450 39 88, Fax (0 43) 450 38 44, 🍽 – 📺 ☎ 🅿 – 🏛 25 à 40. 🆎 ⑩ 🅴 *VISA* JCB. ✸
Repas 45/55 – **26 ch** ♀ 95/120 – ½ P 90/130.

XX **Le Sapiche,** Rijksweg 12, ✉ 6271 AE, ✆ (0 43) 450 38 33, Fax (0 43) 450 20 97, 🍽 – 🆎 🅴 *VISA*. ✸
fermé lundi, 2 sem. carnaval et 2 dern. sem. août – **Repas** (dîner seult) carte 67 à 87.

X **Chez O,** Markt 9, ✉ 6271 BD, ✆ (0 43) 450 44 90, 🍽 – 🅴 *VISA*. ✸
fermé carnaval – **Repas** (dîner seult) 55/80.

DEN HAAG

P *Zuid-Holland* **211** *F 10 –* ① ② *et* **408** *D 5 – 442 503 h.*

Amsterdam 55 ② *– Bruxelles 182* ④ *– Rotterdam 24* ④ *– Delft 13* ④.

Plans de Den Haag
Agglomération .... p. 2 et 3
Den Haag – Plan général .... p. 4 et 5
Den Haag Centre .... p. 6
Scheveningen .... p. 7
Liste alphabétique des hôtels et des restaurants .... p. 8
Nomenclature des hôtels et des restaurants
Den Haag .... p. 9 et 10
Scheveningen .... p. 10 et 11
Périphérie et environs .... p. 11 et 12

RENSEIGNEMENTS PRATIQUES

☐ *Kon. Julianaplein 30.* ⊠ *2595 AA.* ℘ *06-34 03 50 51, Fax (070) 347 21 02.*

⬨ *Amsterdam-Schiphol NE : 37 km* ℘ *(020) 601 91 11 – Rotterdam-Zestienhoven SE : 17 km* ℘ *(010) 446 34 44.*

⫟₁₈ *Delftweg 58* ⊠ *2289 AL à Rijswijk* (CR) ℘ *(070) 319 24 24, Fax (070) 319 13 17 –* **⫟₁₈** *Groot Haesebroekseweg 22* ⊠ *2243 EC à Wassenaar NE : 11 km* ℘ *(070) 517 96 07, Fax (070) 514 01 71 –* **⫟₁₈** *Hoge klei 1* ⊠ *2243 XZ à Wassenaar NE : 11 km* ℘ *(070) 511 78 46, Fax (070) 511 93 02 –* **⫟₁₈** *Elzenlaan 31* ⊠ *2267 AT à Leidschendam* (CQ) ℘ *(070) 399 10 96, Fax (070) 399 86 15.*

CURIOSITÉS

Voir *Binnenhof*★ *: salle des Chevaliers*★ *(Ridderzaal) JY – Étang de la Cour (Hofvijver)* ⩽★ *HJY – Lange Voorhout*★ *HJX – Madurodam*★★ *ET – Scheveningen*★★.

Musées : *Mauritshuis*★★★ *JY – Galerie de peintures Prince Guillaume V*★ *(Schilderijengalerij Prins Willem V) HY* **M²** *– Panorama Mesdag*★ *HX – Musée Mesdag*★ *EU – Municipal*★★ *(Gemeentemuseum) DEU – Bredius*★ *JY.*

RÉPERTOIRE
DES RUES DU PLAN
DE DEN HAAG

Denneweg	p. 6	**JX**	
Hoogstr.	p. 6	**HY**	
Korte Poten	p. 6	**JY**	54
Lange Poten	p. 6	**JY**	
Noordeinde	p. 6	**HXY**	
Paleispromenade	p. 6	**HY**	81
de Passage	p. 6	**HY**	85
Spuistr.	p. 6	**JYZ**	
Venestr.	p. 6	**HYZ**	
Vlamingstr.	p. 6	**HZ**	114
Wagenstr.	p. 6	**JZ**	
Alexanderstr.	p. 6	**HX**	
van Alkemadelaan	p. 3	**BQ**	
Amaliastr.	p. 6	**HX**	3
Amsterdamse Veerkade	p. 6	**JZ**	4
Anna Paulownastr.	p. 5	**FU**	6
Annastr.	p. 6	**HY**	7
Ary van der Spuyweg	p. 4	**ETU**	9
Badhuiskade	p. 7	**DS**	10
Badhuisweg	p. 7	**DS**	
Bankastr.	p. 5	**FTU**	
Beatrixlaan	p. 5	**GU**	
Beeklaan	p. 4	**DUV**	
Belgischepl.	p. 7	**ES**	
Benoordenhoutseweg	p. 5	**GTU**	
Binckhorstlaan	p. 5	**GV**	
Bleijenburg	p. 6	**JY**	12
Boekhorststr.	p. 6	**HZ**	
van Boetzelaerlaan	p. 4	**DU**	
Breedstr.	p. 6	**HY**	
Buitenhof	p. 6	**HY**	
Buitenom	p. 6	**FV**	
Burg. de Monchyplein	p. 5	**FU**	15
Burg. Patijnlaan	p. 5	**FU**	
Carnegielaan	p. 4	**EU**	18
Conradkade	p. 4	**DEU**	
Delftselaan	p. 4	**EV**	
Dierenselaan	p. 4	**EV**	
Dr. Kuyperstr.	p. 5	**FU**	19
Dr. Lelykade	p. 7	**DT**	
Dr. de Visserpl.	p. 7	**DS**	21
Doornstr.	p. 7	**DT**	
Drie Hoekjes	p. 6	**HY**	22
Duinstr.	p. 7	**DT**	
Duinweg	p. 7	**ET**	
Dunne Bierkade	p. 6	**JZ**	
Eisenhowerlaan	p. 4	**DET**	
Elandstr.	p. 4	**EUF**	
Erasmusweg	p. 2	**AR**	
Escamplaan	p. 2	**AR**	
Fahrenheitstr.	p. 4	**DUV**	
Fluwelen Burgwal	p. 6	**JY**	24
Frankenslag	p. 7	**DT**	
Fred. Hendriklaan	p. 7	**DT**	
Geest	p. 6	**HY**	
Gentsestr.	p. 7	**ES**	
Gevers Deynootplein	p. 7	**ES**	27
Gevers Deynootstr.	p. 7	**ES**	28
Gevers Deynootweg	p. 7	**DES**	
Goeverneurlaan	p. 3	**BR**	
Goudenregenstr.	p. 4	**DV**	
Groen van Prinstererlaan	p. 2	**AR**	30
Groene Wegje	p. 6	**JZ**	31
Groenmarkt	p. 6	**HZ**	
Groot Hertoginnelaan	p. 4	**DEU**	
Grote Marktstr.	p. 6	**HJZ**	
Haringkade	p. 7	**EST**	
Harstenhoekweg	p. 7	**ES**	
Herengracht	p. 6	**JY**	
Hobbemastr.	p. 5	**FV**	
Hoefkade	p. 5	**FV**	
Hofweg	p. 6	**HJY**	
Hofzichtlaan	p. 3	**CQ**	
van Hogenhoucklaan	p. 5	**FT**	
Hogewal	p. 6	**HX**	
Hooikade	p. 6	**JX**	33
Houtmarkt	p. 6	**JZ**	
Houtrustweg	p. 4	**DU**	
Houtwijklaan	p. 2	**AR**	34
Houtzagerssingel	p. 5	**FV**	
Hubertusviaduct	p. 5	**FT**	
Huygenspark	p. 6	**JZ**	
Jacob Catslaan	p. 4	**EU**	
Jacob Catsstr.	p. 5	**FV**	
Jacob Pronkstr.	p. 7	**DS**	36
Jan Hendrikstr.	p. 6	**HZ**	
Jan van den Heydenstr.	p. 3	**BR**	39
Jan van Nassaustr.	p. 5	**FU**	
Javastr.	p. 5	**FU**	
Johan de Wittlaan	p. 4	**ETU**	40
Jozef Israëlslaan	p. 5	**GU**	
Juliana van Stolberglaan	p. 5	**GU**	42
Jurrian Kokstr.	p. 7	**DS**	
Kalvermarkt	p. 6	**JY**	
Kanaalweg	p. 7	**ET**	
Kazernestr.	p. 6	**HJ**	
Keizerstr.	p. 7	**DS**	
Kempstr.	p. 4	**EV**	
Kijkduinsestr.	p. 2	**AR**	43
Kneuterdijk	p. 6	**HY**	45
Koningin Emmakade	p. 4	**EUV**	
Koningin Julianaplein	p. 5	**GU**	48
Koningin Marialaan	p. 5	**GU**	51
Koninginnegracht	p. 5	**FTU**	
Koningspl.	p. 4	**EU**	
Koningstr.	p. 5	**FV**	
Korte Molenstr.	p. 6	**HY**	52
Korte Vijverberg	p. 6	**JY**	55
Kranenburgweg	p. 4	**DU**	
Laan Copes van Cattenburch	p. 5	**FU**	57
Laan van Eik en Duinen	p. 4	**DV**	
Laan van Meerdervoort	p. 4	**DVE**	
Laan van Nieuw Oost Indie	p. 5	**GU**	
Landscheidingsweg	p. 3	**BQ**	
Lange Houtstr.	p. 6	**JY**	
Lange Vijverberg	p. 6	**HJY**	60
Lange Voorhout	p. 6	**JX**	
Leidsestraatweg	p. 3	**BCQ**	

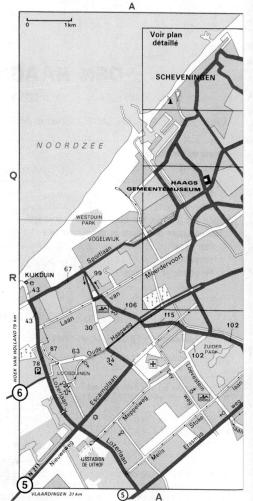

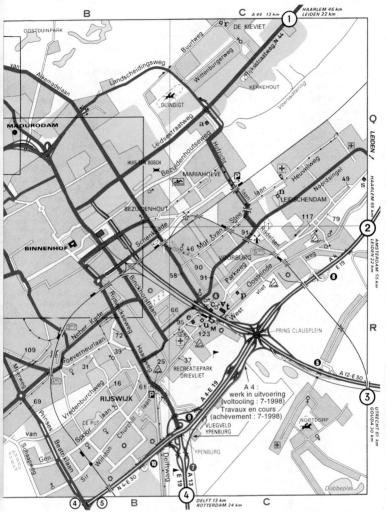

Lekstr.	p. 5	**GV**	
Leyweg	p. 2	**AR**	
Lisztstr.	p. 2	**AR**	63
Loevesteinlaan	p. 2	**AR**	
Loosduinsekade	p. 4	**DEV**	
Lozerlaan	p. 2	**AR**	
Lutherse Burgwal	p. 6	**HZ**	64
Maanweg	p. 3	**CR**	66
Machiel Vrijenhoeklaan	p. 2	**AR**	67
Mauritskade	p. 6	**HX**	
Melis Stokelaan	p. 2	**AR**	
Meppelweg	p. 2	**AR**	
Mercuriusweg	p. 5	**GV**	
Middachtenweg	p. 3	**BR**	69
Mient	p. 4	**DV**	
Moerweg	p. 3	**BR**	
Molenstr.	p. 6	**HY**	70
Monstersestr.	p. 4	**EV**	
van Musschenbroek straat	p. 3	**BR**	72
Muzenstr.	p. 6	**JY**	
Nassauplein	p. 6	**FU**	
Neherkade	p. 3	**BR**	
Nieboerweg	p. 4	**DU**	
Nieuwe Duinweg	p. 7	**ES**	73
Nieuwe Parklaan	p. 7	**EST**	
Nieuwe Schoolstr.	p. 6	**HJX**	75
Nieuwestr.	p. 6	**HZ**	
Nieuweweg	p. 2	**AR**	
Noord West Buitensingel	p. 4	**EV**	76
Noordwal	p. 6	**EFU**	
Ockenburghstr.	p. 2	**AR**	78
Oostduinlaan	p. 7	**FT**	
Oranjeplein	p. 5	**FV**	
Oranjestr.	p. 6	**HX**	
Oude Haagweg	p. 2	**AR**	
Oude Haagweg	p. 4	**DV**	
Paleisstr.	p. 6	**HXY**	82
Papestr.	p. 6	**HY**	84
Parallelweg	p. 5	**FGV**	
Parkstr.	p. 6	**HX**	
Paul Krugerlaan	p. 4	**EV**	
Paviljoensgracht	p. 6	**JZ**	
Piet Heinstr.	p. 4	**EUF**	
Pisuissestr.	p. 2	**AR**	87
Plaats	p. 6	**HY**	
Plein	p. 6	**JY**	
Plein 1813	p. 6	**HX**	
Plesmanweg	p. 5	**FT**	
Pletterijkade	p. 5	**GV**	88
President Kennedylaan	p. 4	**DU**	
Prins Bernhard viaduct	p. 5	**GU**	
Prins Hendrikpl.	p. 4	**EU**	
Prins Hendrikstr.	p. 4	**EU**	
Prins Mauritslaan	p. 7	**DT**	93
Prins Willemstr.	p. 7	**DT**	94
Prinsegracht	p. 6	**HZ**	
Prinsessegracht	p. 6	**JXY**	

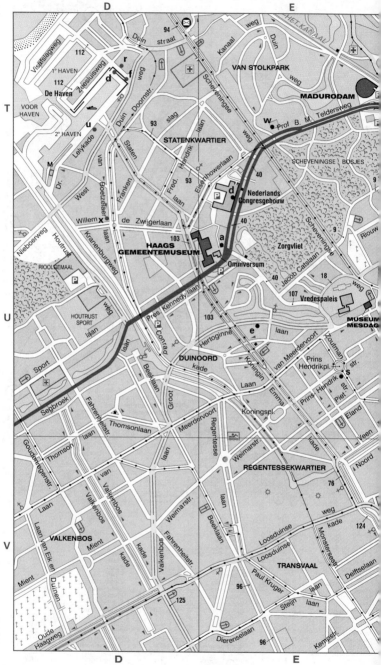

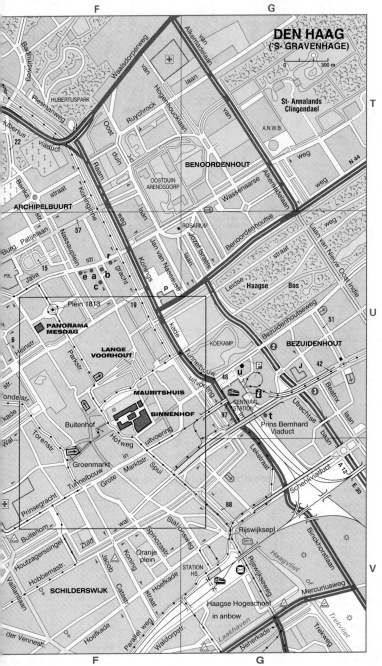

423

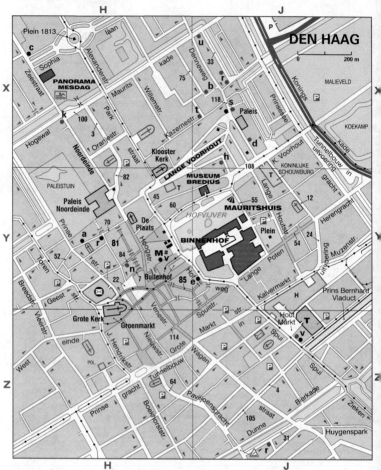

RÉPERTOIRE DES RUES DU PLAN DE DEN HAAG (SUITE)

Prinsestr. . . . . p. 6 **HY**
Prof. B. M.
  Teldersweg . . . . . p. 4 **ET**
Raamweg . . . . p. 5 **FTU**
Regentesselaan . . . . p. 4 **EUV**
de la Reyweg . . . . . . p. 4 **EV** 96
Rijnstr. . . . . p. 5 **GU** 97
Rijswijksepl. . . . . p. 5 **GV**
Rijswijkseweg . . . . . . p. 5 **GV**
Riouwstr. . . . . p. 4 **EUF**
Ruychrocklaan . . . . . p. 5 **FGT**
de Savornin
  Lohmanlaan . . . . . p. 2 **AR** 99
Schenkkade . . . . p. 3 **BCR**
Schenkviaduct . . . . . p. 5 **GV**
Scheveningseveer . . p. 6 **HX** 100
Scheveningseweg . . . p. 4 **TEU**
Segbroeklaan . . . . . . p. 4 **DU**
Soestdijksekade . . . . p. 2 **AR** 102
Sophialaan . . . . p. 6 **HX**
Spinozastr. . . . . p. 5 **FV**
Sportlaan . . . . p. 2 **AR**
Spui . . . . p. 6 **JZ**
Stadhouderslaan . . . . p. 4 **DEU** 103
Statenlaan . . . . p. 7 **DT**

Stationsweg . . . . p. 5 **FGV**
Steijnlaan . . . . p. 4 **EV**
Stevinstr. . . . . p. 7 **ES**
Stille Veerkade . . . . . p. 6 **JZ** 105
Strandweg . . . . p. 7 **DS**
Thomsonlaan . . . . . . p. 4 **DUV**
Thorbeckelaan . . . . . p. 2 **AR** 106
Tobias
  Asserlaan . . . . . . p. 4 **EU** 107
Torenstr. . . . . p. 6 **HY**
Tournooiveld . . . . p. 6 **JXY** 108
Trekweg . . . . p. 5 **GV**
Troelstrakade . . . . . . p. 3 **BR** 109
Utrechtsebaan . . . . . p. 5 **GUV**
Vaillantlaan . . . . p. 5 **FV**
Valkenboskade . . . . . p. 4 **DV**
Valkenboslaan . . . . . p. 4 **DV**
Veenkade . . . . p. 4 **EUV**
van der Vennestr. . . . p. 5 **FV**
Visafslagweg . . . . . . p. 7 **DT**
Visserhavenstr. . . . . . p. 7 **DS** 110
Visserhavenweg . . . . p. 7 **DT** 112
Vleerstr. . . . . p. 6 **HZ**
Volendamlaan . . . . . . p. 2 **AR** 115
Vondelstr. . . . . p. 5 **FU**

Vos in Tuinstr. . . . . . . p. 6 **JX** 118
Vreeswijkstr. . . . . p. 2 **AR** 120
Waalsdorperweg . . . . p. 5 **FT**
Waldorpstr. . . . . p. 5 **FGV**
Wassenaarseweg . . . p. 5 **GT**
Wassenaarsestr. . . . . p. 7 **DS** 121
Weimarstr. . . . . p. 4 **DEV**
West Duinweg . . . . . . p. 7 **DT**
Westeinde . . . . p. 6 **HZ**
Willem de
  Zwijgerlaan . . . . . p. 4 **DU**
Willemstr. . . . . p. 6 **HX**
Zeesluisweg . . . . p. 7 **DT**
Zeestr. . . . . p. 6 **HX**
Zieken . . . . p. 6 **JZ**
Zoutkeetsingel . . . . . p. 4 **EV** 124
Zoutmanstr. . . . . p. 4 **EU**
Zuidparklaan . . . . . . p. 4 **DV** 125
Zuidwal . . . . p. 5 **FV**
Zwolsestr. . . . . p. 7 **ES**

LEIDSCHENDAM

Heuvelweg . . . . p. 3 **CQ**
Koningin
  Julianaweg . . . . . p. 3 **CQ** 49

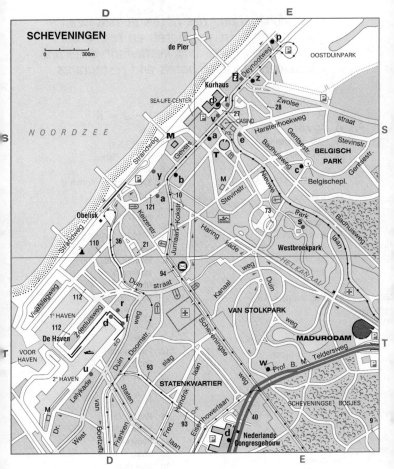

RÉPERTOIRE DES RUES DU PLAN DE DEN HAAG (FIN)

Noordsingel . . . . .p. 3 **CQ**
Oude Trambaan . . .p. 3 **CQ** 79
Voorburgseweg . . . . .p. 3 **CQ** 117
Westvlietweg . . . . . .p. 3 **CR**

RIJSWIJK

Burg. Elsenlaan . . . . .p. 3 **BR** 16
Delftweg . . . . .p. 3 **BR**
Geestbrugweg . . . . .p. 3 **BR** 25
Gen. Spoorlaan . . . . .p. 3 **BR**
Haagweg . . . . .p. 3 **BR**

Jan Thijssenweg . . . .p. 3 **CR** 37
Lindelaan . . . . .p. 3 **BR** 61
Prinses
  Beatrixlaan . . . . . . .p. 3 **BR**
  Schaapweg . . . . . . .p. 3 **BR**
Sir Winston
  Churchilllaan . . . . .p. 3 **BR**

VOORBURG

Koningin
  Julianalaan . . . . . .p. 3 **CR** 46

Laan van Nieuw
  Oost Einde . . . . . .p. 3 **CR** 58
Mgr. van Steelaan . .p. 3 **CQR**
Oosteinde . . . . .p. 3 **CR**
Parkweg . . . . .p. 3 **CR**
Potgieterlaan . . . . . .p. 3 **CR** 90
Prins Bernhardlaan .p. 3 **CR** 91
Prinses
  Mariannelaan . . . .p. 3 **CR** 95
Rodelaan . . . . .p. 3 **CR**
Westeinde . . . . .p. 3 **CR** 123

De taal die u ziet op de borden langs de wegen,
is de taal van de streek waarin u zich bevindt.

In deze gids zijn de plaatsen vermeld onder hun officiële naam :
Liège voor Luik, Huy voor Hoei.

Liste alphabétique des hôtels et restaurants
Alfabetische lijst van hotels en restaurants
Alphabetisches Hotel- und Restaurantverzeichnis
Alphabetical list of hotels and restaurants

A

11 Atlantic
12 Aub. de Kieviet
9 Aubergerie

B

11 Badhotel
11 Bali
12 Barbaars (De)
12 Barquichon (Le)
9 Bel Air
11 Bel Park
10 Bistro-mer
10 Bistroquet
11 Bon Mangeur (Le)

C

9 Carlton Ambassador
11 Carlton Beach
10 Chez Eliza
10 Chez Pierrette
11 China Delight
9 Corona

D – E

9 Da Roberto
10 Djawa
9 Dorint
12 Duinoord
11 Europa

F – G

10 Fouquet
11 Galleria (La)
9 Ganzenest ('t)
11 Ginza
11 Green Park

H

9 Holiday Inn Crowne
  Plaza Promenade
9 Hoogwerf (De)

I – J – K

11 Ibis
9 Indes (Des)
10 It Rains Fishes
10 Julien
11 Kandinsky (H. Kurhaus)
10 Kurhaus

M – N – O

9 Mercure Central
11 Mero
10 Mouton (Le)
12 Mövenpick
9 Novotel
10 Ombrelles (Les)

P

9 Paleis
12 Papermoon
9 Parkhotel
9 Petit

R

11 Radèn Mas
10 Raffles (The)
11 Rederserf
10 Roma
10 Rousseau

S – T

10 Sapphire
10 Saur
12 Savelberg
9 Sebel
11 Seinpost
10 Shirasagi
9 Sofitel
10 Trudot

V – W

12 Villa la Ruche
11 Villa Rozenrust
11 Westbroekpark

Quartiers du Centre - *plans p. 5 et 6 sauf indication spéciale :*

Des Indes, Lange Voorhout 54, ⊠ 2514 EG, ℰ (0 70) 363 29 32, Fax (0 70) 345 17 21, « Demeure fin 19ᵉ s. » – |≝| ⊡ ☎ ℗ – ⅍ 25 à 75. 亜 ⑩ ☰ VISA JCB, ⅏ ch
JX s
Repas **Le Restaurant** Lunch 55 - 65/100 – ☲ 38 – **70 ch** 320/530, 6 suites – ½ P 385/525.

Holiday Inn Crowne Plaza Promenade, van Stolkweg 1, ⊠ 2585 JL, ℰ (0 70) 352 51 61, Fax (0 70) 354 10 46, <, ⅍, « Collection de peintures néerlandaises modernes » – |≝| ⅍ ⊡ ☎ ℗ – ⅍ 25 à 400. 亜 ⑩ ☰ VISA JCB
Repas **The Gallery** carte 60 à 80 – **Trattoria del'Arte** (cuisine italienne) carte 50 à 65 – ☲ 38 – **91 ch** 225/250, 4 suites.
plan p. 4 ET w

Dorint Ⓜ, Johan de Wittlaan 42, ⊠ 2517 JR, ℰ (0 70) 416 91 11, Fax (0 70) 416 91 00, ﬁ๒, ≘ﬆ, ⅍, ≡ ch, ⊡ ☎ ⅍ ⇔ – ⅍ 25 à 2000. 亜 ⑩ ☰ VISA JCB, ⅏ rest
plan p. 4 ET d
Repas (ouvert jusqu'à 23 h) carte env. 65 – ☲ 28 – **214 ch** 315/370, 2 suites – ½ P 328/388.

Carlton Ambassador Ⓜ ⅍, Sophialaan 2, ⊠ 2514 JP, ℰ (0 70) 363 03 63, Fax (0 70) 360 05 35, ⅍, « Aménagement de style hollandais ou anglais » – |≝| ⅍ ≡ ⊡ ☎ ℗ – ⅍ 25 à 150. 亜 ⑩ ☰ VISA JCB
HX c
Repas **Brasserie Henricus** Lunch 40 - carte 49 à 85 – ☲ 35 – **71 ch** 345/405, 8 suites – ½ P 267/410.

Sofitel, Koningin Julianaplein 35, ⊠ 2595 AA, ℰ (0 70) 381 49 01, Fax (0 70) 382 59 27 – |≝| ⅍ ≡ ⊡ ☎ ⅍ ℗ – ⅍ 25 à 150. 亜 ⑩ ☰ VISA
GU u
Repas 50 – ☲ 30 – **143 ch** 300/360 – ½ P 380/490.

Bel Air, Johan de Wittlaan 30, ⊠ 2517 JR, ℰ (0 70) 352 53 54, Fax (0 70) 352 53 53, ⌧, |≝| ⅍ ⊡ ☎ ℗ – ⅍ 25 à 250. 亜 ⑩ ☰ VISA JCB
plan p. 4 EU a
Repas Lunch 46 – 53/58 – ☲ 25 – **350 ch** 260/295 – ½ P 209.

Mercure Central sans rest, Spui 180, ⊠ 2511 BW, ℰ (0 70) 363 67 00, Fax (0 70) 363 93 98 – |≝| ⅍ ≡ ⊡ ☎ ⅍ ℗ – ⅍ 25 à 130. 亜 ⑩ ☰ VISA JCB
JZ v
☲ 24 – **156 ch** 198/215, 3 suites.

Corona, Buitenhof 42, ⊠ 2513 AH, ℰ (0 70) 363 79 30, Fax (0 70) 361 57 85, ⅍ – |≝|, ≡ rest, ⊡ ☎ ⇔ – ⅍ 30 à 100. 亜 ⑩ ☰ VISA JCB
HY v
Repas **Brasserie Buitenhof** Lunch 45 - 50/58 – ☲ 25 – **26 ch** 265/310.

Parkhotel sans rest, Molenstraat 53, ⊠ 2513 BJ, ℰ (0 70) 362 43 71, Fax (0 70) 361 45 25 – |≝| ⊡ ☎ – ⅍ 25 à 100. 亜 ⑩ ☰ VISA
HY a
114 ch ☲ 165/325.

Novotel, Hofweg 5, ⊠ 2511 AA, ℰ (0 70) 364 88 46, Fax (0 70) 356 28 89, ⅍ – |≝| ⅍, ≡ rest, ⊡ ☎ ⇔ – ⅍ 25 à 100. 亜 ⑩ ☰ VISA JCB
HJY e
Repas (ouvert jusqu'à minuit) carte env. 55 – ☲ 23 – **106 ch** 175/210 – ½ P 145/163.

Paleis sans rest, Molenstraat 26, ⊠ 2513 BL, ℰ (0 70) 362 46 21, Fax (0 70) 361 45 33, ≘ﬆ – |≝| ⊡ ☎. 亜 ⑩ ☰ VISA JCB
HY r
☲ 16 – **20 ch** 155/219.

Petit sans rest, Groot Hertoginnelaan 42, ⊠ 2517 EH, ℰ (0 70) 346 55 00, Fax (0 70) 346 32 57 – |≝| ⊡ ☎ ℗. 亜 ⑩ ☰ VISA JCB
plan p. 4 EU e
20 ch ☲ 110/180.

Sebel sans rest, Zoutmanstraat 40, ⊠ 2518 GR, ℰ (0 70) 345 92 00, Fax (0 70) 345 58 55 – ⊡ ☎. 亜 ⑩ ☰ VISA JCB, ⅏
plan p. 4 EU s
27 ch ☲ 125/155.

De Hoogwerf, Zijdelaan 20, ⊠ 2594 BV, ℰ (0 70) 347 55 14, Fax (0 70) 381 95 96, ⅍, « Ferme du 17ᵉ s., jardin » – 亜 ⑩ ☰ VISA JCB, ⅏
plan p. 3 CQ a
fermé dim. et jours fériés sauf Noël – **Repas** Lunch 45 – 55/125.

Da Roberto, Noordeinde 196, ⊠ 2514 GS, ℰ (0 70) 346 49 77, Fax (0 70) 362 52 86, Cuisine italienne – ≡ ℗. 亜 ⑩ ☰ VISA
HX k
fermé dim. et 1ʳᵉ quinz. août – **Repas** Lunch 55 – carte env. 90.

Aubergerie, Nieuwe Schoolstraat 19, ⊠ 2514 HT, ℰ (0 70) 364 80 70, Fax (0 70) 360 73 38, ⅍ – 亜 ⑩ ☰ VISA
JX b
fermé dim. et lundi – **Repas** Lunch 48 – 63.

't Ganzenest (Visbeen), Groenewegje 115, ⊠ 2515 LP, ℰ (0 70) 389 67 09, Fax (0 70) 380 07 41 – 亜 ⑩ ☰ VISA. ⅏
JZ r
fermé lundi, Pâques, Pentecôte, fin juil.-début août et prem. sem. janv. – **Repas** (dîner seult) 55/110 bc, carte 80 à 100
Spéc. Carpaccio de thon mariné à la vinaigrette de soja. Crème de witlof aux St-Jacques (oct.-avril). Ris de veau croustillant aux épinards et ravioles de petits-gris.

XX **It Rains Fishes,** Noordeinde 123, ⊠ 2514 GG, ℘ (0 70) 365 25 98, *Fax (0 70) 365 25 22,*
Avec cuisine asiatique – 🍽. ◻ ⦿ 📧 *VISA*. ✼   HX **k**
fermé sam. midi, dim. midi et lundi – **Repas** *Lunch* 38 – 55/65.

XX **Chez Eliza,** Hooikade 14, ⊠ 2514 BH, ℘ (0 70) 346 26 03, *Fax (0 70) 346 26 03,* ㄥ,
Ouvert jusqu'à 23 h, « Rustique » – ❷. ◻ ⦿ 📧 *VISA* *JCB*   JX **r**
fermé sam. midi, dim. midi, lundi et 27 déc.-4 janv. – **Repas** *Lunch* 50 – 60/85.

XX **Le Bistroquet,** Lange Voorhout 98, ⊠ 2514 EJ, ℘ (0 70) 360 11 70,
Fax (0 70) 360 55 30, ㄥ – 🍽. ◻ ⦿ 📧 *VISA* *JCB*   JX **d**
fermé sam., dim. et 24 déc.-2 janv. – **Repas** *Lunch* 55 – 59/79.

XX **Rousseau,** Van Boetzelaerlaan 134, ⊠ 2581 AX, ℘ (0 70) 355 47 43, ㄥ – ◻ ⦿ 📧
VISA   plan p. 4 DU **x**
fermé sam. midi, dim. midi, lundi, 23 fév.-2 mars, du 3 au 17 août, 24 et 31 déc. et 1er janv.
– **Repas** *Lunch* 45 – 55/98.

XX **Julien,** Vos in Tuinstraat 2a, ⊠ 2514 BX, ℘ (0 70) 365 86 02, *Fax (0 70) 365 31 47,*
« Décor Art Nouveau » – ◻ ⦿ 📧 *VISA*   JX **s**
fermé dim. – **Repas** *Lunch* 45 – 50/75.

XX **Roma,** Papestraat 22, ⊠ 2513 AW, ℘ (0 70) 346 23 45, *Fax (0 70) 363 85 81,* Cuisine
italienne – ◻ ⦿ 📧 *VISA* *JCB*. ✼ – **Repas** (dîner seult) carte 45 à 70.   HY **n**
fermé mardi et du 1er au 20 août – **Repas** (dîner seult) carte 45 à 70.

XX **The Raffles,** Javastraat 63, ⊠ 2585 AG, ℘ (0 70) 345 85 87, Cuisine indonésienne –
🍽. ◻ ⦿ 📧 *VISA* *JCB*   FU **r**
fermé dim. et fin juil.-début août – **Repas** (dîner seult) 48/73.

XX **Le Mouton,** Kazernestraat 62, ⊠ 2514 CV, ℘ (0 70) 364 32 63 – 🍽. ◻ 📧 *VISA* *JCB*.
✼   JX **t**
fermé dim., 3 prem. sem. août et 27 déc.-12 janv. – **Repas** *Lunch* 43 – carte 73
à 93.

XX **Sapphire** 25e étage, Jan van Riebeekstraat 571, ⊠ 2595 TZ, ℘ (0 70) 383 67 67,
Fax (0 70) 347 50 54, ✳ ville, Cuisine chinoise – 🍴 🍽 ❷. ◻ ⦿ 📧 *VISA*. ✼   GU **t**
Repas (dîner seult) 43/70.

XX **Shirasagi,** Spui 170, ⊠ 2511 BW, ℘ (0 70) 346 47 00, *Fax (0 70) 346 26 01,* Cuisine
japonaise, teppan-yaki – 🍽. ◻ ⦿ 📧 *VISA* *JCB*. ✼   JZ **v**
fermé sam. midi, dim. midi, lundi midi et 31 déc.-2 janv. – **Repas** 55/135.

X **Saur,** Lange Voorhout 47, ⊠ 2514 EC, ℘ (0 70) 346 25 65, *Fax (0 70) 365 86 14,* ㄥ
– 🍽. ◻ ⦿ 📧 *VISA* *JCB*. ✼   JX **h**
fermé dim. et jours fériés – **Repas** *Lunch* 50 – 56/66.

X **Trudot,** Mauritskade 95, ⊠ 2514 HH, ℘ (0 70) 365 49 49, *Fax (0 70) 355 66 65* – 🍽.
⊛ ◻ 📧 *VISA*. ✼   JX **u**
fermé lundi – **Repas** (dîner seult jusqu'à 23 h) 43/70.

X **Les Ombrelles,** Hooistraat 4a, ⊠ 2514 BM, ℘ (0 70) 365 87 89, *Fax (0 15) 364 01 21,*
ㄥ, Produits de la mer, ouvert jusqu'à 23 h – ❷. ◻ ⦿ 📧 *VISA*   JX **r**
Repas *Lunch* 44 – 75.

X **Fouquet,** Javastraat 31a, ⊠ 2585 AC, ℘ (0 70) 360 62 73, *Fax (0 70) 386 55 92,* ㄥ
⊛ – ◻ ⦿ 📧 *VISA* *JCB*   FU **a**
fermé 25, 26 et 31 déc. et 1er janv. – **Repas** (dîner seult) 45/60.

X **Bistro-mer,** Javastraat 9, ⊠ 2585 AB, ℘ (0 70) 360 73 89, *Fax (0 70) 360 73 89,*
Produits de la mer, ouvert jusqu'à 23 h – ◻ ⦿ 📧 *VISA* *JCB*   FU **e**
Repas *Lunch* 50 – carte 59 à 95.

X **Chez Pierrette,** Frederikstraat 56, ⊠ 2514 LL, ℘ (0 70) 360 61 67, Bistrot, ouvert
jusqu'à minuit – 🍽. ◻ ⦿ 📧 *VISA* *JCB*   FU **c**
fermé 27 déc.-10 janv. et dim. en juil.-août – **Repas** *Lunch* 30 – carte 50 à 72.

X **Djawa,** Mallemolen 12a, ⊠ 2585 XJ, ℘ (0 70) 363 57 63, *Fax (0 70) 362 30 80,* ㄥ,
Cuisine indonésienne – 🍽. ◻ ⦿ 📧 *VISA* *JCB*   FU **b**
Repas (dîner seult) carte env. 50.

à Scheveningen - *plan p. 7* - Ⓒ *'s-Gravenhage* – *Station balnéaire*★★ – *Casino* ES, Kurhausweg 1,
⊠ 2587 RT, ℘ (0 70) 351 26 21, *Fax (0 70) 354 31 83.*
🛈 *Gevers Deijnootweg 1134,* ⊠ 2586 BX, ℘ 0 6-34 03 50 51, *Fax (0 70) 352 04 26*

🏛 **Kurhaus,** Gevers Deijnootplein 30, ⊠ 2586 CK, ℘ (0 70) 416 26 36, *Fax (0 70) 416 26 46,*
≼, ㄥ, « Ancienne salle de concert fin 19e s. », 🛁 – 🍴 ⇆ 📺 ☎ ⴵ ❷ – 🔏 35 à 480. ◻ ⦿
📧 *VISA* *JCB*. ✼ rest   ES **d**
Repas voir rest **Kandinsky** ci-après – **Kurzaal** (buffets) *Lunch* 45 - 55/75 – ⊡ 41 – **247 ch**
390/500, 8 suites – ½ P 475.

🏨🏨🏨 **Europa**, Zwolsestraat 2, ✉ 2587 VJ, ℰ (0 70) 416 95 95, *Fax (0 70) 416 95 55*, 🍴, ♨,
🛏, 🏊 – 📶 🔆 📺 🐾 ⟷ – 🔬 25 à 460. 🖭 ⓞ 🖪 ᴠɪꜱᴀ. 🛠 ES z
Repas (dîner seult jusqu'à 23 h) carte env. 65 – ☲ 28 – **173 ch** 275/385, 1 suite –
½ P 308/418.

🏨🏨🏨 **Carlton Beach**, Gevers Deijnootweg 201, ✉ 2586 HZ, ℰ (0 70) 354 14 14, *Fax (0 70)
352 00 20*, ≤, ♨, 🛏, 🔍 – 📶 🔆 📺 🐾 🐾 – 🔬 25 à 250. 🖭 ⓞ 🖪 ᴠɪꜱᴀ. 🛠 ES p
Repas (ouvert jusqu'à minuit) Lunch 28 – 45/90 – ☲ 30 – **183 ch** 245/370 – ½ P 216/256.

🏨🏨 **Badhotel**, Gevers Deijnootweg 15, ✉ 2586 BB, ℰ (0 70) 351 22 21, *Fax (0 70) 355 58 70*
⟷ – 📶 🔆 📺 🐾 🐾 – 🔬 25 à 150. 🛠 rest DS b
Repas (dîner seult) 45/90 – ☲ 19 – **90 ch** 168/195 – ½ P 218/221.

🏨 **Ibis**, Gevers Deijnootweg 63, ✉ 2586 BJ, ℰ (0 70) 354 33 00, *Fax (0 70) 352 39 16* –
📶 🔆 📺 🐾 🐾 – 🔬 25 à 80. 🖭 ⓞ 🖪 ᴠɪꜱᴀ ES a
Repas (dîner seult) carte env. 45 – ☲ 18 – **87 ch** 120/160.

🏨 **Bel Park** sans rest, Belgischeplein 38, ✉ 2587 AT, ℰ (0 70) 350 50 00,
Fax (0 70) 352 32 42 – 📺 🐾. 🖭 ⓞ 🖪 ᴠɪꜱᴀ. 🛠 ES c
12 ch ☲ 125/150.

🍴🍴🍴🍴 **Kandinsky** - H. Kurhaus, Gevers Deijnootplein 30, ✉ 2586 CK, ℰ (0 70) 416 26 34,
Fax (0 70) 416 26 46, ≤ – 🔳 🐾. 🖭 ⓞ 🖪 ᴠɪꜱᴀ ᴊᴄʙ. 🛠 ES
fermé dim. non fériés et sam. midi – **Repas** (dîner seult en juil.-août) Lunch 58 – 70/93.

🍴🍴🍴 **Seinpost**, Zeekant 60, ✉ 2586 AD, ℰ (0 70) 355 52 50, *Fax (0 70) 355 50 93*, ≤, Produits de la mer – 🔳. 🖭 ⓞ 🖪 ᴠɪꜱᴀ DS y
fermé dim. et jours fériés – **Repas** Lunch 60 – 68 bc.

🍴🍴🍴 **Radèn Mas**, Gevers Deijnootplein 125, ✉ 2586 CR, ℰ (0 70) 354 54 32,
Fax (0 70) 350 60 42, Avec cuisine indonésienne, ouvert jusqu'à 23 h – 🔳. 🖭 ⓞ 🖪 ᴠɪꜱᴀ
ᴊᴄʙ. 🛠 ES v
Repas Lunch 30 – 50/95.

🍴🍴 **Rederserf**, Schokkerweg 37, ✉ 2583 BH, ℰ (0 70) 350 50 23, *Fax (0 70) 350 84 54*,
≤, 🍴 – 🔳. 🖭 ⓞ 🖪 ᴠɪꜱᴀ ᴊᴄʙ. 🛠 DT d
fermé 27 déc.-1er janv. – **Repas** Lunch 53 – carte 92 à 126.

🍴🍴 **China Delight**, Dr Lelykade 116, ✉ 2583 CN, ℰ (0 70) 355 54 50, *Fax (0 70) 354 66 52*,
Cuisine chinoise – ⓞ 🖪 ᴠɪꜱᴀ ᴊᴄʙ DT u
Repas Lunch 33 – carte 49 à 104.

🍴🍴 **Ginza**, Dr Lelykade 28, ✉ 2583 CM, ℰ (0 70) 358 96 63, Cuisine japonaise, teppan-yaki,
ouvert jusqu'à minuit – 🔳. 🖭 ⓞ 🖪 ᴠɪꜱᴀ ᴊᴄʙ. 🛠 DT f
Repas Lunch 28 – carte env. 60.

🍴🍴 **Bali** avec ch, Badhuisweg 1, ✉ 2587 CA, ℰ (0 70) 350 24 34, *Fax (0 70) 354 03 63*, 🍴,
Cuisine indonésienne – 📺 🐾 🐾. 🖭 ⓞ 🖪 ᴠɪꜱᴀ. 🛠 ES e
Repas (dîner seult) 45/85 – **29 ch** ☲ 80/175.

🍴 **Mero**, Schokkerweg 50, ✉ 2583 BJ, ℰ (0 70) 352 36 00, Produits de la mer – 🔳. 🖭
ⓞ 🖪 ᴠɪꜱᴀ ᴊᴄʙ DT r
Repas Lunch 50 – carte env. 70.

🍴 **Westbroekpark**, Kapelweg 35, ✉ 2587 BK, ℰ (0 70) 354 60 72, *Fax (0 70) 354 85 60*,
≤, 🍴, « Parc, parterres de roses » – 🐾. 🖭 ⓞ 🖪 ᴠɪꜱᴀ. 🛠 ES s
fermé lundi et 24 déc.-2 janv. – **Repas** 50.

🍴 **Le Bon Mangeur**, Wassenaarsestraat 119, ✉ 2586 AM, ℰ (0 70) 355 92 13 – 🖭 ⓞ
🖪 ᴠɪꜱᴀ. 🛠 DS a
fermé dim., lundi, 3 prem. sem. août et dern. sem. déc. – **Repas** (dîner seult) 50/60.

🍴 **La Galleria**, Gevers Deijnootplein 105, ✉ 2586 CP, ℰ (0 70) 352 11 56, *Fax (0 70)
350 19 99*, 🍴, Cuisine italienne, ouvert jusqu'à minuit – 🔳. 🖭 ⓞ 🖪 ᴠɪꜱᴀ ᴊᴄʙ ES r
Repas carte 52 à 72.

à Kijkduin O : 4 km - plan p. 2 - ⓒ 's-Gravenhage :

🏨🏨 **Atlantic**, Deltaplein 200, ✉ 2554 EJ, ℰ (0 70) 448 24 82, ≤, 🍴, 🛏, 🔍 – 📶 🔆 📺
🐾 🐾 – 🔬 25 à 300. 🖭 ⓞ 🖪 ᴠɪꜱᴀ ᴊᴄʙ AR e
Repas (Brasserie) Lunch 40 – 43/50 – ☲ 30 – **118 ch** 230.

Environs

à Leidschendam - plan p. 3 - 34 532 h.

🏨🏨🏨 **Green Park**, Weigelia 22, ✉ 2262 AB, ℰ (0 70) 320 92 80, *Fax (0 70) 327 49 07*, ≤,
♨ – 📶 🔆 📺 🐾 🐾 – 🔬 25 à 250. 🖭 ⓞ 🖪 ᴠɪꜱᴀ ᴊᴄʙ CQ n
Repas 45/73 – **92 ch** ☲ 275/315, 3 suites – ½ P 140/230.

🍴🍴🍴 **Villa Rozenrust**, Veursestraatweg 104, ✉ 2265 CG, ℰ (0 70) 327 74 60,
Fax (0 70) 327 50 62, 🍴, « Terrasse » – 🐾. CQ s
fermé sam. midi, dim. et 27 juil.-15 août – **Repas** Lunch 70 – 98/120, carte 95 à 130
Spéc. Sole au beurre de gambas. Tabboulé de homard, thon et pamplemousse. Bœuf sauté
à la chinoise aux chanterelles et truffes (juil.-fév.).

à **Voorburg** - plan p. 3 – 39 380 h.

🏠 **Mövenpick** Ⓜ, Stationsplein 8, ⊠ 2275 AZ, ℰ (0 70) 337 37 37, Fax (0 70) 337 37 00,
⊖ 🛋 – 📳 ⋿⋆ 🗏 📺 ☎ ⅋ ⟨⟩ – 🅰 25 à 160. 🆎 ⑩ ⋿ 𝘝𝘐𝘚𝘈 𝗝𝗖𝗕   CR u
Repas (buffets) Lunch 30 – 45 – � 20 – **125 ch** 149/210 – ½ P 134/164.

🏛 **Savelberg** 🦢 avec ch, Oosteinde 14, ⊠ 2271 EH, ℰ (0 70) 387 20 81, Fax (0 70)
🕸 387 77 15, ≤, 🏡, « Maison du 17ᵉ s. avec terrasse sur parc public » – 📳 ⋿⋆ 📺 ☎ ⑨
– 🅰 35. 🆎 ⑩ ⋿ 𝘝𝘐𝘚𝘈 𝗝𝗖𝗕   CR p
fermé 27 déc.-4 janv. – **Repas** (fermé dim. et lundi) Lunch 60 – 90, carte 105 à 130 – **14 ch**
⊂ 250/350 – ½ P 235/295
Spéc. Pot-au-feu de St. Jacques. Ris de veau en brioche à la truffe. L'assiette aux trois chocolats.

🕸 **Villa la Ruche,** Prinses Mariannelaan 71, ⊠ 2275 BB, ℰ (0 70) 386 01 10,
Fax (0 70) 386 50 64 – 🗏. 🆎 ⑩ ⋿ 𝘝𝘐𝘚𝘈   CR e
fermé dim. et 28 déc.-5 janv. – **Repas** Lunch 45 – 49.

🕸 **De Barbaars,** Kerkstraat 52, ⊠ 2271 CT, ℰ (0 70) 386 29 00, Fax (0 70) 386 29 00,
🏡, Ouvert jusqu'à 23 h, « Maisons classées du 19ᵉ s. » – 🗏. 🆎 ⑩ ⋿ 𝘝𝘐𝘚𝘈   CR t
fermé sam. midi et dim. midi – **Repas** 50/88.

🕸 **Papermoon,** Herenstraat 175, ⊠ 2271 CE, ℰ (0 70) 387 31 61, Fax (0 70) 386 80 36,
⊛ – 🗏. 𝘝𝘐𝘚𝘈 🏡.   CR c
fermé lundi – **Repas** (dîner seult) 45.

🕸 **Le Barquichon,** Kerkstraat 6, ⊠ 2271 CS, ℰ (0 70) 387 11 81, 🏡 – 🗏. 🆎 ⋿ 𝘝𝘐𝘚𝘈 𝗝𝗖𝗕
fermé merc., 3 dern. sem. juil., 25 et 26 déc. et 1ᵉʳ janv. – **Repas** (dîner seult) carte env.
80.   CR v

à **Wassenaar** NE : 11 km – 25 840 h.

🏰 **Aub. de Kieviet** 🦢, Stoeplaan 27, ⊠ 2243 CX, ℰ (0 70) 511 92 32,
Fax (0 70) 511 09 69, 🏡, « Terrasse fleurie » – 📳 🗏 📺 ☎ ⅋ ⑨ – 🅰 25 à 90. 🆎 ⑩
⋿ 𝘝𝘐𝘚𝘈 𝗝𝗖𝗕. 🍴 rest   plan p. 3 CQ r
Repas Lunch 45 – 65/83 – ⊂ 30 – **23 ch** 185/385, 1 suite – ½ P 150/390.

🏠 **Duinoord,** Wassenaarseslag 26 (O : 3 km), ⊠ 2242 PJ, ℰ (0 70) 511 93 32,
Fax (0 70) 511 22 10, ≤, 🏡, « Dans les dunes » – 📺 ☎ ⑨ – 🅰 25. 🆎 ⋿ 𝘝𝘐𝘚𝘈
Repas (fermé lundis midis non fériés) 45/55 – **20 ch** ⊂ 88/163.

HAARLEM Ⓟ Noord-Holland 🔢 H 8, 🔢 H 8 et 🔢 E 4 – 147 617 h.

Voir Grand-Place★ (Grote Markt) BY – Grande église ou église St-Bavon★ (Grote- of St.
Bavokerk) : grille★ du chœur, orgues★ BCY – Hôtel de Ville★ (Stadhuis) BY H – Halle aux
viandes★ (Vleeshal) BY. – Musées : Frans Hals★★★ BZ – Teylers★ : dessins★ CY M¹.

Env. Champs de fleurs★★★ par ③ : 7,5 km – Parc de Keukenhof★★★ (fin mars à mi-mai),
passerelle du moulin ⇐★★ par ③ : 13 km – Écluses★ d'IJmuiden N : 16 km par ⑦.
🏌 🏌 à Velsen-Zuid par ⑦ : 10 km, Recreatieoord Spaarnwoude, Het Hoge Land 2,
⊠ 1981 LT, ℰ (0 23) 538 27 08, Fax (0 23) 538 72 74.
🛬 à Amsterdam-Schiphol SE : 14 km par ⑤ ℰ (0 20) 601 91 11.
🚉 Stationsplein 1, ⊠ 2011 LR, ℰ 0 900-616 16 00, Fax (0 23) 534 05 37.
Amsterdam 24 ⑥ – Den Haag 59 ⑤ – Rotterdam 79 ⑤ – Utrecht 54 ⑤.

Plans pages suivantes

🏰 **Carlton Square,** Baan 7, ⊠ 2012 DB, ℰ (0 23) 531 90 91, Fax (0 23) 532 98 53, 🏡
– 📳 ⋿⋆, 🗏 ch, 🅰 25 à 200. 🆎 ⑩ ⋿ 𝘝𝘐𝘚𝘈 𝗝𝗖𝗕   BZ d
Repas (ouvert jusqu'à 23 h) Lunch 30 – carte env. 60 – ⊂ 28 – **106 ch** 250 370.

🏠 **Lion d'Or,** Kruisweg 34, ⊠ 2011 LC, ℰ (0 23) 532 17 50, Fax (0 23) 532 95 43 – 📳 📺
☎ – 🅰 25 à 100. 🆎 ⋿ 𝘝𝘐𝘚𝘈 𝗝𝗖𝗕. 🍴 rest   BCX d
Repas Lunch 38 – carte 58 à 75 – **35 ch** ⊂ 180/285 – ½ P 153/257.

🏰 **Haarlem Zuid,** Toekanweg 2, ⊠ 2035 LC, ℰ (0 23) 536 75 00, Fax (0 23) 536 79 80,
🏡 – 📳 📺 ⅋ ⑨ – 🅰 25 à 500. 🆎 ⑩ ⋿ 𝘝𝘐𝘚𝘈   AV b
Repas (ouvert jusqu'à 23 h 30) carte env. 50 – ⊂ 13 – **286 ch** 98/101 – ½ P 98/106.

🕸 **De Componist,** Korte Veerstraat 1, ⊠ 2011 CL, ℰ (0 23) 532 88 53,
Fax (0 23) 532 73 00, 🏡, « Décor style Art Nouveau » – 🗏. 🆎 ⑩ ⋿ 𝘝𝘐𝘚𝘈   CZ c
fermé 31 déc. – **Repas** (dîner seult) 58/85.

🕸 **Peter Cuyper,** Kleine Houtstraat 70, ⊠ 2011 DR, ℰ (0 23) 532 08 85,
Fax (0 23) 534 33 85, 🏡, « Demeure du 17ᵉ s. » – 🆎 ⑩ ⋿ 𝘝𝘐𝘚𝘈   BZ s
fermé dim., lundi, dern. sem. juil.-prem. sem. août et fin déc.-début janv. – **Repas** carte
65 à 85.

🕸 **Water en Vuur,** Gravinnesteeg 9, ⊠ 2011 DG, ℰ (0 23) 531 05 07, Fax (0 23) 534 35 27
– 🆎 ⋿ 𝘝𝘐𝘚𝘈   BCZ n
fermé dim., dern. sem. juil.-prem. sem. août et 24 déc.-1ᵉʳ janv. – **Repas** Lunch 50 – carte
env. 75.

XX **de Eetkamer van Haarlem,** Lange Veerstraat 45, ⊠ 2011 DA, ℘ (0 23) 531 22 61,
�══ 🌤 – ⅁⅁ ⓞ ⒠ 𝗩𝗜𝗦𝗔 ꭻꞔꞔ   CY h
fermé mardi – **Repas** (dîner seult jusqu'à 23 h) 43/55.

X **De Gekroonde Hamer,** Breestraat 24, ⊠ 2011 ZZ, ℘ (0 23) 531 22 43,
Fax (0 23) 531 22 43, 🌤 – ⅁⅁ ⓞ ⒠ 𝗩𝗜𝗦𝗔   BZ y
fermé dim. – **Repas** Lunch 53 – 55/85.

X **De Vroome Poort,** Nieuw Heiligland 10, ⊠ 2011 EM, ℘ (0 23) 531 72 85,
Fax (0 23) 531 72 85 – ⅁⅁ ⓞ ⒠ 𝗩𝗜𝗦𝗔   BZ k
fermé lundi, mardi, 22 juil.-14 août et 22 déc.-7 janv. – **Repas** (dîner seult) 48/58.

X **Wisma Hilda,** Wagenweg 214, ⊠ 2012 NM, ℘ (0 23) 531 28 71, 🌤, Cuisine indonésienne – ▣. ⒠ 𝗩𝗜𝗦𝗔. ⌘   AV f
fermé lundi – **Repas** (dîner seult) carte env. 45.

X **Napoli,** Houtplein 1, ⊠ 2012 DD, ℘ (0 23) 532 44 19, *Fax (0 23) 532 02 38,* 🌤, Cuisine
italienne, ouvert jusqu'à 23 h – ⅁⅁ ⓞ ⒠ 𝗩𝗜𝗦𝗔   BZ e
Repas Lunch 40 – 50/83.

X **Haarlem aan Zee,** Oude Groenmarkt 10, ⊠ 2011 HL, ℘ (0 23) 531 48 84,
Fax (0 23) 573 03 36, 🌤, Produits de la mer, ouvert jusqu'à 23 h – ⅁⅁ ⓞ ⒠ 𝗩𝗜𝗦𝗔 BCY r
fermé dim. midi et 31 déc. – **Repas** Lunch 40 – 58/88.

X **Herberg De Waag,** Damstraat 29, ⊠ 2011 HA, ℘ (0 23) 531 16 40, 🌤, « Poids public
du 16e s. »   CY z
fermé merc. et 2e quinz. août-prem. sem. sept. – **Repas** (dîner seult) 58/68.

X **De Keuken,** Lange Veerstraat 4, ⊠ 2011 DB, ℘ (0 23) 534 53 43 – ⅁⅁ ⓞ ⒠ 𝗩𝗜𝗦𝗔 ꭻꞔꞔ
fermé 27 déc.-5 janv. – **Repas** (dîner seult) 50.   CY p

à Bloemendaal *NO : 4 km – 16 750 h.*

XX **Chapeau !,** Hartenlustlaan 2, ⊠ 2061 HB, ℘ (0 23) 525 29 25, *Fax (0 23) 525 53 19,*
🌤 – ❷. ⅁⅁ ⓞ ⒠ 𝗩𝗜𝗦𝗔   AT r
fermé dim., lundi et 2 prem. sem. août – **Repas** Lunch 50 – carte 72 à 92.

X **Terra Cotta,** Kerkplein 16a, ⊠ 2061 JD, ℘ (0 23) 527 79 11, *Fax (0 23) 525 13 32,* 🌤
– ▣, ⅁⅁ ⒠ 𝗩𝗜𝗦𝗔 ꭻꞔꞔ. ⌘   AT g
fermé mardi et merc. – **Repas** 48/55.

X **Aub. Le Gourmand,** Brederodelaan 80, ⊠ 2061 JS, ℘ (0 23) 525 11 07,
Fax (0 23) 526 05 09, 🌤 – ⒠ 𝗩𝗜𝗦𝗔   AT a
fermé mardi, mardi et Noël-Nouvel An – **Repas** (dîner seult) 55/65.

à Haarlemmerliede *par ⑥ : 5 km Ⓒ Haarlemmerliede en Spaarnwoude 5 342 h :*

🏠 **De Zoete Inval,** Haarlemmerstraatweg 183, ⊠ 2065 AE, ℘ (0 23) 533 91 19, *Fax (0 23)*
540 01 85 – 🔃 ▣ 📺 ☎ ❷ – 🔼 25 à 250. ⅁⅁ ⒠ 𝗩𝗜𝗦𝗔. ⌘
Repas carte env. 50 – **56 ch** ⌑ 130, 2 suites – ½ P 158.

à Heemstede *S : 4 km – 26 208 h.*

XX **Landgoed Groenendaal,** Groenendaal 3 (1,5 km par Heemsteedse Dreef),
�══ ⊠ 2104 WP, ℘ (0 23) 528 15 55, *Fax (0 23) 529 18 41,* 🌤, « Dans le bois » – ❷. ⅁⅁
ⓞ ⒠ 𝗩𝗜𝗦𝗔. ⌘ *– fermé lundi –* **Repas** Lunch 43 – 45/63.

X **Sari,** Valkenburgerlaan 48, ⊠ 2103 AP, ℘ (0 23) 528 45 36, *Fax (0 23) 528 14 14,* Cuisine
indonésienne – ▣. ⅁⅁ ⓞ ⒠ 𝗩𝗜𝗦𝗔 ꭻꞔꞔ. ⌘
fermé 31 déc. – **Repas** (dîner seult) carte 45 à 74.

à Overveen *O : 4 km Ⓒ Bloemendaal 16 750 h :*

XXX **De Bokkedoorns,** Zeeweg 53 (par ① : 2 km), ⊠ 2051 EB, ℘ (0 23) 526 36 00,
❀❀ *Fax (0 23) 527 31 43,* 🌤, « Terrasse, ≤ lac au milieu de dunes boisées » – ▣ ❷. ⅁⅁ ⓞ
⒠ 𝗩𝗜𝗦𝗔. ⌘
fermé lundi, sam. midi, 30 avril midi, 5 et 24 déc. et 28 déc.-4 janv. – **Repas** Lunch 70 – 98
(2 pers. min.), carte env. 155
Spéc. Homard braisé à l'ail, olives et safran. Perdrix sauvage, sauce à l'Armagnac
et choucroute au Sauternes (en saison). Salade de ris et rognon de veau aux pommes et
Champagne.

XXX **Pyramides,** Zeeweg 80 (par ① : 7 km), ⊠ 2051 EC, ℘ (0 23) 573 17 00,
Fax (0 23) 573 18 40, Avec brasserie, « ≤ dominant plage et mer » – ❷. ⅁⅁ ⒠ 𝗩𝗜𝗦𝗔
Repas Lunch 40 – 63/85.

XXX **Amazing Asia,** Zeeweg 3, ⊠ 2051 EB, ℘ (0 23) 525 60 57, *Fax (0 23) 525 34 32,* 🌤,
Cuisine chinoise, « Terrasse sur jardin avec pièce d'eau » – ❷. ⅁⅁ ⓞ ⒠ 𝗩𝗜𝗦𝗔. ⌘
fermé 31 déc. et 1er janv. – **Repas** Lunch 40 – 65/120.   AU m

XX **Kraantje Lek,** Duinlustweg 22, ⊠ 2051 AB, ℘ (0 23) 524 12 66, *Fax (0 23) 524 82 54,*
🌤, Avec crêperie, « Petite auberge historique adossée à une dune » – ❷. ⅁⅁ ⓞ ⒠ 𝗩𝗜𝗦𝗔
Repas carte env. 65.   AU x

Voir aussi : **Spaarndam** *NE : 11 km*

HAARLEM

Anegang	BCY
Barteljorisstr.	BY 9
Grote Houtstr.	BYZ
Kruisstr.	BY
Zijlstr.	BY
Amerikaweg	AV 3
Amsterdamse	
Vaart	AU 4
Bakenessergracht	CY 6
Barrevoetestr.	BY 7
Binnenweg	AV 10
Bloemendaalseweg	ATU 12
Botermarkt	BYZ 13
Cesar Francklaan	AV 15
Cruquiusweg	AV 16
Damstr.	CY 18
Donkere Spaarne	CY 19
Duinlustweg	AU 21
Europaweg	AV 22
Fonteinlaan	AV 24
Frans Halsstr.	CX 25
Friese Varkenmarkt	CXY 27
Gasthuisvest	BZ 28
Ged. Voldersgracht	BY 30
Gierstr.	BZ 31
Groot Heiligland	BZ 33
Hagestr.	CZ 34
Hartenlustlaan	AT 36
Hoge Duin	
en Daalseweg	AT 37
Hoogstr.	CZ 39
Jacobstr.	BY 40
Julianapark	AT 42
Kamperlaan	AV 43
Keizerstr.	AV 45
Kennemerweg	AT 46
Klokhuispl.	CY 48
Koningstr.	BY 49
Lanckhorstlaan	AV 51
van Merlenlaan	AV 52
Nassaustr.	AV 54
Nieuwe	
Groenmarkt	BY 55
Ostadestr.	BX 57
Oude Groenmarkt	BCY 58
Paviljoenslaan	AV 60
Prins Bernhardlaan	AU 61
Raadhuisstr.	AV 63
Schoterweg	AV 64
Smedestr.	BY 66
Spaarndamseweg	CX 67
Spaarnwouderstr.	CZ 69
Spanjaardslaan	AV 70
Tuchthuisstr.	BZ 72
Verspronckweg	AU 73
Verwulft	BYZ 75
Westergracht	AU 76
Zandvoortselaan	AV 78
Zijlsingel	BY 79
Zijlweg	AU 81
Zomerzorgerlaan	AT 82
Zuiderhoutlaan	AV 84

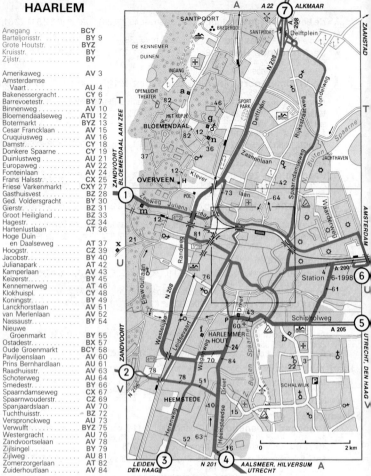

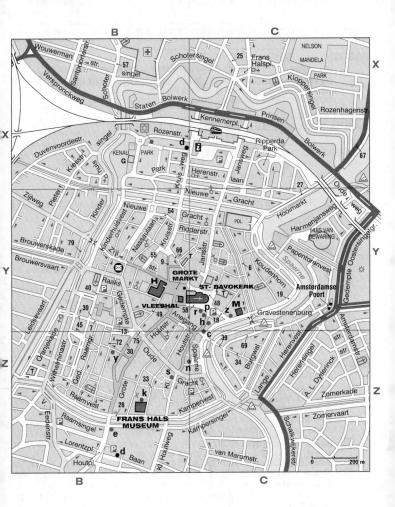

Rode Michelingidsen (hotels en restaurants)
Benelux, Deutschland, España Portugal, Europe, France,
Great Britain and Ireland, Italia, Suisse

Groene Michelingidsen (bezienswaardigheden en toeristische
routes) *België Groothertogdom Luxemburg, Nederland*
(Nederlandstalige edities) *Allemagne, Autriche, Belgique*
Grand-Duché de Luxembourg, Bruxelles, Espagne,
Grande-Bretagne, Grèce, Hollande, Irlande, Italie, Londres,
Maroc, New York, Nouvelle Angleterre, Portugal, Rome, Suisse
(Franstalige edities) Brussels, Canada, England : The West Country,
France, Scotland (Engelstalige edities)

Groene Michelin streekgidsen van Frankrijk.

HAARLEMMERLIEDE *Noord-Holland* 210 I 8, 211 I 8 et 408 F 4 – *voir à Haarlem.*

HAELEN *Limburg* 211 P 15 et 408 I 8 – *9 902 h.*

Amsterdam 176 – Maastricht 54 – Eindhoven 48 – Roermond 10 – Venlo 23.

XXX **De Vogelmolen,** Kasteellaan 15, ✉ 6081 AN, ☎ (0 475) 59 42 00, *Fax (0 475) 59 52 00,* « Terrasse ombragée » – P. AE ① E VISA JCB
fermé sam. midi et 2 prem. sem. août – **Repas** Lunch 55 – 65/95.

HANDEL *Noord-Brabant* 211 O 13 et 408 I 7 – *voir à Gemert.*

HARDENBERG *Overijssel* 210 T 7 et 408 K 4 – *34 403 h.*

Badhuisweg 2, ✉ 7772 XA, ☎ (0 523) 26 20 00, Fax (0 523) 26 65 95.

Amsterdam 149 – Zwolle 39 – Assen 59 – Enschede 58.

à Diffelen *SO : 7 km* C *Hardenberg :*

X **De Gloepe,** Rheezerweg 84a, ✉ 7795 DA, ☎ (0 523) 25 12 31, *Fax (0 523) 25 10 13,* « Ancienne ferme typique » – P. E VISA
fermé lundi, mardi et 2 prem. sem. fév. – **Repas** carte env. 70.

à Heemse *SO : 1 km* C *Hardenberg :*

Herberg De Rustenbergh, Hessenweg 7, ✉ 7771 CH, ☎ (0 523) 26 15 04, *Fax (0 523) 26 74 73,* – TV ☎ P – 25 à 150. AE ① E VISA JCB
fermé 28 déc.-2 janv. – **Repas** voir rest ***De Bokkepruik*** ci-après – ***Brasserie*** *(fermé dim. de nov. à mars)* Lunch 50 - 45/50 – **23 ch** 110/150 – ½ P 105.

XX ✿ **De Bokkepruik** (Istha) - H. Herbergh De Rustenbergh, Hessenweg 7, ✉ 7771 CH, ☎ (0 523) 26 15 04, *Fax (0 523) 26 74 73,* – P. AE ① E VISA JCB.
fermé dim., lundi et 28 déc.-2 janv. – **Repas** (dîner seult) 145 bc (2 pers. min.), carte 95 à 110
Spéc. St-Jacques à la fondue de poireaux. Tournedos de cerf à la compote d'airelles et poires braisées (15 oct.-15 janv.). Saumon fumé à l'œuf poché au caviar.

HARDERWIJK *Gelderland* 210 N 8, 211 N 8 et 408 H 4 – *37 484 h.*

Voir *Dolfinarium★.*

Exc. *Polders de l'Est et Sud Flevoland★ (Oostelijk en Zuidelijk Flevoland).*

18 9 *O : à Zeewolde, Golflaan 1, ✉ 3896 LL, ☎ (0 36) 522 20 73, Fax (0 36) 522 41 00 et* 18 9 *Pluvierenweg 7, ✉ 3898 LL, ☎ (0 320) 28 81 16, Fax (0 320) 28 80 09.*

Havendam 58, ✉ 3841 AA, ☎ (0 341) 42 66 66, Fax (0 341) 42 77 13.

Amsterdam 72 – Arnhem 71 – Apeldoorn 32 – Utrecht 54 – Zwolle 42.

Baars, Smeepoortstraat 52, ✉ 3841 EJ, ☎ (0 341) 41 20 07, *Fax (0 341) 41 87 22,* – TV ☎ P – 25 à 40. AE ① E VISA. rest
Repas *(fermé dim. midi du 15 sept. au 15 mars)* 53 – **43 ch** 138/172 – ½ P 95/155.

Klomp, Markt 8, ✉ 3841 CE, ☎ (0 341) 41 30 32, – TV ☎. AE ① E VISA
Repas ***Marktzicht*** (Taverne-rest) Lunch 36 - 46 – 10 – **26 ch** 89/144 – ½ P 76/100.

XX **Olivio,** Vischmarkt 57a, ✉ 3841 BE, ☎ (0 341) 41 52 90, *Fax (0 341) 43 35 10,* – AE ① E VISA
fermé lundi, 20 juil.-3 août et 28 déc.-4 janv. – **Repas** Lunch 60 – 70

X **'t Nonnetje,** Vischmarkt 38, ✉ 3841 BG, ☎ (0 341) 41 58 48, *Fax (0 341) 42 25 78,* – AE ① E VISA JCB
fermé du 3 au 10 fév., 29 sept.-13 oct. et mardi – **Repas** (dîner seult) carte 68 à 84.

X **Zeezicht,** Strandboulevard West 2, ✉ 3841 CS, ☎ (0 341) 41 20 58, *Fax (0 341) 42 14 90,* – AE ① E VISA
Repas carte 50 à 79.

à Hierden *NE : 3 km* C *Harderwijk :*

XX **De Zwaluwhoeve,** Zuiderzeestraatweg 108, ✉ 3848 RG, ☎ (0 341) 45 19 93, *Fax (0 341) 45 29 21,* « Ferme du 18e s. » – P – 25. AE ① E VISA
fermé sam. midi, dim. et fin juil.-début août – **Repas** Lunch 55 – carte 68 à 96.

HARDINXVELD-GIESSENDAM *Zuid-Holland* 211 I 12 et 408 F 6 – *17 601 h.*

Amsterdam 78 – Den Haag 58 – Arnhem 87 – Breda 45 – Rotterdam 32.

XX **Kampanje,** Troelstrastraat 5, ✉ 3371 VJ, ☎ (0 184) 61 26 13, *Fax (0 184) 61 19 53,* – P – 25 à 250. AE ① E VISA
fermé lundi en août, sam. midi et dim. – **Repas** Lunch 58 – 45/70.

HAREN Groningen 210 T 3 et 408 K 2 – 18 580 h.

ह्ना à Glimmen S : 2 km, Pollselaan 5, ⊠ 9756 CJ, ℘ (0 50) 406 20 04, Fax (0 50) 406 19 22.
Amsterdam 207 – Groningen 8 – Zwolle 99.

🏨 **Postiljon,** Emmalaan 33 (SO : 1 km sur A 28), ⊠ 9752 KS, ℘ (0 50) 534 70 41,
Fax (0 50) 534 01 75, 🌫 – 🔲 ✦ 📺 ☎ 🅿 – 🔬 25 à 450. 🖭 ⊙ ⋿ ⅤⅠＳＡ
Repas (buffets) – ⊑ 18 – **97 ch** 130/180.

XX **Rôtiss. de Rietschans,** Meerweg 221 (O : 2 km), ⊠ 9752 XC, ℘ (0 50) 309 13 65,
Fax (0 50) 309 39 34, 🌫, « Terrasse au bord du lac », 🔲 – 🅿. 🖭 ⊙ ⋿ ⅤⅠＳＡ
fermé sam. midi, dim. midi et 25 déc.-4 janv. – **Repas** 55.

à Glimmen S : 2 km 🅲 Haren :

XXX **Le Grillon,** Rijksstraatweg 10, ⊠ 9756 AE, ℘ (0 50) 406 13 92, Fax (0 50) 406 31 69,
🌫 « Terrasse » – 🅿. 🖭 ⊙ ⋿ ⅤⅠＳＡ ᴶᶜᴮ
fermé sam. midi, dim., jours fériés sauf Noël, 2 sem. vacances bâtiment et 2 sem. en janv.
– **Repas** Lunch 43 – 45/59.

HARICH Friesland 210 N 5 – voir à Balk.

HARLINGEN Friesland 210 M 3 et 408 H 2 – 15 193 h.

Voir Noorderhaven★ (bassin portuaire).

⚓ vers Terschelling : Rederij Doeksen, Willem Barentskade 21 à West-Terschelling
℘ (0 562) 44 21 41, Fax (0 562) 44 32 41. Durée de la traversée : 1 h 45. Prix AR : 41,25 Fl,
voiture : 21,50 Fl par 0,50 m de longueur. Il existe aussi un service rapide (pour passagers
uniquement). Durée de la traversée : 45 min.

⚓ vers Vlieland : Rederij Doeksen, Willem Barentskade 21 à West-Terschelling
℘ (0 562) 44 21 41, Fax (0 562) 44 32 41. Durée de la traversée : 1 h 45. Prix AR : 36,75 Fl,
bicyclette : 17,05 Fl. Il existe aussi un service rapide. Durée de la traversée : 45 min.

🛈 Voorstraat 34, ⊠ 8861 BL, ℘ 0 900-919 19 99, Fax (0 562) 41 51 76.
Amsterdam 113 – Leeuwarden 28.

🏨 **Zeezicht,** Zuiderhaven 1, ⊠ 8861 CJ, ℘ (0 517) 41 25 36, Fax (0 517) 41 90 01, 🌫
– 📺 ☎ 🅿 – 🔬 50. 🖭 ⊙ ⋿ ⅤⅠＳＡ
fermé du 21 au 31 déc. – **Repas** carte 53 à 106 – **24 ch** ⊑ 95/168 – ½ P 105/142.

🏨 **Anna Casparii,** Noorderhaven 69, ⊠ 8861 AL, ℘ (0 517) 41 20 65, Fax (0 517) 41 45 40,
🌫 – 📺 ☎ 🅿 – 🔬 40. 🖭 ⊙ ⋿ ⅤⅠＳＡ. 🥢 rest
Repas carte env. 45 – **17 ch** ⊑ 105/135 – ½ P 173.

X **De Gastronoom,** Voorstraat 38, ⊠ 8861 BM, ℘ (0 517) 41 21 72, Fax (0 517) 41 39 26,
🌫, Taverne-rest – 🖭 ⊙ ⋿ ⅤⅠＳＡ
Repas carte 51 à 70.

HARMELEN Utrecht 211 J 10 et 408 F 5 – 8 077 h.

ह्ना à Vleuten N : 7 km, Parkweg 5, ⊠ 3451 RH, ℘ (0 30) 677 28 60, Fax (0 30) 677 39 03.
Amsterdam 44 – Utrecht 11 – Den Haag 54 – Rotterdam 49.

XXX **Kloosterhoeve,** Kloosterweg 2, ⊠ 3481 XC, ℘ (0 348) 44 40 40, Fax (0 348) 44 42 35,
🌫, « Ancienne ferme du 18ᵉ s. » – 🍽 🅿 – 🔬 25 à 150. 🖭 ⊙ ⋿ ⅤⅠＳＡ
fermé lundi – **Repas** Lunch 50 – 58/98.

HATTEM Gelderland 210 Q 8 et 408 J 4 – 11 674 h.

ह्ना Veenwal 11, ⊠ 8051 AS, ℘ (0 38) 444 19 09.
Amsterdam 116 – Assen 83 – Enschede 80 – Zwolle 7.

XX **Herberg Molecaten** 🦢 avec ch, Molecaten 7, ⊠ 8051 PN, ℘ (0 38) 444 69 59,
Fax (0 38) 444 68 49, 🌫, « Auberge du 19ᵉ s. avec moulin à eau, dans les bois » – 📺
☎ 🅿. 🖭 ⋿ ⅤⅠＳＡ ᴶᶜᴮ. 🥢
fermé du 1ᵉʳ au 22 janv. – **Repas** Lunch 50 – 48/80 – **6 ch** ⊑ 125/140 – ½ P 85/110.

X **Mistelle,** Kerkstraat 2, ⊠ 8051 GL, ℘ (0 38) 444 50 77, Fax (0 38) 444 50 77, 🌫 – 🖭
⋿ ⅤⅠＳＡ ᴶᶜᴮ
fermé dim. et lundi – **Repas** 53.

à Hattemerbroek O : 4 km 🅲 Oldebroek 21 984 h :

XX **Host. Vogelesangh,** Hanesteenseweg 50, ⊠ 8094 PM, ℘ (0 38) 376 16 14,
Fax (0 38) 376 25 04, 🌫, « Pavillon dans sapinière » – 🅿. 🖭 ⊙ ⋿ ⅤⅠＳＡ ᴶᶜᴮ
Repas Lunch 40 – carte 65 à 85.

435

HATTEMERBROEK Gelderland – voir à Hattem.

HAUTE VELUWE (Parc National de la) – voir Hoge Veluwe.

HAZERSWOUDE-RIJNDIJK Zuid-Holland Ⓒ Rijnwoude 19 500 h. 𝟚𝟙𝟙 H 10 et 𝟜𝟘𝟠 E 5.
Amsterdam 48 – Den Haag 25 – Rotterdam 22 – Utrecht 47.

🏠 **Groenendijk,** Rijndijk 96 (sur N 11), ⊠ 2394 AJ, 𝒫 (0 71) 341 90 06,
Fax (0 71) 341 38 02, 😊, 🔲 – 🛏 📺 ☎ & 🅿 – 🔏 25 à 150. 🆎 ⓞ 🅴 𝒱𝒾𝒮𝒜 𝒥𝒸𝒷
Repas Lunch 30 – carte env. 50 – **49 ch** ⊡ 100/135 – ½ P 80/130.

HEELSUM Gelderland Ⓒ Renkum 32 453 h. 𝟚𝟙𝟙 O 11 et 𝟜𝟘𝟠 I 6.
Amsterdam 90 – Arnhem 13 – Utrecht 52.

🏨 **Klein Zwitserland** ⊛, Klein Zwitserlandlaan 5, ⊠ 6866 DS, 𝒫 (0 317) 31 91 04,
Fax (0 317) 31 39 43, 😊, ⊜, 🔲, 🎾 – 🛏 ⤴ 📺 ☎ & 🅿 – 🔏 25 à 200. 🆎 ⓞ 🅴
𝒱𝒾𝒮𝒜 𝒥𝒸𝒷, 🍽 rest
Repas voir rest **De Kromme Dissel** ci-après – **De Kriekel** Lunch 53 - 63/73 – ⊡ 30 – **71 ch**
265 – ½ P 155/175.

𝕏𝕏𝕏 **De Kromme Dissel** - H. Klein Zwitserland, Klein Zwitserlandlaan 5, ⊠ 6866 DS,
🌿 𝒫 (0 317) 31 31 18, Fax (0 317) 31 39 43, 😊, « Ancienne ferme saxonne, intérieur
rustique » – 🅿, 🆎 ⓞ 🅴 𝒱𝒾𝒮𝒜 𝒥𝒸𝒷, 🍽
fermé sam. midi, dim. et lundi – Repas Lunch 65 – 145, carte 100 à 170
Spéc. Crémeuse de fenouil avec sandre et truffes (mi-nov.-mars). Homard à l'armoricaine.
Waterzooï de pintade à notre façon.

HEEMSE Overijssel 𝟚𝟙𝟘 T 7 et 𝟜𝟘𝟠 K 4 – voir à Hardenberg.

HEEMSKERK Noord-Holland 𝟚𝟙𝟘 I 7 et 𝟜𝟘𝟠 F 4 – 35 151 h.
Amsterdam 30 – Alkmaar 18 – Haarlem 18.

𝕏𝕏 **De Vergulde Wagen,** Rijksstraatweg 161 (N : 1,5 km, direction Castricum), ⊠ 1969 LE,
𝒫 (0 251) 23 24 17, Fax (0 251) 25 35 94, 😊 – 🆎 ⓞ 🅴 𝒱𝒾𝒮𝒜, 🍽
fermé dim., jours fériés sauf Noël, 27 avril-2 mai, 27 juil.-8 août, 3 sept. et 24 et 31 déc.
– Repas Lunch 60 – carte env. 95.

dans le domaine du château Marquette :

🏨 **Marquette** ⊛ sans rest, Marquettelaan 34, ⊠ 1968 JT, 𝒫 (0 251) 24 14 14,
Fax (0 251) 24 55 08, « Environnement boisé », 🌳, 🎾 – 📺 ☎ 🅿 – 🔏 25 à 200. 🆎
ⓞ 🅴 𝒱𝒾𝒮𝒜 𝒥𝒸𝒷
⊡ 20 – **65 ch** 250.

HEEMSTEDE Noord-Holland 𝟚𝟙𝟘 H 8, 𝟚𝟙𝟙 H 8 et 𝟜𝟘𝟠 E 4 – voir à Haarlem.

HEERENVEEN Friesland 𝟚𝟙𝟘 P 5 et 𝟜𝟘𝟠 I 3 – 39 351 h.
🚤 Heidemeer 2, ⊠ 8445 SB, 𝒫 (0 513) 63 65 19.
🅸 Van Kleffenslaan 6, ⊠ 8442 CW, 𝒫 (0 513) 62 55 55, Fax (0 513) 65 06 09.
Amsterdam 129 – Leeuwarden 30 – Groningen 58 – Zwolle 62.

🏠 **Postiljon,** Schans 65 (N : 2 km sur A 7), ⊠ 8441 AC, 𝒫 (0 513) 61 86 18,
Fax (0 513) 62 91 00 – 🛏 ⤴ 📺 ☎ 🅿 – 🔏 25 à 300. 🆎 ⓞ 🅴 𝒱𝒾𝒮𝒜
Repas (buffets) – ⊡ 18 – **55 ch** 121/163.

𝕏𝕏 **Sir Sèbastian,** Herenwal 186, ⊠ 8441 BG, 𝒫 (0 513) 65 04 08, Fax (0 513) 65 05 62
– 🆎 ⓞ 🅴 𝒱𝒾𝒮𝒜 𝒥𝒸𝒷, 🍽
fermé lundi et 2 prem. sem. vacances bâtiment – Repas (dîner seult) 55/80.

𝕏𝕏 **Azië,** Drachtpromenade 126, ⊠ 8442 BX, 𝒫 (0 513) 62 43 72, Fax (0 513) 62 55 28,
Cuisine asiatique – ▤. 🆎 ⓞ 🅴 𝒱𝒾𝒮𝒜, 🍽
fermé lundi – Repas (dîner seult) carte 53 à 68.

à Katlijk E : 8 km Ⓒ Heerenveen :

𝕏𝕏 **De Grovestins,** W.A. Nyenhuisweg 7, ⊠ 8455 JS, 𝒫 (0 513) 54 19 93,
Fax (0 513) 54 18 84, 😊, « Ancienne ferme » – 🅿. 🆎 ⓞ 🅴 𝒱𝒾𝒮𝒜
Repas 53/105.

à Oranjewoud S : 4 km Ⓒ Heerenveen :

🏨 **Tjaarda** Ⓜ ⊛, Koningin Julianaweg 98, ⊠ 8453 WH, 𝒫 (0 513) 63 62 51,
Fax (0 513) 63 12 44, 😊, « Dans les bois », ⊜ – 🛏 ⤴ 📺 ☎ 🅿 – 🔏 25 à 450.
🆎 ⓞ 🅴 𝒱𝒾𝒮𝒜 𝒥𝒸𝒷
Repas Lunch 53 – carte env. 80 – ⊡ 23 – **70 ch** 175/250 – ½ P 164/204.

HEERHUGOWAARD Noord-Holland **210** J 6 et **408** F 3 – voir à Alkmaar.

HEERLEN Limburg **211** P 17 et **408** I 9 – 96 015 h.

⬡ (3 parcours) à Brunssum N : 7 km, Rimburgweg 50, ⊠ 6445 PA, ℘ (0 45) 527 09 68, Fax (0 45) 525 12 80 - ⬡ à Voerendaal SO : 5 km, Hoensweg 17, ⊠ 6367 GN, ℘ (0 45) 575 44 88, Fax (0 45) 575 09 00.

🛈 Honigmanstraat 100, ⊠ 6411 LM, ℘ (0 45) 571 62 00, Fax (0 45) 571 83 83.

Amsterdam 214 – Maastricht 25 – Roermond 47 – Aachen 18.

🏨 **Grand H.,** Groene Boord 23, ⊠ 6411 GE, ℘ (0 45) 571 38 46, Fax (0 45) 574 10 99, 🍴 – 🛗 🕸, 🍴 rest, 📺 🕿 🅿 – 🔬 25 à 180. 🆎 ⓞ Ε 𝘝𝘐𝘚𝘈 𝙅𝘊𝘉. 🕸 rest
Repas Lunch 40 – carte 65 à 86 – **102 ch** ⊑ 175/220, 4 suites – ½ P 200/250.

🏨 **Motel Heerlen,** Terworm 10 (O : 3 km sur ring N 281), ⊠ 6411 RV, ℘ (0 45) 571 94 50, Fax (0 45) 571 51 96, 🍴, 🎣, 🚲, 🔲 – 🛗, 🍴 rest, 📺 🕿 🕭 🅿 – 🔬 25 à 500. 🆎 ⓞ Ε 𝘝𝘐𝘚𝘈. 🕸
Repas (ouvert jusqu'à minuit) Lunch 14 – carte env. 50 – ⊑ 13 – **147 ch** 100/120.

🏨 **de la Station,** Stationstraat 16, ⊠ 6411 NH, ℘ (0 45) 571 90 63, Fax (0 45) 571 18 82, 🍴, 🚲 – 🛗 🕸 📺 🕿 – 🔬 60. 🆎 ⓞ Ε 𝘝𝘐𝘚𝘈. 🕸
Repas 45/75 – **40 ch** ⊑ 95/185 – ½ P 120/160.

🏨 **Bastion,** In de Cramer 199 (sur N 281 sortie Heerlen-Noord), ⊠ 6412 PM, ℘ (0 45) 575 45 40, Fax (0 45) 575 45 44, 🍴 – 📺 🕿 🅿. 🆎 ⓞ Ε 𝘝𝘐𝘚𝘈. 🕸
Repas (grillades, ouvert jusqu'à 23 h) 45 – **40 ch** ⊑ 111/127.

🍴🍴 **De Boterbloem,** Laanderstraat 27, ⊠ 6411 VA, ℘ (0 45) 571 42 41, Fax (0 45) 574 37 73, 🍴 – 🅿. 🆎 ⓞ Ε 𝘝𝘐𝘚𝘈
fermé mardi, dim., 2 sem. en fév. et 2 sem. en août – **Repas** Lunch 55 – 63/80.

🍴🍴 **Geleenhof,** Valkenburgerweg 54, ⊠ 6419 AV, ℘ (0 45) 571 80 00, Fax (0 45) 571 80 86, 🍴, « Ferme du 18e s. » – 🅿. 🆎 Ε. 🕸
fermé lundi, dern. sem. juil.-prem. sem. août et 26 déc.-1er janv. – **Repas** 55/125.

à Welten S : 2 km Ⓒ Heerlen :

🍴🍴 **In Gen Thùn,** Weltertuynstraat 31, ⊠ 6419 CS, ℘ (0 45) 571 16 16, Fax (0 45) 571 09 74, 🍴 – 🔲. 🆎 ⓞ Ε 𝘝𝘐𝘚𝘈. 🕸
fermé carnaval, vacances bâtiment et 1er janv. – **Repas** 50/100.

HEEZE Noord-Brabant **211** N 14 et **408** H 7 – 9 611 h.

Amsterdam 139 – 's-Hertogenbosch 50 – Eindhoven 11 – Roermond 42 – Venlo 50.

🍴🍴 **Host. Van Gaalen** avec ch, Kapelstraat 48, ⊠ 5591 HE, ℘ (0 40) 226 35 15, Fax (0 40) 226 38 76, 🍴, « Terrasse et jardin » – 📺 🕿 ⇔ 🅿 – 🔬 25. 🆎 ⓞ Ε 𝘝𝘐𝘚𝘈
fermé sem. carnaval, 27 juil.-9 août et 28 déc.-3 janv. – **Repas** (fermé dim. et lundi) Lunch 48 – 58/68 – ⊑ 25 – **13 ch** 150/175, 1 suite – ½ P 138/148.

🍴🍴 **D'n Doedelaer,** Jan Deckersstraat 7, ⊠ 5591 HN, ℘ (0 40) 226 32 32, Fax (0 40) 226 50 77, 🍴 – 🆎 Ε 𝘝𝘐𝘚𝘈 𝙅𝘊𝘉
fermé merc., carnaval et 2 prem. sem. vacances bâtiment – **Repas** Lunch 45 – 55/75.

HEILIG LAND-STICHTING Gelderland **211** P 12 – voir à Nijmegen.

HEILLE Zeeland **211** A 15 – voir à Sluis.

HEILOO Noord-Holland **210** I 7 et **408** F 4 – 21 133 h.

Amsterdam 34 – Alkmaar 5 – Haarlem 27.

🏨 **Golden Tulip,** Kennemerstraatweg 425, ⊠ 1851 PD, ℘ (0 72) 505 22 44, Fax (0 72) 505 37 66, 🍴, 🔲 – 🍴 rest, 📺 🕿 🅿 – 🔬 40 à 800. 🆎 ⓞ Ε 𝘝𝘐𝘚𝘈
Repas 38 – **42 ch** ⊑ 120/165 – ½ P 155.

🍴🍴 **De Loocatie,** 't Loo 20 (dans centre commercial), ⊠ 1851 HT, ℘ (0 72) 533 33 52, Fax (0 72) 533 93 48, 🍴 – Ε
fermé sam. midi, dim. midi, lundi et mardi – **Repas** carte 52 à 70.

HELDEN Limburg **211** Q 15 et **408** I 8 – 18 970 h.

Amsterdam 174 – Maastricht 68 – Eindhoven 46 – Roermond 24 – Venlo 15.

🍴🍴 **Antiek** avec ch, Mariaplein 1, ⊠ 5988 CH, ℘ (0 77) 307 13 52, Fax (0 77) 307 75 99 – 📺 🕿 🅿. 🆎 ⓞ Ε 𝘝𝘐𝘚𝘈. 🕸
fermé du 2 au 17 août, 27 déc.-5 janv. et dim. – **Repas** Lunch 48 – 50/89 – **6 ch** ⊑ 88/135.

Den HELDER Noord-Holland 🔢 I 5 et 🔢 F 3 – 60 573 h.

🚇 à Julianadorp S : 7 km, Van Foreestweg, ✉ 1787 PS, 𝒫 (0 223) 64 01 25, Fax (0 223) 64 01 26.

⛴ vers Texel : Rederij Teso, Pontweg 1 à Den Hoorn (Texel) 𝒫 (0 222) 36 96 00, Fax (0 222) 36 96 59. Durée de la traversée : 20 min. Prix AR : 8,25 Fl (en hiver) et 10,00 Fl (en été), voiture : 40,50 Fl (en hiver) et 48,50 Fl (en été).

🛈 Bernhardplein 18, ✉ 1781 AA, 𝒫 (0 223) 62 55 44, Fax (0 223) 61 48 88.

Amsterdam 79 – Alkmaar 40 – Haarlem 72 – Leeuwarden 90.

🏨 **Forest** 1er étage, Julianaplein 43, ✉ 1781 HA, 𝒫 (0 223) 61 48 58, Fax (0 223) 61 81 41 – 🛗 📺 ☎ – 🔬 25. 🆎 ⓪ 🛒 VISA.
Repas (diner seult) carte 45 à 82 – **25 ch** ⌷ 103/138.

🏨 **Lands End**, Havenplein 1, ✉ 1781 AB, 𝒫 (0 223) 62 15 70, Fax (0 223) 62 85 40, ≤, ⊛ 🍴 – 🛗 📺 ☎ 🆎 ⓪ 🛒 VISA.
Repas 45/50 – **24 ch** ⌷ 104/139 – ½ P 90/120.

à Huisduinen O : 2 km ⓒ Den Helder :

🏨 **Beatrix** 🦆, Badhuisstraat 2, ✉ 1783 AK, 𝒫 (0 223) 62 40 00, Fax (0 223) 62 73 24, ≤, 🛋, ⊜, 🔳 – 🛗, ▤ rest, 📺 ☎ 🅿 – 🔬 25 à 100. 🆎 ⓪ 🛒 VISA. 🎴
Repas Lunch 50 – carte env. 55 – **46 ch** ⌷ 145/195 – ½ P 140.

Ga een hotel of restaurant binnen met de gids in de hand ;
op die manier toont u dat uw keuze geen toeval is.

HELLENDOORN Overijssel 🔢 S 8 et 🔢 K 4 – 35 628 h.
Amsterdam 142 – Zwolle 35 – Enschede 42.

🏨 **De Uitkijk** 🦆, Hellendoornsebergweg 8, ✉ 7447 PA, 𝒫 (0 548) 65 41 17, Fax (0 548) 65 40 26, 🌧, « Dans les bois » – 📺 ☎ 🅿 – 🔬 70. 🆎 ⓪ 🛒 VISA. 🎴 rest
Repas carte 52 à 76 – **20 ch** ⌷ 100/135 – ½ P 148/173.

HELLEVOETSLUIS Zuid-Holland 🔢 E 12 et 🔢 D 6 – ㉓ S – 36 632 h.
Env. Barrage du Haringvliet★★ (Haringvlietdam) O : 10 km.
Amsterdam 101 – Den Haag 51 – Breda 74 – Rotterdam 33.

🍴🍴 **Hazelbag**, Rijksstraatweg 151, ✉ 3222 KC, 𝒫 (0 181) 31 22 10, Fax (0 181) 31 26 77, 🌧 – ▤ 🅿. 🆎 ⓪ 🛒 VISA JCB.
fermé lundi, mardi et fév. – **Repas** (diner seult) 48.

HELMOND Noord-Brabant 🔢 O 14 et 🔢 I 7 – 74 918 h.
Voir Château★ (Kasteel).
🛈 Markt 211, ✉ 5701 RJ, 𝒫 (0 492) 54 31 55, Fax (0 492) 54 68 66.
Amsterdam 124 – 's-Hertogenbosch 39 – Eindhoven 13 – Roermond 47.

🏨 **West-Ende**, Steenweg 1, ✉ 5707 CD, 𝒫 (0 492) 52 41 51, Fax (0 492) 54 32 95, 🌧 – 🛗 ▤ 📺 ☎ 🅿 – 🔬 25 à 100. 🆎 ⓪ 🛒 VISA JCB
Repas (fermé dim. et 25 déc.) 30/80 – **28 ch** ⌷ 150/203 – ½ P 185/260.

🍴🍴🍴 **De Hoefslag**, Warande 2 (NO : 1 km), ✉ 5707 GP, 𝒫 (0 492) 53 63 61, Fax (0 492) 52 26 15, 🌧, « Terrasse avec ≤ parc et étang » – 🅿. 🆎 ⓪ 🛒 VISA. 🎴
fermé sam. midi, dim. et 26 juil.-9 août – **Repas** Lunch 70 – 75/98.

🍴🍴 **de Raymaert**, Mierloseweg 130, ✉ 5707 AR, 𝒫 (0 492) 54 18 18, Fax (0 492) 54 77 93, 🌧 – 🅿. 🛒 VISA. 🎴
fermé lundi – **Repas** (diner seult) 43/60.

🍴 **de Steenoven**, Steenovenweg 21, ✉ 5708 HN, 𝒫 (0 492) 50 75 07, Fax (0 492) 54 77 93, 🌧 – 🅿. 🛒 VISA JCB. 🎴
fermé merc. soir, dim. et 3 prem. sem. août – **Repas** 45/55.

HELVOIRT Noord-Brabant ⓒ Haaren 12 292 h. 🔢 L 13 et 🔢 G 7.
Amsterdam 98 – 's-Hertogenbosch 9 – Eindhoven 36 – Tilburg 13.

🍴 **De Zwarte Leeuw**, Oude Rijksweg 20, ✉ 5268 BT, 𝒫 (0 411) 64 12 66, Fax (0 411) 64 22 51 – ▤ 🅿. 🆎 ⓪ 🛒 VISA. 🎴
fermé merc., dim. midi et 2e quinz. juil. – **Repas** Lunch 45 – 48/63.

HENGELO Overijssel 🔲🔲🔲 U 9, 🔲🔲🔲 U 9 et 🔲🔲🔲 L 5 – 77 440 h. – Ville industrielle.

🌳 Enschedesestraat 381, ⊠ 7552 CV, ℘ (0 74) 291 27 73.

✈ à Enschede-Twente NE : 6 km ℘ (0 53) 486 22 22.

🯄 Molenstraat 26, ⊠ 7551 DC, ℘ (0 74) 242 11 20, Fax (0 74) 242 17 80.

Amsterdam 149 – Zwolle 61 – Apeldoorn 62 – Enschede 9.

🏨🏨 **Hengelo,** Bornsestraat 400 (près A 1, direction Borne), ⊠ 7556 BN, ℘ (0 74) 255 50 55, Fax (0 74) 255 50 10, 🍽 – 🛗 📺 ☎ 📠 🅿 – 🔬 25 à 1000. 🆎 ⓞ 🖂 𝘝𝘐𝘚𝘈
Repas (ouvert jusqu'à 23 h) carte env. 55 – 🖙 20 – **135 ch** 110, 1 suite – ½ P 98/153.

❌ **De Bourgondiër,** Langestraat 29, ⊠ 7551 DX, ℘ (0 74) 243 31 33, ♨ Fax (0 74) 243 32 63, 🍽 – 🅿. 🆎 ⓞ 🖂 𝘝𝘐𝘚𝘈 𝘑𝘊𝘉 ⚙
fermé lundi – **Repas** 45/55.

HENGEVELDE Overijssel 🅲 Ambt Delden 5 387 h. 🔲🔲🔲 T 9 et 🔲🔲🔲 K 5.

Amsterdam 135 – Apeldoorn 53 – Arnhem 32 – Enschede 18 – Zwolle 63.

🏠 **Pierik,** Goorsestraat 25 (sur N 347), ⊠ 7496 AB, ℘ (0 547) 33 30 00, Fax (0 547) 33 36 56, 🍽 – 📺 ☎ 🅿. 🆎 ⓞ 🖂 𝘝𝘐𝘚𝘈 ⚙
fermé mi-déc.-début janv. – **Repas** Lunch 16 – 48 – **30 ch** 🖙 125 – ½ P 120/185.

HERKENBOSCH Limburg 🔲🔲🔲 Q 16 et 🔲🔲🔲 J 8 – voir à Roermond.

HERTME Overijssel 🔲🔲🔲 U 9 et 🔲🔲🔲 U 9 – voir à Borne.

'S-HERTOGENBOSCH ou **Den BOSCH** 🅿 Noord-Brabant 🔲🔲🔲 L 12 et 🔲🔲🔲 G 6 – 125 044 h.

Voir Cathédrale St-Jean★★ (St. Janskathedraal) : retable★ Z.

Musée : du Brabant Septentrional★ (Noordbrabants Museum) Z **M¹**.

Env. NE : 3 km à Rosmalen, collection de véhicules★ dans le musée du transport Autotron – O : 25 km à Kaatsheuvel, De Efteling★ (parc récréatif).

🌳 à St-Michielsgestel par ④ : 10 km, Zegenwerp 12, ⊠ 5271 NC, ℘ (0 73) 551 23 16, Fax (0 73) 551 91 68.

✈ à Eindhoven-Welschap par ④ : 32 km ℘ (0 40) 251 61 42.

🚇 lignes directes France, Suisse, Italie, Autriche, Yougoslavie et Allemagne ℘ 0 900-92 96.

🯄 Markt 77, ⊠ 5211 JX, ℘ 0 900-112 23 34, Fax (0 73) 612 89 30.

Amsterdam 83 ⑦ – Eindhoven 35 ④ – Nijmegen 47 ② – Tilburg 23 ⑤ – Utrecht 51 ⑦.

Plans pages suivantes

🏨🏨🏨 **Central,** Burg. Loeffplein 98, ⊠ 5211 RX, ℘ (0 73) 692 69 26, Fax (0 73) 614 56 99, 🍽 – 🛗 ⚙, 🍴 rest, 📺 ☎ 🕭 – 🔬 25 à 325. 🆎 🖂 ⓞ 🖂 ⚙   Z c
Repas **Leeuwenborgh** Lunch 18 – 45/75 – 🖙 28 – **123 ch** 140/235, 1 suite – ½ P 150.

🏨🏨 **Mövenpick,** Pettelaarpark 90, ⊠ 5216 PH, ℘ (0 73) 687 46 74, Fax (0 73) 687 46 35, ⟨, 🍽, 🛋 – 🛗 ⚙ 📺 ☎ 🕭 🅿 – 🔬 25 à 85. 🆎 ⓞ 🖂 𝘝𝘐𝘚𝘈 𝘑𝘊𝘉   X a
Repas (dîner seult) carte env. 50 – 🖙 20 – **92 ch** 135/175 – ½ P 118/138.

🏠 **Eurohotel** sans rest, Hinthamerstraat 63, ⊠ 5211 MG, ℘ (0 73) 613 77 77, Fax (0 73) 612 87 95 – 🛗 📺 ☎ 🚙 – 🔬 25 à 150. 🆎 ⓞ 🖂 𝘝𝘐𝘚𝘈 ⚙   Z d
fermé 20 déc.-3 janv. – **41 ch** 🖙 90/130.

🏠 **Campanile,** Goudsbloemvallei 21 (Maaspoortweg), ⊠ 5237 MH, ℘ (0 73) 642 25 25, ♨ Fax (0 73) 641 00 48, 🍽 – 📺 ☎ 🕭 🅿 – 🔬 25 à 40. 🆎 ⓞ 🖂 𝘝𝘐𝘚𝘈   V u
Repas (avec buffet) Lunch 15 – 39 – 🖙 13 – **46 ch** 102.

❌❌❌ **Chalet Royal** (Greveling), Wilhelminaplein 1, ⊠ 5211 CG, ℘ (0 73) 613 57 71, ✿ Fax (0 73) 614 77 82, 🍽, « Terrasse, ⟨ campagne et douves » – 🅿 – 🔬 25. 🆎 ⓞ 🖂
𝘝𝘐𝘚𝘈 𝘑𝘊𝘉   Z f
fermé dim., lundi, 26 juil.-11 août et 27 déc.-5 janv. – **Repas** Lunch 85 bc – 125 (2 pers. min.), carte 90 à 140
Spéc. Turbot poêlé, julienne de légumes et beurre de carottes. Quasi de veau confit servi en croûte de sel. Croustillant aux framboises, glace vanille.

❌❌ **De Veste,** Uilenburg 2, ⊠ 5211 EV, ℘ (0 73) 614 46 44, Fax (0 73) 612 49 34, 🍽 –
🆎 ⓞ 🖂 𝘝𝘐𝘚𝘈   Z k
fermé sam. midi, dim. et 20 juil.-3 août – **Repas** carte 61 à 77.

❌❌ **Aub. de Koets,** Korte Putstraat 23, ⊠ 5211 KP, ℘ (0 73) 613 27 79, Fax (0 73) 614 62 52, 🍽 – 🍽. 🆎 ⓞ 🖂 𝘝𝘐𝘚𝘈 ⚙   Z h
fermé 27 déc.-10 janv. – **Repas** Lunch 55 – 75/85.

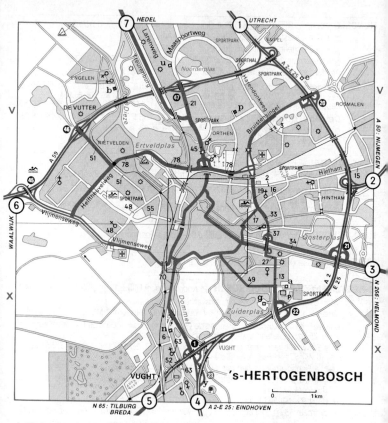

Aartshertogenlaan	V 2	Hambakenweg	V 21	Pettelaarseweg	X 49
Balkweg	V 3	Jacob v. Maerlantstr.	X 27	Rietveldenweg	V 51
Bosscheweg	X 6	Lagelandstr.	V 33	Rijksweg-West	X 52
Gestelseweg	X 13	Maastrichtseweg	X 34	Simon Stevinweg	V 55
Graafsebaan	V 15	Merwedelaan	X 37	Taalstr.	X 63
Graafseweg	V 16	Orthen	V 45	Vughterweg	X 70
van Grobbendoncklaan	V 19	Oude Vlijmenseweg	VX 48	Zandzuigerstr.	V 78

ХХ **Paradis-Pettelaar,** Pettelaarseschans 1, ⊠ 5216 CG, 𝄞 (0 73) 613 73 51, Fax (0 73) 613 56 05, 🍽 – 🅿 🆎 ⓪ 🅴 💳. 🛇
    X g
    fermé sem. carnaval – **Repas** Lunch 45 – 58/125.

ХХ **De Raadskelder,** Markt 1a, ⊠ 5211 JV, 𝄞 (0 73) 613 69 19, Fax (0 73) 613 73 79, « Cave du 16ᵉ s. » – 🆎 🅴 💳. 🛇
    Z m
    fermé dim., lundi, 19 juil.-9 août et 20 déc.-3 janv. – **Repas** Lunch 25 – 45/85.

Х **Het Nieuwe Oosten,** Rompert(winkel)centrum 7, ⊠ 5233 RG, 𝄞 (0 73) 641 23 15, Fax (0 73) 641 61 36, Cuisine chinoise, ouvert jusqu'à 23 h – ▤ 🅿 🆎 ⓪ 🅴 💳 🅹🅲🅱
    V p
    Repas Lunch 15 – carte 45 à 71.

Х **Shiro** 1ᵉʳ étage, Uilenburg 4, ⊠ 5211 EV, 𝄞 (0 73) 614 46 44, Fax (0 73) 612 49 34, Cuisine japonaise – 🆎 🅴 💳 🅹🅲🅱
    Z k
    fermé dim. – **Repas** (dîner seult) 75/120.

Х **Da Peppone,** Kerkstraat 77, ⊠ 5211 KE, 𝄞 (0 73) 614 78 94, Cuisine italienne – 🆎 ⓪ 🅴 💳. 🛇
    Z q
    Repas (dîner seult) 45/60.

Х **De Truffel,** Korte Putstraat 14, ⊠ 5211 KP, 𝄞 (0 73) 614 27 42, Fax (0 73) 612 02 09, 🍽 – 🆎 ⓪ 🅴 💳 🅹🅲🅱. 🛇
    Z r
    Repas (dîner seult) 38/58.

's-HERTOGENBOSCH

Hinthamerstr.	**Z**
Hoge Steenweg	**Z** 25
Schapenmarkt	**Z** 54
Visstraat	**Z** 67
Vughterstr.	**Z**
Bethaniestr.	**Z** 4
de Bossche Pad	**Z** 7
Burg. Loeffpl.	**YZ** 9

Emmaplein	**Y** 10
Geert van Woustr.	**Y** 12
Graafseweg	**Y** 16
Havensingel	**Y** 22
Hinthamereinde	**Y** 24
Jan Heinsstr.	**Y** 28
Kerkstr.	**Y** 30
Koninginnenlaan	**Y** 31
Maastrichtseweg	**Y** 34
Muntelbolwerk	**Y** 39
van Noremborghstr.	**Y** 40
Oostwal	**Z** 42

Oranje Nassaulaan	**Z** 43
Orthenstr.	**Y** 46
Sint-Jacobstr.	**Z** 57
Sint-Josephstr.	**Z** 58
Spinhuiswal	**Z** 60
Stationsweg	**YZ** 61
Torenstr.	**Z** 66
Vlijmenseweg	**Z** 69
Vughterweg	**Z** 70
van der Weeghensingel	**Y** 73
Wilhelminaplein	**Z** 75
Willemsplein	**Z** 76

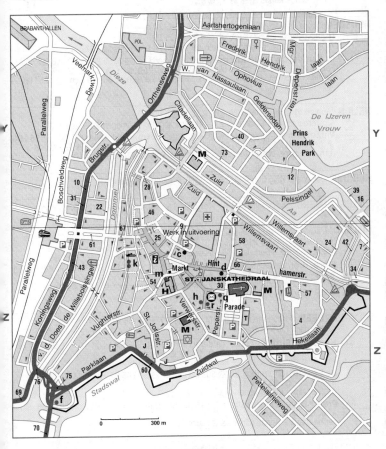

à Engelen *NO : 3 km* Ⓒ *'s-Hertogenbosch :*

    Petit Village, Graaf van Solmsweg 85, ✉ 5221 BM, ℰ (0 73) 631 16 07,
Fax (0 73) 631 16 07, ≼ – 🆎 ⓪ 🇪 𝗩𝗜𝗦𝗔   V b
fermé lundi et mardi – **Repas** Lunch 43 – 50/80.

à Rosmalen *E : 3 km* Ⓒ *'s-Hertogenbosch :*

    Postiljon, Burg. Burgerslaan 50 (près A 2), ✉ 5245 NH, ℰ (0 73) 521 91 59,
Fax (0 73) 521 62 15, ≼, 🍽 – ▯ ✆ 🅿 – ⚐ 25 à 250. 🆎 ⓪ 🇪 𝗩𝗜𝗦𝗔   V e
Repas (buffets) – ☷ 18 – **82 ch** 125/170.

    Die Heere Sewentien, Sparrenburgstraat 9, ✉ 5244 JC, ℰ (0 73) 521 77 44,
Fax (0 73) 521 00 75, 🍽, « Terrasse et jardin » – 🅿 🆎 ⓪ 🇪 𝗩𝗜𝗦𝗔
fermé lundi, 2 sem. carnaval et du 3 au 23 août – **Repas** Lunch 50 – 60.

à Vught *S : 4 km – 24 732 h.*

🏨 **Vught,** Bosscheweg 2, ⊠ 5261 AA, ℘ (0 73) 657 90 40, Fax (0 73) 656 81 20, ≤, 🌤, ⌂, ⛱, ⬚, ⚒ – 📠, 🍽 rest, 📺 ☎ & 🅿 – 🔏 25 à 500. 🆎 ⓪ ⴹ 𝘝𝘐𝘚𝘈. ⚞ X n
Repas (ouvert jusqu'à 23 h) 45 – **116 ch** ⊇ 125.

✗✗ **Kasteel Maurick,** Maurick 3 (sur N 2), ⊠ 5261 NA, ℘ (0 73) 657 91 08, Fax (0 73) 656 04 40, 🌤, « Terrasse et jardin » – 🅿 – 🔏 25 à 120. 🆎 ⓪ ⴹ 𝘝𝘐𝘚𝘈 𝗝𝗖𝗕. ⚞ X y
fermé dim. – **Repas** Lunch 49 – 70/95.

HEUSDEN *Noord-Brabant* ⑳⑪ K 12 et ⑳⑧ G 6 – 6 124 h.
🛈 Engstraat 4, ⊠ 5256 BD, ℘ (0 416) 66 21 00.
Amsterdam 96 – 's-Hertogenbosch 19 – Breda 43 – Rotterdam 67.

✗✗✗ **In den Verdwaalde Koogel** avec ch, Vismarkt 1, ⊠ 5256 BC, ℘ (0 416) 66 19 33, Fax (0 416) 66 12 95, 🌤, « Maison du 17e s. » – 📺 ☎ – 🔏 30. 🆎 ⴹ 𝘝𝘐𝘚𝘈
fermé 31 déc. et 1er janv. – **Repas** Lunch 50 – carte env. 80 – **12 ch** ⊇ 125/150 – ½ P 130/145.

HEIJEN *Limburg* © Gennep 16 810 h. ⑳⑪ P 12 et ⑳⑧ I 6.
Amsterdam 140 – Eindhoven 67 – Maastricht 115 – Nijmegen 26 – Venlo 38.

✗✗ **Mazenburg,** Boxmeerseweg 61 (SO : 3 km, Zuidereiland), ⊠ 6598 MX, ℘ (0 485) 51 71 71, Fax (0 485) 51 87 87, ≤, 🌤, ⬚, – 📺 🅿. 🆎 ⓪ ⴹ 𝘝𝘐𝘚𝘈. ⚞
fermé 2e quinz. oct. et merc. d'oct. à mars – **Repas** Lunch 60 – 68/110.

HIERDEN *Gelderland* ⑳⑩ O 8, ⑳⑪ O 8 et ⑳⑧ I 4 – voir à Harderwijk.

HILLEGERSBERG *Zuid-Holland* ⑳⑪ H 11 et ⑳⑧ E 6 - ㉕ N – voir à Rotterdam, périphérie.

HILLEGOM *Zuid-Holland* ⑳⑩ H 9, ⑳⑪ H 9 et ⑳⑧ E 5 – 20 189 h.
🛈 Mariastraat 4, ⊠ 2181 CT, ℘ (0 252) 51 57 72.
Amsterdam 30 – Den Haag 33 – Haarlem 12.

🏨 **Flora,** Hoofdstraat 55, ⊠ 2181 EB, ℘ (0 252) 51 51 00, Fax (0 252) 52 93 14 – 📠 📺 ☎ 🅿 – 🔏 25 à 250. 🆎 ⓪ ⴹ 𝘝𝘐𝘚𝘈. ⚞
fermé 24, 25 et 31 déc. et 1er janv. – **Repas** (fermé dim. midi) 45/70 – **26 ch** ⊇ 70/160 – ½ P 100/120.

HILVARENBEEK *Noord-Brabant* ⑳⑪ K 14 et ⑳⑧ G 7 – 10 136 h.
Amsterdam 120 – 's-Hertogenbosch 31 – Eindhoven 30 – Tilburg 12 – Turnhout 33.

🏛 **Herberg Sint Petrus,** Gelderstraat 1, ⊠ 5081 AA, ℘ (0 13) 505 21 66, Fax (0 13) 505 46 19, 🌤 – 📺 ☎. 🆎 ⓪ ⴹ 𝘝𝘐𝘚𝘈. ⚞
fermé fin déc.-début janv. – **Repas** 45/50 – **8 ch** ⊇ 75/110.

✗✗✗ **De Egelantier,** Vrijhof 26, ⊠ 5081 CB, ℘ (0 13) 505 45 04, Fax (0 13) 505 39 82, 🌤, « Patio » – 🅿. 🆎 ⴹ 𝘝𝘐𝘚𝘈. ⚞
fermé lundi – **Repas** (dîner seult) 73.

✗✗ **Pieter Bruegel,** Gelderstraat 7, ⊠ 5081 AA, ℘ (0 13) 505 17 58, Fax (0 13) 505 46 77 – 🖳. 🆎 ⓪ ⴹ 𝘝𝘐𝘚𝘈. ⚞
fermé mardi – **Repas** (dîner seult) carte 70 à 85.

HILVERSUM *Noord-Holland* ⑳⑪ L 9 et ⑳⑧ G 5 – 83 272 h.
Voir *Hôtel de ville★ (Raadhuis)* Y H – *Le Gooi★ (Het Gooi)*.
Env. *Étangs de Loosdrecht★★ (Loosdrechtse Plassen)* par ④ : 7 km.
⛳ Soestdijkerstraatweg 172, ⊠ 1213 XJ, ℘ (0 35) 685 86 88, Fax (0 35) 685 38 13.
🛈 Schapenkamp 25, ⊠ 1211 NV, ℘ (0 35) 621 16 51, Fax (0 35) 694 34 24.
Amsterdam 34 ⑤ – Apeldoorn 65 ① – Utrecht 20 ③ – Zwolle 87 ①.

Plan page ci-contre

🏨 **Lapershoek,** Utrechtseweg 16, ⊠ 1213 TS, ℘ (0 35) 623 13 41, Fax (0 35) 628 43 60, 🌤 – 📠 ⚒ 📺 ☎ 🅿 – 🔏 25 à 600. 🆎 ⓪ ⴹ 𝘝𝘐𝘚𝘈. ⚞ X e
Repas Lunch 48 – carte 70 à 83 – **80 ch** ⊇ 235/255.

🏨 **Hilfertsom** ⌂, Koninginneweg 30, ⊠ 1217 LA, ℘ (0 35) 623 24 44, Fax (0 35) 623 49 76 – 📠 📺 ☎ 🅿 – 🔏 25 à 110. 🆎 ⓪ ⴹ 𝘝𝘐𝘚𝘈 𝗝𝗖𝗕. ⚞ Y c
Repas (dîner seult) carte env. 55 – **46 ch** ⊇ 160 – ½ P 145.

442

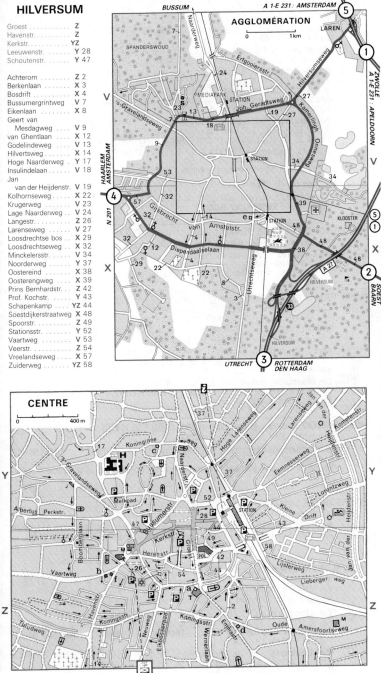

HILVERSUM

Groest	Z
Havenstr.	Z
Kerkstr.	YZ
Leeuwenstr.	Y 28
Schoutenstr.	Y 47
Achterom	Z 2
Berkenlaan	X 3
Bosdrift	X 4
Bussumergrintweg	V 7
Eikenlaan	X 8
Geert van Mesdagweg	V 9
van Ghentlaan	X 12
Godelindeweg	V 13
Hilvertsweg	X 14
Hoge Naarderweg	Y 17
Insulindelaan	V 18
Jan van der Heijdenstr.	V 19
Kolhornseweg	X 22
Krugerweg	V 23
Lage Naarderweg	V 24
Langestr.	Z 26
Larenseweg	V 27
Loosdrechtse bos	X 29
Loosdrechtseweg	X 32
Minckelersstr.	V 34
Noorderweg	V 37
Oostereind	X 38
Oosterengweg	X 39
Prins Bernhardstr.	Z 42
Prof. Kochstr.	Y 43
Schapenkamp	YZ 44
Soestdijkerstraatweg	X 48
Spoorstr.	Z 49
Stationsstr.	Y 52
Vaartweg	V 53
Veerstr.	Z 54
Vreelandseweg	X 57
Zuiderweg	YZ 58

443

Gd H. Gooiland sans rest, Emmastraat 2, ⊠ 1211 NG, ℰ (0 35) 621 23 31, Fax (0 35) 623 66 82 – 🛗 📺 ☎ 🅿. 🆎 ⑩ 🇪 𝗩𝗜𝗦𝗔 𝗝𝗖𝗕. ⚘
55 ch ⚏ 150/180.   Z a

Ravel sans rest, Emmastraat 35, ⊠ 1213 AJ, ℰ (0 35) 621 06 85, Fax (0 35) 624 37 77
– 📺 ☎. 🆎 🇪 𝗩𝗜𝗦𝗔 𝗝𝗖𝗕 – **19 ch** ⚏ 140/165.   Z d

Spandershoeve, Bussumergrintweg 46, ⊠ 1217 BS, ℰ (0 35) 621 11 30,
Fax (0 35) 623 51 53, ㈘, Cuisine indonésienne – 🔲 🅿. 🆎 ⑩ 🇪 𝗩𝗜𝗦𝗔. ⚘   V s
Repas 65 (2 pers. min.), carte 50 à 85
Spéc. Crevettes farcies en feuille de bananier. Curry d'agneau au lait de coco, herbes et
épices. Poulet grillé, sauce au soja.

Nusantara 1ᵉʳ étage, Vaartweg 15a, ⊠ 1211 JD, ℰ (0 35) 623 23 67,
Fax (0 35) 623 70 72, Cuisine indonésienne – 🔲. 🆎 ⑩ 🇪 𝗩𝗜𝗦𝗔. ⚘   Z f
fermé 25, 26 et 31 déc. et 1ᵉʳ janv. – **Repas** (dîner seult) carte 45 à 85.

Joffers, Vaartweg 33, ⊠ 1211 JD, ℰ (0 35) 621 45 56, Fax (0 35) 624 41 21, ㈘ – 🆎
⑩ 🇪 𝗩𝗜𝗦𝗔   Z b
fermé dim. et 31 déc.-1ᵉʳ janv. – **Repas** 43/80.

à 's-Graveland par ④ : 7 km – 9 390 h.

Berestein, Zuidereinde 208, ⊠ 1243 KR, ℰ (0 35) 656 10 30 – 🆎 🇪 𝗩𝗜𝗦𝗔
fermé lundi – **Repas** (dîner seult) 50.

HINDELOOPEN (HYLPEN) Friesland 🄲 Nijefurd 10 415 h. 🄷🄸🄾 M 5 et 🄸🄾🄾 H 3.
Amsterdam 118 – Leeuwarden 17 – Zwolle 86.

De Gasterie, Kalverstraat 13, ⊠ 8713 KV, ℰ (0 514) 52 19 86, Fax (0 514) 52 20 53
– 🆎 ⑩ 🇪 𝗩𝗜𝗦𝗔 𝗝𝗖𝗕
10 avril-2 nov. ; fermé lundis non fériés – **Repas** (dîner seult) 53.

HOEK VAN HOLLAND Zuid-Holland 🄲 Rotterdam 592 745 h. 🄷🄸🄸 E 11 et 🄸🄾🄾 O 6 - ㉓ N.
🚢 vers Harwich : Stena Line, Stationsweg 10, ℰ (0 174) 38 93 33, Fax (0 174) 38 70 47.
Prix AR : de 160,00 Fl à 200,00 Fl, avec voiture de 498,00 Fl à 900,00 Fl.
🅱 Rietdijkstraat 72, ⊠ 3151 GK, ℰ (0 174) 38 24 56, Fax (0 174) 38 64 51.
Amsterdam 80 – Den Haag 24 – Rotterdam 26.

Het Jagershuis, Badweg 1 (O : 1 km), ⊠ 3151 HA, ℰ (0 174) 38 22 51,
Fax (0 174) 38 27 67, ㈘ – 🅿. 🆎 ⑩ 🇪 𝗩𝗜𝗦𝗔 𝗝𝗖𝗕
Repas Lunch 28 – 50/73.

De Blaasbalg, Zeekant 125, Strand (O : 1,5 km), ⊠ 3151 HW, ℰ (0 174) 38 25 03,
Fax (0 174) 38 54 67, ㈘, « ≤ estuaire et trafic maritime » – 🆎 ⑩ 🇪 𝗩𝗜𝗦𝗔 𝗝𝗖𝗕
Repas Lunch 50 – carte env. 60.

HOENDERLOO Gelderland 🄲 Apeldoorn 150 915 h. 🄷🄸🄸 P 10 et 🄸🄾🄾 I 5.
Amsterdam 88 – Arnhem 21 – Apeldoorn 14.

Buitenlust, Apeldoornseweg 30, ⊠ 7351 AB, ℰ (0 55) 378 13 62, Fax (0 55) 378 17 29
– 🅿. 𝗩𝗜𝗦𝗔. ⚘
fermé 22 déc.-janv. et mardi et merc. de nov. à fév. – **Repas** Lunch 40 – carte 47 à 64 –
15 ch ⚏ 110/125 – ½ P 85/90.

HOENSBROEK Limburg 🄲 Heerlen 96 015 h. 🄷🄸🄸 P 17 et 🄸🄾🄾 I 9.
Amsterdam 210 – Maastricht 24 – Sittard 11 – Aachen 27.

Kasteel Hoensbroek, Klinkertstraat 110, ⊠ 6433 PB, ℰ (0 45) 521 39 76,
Fax (0 45) 523 15 72, ㈘, « Dans les dépendances du château » – 🅿. 🆎 ⑩ 🇪 𝗩𝗜𝗦𝗔. ⚘
fermé lundi et 27 déc.-5 janv. – **Repas** Lunch 55 – 68/90.

HOEVELAKEN Gelderland 🄷🄸🄸 M 9 et 🄸🄾🄾 H 5 - 8 780 h.
🅶 à Voorthuizen E : 10 km, Hunnenweg 16, ⊠ 3781 NN, ℰ (0 342) 47 38 32,
Fax (0 342) 47 10 37.
Amsterdam 50 – Arnhem 57 – Amersfoort 8 – Apeldoorn 42 – Zwolle 66.

De Klepperman, Oosterdorpsstraat 11, ⊠ 3871 AA, ℰ (0 33) 253 41 20,
Fax (0 33) 253 74 34, ℄, ☎ – 🛗 📺 🔲 ♿ 🅿 – 🕝 25 à 225. 🆎 ⑩ 🇪 𝗩𝗜𝗦𝗔. ⚘ rest
Repas voir rest **De Gasterie** ci-après – **Eethuys 't Backhuys** (dîner seult sauf dim.) 48
– ⚏ 25 – **79 ch** 150/280.

De Gasterie - H. De Klepperman, Oosterdorpsstraat 11, ⊠ 3871 AA,
ℰ (0 33) 253 41 20, Fax (0 33) 253 74 34, ㈘ – 🅿. 🆎 ⑩ 🇪 𝗩𝗜𝗦𝗔. ⚘
fermé dim. – **Repas** carte 75 à 95.

444

De HOGE VELUWE (Nationaal Park) (Parc National de la HAUTE VELUWE) ★★★ : *Musée Kröller-Müller*★★★ *Gelderland* 210 P 10 et 408 I 5 *G. Hollande.*

HOLLUM *Friesland* 210 N 2 et 408 H 1 – *voir à Waddeneilanden (Ameland).*

HOLTEN *Overijssel* 210 S 9, 211 S 9 et 408 K 5 – *8 731 h.*

Voir *Musée (Bos Museum)*★ *sur le Holterberg.*

🛈 *Dorpsstraat 27,* ⊠ *7451 BR,* ℘ *(0 548) 36 15 33, Fax (0 548) 36 48 43.*
Amsterdam 124 – Zwolle 40 – Apeldoorn 40 – Enschede 42.

🏨 **AC Hotel,** Langstraat 22 (sur A 1, sortie Struik), ⊠ 7451 ND, ℘ (0 548) 36 26 80, Fax (0 548) 36 45 50, 佥 – 📳 🆃🆅 ☎ ♿ ❷ – 🔬 25 à 300. 🆎 ① 🅴 𝒱𝐼𝑆𝐴
Repas (avec buffet) carte env. 50 – ⊡ 15 – **58 ch** 115, 2 suites.

sur le Holterberg :

🏠 **'t Lösse Hoes** ⑤, Holterbergweg 14, ⊠ 7451 JL, ℘ (0 548) 36 33 33, Fax (0 548) 36 47 90, 佥, « Dans les bois » – 🆃🆅 ☎ ❷ – 🔬 25. 🆎 ① 🅴 𝒱𝐼𝑆𝐴
⁒ rest
fermé 27 déc.-9 janv. – **Repas** (dîner seult) carte env. 85 – **28 ch** ⊡ 63/150 – ½ P 90/105.

🍽🍽 **Hoog Holten** ⑤, avec ch, Forthaarsweg 7, ⊠ 7451 JS, ℘ (0 548) 36 13 06, Fax (0 548) 36 30 75, 佥, « Dans les bois », 🐎, ⁒ – 🆃🆅 ☎ ❷ – 🔬 30. 🆎 ① 🅴 𝒱𝐼𝑆𝐴
⁒ rest
fermé 29 déc.-9 janv. – **Repas** Lunch 55 – 63 – ⊡ 18 – **19 ch** 125/150 – ½ P 125/170.

🍴 **Bistro de Holterberg,** Forthaarsweg 1, ⊠ 7451 JS, ℘ (0 548) 36 38 49, Fax (0 548) 36 51 12, 佥, « Intérieur convivial, terrasse avec ≼ » – ❷. 🆎 ① 🅴 𝒱𝐼𝑆𝐴. ⁒
fermé lundi, mardi et 29 déc.-13 janv. – **Repas** (dîner seult sauf dim.) 50/60.

HOOFDDORP *Noord-Holland* 🄲 *Haarlemmermeer 106 095 h.* 210 I 9, 211 I 9 et 408 F 5.

🛈 *Raadhuisplein 5,* ⊠ *2131 TZ,* ℘ *(0 23) 563 33 90, Fax (0 23) 562 77 59.*
Amsterdam 21 – Den Haag 45 – Haarlem 12 – Rotterdam 62 – Utrecht 42.

🏨🏨 **Holiday Inn Crowne Plaza,** Planeetbaan 2, ⊠ 2132 HZ, ℘ (0 23) 565 00 00, Fax (0 23) 565 05 21, 🐚, ≋s, 🔲, – 📳 🌊 ▤ 🆃🆅 ☎ ♿ ❷ – 🔬 25 à 350. 🆎 ① 🅴 𝒱𝐼𝑆𝐴 🇯🇨🇧 ⁒ rest
Repas *La Vie en Rose* Lunch 50 - carte 70 à 87 – ⊡ 34 – **233 ch** 465/560, 10 suites.

🏨🏨 **Barbizon Schiphol,** Kruisweg 495 (près A 4 - De Hoek), ⊠ 2132 NA, ℘ (0 20) 655 05 50, Fax (0 20) 653 49 99, 佥, 🐚, ≋s, 🔲, ⁒ – 📳 🌊 ▤ 🆃🆅 ☎ ♿ ❷ – 🔬 30 à 250. 🆎 ① 🅴 𝒱𝐼𝑆𝐴 🇯🇨🇧
Repas Lunch 40 – carte env. 65 – ⊡ 35 – **324 ch** 300/330, 2 suites.

🏨 **Schiphol A 4,** Rijksweg A 4 n° 3 (S : 4 km – Den Ruygen Hoek), ⊠ 2132 MA, ℘ (0 252) 67 53 35, Fax (0 252) 68 69 78, 佥, 🔲 – 📳 🆃🆅 ☎ ❷ – 🔬 25 à 1500. 🆎 ① 🅴 𝒱𝐼𝑆𝐴
Repas (ouvert jusqu'à 23 h) Lunch 15 – carte env. 50 – ⊡ 15 – **238 ch** 130/200 – ½ P 110.

🏨 **De Beurs,** Kruisweg 1007, ⊠ 2131 CR, ℘ (0 23) 563 42 34, Fax (0 23) 561 68 00, 佥 – 📳, ▤ rest, 🆃🆅 ☎ ❷ – 🔬 200. 🆎 ① 🅴 𝒱𝐼𝑆𝐴. ⁒
Repas Lunch 38 – 55 – ⊡ 15 – **44 ch** 160/185 – ½ P 155.

🏠 **Bastion Airport,** Vuursteen 1 (près A 4 - De Hoek), ⊠ 2132 LZ, ℘ (0 20) 653 26 11, Fax (0 20) 653 34 78 – 🆃🆅 ☎ ❷. 🆎 ① 🅴 𝒱𝐼𝑆𝐴. ⁒
Repas (grillades, ouvert jusqu'à 23 h) 45 – **40 ch** ⊡ 151/166.

🏠 **Bastion Schiphol,** Adrianahoeve 8 (O : 5 km près N 201), ⊠ 2131 MN, ℘ (0 23) 562 36 32, Fax (0 23) 562 28 48 – 🆃🆅 ☎ ❷. 🆎 ① 🅴 𝒱𝐼𝑆𝐴. ⁒
Repas (grillades, ouvert jusqu'à 23 h) 45 – **40 ch** ⊡ 134/149.

🍽🍽 **Marktzicht,** Marktplein 31, ⊠ 2132 DA, ℘ (0 23) 561 24 11, Fax (0 23) 563 72 91, 佥 – 🆎 ① 🅴 𝒱𝐼𝑆𝐴
fermé dim. midi – **Repas** Lunch 53 – carte env. 85.

HOOFDPLAAT *Zeeland* 🄲 *Oostburg 17 780 h.* 211 B 14 et 408 C 7.
Amsterdam 225 – Middelburg 14 – Brugge 50 – Terneuzen 18.

🍽🍽 **De Kromme Watergang,** Slijkplaat 6 (O : 4 km, Slijkplaat), ⊠ 4513 KK, ℘ (0 117) 34 86 96, Fax (0 117) 34 86 79, 佥, « Dans les polders » – ❷. 🅴 𝒱𝐼𝑆𝐴
fermé lundi, dern. sem. sept. et fin déc. – **Repas** Lunch 60 – 80/115.

445

HOOGELOON Noord-Brabant ⓒ Hoogeloon, Hapert en Casteren 8 280 h. ⚈⚈ L 14 et ⚈⚈⚈ G 7.
Amsterdam 141 – Antwerpen 73 – Eindhoven 21 – 's-Hertogenbosch 52.

XX **De Landorpse Hoeve,** Landrop 2 (S : 2 km), ✉ 5528 RA, ℘ (0 497) 38 37 07,
Fax (0 497) 38 46 13, ⇧, « Cadre champêtre » – ❷. ⒶⒺ ⓪ Ⓔ 𝑽𝑰𝑺𝑨
fermé du 9 au 24 fév., du 10 au 26 août et lundi – **Repas** Lunch 55 – 58/65.

HOOGERHEIDE Noord-Brabant ⓒ Woensdrecht 10 048 h. ⚈⚈ F 14 et ⚈⚈⚈ E 7.
Amsterdam 148 – 's-Hertogenbosch 96 – Antwerpen 33 – Bergen op Zoom 10 – Breda 46.

XX **La Castelière,** Nijverheidsstraat 28, ✉ 4631 KS, ℘ (0 164) 61 26 12,
Fax (0 164) 62 00 71, ⇧, « Cadre champêtre » – ❷. ⒶⒺ Ⓔ 𝑽𝑰𝑺𝑨. ⋘
fermé dim. et lundi – **Repas** (dîner seult) carte 82 à 97.

HOOGEVEEN Drenthe ⚈⚈ S 6 et ⚈⚈⚈ K 3 – 46 515 h.

🚏 à Tiendeveen NE : 5 km, Haarweg 22, ✉ 7936 TP, ℘ (0 528) 33 15 58,
Fax (0 528) 33 14 77.

🅱 Raadhuisplein 3, ✉ 7901 BP, ℘ (0 528) 26 30 03.
Amsterdam 155 – Assen 34 – Emmen 32 – Zwolle 45.

🏨 **Hoogeveen,** Mathijsenstraat 1 (SO : 2 km sur A 28), ✉ 7909 AP, ℘ (0 528) 26 33 03,
Fax (0 528) 26 49 25, ⇧ – ▤ rest, 📺 ☎ ♿ ❷ – 🔬 25 à 300. ⒶⒺ ⓪ Ⓔ 𝑽𝑰𝑺𝑨. ⋘ rest
fermé 30 déc.-2 janv. – **Repas** Lunch 35 – carte env. 55 – **39 ch** ⭤ 115/135 – ½ P 95.

XX **De Herberg,** Hoogeveenseweg 27 (N : 2 km, Fluitenberg), ✉ 7931 TD, ℘ (0 528)
27 59 83, Fax (0 528) 22 07 30, ⇧ – ❷. ⒶⒺ ⓪ Ⓔ 𝑽𝑰𝑺𝑨 𝒋𝒄𝒃
fermé vacances bâtiment – **Repas** Lunch 55 – 60/80.

XX **Spaarbankhoeve** avec ch, Hoogeveenseweg 5 (N : 2 km, Fluitenberg), ✉ 7931 TD,
⊜ ℘ (0 528) 26 21 89, Fax (0 528) 27 58 12, ⇧ – ▤ rest, 📺 ☎ ❷ – 🔬 25 à 120. ⒶⒺ
⓪ Ⓔ 𝑽𝑰𝑺𝑨 𝒋𝒄𝒃
Repas (fermé lundi et après 20 h 30) Lunch 38 – 42/53 – **4 ch** ⭤ 98/118 – ½ P 128.

HOOG-SOEREN Gelderland ⚈⚈ P 9 et ⚈⚈⚈ I 5 – voir à Apeldoorn.

De Michelinkaart ⚈⚈⚈ schaal 1 : 400 000 (1 cm = 4 km) geeft,
op één blad, een volledig overzicht van Nederland.

Ze biedt bovendien gedetailleerde vergrotingen
van Amsterdam en Rotterdam en een register van plaatsnamen.

HOORN Noord-Holland ⚈⚈ K 7 et ⚈⚈⚈ G 4 – 61 800 h.

Voir Le vieux quartier★ YZ – Rode Steen★ Z – Façade★ du musée de la Frise Occidentale
(Westfries Museum) Z M¹ – Veermanskade★ Z.

🚏 à Westwoud NE : 8 km, Zittend 19, ✉ 1617 KS, ℘ (0 228) 56 31 28,
Fax (0 228) 56 31 28.

🅱 Veermarkt 4, ✉ 1621 JC, ℘ 0 6-34 03 10 55, Fax (0 229) 21 50 23.
Amsterdam 43 ② – Alkmaar 26 ② – Enkhuizen 19 ① – Den Helder 52 ③.

Plan page ci-contre

🏨 **Petit Nord,** Kleine Noord 53, ✉ 1621 JE, ℘ (0 229) 21 27 50, Fax (0 229) 21 57 45 –
⊜ 🛗 ⋙ 📺 ☎ – 🔬 25 à 80. ⒶⒺ ⓪ Ⓔ 𝑽𝑰𝑺𝑨 𝒋𝒄𝒃   Y r
Repas (Taverne-rest) 48 – **32 ch** ⭤ 125/175.

🏨 **Hoorn,** Lepelaar 1, ✉ 1628 CZ, ℘ (0 229) 24 98 44, Fax (0 229) 24 95 40 – 📺 ☎ ❷.
ⒶⒺ ⓪ Ⓔ 𝑽𝑰𝑺𝑨. ⋘   X b
Repas (Taverne-rest) carte env. 50 – ⭤ 10 – **40 ch** 99 – ½ P 136/150.

XXX **L'Oasis de la Digue,** De Hulk 16, ✉ 1622 DZ, ℘ (0 229) 55 33 44, Fax (0 229) 55 31 64,
≤, ⇧ – ❷. ⒶⒺ Ⓔ 𝑽𝑰𝑺𝑨   par Westerdijk   X
Repas Lunch 50 – 55/90.

XX **De Oude Rosmolen** (Fonk), Duinsteeg 1, ✉ 1621 ER, ℘ (0 229) 21 47 52, Fax (0 229)
❀❀ 21 49 38 – ▤. ⒶⒺ ⓪ Ⓔ 𝑽𝑰𝑺𝑨   Y z
fermé jeudi, 2 sem. en fév., du 9 au 27 août et 28 déc.-7 janv. – **Repas** (dîner seult, nombre
de couverts limité - prévenir) 125 bc/150, carte 100 à 130
Spéc. Profiteroles à la mousse de foie gras. Ris de veau à la financière. Pâtisseries maison.

XX **Azië,** Veemarkt 49, ✉ 1621 JB, ℘ (0 229) 21 85 55, Fax (0 229) 24 96 04, Cuisine chinoise – ▤. ⒶⒺ ⓪ Ⓔ 𝑽𝑰𝑺𝑨   Y a
Repas Lunch 25 – 55 (2 pers. min.)/65.

HOORN

Breed	Y		Slapershaven	Z 42
Gedempte Turfhaven	Y 9		Spoorsingel	Y 44
Gouw	Y		Stationsweg	Y 45
Grote Noord	YZ		Veermanskade	Z 47
Lange Kerkstraat	Z 26			
Nieuwsteeg	Y 32		Westerdijk	Z 48
			Wijdebrugsteen	Z 50
			Zon	Z 51
Achterstraat	Y 2		Zwaagmergouw	X 53
Berkhouterweg	X 3			
Bierkade	Z 6			
Breestraat	X 8			
van Dedemstraat	X 10			
Hoge Vest	Y 12			
Joh. Messchaerstr.	X 12			
Joh. Poststraat	X 14			
Keern	Y 15			
Kerkplein	Y 17			
Kerkstraat	Z 18			
Koepoortsplein	Y 20			
Koepoortsweg	X 21			
Korenmarkt	Z 23			
Korte Achterstr.	Y 24			
Liornestraat	X 27			
Muntstraat	Y 29			
Nieuwendam	Z 30			
Nieuwstraat	YZ 33			
Noorderstraat	Y 35			
Noorderveemarkt	Y 36			
Onder de Boompjes	Y 38			
Oude Doelenkade	Z 39			
Scharloo	Y 41			

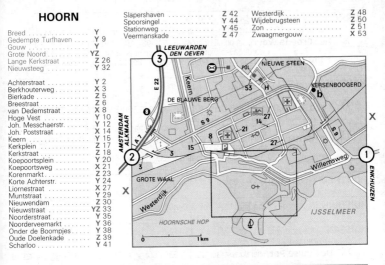

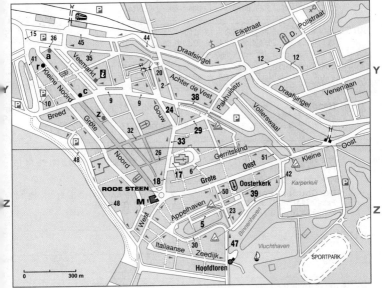

*Die im **Michelin-Führer***
*verwendeten Zeichen und Symbole haben - **fett** oder dünn*
*gedruckt, in Rot oder **Schwarz** - jeweils eine andere Bedeutung.*

Lesen Sie daher die Erklärungen aufmerksam durch.

HOORN (HOARNE) *Friesland* 210 M 2 et 408 H 1 – *voir à Waddeneilanden (Terschelling).*

Den HOORN *Noord-Holland* 210 I 4 et 408 F 2 – *voir à Waddeneilanden (Texel).*

HORN *Limburg* 211 P 15 et 408 I 8 – *voir à Roermond.*

HORST Limburg ⅦⅡⅠ Q 14 et ⅧⅢⅧ J 7 – 19 194 h.

Amsterdam 160 – Maastricht 86 – Eindhoven 53 – Roermond 41 – Venlo 13.

✗✗ **Het Groene Woud,** Jacob Merlostraat 6, ⌧ 5961 AB, ℰ (0 77) 398 38 20, Fax (0 77) 398 77 55, 斎, « Jardin avec expositions permanentes de sculptures » – ₠ Ɛ 𝑽𝑰𝑺𝑨 fermé merc., 2 sem. carnaval et prem. sem. mai – **Repas** Lunch 45 – carte env. 65.

HOUTEN Utrecht ⅦⅡⅠ K 10 et ⅧⅢⅧ G 5 – 31 093 h.

Amsterdam 38 – Rotterdam 63 – Utrecht 13.

✗✗ **Coco Pazzo,** Plein 20 (Oude Dorp), ⌧ 3991 DL, ℰ (0 30) 637 14 03, Fax (0 30) 637 14 03,
斎, Avec cuisine italienne – ▤. ₠ Ɛ 𝑽𝑰𝑺𝑨
fermé lundi, 19 juil.-5 août et 28 déc.-6 janv. – **Repas** Lunch 55 – 48/60.

✗✗ **De Hofnar,** Plein 22 (Oude Dorp), ⌧ 3991 DL, ℰ (0 30) 637 37 44, Fax (0 30) 637 32 33,
斎 – ▤ ℗. ₠ ⓞ Ɛ 𝑽𝑰𝑺𝑨 𝑱𝑪𝑩. ✁
fermé dim. et 20 juil.-10 août – **Repas** Lunch 50 – 55/80.

HOUTHEM Limburg ⅦⅡⅠ O 17 – voir à Valkenburg.

HUISDUINEN Noord-Holland ⅦⅠⅨ I 5 – voir à Den Helder.

HUISSEN Gelderland ⅦⅡⅠ P 11 et ⅧⅢⅧ I 6 – 15 449 h.

Amsterdam 113 – Arnhem 6 – Nijmegen 15.

✗✗ **De Keulse Pot,** Vierakkerstraat 42, ⌧ 6851 BG, ℰ (0 26) 325 22 95 – 🅰 35. ₠ ⓞ
Ɛ 𝑽𝑰𝑺𝑨 𝑱𝑪𝑩
fermé lundi et 2 sem. en janv. – **Repas** Lunch 50 – carte 55 à 80.

HULST Zeeland ⅦⅡⅠ E 15 et ⅧⅢⅧ D 8 – 19 061 h.

🄱 Grote Markt 21, ⌧ 4561 EA, ℰ (0 114) 38 92 99, Fax (0 114) 38 91 35.
Amsterdam (bac) 183 – Middelburg (bac) 52 – Antwerpen 32 – Sint-Niklaas 16.

🏠 **L'Aubergerie,** van der Maelstedeweg 4a, ⌧ 4561 GT, ℰ (0 114) 31 98 30,
Fax (0 114) 31 14 31, 斎 – 📺 ☎. ₠ ⓞ Ɛ 𝑽𝑰𝑺𝑨 𝑱𝑪𝑩. ✁ rest
fermé 24 déc.-5 janv. – **Repas** (dîner pour résidents seult) – **26 ch** ⌂ 100/140 –
½ P 98/128.

✗ **Napoleon,** Stationsplein 10, ⌧ 4561 GC, ℰ (0 114) 31 37 91, Fax (0 114) 31 37 91, 斎
– ₠ ⓞ Ɛ 𝑽𝑰𝑺𝑨
fermé mardi soir, merc. et 2 sem. en juin – **Repas** 48/73.

HUMMELO Gelderland 🄒 Hummelo en Keppel 4 436 h. ⅦⅡⅠ R 10 et ⅧⅢⅧ J 5.

🄱₉ à Hoog-Keppel O : 3 km, Oude Zutphenseweg 15, ⌧ 6997 CH, ℰ (0 314) 38 14 16,
Fax (0 57) 546 43 99.
Amsterdam 126 – Arnhem 29 – Apeldoorn 37.

🏠 **De Gouden Karper,** Dorpsstraat 9, ⌧ 6999 AA, ℰ (0 314) 38 12 14,
Fax (0 314) 38 22 38, 斎 – 📺 ☎ ℗ – 🅰 25 à 250. ₠ Ɛ 𝑽𝑰𝑺𝑨
Repas carte 56 à 72 – **15 ch** ⌂ 75/140.

HYLPEN Friesland – voir Hindeloopen.

IJ... – voir à Y.

JOURE (DE JOUWER) Friesland 🄒 Skarsterlân 26 024 h. ⅦⅠⅨ O 5 et ⅧⅢⅧ I 3.

🄱₆ à Sint Nicolaasga S : 7,5 km, Legemeersterweg 16, ⌧ 8527 DS, ℰ (0 513) 49 94 66,
Fax (0 513) 49 97 77.
🄱 Douwe Egbertsplein 6, ⌧ 8501 AB, ℰ (0 513) 41 60 30, Fax (0 513) 41 52 82.
Amsterdam 122 – Leeuwarden 37 – Sneek 14 – Zwolle 67.

✗✗ **'t Plein,** Douwe Egbertsplein 1a, ⌧ 8501 AB, ℰ (0 513) 41 70 70, Fax (0 513) 41 72 21,
斎 – ▤. ₠ ⓞ Ɛ 𝑽𝑰𝑺𝑨 𝑱𝑪𝑩
fermé du 12 au 18 oct., du 5 au 25 janv., sam. midi de sept. à juin et dim. – **Repas** Lunch 28
– 55/79.

à Sint Nicolaasga (St. Nyk) S : 7,5 km 🄒 Skarsterlân :

🏠 **De IJsvogel** ⌁, Legemeersterweg 1a, ⌧ 8527 DS, ℰ (0 513) 43 29 99,
Fax (0 513) 43 28 76, 斎 – 📺 ☎ ℗ – 🅰 30. ₠ ⓞ Ɛ 𝑽𝑰𝑺𝑨
Repas Lunch 35 – 65/85 – **14 ch** ⌂ 140/190 – ½ P 155/175.

KAAG *Zuid-Holland* © *Alkemade 14 390 h.* **211** H 9.

Amsterdam 42 – Den Haag 25 – Haarlem 22.

XX **Tante Kee,** Julianalaan 14 (par bac), ⊠ 2159 LA, ℘ (0 252) 54 42 06, Fax (0 252) 54 52 90, ≤, 佘, « Terrasse au bord de l'eau », 団 – **P**. **AE** **E** **VISA** **JCB**
Repas carte env. 65.

KAART *Friesland* **210** L 2 – voir à Waddeneilanden (Terschelling).

KAATSHEUVEL *Noord-Brabant* © *Loon op Zand 22 508 h.* **211** K 13 et **408** G 7.

Voir De Efteling★. – 曜 Veldstraat 6, ⊠ 5176 NB, ℘ (0 416) 28 83 99, Fax (0 416) 28 84 39. – Amsterdam 107 – Breda 25 – 's-Hertogenbosch 26 – Tilburg 12.

🏨 **Efteling** M, Horst 31, ⊠ 5171 RA, ℘ (0 416) 28 20 00, Fax (0 416) 28 15 15, 佘 – 🗈 ❄, ▤ ch, **TV** ☎ & **P** – 🔬 25 à 200. **AE** **①** **E** **VISA**. ❄
Repas Lunch 30 – carte 59 à 77 – **120 ch** ☲ 155/235 – ½ P 203.

KAMPEN *Overijssel* **210** P 7 et **408** I 4 – 32 418 h.

Voir Rive droite de l'IJssel ≤★ Y – Ancien hôtel de ville (Oude Raadhuis) : cheminée★ dans la salle des échevins★ (Schepenzaal) Y **H** – Hanap★ dans le musée municipal (Stedelijk Museum) Y **M**. – 🚩 Botermarkt 5, ⊠ 8261 GR, ℘ (0 38) 331 35 00, Fax (0 38) 332 89 00.
Amsterdam 115 ③ – Zwolle 14 ② – Leeuwarden 86 ①.

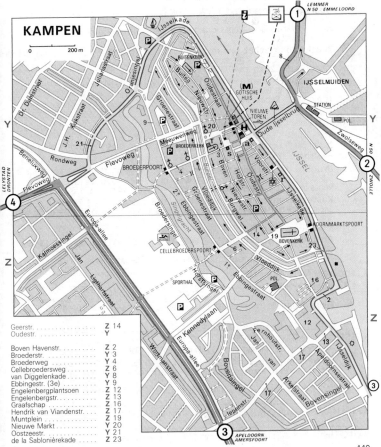

Geerstr.	**Z** 14
Oudestr.	**Y**
Boven Havenstr.	**Z** 2
Broederstr.	**Y** 3
Broederweg	**Y** 4
Cellebroedersweg	**Z** 6
van Diggelenkade	**Z** 8
Ebbingestr. (3e)	**Y** 9
Engelenbergplantsoen	**Z** 12
Engelenbergstr.	**Z** 13
Graafschap	**Z** 16
Hendrik van Viandenstr.	**Z** 17
Muntplein	**Z** 19
Nieuwe Markt	**Y** 20
Oostzeestr.	**Y** 21
de la Sablonièrekade	**Z** 23

🏠 **De Stadsherberg,** IJsselkade 48, ⊠ 8261 AE, 𝒫 (0 38) 331 26 45, Fax (0 38)
332 78 14, ≤ – 📳 📺 ☎ �&. – 🏧 25 à 200. 🆎 ⓞ 🄴 𝑽𝑰𝑺𝑨 𝙅𝘾𝘽　　　　　Y a
Repas Lunch 55 – carte env. 55 – **16 ch** ⊇ 75/135 – ½ P 110/210.

🏠 **Van Dijk** sans rest, IJsselkade 30, ⊠ 8261 AC, 𝒫 (0 38) 331 49 25, Fax (0 38) 331 65 08
– 📺 ☎ – 🏧 25 à 80. 🆎 🄴 𝑽𝑰𝑺𝑨 𝙅𝘾𝘽　　　　　　　　　　　　　　　Y r
21 ch ⊇ 98/123.

✕✕ **De Bottermarck,** Broederstraat 23, ⊠ 8261 GN, 𝒫 (0 38) 331 95 42,
Fax (0 38) 332 89 95 – 🆎 ⓞ 🄴 𝑽𝑰𝑺𝑨 𝙅𝘾𝘽　　　　　　　　　　　　　　　Y s
fermé du 10 au 18 mars, 3 sem. vacances bâtiment et dim. – **Repas** Lunch 45 – 68/98.

KAMPERLAND Zeeland 🅒 Noord-Beveland 6 852 h. 𝟚𝟙𝟙 C 13 et 𝟜𝟘𝟠 C 7.
Amsterdam 172 – Middelburg 19 – Goes 18 – Zierikzee 27.

🏠🏠 **Kamperduin,** Patrijzenlaan 1 (O : 3 km, lieu-dit de Banjaard), ⊠ 4493 RA, 𝒫 (0 113)
37 14 66, Fax (0 113) 37 60 30, ☆ – 🍴 rest, 📺 ☎ 🄿. 🆎 ⓞ 🄴 𝑽𝑰𝑺𝑨 𝙅𝘾𝘽. ✼ rest
Repas Lunch 35 – carte 56 à 77 – **23 ch** ⊇ 80/140 – ½ P 85/95.

KATLIJK Friesland 𝟚𝟙𝟘 Q 5 – voir à Heerenveen.

KATWIJK AAN ZEE Zuid-Holland 🅒 Katwijk 40 664 h. 𝟚𝟙𝟙 G 9 et 𝟜𝟘𝟠 E 5.
🛈 Vuurbaakplein 11, ⊠ 2225 JB, 𝒫 (0 71) 407 54 44, Fax (0 71) 407 63 42.
Amsterdam 44 – Den Haag 19 – Haarlem 34.

🏠🏠 **Noordzee,** Boulevard 72, ⊠ 2225 AG, 𝒫 (0 71) 401 57 42, Fax (0 71) 407 51 65, ≤,
☆ – 📳 🍴 📺 ☎ 🄿. 🆎 ⓞ 🄴 𝑽𝑰𝑺𝑨. ✼ ch
fermé fin déc.-mi-janv. – **Repas** (dîner seult sauf en été) carte 45 à 84 – **46 ch** ⊇ 108/395
– ½ P 100/150.

🏠 **Zeezicht Parlevliet** sans rest, Boulevard 50, ⊠ 2225 AD, 𝒫 (0 71) 401 40 55,
Fax (0 71) 407 58 52 – 📺 ☎. ✼
16 mars-oct. – **26 ch** ⊇ 70/150.

✕ **De Zwaan,** Boulevard 111, ⊠ 2225 HC, 𝒫 (0 71) 401 20 64, Fax (0 71) 407 48 86, ≤,
☆ – 🆎 ⓞ 🄴 𝑽𝑰𝑺𝑨
fermé lundi – **Repas** Lunch 45 – carte 59 à 83.

KERKRADE Limburg 𝟚𝟙𝟙 Q 17 et 𝟜𝟘𝟠 J 9 – 52 617 h.
Voir Abbaye de Rolduc★ (Abdij Rolduc) : chapiteaux★ de la nef.
🛈 Van Beethovenstraat 9, ⊠ 6461 AD, 𝒫 (0 45) 535 48 45, Fax (0 45) 535 51 91.
Amsterdam 225 – Maastricht 33 – Heerlen 12 – Aachen 12.

🏠🏠🏠 **Brughof** ✼, Kerkradersteenweg 4, ⊠ 6468 PA, 𝒫 (0 45) 546 13 33, Fax (0 45)
546 07 48, « Ferme du 18ᵉ s. » – 📺 ☎ 🄿 – 🏧 25 à 230. 🆎 ⓞ 🄴 𝑽𝑰𝑺𝑨.
Repas voir rest **Kasteel Erenstein** ci-après – ⊇ 28 – **44 ch** 175/375 – ½ P 175/230.

✕✕✕ **Kasteel Erenstein** - H. Brughof, Oud Erensteinerweg 6, ⊠ 6468 PC, 𝒫 (0 45)
546 13 33, Fax (0 45) 546 07 48, ☆, « Château du 14ᵉ s. dans un parc » – 🄿. 🆎 ⓞ 🄴
𝑽𝑰𝑺𝑨. ✼
Repas Lunch 90 bc – 90/110.

✕✕ **Anstelvallei,** Brughofweg 31, ⊠ 6468 PB, 𝒫 (0 45) 545 60 79, ☆ – 🆎 ⓞ 🄴 𝑽𝑰𝑺𝑨.
✼
fermé lundi, 18 fév.-6 mars et du 1ᵉʳ au 18 sept. – **Repas** Lunch 45 – 55/80.

à **Landgraaf** NO : 6 km – 41 592 h.

🏠🏠 **Winseler Hof** ✼, Tunnelweg 99, ⊠ 6372 XH, 𝒫 (0 45) 546 43 43, Fax (0 45)
535 27 11, ☆, « Ferme du 16ᵉ s. » – 📺 ☎ 🄿 – 🏧 25 à 120. 🆎 ⓞ 🄴 𝑽𝑰𝑺𝑨 𝙅𝘾𝘽. ✼ rest
Repas Pirandello (cuisine italienne) Lunch 85 bc - carte env. 80 – ⊇ 30 – **49 ch** 175/360
– ½ P 210/230.

KESSEL Limburg 𝟚𝟙𝟙 Q 15 et 𝟜𝟘𝟠 J 8 – 4 118 h.
Amsterdam 178 – Maastricht 65 – Eindhoven 50 – Roermond 21 – Venlo 14.

✕✕ **De Neerhof,** Kasteelhof 1, ⊠ 5995 BX, 𝒫 (0 77) 462 28 98, Fax (0 77) 462 29 56, ≤,
☆, « Dans les ruines d'un château du 12ᵉ s., en bord de la Meuse (Maas) » – 🄿. 🆎 🄴 𝑽𝑰𝑺𝑨.
✼
fermé mardi de sept. à avril, lundi, 2 sem. carnaval et 27 déc.-1ᵉʳ janv. – **Repas** 53/68.

KETELHAVEN Flevoland 𝟚𝟙𝟘 O 7 et 𝟜𝟘𝟠 I 4 – voir à Dronten.

KEUKENHOF ★★★ Zuid-Holland 𝟚𝟙𝟙 H 9 et 𝟜𝟘𝟠 E 5 G. Hollande.

KINDERDIJK (Molens van) (Moulins de KINDERDIJK) ★★ *Zuid-Holland* 211 H 11 et 408 E 6
G. Hollande.

KOLLUM *Friesland* © *Kollumerland en Nieuwkruisland 12 802 h.* 210 Q 3 et 408 J 2.
Amsterdam 170 – Drachten 26 – Groningen 29 – Leeuwarden 30.

X **De Roskam,** Voorstraat 63, ⊠ 9291 CD, ℘ (0 511) 45 33 78 – AE Ⓞ E VISA
fermé lundi, 2 fév.-2 mars et 31 déc.-1er janv. – **Repas** *Lunch 40 –* 45/65.

De KOOG *Noord-Holland* 210 I 4 et 408 F 2 – *voir à Waddeneilanden (Texel).*

KORTENHOEF *Noord-Holland* © *'s-Graveland 9 390 h.* 211 K 9 et 408 G 5.
Amsterdam 25 – Hilversum 7.

XX **De Nieuwe Zuwe** 1er étage, Zuwe 20 (O : 2 km sur N 201), ⊠ 1241 NC, ℘ (0 35)
656 33 63, Fax (0 35) 656 40 41, ≤, 佘 – ❶. AE Ⓞ E VISA
fermé dim. d'oct. à mars, lundi et 27 déc.-3 janv. – **Repas** 48/73.

KORTGENE *Zeeland* © *Noord-Beveland 6 852 h.* 211 C 13 et 408 C 7.
Amsterdam 165 – Goes 11 – Middelburg 26 – Rotterdam 82.

🏨 **De Korenbeurs,** Kaaistraat 12, ⊠ 4484 CS, ℘ (0 113) 30 13 42, Fax (0 113) 30 23 94,
佘 – ⊟ rest, TV ☎ – 🅰 25 à 100. AE Ⓞ E VISA JCB
Repas *Lunch 38 –* carte 60 à 80 – **7 ch** ⊐ 100/150 – ½ P 85/125.

XX **De Waardin,** Hoofdstraat 35, ⊠ 4484 CB, ℘ (0 113) 30 17 09, 佘 – AE Ⓞ E VISA JCB
🕾 *fermé merc. et dern. sem. janv.-prem. sem. fév. –* **Repas** *Lunch 25 –* 43/83.

KOUDEKERKE *Zeeland* 211 B 14 et 408 B 7 – *voir à Vlissingen.*

KOUDUM *Friesland* © *Nijefurd 10 415 h.* 210 M 5 et 408 H 3.
Amsterdam 129 – Bolsward 22 – Leeuwarden 50 – Zwolle 76.

🏨 **Galamadammen** ⑤., Galamadammen 1, ⊠ 8723 CE, ℘ (0 514) 52 13 46, Fax (0 514)
52 24 01, ≤, 佘, « Au bord du lac avec port de plaisance privé », 𝕗₆, ≘s, ⬜, 🈂 – 🛗
TV ☎ ❶ – 🅰 25 à 200. AE Ⓞ E VISA JCB
Repas *Lunch 40 –* carte env. 65 – **48 ch** ⊐ 103/205 – ½ P 118/143.

KRAGGENBURG *Flevoland* © *Noordoostpolder 40 551 h.* 210 P 7 et 408 I 4.
Amsterdam 96 – Zwolle 32 – Emmeloord 16.

🏠 **Van Saaze,** Dam 16, ⊠ 8317 AV, ℘ (0 527) 25 23 53, Fax (0 527) 25 25 59 – TV ☎
❶ – 🅰 40 à 200. AE E VISA 🈂
Repas *Lunch 16 –* carte 46 à 73 – **9 ch** ⊐ 80/120 – ½ P 108.

KRALINGEN *Zuid-Holland* 408 ㉕ N – *voir à Rotterdam, périphérie.*

KRIMPEN AAN DEN IJSSEL *Zuid-Holland* 211 H 11 et 408 E 6 - ㉖ N – *voir à Rotterdam, environs.*

KRÖLLER-MÜLLER (Musée) ★★★ *Gelderland* 211 P 10 et 408 I 5 *G. Hollande.*

KRUININGEN *Zeeland* © *Reimerswaal 20 417 h.* 211 E 14 et 408 D 7.
🛫 à Rilland Bath SE : 13 km, Grensweg 21, ⊠ 4411 ST, ℘ (0 113) 55 12 65, Fax (0 113)
55 12 64.
⛴ vers Perkpolder : Prov. Stoombootdiensten Zeeland ℘ (0 113) 38 14 66. Durée de
la traversée : 20 min. Prix passager : gratuit, voiture : 11,00 FL (en hiver) et 16,00 FI (en
été).
Amsterdam 169 – Middelburg 34 – Antwerpen 56 – Breda 67.

🏨 **Le Manoir** ⑤., Zandweg 2 (O : 1 km), ⊠ 4416 NA, ℘ (0 113) 38 17 53, Fax (0 113)
38 17 63, ≤, 佘 – ❶ ❶. AE Ⓞ E VISA
fermé lundi, mardi, 1 sem. en oct. et 3 sem. en janv. – **Repas** *voir rest* **Inter Scaldes**
ci-après – ⊐ 28 – **10 ch** 275/450, 2 suites.

XXXX **Inter Scaldes** (Mme Boudeling) - H. Le Manoir, Zandweg 2 (O : 1 km), ⊠ 4416 NA,
❀❀ ℘ (0 113) 38 17 53, Fax (0 113) 38 17 63, 佘, « Terrasse-véranda ouvrant sur un jardin
anglais » – ❶. AE Ⓞ E VISA JCB
fermé lundi, mardi, 1 sem. en oct. et 3 sem. en janv. – **Repas** *Lunch 100 –* 185, carte 185 à 205
Spéc. Homard fumé, sauce au caviar. Huîtres meunières et St-Jacques grillées à la sauce
d'huîtres (sept.-avril). Turbot en robe de truffes et son beurre.

KUDELSTAART Noord-Holland **210** I 9 – voir à Aalsmeer.

KIJKDUIN Zuid-Holland **210** F 10 et **408** D 5 – voir à Den Haag.

LAAG-KEPPEL Gelderland © Hummelo en Keppel 4 436 h. **211** R 11 et **408** J 6.

🚲 à Hoog-Keppel NO : 2 km, Oude Zutphenseweg 15, ⊠ 6997 CH, ℰ (0 314) 38 14 16, Fax (0 57) 546 43 99.

Amsterdam 125 – Arnhem 27 – Doetinchem 5.

🏨 **De Gouden Leeuw,** Rijksweg 91, ⊠ 6998 AG, ℰ (0 314) 38 21 41, Fax (0 314) 38 16 55 – 📶, 🍴 rest, 📺 ☎ 🅿 – 🔬 25 à 100. 🖭 E 𝑉𝐼𝑆𝐴. ⬚
fermé 27 déc.-6 janv. – **Repas** (fermé après 20 h 30) Lunch 23 – carte 58 à 93 – **20 ch** ⬚ 93/150 – ½ P 90/110.

LAGE-VUURSCHE Utrecht **210** L 9 et **408** G 5 – voir à Baarn.

LANDGRAAF Limburg **210** Q 17 et **408** J 9 – voir à Kerkrade.

LANDSMEER Noord-Holland **210** J 8 - ⑳ N et **408** F 4 - ㉘ N – voir à Amsterdam, environs.

LAREN Noord-Holland **210** L 9 et **408** G 5 – 11 659 h.

Env. O : Le Gooi★ (Het Gooi).

🚲 à Hilversum SO : 6 km, Soestdijkerstraatweg 172, ⊠ 1213 XJ, ℰ (0 35) 685 86 88, Fax (0 35) 685 38 13.

Amsterdam 29 – Apeldoorn 61 – Hilversum 6 – Utrecht 25.

🏨 **De Witte Bergen,** Rijksweg 2 (S : 2 km sur A 1), ⊠ 3755 MV Eemnes, ℰ (0 35) 538 67 54, Fax (0 35) 531 38 48, 🌤 – 📶 📺 ☎ 🅿 – 🔬 25 à 300. 🖭 ① E 𝑉𝐼𝑆𝐴
Repas (ouvert jusqu'à 23 h) Lunch 30 – carte 45 à 60 – **110 ch** ⬚ 100/125.

XX **De Vrije Heere,** Naarderstraat 46, ⊠ 1251 BD, ℰ (0 35) 538 68 58, Fax (0 35) 538 95 88, 🌤 – 🅿. 🖭 ① E 𝑉𝐼𝑆𝐴
fermé lundi et 24 et 31 déc. – **Repas** (dîner seult) 65/75.

X **Le Mouton,** Krommepad 5, ⊠ 1251 HP, ℰ (0 35) 531 04 27, Fax (0 35) 531 04 27 – 🖭 E 𝑉𝐼𝑆𝐴 𝐽𝐶𝐵. ⬚
fermé lundi et 31 déc.-1ᵉʳ janv. – **Repas** (dîner seult) carte 69 à 81.

LATTROP Overijssel **210** V 8 et **408** L 4 – voir à Ootmarsum.

LEEK Groningen **210** S 3 et **408** K 2 – 18 242 h.

Amsterdam 170 – Groningen 18 – Leeuwarden 52.

🏨 **Leek,** Euroweg 1, ⊠ 9351 EM, ℰ (0 594) 51 88 00, Fax (0 594) 51 74 55 – 📺 ☎ 🅿 – 🔬 25 à 200. 🖭 ① E 𝑉𝐼𝑆𝐴 𝐽𝐶𝐵. ⬚ rest
Repas carte env. 60 – **35 ch** ⬚ 100/138 – ½ P 99/129.

LEENDE Noord-Brabant **211** N 14 et **408** H 7 – 4 171 h.

🚲 Maarheezerweg N. 11, ⊠ 5595 ZG, ℰ (0 40) 206 18 18.

Amsterdam 139 – 's-Hertogenbosch 51 – Eindhoven 12 – Roermond 38 – Venlo 54.

XX **Herberg de Scheuter,** Dorpstraat 52, ⊠ 5595 CJ, ℰ (0 40) 206 16 86, Fax (0 40) 206 14 24, 🌤 – 🖭 ① E 𝑉𝐼𝑆𝐴
Repas Lunch 30 – 60/75.

LEENS Groningen © De Marne 11 022 h. **210** S 2 et **408** K 1.

Amsterdam 196 – Assen 51 – Groningen 25 – Leeuwarden 52.

XX **Het Schathoes Verhildersum,** Wierde 42, ⊠ 9965 TB, ℰ (0 595) 57 22 04, Fax (0 595) 57 26 07, 🌤, « Ancienne ferme » – 🅿. 🖭 ① E 𝑉𝐼𝑆𝐴
fermé 27 déc.-6 janv. et lundi et mardi d'oct. à avril – **Repas** (dîner seult) 63/83.

LEEUWARDEN 🅿 Friesland **210** O 3 et **408** I 2 – 88 239 h.

Musées : Frison★★ (Fries Museum) CY – Het Princessehof, Musée néerlandais de la céramique★★ (Nederlands Keramiek Museum) BY.

🚲 par ①, Woelwijk 1, ⊠ 8926 XD, ℰ (0 511) 43 22 99.

🚪 Stationsplein 1, ⊠ 8911 AC, ℰ 0 900-202 40 60, Fax (0 58) 215 35 93.

Amsterdam 139 ④ – Groningen 59 ① – Sneek 24 ③.

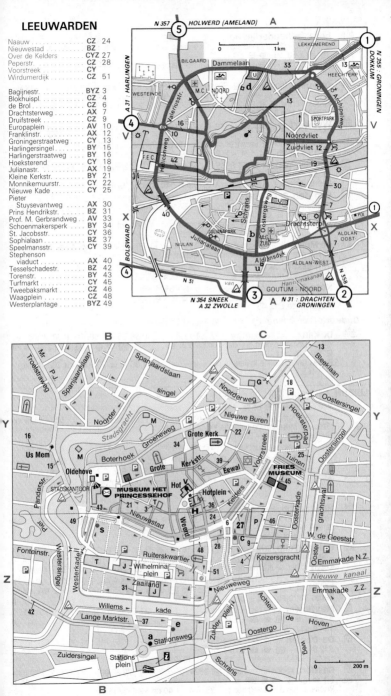

LEEUWARDEN

Naauw . . . . CZ 24
Nieuwestad . . . . BZ
Over de Kelders . . . . . . CYZ 27
Peperstr. . . . . CY
Voorstreek . . . . CZ
Wirdumerdijk . . . . CZ 51

Bagijnestr. . . . . BYZ 3
Blokhuispl. . . . . CZ 4
de Brol . . . . CZ 6
Drachtsterweg . . . . AX 7
Druifstreek . . . . CZ 9
Europaplein . . . . AV 10
Franklinstr. . . . . AX 12
Groningerstraatweg . . . CY 13
Harlingersingel . . . . BY 15
Harlingerstraatweg . . . . BY 16
Hoeksterend . . . . CY 18
Julianastr. . . . . AX 19
Kleine Kerkstr. . . . . BY 21
Monnikemuurstr. . . . . . . CY 22
Nieuwe Kade . . . . CY 25
Pieter
  Stuyvesantweg . . . . . AX 30
Prins Hendrikstr. . . . . . . BZ 31
Prof. M. Gerbrandweg . . AV 33
Schoenmakersperk . . . . BY 34
St. Jacobsstr. . . . . CY 36
Sophialaan . . . . BZ 37
Speelmansstr. . . . . CY 39
Stephenson
  viaduct . . . . AX 40
Tesselschadestr. . . . . . . BZ 42
Torenstr. . . . . BY 43
Turfmarkt . . . . CY 45
Tweebaksmarkt . . . . CZ 46
Waagplein . . . . CZ 48
Westerplantage . . . . . . BYZ 49

453

🏨 **het Stadhouderlijk Hof,** Hofplein 29, ⌂ 8911 HJ, ℰ (0 58) 216 21 80, Fax (0 58)
216 38 90, 佘, « Ancienne résidence des gouverneurs frisons », ☞ – 🛗 📺 ☎ ⅙ 🅿 –
🔬 25 à 60. 🆎 ⑩ 🅴 𝓥𝐼𝑆𝐴
BY v
fermé 27 déc.-1er janv. – **Repas** Lunch 58 – carte 65 à 93 – ⌸ 23 – **22 ch** 150/195, 4 suites
– ½ P 150/315.

🏨 **Oranje,** Stationsweg 4, ⌂ 8911 AG, ℰ (0 58) 212 62 41, Fax (0 58) 212 14 41 – 🛗 ↔,
🍽 rest, 📺 ☎ ⅙ ⇔ – 🔬 25 à 350. 🆎 ⑩ 🅴 𝓥𝐼𝑆𝐴 𝐽𝐶𝐵. ℅ rest
BZ a
Repas (fermé 25 et 26 déc.) Lunch 50 – 60/70 – ⌸ 25 – **76 ch** (fermé 24, 25 et 26 déc.)
190/223 – ½ P 190/260.

🏨 **Wyswert** ☜ (Établissement d'application hôtelière), Rengerslaan 8, ⌂ 8917 DD,
ℰ (0 58) 215 77 15, Fax (0 58) 212 32 11 – ↔ 📺 ☎ ⅙ 🅿 🆎 ⑩ 🅴 𝓥𝐼𝑆𝐴 𝐽𝐶𝐵. ℅ rest
fermé week-end et vacances scolaires – **Repas** (fermé après 20 h 30) Lunch 30 – 54/68 –
⌸ 15 – **28 ch** 104/124 – ½ P 114/149.
AV d

🏨 **Bastion,** Legedijk 6, ⌂ 8935 DG, ℰ (0 58) 289 01 12, Fax (0 58) 289 05 12 – 📺 ☎
⊗ 🅿. 🆎 ⑩ 🅴 𝓥𝐼𝑆𝐴. ℅
AX u
Repas (grillades, ouvert jusqu'à 23 h) 45 – **40 ch** ⌸ 110/125.

XX **Van den Berg State** ☜ avec ch, Verlengde Schrans 87, ⌂ 8932 NL, ℰ (0 58)
280 05 84, Fax (0 58) 288 34 22, 佘, « Gentilhommière fin 19e s. » – 🛗 📺 ☎ 🅿 – 🔬 25
à 40. 🆎 ⑩ 🅴 𝓥𝐼𝑆𝐴 𝐽𝐶𝐵. ℅ rest
AX b
fermé 31 déc. et 1er janv. – **Repas** (fermé sam. midi et dim. midi) Lunch 53 – carte env. 80
– ⌸ 23 – **6 ch** 145/195 – ½ P 165/200.

XX **De Mulderij,** Baljeestraat 19, ⌂ 8911 AK, ℰ (0 58) 213 48 02 – 🍽. 🆎 🅴 𝓥𝐼𝑆𝐴   BZ e
fermé dim. et vacances bâtiment – **Repas** 55.

X **Van Essen,** Oude Oosterstraat 7, ⌂ 8911 LD, ℰ (0 58) 216 14 03   CZ c
fermé lundi, mardi et 27 juil.-13 août – **Repas** 63/75.

X **Kota Radja,** Groot Schavernek 5, ⌂ 8911 BW, ℰ (0 58) 213 35 64, Fax (0 58)
213 72 83, Cuisine asiatique – 🍽. 🆎 ⑩ 🅴 𝓥𝐼𝑆𝐴. ℅
BZ s
Repas carte env. 45.

à Oudkerk (Aldtsjerk) par ① : 12 km © Tytsjerksteradiel 31 029 h :

🏨 **De Klinze** ☜, Van Sminiaweg 32, ⌂ 9064 KC, ℰ (0 58) 256 10 50, Fax (0 58) 256 10 60,
佘, « Demeure du 17e s. dans un parc », ⇔, 🔲 – 🛗 📺 ☎ 🅿 – 🔬 25 à 250. 🆎 ⑩
🅴 𝓥𝐼𝑆𝐴. ℅ rest
Repas (avec cuisine italienne) Lunch 40 – carte 68 à 90 – ⌸ 25 – **26 ch** 200, 1 suite –
½ P 165.

LEIDEN Zuid-Holland 🄔🄒🄑 G 10 et 🄔🄞🄑 E 5 – 116 224 h.

Voir La vieille ville et ses Musées★★ – Rapenburg★ CZ.

Musées : National d'Ethnologie★★ (Rijksmuseum voor Volkenkunde) CY **M¹** – Municipal
(Stedelijk Museum) De Lakenhal★★ DY **M²** – National des Antiquités★★ (Rijksmuseum van
Oudheden) CYZ **M³** – Boerhaave★ DY **M⁴**.

Env. Champs de fleurs★★★ par ⑥ : 10 km.

Exc. par ③ Alphen aan den Rijn : Archeon★ (parc à thèmes archéologiques).

🅱 Stationsplein 210, ⌂ 2312 AR, ℰ (0 71) 514 68 46, Fax (0 71) 512 53 18.
Amsterdam 41 ⑤ – Den Haag 19 ② – Haarlem 32 ⑥ – Rotterdam 34 ②.

Plans pages suivantes

🏨 **Holiday Inn,** Haagse Schouwweg 10 (près A 44), ⌂ 2332 KG, ℰ (0 71) 535 55 55,
Fax (0 71) 535 55 53, ⇔, 🔲, ℅ – 🛗 ↔, 🍽 ch, 📺 ☎ ⅙ 🅿 – 🔬 25 à 2000. 🆎 ⑩
🅴 𝓥𝐼𝑆𝐴 𝐽𝐶𝐵. ℅ rest
AU u
Repas (buffets) – ⌸ 28 – **189 ch** 280 – ½ P 210/350.

🏨 **Golden Tulip,** Schipholweg 3, ⌂ 2316 XB, ℰ (0 71) 522 11 21, Fax (0 71) 522 66 75
– 🛗 ↔ 🍽 📺 ☎ 🅿 – 🔬 25 à 40. 🆎 ⑩ 🅴 𝓥𝐼𝑆𝐴. ℅ rest
CX c
Repas (dîner seult) (fermé sam. et dim.) carte env. 55 – **47 ch** ⌸ 183/200, 4 suites.

🏨 **Het Haagsche Schouw,** Haagse Schouwweg 14 (près A 44), ⌂ 2332 KG, ℰ (0 71)
531 57 44, Fax (0 71) 576 24 22, 佘 – 🛗 📺 ☎ 🅿 – 🔬 25 à 200. 🆎 ⑩ 🅴 𝓥𝐼𝑆𝐴. ℅ ch
Repas carte env. 50 – ⌸ 14 – **62 ch** 100.
AUV p

🏨 **Mayflower** sans rest, Beestenmarkt 2, ⌂ 2312 CC, ℰ (0 71) 514 26 41, Fax (0 71)
512 85 16 – 📺 ☎. 🆎 ⑩ 🅴 𝓥𝐼𝑆𝐴. ℅
CY e
18 ch ⌸ 170.

🏨 **De Doelen** sans rest, Rapenburg 2, ⌂ 2311 EV, ℰ (0 71) 512 05 27, Fax (0 71)
512 84 53 – 📺 ☎. 🆎 ⑩ 🅴 𝓥𝐼𝑆𝐴
CYZ k
fermé Noël-Nouvel An - – **15 ch** ⌸ 110/240.

🏨 **Bastion,** Voorschoterweg 8, ⌂ 2324 NE, ℰ (0 71) 576 88 00, Fax (0 71) 531 80 03 –
📺 ☎ 🅿. 🆎 ⑩ 🅴 𝓥𝐼𝑆𝐴. ℅
AV b
Repas (grillades, ouvert jusqu'à 23 h) 45 – **40 ch** ⌸ 113/131.

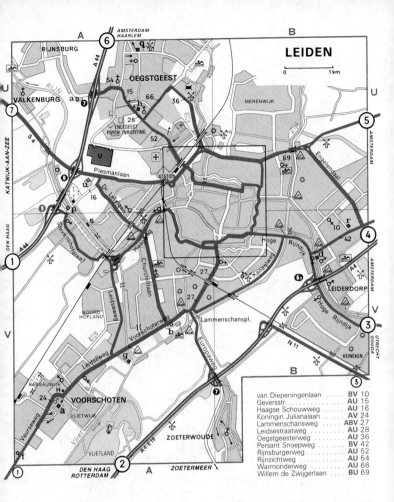

van Diepeningenlaan	**BV** 10
Geversstr.	**AU** 15
Haagse Schouwweg	**AU** 16
Koningin Julianalaan	**AV** 24
Lammenschansweg	**ABV** 27
Leidsestraatweg	**AU** 28
Oegstgeesterweg	**AU** 36
Persant Snoepweg	**BV** 42
Rijnsburgerweg	**AU** 52
Rijnzichtweg	**AU** 54
Warmonderweg	**AU** 66
Willem de Zwijgerlaan	**BU** 69

XXX **Engelberthahoeve,** Hoge Morsweg 140, ⊠ 2332 HN, ℘ (0 71) 576 50 00, Fax (0 71) 532 37 80, 😤, « Ferme du 18ᵉ s. avec terrasse au bord de l'eau », 🎴 – 🄿. 🖭 ⓪ 🄴 𝘝𝘐𝘚𝘈
fermé lundi – **Repas** Lunch 45 – 70.
AV s

XX **La Cloche,** Kloksteeg 3, ⊠ 2311 SK, ℘ (0 71) 512 30 53, Fax (0 71) 514 60 51 – 🖭 ⓪ 🄴 𝘝𝘐𝘚𝘈
Repas (dîner seult) 55/88.
CDZ m

XX **Oudt Leyden,** Steenstraat 53, ⊠ 2312 BV, ℘ (0 71) 513 31 44, Fax (0 71) 512 08 21 – 🗐. 🖭 ⓪ 🄴 𝘝𝘐𝘚𝘈 𝘑𝘊𝘉
fermé lundi et 25 et 26 déc. – **Repas** Lunch 48 – 50/63.
CY q

X **Fabers,** Kloksteeg 13, ⊠ 2311 SK, ℘ (0 71) 512 40 12, Fax (0 71) 513 11 20 – 🗐. 🖭 ⓪ 🄴 𝘝𝘐𝘚𝘈. ✁
fermé dim. – **Repas** (dîner seult) 50/73.
CDZ n

X **Anak Bandung,** Garenmarkt 24a, ⊠ 2311 PJ, ℘ (0 71) 512 53 03, 😤, Cuisine indoné-sienne, table de riz – 🖭 ⓪ 🄴 𝘝𝘐𝘚𝘈
Repas (dîner seult) carte 45 à 67.
DZ t

à Leiderdorp SE : 2 km – 23 550 h.

🏢 **AC Hotel,** Persant Snoepweg 2 (près A 4, sortie ⑥), ⊠ 2353 KA, ℘ (0 71) 589 93 02, Fax (0 71) 541 56 69 – 🛗 📺 ☎ ⅙ 🄿 – 🔏 25 à 250. 🖭 ⓪ 🄴 𝘝𝘐𝘚𝘈
Repas (avec buffet) Lunch 12 – 45 – ☲ 15 – **60 ch** 115.

455

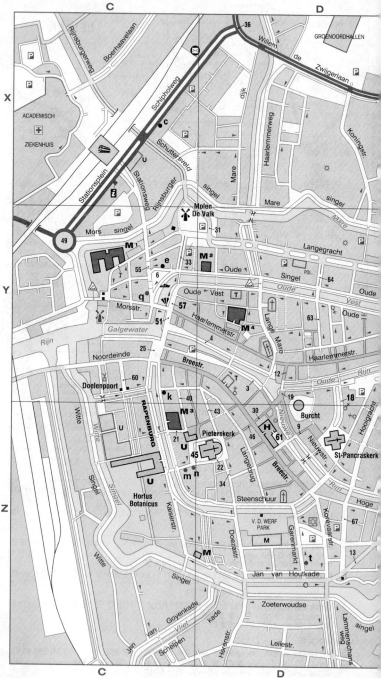

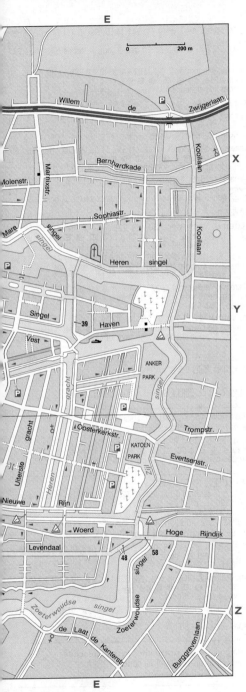

LEIDEN

Breestraat . . . . **DYZ**
Donkersteeg . . . . **DY** 12
Haarlemmerstr. . . . . **DEY**

Aalmarkt . . . . **DY** 3
Apothekersdijk . . . . **DY** 4
Beestenmarkt . . . . **CY** 6
Bernhardkade . . . . **EX**
Binnenvestgracht . . . . **CY** 7
Boerhaavelaan . . . . **CX**
Burggravenlaan . . . . **EZ**
Burgsteeg . . . . **DZ** 9
Doezastr. . . . . **DZ**
Evertsenstr. . . . . **EZ**
Garenmarkt . . . . **DZ**
Geregracht . . . . **DZ** 13
Haarlemmerweg . . . . **DX**
Haven . . . . **EY**
Herensingel . . . . **EY**
Herenstr. . . . . **DZ**
Hogerijndijk . . . . **EZ**
Hogewoerd . . . . **DEZ**
Hooglandse
  Kerkgracht . . . . **DYZ** 18
Hoogstraat . . . . **DY** 19
Hooigracht . . . . **DZ**
Houtstraat . . . . **CZ** 21
Jan van Goyenkade . . . . . . **CZ**
Jan van Houtkade . . . . **DZ**
Kaiserstr. . . . . **CZ**
Kloksteeg . . . . **DZ** 22
Koningstr. . . . . **DX**
Kooilaan . . . . **EXY**
Korevaarstr. . . . . **DZ**
Kort Rapenburg . . . . **CY** 25
de Laat de Kanterstr. . . . . . **EZ**
Lammenschansweg . . . . . . **DZ**
Langebrug . . . . **DZ**
Langegracht . . . . **DY**
Langemare . . . . **DY**
Leiliestr. . . . . **DZ**
Levendaal . . . . **EZ**
Maarsmansteeg . . . . **CYZ** 30
Maredijk . . . . **DX**
Maresingel . . . . **DEX**
Marnixstr. . . . . **EX**
Molenstr. . . . . **EX**
Molenwerf . . . . **CDY** 31
Morssingel . . . . **CY**
Morsstr. . . . . **CY**
Nieuwe
  Beestenmarkt . . . . **CY** 33
Nieuwerijn . . . . **EZ**
Nieuwsteeg . . . . **DZ** 34
Nieuwstr. . . . . **DZ**
Noordeinde . . . . **CY**
Oegstgeesterweg . . . . **DX** 36
Oosterkerkstr. . . . . **EZ**
Oude Herengracht . . . . . . **EY** 39
Oudesingel . . . . **DEY**
Oudevest . . . . **DEY**
Papengracht . . . . **CYZ** 40
Pieterskerkgracht . . . . . . **DYZ** 43
Pieterskerkhof . . . . **CDZ** 45
Pieterskerkkoorsteeg . . . . . **DZ** 46
Plantagelaan . . . . **EZ** 48
Plesmanlaan . . . . **CY** 49
Prinsessekade . . . . **CY** 51
Rapenburg . . . . **CZ**
Rijnsburgersingel . . . . . . **CDX**
Rijnsburgerweg . . . . **CX**
Schelpenkade . . . . **CZ**
Schipholweg . . . . **CX**
Schuttersveld . . . . **CX**
Sophiastr. . . . . **EX**
Stationsplein . . . . **CX**
Stationsweg . . . . **CX**
Steenschuur . . . . **DZ**
Steenstr. . . . . **CY** 55
Trompstr. . . . . **EZ**
Turfmarkt . . . . **CY** 57
Uiterstegracht . . . . **EZ**
Utrechtsebrug . . . . **EZ** 58
Varkenmarkt . . . . **CY** 60
Vismarkt . . . . **DZ** 61
Vollersgracht . . . . **DY** 63
Volmolengracht . . . . **DY** 64
Watersteeg . . . . **DZ** 67
Willem
  de Zwijgerlaan . . . . **DEX**
Wittesingel . . . . **CZ**
Zoeterwoudsesingel . . . . . **DEZ**

XX **Elckerlyc,** Hoofdstraat 14, ⊠ 2351 AJ, ℰ (0 71) 541 14 07, Fax (0 71) 541 14 07, 🍴
– 🅰🅴 ⓪ 🇪 𝘝𝘐𝘚𝘈
BV **d**
fermé sam. midi, dim., lundi, 24 juil.-12 août et 29 déc.-2 janv. – **Repas** Lunch 58 – 63/
75.

XX **In Den Houtkamp,** Van Diepeningenlaan 2, ⊠ 2352 KA, ℰ (0 71) 589 12 88, Fax (0 71)
541 73 15, 🍴, « Ferme du 19e s. » – ⓟ. 🅰🅴 ⓪ 🇪 𝘝𝘐𝘚𝘈
BV **r**
fermé lundi et mardi – **Repas** (dîner seult) 45/110.

à Oegstgeest N : 3 km – 19 793 h.

🏠 **Bastion,** Rijnzichtweg 97, ⊠ 2342 AX, ℰ (0 71) 515 38 41, Fax (0 71) 515 49 81 – 📺
☎ ⓟ. 🅰🅴 ⓪ 🇪 𝘝𝘐𝘚𝘈. 🍴
AU **a**
Repas (grillades, ouvert jusqu'à 23 h) 45 – **40 ch** ⊇ 110/125.

XXX **De Beukenhof,** Terweeweg 2, ⊠ 2341 CR, ℰ (0 71) 517 31 88, Fax (0 71) 517 61 69,
🍴, « Terrasses et jardin fleuris » – ⓟ – 🅜 40. 🅰🅴 ⓪ 🇪 𝘝𝘐𝘚𝘈
AU **h**
fermé sam. midi, 24 et 31 déc. et 1er janv. – **Repas** Lunch 60 – carte 84 à 112.

X **De Moerbei,** Lange Voort 11 B/E, ⊠ 2343 CA, ℰ (0 71) 515 68 98, Fax (0 71)
515 68 98 – 🅰🅴 🇪 𝘝𝘐𝘚𝘈 𝘑𝘊𝘉
AU **q**
fermé du 3 au 24 août, 27 déc.-5 janv. et lundi – **Repas** (dîner seult) 53 bc/65.

à Voorschoten SO : 5 km – 22 727 h.

🏢 **Motel De Gouden Leeuw,** Veurseweg 180, ⊠ 2252 AG, ℰ (0 71) 561 59 16,
Fax (0 71) 561 27 94, 🍴 – 📶 📺 ☎ 🍴 ⊆ – 🅜 25 à 200. 🅰🅴 ⓪ 🇪 𝘝𝘐𝘚𝘈
AV **f**
Repas carte 45 à 65 – ⊇ 13 – **107 ch** 90/110.

XXX **Allemansgeest,** Hofweg 55, ⊠ 2251 LP, ℰ (0 71) 576 41 75, Fax (0 71) 531 55 54,
≤, 🍴, « Auberge avec terrasse au bord de l'eau », 🔲 – 🔳 ⓟ. 🅰🅴 🇪 𝘝𝘐𝘚𝘈. 🍴 AV **g**
fermé sam. midi, dim. et 24 déc.-1er janv. – **Repas** Lunch 60 – 80/90.

XX **De Knip,** Kniplaan 22 (4 km par Veurseweg), ⊠ 2251 AK, ℰ (0 71) 561 25 73, Fax (0 71)
561 40 96, ≤, 🍴, « Terrasse ombragée au bord de l'eau » – ⓟ. 𝘝𝘐𝘚𝘈. 🍴 AV
fermé lundi – **Repas** Lunch 55 – 50/65.

XX **Gasterij Floris V,** Voorstraat 12, ⊠ 2251 BN, ℰ (0 71) 561 84 70, Fax (0 71)
512 88 85, « Ancienne maison de corporation du 17e s. » – 🅰🅴 ⓪ 🇪 𝘝𝘐𝘚𝘈 𝘑𝘊𝘉 AV **a**
fermé du 2 au 9 mars, du 3 au 17 août, 28 déc.-4 janv., dim. et lundi – **Repas** (dîner seult)
60/75.

LEIDERDORP Zuid-Holland 𝟚𝟙𝟙 H 10 et 𝟜𝟘𝟠 E 5 – voir à Leiden.

LEIDSCHENDAM Zuid-Holland 𝟚𝟙𝟙 G 10 et 𝟜𝟘𝟠 E 5 – voir à Den Haag, environs.

LEKKERKERK Zuid-Holland Ⓒ Nederlek 14 833 h. 𝟚𝟙𝟙 I 11 𝟜𝟘𝟠 F 6.
Amsterdam 102 – Rotterdam 21 – Utrecht 45.

🏢 **De Witte Brug,** Kerkweg 138, ⊠ 2941 BP, ℰ (0 180) 66 33 44, Fax (0 180) 66 13 35,
🍴, ⊆s, ⅃ – 📶 📺 ☎ ⓟ – 🅜 25 à 50. 🅰🅴 ⓪ 🇪 𝘝𝘐𝘚𝘈 𝘑𝘊𝘉. 🍴 rest
fermé 24 et 31 déc. – **Repas** carte 45 à 75 – **37 ch** ⊇ 145/165 – ½ P 98/125.

LELYSTAD Ⓟ Flevoland 𝟚𝟙𝟘 M 7 et 𝟜𝟘𝟠 H 4 – 60 707 h.
✈ Bosweg 98, ⊠ 8231 DZ, ℰ (0 320) 23 00 77, Fax (0 320) 23 00 77 – ⬛⬛ à Zeewolde
S : 20 km, Golflaan 1, ⊠ 3896 LL, ℰ (0 36) 522 20 73, Fax (0 36) 522 41 00 et ⬛⬛
Pluvierenweg 7, ⊠ 3898 LL, ℰ (0 320) 28 81 16, Fax (0 320) 28 80 09.
🅱 Stationsplein 186, ⊠ 8232 VT, ℰ (0 320) 24 34 44, Fax (0 320) 28 02 18.
Amsterdam 57 – Arnhem 96 – Amersfoort 55 – Zwolle 49.

🏨 **Mercure,** Agoraweg 11, ⊠ 8224 BZ, ℰ (0 320) 24 24 44, Fax (0 320) 22 75 69, 🍴 –
📶 ⅄, 🔲 ch, 📺 ☎ – 🅜 25 à 150. 🅰🅴 ⓪ 🇪 𝘝𝘐𝘚𝘈
Repas 43/55 – ⊇ 23 – **86 ch** 155/185 – ½ P 155/217.

XX **Flevo Marina,** IJsselmeerdijk 17 (NO : 8 km), ⊠ 8221 RC, ℰ (0 320) 23 29 03,
Fax (0 320) 26 10 89, ≤, 🍴, 🔲 – ⓟ. 🅰🅴 ⓪ 🇪 𝘝𝘐𝘚𝘈 𝘑𝘊𝘉
fermé lundi et mardi de janv. à mars – **Repas** Lunch 45 – carte 68 à 83.

X **Raedtskelder,** Maerlant 14 (Centre Commercial), ⊠ 8224 AC, ℰ (0 320) 22 23 25,
Fax (0 320) 22 80 32 – 🅰🅴 ⓪ 🇪 𝘝𝘐𝘚𝘈
fermé dim. et août – **Repas** Lunch 45 – 60.

Send us your comments on the restaurants we recommend
and your opinion on the specialities
and local wines they offer.

LEMMER Friesland © Lemsterland 11 913 h. ◪◪◪ O 5 et ◪◪◪ I 3.
- 🄱 Nieuwburen 1, ✉ 8531 EE, 🖉 (0514) 56 16 19, Fax (0 514) 56 16 64.
  Amsterdam 106 – Leeuwarden 49 – Zwolle 51.

🏨 **Iselmar,** Plattedijk 16 (NO : 2 km), ✉ 8531 PC, 🖉 (0 514) 56 90 96, Fax (0 514) 56 29 24,
≤, « Sur port de plaisance », ☎, 🔲, ✕, 🔟 – ▮ 🔟 🄿 – 🕍 80. 🖭 🖪 VISA JCB
Repas Lunch 30 – carte 60 à 84 – 🖵 18 – **32 ch** 150.

✕✕ **De Connoisseur,** Vuurtorenweg 15, ✉ 8531 HJ, 🖉 (0 514) 56 55 59, Fax (0 514)
56 53 49, 😤 – 🖃 🄿. 🖭 ◉ 🖪 VISA
fermé lundi et merc. de nov. à mars, mardi et janv.-18 fév. – **Repas** (dîner seult) 70/115.

LEUSDEN Utrecht ◪◪◪ M 10 et ◪◪◪ H 5 – 28 341 h.
- 🄱₈ Appelweg 4, ✉ 3832 RK, 🖉 (0 33) 461 69 44, Fax (0 33) 465 29 21.
  Amsterdam 62 – Amersfoort 4 – Utrecht 23.

✕✕ **Ros Beyaart,** Hamersveldseweg 55, ✉ 3833 GL, 🖉 (0 33) 494 31 27, Fax (0 33)
432 12 48, 😤 – 🄿 – 🕍 25 à 100. 🖭 ◉ 🖪 VISA
fermé 27 déc.-1er janv. – **Repas** Lunch 50 – 83.

LEUVENUM Gelderland © Ermelo 26 719 h. ◪◪◪ O 9, ◪◪◪ O 9 et ◪◪◪ I 5.
Amsterdam 80 – Arnhem 46 – Apeldoorn 24 – Zwolle 38.

🏨 **Het Roode Koper** ⚶, Jhr. Sandbergweg 82, ✉ 3852 PV Ermelo, 🖉 (0 577) 40 73 93,
Fax (0 577) 40 75 61, 😤, « Dans les bois », 🔟, ✎, ✕, 🐎 – 🔟 ☎ 🄿 – 🕍 25 à 50.
🖭 ◉ 🖪 VISA ✾ rest
Repas carte 59 à 95 – **26 ch** 🖵 135/180 – ½ P 145/215.

LHEE Drenthe ◪◪◪ S 6 et ◪◪◪ K 3 – voir à Dwingeloo.

LIES Friesland ◪◪◪ L 2 – voir à Waddeneilanden (Terschelling).

LIMBRICHT Limburg ◪◪◪ P 12 et ◪◪◪ I 8 – voir à Sittard.

LINSCHOTEN Utrecht ◪◪◪ J 10 et ◪◪◪ F 5 – voir à Montfoort.

LISSE Zuid-Holland ◪◪◪ H 9 et ◪◪◪ E 5 – 21 830 h.
Voir Parc de Keukenhof★★★ (fin mars à mi-mai), passerelle du moulin ≤★★.
- 🄱 Grachtweg 53, ✉ 2161 HM, 🖉 (0 252) 41 42 62, Fax (0 252) 41 86 39.
  Amsterdam 34 – Den Haag 29 – Haarlem 16.

🏨 **De Nachtegaal,** Heereweg 10 (N : 2 km), ✉ 2161 AG, 🖉 (0 252) 41 44 47, Fax (0 252)
41 03 32, 😤, 🔲, ✎, ✕ – ▮, 🖃 rest, 🔟 ☎ ዸ 🄿 – 🕍 25 à 350. 🖭 ◉ 🖪 VISA JCB
Repas 45 – 🖵 23 – **142 ch** 150/188, 2 suites – ½ P 215/375.

🏨 **De Duif,** Westerdreef 17, ✉ 2161 EN, 🖉 (0 252) 41 00 76, Fax (0 252) 41 09 99 – 🔟
☎ 🄿 – 🕍 50. 🖭 ◉ 🖪 VISA
Repas Lunch 23 – carte 45 à 83 – 🖵 23 – **27 ch** 143/195, 12 suites.

✕ **Het Lisser Spijshuis,** Heereweg 234, ✉ 2161 BR, 🖉 (0 252) 41 16 65, Fax (0 252)
41 97 77, 😤 – 🖃. 🖭 ◉ 🖪 VISA JCB
fermé lundi et fin juil.-début août – **Repas** Lunch 48 – 58/65.

à Lisserbroek E : 1 km © Haarlemmermeer 106 095 h :

✕✕ **Het Oude Dykhuys,** Lisserdijk 567, ✉ 2165 AL, 🖉 (0 252) 41 39 05, Fax (0 252)
42 10 92, 😤, 🔟 – 🄿. 🖭 ◉ 🖪 VISA
fermé 2 prem. sem. août – **Repas** 65.

LISSERBROEK Noord-Holland ◪◪◪ H 9 – voir à Lisse.

LOCHEM Gelderland ◪◪◪ S 10 et ◪◪◪ K 5 – 18 608 h.
- 🄱₈ Sluitdijk 4, ✉ 7241 RR, 🖉 (0 573) 25 43 23, Fax (0 573) 25 84 50.
- 🄱 Tramstraat 4, ✉ 7241 CJ, 🖉 (0 573) 25 18 98, Fax (0 573) 25 68 85.
  Amsterdam 121 – Arnhem 49 – Apeldoorn 37 – Enschede 42.

🏨 **De Scheperskamp** ⚶, Paasberg 3 (SO : 1 km), ✉ 7241 JR, 🖉 (0 573) 25 40 51,
Fax (0 573) 25 71 50, 😤, « Environnement boisé », ☎, 🔲, ✎ – ▮ ✿, 🖃 rest, 🔟
☎ 🄿 – 🕍 25 à 120. 🖭 🖪 VISA
Repas Lunch 40 – carte 63 à 86 – **50 ch** 🖵 140/250 – ½ P 130/165.

🏨🏨 **'t Hof van Gelre** ⑤, Nieuweweg 38, ⊠ 7241 EW, ℘ (0 573) 25 33 51, Fax (0 573) 25 42 45, 佘, 🔲, 🐎 – 🛗, 🍴 rest, 📺 ☎ ❷ – 🔬 25 à 120. 🖭 🗲 ㎙. ℅ rest
Repas carte env. 70 – **48 ch** ⌑ 90/220 – ½ P 123/163.

🏨🏨 **Alpha** ⑤, Paasberg 2 (SO : 1 km), ⊠ 7241 JR, ℘ (0 573) 25 47 51, Fax (0 573) 25 33 41, ⩽, 🐎 – 🛗 📺 ☎ ❷ – 🔬 25 à 100. 🖭 ⓞ 🗲 ㎙ ㎖. ℅
Repas (résidents seult) – **36 ch** ⌑ 105/190 – ½ P 125/150.

🏨 **de Vijverhof** ⑤, sans rest, Mar. Naefflaan 11, ⊠ 7241 GC, ℘ (0 573) 25 10 24, Fax (0 573) 25 18 50, 🐎 – 🛗 ☎ ❷. ℅
12 ch ⌑ 80/100.

🏨 **De Lochemse Berg**, Lochemseweg 42 (SO : 2,5 km), ⊠ 7244 RS, ℘ (0 573) 25 13 77, Fax (0 573) 25 82 24, 🐎 – 🛗 📺 ☎ ❷. 🗲 ㎙. ℅ rest
avril-oct. et du 20 au 31 déc. – **Repas** (dîner pour résidents seult) – **15 ch** ⌑ 85/160.

✕ **Kawop**, Markt 23, ⊠ 7241 AA, ℘ (0 573) 25 33 42, Fax (0 573) 25 88 60, 佘 – 🖭 🗲 ㎙
fermé jeudi – **Repas** (dîner seult) 48/70.

LOENEN Utrecht �ﾟ K 9 et 🗟🗟🗟 G 5 – 8 390 h.
Amsterdam 22 – Utrecht 23 – Hilversum 14.

✕ **Tante Koosje**, Kerkstraat 1, ⊠ 3632 EL, ℘ (0 294) 23 32 01, Fax (0 294) 23 46 13,
ꕹ 佘 – 🍴. 🖭 ⓞ 🗲 ㎙
fermé merc. et 31 déc. – **Repas** carte env. 80
Spéc. Nieuwe Groene en saison. Agneau de lait, pâtes au romarin. Mousse au chocolat.

✕ **'t Amsterdammertje**, Rijksstraatweg 119, ⊠ 3632 AB, ℘ (0 294) 23 48 48,
⊛ Fax (0 294) 23 21 68, 佘 – 🍴. 🗲 ㎙. ℅
Repas (dîner seult) 45.

✕ **De Proeverij**, Kerkstraat 5a, ⊠ 3632 EL, ℘ (0 294) 23 47 74, Fax (0 294) 23 46 13,
ꕹ – ㎙
fermé lundi, mardi et 31 déc. – **Repas** (dîner seult) carte env. 60.

LOON OP ZAND Noord-Brabant 🗟ﾟﾟ K 13 et 🗟🗟🗟 G 7 – 22 508 h.
Env. N : Kaatsheuvel, De Efteling★.
Amsterdam 104 – Breda 29 – 's-Hertogenbosch 29 – Tilburg 9.

✕✕ **Castellanie**, Kasteellaan 20, ⊠ 5175 BD, ℘ (0 416) 36 12 51, 佘, « Terrasse et jardin » – ❷. 🖭 🗲 ㎙. ℅
fermé lundi, mardi et 2 sem. en sept. – **Repas** Lunch 35 – carte 67 à 98.

à De Moer E : 5 km 🖸 Loon op Zand :

🏨 **Aub. De Moerse Hoeve** ⑤, Heibloemstraat 12, ⊠ 5176 NM, ℘ (0 13) 515 92 36,
Fax (0 13) 515 95 75, 佘 – 📺 ☎ ⴷ ❷ – 🔬 25 à 70. 🖭 🗲 ㎙. ℅ rest
fermé 23 déc.-3 janv. – **Repas** (fermé sam.) carte env. 65 – **17 ch** ⌑ 58/115 – ½ P 80/127.

LOOSDRECHT Utrecht 🗟ﾟﾟ K 9 et 🗟🗟🗟 G 5 – 8 971 h.
Voir Étangs★★ (Loosdrechtse Plassen).
🗓 Oud Loosdrechtsedijk 198 à Oud-Loosdrecht, ⊠ 1231 NG, ℘ (0 35) 582 39 58, Fax (0 35) 582 72 04.
Amsterdam 27 – Utrecht 27 – Hilversum 7.

à Oud-Loosdrecht 🖸 Loosdrecht :

🏨🏨 **Golden Tulip**, Oud Loosdrechtsedijk 253, ⊠ 1231 LZ, ℘ (0 35) 582 49 04, Fax (0 35)
⊛ 582 48 74, ⩽, 佘, 🔲 – 📺 ☎ ❷ – 🔬 25 à 50. 🖭 ⓞ 🗲 ㎙ ㎖. ℅
Repas (dîner seult) 43 – **68 ch** ⌑ 120/220 – ½ P 110.

✕✕ **Host. 't Kompas** avec ch (et annexe 🏨 - 16 ch), Oud Loosdrechtsedijk 203,
⊠ 1231 LW, ℘ (0 35) 582 32 00, Fax (0 35) 582 45 88, 佘, 🔲 – 📺 ☎ ❷ – 🔬 30. 🖭
ⓞ 🗲 ㎙
fermé du 25 au 31 déc. – **Repas** Lunch 45 – 65 – **21 ch** ⌑ 138/175 – ½ P 138/158.

LOPPERSUM Groningen 🗟ﾟﾟ U 3 et 🗟🗟🗟 L 2 – 11 125 h.
Voir Fresques★ dans l'église.
Amsterdam 216 – Appingedam 8 – Groningen 21.

✕✕ **'t Regthuys**, Fromaweg 1 (SE : 3 km à Wirdum), ⊠ 9917 PK, ℘ (0 596) 57 18 90,
Fax (0 596) 57 30 54, 佘 – ❷. 🖭 ⓞ 🗲 ㎙ ㎖. ℅
fermé lundi et 31 déc.-11 janv. – **Repas** Lunch 35 – 50/65.

LUNTEREN Gelderland 🆑 Ede 99 927 h. **211** N 10 et **408** H 5.
Amsterdam 69 – Arnhem 29 – Apeldoorn 43 – Utrecht 46.

🏨 **Host. De Lunterse Boer** ⟨S⟩, Boslaan 87, ✉ 6741 KD, ℰ (0 318) 48 36 57, Fax (0 318)
48 55 21, 😊, « Dans les bois », 🌳 – 📺 ☎ ❷ – 🔬 25. 🖭 ❶ **E** 𝘝𝘐𝘚𝘈
Repas carte env. 55 – **16 ch** 🖙 105/288 – ½ P 140/288.

De LUTTE Overijssel 🆑 Losser 22 830 h. **210** V 9, **211** V 9 et **408** L 5.
🅱 Plechelmusstraat 14, ✉ 7587 AM, ℰ (0 541) 55 17 77, Fax (0 541) 55 22 11.
Amsterdam 165 – Zwolle 78 – Enschede 15.

🏨 **Bloemenbeek** ⟨S⟩, Beuningerstraat 6 (NE : 1 km), ✉ 7587 LD, ℰ (0 541) 55 12 24,
Fax (0 541) 55 22 85, 😊, ⟨S⟩, ⬛, 🌳, ✗ – 📶 📺 ☎ ❷ – 🔬 25 à 250. 🖭 ❶ **E** 𝘝𝘐𝘚𝘈 𝘑𝘊𝘉,
✗ rest
fermé 30 déc.-8 janv. – **Repas** Lunch 60 – 58/125 – **55 ch** 🖙 203/400, 5 suites –
½ P 133/240.

🏨 **De Wilmersberg** ⟨S⟩, Rhododendronlaan 7, ✉ 7587 NL, ℰ (0 541) 51 32 34,
Fax (0 541) 52 31 13, ≼, 😊, « Terrasses et jardin », ✗ – 📶 📺 ☎ ❷ – 🔬 25 à 180.
🖭 ❶ **E** 𝘝𝘐𝘚𝘈 ✗
Repas Lunch 45 – carte 67 à 84 – 🖙 33 – **66 ch** 120/275 – ½ P 145/280.

🏨 **De Lutt**, Beuningerstraat 20 (NE : 2 km), ✉ 7587 LD, ℰ (0 541) 55 25 25, Fax (0 541)
55 22 55, 😊, « Parc avec pièce d'eau », ≼S, 🌳 – 📶 📺 ☎ ❷ – 🔬 25. 🖭 ❶ **E** 𝘝𝘐𝘚𝘈 ✗
fermé du 1er au 16 janv. – **Repas** carte 59 à 79 – **28 ch** 🖙 105/275 – ½ P 128/188.

🏨 **'t Kruisselt**, Kruisseltlaan 3, ✉ 7587 NM, ℰ (0 541) 55 15 67, Fax (0 541) 55 18 62,
« Terrasse avec ≼ bois », ≼S, ⬛, 🌳 – 📺 ☎ ❷ – 🔬 25 à 100. 🖭 ❶ **E** 𝘝𝘐𝘚𝘈 ✗ rest
Repas carte env. 55 – **43 ch** 🖙 115/175 – ½ P 88.

🍴🍴 **Berg en Dal** avec ch, Bentheimerstraat 34, ✉ 7587 NH, ℰ (0 541) 55 12 02, Fax (0 541)
55 15 54, 😊, ✗ – 📺 ☎ ❷. 🖭 ❶ **E** 𝘝𝘐𝘚𝘈 ✗
fermé 31 déc. – **Repas** 40/70 – **6 ch** 🖙 85/125 – ½ P 95/110.

MAARSBERGEN Utrecht 🆑 Maarn 5 903 h. **211** M 10 et **408** H 5.
🏌 Woudenbergseweg 13a, ✉ 3953 ME, ℰ (0 343) 43 19 11, Fax (0 343) 43 20 62.
Amsterdam 63 – Utrecht 25 – Amersfoort 12 – Arnhem 38.

🏨 **Motel Maarsbergen**, Woudenbergseweg 44 (près A 12), ✉ 3953 MH, ℰ (0 343)
43 13 41, Fax (0 343) 43 13 79 – 📺 ☎ ❷ – 🔬 25 à 130. 🖭 ❶ **E** 𝘝𝘐𝘚𝘈 𝘑𝘊𝘉
Repas carte env. 50 – 🖙 13 – **38 ch** 85/98 – ½ P 75.

MAARSSEN Utrecht **211** K 10 et **408** G 5 – 41 172 h.
Amsterdam 32 – Utrecht 9.

🏨 **Carlton President**, Floraweg 25 (S : 2 km près A 2), ✉ 3608 BW, ℰ (0 30) 241 41 82,
Fax (0 30) 241 05 42, 🛠, ≼S, 🌳 – 📶 ✗, 🔲 rest, 📺 ☎ ❷ – 🔬 25 à 300. 🖭 ❶ **E**
𝘝𝘐𝘚𝘈
Repas Lunch 25 – carte 69 à 84 – 🖙 36 – **172 ch** 305/375.

🍴🍴🍴 **De Wilgenplas** (van Groeninge), Maarsseveensevaart 7a (E : 1,5 km), ✉ 3601 CC,
ℰ (0 346) 56 15 90, Fax (0 346) 57 51 40, 😊 – ❷. 🖭 ❶ **E** 𝘝𝘐𝘚𝘈. ✗
fermé sam. midi, dim. midi, 27 juil.-10 août et 26 déc.-3 janv. – **Repas** Lunch 85 – 125/135 bc,
carte 100 à 120
Spéc. Salade d'asperges vertes gratinées à la moëlle. Dorade cuite sous argile, sauce à
l'aneth et poivre rose. Poussin truffé en vessie et ragoût de légumes.

🍴🍴 **Auguste**, Straatweg 144, ✉ 3603 CS, ℰ (0 346) 56 56 66, 😊 – ❷. 🖭 **E** 𝘝𝘐𝘚𝘈
Repas (dîner seult) 60/80.

🍴🍴 **De Prins te Paard**, Breedstraat 4, ✉ 3603 BA, ℰ (0 346) 56 37 47, Fax (0 346)
55 52 36, « Maison du 17e s. avec cave voûtée » – 🔲. 🖭 ❶ **E** 𝘝𝘐𝘚𝘈 𝘑𝘊𝘉. ✗
Repas Lunch 50 – 53/73.

🍴 **De Nonnerie**, Langegracht 51, ✉ 3601 AK, ℰ (0 346) 56 22 01, Fax (0 346) 56 18 24,
😊 – ❷. 🖭 **E**
fermé lundi, 23 fév.-2 mars et du 1er au 15 août – **Repas** (dîner seult) carte 64 à 80.

MAARTENSDIJK Utrecht **211** L 10 et **408** G 5 – 9 392 h.
Amsterdam 53 – Apeldoorn 70 – Utrecht 15.

🍴 **Martinique**, Dorpsweg 153, ✉ 3738 CD, ℰ (0 346) 21 26 27, Fax (0 346) 21 43 20,
😊 – ❷. 🖭 ❶ **E** 𝘝𝘐𝘚𝘈
fermé lundi – **Repas** (dîner seult) 55/70.

MAASBRACHT Limburg **211** P 16 et **408** I 8 – *13 781 h.*

Amsterdam 176 – Eindhoven 48 – Maastricht 39 – Venlo 40.

XXX **Da Vinci**, Havenstraat 27 (au port de péniches), ⊠ 6051 CS, 𝒫 (0 475) 46 59 79, Fax (0 475) 46 66 11, « Aménagement design » – 匣 ⊙ 🄴 *VISA*. 🛠
fermé lundis et mardis non fériés, sam. midi, 1 sem. carnaval, 3 sem. vacances bâtiment et fin déc.-début janv. – **Repas** *Lunch 50* – 55/98.

MAASDAM Zuid-Holland **G** Binnenmaas *18 879 h.* **211** H 12 et **408** E 6.

Amsterdam 100 – Breda 35 – Dordrecht 14 – Rotterdam 18.

🏠 **De Hoogt** ⤳, Raadhuisstraat 3, ⊠ 3299 AP, 𝒫 (0 78) 676 18 11, Fax (0 78) 676 47 25, 🛏, 🖭 – 🖪 🖭 ☎ 🅿. 匣 – 🄴 *VISA*
fermé 27 déc.-1ᵉʳ janv. – **Repas** *(fermé dim. en juil.-août)* carte 65 à 78 – 🖵 15 – **10 ch** 120/185.

MAASLAND Zuid-Holland **211** F 11 et **408** D 6 – ㉘ N – *6 668 h.*

Amsterdam 86 – Den Haag 26 – Rotterdam 18.

XXX **De Lickebaertshoeve**, Oostgaag 55 (N : 3 km), ⊠ 3155 CE, 𝒫 (0 10) 591 51 75, Fax (0 10) 592 42 00, 🛋, « Ferme du 18ᵉ s., terrasse » – 🅿. 匣 ⊙ 🄴 *VISA*
fermé lundi – **Repas** *Lunch 53* – 58/90.

MAASSLUIS Zuid-Holland **211** F 11 et **408** D 6 – ㉘ N – *33 035 h.*

⤓ vers Rozenburg : van der Schuyt-van den Boom-Stanfries B.V., Burg. v.d. Lelykade 4 𝒫 (0 10) 591 22 12, Fax (0 10) 592 85 55. Durée de la traversée : 10 min. Prix : 0,70 Fl, voiture 6,30Fl.

Amsterdam 81 – Den Haag 26 – Rotterdam 19.

XX **De Ridderhof**, Sportlaan 2, ⊠ 3141 XN, 𝒫 (0 10) 591 12 11, Fax (0 10) 591 37 80, 🛋, « Ferme du 17ᵉ s. » – 🅿. 匣 ⊙ 🄴 *VISA*
fermé du 9 au 23 août, dim., lundi et jours fériés sauf Noël – **Repas** *Lunch 43* – carte 68 à 88.

MAASTRICHT 🅿 Limburg **211** O 17 et **408** I 9 – *118 518 h.*

Voir La vieille ville★ – Basilique St-Servais★★ (St. Servaasbasiliek) : Portail royal★, chœur★, chapiteaux★, Trésor★★ (Kerkschat) CY **B** – Basilique Notre-Dame★ (O. L. Vrouwebasiliek) : chœur★★ CZ **A** – Remparts Sud★ (Walmuur) CZ – Carnaval★ – St. Pietersberg★ S : 2 km AX.

Musée : des Bons Enfants★★ (Bonnefantenmuseum) DZ **M'**.

🛬 à Beek par ① : 11 km 𝒫 (0 43) 358 99 99.

🔼 Het Dinghuis, Kleine Staat 1, ⊠ 6211 ED, 𝒫 (0 43) 325 21 21, Fax (0 43) 321 37 46.
Amsterdam 213 ① – Aachen 36 ② – Bruxelles 124 ⑤ – Liège 33 ⑤ – Mönchengladbach 81 ①.

Plans pages suivantes

Quartiers du Centre :

🏛 **Derlon**, O.L.Vrouweplein 6, ⊠ 6211 HD, 𝒫 (0 43) 321 67 70, Fax (0 43) 325 19 33, 🛋, « Exposition de vestiges romains en sous-sol » – 🛗 🖭 🖭 ☎ 🚗 – 🔼 25 à 50. 匣 ⊙ 🄴 *VISA*
    CZ **e**
Repas (Brasserie) carte env. 60 – 🖵 35 – **43 ch** 375/525, 1 suite.

🏨 **Botticelli** ⤳ sans rest, Papenstraat 11, ⊠ 6211 LG, 𝒫 (0 43) 352 63 00, Fax (0 43) 352 63 36, « Terrasse clos de murs avec pièce d'eau » – ⤓ 🖭 ☎ 🚗. 匣 ⊙ 🄴 *VISA* JCB. 🛠
fermé du 21 au 24 fév. – **18 ch** 🖵 155/300.
    CZ **s**

🏨 **Pauw** sans rest, Boschstraat 27, ⊠ 6211 AS, 𝒫 (0 43) 321 22 22, Fax (0 43) 321 34 32 – 🛗 🖭 ☎ 🕭 🚗 – 🔼 25 à 60. 匣 ⊙ 🄴 *VISA* JCB
    CY **g**
🖵 27 – **108 ch** 143/175.

🏨 **Du Casque** sans rest, Helmstraat 14, ⊠ 6211 TA, 𝒫 (0 43) 321 43 43, Fax (0 43) 325 51 55 – 🛗 🖭 ☎ 🚗. 匣 ⊙ 🄴 *VISA* JCB
    CY **m**
fermé 31 déc. et 1ᵉʳ janv. – **38 ch** 🖵 210/270.

🏛 **d'Orangerie** sans rest, Kleine Gracht 4, ⊠ 6211 CB, 𝒫 (0 43) 326 11 11, Fax (0 43) 326 12 87, « Maison bourgeoise du 18ᵉ s. » – 🖭 ☎ 🚗. 匣 ⊙ 🄴 *VISA*
    CY **d**
🖵 28 – **32 ch** 130/160.

XXX **Toine Hermsen**, St-Bernardusstraat 2, ⊠ 6211 HL, 𝒫 (0 43) 325 84 00, Fax (0 43)
❀❀ 325 83 73 – 🖪. 匣 ⊙ 🄴 *VISA* JCB. 🛠
fermé sam. midi, dim., lundi et 2 sem. carnaval – **Repas** *Lunch 60* – 135, carte 80 à 110
Spéc. Salade d'asperges et petits œufs pochés, vinaigrette de truffes d'été (mai-juin). Queues de langoustines grillées à la provençale et risotto de homard à la fondue de tomates. Foie de veau aux pommes, raisins et oignons croustillants, sauce au Calvados.

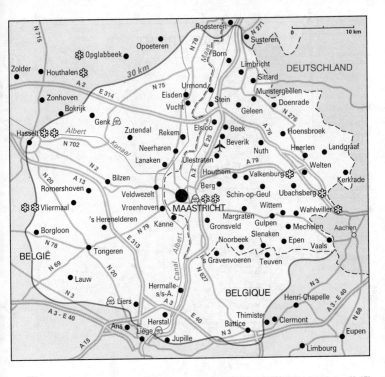

XX **Au Premier** 1er étage, Brusselsestraat 15, ✉ 6211 PA, ☎ (0 43) 321 97 61, Fax (0 43) 325 59 00, 🍽 – 🆎 ⓪ 🅴 🆅🆂🅰 🅹🅲🅱 🛇
CY **p**
fermé lundi, sam. midi, 31 août-11 sept. et du 2 au 9 janv. – **Repas** Lunch 63 – 65/95.

XX **Jean La Brouche,** Tongersestraat 9, ✉ 6211 LL, ☎ (0 43) 321 46 09 – ▤. 🆎 🅴
fermé dim., lundi, dern. sem. juil.-2 prem. sem. août et fin déc. – **Repas** Lunch 50 – carte 64 à 82.
CZ **n**

XX **Le Bon Vivant,** Capucijnenstraat 91, ✉ 6211 RP, ☎ (0 43) 321 08 16, Fax (0 43) 325 37 82, « Salle voûtée » – ▤. 🆎 ⓪ 🅴 🆅🆂🅰
CY **e**
fermé dim. et lundis non fériés, sem. carnaval et 14 juil.-13 août – **Repas** (dîner seult) 55/75.

XX **'t Plenkske,** Plankstraat 6, ✉ 6211 GA, ☎ (0 43) 321 84 56, Fax (0 43) 325 81 33, 🍽
– 🆎 🅴 🆅🆂🅰
CYZ **v**
fermé dim. et jours fériés – **Repas** Lunch 43 – carte env. 70.

XX **Rôtiss. d'Alsace,** Koningin Emmaplein 10, ✉ 6214 AC, ☎ (0 43) 325 06 14, Fax (0 43) 326 21 09, 🍽 – 🆎 ⓪ 🅴 🆅🆂🅰
AX **k**
fermé lundi et mardi – **Repas** Lunch 45 – 95 bc.

X **Beluga** (Van Wolde), Havenstraat 19, ✉ 6211 GJ, ☎ (0 43) 321 33 64, Fax (0 43) 321 33 64, 🍽 – 🆎 ⓪ 🅴 🆅🆂🅰 🛇
CYZ **a**
🕄 *fermé sam. midi, dim. midi, lundi, sem. carnaval, 2 prem. sem. sept. et 31 déc.-1er janv.* – **Repas** carte 80 à 95
Spéc. Velouté froid à la moutarde au saumon fumé et à la tomate. Selle de chevreuil, potée d'oignons et poires poêlées. Crêpe gratinée à la glace de noix de coco.

X **Au Coin des Bons Enfants,** Ezelmarkt 4, ✉ 6211 LJ, ☎ (0 43) 321 23 59, Fax (0 43) 325 82 52, – 🆎 ⓪ 🅴 🆅🆂🅰 🅹🅲🅱
CZ **h**
fermé mardi, carnaval et 30 déc.-12 janv. – **Repas** 55/85.

X **Sagittarius,** Bredestraat 7, ✉ 6211 HA, ☎ (0 43) 321 14 92 – 🆎 🅴 🆅🆂🅰 🅹🅲🅱 CZ **r**
fermé dim. et lundi – **Repas** (dîner seult) carte env. 65.

X **'t Drifke,** Lage Kanaaldijk 22, ✉ 6212 AE, ☎ (0 43) 321 45 81, 🍽 – 🅴 🆅🆂🅰 AX **b**
fermé lundi, mardi et 3 sem. en fév. – **Repas** (dîner seult) carte env. 60.

X **Sukhothai,** Tongersestraat 54, ✉ 6211 LP, ☎ (0 43) 321 79 46, Fax (0 43) 321 39 29, Cuisine thaïlandaise – 🆎 ⓪ 🅴 🆅🆂🅰 🅹🅲🅱
CZ **f**
fermé lundi et oct. – **Repas** (dîner seult) carte 55 à 74.

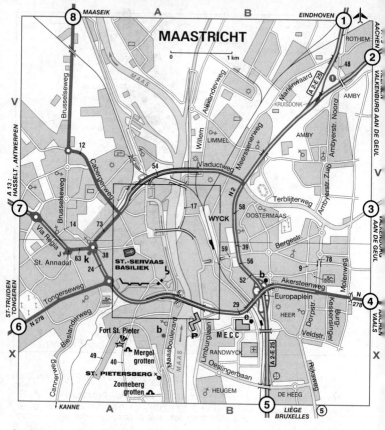

Burg. Cortenstr.	**BX** 9	
Carl Smulderssingel	**AV** 12	
Dr. van Kleefstr.	**AV** 14	
Franciscus Romanusweg	**ABV** 17	
Hertogsingel	**AX** 24	
John Kennedysingel	**BX** 29	
Koningin Emmapl.	**AX** 38	
Koningspl.	**BX** 39	
Luikerweg	**AX** 40	
Maastrichterweg	**BV** 48	
Mergelweg	**AX** 49	
Nassaulaan	**BX** 52	
Noorderbrug	**AX** 54	
Oranjepl.	**BX** 56	
President Rooseveltlaan	**BV** 58	
St. Annalaan	**AX** 63	
Statensingel	**AV** 73	
Vijverdalseweg	**BX** 78	

Rive droite (Wyck - Station - MECC) :

🏨 **Holiday Inn Crowne Plaza,** De Ruiterij 1, ⊠ 6221 EW, ℰ (0 43) 350 91 91, Fax (0 43) 350 91 92, ≤, 숖, « Terrasse au bord de l'eau » – 🛒 ↮, 🍴 rest, 🖵 ☎ & 🅿 – 🔬 25 à 200. 🖭 ⓞ 🗲 𝘝𝘐𝘚𝘈 𝙅𝘾𝘽. 🛠 rest
DZ c
Repas *De Mangerie* Lunch 40 – 45/75 – **Kobe** (cuisine japonaise, teppan-yaki) 45/100 – ⊇ 41 – **115 ch** 325/420, 16 suites.

🏨 **Barbizon,** Forum 110, ⊠ 6229 GV, ℰ (0 43) 383 82 81, Fax (0 43) 361 58 62, ≘ – 🛒 ↮, 🍴 rest, 🖵 ☎ ⇌ 🅿 – 🔬 25 à 300. 🖭 ⓞ 🗲 𝘝𝘐𝘚𝘈. 🛠 rest
BX e
Repas *(fermé sam. midi)* Lunch 50 – 58/75 – ⊇ 30 – **178 ch** 275/365, 2 suites.

🏨 **Gd H. de l'Empereur,** Stationsstraat 2, ⊠ 6221 BP, ℰ (0 43) 321 38 38, Fax (0 43) 321 68 19, ≘, 🔲 – 🛒 🍴 🖵 ☎ ⇌ – 🔬 25 à 100. 🖭 ⓞ 🗲 𝘝𝘐𝘚𝘈 𝙅𝘾𝘽. 🛠 DY b
Repas Lunch 45 – carte 45 à 63 – ⊇ 26 – **98 ch** 205 – ½ P 250.

🏨 **Beaumont,** Wycker Brugstraat 2, ⊠ 6221 EC, ℰ (0 43) 325 44 33, Fax (0 43) 325 36 55, 숖 – 🛒 ↮, 🍴 rest, 🖵 ☎ ⇌. 🖭 ⓞ 🗲 𝘝𝘐𝘚𝘈 𝙅𝘾𝘽. 🛠 DY e
Repas *(fermé dim. midi)* 50/68 – ⊇ 23 – **77 ch** 175/195 – ½ P 145.

🏨 **Novotel,** Sibemaweg 10, ⊠ 6227 AH, ℰ (0 43) 361 18 11, Fax (0 43) 361 60 44, 숖, 🔲 – 🛒 ↮ 🍴 🖵 ☎ & 🅿 – 🔬 25 à 200. 🖭 ⓞ 🗲 𝘝𝘐𝘚𝘈 𝙅𝘾𝘽
BX b
Repas *(fermé sam. midi et dim. midi)* Lunch 23 – carte 53 à 69 – ⊇ 23 – **92 ch** 193/210 – ½ P 223/230.

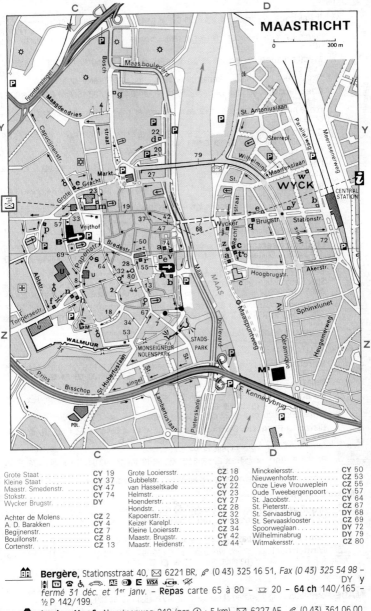

MAASTRICHT

0   300 m

Grote Staat	**CY** 19	
Kleine Staat	**CY** 37	
Maastr. Smedenstr.	**CY** 47	
Stokstr.	**CY** 74	
Wycker Brugstr.	**DY**	

Achter de Molens	**CZ** 2	
A. D. Barakken	**CY** 4	
Begijnenstr.	**CZ** 7	
Bouillonstr.	**CZ** 8	
Cortenstr.	**CZ** 13	

Grote Looiersstr.	**CZ** 18	
Gubbelstr.	**CY** 20	
van Hasseltkade	**CY** 22	
Helmstr.	**CY** 23	
Hoenderstr.	**CY** 27	
Hondstr.	**CZ** 28	
Kapoenstr.	**CZ** 32	
Keizer Karelpl.	**CZ** 33	
Kleine Looiersstr.	**CZ** 34	
Maastr. Brugstr.	**CY** 42	
Maastr. Heidenstr.	**CZ** 44	

Minckelersstr.	**CY** 50	
Nieuwenhofstr.	**CZ** 53	
Onze Lieve Vrouweplein . .	**CZ** 55	
Oude Tweebergenpoort . . .	**CY** 57	
St. Jacobstr.	**CY** 64	
St. Pieterstr.	**CZ** 67	
St. Servaasbrug	**DY** 68	
St. Servaasklooster	**CZ** 69	
Spoorweglaan	**DY** 72	
Wilhelminabrug	**DY** 79	
Witmakersstr.	**CZ** 80	

  Bergère, Stationsstraat 40, ⊠ 6221 BR, ℘ (0 43) 325 16 51, Fax (0 43) 325 54 98 –
🕸 TV ☎ ఉ ⟺. AE ① E VISA JCB. ఌ   DY **y**
fermé 31 déc. et 1er janv. - **Repas** *carte 65 à 80* - ⌑ 20 - **64 ch** 140/165 –
½ P 142/199.

  In den Hoof, Akersteenweg 218 (par ④ : 5 km), ⊠ 6227 AE, ℘ (0 43) 361 06 00,
Fax (0 43) 361 80 40 – TV ☎ P – ⚠ 25. AE ① E VISA JCB
Repas *(fermé après 20 h 30) Lunch 38* – *carte env. 65* - **24 ch** ⌑ 110/180 –
½ P 140/170.

  Le Roi sans rest, St-Maartenslaan 1, ⊠ 6221 AV, ℘ (0 43) 325 38 38, Fax (0 43)
321 08 35 – 🕸 TV ☎ ⟺. AE ① E VISA. ఌ   DY **w**
fermé 30 déc.-3 janv. - ⌑ 15 - **42 ch** 135/160.

XX **'t Pakhoes,** Waterpoort 4, ✉ 6221 GB, ☎ (0 43) 325 70 00, 🍽, « Ancien entrepôt » – AE ⓓ E VISA DZ a
fermé lundi en juil.-août, dim. et 1 sem. carnaval – **Repas** (dîner seult) carte 78 à 107.

X **Mediterraneo,** Rechtstraat 73, ✉ 6221 EH, ☎ (0 43) 325 50 37, *Fax (0 43) 325 88 74*, Avec cuisine italienne – ▤. AE ⓓ E VISA JCB DY c
fermé merc. et carnaval – **Repas** (dîner seult jusqu'à 23 h) carte 72 à 140.

X **Chez Jacques,** Rechtstraat 83, ✉ 6221 EH, ☎ (0 43) 351 00 15, *Fax (043) 351 00 81* – ▤. AE ⓓ E VISA. ✂ DZ t
fermé mardi, sam. midi, dim. midi, sem. carnaval et prem. sem. sept. – **Repas** *Lunch 55* – carte env. 70.

X **Gadjah Mas,** Rechtstraat 42, ✉ 6221 EK, ☎ (0 43) 321 15 68, *Fax (0 43) 321 15 68*, Cuisine indonésienne – AE ⓓ E VISA. ✂ DY j
fermé du 18 au 25 fév. – **Repas** (dîner seult) 30/65.

X **Les Marolles,** Rechtstraat 88a, ✉ 6221 EL, ☎ (0 43) 325 04 47 – E VISA DYZ z
Repas (dîner seult) carte env. 70.

X **Bon Goût,** Wycker Brugstraat 17, ✉ 6221 EA, ☎ (0 43) 325 02 84, *Fax (0 43) 325 56 19*, Cuisine au fromage – ▤. ✂ DY q
fermé carnaval et merc. des Cendres – **Repas** (déjeuner seult sauf jeudi et 25 et 26 déc.) *Lunch 40* – 55/95.

au Sud : *5 km par Bieslanderweg* :

XXX **Château Neercanne,** Cannerweg 800, ✉ 6213 ND, ☎ (0 43) 325 13 59, *Fax (0 43) 321 34 06*, « Château du 17e s., terrasses et jardins fleuris, ≤ vallée et campagne » – Ⓟ. AE ⓓ E VISA JCB
fermé lundi et sam. midi – **Repas** *Lunch 100 bc* – 95/120, carte 85 à 115
Spéc. Langoustines en robe de pommes paille et chutney de courgettes. Soupe de potiron aux St-Jacques grillées (15 oct.-15 avril). Pigeon rôti et ses cuisses confites aux épices.

X **L'Auberge,** Cannerweg 800 (cour intérieure du château), ✉ 6213 ND, ☎ (0 43) 325 13 59, *Fax (0 43) 321 34 06*, 🍽, « Ancienne chapelle voûtée » – Ⓟ. AE ⓓ E VISA JCB
fermé sam. et dim. – **Repas** (déjeuner seult) 85 bc.

à Beek *par ① : 15 km – 17 229 h.*

Mercure, Vliegveldweg 19 (S : 2,5 km à l'aéroport), ✉ 6191 SB, ☎ (0 43) 364 21 31, *Fax (0 43) 364 46 68*, ≤ – ⇌, ▤ ch, TV ☎ Ⓟ – 🏛 35 à 100. AE ⓓ E VISA. ✂
Repas 45 – ☕ 20 – **62 ch** 120/195 – ½ P 165/205.

XX **De Bokkeriejer,** Prins Mauritslaan 22, ✉ 6191 EG, ☎ (0 46) 437 13 19, *Fax (0 46) 437 47 47*, 🍽 – Ⓟ. AE ⓓ E VISA. ✂
fermé lundi, sam. midi et 27 déc.-5 janv. – **Repas** *Lunch 48* – 55/68.

X **Bistro La Bergerie,** Geverikerstraat 42 (SO : 1 km à Geverik), ✉ 6191 RP, ☎ (0 46) 437 47 27, *Fax (0 46) 437 47 27*, 🍽 – ▤ Ⓟ. AE ⓓ E VISA. ✂
fermé lundi et mardi – **Repas** 49/69.

X **Pasta e Vino,** Brugstraat 2, ✉ 6191 KC, ☎ (0 46) 437 99 94, *Fax (0 46) 436 03 79*, 🍽, Cuisine italienne – E VISA
fermé mardi, sem. carnaval et vacances bâtiment – **Repas** (dîner seult) carte env. 70.

à Margraten *par ④ : 10 km – 13 875 h.*

Groot Welsden 🐦, Groot Welsden 27, ✉ 6269 ET, ☎ (0 43) 458 13 94, *Fax (0 43) 458 23 55*, « Aménagement cossu, jardin avec pièce d'eau » – TV ☎ Ⓟ. AE E VISA. ✂
fermé carnaval – **Repas** (résidents seult) – ☕ 10 – **16 ch** 128/160 – ½ P 108/128.

Wippelsdaal 🐦, Groot Welsden 13, ✉ 6269 ET, ☎ (0 43) 458 18 91, *Fax (0 43) 458 27 15*, « Cadre champêtre » – TV ☎ Ⓟ. E. ✂ rest
fermé 30 déc.-25 janv. – **Repas** (résidents seult) – **14 ch** ☕ 88/135 – ½ P 113.

MADE *Noord-Brabant* C *Made en Drimmelen 12 140 h.* 211 I 12 et 408 F 6.
Amsterdam 94 – 's-Hertogenbosch 40 – Bergen op Zoom 45 – Breda 13 – Rotterdam 46.

De Korenbeurs, Kerkstraat 13, ✉ 4921 BA, ☎ (0 162) 68 21 50, *Fax (0 162) 68 46 47*, 🍽 – |‡| TV ☎ ♿ Ⓟ – 🏛 25 à 350. AE ⓓ E VISA
Repas 45/83 – **54 ch** ☕ 135/215 – ½ P 167/207.

MARGRATEN *Limburg* 211 *O 18 et* 408 *I 9* – *voir à Maastricht.*

MARKELO Overijssel **210** S 9, **211** S 9 et **408** K 5 – 6 987 h.
- 🛈 Goorseweg 1, ✉ 7475 BB, 𝓟 (0 547) 36 15 55, Fax (0 547) 36 38 81.
- Amsterdam 125 – Zwolle 50 – Apeldoorn 41 – Arnhem 59 – Enschede 34.

XX **In de Kop'ren Smorre** ⊛ avec ch, Holterweg 20, ✉ 7475 AW, 𝓟 (0 547) 36 13 44, Fax (0 547) 36 22 01, 🍴, « Ancienne ferme, jardins » – 🔟 ⓟ. 🅰🅴 ① 🅴 🆅🅸🆂🅰. ⫸ fermé 24 et 31 déc. et 1er janv. – **Repas** (fermé dim. midi et lundi) 68/90 – **8 ch** ⊐ 70/150 – ½ P 110/150.

MASTBOS Noord-Brabant **211** I 13 – voir à Breda.

MECHELEN Limburg **ⓒ** Wittem 7 807 h. **211** P 18 et **408** I 9.
- 🛏 Dalbissenweg 22, ✉ 6281 NC, 𝓟 (0 43) 455 13 97, Fax (0 43) 455 15 76.
- Amsterdam 235 – Maastricht 21 – Aachen 14.

🏠 **Brull,** Hoofdstraat 26, ✉ 6281 BD, 𝓟 (0 43) 455 12 63, Fax (0 43) 455 23 00, 🍴 – |$| ☎ ⓟ. 🆅🅸🆂🅰. ⫸ fermé Noël et janv.-fév. – **Repas** (dîner pour résidents seult) – **32 ch** ⊐ 70/140 – ½ P 115/125.

MEDEMBLIK Noord-Holland **210** K 6 et **408** G 3 – 7 257 h.
- Voir Oosterhaven★.
- Amsterdam 58 – Alkmaar 36 – Enkhuizen 21 – Hoorn 19.

🏠 **Tulip Inn Het Wapen van Medemblik,** Oosterhaven 1, ✉ 1671 AA, 𝓟 (0 227) 54 38 44, Fax (0 227) 54 23 97 – |$| 🔟 ☎ – 🔬 40 à 80. 🅰🅴 ① 🅴 🆅🅸🆂🅰 🅹🅲🅱 fermé 31 déc. et 1er janv. – **Repas** Lunch 25 – carte 49 à 70 – **26 ch** ⊐ 110/190 – ½ P 98/133.

MEERKERK Zuid-Holland **ⓒ** Zederik 13 540 h. **211** J 11 et **408** F 6.
- Amsterdam 55 – Arnhem 76 – Breda 46 – Den Haag 80 – Rotterdam 50.

🏠 **AC Hotel,** Energieweg 116 (près A 27, sortie ㉒), ✉ 4231 DJ, 𝓟 (0 183) 35 21 98, 🔄 Fax (0 183) 35 22 99 – |$| 🛏 🔟 rest, 🔟 ☎ 🔥 ⓟ – 🔬 25 à 250. 🅰🅴 ① 🅴 🆅🅸🆂🅰 **Repas** (avec buffet) 45 – ⊐ 15 – **64 ch** 115.

MEGEN Noord-Brabant **ⓒ** Oss 63 199 h. **211** N 12 et **408** H 6.
- Amsterdam (bac) 103 – Arnhem 45 – 's-Hertogenbosch 30 – Nijmegen 28.

XX **Den Uiver,** Torenstraat 3, ✉ 5366 BJ, 𝓟 (0 412) 46 25 48, Fax (0 412) 46 30 41, 🍴, « Grange du 19e s. » – 🅰🅴 ① 🅴 🆅🅸🆂🅰 fermé lundi et 2 sem. carnaval – **Repas** Lunch 52 – carte 52 à 75.

MEPPEL Drenthe **210** R 6 et **408** J 3 – 25 080 h.
- 🛏 à Havelte : 10 km, Kolonieweg 2, ✉ 7970 AA, 𝓟 (0 521) 34 22 00.
- 🛈 Kromme Elleboog 2, ✉ 7941 KC, 𝓟 (0 522) 25 28 88.
- Amsterdam 135 – Assen 55 – Groningen 82 – Leeuwarden 68 – Zwolle 25.

à De Wijk E : 7,5 km – 5 126 h.
XXX **Havesathe de Havixhorst** ⊛ avec ch, Schiphorsterweg 34, ✉ 7957 NV, 𝓟 (0 522) 44 14 87, Fax (0 522) 44 14 89, 🍴, « Demeure du 18e s., jardin » – 🔟 ☎ ⓟ – 🔬 25 à 100. 🅰🅴 ① 🅴 🆅🅸🆂🅰. ⫸ fermé dim. et 28 déc.-5 janv. – **Repas** (dîner seult) (fermé dim. et lundi) carte env. 95 – ⊐ 23 – **8 ch** 165/285 – ½ P 225/235.

MEIJEL Limburg **211** P 14 et **408** I 7 – 5 649 h.
- Amsterdam 162 – Eindhoven 38 – Roermond 24 – Venlo 31.

🏠 **Ketels,** Raadhuisplein 4, ✉ 5768 AR, 𝓟 (0 77) 466 24 55, Fax (0 77) 466 41 00 – 🔟 ☎. 🅰🅴 ① 🅴 🆅🅸🆂🅰. ⫸ **Repas** (fermé après 20 h 30) Lunch 35 – carte 45 à 60 – ⊐ 14 – **25 ch** 65/100 – ½ P 95.

MIDDELBURG **ⓟ** Zeeland **211** B 14 et **408** B 7 – 39 905 h.
- Voir Hôtel de ville★ (Stadhuis) AYZ **H** – Abbaye★ (Abdij) ABY – Miniatuur Walcheren★ ABY.
- Musée : de Zélande★ (Zeeuws Museum) AY **M¹**.
- 🛈 Nieuwe Burg 40, ✉ 4331 AH, 𝓟 (0 118) 65 99 00, Fax (0 118) 65 99 10.
- Amsterdam 194 ①– Antwerpen 91 ①– Breda 98 ①– Brugge (bac) 47 ②– Rotterdam 106 ①.

467

MIDDELBURG

Lange Delft .... **ABZ**
Langeviele .... **AZ**
Markt .... **AZ**
Nieuwe Burg .... **AZ** 24
Plein 1940 .... **AZ** 30

Achter de Houttuinen .... **AZ** 3
Bierkaai .... **BZ** 4
Damplein .... **BY** 6

Groenmarkt .... **AYZ** 7
Hoogstr. .... **AZ** 9
Houtkaai .... **BZ** 10
Koepoortstr. .... **BY** 12
Koestr. .... **AZ** 13
Koorkerkstr. .... **BZ** 15
Korte Burg .... **AY** 16
Korte Delft .... **BYZ** 18
Korte Noordstr. .... **AY** 19
Lange Noordstr. .... **AY** 21
Londensekaai .... **BZ** 22
Nieuwe Haven .... **AZ** 25

Nieuwe
  Vlissingseweg .... **AZ** 27
Nieuwstr. .... **BZ** 28
Rotterdamsekaai .... **BY** 31
Segeerstr. .... **BZ** 33
Sint Pieterstr. .... **BY** 34
Stadhuisstr. .... **AY** 36
Vismarkt .... **ABZ** 37
Vlissingsestr. .... **AZ** 39
Volderijlaagte .... **AY** 40
Wagenaarstr. .... **AY** 42
Walensingel .... **AYZ** 43

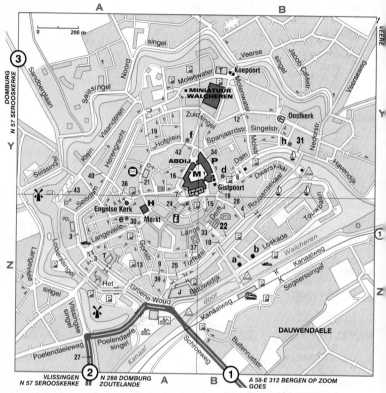

🏨 **Arneville,** Buitenruststraat 22 (par ①), ⊠ 4337 EH, ℘ (0 118) 63 84 56, *Fax (0 118) 61 51 54*, 😊 – 📶 📺 ☎ 🅿 – 🔬 25 à 250. 🆎 ⓞ 🇪 𝗩𝗜𝗦𝗔 𝗝𝗖𝗕. 🛇 rest BZ
fermé 26 déc.-5 janv. – **Repas** carte 60 à 88 – **44 ch** ⊇ 130/180 – ½ P 175.

🏨 **De Nieuwe Doelen,** Loskade 3, ⊠ 4331 HV, ℘ (0 118) 61 21 21, *Fax (0 118) 63 66 99*, 🌾 – 📶 ☎. 🆎 🇪 𝗩𝗜𝗦𝗔. 🛇 BZ a
Repas (dîner pour résidents seult) – **26 ch** ⊇ 125/200 – ½ P 98/125.

🏠 **Middelburg,** Bosschaartsweg 2 (par ① : 2 km), ⊠ 4336 PB, ℘ (0 118) 64 00 44, *Fax (0 118) 64 00 55*, 😊 – 📺 ☎ 🅿. 🆎 ⓞ 🇪 𝗩𝗜𝗦𝗔 𝗝𝗖𝗕. 🛇
Repas (Taverne-rest) carte env. 45 – ⊇ 10 – **40 ch** 99 – ½ P 133.

🏠 **Le Beau Rivage** sans rest, Loskade 19, ⊠ 4331 HW, ℘ (0 118) 63 80 60, *Fax (0 118) 62 96 73*, 🌾 – 📺 ☎. 🆎 ⓞ 🇪 𝗩𝗜𝗦𝗔 BZ b
9 ch ⊇ 125/275.

🍴🍴 **Het Groot Paradijs** (Henderikse), Damplein 13, ⊠ 4331 GC, ℘ (0 118) 62 67 64, 😊
🅜 – 🆎 ⓞ 🇪 𝗩𝗜𝗦𝗔 BY d
fermé sam. midi, dim., lundi, prem. sem. mars et 3 prem. sem. juil. – **Repas** *Lunch 70* – 58/90, carte 75 à 95
Spéc. Cabillaud au four et beurre rouge. Faisan au chou vert, sauce au Calvados (15 oct.-15 janv.). Palette de poissons sauce de homard et saladelle (mai-juin).

XX **de Gespleten Arent,** Vlasmarkt 25, ⊠ 4331 PC, 𝄞 (0 118) 63 61 22, 🌧 – 🆎 ⓞ
E 𝗩𝗜𝗦𝗔 𝗝𝗖𝗕   AZ **e**
fermé mardi, merc. et sem. carnaval – **Repas** (dîner seult) 45.

X **De Eetkamer,** Wagenaarstraat 13, ⊠ 4331 CX, 𝄞 (0 118) 63 56 76 – E 𝗩𝗜𝗦𝗔 AY **f**
fermé dim., lundi et du 4 au 17 août – **Repas** Lunch 48 – carte 71 à 87.

X **Nummer 7,** Rotterdamsekaai 7, ⊠ 4331 GM, 𝄞 (0 118) 62 70 77 – 🍽. 🆎 ⓞ E 𝗩𝗜𝗦𝗔
fermé lundi et janv. – **Repas** (dîner seult) 40.   BY **h**

MIDDELHARNIS Zuid-Holland 𝟮𝟭𝟭 E 12 et 𝟰𝟬𝟴 D 6 – 16 499 h.
🏠 Kade 9, ⊠ 3241 CE, 𝄞 (0 187) 48 48 70, Fax (0 187) 48 78 15.
Amsterdam 133 – Den Haag 83 – Breda 65 – Rotterdam 54 – Zierikzee 22.

XXX **De Hooge Heerlijkheid,** Voorstraat 21, ⊠ 3241 EE, 𝄞 (0 187) 48 32 64, Fax (0 187)
48 53 29, 🌧, « Maisonnettes hollandaises du 17e s. avec terrasse » – 🆎 ⓞ E 𝗩𝗜𝗦𝗔
fermé lundi, mardi, 1 sem. en juin, 1 sem. en oct. et janv. – **Repas** (dîner seult) 80.

X **Brasserie 't Vingerling,** Vingerling 23, ⊠ 3241 EB, 𝄞 (0 187) 48 33 33, Fax (0 187)
48 53 29, ≤, 🌧, « Entrepôt du 18e s. sur le port de plaisance », 🞬
fermé jeudi de sept. à juin, lundi, 2 sem. en fév. et 1 sem. en oct. – **Repas** Lunch 39 – 49/59.

MIDDELSTUM Groningen © Loppersum 11 125 h. 𝟮𝟭𝟬 T 2 et 𝟰𝟬𝟴 K 1.
Amsterdam 201 – Appingedam 17 – Groningen 20.

X **Herberg "in de Valk",** Burchtstraat 12, ⊠ 9991 AB, 𝄞 (0 595) 55 22 16, Fax (0 595)
55 22 04, 🌧 – ❷. 🆎 ⓞ E 𝗩𝗜𝗦𝗔
fermé lundi, mardi, 2 prem. sem. sept. et 3 dern. sem. janv. – **Repas** Lunch 55 – carte
env. 60.

MIDSLAND (MIDSLÂN) Friesland 𝟮𝟭𝟬 L 2 et 𝟰𝟬𝟴 G 1 – voir à Waddeneilanden (Terschelling).

MIERLO Noord-Brabant 𝟮𝟭𝟭 N 14 et 𝟰𝟬𝟴 H 7 – 10 053 h.
🏞 Heiderschoor 18, ⊠ 5731 RG, 𝄞 (0 492) 66 03 93, Fax (0 492) 66 01 69.
Amsterdam 129 – 's-Hertogenbosch 44 – Eindhoven 12 – Helmond 5.

🏤 **De Brug,** Arkweg 3, ⊠ 5731 PD, 𝄞 (0 492) 67 89 11, Fax (0 492) 66 48 95, ≋s, 🔲,
📶 – 🛏 ⅙, 🍽 rest, 📺 ☎ ❷ – 🔏 25 à 850. 🆎 ⓞ E 𝗩𝗜𝗦𝗔. ✆
fermé 27 déc.-2 janv. – **Repas** Lunch 30 – carte env. 55 – **149 ch** ⊇ 205/260.

X **De Cuijt,** Burg. Termeerstraat 50 (NO : 1 km, direction Nuenen), ⊠ 5731 SE, 𝄞 (0 492)
66 13 23, Fax (0 492) 66 57 41, 🌧, « Auberge rustique » – ❷. E.' ✆
fermé du 21 au 25 fév., du 2 au 17 août, 24 déc.-4 janv., dim. et lundi – **Repas** Lunch 45
– 65/75.

MILL Noord-Brabant © Mill en Sint Hubert 10 911 h. 𝟮𝟭𝟭 O 12 et 𝟰𝟬𝟴 I 6.
Amsterdam 123 – 's-Hertogenbosch 41 – Eindhoven 48 – Nijmegen 25.

XX **Aub. de Stoof,** Kerkstraat 14, ⊠ 5451 BM, 𝄞 (0 485) 45 11 37 – 🆎 E 𝗩𝗜𝗦𝗔
fermé merc. – **Repas** (dîner seult) carte 45 à 63.

X **'t Centrum,** Kerkstraat 4, ⊠ 5451 BM, 𝄞 (0 485) 45 19 04, Fax (0 485) 45 54 34 – E
𝗩𝗜𝗦𝗔. ✆
fermé sam. et vacances bâtiment – **Repas** carte env. 55.

MILLINGEN AAN DE RIJN Gelderland 𝟮𝟭𝟭 Q 11 et 𝟰𝟬𝟴 J 6 – 5 671 h.
Amsterdam 134 – Arnhem 32 – Nijmegen 17.

🏠 **Millings Centrum,** Heerbaan 186, ⊠ 6566 EW, 𝄞 (0 481) 43 12 04, Fax (0 481)
43 27 19, 🌧 – 📺 ☎ ♿ ❷ – 🔏 25 à 300. E 𝗩𝗜𝗦𝗔
Repas (fermé après 20 h 30) Lunch 33 – 45 – **29 ch** ⊇ 70/115 – ½ P 90/100.

De MOER Noord-Brabant 𝟮𝟭𝟭 K 13 – voir à Loon op Zand.

MONNICKENDAM Noord-Holland © Waterland 17 825 h. 𝟮𝟭𝟬 K 8 et 𝟰𝟬𝟴 G 4.
Env. Marken★ : village★, costumes traditionnels★ E : 8 km.
🏠 De Zarken 2, ⊠ 1141 BG, 𝄞 (0 299) 65 19 98, Fax (0 299) 65 52 68.
Amsterdam 16 – Alkmaar 34 – Leeuwarden 122.

X **De Roef,** Noordeinde 40, ⊠ 1141 AN, 𝄞 (0 299) 65 18 60, Fax (0 299) 65 45 41, Grillades – 🍽. 🆎 ⓞ E 𝗩𝗜𝗦𝗔 𝗝𝗖𝗕
fermé 2 sem. en oct., 2 sem. en janv. et merc. sauf en juil.-août – **Repas** (dîner seult) carte
45 à 61.

MONSTER Zuid-Holland 2️⃣1️⃣1️⃣ F 10 et 4️⃣0️⃣8️⃣ D 5 - ㉓ N – 19 682 h.
Amsterdam 73 – Den Haag 13 – Rotterdam 32.

🏨 **Elzenduin** 🦐, Strandweg 18 (N : 1 km à Terheyde aan Zee), ✉ 2684 VT, 𝒫 (0 174) 21 42 00, Fax (0 174) 21 42 04, 🍴 – 🛗, 🍽 rest, 📺 ☎ 🅿 – 🔏 30. 🆎 ⓞ 🜁 𝘝𝘐𝘚𝘈
Repas carte 55 à 100 – **27 ch** 🛏 106/237.

MONTFOORT Utrecht 2️⃣1️⃣1️⃣ J 10 et 4️⃣0️⃣8️⃣ F 5 – 13 226 h.
Amsterdam 33 – Den Haag 52 – Rotterdam 48 – Utrecht 15.

XXX **Kasteel Montfoort** 1er étage, Kasteelplein 1, ✉ 3417 JG, 𝒫 (0 348) 47 27 27, Fax (0 348) 47 27 28, 🍴 – 🍽 – 🔏 25 à 60. 🆎 ⓞ 🜁 𝘝𝘐𝘚𝘈 𝘑𝘊𝘉 ✄
fermé dim. – **Repas** Lunch 55 – carte 74 à 97.

XX **De Schans**, Willeskop 87 (SO : 4,5 km sur N 228), ✉ 3417 MC, 𝒫 (0 348) 56 23 09, Fax (0 348) 56 46 65, 🍴 – 🍽 🅿. 🆎 🜁 𝘝𝘐𝘚𝘈. ✄
fermé lundi, 14 juil.-3 août et 25 et 31 déc. et 1er janv. – **Repas** 50/85.

X **De Gelagkamer**, Kasteelplein 1b, ✉ 3417 JG, 𝒫 (0 348) 47 27 27, Fax (0 348) 47 27 28, 🍴 – 🆎 ⓞ 🜁 𝘝𝘐𝘚𝘈 𝘑𝘊𝘉
fermé dim. – **Repas** (dîner seult) 45.

à Linschoten NO : 3 km 🅲 Montfoort :

XX **De Burgemeester**, Raadhuisstraat 17, ✉ 3461 CW, 𝒫 (0 348) 41 40 40, Fax (0 348) 43 25 95 – 🅿. 🆎 ⓞ 🜁 𝘝𝘐𝘚𝘈 𝘑𝘊𝘉
fermé dim., dern. sem. juil.-prem. sem. août et fin déc.-début janv. – **Repas** 50/80.

MOOK Limburg 🅲 Mook en Middelaar 7 434 h. 2️⃣1️⃣1️⃣ P 12 et 4️⃣0️⃣8️⃣ I 6.
Amsterdam 129 – Arnhem 30 – 's-Hertogenbosch 48 – Maastricht 133 – Nijmegen 12 – Venlo 54.

🏨 **De Plasmolen**, Rijksweg 170 (SE : 3 km sur N 271), ✉ 6586 AB, 𝒫 (0 24) 696 14 44, Fax (0 24) 696 22 71, 🍴, « Jardins au bord de l'eau », 🛥, 🍽 – 📺 ☎ 🅿 – 🔏 25 à 100. 🆎 ⓞ 🜁 𝘝𝘐𝘚𝘈 𝘑𝘊𝘉, ✄ rest
Repas Lunch 45 – 48/64 – **36 ch** 🛏 130/185 – ½ P 120/160.

🏨 **Motel De Molenhoek**, Rijksweg 1 (N : 1 km), ✉ 6584 AA, 𝒫 (0 24) 358 01 55, Fax (0 24) 358 21 75, 🍴, 🛥 – 🛗 📺 ☎ 🅿 – 🔏 50 à 150. 🆎 ⓞ 🜁 𝘝𝘐𝘚𝘈. ✄ ch
Repas (ouvert jusqu'à 23 h) carte env. 50 – **56 ch** 🛏 108/180.

XXX **Jachtslot de Mookerheide** 🦐 avec ch, Heumensebaan 2 (NE : 2 km), ✉ 6584 CL, 𝒫 (0 24) 358 30 35, Fax (0 24) 358 43 55, 🍴, « Dans un vaste parc, intérieur Art Nouveau », 🌳, 🍽 – 📺 ☎ 🅿 – 🔏 25 à 150. 🆎 ⓞ 🜁 𝘝𝘐𝘚𝘈. ✄
Repas Lunch 53 – 68/135 bc – 🛏 45 – **14 ch** 175/395, 7 suites – ½ P 150/295.

MUIDEN Noord-Holland 2️⃣1️⃣0️⃣ K 9, 2️⃣1️⃣1️⃣ K 9 et 4️⃣0️⃣8️⃣ I 6 – 6 804 h.
Voir Château★ (Muiderslot).
Amsterdam 13 – Hilversum 22.

XXX **De Doelen**, Sluis 1, ✉ 1398 AR, 𝒫 (0 294) 26 32 00, Fax (0 294) 26 48 75, 🍴, « Rustique » – 🆎 ⓞ 🜁 𝘝𝘐𝘚𝘈. ✄
Repas Lunch 55 – carte env. 75.

XX **De Muiderhof**, Herengracht 75, ✉ 1398 AD, 𝒫 (0 294) 26 45 07, Fax (0 294) 26 36 92, 🍴, « Terrasse » – 🆎 🜁 𝘝𝘐𝘚𝘈
Repas Lunch 40 – carte env. 70.

à Muiderberg E : 3 km 🅲 Muiden :

XX **De Muyderbergh**, Graaf Florislaan 2, ✉ 1399 VL, 𝒫 (0 294) 26 20 42, Fax (0 294) 26 44 89 – 🆎 ⓞ 🜁 𝘝𝘐𝘚𝘈. ✄
fermé lundi, mardi, dern. sem. janv.-prem. sem. fév. et 2 dern. sem. juil. – **Repas** (dîner seult) 58/68.

MUIDERBERG Noord-Holland 2️⃣1️⃣0️⃣ K 9, 2️⃣1️⃣1️⃣ K 9 et 4️⃣0️⃣8️⃣ G 5 – voir à Muiden.

MUNSTERGELEEN Limburg 2️⃣1️⃣1️⃣ P 17 – voir à Sittard.

NAALDWIJK Zuid-Holland 2️⃣1️⃣1️⃣ F11 et 4️⃣0️⃣8️⃣ D 6 - ㉓ N – 28 614 h.
Amsterdam 77 – Den Haag 13 – Rotterdam 30.

🏨 **Carlton**, Tiendweg 20, ✉ 2671 SB, 𝒫 (0 174) 64 01 77, Fax (0 174) 64 02 21, 🍴 – 🛗 ✥, 🍽 rest, 📺 ☎ 🅿 – 🔏 30 à 150. 🆎 ⓞ 🜁 𝘝𝘐𝘚𝘈 𝘑𝘊𝘉
Repas (fermé sam. midi et dim. midi) Lunch 48 – 43/53 – 🛏 23 – **80 ch** 190/210.

NAARDEN Noord-Holland 🔢🔢🔢 K 9, 🔢🔢🔢 K 9 et 🔢🔢🔢 G 5 – *16 637 h.*

Voir Fortifications★.

🛈 *Adr.* Dorstmanplein 1b, ⊠ 1411 RC, ✆ *(0 35) 694 28 36, Fax (0 35) 694 34 24.*
Amsterdam 21 – Apeldoorn 66 – Utrecht 30.

🏨 **Days Inn,** IJsselmeerweg 3 (près A 1, sortie ⑥ - Gooimeer), ⊠ 1411 AA, ✆ *(0 35)*
695 15 14, Fax (0 35) 695 10 89, 🏠, *ᵢ₆*, ☎ – 🛗 ☜ 📺 ☎ 🅿 – 🛗 25 à 180. 🖭
⊕ 🗲 𝗩𝗜𝗦𝗔, ⁇ rest
Repas Lunch 30 – carte env. 65 – 🍽 23 – **108 ch** 165/190, 21 suites – ½ P 120/240.

🍴🍴 **Het Arsenaal,** Kooltjesbuurt 1, ⊠ 1411 RZ, ✆ *(0 35) 694 91 48, Fax (0 35) 694 03 69,*
🏠 – 🅿. 🖭 ⊕ 🗲 𝗩𝗜𝗦𝗔
Repas Lunch 50 – 70.

🍴🍴 **Aub. Le Bastion,** St. Annastraat 3, ⊠ 1411 PE, ✆ *(0 35) 694 66 05*, 🏠 – 🖭 ⊕ 🗲
𝗩𝗜𝗦𝗔
fermé lundi – **Repas** Lunch 53 – carte env. 70.

🍴🍴 **De Oude Smidse,** Marktstraat 30, ⊠ 1411 EA, ✆ *(0 35) 694 37 95, Fax (0 35)*
694 98 98, 🏠 – 🖭 ⊕ 🗲 𝗩𝗜𝗦𝗔. ⁇
fermé dim. et 25 déc.-5 janv. – **Repas** Lunch 40 – 50.

🍴 **Chef's,** Cattenhagestraat 9, ⊠ 1411 CR, ✆ *(0 35) 694 88 03, Fax (0 35) 694 88 03*, 🏠
⊛ – 🖭 ⊕ 🗲 𝗩𝗜𝗦𝗔
Repas Lunch 40 – 50/68.

NECK Noord-Holland 🔢🔢🔢 J 7 – *voir à Purmerend.*

NES Friesland 🔢🔢🔢 O 2 et 🔢🔢🔢 I 1 – *voir à Waddeneilanden (Ameland).*

NIEUW-AMSTERDAM Drenthe 🔢🔢🔢 V 6 et 🔢🔢🔢 L 3 – *voir à Emmen.*

NIEUWEGEIN Utrecht 🔢🔢🔢 K 10 et 🔢🔢🔢 G 5 – *58 214 h.*

📌 Blokhoeve 7, ⊠ 3438 LC, ✆ *(0 30) 604 07 69, Fax (0 30) 604 21 92.*
Amsterdam 50 – Rotterdam 65 – Utrecht 17.

🏨 **Mercure,** Buizerdlaan 10 (O : 1 km), ⊠ 3435 SB, ✆ *(0 30) 604 48 44, Fax (0 30)*
603 03 74, *ᵢ₆*, ☎, 🖾 – 🛗 ☜, 🍽 rest, 📺 ☎ ⇔ 🅿 – 🛗 25 à 450. 🖭 ⊕ 🗲 𝗩𝗜𝗦𝗔
🇯🇨🇧
Repas (ouvert jusqu'à 23 h) carte env. 75 – 🍽 24 – **78 ch** 175/230.

🍴🍴 **De Middenhof,** Duetlaan 1, ⊠ 3438 TA, ✆ *(0 30) 603 37 71, Fax (0 30) 603 53 02,*
⊛ 🏠 – 🅿. 🖭 ⊕ 🗲 𝗩𝗜𝗦𝗔
fermé vacances bâtiment – **Repas** 43/60.

🍴🍴 **De Bovenmeester,** Dorpsstraat 49 (E : 1,5 km, Vreeswijk), ⊠ 3433 CL, ✆ *(0 30)*
606 66 22, Fax (0 30) 606 61 08, 🏠 – 🖭 ⊕ 🗲 𝗩𝗜𝗦𝗔
fermé lundi et 23 déc.-7 janv. – **Repas** Lunch 45 – carte env. 60.

NIEUWERKERK AAN DEN IJSSEL Zuid-Holland 🔢🔢🔢 H 11 et 🔢🔢🔢 E 6 - ㉕ N – *19 359 h.*
Amsterdam 53 – Den Haag 42 – Gouda 12 – Rotterdam 11.

🏨 **Nieuwerkerk a/d IJssel,** Parallelweg Zuid 185 (près A 20, sortie ⑰), ⊠ 2914 LE,
✆ *(0 180) 32 11 03, Fax (0 180) 32 11 84*, 🏠 – 🛗 ☜ 📺 ☎ 🕭 🅿 – 🛗 25 à 125. 🖭
⊕ 🗲 𝗩𝗜𝗦𝗔. ⁇ ch
Repas carte env. 50 – 🍽 18 – **101 ch** 113, 2 suites – ½ P 104.

NIEUWESCHANS Groningen 🄲 Reiderland *7 066 h.* 🔢🔢🔢 X 3 et 🔢🔢🔢 M 2.
Amsterdam 243 – Assen 60 – Groningen 49.

🏨 **Fontana,** Weg naar de Bron 7, ⊠ 9693 GA, ✆ *(0 597) 52 77 77, Fax (0 597) 52 85 85,*
🏠, ☎, 🖾, ↯, ⁇ – 🛗 ☜ 📺 ☎ 🕭 🅿 – 🛗 30 à 100. 🖭 ⊕ 🗲 𝗩𝗜𝗦𝗔. ⁇
Repas carte env. 70 – **67 ch** 🍽 130/170 – ½ P 123.

NIEUW-VENNEP Noord-Holland 🄲 Haarlemmermeer *106 095 h.* 🔢🔢🔢 H 9 et 🔢🔢🔢 E 5.
Amsterdam 28 – Den Haag 36 – Haarlem 17.

🏨 **De Rustende Jager,** Venneperweg 471, ⊠ 2153 AD, ✆ *(0 252) 62 93 33, Fax (0 252)*
62 93 34, 🏠 – 🛗, 🍽 rest, 📺 ☎ 🅿 – 🛗 25 à 300. 🖭 ⊕ 🗲 𝗩𝗜𝗦𝗔. ⁇
Repas Lunch 25 – carte 45 à 62 – 🍽 13 – **44 ch** 115/145 – ½ P 115.

NIEUWVLIET Zeeland 🆖 Oostburg 17 780 h. **211** A 14 et **408** B 7.
Amsterdam 185 – Brugge 31 – Antwerpen 84 – Middelburg (bac) 17 – Knokke-Heist 21.

à Nieuwvliet-Bad NO : 3 km 🆖 Oostburg :

🏨 **Badhotel Tulip Inn,** Zouterik 2, ⊠ 4504 RX, ℰ (0 117) 37 20 20, Fax (0 117) 37 20 07,
🏖, 𝕝ᵶ, ≘s, 🔼, ℀ – 📧 📺 ☎ 🅿 – 🕍 25 à 250. 🖭 ⓞ 🈸 𝘷𝘪𝘴𝘢. ℀ rest
Repas Lunch 50 bc – 60/100 – **36 ch** ⊂⊃ 130/180 – ½ P 160/200.

NOORBEEK Limburg 🆖 Margraten 13 875 h. **211** O 18 et **408** I 9.
🟦 Dorpsstraat 8, ⊠ 6255 AV, ℰ (0 43) 457 12 06.
Amsterdam 225 – Maastricht 15 – Aachen 26.

🏠 **Bon Repos,** Bovenstraat 17, ⊠ 6255 AT, ℰ (0 43) 457 13 38, 🏖, 🌳 – 📧 ☎ 🅿. ℀
Pâques-1ᵉʳ nov. – **Repas** Lunch 20 – carte env. 55 – **26 ch** ⊂⊃ 140.

NOORDBEEMSTER Noord-Holland **211** J 7 – voir à Purmerend.

NOORDELOOS Zuid-Holland 🆖 Giessenlanden 14 127 h. **211** J 11 et **408** F 6.
Amsterdam 61 – Breda 45 – Den Haag 70 – Rotterdam 43 – Utrecht 31.

XXX **De Gieser Wildeman,** Botersloot 1, ⊠ 4225 PR, ℰ (0 183) 58 25 01, Fax (0 183)
58 29 44, ≤, 🏖 « Terrasse et jardin au bord de l'eau » – 🖃 🅿. 🖭 ⓞ 🈸 𝘷𝘪𝘴𝘢
fermé dim. et 27 juil.-10 août – **Repas** Lunch 58 – carte 93 à 109.

NOORDEN Zuid-Holland **211** I 10 et **408** F 5 – 11 090 h.
Amsterdam 42 – Den Haag 48 – Rotterdam 47 – Utrecht 50.

XX **De Watergeus** 🔽 avec ch, Simon van Capelweg 10, ⊠ 2431 AG, ℰ (0 172) 40 83 98,
Fax (0 172) 40 92 15, ≤, 🏖 « Terrasse au bord de l'eau », 🌳, 🖃 – 📺 ☎ 🅿 – 🕍 25.
🖭 ⓞ 🈸 𝘷𝘪𝘴𝘢 𝒥𝒞ℬ
fermé 27 déc.-2 janv. – **Repas** (fermé lundi) Lunch 48 – 63 – **4 ch** ⊂⊃ 90/140, 1 suite –
½ P 123/143.

NOORDGOUWE Zeeland 🆖 Brouwershaven 3 891 h. **211** D 12 et **408** C 6.
Amsterdam 150 – Rotterdam 74 – Zierikzee 10.

🏠 **Van der Weijde,** Brouwerijstraat 1, ⊠ 4317 AC, ℰ (0 111) 40 14 91, Fax (0 111)
40 21 29, 🌳 – 📺. 🖭 ⓞ 🈸 𝘷𝘪𝘴𝘢
fermé du 5 au 20 oct. – **Repas** Lunch 23 – carte 47 à 84 – **7 ch** ⊂⊃ 71/122 – ½ P 101.

NOORD-SCHARWOUDE Noord-Holland **211** I 6 – voir à Alkmaar.

NOORDWIJK AAN ZEE Zuid-Holland 🆖 Noordwijk 25 463 h. **211** G 9 et **408** E 5 – Station
balnéaire.
🔽 à Noordwijkerhout NE : 5 km, Randweg 25, ⊠ 2204 AL, ℰ (0 252) 37 37 61, Fax (0 252)
37 00 44.
🟦 De Grent 8, ⊠ 2202 EK, ℰ (0 71) 361 93 21, Fax (0 71) 361 69 45.
Amsterdam 40 ① – Den Haag 26 ① – Haarlem 28 ①.

Plan page ci-contre

🏨🏨 **Gd H. Huis ter Duin** 🔽, Koningin Astrid bd 5, ⊠ 2202 BK, ℰ (0 71) 361 92 20,
Fax (0 71) 361 94 01, ≤, 🏖 « Dominant dunes, plage et mer », 𝕝ᵶ, ≘s, 🔼, 🌳, ℀
– 📧 ℀ 📺 ☎ 🅿 – 🕍 25 à 1000. 🖭 ⓞ 🈸 𝘷𝘪𝘴𝘢 AX a
Repas voir rest **Latour** ci-après – **la Terrasse** (ouvert jusqu'à 23 h) Lunch 43 - 58/75 –
242 ch ⊂⊃ 375/470, 19 suites.

🏨🏨 **Oranje en Boulevard,** Koningin Wilhelmina bd 20, ⊠ 2202 GV, ℰ (0 71) 367 68 69
et 367 68 52 (rest), Fax (0 71) 367 68 00, ≤, 𝕝ᵶ, ≘s, 🔼 – 📧 🖃 rest, 📺 ☎ 🔥
🅿 – 🕍 25 à 1200. 🖭 ⓞ 🈸 𝘷𝘪𝘴𝘢 AX d
Repas voir rest **De Palmentuin** ci-après – **De Orangerie** 55/75 – **De Harmonie** (grillades, dîner seult jusqu'à 23 h) carte env. 55 – **250 ch** ⊂⊃ 175/465 – ½ P 153/288.

🏨🏨 **Alexander,** Oude Zeeweg 63, ⊠ 2202 CJ, ℰ (0 71) 361 89 00, Fax (0 71) 361 78 82,
≘s, ℀ – 📧, 🖃 rest, 📺 ☎ 🔥 🅿 – 🕍 50 à 200. 🖭 ⓞ 🈸 𝘷𝘪𝘴𝘢 𝒥𝒞ℬ. ℀ AX b
Repas Lunch 30 – 45/140 – **62 ch** ⊂⊃ 170/240 – ½ P 160/170.

🏨🏨 **Beach,** Koningin Wilhelmina bd 31, ⊠ 2202 GW, ℰ (0 71) 367 68 69, Fax (0 71)
367 68 00, ≤, 𝕝ᵶ, ≘s, 🔼 – 📧, 🖃 rest, 📺 ☎ 🔥 🅿 – 🕍 25 à 75. 🖭 ⓞ 🈸 𝘷𝘪𝘴𝘢 𝒥𝒞ℬ.
℀ rest AX e
Repas De Mangerie 38/53 – **84 ch** ⊂⊃ 325.

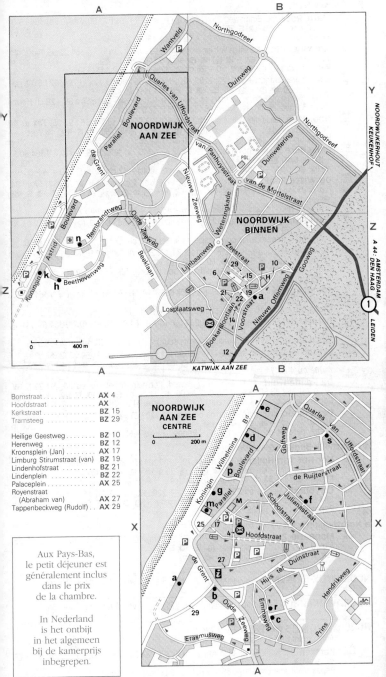

Bomstraat . . . . **AX** 4
Hoofdstraat . . . . **AX**
Kerkstraat . . . . **BZ** 15
Tramsteeg . . . . **BZ** 29

Heilige Geestweg . . . . **BZ** 10
Herenweg . . . . **BZ** 12
Kroonsplein (Jan) . . . . **AX** 17
Limburg Stirumstraat (van) **BZ** 19
Lindenhofstraat . . . . **BZ** 21
Lindenplein . . . . **BZ** 22
Palaceplein . . . . **AX** 25
Royenstraat
    (Abraham van) . . . . **AX** 27
Tappenbeckweg (Rudolf) . . **AX** 29

Aux Pays-Bas,
le petit déjeuner est
généralement inclus
dans le prix
de la chambre.

In Nederland
is het ontbijt
in het algemeen
bij de kamerprijs
inbegrepen.

Marie Rose ⑤, Emmaweg 25, ☒ 2202 CP, ℘ (0 71) 361 73 00, Fax (0 71) 361 73 01 – 🛗 📺 ☎ ⑫. ⒜Ⓔ ⑩ ⒠ 𝘝𝘐𝘚𝘈. 🛇
AX c
Repas (dîner pour résidents seult) – **32 ch** � 150.

Prominent Inn, Koningin Wilhelmina bd 4, ☒ 2202 GR, ℘ (0 71) 361 22 53, Fax (0 71) 361 13 65, ≼, 🛱, 🕳, – 🛗 📺 ☎ ⑫ – 🏛 25. ⒜Ⓔ ⑩ ⒠ 𝘝𝘐𝘚𝘈
AX m
Repas Lunch 33 – carte env. 50 – **26 ch** ⊂ 125/210 – ½ P 113/138.

Zonne, Rembrandtweg 17, ☒ 2202 AT, ℘ (0 71) 361 96 00, Fax (0 71) 362 06 02, 🛱, 🌊, 🛇 – 📺 ☎ ⑫ – 🏛 25. ⒜Ⓔ ⑩ ⒠ 𝘝𝘐𝘚𝘈. 🛇 rest
AZ n
Repas (fermé dim. de nov. à mars et après 20 h Jun) Lunch 38 – carte 54 à 88 – **28 ch** (fermé 25 et 31 déc. et 1er janv.) ⊂ 148/200 – ½ P 123/138.

Noordzee, Koningin Wilhelmina bd 8, ☒ 2202 GS, ℘ (0 71) 361 92 05, Fax (0 71) 361 67 96, ≼, 🛱, 🕳, – 🛗 📺 ☎ ⑫ – 🏛 25 à 120. ⒜Ⓔ ⑩ ⒠ 𝘝𝘐𝘚𝘈. 🛇 rest
AX g
Repas Lunch 43 – carte 55 à 70 – **82 ch** ⊂ 170/285 – ½ P 135/155.

Belvedere ⑤, Beethovenweg 5, ☒ 2202 AE, ℘ (0 71) 361 29 29, Fax (0 71) 364 60 61 – 🛗, 🔲 rest, 📺 ☎ ⑫ – 🏛 35. ⒜Ⓔ ⑩ ⒠ 𝘝𝘐𝘚𝘈. 🛇 rest
AZ h
fermé déc.-janv. – **Repas** (dîner pour résidents seult) – **32 ch** ⊂ 115/160 – ½ P 80/98.

De Witte Raaf ⑤, Duinweg 117 (NE : 4,5 km), ☒ 2204 AT, ℘ (0 252) 37 59 84, Fax (0 252) 37 75 78, 🛱, 🔲, 🌳, 🛇 – 🛗 🗘 📺 ☎ ⑫ – 🏛 25 à 100. ⒜Ⓔ ⑩ ⒠ 𝘝𝘐𝘚𝘈. 🛇
BY
fermé 31 déc.-1er janv. – **Repas** Lunch 40 – 43/53 – **35 ch** ⊂ 140/210.

Fiankema ⑤, Julianastraat 32, ☒ 2202 KD, ℘ (0 71) 362 03 40, Fax (0 71) 362 03 70, 🛱♨, 🕳 – 📺 ⑫. 🛇
AX f
avril-sept. – **Repas** (dîner pour résidents seult) – **30 ch** ⊂ 125/170 – ½ P 85/100.

De Admiraal, Quarles van Uffordstraat 81, ☒ 2202 ND, ℘ (0 71) 361 24 60, Fax (0 71) 361 68 14, 🕳 – 🛗 📺 ☎ ⑫. ⒜Ⓔ ⑩ ⒠ 𝘝𝘐𝘚𝘈. 🛇 ch
AX s
fermé 20 déc.-12 janv. – **Repas** (dîner seult) carte 50 à 75 – **27 ch** ⊂ 90/150 – ½ P 95/100.

Edelman, Koningin Astrid bd 48, ☒ 2202 BE, ℘ (0 71) 361 31 24, Fax (0 71) 361 07 73, ≼, 🛱 – 📺 ☎. ⒜Ⓔ ⑩ ⒠ 𝘝𝘐𝘚𝘈
AZ k
Repas carte 45 à 76 – **26 ch** ⊂ 125/200 – ½ P 70/130.

Astoria ⑤, Emmaweg 13, ☒ 2202 CP, ℘ (0 71) 361 00 14, Fax (0 71) 361 66 44 – 🛗 📺 ☎ ⑫ – 🏛 30. ⒜Ⓔ ⒠ 𝘝𝘐𝘚𝘈. 🛇
AX r
fermé 20 déc.-5 janv. – **Repas** (résidents seult) – **37 ch** ⊂ 100/140 – ½ P 85/95.

Latour - H. Gd H. Huis ter Duin, 1er étage, Koningin Astrid bd 5, ☒ 2202 BK, ℘ (0 71) 361 92 20, Fax (0 71) 361 94 01, ≼ – ⑫. ⒜Ⓔ ⑩ ⒠ 𝘝𝘐𝘚𝘈 𝑱𝑪𝑩. 🛇 rest
AX a
fermé du 4 au 14 janv. – **Repas** Lunch 58 – 95/125.

De Palmentuin - H. Oranje en Boulevard, Koningin Wilhelmina bd 24, ☒ 2202 GV, ℘ (0 71) 367 68 50, Fax (0 71) 367 68 00, ≼, 🛱 – 🔲 ⑫. ⒜Ⓔ ⑩ ⒠ 𝘝𝘐𝘚𝘈. 🛇 AX d
Repas (de sept. à avril dîner seult) Lunch 68 – carte 94 à 128.

Petit Blanc, Koningin Wilhelmina bd 16a, ☒ 2202 GT, ℘ (0 71) 361 48 75, Fax (0 71) 361 48 75, 🛱 – 🔲. ⒜Ⓔ ⑩ ⒠ 𝘝𝘐𝘚𝘈
AX p
fermé merc. et du 1er au 21 janv. – **Repas** Lunch 45 – 60.

à Noordwijk-Binnen Ⓒ Noordwijk :

Het Hof van Holland, Voorstraat 79, ☒ 2201 HP, ℘ (0 71) 361 22 55, Fax (0 71) 362 06 01, 🛱 – 🔲 rest, 📺 ☎ ⑫ – 🏛 25 à 100. ⒜Ⓔ ⑩ ⒠ 𝘝𝘐𝘚𝘈
BZ a
Repas 60/73 – **33 ch** ⊂ 195/350, 2 suites – ½ P 150/195.

Cleyburch, Herenweg 225 (S : 2 km), ☒ 2201 AG, ℘ (0 71) 364 84 48, Fax (0 71) 364 63 66, 🛱, « Ancienne ferme à fromages » – ⑫. ⒜Ⓔ ⑩ ⒠ 𝘝𝘐𝘚𝘈
BZ
Repas Lunch 53 – 59/85.

à Noordwijkerhout NE : 5 km – 15 195 h.

Mangerie Zegers, Herenweg 78 (NE : 1,5 km), ☒ 2211 CD, ℘ (0 252) 37 25 88, Fax (0 252) 37 25 88, 🛱 – 🔲 ⑫. ⒜Ⓔ ⑩ ⒠ 𝘝𝘐𝘚𝘈
fermé mardi – **Repas** Lunch 25 – 48/55.

NOORDWIJK-BINNEN Zuid-Holland 🔢 G 9 et 🔢 E 5 – voir à Noordwijk aan Zee.

NOORDWIJKERHOUT Zuid-Holland 🔢 G 9 et 🔢 E 5 – voir à Noordwijk aan Zee.

NORG Drenthe 🔢 S 4 et 🔢 K 2 – 7 194 h.
Amsterdam 197 – Assen 14 – Groningen 24.

Karsten ⑤, Brink 6, ☒ 9331 AA, ℘ (0 592) 61 34 84, Fax (0 592) 61 22 16, 🛱 – 📺 ☎ ⑫ – 🏛 50 à 100. ⒜Ⓔ ⑩ ⒠ 𝘝𝘐𝘚𝘈. 🛇 rest
Repas Lunch 30 – carte env. 65 – **21 ch** ⊂ 81/190 – ½ P 95/120.

NUENEN Noord-Brabant 🆔 Nuenen, Gerwen en Nederwetten 22 781 h. **🔢** N 14 et **🔢** H 7.
Amsterdam 125 – Eindhoven 8 – 's-Hertogenbosch 39.

🏨 **De Collse Hoeve** 🦅, Collse Hoefdijk 24, 🖂 5674 VK, 𝒫 (0 40) 283 81 11, Fax (0 40)
283 42 55, 🍽️, 🍺 – ■ rest, 🖥️ 🕿 📵 – 🔏 25 à 150. 🖭 E **VISA**
fermé 24 et 31 déc. et 1ᵉʳ janv. – **Repas** Lunch 50 – 55/110 – **42 ch** ☲ 95/175 –
½ P 140/190.

🍴 **De Lindehof,** Beekstraat 1, 🖂 5671 CS, 𝒫 (0 40) 283 73 36, Fax (0 40) 284 01 16 –
■ 🖭 E **VISA**
fermé mardi, merc., 27 juil.-20 août et 28 déc.-10 janv. – **Repas** (dîner seult) 70/80.

NULAND Noord-Brabant 🆔 Maasdonk 11 176 h. **🔢** M 12 et **🔢** H 6.
Amsterdam 94 – 's-Hertogenbosch 12 – Nijmegen 36.

🏨 **Motel Nuland,** Rijksweg 25, 🖂 5391 LH, 𝒫 (0 73) 532 22 31, Fax (0 73) 532 28 60,
⇄ 🍽️ – 🛗, ■ rest, 🖥️ 🕿 – 🔏 25 à 500. 🖭 ⓞ E **VISA**
Repas (ouvert jusqu'à minuit) 45/75 – ☲ 13 – **129 ch** 90/300 – ½ P 135.

NUNSPEET Gelderland **🔢** O 8, **🔢** O 8 et **🔢** I 4 – 25 957 h.
🛏️ 🛏️ Plesmanlaan 30, 🖂 8072 PT, 𝒫 (0 341) 26 17 58, Fax (0 341) 26 11 49.
🅱️ Stationsplein 1, 🖂 8071 CH, 𝒫 0 900-253 04 11.
Amsterdam 84 – Arnhem 59 – Apeldoorn 36 – Utrecht 66 – Zwolle 28.

🏨 **Het Roode Wold,** Elspeterweg 24, 🖂 8071 PA, 𝒫 (0 341) 26 01 34, Fax (0 341)
25 65 08, 🍽️, « Terrasse et jardin », 🦅 – 🖥️ 🕿 📵 – 🔏 25 à 70. 🖭 E **VISA**
fermé 31 déc. et 1ᵉʳ janv. – **Repas** Lunch 50 – 53/63 – **14 ch** ☲ 113/155 – ½ P 110/145.

NUTH Limburg **🔢** P 17 et **🔢** I 9 – 16 714 h.
Amsterdam 207 – Maastricht 19 – Heerlen 8 – Aachen 24.

🍴 **Pingerhof,** Pingerweg 11, 🖂 6361 AL, 𝒫 (0 45) 524 17 99, Fax (0 45) 524 20 23, 🍽️,
« Rustique, terrasse et jardin » – 📵. 🖭 ⓞ E **VISA**
fermé merc. – **Repas** Lunch 50 – 85/93.

NIJKERK Gelderland **🔢** M 9 et **🔢** H 5 – 26 957 h.
Amsterdam 60 – Apeldoorn 53 – Utrecht 45 – Zwolle 57.

🏨 **Het Ampt van Nijkerk,** Berencamperweg 4, 🖂 3861 MC, 𝒫 (0 33) 247 16 16,
Fax (0 33) 247 16 00, ⇄, 🍺, 🔲 – 🛗 🖥️ 🕿 🕭 📵 – 🔏 25 à 250. 🖭 ⓞ E **VISA**. 🦅 rest
Repas 50 – ☲ 28 – **110 ch** 175/225 – ½ P 175/300.

🍴 **de Salentein,** Putterstraatweg 7 (NE : 1,5 km), 🖂 3862 RA, 𝒫 (0 33) 245 41 14,
Fax (0 33) 246 20 18, 🍽️ – 📵 – 🔏 25 à 175. 🖭 E **VISA**
fermé dim. et 27 juil.-15 août – **Repas** Lunch 40 – 55/125.

NIJMEGEN Gelderland **🔢** O 11 et **🔢** I 6 – 147 600 h. – Casino Y , Waalkade 68, 🖂 6511 XP,
𝒫 (0 24) 360 00 00, Fax (0 24) 360 16 02.
Voir Poids public★ (Waag) BC – Chapelle St-Nicolas★ (St. Nicolaaskapel) C **R**.
Musée : Nationaal Fietsmuseum Velorama★ C Mˢ.
🛏️ (2 parcours) à Groesbeek SE : 9 km, Postweg 17, 🖂 6561 KJ, 𝒫 (0 24) 397 66 44,
Fax (0 24) 397 69 42.
🅱️ St-Jorisstraat 72, 🖂 6511 TD, 𝒫 0 900-112 23 44, Fax (0 24) 360 14 29.
Amsterdam 119 ① – Arnhem 19 ① – Duisburg 114 ②.

Plan page suivante

🏨 **Mercure,** Stationsplein 29, 🖂 6512 AB, 𝒫 (0 24) 323 88 88, Fax (0 24) 324 20 90, 🛗,
⇄ – 🛗 🦅 🖥️ 🕿 🕭 📵 – 🔏 25 à 90. 🖭 ⓞ E **VISA** **JCB**   B r
Repas (fermé dim. midi) 45 – ☲ 23 – **104 ch** 160/185 – ½ P 200/220.

🏨 **Belvoir,** Graadt van Roggenstraat 101, 🖂 6522 AX, 𝒫 (0 24) 323 23 44, Fax (0 24)
323 99 60, 🍺, 🔲 – 🛗 🖥️ 🕿 📵 – 🔏 25 à 350. 🖭 ⓞ E **VISA**. 🦅 rest   C p
Repas (dîner seult) (fermé sam. et dim.) 45 – ☲ 25 – **74 ch** 145/210 – ½ P 202/237.

🏨 **Bastion,** Neerbosscheweg 614, 🖂 6544 LL, 𝒫 (0 24) 373 01 00, Fax (0 24) 373 03 73,
⇄ – 🖥️ 🕿 📵. 🖭 ⓞ E **VISA**. 🦅   A e
Repas (grillades, ouvert jusqu'à 23 h) 45 – **40 ch** ☲ 131/147.

🍴 **Chalet Brakkestein,** Driehuizerweg 285, 🖂 6525 PL, 𝒫 (0 24) 355 39 49, Fax (0 24)
356 46 19, ≤, 🍽️, « Demeure du 18ᵉ s., parc » – 📵. 🖭 ⓞ E **VISA**   A n
fermé carnaval et 24 et 31 déc. – **Repas** (dîner seult) 60/70.

🍴 **Het Heimwee,** Oude Haven 76, 🖂 6511 XH, 𝒫 (0 24) 322 22 56, Fax (0 24) 322 22 56,
🍽️ – ■. 🖭 ⓞ E **VISA**   B c
fermé 31 déc. – **Repas** carte 59 à 76.

NIJMEGEN

Augustinenstr.	B 4
Bloemerstr.	B
Broerstr.	BC
Burchtstr.	B
Lange Hezelstr.	B
Molenstr.	B
Passage	
Molenpoort	B 45
Plein 1944	B
Ziekerstr.	BC

Almaraseweg	A 3
Barbarossastr.	C 6
van Berchenstr.	B 7
in de Betouwstr.	B 9
Bisschop	
Hamerstr.	B 10
van Broeckhuysen	
straat	C 12
van Demerbroeck	
straat	B 13
Gerard Noodstr.	C 15
Graadt Roggenstr.	C 16
Groesbeekseweg	B 18
Grote Markt	B 19
Grotestr.	C 21
Heyendaalseweg	A 22
Houtlaan	A 24
Industrieweg	A 25
Jonkerbospl.	A 27
Julianapl.	C 28
Keizer	
Traianusplein	C 30
Kelfkenbos	C 31
Kwakkenbergweg	A 33
Mr. Franckenstr.	C 34
Muntweg	A 36
Nassausingel	B 37
Nieuwe	
Ubbergseweg	A 39
Nonnenstr.	B 40
van Oldenbarnevelt	
straat	B 42

Oude Kleefse Baan	A 43
Prins	
Bernhardstr.	C 46
Prins	
Hendrikstr.	C 48
Regulierstr.	B 49
van Schevichaven	
straat	C 51
Sionsweg	A 52

Slotemaker	
de Brüneweg	A 54
Stationspl.	B 55
Stikke Hezelstr.	B 57
van Triestr.	B 58
Tunnelweg	B 60
Tweede Walstr.	B 61
Weg door Jonkerbos	A 63
Wilhelminasingel	B 64

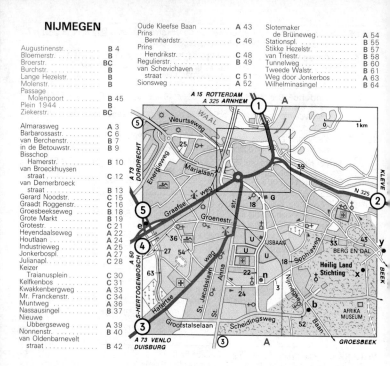

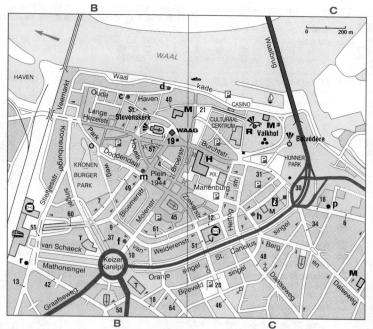

X **De Schat,** Lage Markt 79, ⊠ 6511 VK, ℰ (0 24) 322 40 60 – ≣. **ΛΕ ⊙ Ε** VISA JCB
fermé lundi et du 24 au 31 déc. – **Repas** (dîner seult jusqu'à 23 h) 60/73. B d

X **Het Savarijn,** Van der Brugghenstraat 14, ⊠ 6511 SL, ℰ (0 24) 323 26 15, Fax (0 24)
360 51 67, 🏠 – ≣. **ΛΕ ⊙ Ε** VISA. ⋘ C h
fermé du 18 au 24 juil., 24 et 31 déc., sam. midi et dim. midi – **Repas** Lunch 48 – carte 45
à 65.

X **Hoo Wah** 1er étage, Plein 1944 nr 52, ⊠ 6511 JE, ℰ (0 24) 322 01 52, Fax (0 24)
324 16 97, Cuisine asiatique – ≣. **ΛΕ ⊙ Ε** VISA B m
fermé lundi de carnaval, mardis non fériés et dim. midi – **Repas** Lunch 16 – 59 (2 pers. min.).

X **Claudius,** Bisschop Hamerstraat 12, ⊠ 6511 NB, ℰ (0 24) 322 14 56, Fax (0 24)
322 14 56, 🏠, Grillades – **ΛΕ ⊙ Ε** VISA B f
fermé lundi – **Repas** (dîner seult jusqu'à 23 h) carte env. 70.

à Berg en Dal Ⓒ Groesbeek 18 881 h :

🏛 **Val-Monte** 🦢, Oude Holleweg 5, ⊠ 6572 AA, ℰ (0 24) 684 20 00, Fax (0 24)
684 33 53, ≼, 🏠, « Jardin », 🔲 – 📱 🔟 ☎ & ❷ – 🔬 25 à 140. **ΛΕ ⊙ Ε** VISA. ⋘
Repas Lunch 42 – carte 45 à 83 – **98 ch** � 175/215, 1 suite – ½ P 120. A y

🏛 **Erica** 🦢, Molenbosweg 17, ⊠ 6571 BA, ℰ (0 24) 684 35 14, Fax (0 24) 684 36 13,
« Environnement boisé », ⊜, 🔲, 🌫, ⋙ – 📱 🔟 ☎ & ❷ – 🔬 25 à 250. **ΛΕ ⊙ Ε**
VISA. ⋘ rest A x
fermé 30 déc.-3 janv. – **Repas** (fermé après 20 h) 45 – **59 ch** ⊑ 140/250 – ½ P 125/227.

à Beuningen par ⑤ : 7 km – 24 291 h :

X **De Prins,** Van Heemstraweg 79, ⊠ 6641 AB, ℰ (0 24) 677 12 17, Fax (0 24) 677 81 26,
🏠 – ❷. **ΛΕ ⊙ Ε** VISA. ⋘
fermé lundi et fin juil.-début août – **Repas** Lunch 38 – 55.

à Groesbeek SE : 9 km par Nijmeegsebaan A – 18 881 h :

X **Gasterij de Ottenhoff,** Burg. Ottenhoffstraat 20a, ⊠ 6561 CM, ℰ (0 24) 397 73 99,
Fax (0 24) 397 76 16, 🏠 – ❷. **ΛΕ ⊙ Ε** VISA JCB. ⋘
fermé merc. et fév. – **Repas** (dîner seult jusqu'à minuit) carte 72 à 101.

à Heilig Land-Stichting Ⓒ Groesbeek 18 881 h :

🏛 **Sionshof,** Nijmeegsebaan 53, ⊠ 6564 CC, ℰ (0 24) 322 77 27, Fax (0 24) 322 62 23,
🏠 – 🔟 ☎ ❷ – 🔬 25 à 80. **ΛΕ ⊙ Ε** VISA. ⋘ A b
Repas (fermé après 20 h 30) Lunch 15 – carte 50 à 67 – **22 ch** ⊑ 75/200 – ½ P 99.

ODOORN Drenthe 🔢 V 5 et 🔢 L 3 – 12 580 h.
Amsterdam 185 – Assen 32 – Emmen 8 – Groningen 49.

🏠 **De Oringer Marke,** Hoofdstraat 9, ⊠ 7873 BB, ℰ (0 591) 51 28 88, Fax (0 591)
51 28 11 – 🔟 ☎ ❷ – 🔬 30 à 150. **Ε** VISA. ⋘ rest
Repas Lunch 25 – carte env. 50 – **36 ch** ⊑ 110/165 – ½ P 95/115.

🏠 **De Stee,** Hoofdstraat 24, ⊠ 7873 BC, ℰ (0 591) 51 22 63, Fax (0 591) 51 36 18 – 🔟
☎ ❷ – 🔬 30. **Ε** VISA. ⋘ ch
Repas (fermé après 20 h) 45 – **11 ch** ⊑ 80/120.

à Exloo N : 4 km Ⓒ Odoorn :

🏠 **De Meulenhoek,** Hoofdstraat 61, ⊠ 7875 AB, ℰ (0 591) 54 91 88, Fax (0 591)
54 96 49, 🏠 – 🔟 ☎ & ❷. **ΛΕ Ε** VISA. ⋘ ch
fermé du 1er au 16 janv. – **Repas** carte env. 50 – **14 ch** ⊑ 105/140 – ½ P 113/130.

à Valthe E : 3 km Ⓒ Odoorn :

X **De Gaffel,** Odoornerweg 1, ⊠ 7872 PA, ℰ (0 591) 51 35 36, Fax (0 591) 51 31 85, 🏠,
« Ancienne ferme saxonne » – **ΛΕ ⊙ Ε** VISA JCB
fermé du 13 au 28 juil., 28 déc.-5 janv., mardi d'oct. à mai et lundi – **Repas** Lunch 50 – 53/78.

OEFFELT Noord-Brabant Ⓒ Boxmeer 20 503 h. 🔢 P 12 et 🔢 I 6.
Amsterdam 135 – Eindhoven 52 – 's-Hertogenbosch 62 – Nijmegen 26.

X **'t Veerhuis** 🦢 avec ch, Veerweg 2 (direction Gennep puis rte à gauche), ⊠ 5441 PL,
ℰ (0 485) 36 13 13, Fax (0 485) 36 28 14, 🏠, « Terrasse avec ≼ Meuse (Maas) » – ❷.
ΛΕ ⊙ Ε VISA. ⋘
fermé sam. midi, dim. midi, lundi et mardi – **Repas** Lunch 38 – carte env. 55 – **6 ch** ⊑ 85/100.

OEGSTGEEST Zuid-Holland 🔢 G 9 et 🔢 E 5 – voir à Leiden.

OHÉ en LAAK Limburg 🄲 Maasbracht 13 781 h. **211** O 16-P 16 et **408** I 8.
Amsterdam 182 – Eindhoven 56 – Maastricht 29 – Roermond 14.

🏠 **Lakerhaof,** Walburgisstraat 3, ⊠ 6109 RE, ℘ (0 475) 55 16 54, Fax (0 475) 55 21 44, 🌤, 🐎 – 🔟 🕿 🄿, 🖭 🕦 ⋿ rest, ❌ rest
fermé du 27 au 31 déc. – **Repas** Lunch 35 – carte env. 55 – **8 ch** ⊐ 75/130 – ½ P 90/95.

OIRSCHOT Noord-Brabant **211** L 13 et **408** G 7 – 11 725 h.
🄱 Torenstraat 2, ⊠ 5688 AM, ℘ (0 499) 57 29 70.
Amsterdam 117 – 's-Hertogenbosch 28 – Eindhoven 17 – Tilburg 21.

🏠 **De Kroon,** Rijkesluisstraat 6, ⊠ 5688 ED, ℘ (0 499) 57 10 95, Fax (0 499) 57 57 85, 🌤 – 🔟 🕿. 🖭 🕦 ⋿ 🔟 🖭 🕦 ⋿ 🆅🆂🆂 �🄹🄲🄱. ❌ ch
fermé 20 déc.-2 janv. – **Repas** Lunch 33 – carte env. 65 – **12 ch** ⊐ 110/138 – ½ P 138/157.

❌❌ **La Fleurie,** Rijkesluisstraat 4, ⊠ 5688 ED, ℘ (0 499) 57 41 36, 🌤 – 🖭 🕦 ⋿ 🆅🆂🆂 �🄹🄲🄱. ❌
fermé lundi et 28 déc.-10 janv. – **Repas** Lunch 40 – 50/80.

OISTERWIJK Noord-Brabant **211** L 13 et **408** G 7 – 19 096 h.
Voir Site★.
🄱 De Lind 57, ⊠ 5061 HT, ℘ (0 13) 528 23 45.
Amsterdam 106 – 's-Hertogenbosch 17 – Tilburg 10.

🏰 **De Swaen,** De Lind 47, ⊠ 5061 HT, ℘ (0 13) 523 32 33, Fax (0 13) 528 58 60, 🌤, « Terrasse et jardin fleuri » – 📶 ☰ 🔟 🕿 🄿 – 🔏 25. 🖭 🕦 ⋿ 🆅🆂🆂
fermé lundi et mardi de carnaval et 2 sem. en juil. – **Repas** voir rest **De Swaen** ci-après – **Aub. De Jonge Swaen** (fermé mardi) Lunch 45 - 58 – ⊐ 33 – **22 ch** 285/325, 2 suites – ½ P 240/340.

🏰 **Landgoed De Rosep** 🐾, Oirschotsebaan 15 (SE : 3 km), ⊠ 5062 TE, ℘ (0 13) 528 88 25, Fax (0 13) 528 56 61, 🌤, « Terrasse et pièce d'eau », 🏃, ♒, 🐎, ❌ – ☰ rest, 🔟 🕿 🄿 – 🔏 25 à 350. 🖭 🕦 ⋿ 🆅🆂🆂. ❌ rest
Repas 50/58 – **56 ch** ⊐ 190/250 – ½ P 160.

🏰 **Bos en Ven** 🐾, Klompven 26, ⊠ 5062 AK, ℘ (0 13) 528 88 56, Fax (0 13) 528 68 10, ≤, 🌤, « Terrasse », 🐎 – 📶, ☰ rest, 🔟 🕿 🄿 – 🔏 25 à 150. 🖭 🕦 ⋿ 🆅🆂🆂
Repas Lunch 50 – 58/95 – **31 ch** ⊐ 193/245 – ½ P 175.

🏠 **Bosrand,** Gemullehoekenweg 60, ⊠ 5062 CE, ℘ (0 13) 521 90 15, Fax (0 13) 528 63 66, 🐎 – 🔟 🕿 🄿 – 🔏 25 à 45. 🖭 🕦 ⋿ 🆅🆂🆂 �🄹🄲🄱. ❌ rest
fermé 29 déc.-4 janv. – **Repas** (dîner pour résidents seult) – **25 ch** ⊐ 95/140 – ½ P 98/118.

🏠 **De Blauwe Kei** 🐾, Rosepdreef 4 (SE : 3 km), ⊠ 5062 TB, ℘ (0 13) 528 23 14, ⊜ Fax (0 13) 528 22 21, 🌤, « Dans les bois » – 🕿 🄿. 🖭 ⋿ 🆅🆂🆂. ❌
fermé 3 prem. sem. janv. et lundi, mardi et merc. de nov. à mars – **Repas** Lunch 35 – 45/85 – **11 ch** ⊐ 75/140 – ½ P 85/90.

❌❌❌❌ **De Swaen** (Spijkers) - H. De Swaen, De Lind 47, ⊠ 5061 HT, ℘ (0 13) 523 32 33, 🍃 Fax (0 13) 528 58 60, ≤, 🌤 – ☰ 🄿. 🖭 🕦 ⋿ 🆅🆂🆂
fermé lundi, carnaval et 2 sem. en juil. – **Repas** Lunch 75 – 145/185, carte 120 à 190
Spéc. Symphonie de salades maison. Coquelet à la vapeur de truffes. Tête de veau façon du chef.

❌❌ **De Jonge Hertog,** Moergestelseweg 123 (SO : 3 km), ⊠ 5062 SP, ℘ (0 13) 528 22 20, Fax (0 13) 528 73 16, ≤, 🌤 – 🄿. 🖭 ⋿ 🆅🆂🆂
fermé merc. – **Repas** 50/89.

❌❌ **Rasa Senang,** Gemullehoekenweg 127, ⊠ 5062 CC, ℘ (0 13) 528 60 86, Fax (0 13) 528 30 40, 🌤, Cuisine indonésienne – 🄿. 🖭 🕦 ⋿ 🆅🆂🆂
fermé lundi d'oct. à mars – **Repas** (dîner seult) 49/85.

❌❌ **De Parel** 🐾 avec ch, Scheibaan 17 (SE : 4,5 km), ⊠ 5062 TM, ℘ (0 13) 528 25 25, Fax (0 13) 528 54 14, 🌤, ♒, 🏊, 🐎, ❌ – ☰ rest, 🔟 🕿 🄿 – 🔏 25 à 80. 🖭 🕦 ⋿ 🆅🆂🆂. ❌
fermé 31 déc. soir – **Repas** 55/68 – **8 ch** ⊐ 145/300 – ½ P 125/150.

❌ **Roberto,** Burg. Verwielstraat 11, ⊠ 5061 JA, ℘ (0 13) 528 23 12, 🌤, Cuisine italienne, « Terrasse fleurie » – 🖭 ⋿
Repas (dîner seult) carte env. 50.

OLDEBERKOOP Friesland 🄲 Ooststellingwerf 25 070 h. **210** Q 5 et **408** J 3.
Amsterdam 127 – Assen 41 – Groningen 65 – Leeuwarden 50 – Steenwijk 23.

❌❌ **Lunia** avec ch, Molenhoek 2, ⊠ 8421 PG, ℘ (0 516) 45 10 57, Fax (0 516) 45 10 20, 🌤, 🐎, ❌ – 🕿 🄿 – 🔏 30. 🖭 ⋿ 🆅🆂🆂
fermé 25 janv.-11 fév. – **Repas** (fermé mardi) 48/80 – **18 ch** ⊐ 120 – ½ P 100.

OLDENZAAL *Overijssel* 🔢 V 9, 🔢 V 9 et 🔢 L 5 – *30 698 h.*

🛈 *Ganzenmarkt 3,* ✉ *7571 CD,* ☎ *(0 541) 51 40 23, Fax (0 541) 51 75 42.*
Amsterdam 161 – Zwolle 74 – Enschede 11.

🏨 **Ter Stege,** *Markt 1,* ✉ *7571 ED,* ☎ *(0 541) 51 21 02, Fax (0 541) 52 12 08,* 🍴 – 📺
☎ – 🔒 *25 à 450.* 🖭 ① ☰ 𝑽𝑰𝑺𝑨
fermé mardi midi et dim. d'oct. à avril – **Repas** (Taverne-rest) *(fermé après 20 h)* 45 – **14 ch**
☲ *85/135 –* ½ P *70/93.*

🏨 **De Kroon,** *Steenstraat 17,* ✉ *7571 BH,* ☎ *(0 541) 51 24 02, Fax (0 541) 52 06 30 –* 📶
📺 ☎ – 🔒 *30.* 🖭 ① ☰ 𝑽𝑰𝑺𝑨
Repas (dîner pour résidents seult) – **25 ch** ☲ *155 –* ½ P *105/115.*

OLTERTERP *Friesland* 🔢 Q 4 – *voir à Beetsterzwaag.*

OMMEN *Overijssel* 🔢 S 7 et 🔢 K 4 – *18 355 h.*

🛥 *à Arriën NE : 2 km, Hessenweg Oost 3a,* ✉ *7735 KP,* ☎ *(0 529) 45 59 99, Fax (0 529)*
45 57 77.
🛈 *Markt 1,* ✉ *7731 DB,* ☎ *(0 529) 45 16 38, Fax (0 529) 45 56 75.*
Amsterdam 134 – Zwolle 24 – Assen 59 – Enschede 59.

🏨 **De Herbergier,** *Hammerweg 40,* ✉ *7731 AK,* ☎ *(0 529) 45 15 92, Fax (0 529)*
45 51 92, 🍴, 🏊 – 📺 ☎ 🅿 – 🔒 *60.* 🕸
Repas (dîner seult jusqu'à 20 h) 45 – **14 ch** ☲ *88/135 –* ½ P *103/113.*

🍴🍴🍴 **De Zon** avec ch, *Voorbrug 1,* ✉ *7731 BB,* ☎ *(0 529) 45 55 50, Fax (0 529) 45 62 35,*
≤, 🍴, « *Terrasse en bordure de rivière* », 🕳, 🚲 – 📶 📺 ☎ 🅿 – 🔒 *25 à 100.* 🖭
① ☰ 𝑽𝑰𝑺𝑨 𝗝𝗖𝗕. 🕸
Repas (ouvert jusqu'à 23 h) *(fermé 1ᵉʳ janv.)* 60/85 – **31 ch** ☲ *120/250 –* ½ P *110/170.*

OMMOORD *Zuid-Holland* 🔢 ㊵ N et 🔢 ㉕ N – *voir à Rotterdam, périphérie.*

OOSTBURG *Zeeland* 🔢 A 15 et 🔢 B 8 – *17 780 h.*

🛈 *Brugsevaart 10,* ✉ *4501 NE,* ☎ *(0 117) 45 34 10, Fax (0 117) 45 55 11.*
Amsterdam (bac) 217 – Brugge 27 – Middelburg (bac) 20 – Knokke-Heist 18.

🍴🍴🍴 **De Eenhoorn,** *Markt 1,* ✉ *4501 CJ,* ☎ *(0 117) 45 27 28,* 🍴 – 🖭 ① ☰ 𝑽𝑰𝑺𝑨
𝗝𝗖𝗕
fermé du 5 au 14 juin, du 1ᵉʳ au 18 janv., vend. soir et sam. hors saison et après 20 h 30
– **Repas** 65/110.

OOSTERBEEK *Gelderland* Ⓒ *Renkum 32 453 h.* 🔢 P 11 et 🔢 I 6.

🛈 *Utrechtseweg 216,* ✉ *6862 AZ,* ☎ *(0 26) 333 31 72.*
Amsterdam 97 – Arnhem 6.

🏨 **De Bilderberg** 🌿, *Utrechtseweg 261,* ✉ *6862 AK,* ☎ *(0 26) 334 08 43, Fax (0 26)*
333 46 51, 🍴, « *Environnement boisé* », 🕳, 🏊, 🎾 – 📶 📺 ☎ 🅿 – 🔒 *25 à 200.* 🖭
① ☰ 𝑽𝑰𝑺𝑨 𝗝𝗖𝗕. 🕸 rest
fermé 31 déc. et 1ᵉʳ janv. – **Repas** Lunch 53 – 58/80 – ☲ *33 –* **144 ch** 230/320 –
½ P *155/270.*

🏨 **Tulip Inn,** *Stationsweg 6,* ✉ *6861 EG,* ☎ *(0 26) 334 30 34, Fax (0 26) 334 20 11,* 🕳,
🕳, 🚲 – 📶 📺 ☎ 🅿 – 🔒 *25 à 60.* 🖭 ① ☰ 𝑽𝑰𝑺𝑨 𝗝𝗖𝗕. 🕸 rest
fermé 27 déc.-11 janv. – **Repas** (fermé dim.) Lunch 40 – 45/65 – **28 ch** ☲ *175/195 –*
½ P *115/135.*

OOSTEREND (AASTEREIN) *Friesland* 🔢 M 2 et 🔢 H 1 – *voir à Waddeneilanden (Terschelling).*

OOSTEREND *Noord-Holland* 🔢 J 4 et 🔢 F 2 – *voir à Waddeneilanden (Texel).*

OOSTERHOUT *Gelderland* Ⓒ *Valburg 12 886 h.* 🔢 P 11 et 🔢 I 6.
Amsterdam 113 – Arnhem 22 – Nijmegen 8.

🍴🍴 **De Altena,** *Waaldijk 38,* ✉ *6678 MC,* ☎ *(0 481) 48 21 96, Fax (0 481) 48 21 96,* ≤, 🍴
– 🍽 🅿. 🖭 ① ☰ 𝑽𝑰𝑺𝑨 𝗝𝗖𝗕. 🕸
fermé lundi et 2 prem. sem. janv. – **Repas** (dîner seult) 55.

OOSTERHOUT Noord-Brabant 𝟮𝟭𝟭 J 13 et 𝟰𝟬𝟴 F 7 – 51 046 h.

- 🚅 Dukaatstraat 21, ✉ 4903 RN, ℰ (0 162) 45 87 59, Fax (0 162) 43 32 85.
- 🅱 Bouwlingplein 1, ✉ 4901 KZ, ℰ (0 162) 44 44 59, Fax (0 162) 43 10 48.

Amsterdam 92 – Breda 8 – 's-Hertogenbosch 38 – Rotterdam 58.

🏨 **AC Hotel,** Beneluxweg 1 (S : 2 km, près A 27), ✉ 4904 SJ, ℰ (0 162) 45 36 43, Fax (0 162) 43 46 62 – 🛗 📺 ☎ 🔥 🅿 – 🔬 25 à 250. 🆎 ⓪ 🇪 𝚅𝙸𝚂𝙰
Repas (avec buffet) Lunch 12 – carte env. 50 – ☞ 15 – **63 ch** 115.

🏨 **Golden Tulip,** Waterlooplein 50, ✉ 4901 EN, ℰ (0 162) 45 20 03, Fax (0 162) 43 50 03, 🏧, 🚄 – 🛗 📺 ☎ – 🔬 25 à 300. 🆎 ⓪ 🇪 𝚅𝙸𝚂𝙰. ⚘ rest
Repas Lunch 43 – carte env. 70 – **49 ch** ☞ 120/150, 2 suites – ½ P 158/191.

🏛 **Le Bouc,** Heuvel 15, ✉ 4901 KB, ℰ (0 162) 45 08 88, Fax (0 162) 43 76 13, 🏧, « Terrasse sur parc » – 🍽. 🇪 𝚅𝙸𝚂𝙰. ⚘
fermé dim., lundi, 15 fév.-3 mars et du 9 au 24 août – **Repas** Lunch 44 – 53/69.

🏛 **De Vrijheid,** Heuvel 11, ✉ 4901 KB, ℰ (0 162) 43 32 43, Fax (0 162) 43 37 83 – 𝚅𝙸𝚂𝙰. ⚘
fermé lundi, 16 fév.-3 mars et du 10 au 24 août – **Repas** 40.

OOSTERSCHELDEDAM, Stormvloedkering (Barrage de l'ESCAUT ORIENTAL) ★★★
Zeeland 𝟮𝟭𝟭 C 3 et 𝟰𝟬𝟴 C 7 G. Hollande.

OOSTERWOLDE Friesland 𝐂 Ooststellingwerf 25 070 h. 𝟮𝟭𝟬 R 5 et 𝟰𝟬𝟴 J 3.
Amsterdam 194 – Leeuwarden 46 – Assen 30.

🏛 **De Zon,** Stationsstraat 1, ✉ 8431 ET, ℰ (0 516) 51 24 30, Fax (0 516) 51 30 68 – 🛗 📺 ☎ 🅿 – 🔬 25 à 300. 🆎 ⓪ 🇪 𝚅𝙸𝚂𝙰 𝙹𝙲𝙱. ⚘ rest
Repas (fermé après 20 h) 45/60 – ☞ 15 – **34 ch** 100 – ½ P 85/95.

🏛 **De Kienstobbe,** Houtwal 4, ✉ 8431 EW, ℰ (0 516) 51 55 55, « Rustique » – 🍽. 🇪
fermé dim. et lundi
Repas 50/70.

OOSTKAPELLE Zeeland 𝐂 Domburg 3 905 h. 𝟮𝟭𝟭 B 13 et 𝟰𝟬𝟴 B 7.
Amsterdam 186 – Middelburg 12 – Rotterdam 107.

🏛 **Villa Magnolia** 🦅 sans rest, Oude Domburgseweg 20, ✉ 4356 CC, ℰ (0 118) 58 19 80, « Jardin fleuri » – 🔄 📺 ☎ 🅿. ⚘
15 fév.-oct. – **16 ch** ☞ 65/140.

OOST-VLIELAND Friesland 𝟮𝟭𝟬 K 3 et 𝟰𝟬𝟴 G 2 – voir à Waddeneilanden (Vlieland).

OOSTVOORNE Zuid-Holland 𝐂 Westvoorne 13 810 h. 𝟮𝟭𝟭 E 11 et 𝟰𝟬𝟴 D 6 - ㉓ S.
Amsterdam 106 – Den Haag 43 – Brielle 6 – Rotterdam 41.

🏛 **Duinoord,** Zeeweg 23, ✉ 3233 CV, ℰ (0 181) 48 20 44, Fax (0 181) 48 57 26 – 🛗 📺 ☎ 🅿. 🆎 ⓪ 🇪 𝚅𝙸𝚂𝙰. ⚘
fermé Noël – **Repas** carte 45 à 65 – **28 ch** ☞ 100/150.

🏛 **Parkzicht,** Stationsweg 61, ✉ 3233 CS, ℰ (0 181) 48 22 84, Fax (0 181) 48 56 16 – 🇪 𝚅𝙸𝚂𝙰
fermé dim., lundi et 3 prem. sem. janv. – **Repas** Lunch 58 – carte env. 90.

OOTMARSUM Overijssel 𝟮𝟭𝟬 V 8 et 𝟰𝟬𝟴 L 4 – 4 399 h.

Voir Village★.

🅱 Markt 1, ✉ 7631 BW, ℰ (0 541) 29 21 83, Fax (0 541) 29 18 84.
Amsterdam 165 – Zwolle 67 – Enschede 28.

🏨 **De Wiemsel** 🦅, Winhofflaan 2 (E : 1 km), ✉ 7631 HX, ℰ (0 541) 29 21 55, Fax (0 541) 29 32 95, 🏧, « Terrasse avec 🏊 et jardin fleuris », 🚄, 🔲, ⚒, 🦌 – 📺 ☎ 🔥 🅿 – 🔬 25 à 90. 🆎 ⓪ 🇪 𝚅𝙸𝚂𝙰
Repas voir rest **De Wanne** ci-après – **De Gouden Korenaar** Lunch 65 - carte 90 à 113 – **44 ch** ☞ 305/385, 5 suites – ½ P 255/310.

🏨 **Twents Gastenhoes,** Molenstraat 22, ✉ 7631 AZ, ℰ (0 541) 29 30 85, Fax (0 541) 29 20 67, 🔲, ⚒ – 📺 ☎ 🅿 – 🔬 30. 🆎 ⓪ 🇪 𝚅𝙸𝚂𝙰 𝙹𝙲𝙱. ⚘ rest
fermé du 2 au 31 janv. – **Repas** carte env. 50 – **38 ch** ☞ 131/193 – ½ P 87/115.

🏨 **Van der Maas,** Grotestraat 7, ✉ 7631 BT, ℰ (0 541) 29 12 81, Fax (0 541) 29 34 62 – 🍽 rest, 📺 ☎ – 🔬 30 à 100. 🆎 ⓪ 🇪 𝚅𝙸𝚂𝙰. ⚘
fermé du 3 au 12 mars et du 7 au 26 nov. – **Repas** (fermé après 20 h) Lunch 29 – carte 49 à 69 – **20 ch** ☞ 95/145 – ½ P 80/95.

🏨 **De Rozenstruik** sans rest, Denekamperstraat 15, ✉ 7631 AA, ℰ (0 541) 29 23 21, 🌿 – 📺 ☎ 🔥 🅿 🇪
10 ch ☞ 117.

De Wanne - H. De Wiemsel, Winhofflaan 2 (E : 1 km), ⊠ 7631 HX, ℘ (0 541) 29 21 55, Fax (0 541) 29 32 95, 🍽, « Terrasse et jardin » – **❶**. 🖭 ⓞ **Ε** ₢₣₣
fermé du 1er au 21 juil., dim. et lundi – **Repas** (dîner seult) 110/140, carte env. 115
Spéc. Calamar frit en salade et tapenade. Foie d'oie fondu sur choucroute aux pommes. Dorade grillée aux gnocchis d'épinards et jambon Jabugo.

à Lattrop NE : 6 km Ⓒ Denekamp 12 413 h :

De Holtweijde ≪, Spiekweg 7, ⊠ 7635 LP, ℘ (0 541) 22 92 34, Fax (0 541) 22 94 45, 🍽, « Environnement campagnard boisé », 🆘, 🖾, ♨, 🛥, 🎾 – 🛗 🖭 ☎ **❶** – 🏌 25 à 200. 🖭 **Ε** ₣₣₣. ✂
Repas carte 53 à 81 – ⌑ 28 – **18 ch** 195/245, 27 suites – ½ P 185/255.

ORANJEWOUD Friesland ₂₁₀ P 5 et ₄₀₈ I 3 – voir à Heerenveen.

OSS Noord-Brabant ₂₁₁ N 12 et ₄₀₈ H 6 – 63 199 h.
₉ à Nistelrode SE : 7 km, Slotenseweg 11, ⊠ 5388 RC, ℘ (0 412) 61 19 92, Fax (0 412) 61 28 98.
🅱 Spoorlaan 24, ⊠ 5348 KB, ℘ (0 412) 63 36 04, Fax (0 412) 65 20 93.
Amsterdam 102 – Arnhem 49 – Eindhoven 51 – 's-Hertogenbosch 20 – Nijmegen 29.

City, Raadhuislaan 43, ⊠ 5341 GL, ℘ (0 412) 63 33 75, Fax (0 412) 62 26 55 – 🛗 🖭 ☎ **❶** – 🏌 25 à 130. 🖭 ⓞ **Ε** ₣₣₣ ₵₵₵. ✂ ch
Repas Lunch 53 – carte env. 75 – ⌑ 23 – **45 ch** (fermé 31 déc.-1er janv.) 130/160 – ½ P 180.

De Amsteleindse Hoeve, Amsteleindstraat 15 (NO : 3 km par Raadhuislaan), ⊠ 5345 HA, ℘ (0 412) 63 26 00, Fax (0 412) 62 79 62, 🍽, « Rustique » – 🖹 **❶**. 🖭 ⓞ **Ε** ₣₣₣. ✂
fermé dim., lundi et du 2 au 24 août – **Repas** (dîner seult) 55/78.

De Pepermolen, Peperstraat 22, ⊠ 5341 CZ, ℘ (0 412) 62 56 99, Fax (0 412) 62 56 99 – 🖭 ⓞ **Ε** ₣₣₣
fermé merc. et 2 prem. sem. août – **Repas** (dîner seult) 58/73.

OTTERLO Gelderland ⒸEde 99 927 h. ₂₁₁ O 10 et ₄₀₈ I 5.
Voir Parc National de la Haute Veluwe★★★ (Nationaal Park De Hoge Veluwe) : Musée Kröller-Müller★★★ – Parc à sculptures★★ (Beeldenpark) E : 1 km.
Amsterdam 79 – Arnhem 33 – Apeldoorn 22.

Sterrenberg, Houtkampweg 1, ⊠ 6731 AV, ℘ (0 318) 59 12 28, Fax (0 318) 59 16 93, 🍽, 🆘, 🖾, 🛥 – 🛗 🖭 ☎ **❶** – 🏌 35. 🖭 ⓞ **Ε** ₣₣₣. ✂
Repas Lunch 30 – carte env. 60 – **30 ch** ⌑ 130/180 – ½ P 113/150.

Carnegie's Cottage ≪, Onderlangs 35, ⊠ 6731 BK, ℘ (0 318) 59 12 20, ≼, 🍽, « En bordure du Parc National », 🐎 – **❶**. ✂ ch
fermé janv.-fév. – **Repas** (fermé après 20 h 30) carte env. 70 – ⌑ 15 – **12 ch** 108 – ½ P 125/140.

't Witte Hoes, Dorpsstraat 35, ⊠ 6731 AS, ℘ (0 318) 59 13 92, Fax (0 318) 59 13 92 – 🖭 **❶**. **Ε** ₣₣₣. ✂
fermé 27 déc.-janv. – **Repas** (fermé après 20 h et lundi de sept. au 7 avril) carte env. 55 – **10 ch** ⌑ 95/150 – ½ P 88/110.

OUDDORP Zuid-Holland ⒸGoedereede 10 947 h. ₂₁₁ D 12 et ₄₀₈ C 6.
🅱 Bosweg 2, ⊠ 3253 XA, ℘ (0 187) 68 17 89, Fax (0 187) 68 37 83.
Amsterdam 118 – Den Haag 56 – Middelburg 51 – Rotterdam 52.

Havenzicht, Ouddorpse Haven 13 (S : 2 km), ⊠ 3253 LM, ℘ (0 187) 68 17 67, Fax (0 187) 68 22 94, ≼, 🍽, Avec taverne-rest – **❶**. 🖭 **Ε** ₣₣₣
fermé jeudi sauf en juil.-août, vend. de nov. à mai, 3 sem. en nov. et 2 sem. en janv. – **Repas** 50/80.

OUDEMIRDUM (ALDEMARDUM) Friesland ⒸGaasterlân-Sleat 9 532 h. ₂₁₀ N 5 et ₄₀₈ H 3.
Amsterdam 119 – Leeuwarden 60 – Lemmer 17 – Sneek 30.

Boschlust, De Brink 3, ⊠ 8567 JD, ℘ (0 514) 57 12 70, Fax (0 514) 57 19 46, 🍽, 🎾 – 🖭 ☎ **❶** – 🏌 40. **Ε** ₣₣₣. ✂ ch
fermé Noël, Nouvel An et mardi et merc. de nov. à mars – **Repas** Lunch 33 – carte env. 50 – **16 ch** ⌑ 85/160 – ½ P 88/110.

OUDENBOSCH Noord-Brabant 👁👁👁 H 13 et 👁👁👁 E 7 – *12 797 h.*
Amsterdam 119 – Antwerpen 58 – Breda 22 – Roosendaal 9 – Rotterdam 51.

🏨 **Tivoli,** Markt 68, ✉ 4731 HR, 𝄢 (0 165) 31 24 12, Fax (0 165) 32 04 44, 🍴, « Ancien cloître », 🌿 – 🛗 📺 ☎ 🅿 – 🔏 25 à 400. 🆑 **€** 𝘝𝘐𝘚𝘈. ✍ rest
Repas Lunch 35 – 49/75 – ⌷ 15 – **50 ch** 113/300 – ½ P 153/390.

OUDERKERK AAN DE AMSTEL Noord-Holland 👁👁👁 J 9, 👁👁👁 J 9 et 👁👁👁 F 5 - ㉘ S – *voir à* Amsterdam, environs.

OUDESCHILD Noord-Holland 👁👁👁 J 4 et 👁👁👁 F 2 – *voir à* Waddeneilanden (Texel).

OUDKERK (ALDTSJERK) Friesland 👁👁👁 P 3 et 👁👁👁 I 2 – *voir à* Leeuwarden.

OUD-LOOSDRECHT Utrecht 👁👁👁 K 9 et 👁👁👁 J 5 – *voir à* Loosdrecht.

OVERLOON Noord-Brabant 🅲 Vierlingsbeek *7 616 h.* 👁👁👁 P 13 et 👁👁👁 I 7.
Amsterdam 157 – 's-Hertogenbosch 72 – Eindhoven 47 – Nijmegen 42.

✕✕ **Onder de Boompjes,** Irenestraat 1, ✉ 5825 CA, 𝄢 (0 478) 64 22 27, Fax (0 478) 64 26 30, 🍴 – 🅿. 🆑 **€** 𝘝𝘐𝘚𝘈. ✍
fermé lundi, mardi, 2 sem. carnaval et 2 sem. en août – **Repas** Lunch 55 – 77/125.

OVERVEEN Noord-Holland 👁👁👁 H 8, 👁👁👁 H 8 et 👁👁👁 E 4 – *voir à* Haarlem.

PAPENDRECHT Zuid-Holland 👁👁👁 I 12 et 👁👁👁 F 6 – *voir à* Dordrecht.

PATERSWOLDE Drenthe 👁👁👁 T 4 et 👁👁👁 K 2 – *voir à* Groningen.

PHILIPPINE Zeeland 🅲 Sas van Gent *8 707 h.* 👁👁👁 C 15 et 👁👁👁 C 8.
Amsterdam (bac) 204 – Middelburg (bac) 34 – Gent 35 – Sint-Niklaas 43.

🏨 **Au Port,** Waterpoortstraat 1, ✉ 4553 BG, 𝄢 (0 115) 49 18 55, Fax (0 115) 49 17 65, 🍴 – 📺 ☎ – 🔏 25 à 350. 🆑 ⓞ **€** 𝘝𝘐𝘚𝘈
Repas *(fermé mardi, merc., mai et 31 déc.-14 janv.)* Lunch 33 – 50/56 – **7 ch** *(fermé 31 déc.-14 janv.)* ⌷ 100/130 – ½ P 100/140.

✕✕ **Aub. des Moules,** Visserslaan 3, ✉ 4553 BE, 𝄢 (0 115) 49 12 65, Fax (0 115) 49 16 56, 🍴, Produits de la mer – 🅿. 🆑 ⓞ **€** 𝘝𝘐𝘚𝘈
fermé du 8 au 30 juin, 20 déc.-3 janv. et lundi – **Repas** 49/75.

✕ **De Fijnproever,** Visserslaan 1, ✉ 4553 BE, 𝄢 (0 115) 49 13 13, Fax (0 115) 49 26 07, Moules en saison – ▤ 🅿. 🆑 ⓞ **€** 𝘝𝘐𝘚𝘈
fermé merc. soir sauf en juil.-août, jeudi, 18 mai-8 juin et 2 dern. sem. janv. – **Repas** Lunch 56 – carte 54 à 71.

PRINCENHAGE Noord-Brabant 👁👁👁 I 13 et 👁👁👁 F 7 – *voir à* Breda.

PURMEREND Noord-Holland 👁👁👁 J 7 et 👁👁👁 F 4 – *65 604 h.*
🚲🚲 Westerweg 60, ✉ 1445 AD, 𝄢 (0 299) 48 16 66, Fax (0 299) 64 70 81 - 🚲 à Wijdewormer (Wormerland) SO : 5 km, Zuiderweg 68, ✉ 1456 NH, 𝄢 (0 299) 47 91 23.
🅱 Kerkstraat 9, ✉ 1441 BL, 𝄢 (0 299) 42 53 65, Fax (0 299) 43 99 39.
Amsterdam 24 – Alkmaar 25 – Leeuwarden 117.

🏨 **Golden Tulip** 🌿, Westerweg 60 (E : 3 km direction Volendam), ✉ 1445 AD, 𝄢 (0 299) 48 16 66, Fax (0 299) 64 46 91, ≤, « Sur le green », 🚗, 🔲 – 🛗 ✦ 📺 ☎ 🅿 – 🔏 25 à 200. 🆑 ⓞ **€** 𝘝𝘐𝘚𝘈. ✍
Repas Lunch 35 – 45/55 – ⌷ 20 – **90 ch** 195/220 – ½ P 238/263.

✕✕ **Sichuan Food,** Tramplein 9, ✉ 1441 GP, 𝄢 (0 299) 42 64 50, Cuisine chinoise – ▤. 🆑 ⓞ **€** 𝘝𝘐𝘚𝘈. ✍
fermé 31 déc. – **Repas** (dîner seult) 50/73.

à **Neck** SO : 2 km 🅲 Wormerland *14 484 h.* :

✕✕ **Mario** avec ch, Neck 15, ✉ 1456 AA, 𝄢 (0 299) 42 39 49, Fax (0 299) 42 37 62, 🍴 – ▤ rest, 📺 ☎ 🅿. 🆑 **€** 𝘝𝘐𝘚𝘈
fermé du 1er au 15 août, du 1er au 15 janv., lundi et merc. – **Repas** (cuisine italienne, dîner seult) 78/100 – **4 ch** ⌷ 160/230.

à Noordbeemster *N : 10 km direction Hoorn* ⓒ *Beemster 8 167 h :*

XX **De Beemster Hofstee,** Middenweg 48, ✉ 1463 HC, *℘* (0 299) 69 05 22, Fax (0 299)
69 05 04, 佘, « Terrasse » – **ⓟ**. 𝗔𝗘 ⓞ 𝗘 𝘃𝗶𝘀𝗮
fermé lundi et dern. sem. juil.-prem. sem. août – **Repas** carte env. 80.

à Zuidoostbeemster *N : 2 km* ⓒ *Beemster 8 167 h :*

🏠 **Beemsterpolder,** Purmerenderweg 232, ✉ 1461 DN, *℘* (0 299) 43 68 58, Fax (0 299)
43 69 54, 佘 – ▤ rest, 𝗧𝗩 ☎ **ⓟ** – 🅐 25. 𝗔𝗘 ⓞ 𝗘 𝘃𝗶𝘀𝗮
Repas *(fermé 31 déc. et 1er janv.)* carte 45 à 62 – **19 ch** 🖙 95/125 – ½ P 85/95.

XX **La Ciboulette,** Kwadijkerweg 7 (ancienne forteresse), ✉ 1461 DW, *℘* (0 299)
68 35 85, Fax (0 299) 68 42 54, 佘 – **ⓟ**. 𝗔𝗘 ⓞ 𝗘 𝘃𝗶𝘀𝗮
fermé sam. midi, dim. midi, lundi, mardi, 1 sem. carnaval et 1 sem. en oct. – **Repas** Lunch
55 – 80.

PUTTEN *Gelderland* 𝟮𝟭𝟬 N 9, 𝟮𝟭𝟭 N 9 et 𝟰𝟬𝟴 H 5 – *22 055 h.*
🚹 Kerkplein 5, ✉ 3881 BH, *℘* (0 341) 35 17 77, Fax (0 341) 35 30 40.
Amsterdam 66 – Arnhem 57 – Apeldoorn 41 – Utrecht 48 – Zwolle 49.

🏠 **Postiljon,** Strandboulevard 3 (O : 4 km sur A 28), ✉ 3882 RN, *℘* (0 341) 35 64 64,
Fax (0 341) 35 85 16, ≤, 佘 – 📶 ✳, ▤ rest, 𝗧𝗩 ☎ **ⓟ** – 🅐 25 à 400. 𝗔𝗘 ⓞ 𝗘 𝘃𝗶𝘀𝗮
Repas (buffets) – 🖙 18 – **84 ch** 135/175.

PUTTERSHOEK *Zuid-Holland* ⓒ *Binnenmaas 18 879 h.* 𝟮𝟭𝟭 H 12 et 𝟰𝟬𝟴 E 6.
Amsterdam 103 – Dordrecht 17 – Rotterdam 21.

XX **De Wijnzolder** 1er étage, Schouteneinde 60, ✉ 3297 AV, *℘* (0 78) 676 18 32,
Fax (0 78) 676 35 42 – **ⓟ**. 𝗔𝗘 ⓞ 𝗘 𝘃𝗶𝘀𝗮
Repas (dîner seult) 59/89.

RAALTE *Overijssel* 𝟮𝟭𝟬 R 8, 𝟮𝟭𝟭 R 8 et 𝟰𝟬𝟴 J 4 – *28 311 h.*
🚹 Varkensmarkt 8, ✉ 8102 EG, *℘* (0 572) 35 24 06, Fax (0 572) 35 23 43.
Amsterdam 124 – Zwolle 21 – Apeldoorn 35 – Enschede 50.

🏠 **De Zwaan,** Kerkstraat 2, ✉ 8102 EA, *℘* (0 572) 35 31 22, Fax (0 572) 35 73 24, 佘,
🕿, 🔲 – 𝗧𝗩 ☎ **ⓟ** – 🅐 25 à 60. 𝗔𝗘 ⓞ 𝗘 𝘃𝗶𝘀𝗮 𝗝𝗖𝗕. ✳ ch
Repas carte 65 à 83 – **21 ch** 🖙 125/175 – ½ P 88/115.

RAVENSTEIN *Noord-Brabant* 𝟮𝟭𝟭 N 12 et 𝟰𝟬𝟴 H 6 – *8 456 h.*
Amsterdam 110 – Arnhem 36 – 's-Hertogenbosch 31 – Nijmegen 17.

XX **Rôtiss. De Ravenshoeve,** Mgr. Zwijsenstraat 5, ✉ 5371 BS, *℘* (0 486) 41 28 03,
Fax (0 486) 41 44 96, 佘, « Ferme du 19e s. » – **ⓟ**. 𝗔𝗘 𝗘 𝘃𝗶𝘀𝗮. ✳
fermé lundi, carnaval et 2 prem. sem. août – **Repas** (dîner seult) 50/73.

REEUWIJK *Zuid-Holland* 𝟮𝟭𝟭 I 10 et 𝟰𝟬𝟴 F 5 – *voir à Gouda.*

RENESSE *Zeeland* ⓒ *Westerschouwen 6 100 h.* 𝟮𝟭𝟭 C 12 et 𝟰𝟬𝟴 C 6.
🚹 De Zoom 17, ✉ 4325 BG, *℘* (0 111) 46 21 20, Fax (0 111) 46 14 36.
Amsterdam 140 – Middelburg 37 – Rotterdam 68.

🏠 **De Zeeuwse Stromen,** Duinwekken 5, ✉ 4325 GL, *℘* (0 111) 46 20 40, Fax (0 111)
46 20 65, 佘, 🔰, 🕿, 🔲, 🌊 – 📶 ✳, 𝗧𝗩 ☎ ♿ **ⓟ** – 🅐 25 à 400. 𝗔𝗘 ⓞ 𝗘 𝘃𝗶𝘀𝗮
Repas carte 45 à 68 – **78 ch** 🖙 130/375 – ½ P 135/218.

RENKUM *Gelderland* 𝟮𝟭𝟭 O 11 et 𝟰𝟬𝟴 I 6 – *32 453 h.*
Amsterdam 89 – Arnhem 14 – Utrecht 52.

XX **Campman,** Hartenseweg 23 (NO : 1,5 km), ✉ 6871 NB, *℘* (0 317) 31 22 21, Fax (0 317)
31 74 33, 佘, « Environnement boisé » – **ⓟ** – 🅐 25 à 100. 𝗔𝗘 ⓞ 𝗘 𝘃𝗶𝘀𝗮 𝗝𝗖𝗕. ✳
Repas Lunch 40 – 53/65.

RETRANCHEMENT *Zeeland* 𝟮𝟭𝟭 A 14 et 𝟰𝟬𝟴 B 7 – *voir à Sluis.*

REUSEL *Noord-Brabant* 𝟮𝟭𝟭 K 14 et 𝟰𝟬𝟴 G 7 – *8 163 h.*
Amsterdam 135 – Antwerpen 63 – Eindhoven 25 – 's-Hertogenbosch 45.

XX **De Nieuwe Erven,** Mierdseweg 69, ✉ 5541 EP, *℘* (0 497) 64 33 76, Fax (0 497)
64 33 57, 佘, « Terrasse fleurie » – **ⓟ**. 𝗔𝗘 ⓞ 𝗘 𝘃𝗶𝘀𝗮. ✳
fermé mardi et du 7 au 18 sept. – **Repas** (dîner seult) 55/77.

RHEDEN Gelderland 🔢 Q 10 et 🔢 J 5 – 44 975 h.
Amsterdam 110 – Arnhem 11 – Apeldoorn 34 – Enschede 80.

🏨 **De Roskam,** Arnhemsestraatweg 62, ✉ 6991 JG, ☎ (0 26) 495 48 41, Fax (0 26) 495 29 25, 余, ♣, 全s, ☒, ✗ – 🛗 📺 ☎ 👌 🅿 – 🕍 25 à 200. 🖭 ⦿ ⋿ 🆚🆂🅰
🍴 rest
fermé vend. soir, sam., dim. et jours fériés – **Repas** Lunch 45 – carte 53 à 73 – **57 ch** ☲ 180/235 – ½ P 125/235.

🍴🍴 **de Bronckhorst,** Arnhemsestraatweg 251, ✉ 6991 JG, ☎ (0 26) 495 22 07, 余 – 🗐 🅿. 🖭 ⦿ ⋿ 🆚🆂🅰
fermé lundi – **Repas** 50/78.

RHENEN Utrecht 🔢 N 11 et 🔢 H 6 – 16 993 h.
🛈 Markt 20, ✉ 3911 LJ, ☎ (0 317) 61 23 33.
Amsterdam 79 – Arnhem 26 – Nijmegen 33 – Utrecht 41.

🏨 **'t Paviljoen,** Grebbeweg 103, ✉ 3911 AV, ☎ (0 317) 61 90 03, Fax (0 317) 61 72 13, 余, 全s – 🛗, 🗐 rest, 📺 ☎ 🅿 – 🕍 25 à 80. 🖭 ⦿ ⋿ 🆚🆂🅰 🅹🅲🅱. 🍴 rest
fermé 31 déc.-1er janv. – **Repas** (dîner seult) carte env. 70 – ☲ 19 – **32 ch** 150/230 – ½ P 123/128.

🍴🍴 **'t Kalkoentje,** Utrechtsestraatweg 143 (NO : 2 km), ✉ 3911 TS, ☎ (0 317) 61 23 44, Fax (0 317) 61 65 00, ≼, 余, « Terrasse au bord de l'eau » – 🅿. 🖭 ⦿ ⋿ 🆚🆂🅰
fermé dim. et 3 prem. sem. janv. – **Repas** Lunch 55 – 93.

RHOON Zuid-Holland 🔢 G 11 et 🔢 E 6 - ㉔ S – voir à Rotterdam, environs.

RIIS Friesland – voir Rijs.

RINSUMAGEEST (RINSUMAGEAST) Friesland 🄲 Dantumadeel 19 722 h. 🔢 P 3 et 🔢 I 2.
Amsterdam 157 – Dokkum 5 – Groningen 59 – Leeuwarden 18.

🍴🍴 **Het Rechthuis,** Rechthuisstraat 1, ✉ 9105 KH, ☎ (0 511) 42 31 00, 余 – 🖭 ⦿ ⋿ 🆚🆂🅰 🅹🅲🅱
fermé lundi – **Repas** 58/73.

ROCKANJE Zuid-Holland 🄲 Westvoorne 13 810 h. 🔢 E 11 et 🔢 D 6 - ㉒ S.
Amsterdam 111 – Den Haag 48 – Hellevoetsluis 10 – Rotterdam 46.

🏨 **Badhotel,** Tweede Slag 1 (O : 1 km), ✉ 3235 CR, ☎ (0 181) 40 17 55, Fax (0 181) 40 39 33, 余, 全s, ⊠, ✗ – 📺 ☎ 🅿 – 🕍 25 à 75. 🖭 ⦿ ⋿ 🆚🆂🅰 🅹🅲🅱
Repas carte 50 à 68 – ☲ 23 – **68 ch** 113/168 – ½ P 165/185.

RODEN Drenthe 🔢 S 4 et 🔢 K 2 – 18 853 h.
⛳ Oosteinde 7a, ✉ 9301 ZP, ☎ (0 50) 501 51 03.
🛈 Brink 31, ✉ 9301 JK, ☎ (0 50) 501 90 00.
Amsterdam 205 – Groningen 15 – Leeuwarden 56 – Zwolle 94.

🏨 **Langewold,** Ceintuurbaan-Noord 1, ✉ 9301 NR, ☎ (0 50) 501 38 50, Fax (0 50) 501 38 18, 余, 全s – 🛗 ⅓ 📺 ☎ 👌 🅿 – 🕍 25 à 100. 🖭 ⦿ ⋿ 🆚🆂🅰 🅹🅲🅱. 🍴
Repas 45/50 – ☲ 18 – **31 ch** 168/175 – ½ P 249/279.

ROERMOND Limburg 🔢 Q 15 et 🔢 I 8 – 43 851 h.
🚉 à Herkenbosch SE : 10 km, Stationsweg 100, ✉ 6075 CD, ☎ (0 475) 53 14 58, Fax (0 475) 53 35 80.
✈ à Beek par ④ : 34 km ☎ (0 43) 358 99 99.
🛈 Kraanpoort 1, ✉ 6041 EG, ☎ (0 475) 33 32 05, Fax (0 475) 33 50 68.
Amsterdam 178 ⑤ – Maastricht 47 ④ – Düsseldorf 65 ② – Eindhoven 50 ⑤ – Venlo 25 ①.

Plan page ci-contre

🏨 **Kasteeltje Hattem,** Maastrichterweg 25, ✉ 6041 NZ, ☎ (0 475) 31 92 22, Fax (0 475) 31 92 92, 余, « Elégante rotonde avec ≼ parc », 🌳 – 📺 ☎ 🅿 – 🕍 40. 🖭 ⦿ ⋿ 🆚🆂🅰. 🍴
Z a
fermé carnaval, 24 et 31 déc. et 1er janv. – **Repas** 70/115 – **11 ch** ☲ 225/325 – ½ P 188/223.

484

ROERMOND

Bergstr.	Y	2
Brugstr.	Y	
Hamstr.	Z	
Markt	Z	
Munsterpl.	Z	
Neerstr.	Z	
Steenweg	Y	32
Varkensmarkt	Y	35

Dr. Leursstr.	Z	5
Julianalaan	Y	6
Kapellerpoort	Z	7
Kloosterwandstr.	Z	9
Kraanpoort	Y	10
Leliestr.	YZ	12
Lindanusstr.	Y	14
Marktstr.	Y	15
Molenstr.	Z	16
Mgr. Driessenstr.	Z	18
Mgr. Evertsstr.	Z	19

Notenboomlaan	YZ	21
Parédisstr.	Z	22
Pollartstr.	Y	23
Roerkade	Z	26
Roersingel	Z	28
St. Christoffelstr.	Y	29
Slachthuisstr.	Z	30
Spoorlaan-Zuid	Y	31
Steegstr.	Y	31
Thorbeckestr.	Y	33

NIJMEGEN 85 km
VENLO 25 km

NEUSS 59 km
N 68 MÖNCHENGLADBACH 34 km

A 2-E 25 : 10 km
MAASTRICHT 47 km
SITTARD 27 km
AACHEN 62 km

AACHEN 58 km

Landhotel Cox, Maalbroek 102 (par ② sur N 68, à la frontière), ⊠ 6042 KN, ℰ (0 475) 32 99 66, *Fax (0 475) 32 51 42*, 🛬 – 🛗 ⟵⟶, 🍴 rest, 📺 ☎ 🄿 – 🛦 25 à 100. 🖭 ⓞ E 𝘝𝘐𝘚𝘈 ᴊᴄʙ, 🦶 rest
Repas 40 – **54 ch** ⊃ 140/190 – ½ P 130/135.

XX **La Cascade,** Luifelstraat, ⊠ 6041 EJ, ℰ (0 475) 31 92 74, 🍽, Avec cuisine thaïlandaise, « Patio avec fontaine »   Y r
fermé lundi – **Repas** 60/79.

à Herkenbosch 6 km par Keulsebaan Z 🅲 Roerdalen 10 340 h :

XXX **Kasteel Daelenbroeck** avec ch, Kasteellaan 2, ⊠ 6075 EZ, ℰ (0 475) 53 24 65, *Fax (0 475) 53 60 30*, 🍽, « Château-ferme, douves » – 🄿 – 🛦 40. 🖭 ⓞ E 𝘝𝘐𝘚𝘈. 🦶 rest
fermé 21 fév.-1ᵉʳ mars – **Repas** *(fermé lundi)* Lunch 55 – carte 76 à 92 – ⊃ 20 – **16 ch** 145/175 – ½ P 150/190.

à Horn par ⑤ : 3 km 🅲 Haelen 9 902 h :

🏛 **De Abdij** 🐾, Kerkpad 5, ⊠ 6085 BA, ℰ (0 475) 58 12 54, *Fax (0 475) 58 31 31*, 🌳 – 📺 🄿. 🖭 ⓞ E 𝘝𝘐𝘚𝘈 ᴊᴄʙ. 🦶
fermé 24 déc.-3 janv. – **Repas** (dîner pour résidents seult) – **26 ch** ⊃ 50/130 – ½ P 73/108.

à Vlodrop 8 km par Keulsebaan Z 🅲 Roerdalen 10 340 h :

Boshotel 🐾, Boslaan 1 (près de la frontière), ⊠ 6063 NN, ℰ (0 475) 53 49 59, *Fax (0 475) 53 45 80*, 🍽, ⟵⟶, 🔲 – 🛗, 🍴 rest, 📺 ☎ 🔥 🄿 – 🛦 25 à 300. 🖭 ⓞ E 𝘝𝘐𝘚𝘈 ᴊᴄʙ. 🦶 rest
Repas Lunch 35 – carte 45 à 75 – **60 ch** ⊃ 140/225 – ½ P 145/165.

ROOSENDAAL Noord-Brabant 🅲 Roosendaal en Nispen 63 854 h. 𝟤𝟣𝟣 G 13 et 𝟦𝟢𝟪 E 7.
🇧 Markt 71, ⊠ 4701 PC, ℰ (0 165) 55 44 00, *Fax (0 165) 56 75 22.*
Amsterdam 127 – 's-Hertogenbosch 75 – Antwerpen 44 – Breda 25 – Rotterdam 56.

Goderië, Stationsplein 5b, ℰ (0 165) 55 54 00, *Fax (0 165) 56 06 60* – 🛗 📺 ☎ – 🛦 25 à 200. 🖭 ⓞ E 𝘝𝘐𝘚𝘈 ᴊᴄʙ. 🦶
Repas Lunch 40 – 55/75 – ⊃ 25 – **49 ch** 185/220 – ½ P 215/280.

Central, Stationsplein 9, ⊠ 4702 VZ, ℰ (0 165) 53 56 57, *Fax (0 165) 56 92 94* – 🍴 rest, 📺 ☎ – 🛦 25. 🖭 ⓞ E 𝘝𝘐𝘚𝘈. 🦶
Repas Lunch 45 – 57/90 – **20 ch** ⊃ 135/175 – ½ P 128/178.

🏛 **Bastion,** Bovendonk 23 (SE : 2 km), ⊠ 4707 ZH, ℰ (0 165) 54 94 19, *Fax (0 165) 54 96 54* – 📺 ☎ 🄿. 🖭 ⓞ E 𝘝𝘐𝘚𝘈. 🦶
Repas (grillades, ouvert jusqu'à 23 h) 45 – **40 ch** ⊃ 110/125.

XX **Van der Put,** Bloemenmarkt 9, ⊠ 4701 JA, ℰ (0 165) 53 35 04, *Fax (0 165) 54 61 61*, 🍽, « Collection de pendules anciennes » – 🖭 E 𝘝𝘐𝘚𝘈 ᴊᴄʙ
fermé du 20 au 26 fév., 26 juil.-4 août et lundi – **Repas** 45/80.

XX **Vroenhout,** Vroenhoutseweg 21 (O : 4 km), ⊠ 4703 SG, ℰ (0 165) 53 26 32, *Fax (0 165) 53 52 31*, « Ferme du 18ᵉ s. » – 🄿. 🖭 ⓞ E 𝘝𝘐𝘚𝘈
fermé merc., 2 sem. vacances bâtiment et prem. sem. janv. – **Repas** Lunch 55 – 70/88.

à Bosschenhoofd NE : 4 km 🅲 Halderberge :

🏛 **De Reiskoffer,** Pastoor van Breugelstraat 45, ⊠ 4744 AA, ℰ (0 165) 31 63 10, *Fax (0 165) 31 82 00*, 🍽, « Dans un ancien couvent », ⟵⟶, 🦶 – 🛗 ⟵⟶ 📺 ☎ 🔥 🄿 – 🛦 25 à 500. 🖭 ⓞ E 𝘝𝘐𝘚𝘈. 🦶
Repas (Taverne-rest) Lunch 18 – carte env. 55 – **55 ch** ⊃ 135/155 – ½ P 95/113.

ROOSTEREN Limburg 🅲 Susteren 13 140 h. 𝟤𝟣𝟣 O 16 et 𝟦𝟢𝟪 I 8.
Amsterdam 186 – Arnhem 32 – Eindhoven 57 – Maastricht 31 – Roermond 18.

🏛 **De Roosterhoeve** 🐾, Hoekstraat 29, ⊠ 6116 AW, ℰ (0 46) 449 31 31, *Fax (0 46) 449 44 00*, ⟵⟶, 🔲, 🌳 – 🛗 📺 ☎ 🄿 – 🛦 25 à 100. 🖭 ⓞ E 𝘝𝘐𝘚𝘈. 🦶
Repas Lunch 39 – 66/89 – **34 ch** ⊃ 100/190 – ½ P 110/135.

ROSMALEN Noord-Brabant 𝟤𝟣𝟣 L 13 et 𝟦𝟢𝟪 H 6 – voir à 's-Hertogenbosch.

ROTTERDAM

Zuid-Holland **211** *G 11 –* ㊴ ㊵ *et* **408** *E 6 –* ㉕ *N – 592 745 h.*

Amsterdam 76 ② *– Den Haag 24* ② *– Antwerpen 103* ④ *– Bruxelles 148* ④ *– Utrecht 57* ③.

Plans de Rotterdam	
Agglomération	p. 2 et 3
Rotterdam Centre	p. 4 et 5
Agrandissement partie centrale	p. 6
Répertoire des rues	p. 6 et 7
Nomenclature des hôtels et des restaurants	
Ville	p. 8 et 9
Périphérie et environs	p. 9 et 10

RENSEIGNEMENTS PRATIQUES

🛈 *Coolsingel 67,* ⊠ *3012 AC,* 📞 *0 900-403 40 65, Fax (010) 413 01 24 et Centraal Station, Stationsplein 1,* ⊠ *3013 AJ,* 📞 *0 900-403 40 65.*

✈ *Zestienhoven* (BR) 📞 *(010) 446 34 44.*

⚓ *Europoort vers Hull : P and O North Sea Ferries Ltd* 📞 *(0181) 25 55 00 (renseignements) et (0181) 25 55 55 (réservations), Fax (0181) 25 52 15.*

Casino JY, Weena 624, ⊠ *3012 CN,* 📞 *(010) 414 77 99, Fax (010) 414 92 33.*

📷 *Kralingseweg 200* ⊠ *3062 CG* (D5) 📞 *(010) 452 22 83 –* 📷 *'s Gravenweg 311* ⊠ *2905 LB à Capelle aan den ijssel* (DR) 📞 *(010) 442 21 09, Fax (010) 442 24 85 –* 📷 *Veerweg 2a* ⊠ *3161 EX à Rhoon* (AT) 📞 *(010) 501 80 58.*

CURIOSITÉS

Voir *Lijnbaan★ JKY – Intérieur★ de l'Église St-Laurent (Grote- of St-Laurenskerk) KY – Euromast★ (⁂★★, ≪★) JZ – Le port★★ (Haven)* ⚓ *KZ – Willemsburg★★ HU – Erasmusbrug★★ KZ – Delftse Poort (bâtiment)★ JY* **R** *– World Trade Centre★ KY* **A** *– Nederlands Architectuur Instituut★ JZ* **B** *– Boompjes★ KZ – Willemswerf (bâtiment)★ KY.*

Musées : *Historique (Historisch Museum) Het Schielandshuis★ KY* **M⁴** *– Boijmans-van Beuningen★★★ JZ – Historique « De Dubbelde Palmboom »★ EV*

Env. *Moulins de Kinderdijk★★ par* ④ *: 7 km.*

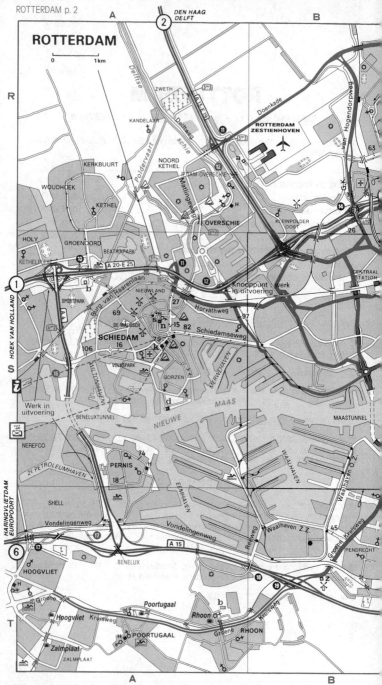

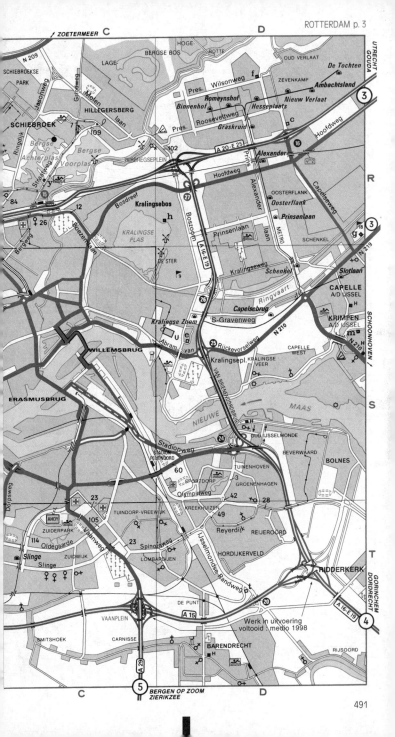

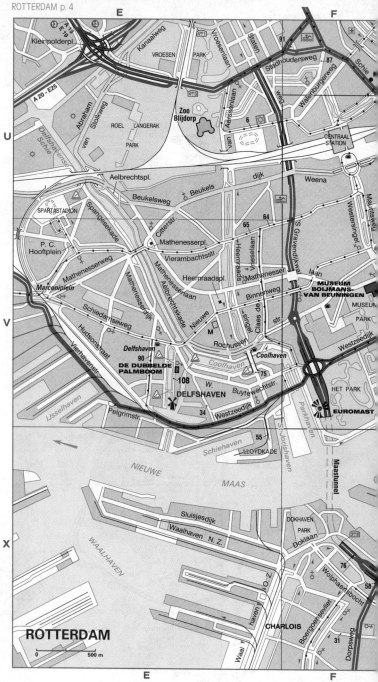

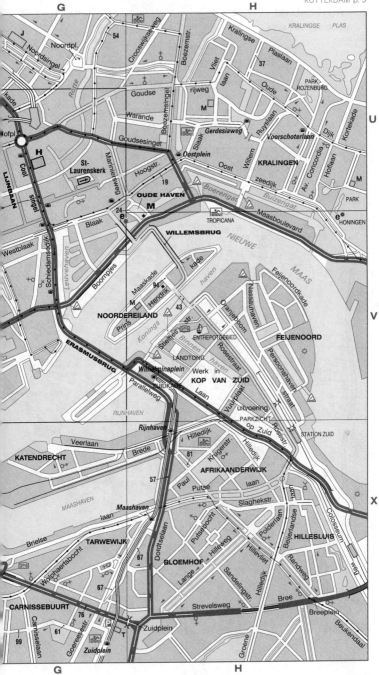

ROTTERDAM

RÉPERTOIRE DES RUES

Beursplein	p. 6	**KY**	9
Binnenweg	p. 6	**JY**	
Botersloot	p. 6	**KY**	13
Coolsingel	p. 6	**KY**	
Hoogstr.	p. 6	**KY**	
Karel Doormanstr.	p. 6	**JY**	
Korte Hoogstr.	p. 6	**KY**	46
Korte Lijnbaan	p. 6	**KY**	48
Lijnbaan	p. 6	**JKY**	
Stadhuispl.	p. 6	**KY**	93
Abraham van Stolkweg	p. 4	**EU**	
Abram van Rijckevorselweg	p. 3	**DS**	
Adriaan Volkerlaan	p. 3	**DS**	3
Aelbrechtskade	p. 4	**EV**	
Aelbrechtspl.	p. 4	**EU**	
van Aerssenlaan	p. 4	**EU**	
Aert van Nesstr.	p. 6	**JKY**	4
Beijerlandselaan	p. 5	**HX**	
Bentincklaan	p. 4	**EU**	6
Bergse Dorpsstr.	p. 3	**CR**	7
Bergweg	p. 3	**CRS**	
Beukelsdijk	p. 4	**EU**	
Beukelsweg	p. 4	**EU**	
Beukendaal	p. 5	**HX**	
Binnenwegpl.	p. 6	**KY**	10
Blaak	p. 6	**KY**	
Boergoensevliet	p. 4	**FX**	
Boezembocht	p. 3	**CR**	12
Boezemlaan	p. 3	**CR**	
Boezemstr.	p. 5	**HU**	
Boezemsingel	p. 5	**HU**	
Boompjes	p. 6	**KZ**	
Boompjeskade	p. 6	**KZ**	
Bosdreef	p. 3	**CR**	
Boszoom	p. 3	**DR**	
Brede Hilledijk	p. 5	**HX**	
Bree	p. 5	**HX**	
Breeplein	p. 5	**HX**	
Brielselaan	p. 5	**GX**	
Burg. van Esstr.	p. 2	**AS**	18
Burg. van Walsumweg	p. 5	**HU**	19
Capelseweg	p. 3	**DR**	
Carnisselaan	p. 5	**GX**	
Churchillpl.	p. 6	**KY**	

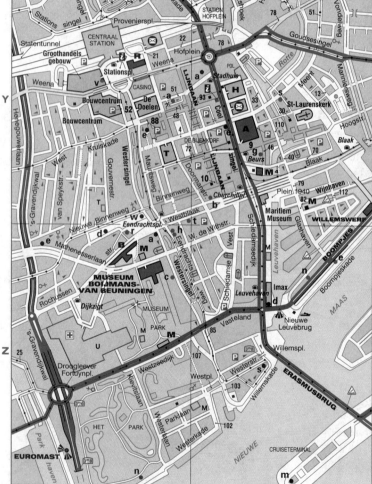

van Citterstr.	p.4	EV	
Claes de Vrieselaan	p.4	EV	
Colosseumweg	p.5	HX	
Concordia av.	p.5	HU	
Crooswijkseweg	p.5	HU	
Delftsepl.	p.6	JY	21
Delftsestr.	p.6	JY	22
Delftweg	p.2	AR	
Doenkade	p.2	BR	
Doklaan	p.4	EX	
Dordtselaan	p.5	HX	
Dordtsestraatweg	p.3	CT	23
Dorpsweg	p.4	FX	
Droogleever Fortuynpl.	p.6	JZ	
Eendrachtspl.	p.6	JYZ	
Eendrachtsweg	p.6	JKZ	
Erasmusbrug	p.6	KZ	
Feijenoordkade	p.5	HV	
Geldersekade	p.5	HUV	24
G.J. de Jonghweg	p.6	JZ	25
G.K. van Hogendorpweg	p.2	BR	
Gerdesiaweg	p.5	HU	
Glashaven	p.6	KYZ	
Goereesestr.	p.5	GX	
Gordelweg	p.2	BCR	26
Goudse Rijweg	p.5	HU	
Goudsesingel	p.6	KY	
Gouvernestr.	p.6	JY	
's-Gravendijkwal	p.6	JYZ	
's-Gravenweg	p.3	DS	
Grindweg	p.3	CR	
Groene Hilledijk	p.5	HX	
Groene Kruisweg	p.2	ABT	
Groeninx van Zoelenlaan	p.3	DST	28
Grotekerkpl.	p.6	KY	30
Gruttostr.	p.4	FX	31
Haagseveer	p.6	KY	33
Havenstr.	p.4	EV	34
Heemraadsingel	p.4	EV	
Henegouwerlaan	p.6	JY	
Hilledijk	p.5	HX	
Hillevliet	p.5	HX	
Hofdijk	p.6	KY	
Hoflaan	p.5	HU	
Hofplein	p.6	JKY	
Hoofdweg	p.3	DR	
Horvåthweg	p.2	AS	
Hudsonstr.	p.4	EV	
IJsselmondse Randweg	p.3	DT	
Jasonweg	p.3	CR	
Jericholaan	p.5	HU	37
Jonker Fransstr.	p.6	KY	39
Kanaalweg	p.6	EU	
Katshoek	p.6	KY	
Keizerstr.	p.6	KY	40
Kievitslaan	p.6	JZ	
Klein Nieuwland	p.3	DT	42
Kleinpolderpl.	p.4	EU	
Koninginnebrug	p.5	HV	43
Korperweg	p.2	BT	45
Kortekade	p.5	HU	
Kralingse Plaslaan	p.5	HU	
Kralingse Zoom	p.3	DS	
Kralingsepl.	p.3	DS	
Kralingseweg	p.3	DS	
Kreekhuizenlaan	p.3	DT	49
Kruiskade	p.6	JKY	51
Kruisplein	p.6	JY	52
Laan op Zuid	p.5	HVX	
Lange Hilleweg	p.5	HX	
Linker Rottekade	p.5	GU	54
Lloydstr.	p.4	EX	55
Maasboulevard	p.5	HU	
Maashaven O.Z.	p.5	HX	57
Maaskade	p.5	HV	
Maastunnel	p.4	FX	
Maastunnelpl.	p.4	FGX	58
Marathonweg	p.3	DS	60
Marconiplein	p.4	EV	
Mariniersweg	p.6	KY	
Markerstr.	p.5	GX	61
Mathenesserdijk	p.4	EV	
Mathenesserlaan	p.6	JZ	
Mathenesserpl.	p.4	EV	
Mathenesserweg	p.4	EV	
Matlingeweg	p.2	AR	
Mauritsweg	p.6	JY	
Meent	p.6	KY	
Melanchtonweg	p.2	BR	63
Middellandstr. (1e)	p.4	EV	64
Middellandstr. (2e)	p.4	EV	65
Mijnsherenlaan	p.5	GHX	67
Molenlaan	p.3	CR	
Nassauhaven	p.5	HV	
Nieuwe Binnenweg	p.6	JYZ	
Nieuwe Leuvebrug	p.6	KZ	
Nieuwstr.	p.6	KY	70
Noordpl.	p.5	GU	
Noordsingel	p.5	GU	
Oldegaarde	p.3	CT	
van Oldenbarneveltplaats	p.6	JKY	72
Olympiaweg	p.3	DS	
Oostplein	p.5	HU	
Oostzeedijk	p.5	HU	
Oranjeboomstr.	p.5	HV	
Oudedijk	p.5	HU	
P.C. Hooftpl.	p.4	EV	
Parallelweg	p.5	HV	
Parklaan	p.6	JZ	
Pastoriedijk	p.2	AS	73
Paul Krugerstr.	p.5	HX	
Pelgrimstr.	p.4	EV	
Persoonshaven	p.5	HV	
Pieter de Hoochweg	p.4	EV	75
Plein 1940	p.6	KY	
Pleinweg	p.4	FGX	76
Polderlaan	p.5	HX	
Pompenburg	p.6	KY	78
Posthoornstr.	p.6	KY	79
Pres. Rooseveltweg	p.3	DR	
Pres. Wilsonweg	p.3	DR	
Pretorialaan	p.5	HX	81
Prins Alexanderlaan	p.3	DR	
Prins Hendrikkade	p.5	HV	
Prinsenlaan	p.3	DR	
Provenierspl.	p.6	JY	
Putsebocht	p.5	HX	
Putselaan	p.5	HX	
Randweg	p.2	BT	
Reeweg	p.2	BT	
Regentessebrug	p.6	KY	82
Reyerdijk	p.3	DT	
Ringdijk	p.3	CR	
Rochussenstr.	p.6	JZ	
Rosestraat	p.5	HVX	
Rozenlaan	p.3	CR	84
Ruyslaan	p.5	HU	
Sandelingstr.	p.5	HX	
Scheeps-timmermanslaan	p.6	KZ	85
Schepenstr.	p.4	FU	87
Schiedamsedijk	p.6	KYZ	
Schiedamsevest	p.6	KZ	
Schiedamseweg	p.4	EV	
Schiekade	p.4	FGU	
Schouwburgplein	p.6	JY	88
Slaak	p.5	HU	
Slaghekstr.	p.5	HX	
Slinge	p.3	CT	
Sluisjesdijk	p.4	EX	
Spangesekade	p.4	EUV	
Spanjaardstr.	p.4	EV	90
van Speykstr.	p.6	JY	
Spinozaweg	p.3	CDT	
Spoorsingel	p.6	JY	
Stadhouderspl.	p.4	FU	91
Stadhoudersweg	p.4	EFU	
Stadionweg	p.5	HX	
Statentunnel	p.6	JY	
Statenweg	p.4	EFU	
Stationssingel	p.6	JY	
Stationspl.	p.6	JY	
Stieltjesstr.	p.5	HV	
Straatweg	p.3	CR	
Strevelsweg	p.5	HX	
van der Takstr.	p.5	HV	94
Terbregseweg	p.3	DR	96
Tjalklaan	p.2	ABS	97
Utenhagestr.	p.5	GX	99
Vaanweg	p.3	CT	
Vasteland	p.6	KZ	
Veerhaven	p.6	KZ	102
Veerkade	p.6	KZ	103
Vierambachtsstr.	p.4	EV	
Vierhavenstr.	p.4	EV	
Vinkenbaan	p.3	CT	
Vlietlaan	p.5	HU	226
van Vollenhovenstr.	p.6	KZ	107
Vondelingenweg	p.2	AT	
Vondelweg	p.3	CR	
Voorhaven	p.4	EV	108
Voorschoterlaan	p.5	HU	
Vroesenlaan	p.4	EU	
Vuurplaat	p.5	HV	
Waalhaven N.Z.	p.4	EX	
Waalhaven O.Z.	p.4	EX	
Waalhaven Z.Z.	p.2	BT	
Walenburgerweg	p.4	FU	
Warande	p.5	HU	
Weena	p.6	JY	
Weissenbruchlaan	p.3	CR	109
West-Kruiskade	p.6	JY	
Westblaak	p.6	JKY	
Westerkade	p.6	JKZ	
Westerlaan	p.6	JZ	
Westersingel	p.6	JYZ	
Westewagenstr.	p.6	KY	110
Westplein	p.6	JZ	
Westzeedijk	p.6	JZ	
Wijnbrug	p.6	KY	112
Wijnhaven	p.6	KZ	
Willem Buytewechtstr.	p.6	EV	
Willemsbrug	p.5	HV	
Willemskade	p.6	KZ	
Willemspl.	p.6	KZ	
Witte de Withstr.	p.6	KZ	
Wolphaertsbocht	p.4	FGX	
Zuiderparkweg	p.3	CT	114
Zuidplein	p.5	HX	

SCHIEDAM

Broersvest	p.2	AS	15
Burg. van Haarenlaan	p.2	AS	
Burg. Knappertlaan	p.2	AS	16
Churchillweg	p.2	ARS	
's-Gravelandseweg	p.2	AS	27
Nieuwe Damlaan	p.2	AS	69
Oranjestr.	p.2	AS	73
Rotterdamsedijk	p.2	AS	82
Vlaardingerdijk	p.2	AS	106

Sur la route :
la signalisation routière est rédigée
dans la langue de la zone linguistique traversée.

Dans ce guide,
les localités sont classées selon leur nom officiel :
Antwerpen pour Anvers, **Mechelen** pour Malines.

Quartiers du Centre - *plan p. 6 sauf indication spéciale :*

Parkhotel Ⓜ, Westersingel 70, ⊠ 3015 LB, ℘ (0 10) 436 36 11, Fax (0 10) 436 42 12, 🏛, 🏧, ⊜s – ⑂ ⎌ 🔲 ☎ ❷ – 🕍 25 à 70. ◼ 275/325, 2 suites.
Repas Lunch 43 – carte env. 70 – ⊡ 33 – **187 ch** 275/325, 2 suites. JZ a

Hilton, Weena 10, ⊠ 3012 CM, ℘ (0 10) 414 40 44, Fax (0 10) 411 88 84 – ⑂ ⎌ ▤ 🔲 ☎ 🖧 ❷ – 🕍 25 à 365. ◼ Ⓞ 🄴 𝑽𝑰𝑺𝑨 𝗝𝗖𝗕 KY a
Repas (ouvert jusqu'à 23 h) carte env. 50 – ⊡ 37 – **246 ch** 385/550, 8 suites.

Holiday Inn City Centre, Schouwburgplein 1, ⊠ 3012 CK, ℘ (0 10) 433 38 00, Fax (0 10) 414 54 82 – ⑂ ⎌ 🔲 ☎ 🖧 – 🕍 25 à 300. ✼ JY e
98 ch, 2 suites.

Golden Tulip, Aert van Nesstraat 4, ⊠ 3012 CA, ℘ (0 10) 411 04 20, Fax (0 10) 413 53 20 – ⑂ ⎌ 🔲 ☎ 🖧 – 🕍 25 à 250. ◼ Ⓞ 🄴 𝑽𝑰𝑺𝑨 KY a
Repas 45/100 – ⊡ 28 – **164 ch** 240/255.

New York, Koninginnehoofd 1, ⊠ 3072 AD, ℘ (0 10) 439 05 00, Fax (0 10) 484 27 01, ≼, 🏧, « Ancien siège de la compagnie maritime Holland-America Line » – ⑂ 🔲 ☎ ❷ – 🕍 25 à 120. ◼ Ⓞ 🄴 𝑽𝑰𝑺𝑨. ✼ ch KZ m
Repas (ouvert jusqu'à 23 h) 35 – ⊡ 15 – **72 ch** 135/250 – ½ P 183/308.

Inntel, Leuvehaven 80, ⊠ 3011 EA, ℘ (0 10) 413 41 39, Fax (0 10) 413 32 22, ≼, 🛋, ⊜s, 🔲, 🗆 – ⑂ ⎌, ▤ rest, 🔲 ☎ ❷ – 🕍 25 à 220. ◼ Ⓞ 🄴 𝑽𝑰𝑺𝑨 KZ d
Repas 45 – ⊡ 25 – **150 ch** 185/410 – ½ P 250.

Tulip Inn, Willemsplein 1, ⊠ 3016 DN, ℘ (0 10) 413 47 90, Fax (0 10) 412 78 90, ≼ – ⑂ ⎌, ▤ rest, 🔲 ☎ – 🕍 25 à 70. ◼ ⓄⒺ 𝑽𝑰𝑺𝑨 𝗝𝗖𝗕. ✼ rest KZ s
fermé 24 déc.-2 janv. – **Repas** (dîner seult) 45 – **103 ch** ⊡ 160/240 – ½ P 193/243.

Pax sans rest, Schiekade 658, ⊠ 3032 AK, ℘ (0 10) 466 33 44, Fax (0 10) 467 52 78 – ⑂ 🔲 ☎ ❷. ◼ ⓄⒺ 𝑽𝑰𝑺𝑨 𝗝𝗖𝗕. ✼ plan p. 4 FU m
45 ch ⊡ 135/250.

Van Walsum, Mathenesserlaan 199, ⊠ 3014 HC, ℘ (0 10) 436 32 75, Fax (0 10) 436 44 10 – ⑂ 🔲 ☎ ❷. ◼ ⓄⒺ 𝑽𝑰𝑺𝑨 𝗝𝗖𝗕. ✼ rest JZ e
fermé 22 déc.-2 janv. – **Repas** (dîner pour résidents seult) – **25 ch** ⊡ 100/160 – ½ P 85/140.

Emma sans rest, Nieuwe Binnenweg 6, ⊠ 3015 BA, ℘ (0 10) 436 55 33, Fax (0 10) 436 76 58 – ⑂ 🔲 ☎ ❷. ◼ ⓄⒺ 𝑽𝑰𝑺𝑨 𝗝𝗖𝗕 JY w
26 ch ⊡ 140/175.

Breitner, Breitnerstraat 23, ⊠ 3015 XA, ℘ (0 10) 436 02 62, Fax (0 10) 436 40 91 – ⑂ 🔲 ☎ 🖧. ◼ ⓄⒺ 𝑽𝑰𝑺𝑨 JZ d
Repas (dîner pour résidents seult) – **32 ch** ⊡ 100/150.

Parkheuvel (Helder), Heuvellaan 21, ⊠ 3016 GL, ℘ (0 10) 436 07 66, Fax (0 10) 436 71 40, 🏧, « Terrasse et ≼ trafic maritime » – ❷. ◼ ⓄⒺ 𝑽𝑰𝑺𝑨 JZ n
❀❀ fermé sem. midi, dim. et 27 déc.-2 janv. – **Repas** Lunch 73 – 93/148, carte env. 115
Spéc. Salade de langoustines au melon, gingembre et mayonnaise de curry. Turbot à la mousseline d'anchois, ragoût de champignons et jus de veau. Filet de bœuf poché au bouillon de truffes et ravioli de foie gras.

Old Dutch, Rochussenstraat 20, ⊠ 3015 EK, ℘ (0 10) 436 03 44, Fax (0 10) 436 78 26, 🏧 – ▤ ❷. ◼ ⓄⒺ 𝑽𝑰𝑺𝑨. ✼ JZ r
fermé sam. de mi-juin à mi-sept. et dim. – **Repas** Lunch 53 – carte 73 à 100.

Radèn Mas 1er étage, Kruiskade 72, ⊠ 3012 EH, ℘ (0 10) 411 72 44, Fax (0 10) 411 97 11, Cuisine indonésienne, « Décor exotique » – ▤. ◼ ⓄⒺ 𝑽𝑰𝑺𝑨 𝗝𝗖𝗕. ✼
Repas Lunch 33 – carte env. 80. JY a

Brasserie La Vilette, Westblaak 160, ⊠ 3012 KM, ℘ (0 10) 414 86 92, Fax (0 10) 414 33 91 – ▤. ◼ ⓄⒺ 𝑽𝑰𝑺𝑨 𝗝𝗖𝗕 JKY t
fermé dim., 20 juil.-9 août et 24 déc.-3 janv. – **Repas** 55/70.

de Castellane, Eendrachtsweg 22, ⊠ 3012 LB, ℘ (0 10) 414 11 59, Fax (0 10) 214 08 97, 🏧, « Terrasse » – ◼ ⓄⒺ 𝑽𝑰𝑺𝑨 JZ h
fermé du 3 au 22 août, 25 déc.-5 janv., sam. midi et dim. – **Repas** Lunch 50 – carte 75 à 105.

World Trade Center 23e étage, Beursplein 37, ⊠ 3011 AA, ℘ (0 10) 405 44 65, Fax (0 10) 405 51 20, ✲ ville – ⑂ ▤ ❷. ◼ ⓄⒺ 𝑽𝑰𝑺𝑨 KY g
fermé sam. midi, dim. et 27 juil.-9 août – **Repas** Lunch 53 – 73.

Brancatelli, Boompjes 264, ⊠ 3011 XD, ℘ (0 10) 411 41 51, Fax (0 10) 404 57 34, Cuisine italienne, ouvert jusqu'à 23 h – ▤. ◼ ⓄⒺ 𝑽𝑰𝑺𝑨 𝗝𝗖𝗕 KZ n
Repas Lunch 60 – carte 53 à 78.

Boompjes, Boompjes 701, ⊠ 3011 XZ, ℘ (0 10) 413 60 70, Fax (0 10) 413 70 87, ≼ Nieuwe Maas (Meuse), 🏧 – ▤. ◼ ⓄⒺ 𝑽𝑰𝑺𝑨 KZ m
fermé lundi – **Repas** Lunch 53 – 60/85.

XX **Koreana,** Westblaak 27, ⊠ 3012 KD, ℰ (0 10) 404 97 44, Fax (0 10) 412 07 60, Cuisine
coréenne – ▤. ◭ ⓞ ⴹ ⱴⱤⱭ. ⅋ KY b
Repas Lunch 26 – carte 67 à 103.

X **De Engel** (den Blijker), Eendrachtsweg 19, ⊠ 3012 LB, ℰ (0 10) 413 82 56, Fax (0 10)
⁂ 412 51 96 – ◭ ⓞ ⴹ ⱴⱤⱭ ⱼⱺⱧ JZ h
fermé 25, 26 et 31 déc. – **Repas** (dîner seult) 58/70, carte env. 85
Spéc. Velouté de truffes au ris de veau croquant. Agneau au jus moutardé et basilic (avril-
oct.). Cabillaud au fumet de poisson et risotto aux tomates.

X **De Harmonie,** Westersingel 95, ⊠ 3015 LC, ℰ (0 10) 436 36 10, Fax (0 10) 436 36 08,
🏠 – ◭ ⓞ ⴹ ⱴⱤⱭ ⱼⱺⱧ JZ c
de différentes nationalités – **Repas** Lunch 48 – 83.

X **Brasserie De Tijdgeest,** Oost-Wijnstraat 14, ⊠ 3011 TZ, ℰ (0 10) 233 13 11,
⇔ Fax (0 10) 433 06 19, 🏠 – 🔏 35. ◭ ⓞ ⴹ ⱴⱤⱭ ⱼⱺⱧ. ⅋ plan p. 5 GHU e
fermé 24 et 31 déc. – **Repas** Lunch 32 – 45.

X **Kip,** Van Vollenhovenstraat 25, ⊠ 3016 BG, ℰ (0 10) 436 99 23, Fax (0 10) 436 27 02,
🏠 – ◭ ⓞ ⴹ ⱴⱤⱭ ⱼⱺⱧ
fermé 31 déc. – **Repas** Lunch 45 – carte 62 à 78.

X **Engels,** Stationsplein 45, ⊠ 3013 AK, ℰ (0 10) 411 95 50, Fax (0 10) 413 94 21, Cuisines
⇔ de différentes nationalités, ouvert jusqu'à 23 h – ▤ ⓟ – 🔏 25 à 800. ◭ ⓞ ⴹ ⱴⱤⱭ
Repas 45. JY v

X **Anak Mas,** Meent 72a, ⊠ 3011 JN, ℰ (0 10) 414 84 87, Fax (0 10) 412 44 74, Cuisine
indonésienne – ▤. ◭ ⓞ ⴹ ⱴⱤⱭ. ⅋ KY s
fermé dim. – **Repas** (dîner seult) carte env. 55.

Périphérie - plans p. 2 et 3 sauf indication spéciale :

à l'Aéroport :

🏢 **Airport,** Vliegveldweg 59, ⊠ 3043 NT, ℰ (0 10) 462 55 66, Fax (0 10) 462 22 66, 🏠
– 📶 ⅋ ⅋ ⱴ ⓣⱽ 🕿 ⅋ ⓟ – 🔏 25 à 425. ◭ ⓞ ⴹ ⱴⱤⱭ ⱼⱺⱧ AR a
Repas 50 – ⇌ 24 – **97 ch** 126/248, 1 suite – ½ P 141/197.

au Sud :

🏢 **Bastion,** Driemanssteenweg 5 (près A 15), ⊠ 3084 CA, ℰ (0 10) 410 10 00, Fax (0 10)
⇔ 410 31 94 – ⓣⱽ 🕿 ⓟ. ◭ ⓞ ⴹ ⱴⱤⱭ. ⅋ BT z
Repas (grillades, ouvert jusqu'à 23 h) 45 – **40 ch** ⇌ 149/164.

à Hillegersberg Ⓒ Rotterdam :

X **Mangerie Lommerrijk,** Straatweg 99, ⊠ 3054 AB, ℰ (0 10) 422 00 11, Fax (0 10)
422 64 96, ⩽, 🏠, Taverne-rest – ▤ ⓟ – 🔏 250. ◭ ⓞ ⴹ ⱴⱤⱭ CR y
fermé lundi et 24 et 31 déc. – **Repas** Lunch 35 – carte env. 60.

à Kralingen Ⓒ Rotterdam :

🏢 **Novotel Brainpark,** K.P. van der Mandelelaan 150 (près A 16), ⊠ 3062 MB, ℰ (0 10)
453 07 77, Fax (0 10) 453 15 03 – 📶 ⅋ ⅋ ▤ ⱴ ⓣⱽ 🕿 ⅋ ⓟ – 🔏 25 à 400. ◭ ⓞ ⴹ ⱴⱤⱭ
Repas (ouvert jusqu'à 23 h) Lunch 43 – carte 53 à 76 – ⇌ 23 – **196 ch** 180. DS e

XXX **In den Rustwat,** Honingerdijk 96, ⊠ 3062 NX, ℰ (0 10) 413 41 10, Fax (0 10)
404 85 40, « Maison du 16e s. » – ▤ ⓟ. ◭ ⓞ ⴹ ⱴⱤⱭ ⱼⱺⱧ plan p. 5 HV e
fermé sam. midi et dim. – **Repas** Lunch 63 – 89/110.

XX **Minangkabau** 1er étage, Plaszoom 500 (Kralingse Bos), ⊠ 3062 CL, ℰ (0 10) 452 94 04,
Fax (0 10) 453 29 34, ⩽, 🏠, Cuisine indonésienne, « Dans les bois » – ⓟ. ◭ ⓞ ⴹ ⱴⱤⱭ.
⅋ DR h
Repas carte env. 55.

à Ommoord Ⓒ Rotterdam :

XX **Keizershof,** Martin Luther Kingweg 7, ⊠ 3069 EW, ℰ (0 10) 455 13 33, Fax (0 10)
456 80 23, 🏠 – ⓟ – 🔏 30. ◭ ⓞ ⴹ ⱴⱤⱭ DR f
fermé 24 juil.-14 août – **Repas** Lunch 45 – 50/90.

Zone Europoort par ⑥ : 25 km :

🏢 **De Beer Europoort,** Europaweg 210 (N 15), ⊠ 3198 LD, ℰ (0 181) 26 23 77,
Fax (0 181) 26 29 23, ⩽, 🏠, 🏊, ⅋ – 📶 ⓣⱽ 🕿 ⓟ – 🔏 25 à 180. ◭ ⓞ ⴹ ⱴⱤⱭ
Repas Lunch 45 – carte env. 70 – **78 ch** ⇌ 150/190 – ½ P 183.

Environs

à Barendrecht - plan p. 3 – 23 077 h :

🏢 **Bastion,** Van der Waalsweg 27 (près A 15), ⊠ 2991 XN, ℰ (0 10) 479 22 04, Fax (0 10)
⇔ 479 23 85 – ⓣⱽ 🕿 ⓟ. ◭ ⓞ ⴹ ⱴⱤⱭ. ⅋ DT t
Repas (grillades, ouvert jusqu'à 23 h) 45 – **40 ch** ⇌ 130/145.

à Capelle aan den IJssel - *plan p. 3* – *61 421 h :*

🏨 **Barbizon** Ⓜ, Barbizonlaan 2 (près A 20), ⊠ 2908 MA, ℰ (0 10) 456 44 55, *Telex 26514*, *Fax (0 10) 456 78 58*, ≼, 🏡 – 🛗 ✢ 📺 ☎ ℗ – 🔬 30 à 250. ⒶⒺ ⓄⒹ Ⓔ 𝘝𝘐𝘚𝘈 ⒿⒸⒷ. ✜
Repas 45 – ⊆ 25 – **100 ch** 265/295, 1 suite – ½ P 334/353.   DR **c**

✗ **Johannahoeve,** 's Gravenweg 347, ⊠ 2905 LB, ℰ (0 10) 450 38 00, *Fax (0 10) 442 07 34*, 🏡, « Ferme du 17ᵉ s » – ℗. ⒶⒺ Ⓔ 𝘝𝘐𝘚𝘈   DR **g**
fermé lundi et mardi en juil.-août – **Repas** 55.

à Krimpen aan den IJssel - *plan p. 3* – *27 685 h :*

✗ **De Schelvenaer,** Korenmolen 1, ⊠ 2922 BS, ℰ (0 180) 51 29 11, *Fax (0 180) 55 21 32*, 🏡, Ouvert jusqu'à minuit, « Moulin du 19ᵉ s., terrasse au bord de l'eau », 🈂
– ℗. ⒶⒺ Ⓔ 𝘝𝘐𝘚𝘈   DS **m**
fermé lundi – **Repas** Lunch 50 – carte 78 à 108.

à Rhoon - *plan p. 2* – Ⓒ *Albrandswaard 15 325 h :*

🏯 **Het Kasteel van Rhoon,** Dorpsdijk 63, ⊠ 3161 KD, ℰ (0 10) 501 88 96, *Fax (0 10) 501 24 18*, ≼, 🏡, « Dans les dépendances du château » – ℗. ⒶⒺ ⓄⒹ Ⓔ 𝘝𝘐𝘚𝘈. ✜
fermé 25 et 26 déc. – **Repas** 68/98.   AT **b**

à Schiedam - *plan p. 2* – *74 162 h.*

🅱 *Buitenhavenweg 9,* ⊠ 3113 BC, ℰ (0 10) 473 30 00, Fax (0 10) 473 66 95

🏨 **Novotel,** Hargalaan 2 (près A 20), ⊠ 3118 JA, ℰ (0 10) 471 33 22, *Fax (0 10) 470 06 56*, 🏡, 🏊, ⌺ – 🛗 ✢ ▤ 📺 ☎ ℗ – 🔬 25 à 200. ⒶⒺ ⓄⒹ Ⓔ 𝘝𝘐𝘚𝘈 ⒿⒸⒷ   AS **b**
Repas (ouvert jusqu'à minuit) Lunch 28 – carte env. 60 – ⊆ 23 – **133 ch** 169.

✗✗✗ **La Duchesse,** Maasboulevard 9, ⊠ 3114 HB, ℰ (0 10) 426 46 26, *Fax (0 10) 473 25 01*, ≼ Nieuwe Maas (Meuse), 🏡 – ℗. ⒶⒺ ⓄⒹ Ⓔ 𝘝𝘐𝘚𝘈 ⒿⒸⒷ   AS **d**
fermé sam. midi, dim. et 31 déc. – **Repas** Lunch 58 – 65.

✗✗✗ **Aub. Hosman Frères** 1ᵉʳ étage, Korte Dam 10, ⊠ 3111 BG, ℰ (0 10) 426 40 96, « Collection de flacons de spiritueux », Ouvert jusqu'à 23 h – ▤. ⒶⒺ ⓄⒹ Ⓔ 𝘝𝘐𝘚𝘈 ⒿⒸⒷ   AS **s**
fermé 31 déc. – **Repas** Lunch 48 – carte env. 85.

✗✗ **Le Pêcheur,** Nieuwe Haven 97, ⊠ 3116 AB, ℰ (0 10) 473 33 41, *Fax (0 10) 273 11 55*, 🏡, « Entrepôt du 19ᵉ s. » – ⒶⒺ ⓄⒹ Ⓔ 𝘝𝘐𝘚𝘈   AS **k**
fermé 26 déc.-5 janv. et lundi en juil.-août – **Repas** Lunch 44 – carte 63 à 87.

✗ **Orangerie Duchesse,** Maasboulevard 9, ⊠ 3114 HB, ℰ (0 10) 426 46 26, *Fax (0 10) 473 25 01*, ≼ Nieuwe Maas (Meuse), 🏡 – ℗. ⒶⒺ ⓄⒹ Ⓔ 𝘝𝘐𝘚𝘈 ⒿⒸⒷ   AS **d**
fermé dim. et 25, 26 et 31 déc. – **Repas** (dîner seult) 55.

✗ **Italia,** Hoogstraat 118, ⊠ 3111 HL, ℰ (0 10) 473 27 56, Cuisine italienne – ⒶⒺ ⓄⒹ Ⓔ 𝘝𝘐𝘚𝘈
😊 *fermé lundi, 20 juil.-10 août et 29 déc.-18 janv.* – **Repas** Lunch 30 – 45.   AS **n**
Voir aussi : **Vlaardingen** *par* ① *: 12 km*

ROTTEVALLE Friesland 🎱🎱🎱 Q 4 – *voir à Drachten.*

RUINEN Drenthe 🎱🎱🎱 S 6 et 🎱🎱🎱 K 3 – *7 156 h.*
🅱 *Brink 3,* ⊠ 7963 AA, ℰ (0 522) 47 17 00.
Amsterdam 154 – Assen 36 – Emmen 51 – Zwolle 41.

🏨 **De Stobbe,** Westerstraat 84, ⊠ 7963 BE, ℰ (0 522) 47 12 24, *Fax (0 522) 47 27 47*, ⌺s, 🈳 – 🛗, ▤ rest, 📺 ☎ & ℗. Ⓔ 𝘝𝘐𝘚𝘈
Repas carte env. 45 – **24 ch** ⊆ 98/145.

RUURLO Gelderland 🎱🎱🎱 S 10 et 🎱🎱🎱 K 5 – *7 948 h.*
Amsterdam 134 – Apeldoorn 45 – Arnhem 53 – Doetinchem 21 – Enschede 39.

✗ **De Herberg** ⌣ avec ch, Hengeloseweg 1 (SO : 3 km), ⊠ 7261 LV, ℰ (0 573) 45 21 47, *Fax (0 573) 45 21 47*, 🏡, 🌳 – ℗. Ⓔ. ✜
fermé 27 déc.-24 janv. – **Repas** (dîner seult jusqu'à 20 h 30) *(fermé lundi et mardi)* carte env. 70 – **9 ch** ⊆ 80/110 – ½ P 88/93.

RIJEN Noord-Brabant Ⓒ *Gilze en Rijen 23 843 h.* 🎱🎱🎱 J 13 et 🎱🎱🎱 F 7.
⛳ *à Gilze S : 5 km, Bavelseweg 153,* ⊠ 5126 NM, ℰ (0 161) 43 15 31, *Fax (0 76) 565 78 71.*
Amsterdam 99 – 's-Hertogenbosch 40 – Breda 11 – Tilburg 13.

🏨 **De Herbergh,** Rijksweg 202, ⊠ 5121 RC, ℰ (0 161) 22 43 18, *Fax (0 161) 22 23 27*
– 📺 ☎ ℗ – 🔬 25 à 140. ⒶⒺ ⓄⒹ Ⓔ 𝘝𝘐𝘚𝘈
Repas Lunch 30 – carte 47 à 84 – **40 ch** ⊆ 110/135.

De RIJP Noord-Holland © Graft-De Rijp 6 107 h. 210 J 7 et 408 F 4.
Amsterdam 34 – Alkmaar 17.

XXX **Vivaldi**, Oosteinde 33, ⊠ 1483 AC, ℘ (0 299) 67 15 23, Fax (0 299) 67 44 16, 😭 – ▤
🅿. 🆀 ⓪ 🅴 𝘝𝘐𝘚𝘈
fermé lundi et mardi – **Repas** carte 69 à 86.

XX **De Blaasbalg**, Grote Dam 2, ⊠ 1483 BK, ℘ (0 299) 67 13 50, Fax (0 299) 67 48 31,
😭, « Rustique » – 🔬 25. 🆀 ⓪ 🅴 𝘝𝘐𝘚𝘈
fermé lundi – **Repas** (dîner seult) carte 75 à 92.

RIJS (RIIS) Friesland © Gaasterlân-Sleat 9 532 h. 210 N 5 et 408 H 3.
Amsterdam 124 – Leeuwarden 50 – Lemmer 18 – Sneek 26.

🏨 **Jans** ⑳, Mientwei 1, ⊠ 8572 WB, ℘ (0 514) 58 12 50, Fax (0 514) 58 16 41, 😭,
« Cadre champêtre », 🚍 – 📺 ☎ 🅿 – 🔬 25 à 40. 🆀 ⓪ 🅴 𝘝𝘐𝘚𝘈 𝙅𝘾𝘽
fermé 27 déc.-4 janv. et dim. et lundi midi du 26 oct. au 12 avril – **Repas** Lunch 55 – 100
– **21 ch** ⊇ 108/165 – ½ P 118/128.

RIJSOORD Zuid-Holland © Ridderkerk 46 650 h. 211 H 11 et 408 E 6 - ㉕ S
Amsterdam 90 – Den Haag 40 – Breda 39 – Rotterdam 14.

XX **'t Wapen van Rijsoord**, Rijksstraatweg 67, ⊠ 2988 BB, ℘ (0 180) 42 09 96,
Fax (0 180) 43 33 03, 😭, « Au bord de l'eau » – ▤ 🅿. 🆀 ⓪ 🅴 𝘝𝘐𝘚𝘈
fermé dim. – **Repas** carte env. 100.

RIJSSEN Overijssel 210 T 9, 211 T 9 et 408 K 5 – 25 555 h.
🛈 Oranjestraat 131, ⊠ 7461 DK, ℘ (0 548) 52 00 11, Fax (0 548) 52 14 29.
Amsterdam 131 – Zwolle 40 – Apeldoorn 45 – Enschede 36.

🏨 **Rijsserberg** ⑳, Burg. Knottenbeltlaan 77 (S : 2 km sur rte de Markelo), ⊠ 7461 PA,
℘ (0 548) 51 69 00, Fax (0 548) 52 02 30, 😭, « Dans les bois », 🚍, ⬛, 🌳, 🎾 – 🛗
🍸 📺 🖭 ♿ 🅿 – 🔬 25 à 150. 🆀 ⓪ 🅴 𝘝𝘐𝘚𝘈. ⑳ rest
Repas Lunch 50 – 60/85 – ⊇ 26 – **50 ch** 198/330, 4 suites – ½ P 158/198.

SANTPOORT Noord-Holland © Velsen 65 509 h. 210 H 8, 211 H 8 et 408 E 4.
Amsterdam 26 – Haarlem 7.

🏨 **De Weyman** sans rest, Hoofdstraat 248, ⊠ 2071 EP, ℘ (0 23) 537 04 36, Fax (0 23)
537 06 53 – 🛗 📺 ☎. 🆀 ⓪ 🅴 𝘝𝘐𝘚𝘈 𝙅𝘾𝘽
⊇ 10 – **20 ch** 115/135.

🏨 **Bastion**, Vlietweg 20, ⊠ 2071 KW, ℘ (0 23) 538 74 74, Fax (0 23) 538 43 34 – 📺 ☎
🅿. 🆀 ⓪ 🅴 𝘝𝘐𝘚𝘈. ⑳
Repas (grillades, ouvert jusqu'à 23 h) 45 – **40 ch** ⊇ 131/147.

SASSENHEIM Zuid-Holland 211 H 9 et 408 E 5 – 14 663 h.
Amsterdam 32 – Den Haag 25 – Haarlem 20.

🏨 **Motel Sassenheim**, Warmonderweg 8 (près A 44), ⊠ 2171 AH, ℘ (0 252) 21 90 19,
Fax (0 252) 21 68 29, 😭 – 🛗 📺 ☎ 🅿 – 🔬 25 à 200. 🆀 ⓪ 🅴 𝘝𝘐𝘚𝘈
Repas Lunch 30 – 45 – ⊇ 20 – **72 ch** 110.

X **de Gelegenheid**, Kastanjelaan 1, ⊠ 2171 GJ, ℘ (0 252) 23 10 53, Fax (0 71) 361 46 29
– 🆀 ⓪ 🅴 𝘝𝘐𝘚𝘈
fermé mardi, merc., prem. sem. mars et 3 prem. sem. août – **Repas** (dîner seult) carte env.
60.

SAS VAN GENT Zeeland 211 C 15 et 408 C 8 – 8 707 h.
Amsterdam (bac) 202 – Middelburg (bac) 49 – Antwerpen 49 – Brugge 46 – Gent 25.

🏨 **Royal** (avec annexes), Gentsestraat 12, ⊠ 4551 CC, ℘ (0 115) 45 18 53, Fax (0 115)
45 17 96, 🚍, ⬛ – ▤ rest, 📺 ☎. 🆀 ⓪ 🅴 𝘝𝘐𝘚𝘈
Repas (fermé sam. et 26 déc.-3 janv.) 50/83 – **43 ch** ⊇ 100/165 – ½ P 145/190.

SCHAARSBERGEN Gelderland 211 P 10 et 408 I 5 – voir à Arnhem.

SCHAGEN Noord-Holland 210 I 6 et 408 F 3 – 17 191 h.
Amsterdam 64 – Alkmaar 19 – Den Helder 23 – Hoorn 29.

🏨 **Igesz**, Markt 22, ⊠ 1741 BS, ℘ (0 224) 21 48 24, Fax (0 224) 21 20 86, 😭 – 📺 ☎
– 🔬 25 à 250. 🆀 ⓪ 🅴 𝘝𝘐𝘚𝘈. ⑳ rest
Repas (dîner seult) (fermé lundi et mardi) carte env. 75 – **20 ch** ⊇ 105/150 – ½ P 152.

SCHAIJK Noord-Brabant © Landerd 14 154 h. **211** N 12 et **408** H 6.
Amsterdam 99 – Arnhem 44 – 's-Hertogenbosch 25 – Nijmegen 22.

XX **De Peppelen,** Schutsboomstraat 43, ⊠ 5374 CB, ℰ (0 486) 46 35 48, 佘,
« Terrasse » – **Ⓟ**. ⩥⩥
fermé 2 sem. après carnaval et mardi et merc. sauf en juil.-août – **Repas** 60/89.

SCHERPENZEEL Gelderland **211** M 10 et **408** H 5 – 9 140 h.
Amsterdam 64 – Amersfoort 13 – Arnhem 34.

🏛 **De Witte Holevoet,** Holevoetplein 282, ⊠ 3925 CA, ℰ (0 33) 277 13 36, Fax (0 33)
277 26 13, 佘, 寿 – 🛗 🆃🆅 ☎ **Ⓟ** – ⚓ 25 à 100. ⱯⒺ ⓞ ⅉ ⩥⩥. ⅏
Repas (fermé dim.) Lunch 48 – 53/83 – **22 ch** ⌸ 155/190.

SCHEVENINGEN Zuid-Holland **211** F 10 - ① et **408** D 5 – voir à Den Haag (Scheveningen).

SCHIEDAM Zuid-Holland **211** G 11 - ㉟ et **408** E 6 - ㉔ N – voir à Rotterdam, environs.

SCHIERMONNIKOOG (Ile de) Friesland **210** R 2 et **408** J 1 – voir à Waddeneilanden.

SCHIN OP GEUL Limburg © Valkenburg aan de Geul 18 151 h. **211** p 17 et **408** I 9.
Amsterdam 217 – Maastricht 19 – Liège 47 – Aachen 21.

🏠 **Oud Schin,** Strucht 21, ⊠ 6305 AE, ℰ (0 43) 459 12 92, Fax (0 43) 459 12 92, 🕿s –
🆃🆅 ☎ **Ⓟ**. ⱯⒺ ⅉ ⩥⩥. ⅏ rest
mars-oct. – **Repas** (fermé après 20 h) carte env. 45 – **12 ch** ⌸ 50/90 – ½ P 64/68.

SCHIPHOL Noord-Holland **210** I 9, **211** I 9 et **408** F 5 - ㉗ N – voir à Amsterdam, environs.

SCHOONEBEEK Drenthe **210** V 7 et **408** L 4 – 7 886 h.
Amsterdam 165 – Assen 48 – Groningen 73 – Zwolle 56.

🏠 **De Wolfshoeve,** Europaweg 132, ⊠ 7761 AL, ℰ (0 524) 53 24 24, Fax (0 524)
53 12 02 – 🆃🆅 ☎ **Ⓟ** – ⚓ 50 à 300. ⱯⒺ ⓞ ⅉ ⩥⩥
Repas (fermé dim. et après 20 h) carte 49 à 70 – **21 ch** ⌸ 55/135 – ½ P 92/122.

SCHOONHOVEN Zuid-Holland **211** J 11 et **408** F 6 – 11 861 h.
Voir Collection d'horloges murales★ dans le musée d'orfèvrerie et d'horlogerie (Neder-
lands Goud-, Zilver- en Klokkenmuseum) – route de digue de Gouda à Schoonhoven :
parcours★.
🛈 Stadhuisstraat 1, ⊠ 2871 BR, ℰ (0 182) 38 50 09, Fax (0 182) 38 74 46.
Amsterdam 62 – Den Haag 55 – Rotterdam 28 – Utrecht 29.

X **Brasserie de Hooiberg,** Van Heuven Goedhartweg 1 (E : 1 km), ⊠ 2871 AZ, ℰ (0 182)
⊜ 38 36 01, Fax (0 182) 38 63 40, 佘 – **Ⓟ**. ⱯⒺ ⓞ ⅉ ⩥⩥
fermé lundi – **Repas** (dîner seult) 45.

SCHOORL Noord-Holland **210** I 6 et **408** F 3 – 6 640 h.
🛈 Duinvoetweg 1, ⊠ 1871 EA, ℰ (0 72) 509 15 04, Fax (0 72) 509 10 24.
Amsterdam 49 – Alkmaar 10 – Den Helder 32.

🏨 **Merlet,** Duinweg 15, ⊠ 1871 AC, ℰ (0 72) 509 36 44, Fax (0 72) 509 14 06, 🕿s, 🔲
– 🛗 🆃🆅 ☎ **Ⓟ** – ⚓ 25 à 45. ⱯⒺ ⓞ ⅉ ⩥⩥ Ɉcⴆ
fermé du 1er au 14 janv. – **Repas** voir rest **Merlet** ci-après – **14 ch** ⌸ 120/170 –
½ P 143/255.

🏨 **Jan van Scorel,** Heereweg 89, ⊠ 1871 ED, ℰ (0 72) 509 44 44, Fax (0 72) 509 29 41,
佘, 🖪, 🕿s, 🔲 – 🛗 🆃🆅 ☎ & **Ⓟ** – ⚓ 25 à 150. ⱯⒺ ⓞ ⅉ ⩥⩥. ⅏
Repas Lunch 50 – carte env. 65 – ⌸ 25 – **44 ch** 130/225 – ½ P 185.

XXX **De Schoorlse Heeren,** Heereweg 215, ⊠ 1871 EG, ℰ (0 72) 509 13 80, Fax (0 72)
509 42 04, 佘, « Ancienne ferme à toit de chaume » – **Ⓟ**. ⱯⒺ ⓞ ⅉ ⩥⩥ Ɉcⴆ
fermé lundi et prem. sem. août – **Repas** Lunch 58 – 63/93.

XXX **Merlet** - H. Merlet, Duinweg 15, ⊠ 1871 AC, ℰ (0 72) 509 36 44, Fax (0 72) 509 14 06,
✿ ≼, 佘, « Terrasse dans un cadre champêtre » – **Ⓟ** ⱯⒺ ⓞ ⅉ ⩥⩥
fermé du 1er au 14 janv. – **Repas** Lunch 63 – 85, carte env. 95
Spéc. Flétan en croûte de fines herbes, beurre blanc d'huîtres. Poussin farci d'un couscous
au foie gras. Gâteau à la noix de coco et pain d'épices.

à Camperduin *NO : 6 km* 🆑 *Schoorl :*

🏨 **Strandhotel** ⊗, Heereweg 395, ⊠ 1871 GL, ℰ (0 72) 509 14 36, *Fax (0 72) 509 41 66*, ⇌, 🐎 – 📺 ☎ 🅿 – 🔏 25. 🄰🄴 ⓞ 🄴 𝘝𝘐𝘚𝘈, ✸ rest
Repas (dîner seult) *(fermé mardi et merc. de nov. à mars)* carte 48 à 82 – **21 ch** ⊇ 125/200, 3 suites – ½ P 103/160.

SCHUDDEBEURS *Zeeland* 🔟🔟🔟 E 15 *et* 🔟🔟🔟 C 6 – *voir à Zierikzee.*

SEROOSKERKE *(Schouwen) Zeeland* 🆑 *Westerschouwen 6 100 h.* 🔟🔟🔟 C 12 *et* 🔟🔟🔟 C 6.
Amsterdam 137 – Middelburg 54 – Rotterdam 69.

🍴🍴 **De Waag,** Dorpsplein 6, ⊠ 4327 AG, ℰ (0 111) 67 15 70, *Fax (0 111) 67 29 08*, 🏵 –
🅿. 🄰🄴 ⓞ 🄴 𝘝𝘐𝘚𝘈. ✸
fermé mardi sauf en juil.-août, lundi, 14 juin-2 juil. et 28 déc.-8 janv. – **Repas** Lunch 60 – 90.

SEVENUM *Limburg* 🔟🔟🔟 Q 14 *et* 🔟🔟🔟 J 7 – *6 920 h.*
🐴 *Maasduinenweg 1,* ⊠ 5977 NP, ℰ (0 77) 467 80 30, *Fax (0 77) 467 80 31.*
Amsterdam 172 – Eindhoven 44 – Maastricht 80 – Venlo 12.

🏨 **AC Hotel,** Kleefsedijk 29 (SO : 5 km, près A 67, sortie ㊳), ⊠ 5975 NV, ℰ (0 77) 467 20 02, *Fax (0 77) 467 30 85* – 📳 ⁺✺ 📺 ☎ & 🅿 – 🔏 25 à 250. 🄰🄴 ⓞ 🄴 𝘝𝘐𝘚𝘈
Repas (avec buffet) carte env. 50 – ⊇ 15 – **61 ch** 115, 3 suites.

SINT ANNA TER MUIDEN *Zeeland* 🔟🔟🔟 A 15 *et* 🔟🔟🔟 B 8 – *voir à Sluis.*

SINT NICOLAASGA (ST. NYK) *Friesland* 🔟🔟🔟 O 5 *et* 🔟🔟🔟 I 3 – *voir à Joure.*

SINT-OEDENRODE *Noord-Brabant* 🔟🔟🔟 M 13 *et* 🔟🔟🔟 H 7 – *16 850 h.*
🐴 *Schootsedijk 18,* ⊠ 5491 TD, ℰ (0413) 47 92 56, *Fax (0 413) 47 92 56.*
Amsterdam 107 – Eindhoven 15 – Nijmegen 48.

🍴🍴🍴 **Wollerich,** Heuvel 23, ⊠ 5492 AC, ℰ (0 413) 47 33 33, *Fax (0 413) 49 00 07*, 🏵 – ▤
❀ 🅿. 🄰🄴 ⓞ 🄴 𝘝𝘐𝘚𝘈. ✸
fermé 2 prem. sem. janv. – **Repas** Lunch 50 – 85/135 bc, carte 85 à 110
Spéc. Foie d'oie sauté aux pommes caramélisées et marmelade d'échalotes. Filet de plie et langoustines au coulis de homard tomaté. Suprêmes de caille en brioche, sauce au Porto rouge.

🍴🍴 **De Rooise Boerderij,** Schijndelseweg 2, ⊠ 5491 TB, ℰ (0 413) 47 49 01, *Fax (0 413) 47 65 65*, 🏵 – 🅿. 🄰🄴 ⓞ 🄴 𝘝𝘐𝘚𝘈. ✸
fermé lundi, 2 prem. sem. vacances bâtiment et 29 déc.-1er janv. – **Repas** Lunch 45 – 50/80.

🍴🍴 **De Coevering,** Veghelseweg 70 (NE : 2,5 km), ⊠ 5491 AJ, ℰ (0 413) 47 71 64, *Fax (0 413) 47 93 30*, 🏵 – 🅿. 🄰🄴 ⓞ 🄴 𝘝𝘐𝘚𝘈. ✸
fermé sam. midi, dim. midi, lundi, carnaval et 2 sem. en août – **Repas** Lunch 46 – 60/80.

SITTARD *Limburg* 🔟🔟🔟 P 17 *et* 🔟🔟🔟 I 8 – *48 056 h.*
✈ *à Beek S : 8 km* ℰ (0 43) 358 99 99.
🚩 *Rosmolenstraat 40,* ⊠ 6131 HZ, ℰ (0 46) 452 41 44, *Fax (0 46) 458 05 55.*
Amsterdam 194 – Maastricht 29 – Eindhoven 66 – Roermond 27 – Aachen 36.

🏨 **De Prins,** Rijksweg Zuid 25, ⊠ 6131 AL, ℰ (0 46) 451 50 41, *Fax (0 46) 451 46 41* –
📺 ☎ 🅿 – 🔏 25 à 60. 🄰🄴 ⓞ 🄴 𝘝𝘐𝘚𝘈 𝙅𝘾𝘽. ✸ rest
Repas *(fermé dim.)* Lunch 40 – 68 – **23 ch** ⊇ 110/180 – ½ P 140/178.

🏨 **De Limbourg,** Markt 22, ⊠ 6131 EK, ℰ (0 46) 451 81 51, *Fax (0 46) 452 34 86* – 📺
☎ 🅿. 🄰🄴 ⓞ 🄴 𝘝𝘐𝘚𝘈 𝙅𝘾𝘽.
Repas Lunch 25 – carte env. 45 – **10 ch** ⊇ 95/140 – ½ P 120/200.

🍴 **De Koning,** Markt 4, ⊠ 6131 EK, ℰ (0 46) 451 68 15, 🏵 – 🄰🄴 ⓞ 🄴 𝘝𝘐𝘚𝘈 𝙅𝘾𝘽. ✸
fermé sam. midi d'oct. à mai et mardi – **Repas** Lunch 30 – carte 45 à 73.

à Doenrade *S : 6 km par N 276* 🆑 *Schinnen 14 036 h :*

🏨🏨 **Kasteel Doenrade** ⊗, Limpensweg 20 (Klein-Doenrade), ⊠ 6439 BE, ℰ (0 46) 442 41 41, *Fax (0 46) 442 40 30*, 🏵, « Environnement champêtre », ⇌, ✸ – 📳, ▤ ch,
📺 ☎ 🅿 – 🔏 25 à 50. 🄰🄴 ⓞ 🄴 𝘝𝘐𝘚𝘈 𝙅𝘾𝘽.
Repas Lunch 55 – 65/105 – **23 ch** ⊇ 170/255, 1 suite – ½ P 188/203.

à Limbricht NO : 3 km © Sittard :

XX **In de Gouden Koornschoof** avec ch, Allee 1, ⊠ 6141 AV, ℰ (0 46) 451 44 44,
Fax (0 46) 452 97 00, 佘, « Dans les dépendances du château » – **❷** – **🅰** 25 à 175. 🖭
① 🄴 VISA
fermé lundi et fév. – **Repas** (dîner seult) 45/73 – ☲ 13 – **9 ch** 75/95 – ½ P 116/126.

à Munstergeleen S : 3 km © Sittard :

X **Zelissen,** Houbeneindstraat 4, ⊠ 6151 CR, ℰ (0 46) 451 90 27 – 🖭 🄴 VISA JCB
fermé mardi, merc., sem. carnaval et 20 juil.-12 août – **Repas** 38 (2 pers. min.)/53.

SLEAT Friesland – voir Sloten.

SLENAKEN Limburg © Wittem 7 807 h. 🄫🄸🄸 P 18 et 🄫🄰🄸 I 9

Voir Route de Epen ⩽★.
Amsterdam 230 – Maastricht 19 – Aachen 20.

🏫 **Klein Zwitserland** ॐ, Grensweg 11, ⊠ 6277 NA, ℰ (0 43) 457 32 91, Fax (0 43)
457 32 94, ⩽ campagne, 🖛 – 🕴 📺 ☎ ❷. 🖭 VISA. ⋘
6 mars-déc. ; 15 nov-18 déc. ouvert week-end seult – **Repas** (résidents seult) – **24 ch**
☲ 148/244.

🏠 **'t Gulpdal,** Dorpsstraat 40, ⊠ 6277 NE, ℰ (0 43) 457 33 15, Fax (0 43) 457 33 16, 🖛,
⋘ – 🕴 ⤝ 📺 ☎ ❷. 🖭 ① 🄴 VISA. ⋘
fermé janv.-fév. – **Repas** (dîner pour résidents seult) – **19 ch** ☲ 124/232, 5 suites.

🏠 **Slenaker Vallei,** Dorpsstraat 1, ⊠ 6277 NC, ℰ (0 43) 457 35 41, Fax (0 43) 457 26 28,
佘, 佘 – 🕴 📺 ☎ ❷ – 🅰 25 à 50. 🖭 ① 🄴 VISA. ⋘
mars-nov. et week-end en déc. – **Repas** 45/88 – **20 ch** ☲ 105/130 – ½ P 90/118.

🏠 **Tulip Inn,** Heyenratherweg 4, ⊠ 6276 PC, ℰ (0 43) 457 35 46, Fax (0 43) 457 20 92
– 🕴 📺 ☎ ❷. 🖭 ① 🄴 VISA. ⋘ rest
Repas (résidents seult) – **52 ch** ☲ 115/260 – ½ P 128/168.

🏠 **Berg en Dal,** Dorpsstraat 19, ⊠ 6277 NC, ℰ (0 43) 457 32 01, Fax (0 43) 457 33 53,
佘 – ❷. 🖭 ① 🄴 VISA. ⋘
fermé 24 sept.-15 oct. et merc. de nov. à avril – **Repas** (fermé après 19 h 30) 40/53 –
18 ch ☲ 58/117 – ½ P 68/79.

SLOTEN (SLEAT) Friesland © Gaasterlân-Sleat 9 532 h. 🄫🄸🄸 N 5 et 🄫🄰🄸 H 3.

Voir Ville fortifiée★.
Amsterdam 119 – Groningen 78 – Leeuwarden 50 – Zwolle 63.

X **De Zeven Wouden,** Voorstreek 120, ⊠ 8556 XV, ℰ (0 514) 53 12 70, Fax (0 514)
53 15 96, 佘 – 🖭 ① 🄴 VISA JCB
avril-oct. ; fermé mardi et merc. sauf en juil.-août – **Repas** Lunch 40 – carte 50 à 77.

SLUIS Zeeland © Sluis-Aardenburg 6 478 h. 🄫🄸🄸 A 15 et 🄫🄰🄸 B 8.
🄱 St-Annastraat 15, ⊠ 4524 JB, ℰ (0 117) 46 17 00, Fax (0 117) 46 26 84.
Amsterdam (bac) 225 – Brugge 21 – Middelburg (bac) 29 – Knokke-Heist 9.

XX **Oud Sluis** (Herman), Beestenmarkt 2, ⊠ 4524 EA, ℰ (0 117) 46 12 69, Fax (0 117)
❀ 46 30 05, 佘, Produits de la mer, « Petite auberge typique » – 🖭 ① 🄴 VISA
fermé jeudi, vend., 2 sem. en juin, 2 sem. en oct. et dern. sem. déc. – **Repas** Lunch 70 –
98/130, carte 135 à 165
Spéc. Six préparations d'huîtres de Zélande (sept.-avril). Anguille caramélisée aux miel et
soja. Assortiment de desserts maison.

X **Gasterij Balmoral,** Kaai 16, ⊠ 4524 CK, ℰ (0 117) 46 14 98, Fax (0 117) 46 18 07,
佘 – 🖭 ① 🄴 VISA JCB
fermé vend. et 3 dern. sem. janv. – **Repas** Lunch 35 – 46.

X **Lindenhoeve,** Beestenmarkt 4, ⊠ 4524 EA, ℰ (0 117) 46 18 10, Fax (0 117) 46 26 00,
佘, Taverne-rest – 🖿 ❷. 🖭 🄴 VISA
fermé prem. sem. sept. et après 20 h 30 – **Repas** (hors saison dîner seult) 27/43.

à Heille SE : 5 km © Sluis-Aardenburg :

XX **De Schaapskooi,** Zuiderbruggeweg 23, ⊠ 4524 KH, ℰ (0 117) 49 16 00, Fax (0 117)
49 22 19, 佘, « Ancienne bergerie dans cadre champêtre » – ❷. 🖭 ① 🄴 VISA
fermé lundi soir sauf en juil.-août, mardi, 2 sem. en fév. et 2 sem. en oct. – **Repas** carte
78 à 104.

à Retranchement N : 6 km 🇨 Sluis-Aardenburg :

X **De Witte Koksmuts,** Kanaalweg 8, ⊠ 4525 NA, 𝒫 (0 117) 39 16 87, ≤, 🏤 – **P**.
AE E
fermé du 16 au 26 mars, du 2 au 27 nov., merc. sauf en juil.-août et jeudi – **Repas** carte 70 à 96.

à Sint Anna ter Muiden NO : 2 km 🇨 Sluis-Aardenburg :

XX **De Vijverhoeve,** Greveningseweg 2, ⊠ 4524 JK, 𝒫 (0 117) 46 13 94, 🏤, « Terrasse et jardin dans cadre champêtre » – **P**. AE ① E *VISA*
fermé merc. et jeudi – **Repas** Lunch 55 – 85/120.

Europe	Si le nom d'un hôtel figure en petits caractères, demandez à l'arrivée les conditions à l'hôtelier.

SNEEK Friesland 🄩🄩🄩 O 4 et 🄪🄦🄥 I 2 – 29 823 h.

Voir *Porte d'eau*★ *(Waterpoort)* A **A**.

Exc. *Circuit en Frise Méridionale*★ *: Sloten (ville fortifiée*★*) par* ④.
🄱 Marktstraat 18, ⊠ 8601 CV, 𝒫 (0 515) 41 40 96, Fax (0 515) 42 37 03.
Amsterdam 125 ④ – Leeuwarden 24 ① – Groningen 78 ② – Zwolle 74 ③.

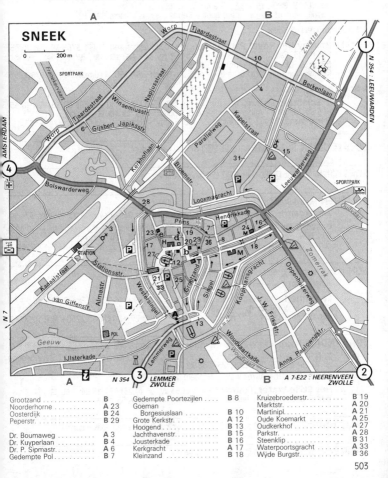

Grootzand	B	Gedempte Poortezijlen	B 8	Kruizebroederstr.	B 19
Noorderhorne	A 23	Goeman		Marktstr.	A 20
Oosterdijk	B 24	Borgesiuslaan	B 10	Martinipl.	A 21
Peperstr.	B 29	Grote Kerkstr.	A 12	Oude Koemarkt	A 25
		Hoogend	B 13	Oudkerkhof	A 27
Dr. Boumaweg	A 3	Jachthavenstr.	B 15	Parkstr.	A 28
Dr. Kuyperlaan	B 4	Jousterkade	B 16	Steenklip	B 31
Dr. P. Sipmastr.	A 6	Kerkgracht	A 17	Waterpoortsgracht	A 33
Gedempte Pol	B 7	Kleinzand	B 18	Wijde Burgstr.	B 36

🏛 **De Wijnberg,** Marktstraat 23, ⊠ 8601 CS, ✆ (0 515) 41 24 21, *Fax (0 515) 41 33 69*
– 🍽 rest, 📺 ☎. 🅰 **E** *VISA* JCB　　　　　　　　　　　　　　　A d
Repas *Lunch 33* – carte 52 à 78 – **23 ch** ⊏⊐ 75/145.

XX **Hanenburg** avec ch, Wijde Noorderhorne 2, ⊠ 8601 EB, ✆ (0 515) 41 25 70,
Fax (0 515) 42 58 95 – 📺 🅟 – 🔒 25 à 60. 🅰 ① **E** *VISA*. ⁉ rest　　　　A e
fermé 31 déc. et 1er janv. – **Repas** *(fermé dim. midi)* Lunch 38 – 60 – **20 ch** ⊏⊐ 85/185 –
½ P 100/130.

X **Onder de Linden,** Marktstraat 30, ⊠ 8601 CV, ✆ (0 515) 41 26 54, *Fax (0 515)*
⊛ *42 77 15* – **E** *VISA*　　　　　　　　　　　　　　　　　　　B b
fermé lundi et 27 déc.-14 janv. – **Repas** *Lunch 28* – 40.

SOEST *Utrecht* 211 L 9 et 408 G 5 – *42 801 h.*
🯄 *Steenhoffstraat 9a,* ⊠ *3764 BH,* ✆ *(0 35) 601 20 75, Fax (0 35) 602 80 17.*
Amsterdam 42 – Utrecht 23 – Amersfoort 7.

🏛🏛 **Het Witte Huis** (avec annexe), Birkstraat 138 (SO : 3 km sur N 221), ⊠ 3768 HN,
✆ (0 33) 461 71 47, Fax (0 33) 465 05 66 – 🛗 📺 ☎ 🅟 – 🔒 25 à 160. 🅰 ① **E** *VISA*
JCB. ⁉
fermé 27 déc.-4 janv. – **Repas** carte 45 à 63 – **68 ch** ⊏⊐ 130/195 – ½ P 120/160.

XX **Van den Brink,** Soesterbergsestraat 122, ⊠ 3768 EL, ✆ (0 35) 601 27 06, *Fax (0 35)*
601 97 18, � – 🅟 – 🔒 25 à 40. 🅰 **E** *VISA*
fermé merc. et fin juil.-début août – **Repas** *Lunch 48* – carte 60 à 83.

à Soestduinen © Soest :

🏛🏛🏛 **Holiday Inn Royal Parc** 🅼, Van Weerdenpoelmanweg 4, ⊠ 3768 MN, ✆ (0 35)
603 83 83, *Fax (0 35) 603 83 00,* ≤ parc et 🏊, 🌄, ℔, ⊜, 🌱, ⁉ – 🛗 🔆, 🍽 rest,
📺 ☎ 🔥 🅟 – 🔒 25 à 180. 🅰 ① **E** *VISA*. ⁉ ch
Repas *Lunch 50* – carte 60 à 86 – ⊏⊐ 25 – **81 ch** 270/290, 4 suites – ½ P 330/590.

à Soestdijk © Soest :

XXX **'t Spiehuis,** Biltseweg 45 (sur N 234), ⊠ 3763 LD, ✆ (0 35) 666 82 36, *Fax (0 35)*
666 84 76, 🌄, « Auberge en lisière des bois » – 🅟. 🅰 ① **E** *VISA*. ⁉
fermé mardi, 21 juil.-12 août et 27 déc.-6 janv. – **Repas** *Lunch 58* – carte 74 à 103.

SOESTDUINEN *Utrecht* 211 L 10 et 408 G 5 – *voir à Soest.*

SOESTDIJK *Utrecht* 211 L 9 et 408 G 5 – *voir à Soest.*

SOMEREN *Noord-Brabant* 211 O 14 et 408 I 7 – *17 913 h.*
Amsterdam 151 – 's-Hertogenbosch 52 – Eindhoven 23 – Helmond 13 – Venlo 37.

XX **Gasterij De Zeuve Meeren** avec ch, Wilhelminaplein 14, ⊠ 5711 EK, ✆ (0 493)
49 27 28, *Fax (0 493) 47 01 12* – 📺 ☎. 🅰 ① **E** *VISA* JCB. ⁉
fermé lundi midi – **Repas** *Lunch 45* – carte env. 60 – **5 ch** ⊏⊐ 85/120 – ½ P 125/200.

SON *Noord-Brabant* © Son en Breugel *14 627 h.* 211 M 13 et 408 H 7.
Amsterdam 114 – Eindhoven 8 – Helmond 17 – Nijmegen 53.

🏛🏛 **La Sonnerie,** Nieuwstraat 45, ⊠ 5691 AB, ✆ (0 499) 46 02 22, *Fax (0 499) 46 09 75,*
🌄, 🌳 – 🛗 📺 ☎ 🅟 – 🔒 25 à 100. 🅰 ① **E** *VISA* JCB. ⁉
Repas *(fermé du 21 au 27 fév.)* Lunch 45 – 63/73 – ⊏⊐ 20 – **24 ch** 140/250 – ½ P 145/170.

SPAARNDAM *Noord-Holland* © Haarlemmerliede en Spaarnwoude *5 342 h.* 211 I 8 et 408 F 4.
🏌 🏌 *à Velsen-Zuid N : 8 km, Het Hoge Land 2,* ⊠ *1981 LT, Recreatieoord Spaarnwoude*
✆ *(0 23) 538 27 08, Fax (0 23) 538 72 74.*
Amsterdam 18 – Alkmaar 28 – Haarlem 11.

X **Het Stille Water,** Oostkolk 19, ⊠ 2063 JV, ✆ (0 23) 537 13 94 – 🅰 **E** *VISA*
fermé lundi, mardi et fin déc. – **Repas** *Lunch 45* – carte 55 à 83.

SPAKENBURG *Utrecht* 211 M 9 et 408 H 5 – *voir à Bunschoten-Spakenburg.*

SPIER *Drenthe* 210 S 6 et 408 K 3 – *voir à Beilen.*

SPIJKENISSE *Zuid-Holland* 👁️ F 11 et 👁️ D 6 - ㉔ S – *70 515 h.*

    Amsterdam 92 – Rotterdam 17.

🏨 **Carlton Oasis,** Curieweg 1 (S : 1 km), ✉ 3208 KJ, 𝒫 (0 181) 62 52 22, *Fax (0 181) 61 10 94,* ♨, ⇔, 🔳 – 📶 ⇄, 🗐 ☎ 🅿 – 🔏 40 à 250. 🆎 ① 🗲 𝘝𝘐𝘚𝘈 ᴊᴄʙ
    Repas (ouvert jusqu'à minuit) *(fermé sam. soir)* carte 45 à 65 – ⌸ 30 – **79 ch** 338/388 – ½ P 410/455.

✗ **'t Ganzengors,** Oostkade 4, ✉ 3201 AM, 𝒫 (0 181) 61 25 78, *Fax (0 181) 61 77 32,*
⊕ ⌂ – 🅿. 🆎 ① 🗲 𝘝𝘐𝘚𝘈 ᴊᴄʙ
    fermé lundi – **Repas** *Lunch 43* – 45/73.

STAPHORST *Overijssel* 👁️ R 7 et 👁️ J 4 – *14 816 h.*

    Voir *Ville typique★ : fermes★, costume traditionnel★.*

    Amsterdam 128 – Zwolle 18 – Groningen 83 – Leeuwarden 74.

🏨 **Waanders,** Rijksweg 12, ✉ 7951 DH, 𝒫 (0 522) 46 18 88, *Fax (0 522) 46 10 93* – 📶,
⊟ rest, 📶 ☎ 🅿 – 🔏 25 à 230. 🆎 ① 🗲 𝘝𝘐𝘚𝘈 ᴊᴄʙ
    Repas (ouvert jusqu'à 23 h) carte env. 70 – **24 ch** ⌸ 100/150.

✗✗ **Het Boerengerecht,** Middenwolderweg 2, ✉ 7951 EC, 𝒫 (0 522) 46 19 67,
Fax (0 522) 46 11 66, ⊕, « Ferme du 17ᵉ s. » – ⊟ 🅿. 🆎 ① 🗲 𝘝𝘐𝘚𝘈
    fermé lundi, fin juil.-début août et fin déc.-prem. sem. janv. – **Repas** *Lunch 43* – 70/90.

✗ **De Molenmeester,** Gemeenteweg 364 (E : 3 km), ✉ 7951 PG, 𝒫 (0 522) 46 31 16,
⊕ – 🅿. 🆎 🗲 𝘝𝘐𝘚𝘈 ᴊᴄʙ
    fermé mardi et dim. midi – **Repas** *Lunch 50* – 55/58.

STEENSEL *Noord-Brabant* ⓒ *Eersel 12 768 h.* 👁️ M 14 et 👁️ H 7.

    Amsterdam 132 – 's-Hertogenbosch 43 – Eindhoven 12 – Roermond 60 – Turnhout 32.

🏨 **Motel Steensel,** Eindhovenseweg 43a, ✉ 5524 AP, 𝒫 (0 497) 51 23 16 – ⊟ rest, 📶
☎ 🅿 – 🔏 25 à 45. 🆎 ① 🗲 𝘝𝘐𝘚𝘈 ᴊᴄʙ. ⊕
    fermé 24 déc.-1ᵉʳ janv. – **Repas** carte 54 à 69 – **38 ch** ⌸ 98/128 – ½ P 125/179.

STEENWIJK *Overijssel* 👁️ Q 6 et 👁️ J 3 – *21 685 h.*

    🚩 *Markt 60,* ✉ *8331 HK,* 𝒫 *(0 521) 51 20 10, Fax (0 521) 51 17 79.*

    Amsterdam 148 – Zwolle 38 – Assen 55 – Leeuwarden 54.

🏨 **De Eese** ⌂, Duivenslaagte 2 (De Bult, N : 5,5 km direction Frederiksoord), ✉ 8346 KH,
𝒫 (0 521) 51 14 54, *Fax (0 521) 51 13 16,* ⊕, ⇔, 🔳, ✗ – 📶, ⊟ rest, 📶 ☎ 🅿 – 🔏 80
à 125. 🆎 ① 🗲 𝘝𝘐𝘚𝘈 ✗ ch
    Repas 55/89 – **55 ch** ⌸ 110/190 – ½ P 125/165.

✗ **Patijntje,** Scholestraat 15, ✉ 8331 HS, 𝒫 (0 521) 51 44 25, *Fax (0 521) 51 44 25* – ⊟.
✗
    fermé lundi, mardi, fév. et 2ᵉ quinz. sept. – **Repas** (dîner seult) carte env. 60.

✗ **De Gouden Engel** avec ch, Tukseweg 1, ✉ 8331 KZ, 𝒫 (0 521) 51 24 36, *Fax (0 521)
51 32 87* – ⊟ rest, 📶 ☎. 🆎 ① 🗲 𝘝𝘐𝘚𝘈 ᴊᴄʙ
    Repas *Lunch 25* – carte 59 à 83 – **14 ch** ⌸ 125/175 – ½ P 155/205.

STEIN *Limburg* 👁️ O 17 et 👁️ I 9 – *26 612 h.*

    Amsterdam 197 – Maastricht 21 – Roermond 30 – Aachen 36.

✗✗ **François,** Mauritsweg 96, ✉ 6171 AK, 𝒫 (0 46) 433 14 52, *Fax (0 46) 433 28 06* – 🆎
① 🗲 𝘝𝘐𝘚𝘈
    fermé mardi soir, merc., sam. midi et du 21 au 26 fév. – **Repas** carte 48 à 68.

à Urmond *N : 3 km* ⓒ *Stein :*

🏨 **Motel Stein-Urmond,** Mauritslaan 65 (près A 2), ✉ 6129 EL, 𝒫 (0 46) 433 85 73,
Fax (0 46) 433 86 86, ⊕ – 📶 📶 ☎ 🅿 – 🔏 25 à 400. 🆎 ① 🗲 𝘝𝘐𝘚𝘈
    Repas (ouvert jusqu'à minuit) carte env. 60 – ⌸ 18 – **165 ch** 95/110.

STEVENSWEERT *Limburg* ⓒ *Maasbracht 13 781 h.* 👁️ P 16 et 👁️ I 8

    Amsterdam 184 – Eindhoven 58 – Maastricht 37 – Venlo 39.

✗ **Herberg Stadt Stevenswaert,** Veldstraat Oost 1, ✉ 6107 AS, 𝒫 (0 475) 55 23 76,
Fax (0 475) 55 23 76, ⊕ – 🆎 🗲 𝘝𝘐𝘚𝘈
    fermé lundi et janv. – **Repas** *Lunch 40* – 49/70.

SUSTEREN Limburg **211** P 16 et **408** I 8 – 13 140 h.

Amsterdam 184 – Maastricht 32 – Eindhoven 58 – Roermond 19 – Aachen 47.

XX **La Source,** Oude Rijksweg Noord 21, ⊠ 6114 JA, ℘ (0 46) 449 31 50, Fax (0 46) 449 31 50, ⊜ – **Ɵ**. ㏂ ⓪ ⋿ *VISA*. ⋘
fermé du 16 au 25 fév., 20 juil.-9 août, lundi et mardi – **Repas** Lunch 50 – 53/90.

TEGELEN Limburg **211** Q 14 et **408** J 7 – voir à Venlo.

TERBORG Gelderland Ⓒ Wisch 19 795 h. **211** S 11 et **408** K 6.

Amsterdam 135 – Arnhem 37 – Enschede 58.

XX **'t Hoeckhuys,** Stationsweg 16, ⊠ 7061 CT, ℘ (0 315) 32 39 33, Fax (0 315) 33 04 97, ⊜ – **Ɵ**. ㏂ ⓪ ⋿ *VISA*
fermé merc. et 2ᵉ quinz. juin-prem. sem. juil. – **Repas** Lunch 55 – 50/55.

TERNEUZEN Zeeland **211** D 14 et **408** C 7 – 35 092 h.

🚹 Markt 11, ⊠ 4531 EP, ℘ (0 115) 69 59 76.

Amsterdam (bac) 196 – Middelburg (bac) 39 – Antwerpen 56 – Brugge 58 – Gent 39.

🏛 **L'Escaut,** Scheldekade 65, ⊠ 4531 EJ, ℘ (0 115) 69 48 55, Fax (0 115) 62 09 81, ⊜ – **☞** ⫶ ⊡ **☎** – 🔼 25 à 80. ㏂ ⓪ ⋿ *VISA* ⫶ⒸⒷ. ⋘ rest
fermé 31 déc.-1ᵉʳ janv. – **Repas** (fermé sam. midi et dim. midi) Lunch 60 – carte 50 à 103
– **31 ch** ⫴ 135/230 – ½ P 180/250.

🏨 **Winston Churchill,** Churchilllaan 700, ⊠ 4532 JB, ℘ (0 115) 62 11 20, Fax (0 115) 69 73 93, ⧲, ⊠ – ⫶ ⊡ **☎** ❖ & **Ɵ** – 🔼 25 à 125. ㏂ ⓪ ⋿ *VISA* ⫶ⒸⒷ. ⋘ rest
Repas Lunch 28 – carte env. 65 – **48 ch** ⫴ 185/220 – ½ P 105/138.

🔟 **City,** P. van Anrooylaan 2, ⊠ 4536 CE, ℘ (0 115) 69 66 60, Fax (0 115) 61 51 92 – ⫶
⊡ **☎ Ɵ**. ㏂ ⓪ ⋿ *VISA*. ⋘
fermé 27 déc.-5 janv. – **Repas** carte env. 45 – **117 ch** ⫴ 95/135 – ½ P 93/103.

🔟 **Triniteit,** Kastanjelaan 2 (angle Axelsestraat), ⊠ 4537 TR, ℘ (0 115) 61 41 50, Fax (0 115) 61 44 69, ⊜ – ⊡ **☎ Ɵ**. ㏂ ⓪ ⋿ *VISA*. ⋘
fermé jours fériés – **Repas** (dîner pour résidents seult) – **16 ch** ⫴ 110/165 – ½ P 145/165.

XX **De Kreek,** Noteneeweg 28 (Otheense Kreek), ⊠ 4535 AS, ℘ (0 115) 62 08 17, Fax (0115) 62 08 17, ≼, ⊜, « Terrasse au bord de l'eau » – **Ɵ**. ㏂ ⓪ ⋿ *VISA*
fermé mardi et fin fév.-prem. sem. mars – **Repas** Lunch 50 – carte 58 à 83.

TERSCHELLING (Ile de) Friesland **210** M 2 et **408** H 1 – voir à Waddeneilanden.

TETERINGEN Noord-Brabant **211** I 13 et **408** F 7 – voir à Breda.

TEXEL (Ile de) Noord-Holland **210** I 4 et **408** F 2 – voir à Waddeneilanden.

THOLEN Zeeland **211** E 13 et **408** D 7 – 22 922 h.

Amsterdam 133 – Bergen op Zoom 9 – Breda 51 – Rotterdam 56.

XX **Hof van Holland,** Kaaij 1, ⊠ 4691 EE, ℘ (0 166) 60 25 90, Fax (0 166) 60 43 58, Produits de la mer – ㏂ ⓪ ⋿ *VISA*
fermé lundi et 2 sem. en janv. – **Repas** Lunch 40 – carte 69 à 89.

THORN Limburg **211** P 16 et **408** I 8 – 2 589 h.

Voir Bourgade★.

🚹 Wijngaard 14, ⊠ 6017 AC, ℘ (0 475) 56 27 61.

Amsterdam 172 – Maastricht 44 – Eindhoven 44 – Venlo 35.

🏨 **Host. La Ville Blanche,** Hoogstraat 2, ⊠ 6017 AR, ℘ (0 475) 56 23 41, Fax (0 475) 56 28 28, ⊜ – ⫶ ⊡ **☎ Ɵ** – 🔼 25 à 90. ㏂ ⓪ ⋿ *VISA*. ⋘ rest
fermé dim. de nov. à fév. – **Repas** carte 58 à 78 – **23 ch** ⫴ 125/175 – ½ P 100/115.

🔟 **Crasborn,** Hoogstraat 6, ⊠ 6017 AR, ℘ (0 475) 56 12 81, Fax (0 475) 56 22 33, ⊜ – **Ɵ**. ㏂ ⓪ ⋿ *VISA* ⫶ⒸⒷ
fermé janv.-fév. – **Repas** Lunch 25 – carte 54 à 70 – ⫴ 18 – **11 ch** 105/120 – ½ P 165/180.

TIEL *Gelderland* 🔲 M 11 et 🔲 H 6 – *34 944 h.*

🔲 🔲 à Zoelen NO : 4 km, Oost Kanaalweg 1, ⊠ 4011 LA, ℰ (0 344) 62 43 70, Fax (0 344) 61 30 96.

🔲 *Korenbeursplein 4,* ⊠ 4001 KX, ℰ (0 344) 61 64 41, Fax (0 344) 61 56 49.

Amsterdam 80 – Arnhem 44 – 's-Hertogenbosch 38 – Nijmegen 41 – Rotterdam 76.

🔲 **Motel Tiel,** Laan van Westroyen 10 (près A 15, sortie ㉝), ⊠ 4003 AZ, ℰ (0 344) 62 20 20, Fax (0 344) 61 21 28, 🔲, 🔲, 🔲, 🔲 – 🔲 🔲 🔲 🔲 🔲 – 🔲 25 à 2000. 🔲 🔲 🔲 🔲
Repas (ouvert jusqu'à 23 h) *Lunch 15* – carte 46 à 75 – **124 ch** 🔲 130/143 – ½ P104/180.

🔲 **Lotus,** Westluidensestraat 49, ⊠ 4001 NE, ℰ (0 344) 61 57 02, Fax (0 344) 62 07 65, Cuisine chinoise – 🔲 🔲 🔲 🔲 🔲 🔲 🔲
Repas *Lunch 25* – 40 (2 pers. min.)/75.

NETHERLANDS

A Michelin Green Guide :
Describes buildings, scenery and scenic routes.
Explains geography, history and art.
Includes plans of towns and buildings.

TILBURG *Noord-Brabant* 🔲 K 13 et 🔲 G 7 – *164 380 h.*

Voir *De Pont (Stichting voor Hedendaagse Kunst)*★★ V.
Musée : *Nederlands Textielmuseum*★ V M¹.

Env. *Domaine récréatif de Beekse Bergen*★ SE : 4 km par ②.

🔲 Gilzerbaan 400, ⊠ 5032 VC, ℰ (0 13) 467 23 32, Fax (0 13) 467 78 23- - 🔲 à Goirle S : 3 km, Nieuwkerksedijk Zuid 50, ⊠ 5051 DW, ℰ (0 13) 534 20 29, Fax (0 13) 534 53 60.

🔲 à Eindhoven-Welschap par ② : 32 km ℰ (0 40) 251 61 42.

🔲 *Stadhuisplein 128,* ⊠ 5038 TC, ℰ (0 13) 535 11 35, Fax (0 13) 535 37 95.

Amsterdam 110 ① – 's-Hertogenbosch 23 ① – Breda 22 ③ – Eindhoven 36 ②.

Plan page suivante

🔲 **Mercure,** Heuvelpoort 300, ⊠ 5038 DT, ℰ (0 13) 535 46 75, Fax (0 13) 535 58 75, 🔲
🔲 – 🔲 🔲 🔲 🔲 🔲 – 🔲 25 à 175. 🔲 🔲 🔲 🔲 🔲 🔲 rest   Y b
Repas *Lunch 27* – 30/48 – 🔲 18 – **61 ch** 175, 2 suites – ½ P 118/125.

🔲 **De Postelse Hoeve,** Dr. Deelenlaan 10, ⊠ 5042 AD, ℰ (0 13) 463 63 35, Fax (0 13) 463 93 90, 🔲 – 🔲, 🔲 rest, 🔲 🔲 🔲 – 🔲 25 à 200. 🔲 🔲 🔲 🔲 🔲 ch   V v
Repas *Lunch 35* – carte 45 à 70 – **35 ch** 🔲 150/195 – ½ P 180.

🔲 **Ibis,** Dr. Hub. van Doorneweg 105, ⊠ 5026 RB, ℰ (0 13) 463 64 65, Fax (0 13) 468 16 24, 🔲 – 🔲 🔲, 🔲 rest, 🔲 🔲 🔲 🔲 – 🔲 25 à 200. 🔲 🔲 🔲 🔲 🔲   X p
Repas *(fermé sam. midi, dim. midi et jours fériés midis) Lunch 19* – 45 – 🔲 15 – **71 ch** 99 – ½ P 139.

🔲 **De Lindeboom** sans rest, Heuvelring 126, ⊠ 5038 CL, ℰ (0 13) 535 13 55, Fax (0 13) 536 10 85 – 🔲 🔲 🔲 🔲 🔲 🔲 🔲   Y c
18 ch 🔲 135/160.

🔲 **La Colline,** Heuvel 39, ⊠ 5038 CS, ℰ (0 13) 543 11 32, Fax (0 13) 542 54 65, 🔲 – 🔲
🔲 🔲 🔲 🔲 🔲   Y a
fermé merc. et 29 juil.-19 août – **Repas** *Lunch 45* – 58/65.

🔲 **Valentijn,** Heuvel 43, ⊠ 5038 CS, ℰ (0 13) 543 33 86, Fax (0 13) 544 14 19 – 🔲 🔲
🔲 🔲 🔲 🔲 🔲   Y a
fermé sam. midi, dim. midi, carnaval et 24 et 31 déc. – **Repas** *Lunch 50* – 68/80.

🔲 **Schouwburg,** Stadhuisplein 42, ⊠ 5038 TB, ℰ (0 13) 543 25 15, Fax (0 13) 543 09 57, 🔲 – 🔲 🔲 🔲 🔲 🔲   Z e
fermé lundi et juil.-mi-août – **Repas** *(dîner seult)* 45/58.

🔲 **La Petite Suisse,** Heuvel 41, ⊠ 5038 CS, ℰ (0 13) 542 67 31 – 🔲 🔲 🔲 🔲 Y a
Repas *(dîner seult)* carte env. 70.

🔲 **Osaka,** NS Plein 38, ⊠ 5014 DC, ℰ (0 13) 542 11 75, Fax (0 13) 544 75 45, Cuisine japonaise, teppan-yaki – 🔲 🔲 🔲 🔲 🔲 🔲   V d
Repas *Lunch 35* – 58 (2 pers. min.).

à Goirle *S : 3 km* – *19 568 h* :

🔲 **De Hovel,** Tilburgseweg 37, ⊠ 5051 AA, ℰ (0 13) 534 54 74, 🔲 – 🔲 🔲 🔲 🔲 🔲 🔲
fermé lundi – **Repas** 60/88.

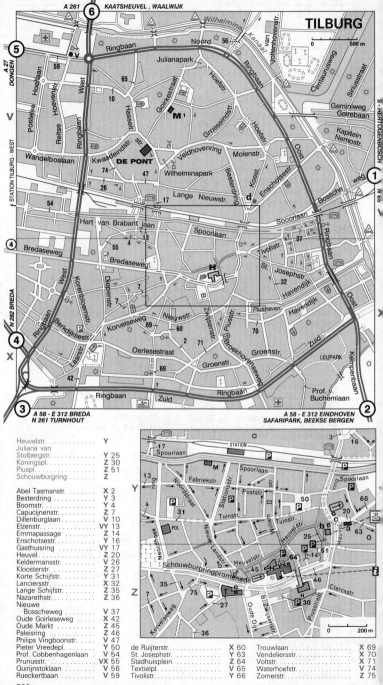

TILBURG

Heuvelstr.	Y		
Juliana van			
Stolbergstr.	Y	25	
Koningspl.	Z	30	
Piuspl.	Z	51	
Schouwburgring	Z		
Abel Tasmanstr.	X	2	
Besterdring	Y	3	
Boomstr.	Y	4	
Capucijnenstr.	V	7	
Dillenburglaan	Y	10	
Elzenstr.	VY	13	
Emmapassage	Z	14	
Enschotsestr.	Y	16	
Gasthuisring	VY	17	
Heuvel	Z	20	
Keldermansstr.	V	26	
Kloosterstr.	Z	27	
Korte Schijfstr.	Y	31	
Lanciersstr.	X	32	
Lange Schijfstr.	Z	35	
Nazarethstr.	Z	36	
Nieuwe			
Bosscheweg	V	37	
Oude Goirleseweg	X	42	
Oude Markt	Z	45	
Paleisring	Z	46	
Philips Vingboonstr.	V	47	
Pieter Vreedepl.	Y	50	
Prof. Cobbenhagenlaan	V	54	
Prunusstr.	VX	55	
Quirijnstoklaan	V	56	
Rueckertbaan	V	59	

de Ruijterstr.	X	60	
St. Josephstr.	Y	63	
Stadhuisplein	Z	64	
Textielpl.	V	65	
Tivolistr.	Y	66	

Trouwlaan	X	69	
Vendeliersstr.	X	70	
Voltstr.	X	71	
Waterhoefstr.	V	74	
Zomerstr.	Z	75	

TRICHT *Gelderland* © *Geldermalsen 23 223 h.* **2⑪⑪** L 11 et **4⓪⑧** G 6.
Amsterdam 68 – Arnhem 59 – 's-Hertogenbosch 25 – Rotterdam 68 – Utrecht 33.

  ※ **De Oude Betuwe,** Kerkstraat 19, ⊠ 4196 AA, *℘* (0 345) 57 77 00, Fax (0 345)
57 77 53 – ▤ **❷**. **Æ ⓪ Ε** *VISA*
fermé mardi et 29 déc.-1ᵉʳ janv. – **Repas** *Lunch 53* – 75.

TUBBERGEN *Overijssel* **2⑪⓪** U 8 et **4⓪⑧** L 4 – *19 519 h.*
  🅱 *Grotestraat 58,* ⊠ *7651 CK,* *℘* (0 546) 62 16 27, Fax (0 546) 60 36 40.
Amsterdam 162 – Zwolle 65 – Enschede 28 – Nordhorn 28.

  🏨 **Droste's,** Uelserweg 95 (NE : 2 km), ⊠ 7651 KV, *℘* (0 546) 62 12 64, Fax (0 546)
62 28 28 – ▤ rest, **📺 ☎ ❷** – **🚗** 30. **Æ Ε** *VISA* **JCB**. **✁** rest
fermé 30 déc.-5 janv. – **Repas** *Mangerie* (dîner seult) 45/75 – **24 ch** ⊠ 85/175 –
½ P 88/125.

à Albergen *E : 7 km* © *Tubbergen :*

  🏨 **'t Elshuis** ⬙, Gravendijk 6, ⊠ 7665 SK, *℘* (0 546) 44 21 61, Fax (0 546) 44 20 53, **⟵**
– **📺 ☎ ❹ ❷** – **🚗** 80. **Æ Ε** *VISA*. **✁**
Repas (dîner seult) carte 50 à 67 – ⊠ – **16 ch** 50/100 – ½ P 92/114.

TWELLO *Gelderland* © *Voorst 23 777 h.* **2⑪⑪** Q 9 et **4⓪⑧** J 5.
Amsterdam 104 – Arnhem 40 – Apeldoorn 11 – Deventer 7 – Enschede 66.

  ※ **de Statenhoed,** Dorpsstraat 12, ⊠ 7391 DD, *℘* (0 571) 27 70 23, Fax (0 571)
27 03 48, **☂**, Ouvert jusqu'à 23 h – **❷**. **Æ ⓪ Ε** *VISA* **JCB**
Repas carte 53 à 85.

UBACHSBERG *Limburg* © *Voerendaal 13 121 h.* **2⑪⑪** P 17 et **4⓪⑧** I 9.
Amsterdam 218 – Maastricht 31 – Eindhoven 88 – Aachen 16.

  ※※ **De Leuf** (van de Bunt), Dalstraat 2, ⊠ 6367 JS, *℘* (0 45) 575 02 26, Fax (0 45) 575 35 08,
  ⸙ **☂**, « Ancienne ferme avec décor contemporain, cour intérieure » – **❷**. **Æ ⓪**
Ε *VISA*
fermé du 22 au 28 fév., du 2 au 23 août, dim. et lundi – **Repas** *Lunch 55* – 85/180 bc, carte
110 à 125
Spéc. Saumon fumé minute. Asperges régionales et morilles à l'œuf poché et foie gras
fondu (mai-juin). Parfait glacé aux noisettes, fourré de chocolat blanc.

UDEN *Noord-Brabant* **2⑪⑪** N 13 et **4⓪⑧** H 7 – *37 784 h.*
  🅱 *Mondriaanplein 14a,* ⊠ *5401 HX,* *℘* (0 413) 25 07 77, Fax (0 413) 25 52 02.
Amsterdam 113 – 's-Hertogenbosch 28 – Eindhoven 30 – Nijmegen 33.

  🏨 **Arrows,** St. Janstraat 14, ⊠ 5401 BB, *℘* (0 413) 26 85 55, Fax (0 413) 26 16 15 – **📶**
📺 ☎ ❷. **Æ ⓪ Ε** *VISA*. **✁**
fermé 20 déc.-1ᵉʳ janv. – **Repas** (dîner seult) (fermé vend. et sam.) carte 63 à 78 – **38 ch**
⊠ 165/210.

  ※※ **Helianthushof** (Brevet), Boekelsedijk 17 (au Sud par N 264, derrière le parc sportif),
  ⸙ ⊠ 5404 NK, *℘* (0 413) 26 01 01, Fax (0 413) 25 18 93, **☂**, « Ferme rustique et terrasse
avec tonnelle » – **❷**. **Æ ⓪ Ε** *VISA*. **✁**
fermé du 2 au 9 fév., 27 juil.-10 août, lundi et sam. midi – **Repas** *Lunch 60* – 65/78, carte
78 à 97
Spéc. Saumon fumé minute, vinaigrette au basilic. Poulet fermier aux épices et au yaourt.
Pruneaux à l'Armagnac, sauce au caramel.

UDENHOUT *Noord-Brabant* **2⑪⑪** K 13 et **4⓪⑧** G 7 – *9 028 h.*
Amsterdam 103 – 's-Hertogenbosch 18 – Eindhoven 36 – Tilburg 10.

  ※ **L'Abeille,** Kreitenmolenstraat 59, ⊠ 5071 BB, *℘* (0 13) 511 36 12, **☂** – **Æ ⓪ Ε** *VISA*
JCB
fermé lundi – **Repas** (dîner seult) 49.

UITHOORN *Noord-Holland* **2⑪⑪** I 9 et **4⓪⑧** F 5 – *25 007 h.*
Amsterdam 19 – Den Haag 54 – Haarlem 23 – Utrecht 31.

  ※ **La Musette,** Wilhelminakade 39h, ⊠ 1421 AB, *℘* (0 297) 56 09 00 – **Æ ⓪ Ε** *VISA*
  ⬙ *fermé lundi, mardi et 28 déc.-22 janv.* – **Repas** (dîner seult jusqu'à 23 h) 43/68.

ULESTRATEN Limburg ⓒ Meerssen 20591 h. 🄶🄸🄸 O 17 et 🄸🄾🄸 I 9.
Amsterdam 205 – Maastricht 18 – Roermond 40 – Aachen 30.

❌❌ **Bellefroid,** Beekerweg 57, ✉ 6235 CB, ℘ (0 43) 364 21 26, Fax (0 43) 364 02 82, 🍴
– 🅟. 🄰🄴 ⑩ 🄴 𝘝𝘐𝘚𝘈. ❌
fermé merc., sam. midi, dim. midi, carnaval et 2 prem. sem. août – **Repas** Lunch 55 – 65/70.

URK Flevoland 🄶🄸🄾 N 7 et 🄸🄾🄸 H 4 – 14661 h.
Voir Site★.
🚢 vers Enkhuizen : Rederij F.R.O. ℘ (0 527) 68 34 07, Fax (0 527) 68 33 91. Durée de la traversée : 1 h 30. Prix AR : 18,50 Fl, bicyclette : 10,50 Fl.
🄱 Wijk 2 nr 2, ✉ 8321 EP, ℘ (0 527) 68 40 40, Fax (0 527) 68 61 80.
Amsterdam 84 – Zwolle 42 – Emmeloord 12.

❌ **De Kaap** avec ch, Wijk 1 nº 5b, ✉ 8321 EK, ℘ (0 527) 68 15 09, Fax (0 527) 68 50 09, ≼, 🍴, Produits de la mer – 📺. 🄰🄴 ⑩ 🄴 𝘝𝘐𝘚𝘈
Repas (fermé lundi, mardi et merc. d'oct. à mars) Lunch 20 – carte 45 à 77 – **13 ch** ⊐ 50/100 – ½ P 70/98.

❌ **'t Achterhuis,** Burg. J. Schipperkade 1, ✉ 8321 EH, ℘ (0 527) 68 27 96, Fax (0 527) 27 18 00, ≼, Produits de la mer, 🔲 – 🔳 🅟. 🄰🄴 🄴 𝘝𝘐𝘚𝘈 𝗝𝗖𝗕
Pâques-oct. et vend. et sam. ; fermé dim. – **Repas** Lunch 23 – 53/66.

URMOND Limburg 🄶🄸🄸 O 17 et 🄸🄾🄸 I 9 – voir à Stein.

USSELO Overijssel 🄶🄸🄸 U 9 et 🄸🄾🄸 L 5 – voir à Enschede.

UTRECHT 🄿 🄶🄸🄸 K 10 et 🄸🄾🄸 G 5 – 234254 h.
Voir La vieille ville★★ – Tour de la Cathédrale★★ (Domtoren) ❋★★ BY – Ancienne cathédrale★ (Domkerk) BY **D** – Vieux canal★ (Oudegracht) : ≼★ ABXY – Bas reliefs★ et crypte★ dans l'église St-Pierre (Pieterskerk) BY – Maison (Huis) Rietveld Schröder★★ CY.
Musées : Catharijneconvent★★ BY – Central★★ (Centraal Museum) BZ – National "de l'horloge musicale à l'orgue de Barbarie"★ (Nationaal Museum van Speelklok tot Pierement) – BY **M¹**.
Env. Château de Haar : collections★ (mobilier, tapisseries, peinture) par ⑥ : 10 km.
🏌 à Bosch en Duin par ② : 13 km, Amersfoortseweg 1, ✉ 3735 LJ, ℘ (0 30) 695 52 23, Fax (0 30) 696 37 69 - 🏌 à Vleuten O : 8 km, Parkweg 5, ✉ 3451 RH, ℘ (0 30) 677 28 60, Fax (0 30) 677 39 03.
✈ à Amsterdam-Schiphol par ⑥ : 37 km ℘ (0 20) 601 91 11.
🄱 Vredenburg 90, ✉ 3511 BD, ℘ 0 900-414 14 14, Fax (0 30) 233 14 17.
Amsterdam 36 ⑥ – Den Haag 61 ⑤ – Rotterdam 57 ⑤.

Plans pages suivantes

🏨 **Holiday Inn,** Jaarbeursplein 24, ✉ 3521 AR, ℘ (0 30) 297 79 77, Fax (0 30) 297 79 99, ≼, 🗜 – 🕸 ❄ ▦ 📺 ☎ 🕭 🚗 – 🔬 25 à 250. 🄰🄴 ⑩ 🄴 𝘝𝘐𝘚𝘈 𝗝𝗖𝗕 AY s
Repas (buffets) Lunch 35 – 50 – ⊐ 33 – **275 ch** 315/385, 1 suite.

🏨 **Park Plaza,** Westplein 50, ✉ 3531 BL, ℘ (0 30) 292 52 00, Fax (0 30) 292 51 99, �
– 🕸 ❄ ▦ 📺 ☎ 🕭 🅟 – 🔬 25 à 170. 🄰🄴 ⑩ 🄴 𝘝𝘐𝘚𝘈 𝗝𝗖𝗕 AY b
Repas Lunch 38 – carte env. 70 – ⊐ 35 – **120 ch** 290/365.

🏨 **Mitland,** Ariënslaan 1, ✉ 3573 PT, ℘ (0 30) 271 58 24, Fax (0 30) 271 90 03, ≼, 🍴, �, 🏊, ❌ – 🕸 ❄ 📺 ☎ 🅟 – 🔬 25 à 200. 🄰🄴 ⑩ 🄴 𝘝𝘐𝘚𝘈 CX t
Repas Lunch 24 – 53/58 – **92 ch** ⊐ 145/181 – ½ P 136/151.

🏨 **Malie** 🌲 sans rest, Maliestraat 2, ✉ 3581 SL, ℘ (0 30) 231 64 24, Fax (0 30) 234 06 61, 🌳 – 🕸 📺 ☎. 🄰🄴 🄴 𝘝𝘐𝘚𝘈. ❌ CX e
29 ch ⊐ 175/225.

🏨 **Smits,** Vredenburg 14, ✉ 3511 BA, ℘ (0 30) 233 12 32, Fax (0 30) 232 84 51 – 🕸 ❄ 📺 ☎ – 🔬 25 à 55. 🄰🄴 ⑩ 🄴 𝘝𝘐𝘚𝘈 AX c
Repas (diner seult) 45/125 – **85 ch** ⊐ 157/248 – ½ P 195/295.

🏨 **Tulip Inn** sans rest, Janskerkhof 10, ✉ 3512 BL, ℘ (0 30) 231 31 69, Fax (0 30) 231 01 48 – 🕸 📺 ☎ 🅟. 🄰🄴 ⑩ 🄴 𝘝𝘐𝘚𝘈 𝗝𝗖𝗕 BX k
44 ch ⊐ 195/250.

🏨 **Ibis,** Bizetlaan 1, ✉ 3533 KC, ℘ (0 30) 291 03 66, Fax (0 30) 294 20 66 – 🕸 ❄ 📺 ☎ 🕭 🅟 – 🔬 30 à 75. 🄰🄴 ⑩ 🄴 𝘝𝘐𝘚𝘈 FV r
Repas Lunch 28 – 45 – ⊐ 18 – **80 ch** 145 – ½ P 192/202.

🏨 **Bastion,** Mauritiuslaan 1 (angle Europalaan), ✉ 3526 LD, ℘ (0 30) 287 14 00, Fax (0 30) 287 10 12 – 📺 ☎ 🅟. 🄰🄴 ⑩ 🄴 𝘝𝘐𝘚𝘈. ❌ GV a
Repas (grillades, ouvert jusqu'à 23 h) 45 – **80 ch** ⊐ 151/166.

UTRECHT

Ahornsr. . . . . **FU** 7
Antonius Matthaeuslaan . . **GU** 9
Biltse Rading . . . . **GU** 13
Biltsestraatweg . . . . **GU** 15
Blauwkapelseweg . . . . . . **GU** 18
Brailledreef . . . . **GU** 24
Burg. van Tuyllkade . . . . . . **FU** 27
Carnegiedreef . . . . **GU** 28
Cartesiusweg . . . . **FU** 30
Damstr. . . . . **FUV** 34
Darwindreef . . . . **GU** 36
Ds. Martin Luther
  Kinglaan . . . . **FV** 42

't Goy laan . . . . **GV** 45
Graadt van Roggenweg . . **FV** 46
Herculeslaan . . . . **GV** 48
van Hoornekade . . . . **FU** 51
J. M. de Muinck
Keizerlaan . . . . **FU** 52
Joseph Haydnlaan . . . . . . **FV** 58
Koningin Wilhelminalaan . **FV** 64
Laan van Chartroise . . . . . **FU** 72
Lessinglaan . . . . **FV** 81
Marnixlaan . . . . **FU** 85
Omloop . . . . **GU** 94
Oudenoord . . . . **GU** 96
Overste den Oudenlaan . . **FV** 99
Pieter Nieuwlandstr. . . . . . **GU** 102
Pijperlaan . . . . **FV** 105

Prins Bernhardlaan . . . . . . **FU** 109
Rio Brancodreef . . . . **FU** 112
Royaards van den
  Hamkade . . . . **FU** 114
Sint Josephlaan . . . . **FU** 118
Socrateslaan . . . . **GV** 120
Spinozaweg . . . . **FU** 121
Sweder van Zuylenweg . . **FU** 123
Talmalaan . . . . **GU** 124
Thomas à Kempisweg . . . **FU** 126
Verlengde Vleutenseweg . **FU** 132
W. A. Vultostr. . . . . **FU** 136
Weg der Verenigde
  Naties . . . . **FV** 138
Weg tot de Wetenschap . **GV** 139
Zamenhofdreef . . . . **GU** 147

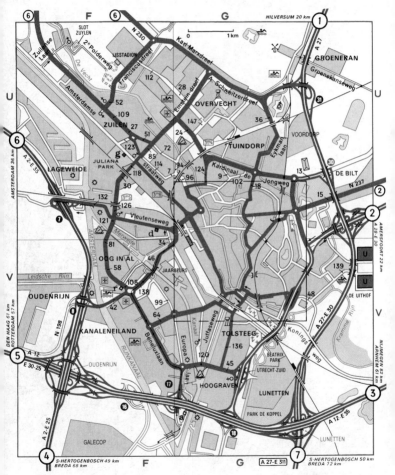

Ne confondez pas :
Confort des hôtels
Confort des restaurants
Qualité de la table

511

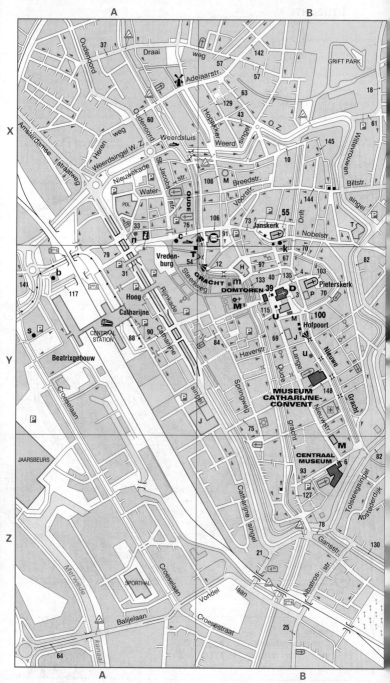

UTRECHT

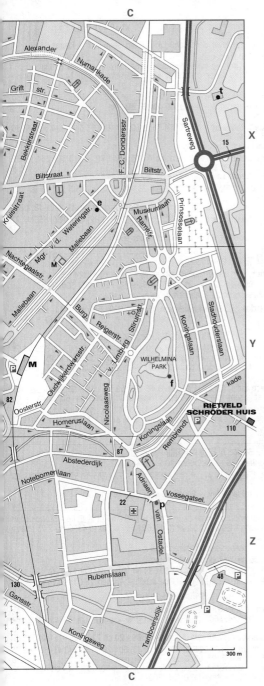

Lange Viestr.	AX 76
Nachtegaalstr.	CY
Oudegracht	BXYZ
Steenweg	ABY
Voorstr.	BX
Vredenburg	AY

Achter de Dom	BY 3
Achter St-Pieter	BY 4
Agnietenstr.	BZ 6
van Asch van Wijckskade	BX 10
Bakkerbrug	BY 12
Biltsestraatweg	CX 15
Blauwkapelseweg	BX 18
Bleekstr.	BZ 21
Bosboomstr.	CZ 22
Brijantlaan	BZ 25
Catharijnebaan	AY 31
Catharijnekade	AX 33
Dav. van Mollemstr.	AX 37
Domplein	BY 39
Domstr.	BY 40
Duifstr.	BX 43
Herculeslaan	CZ 48
Jansbrug	ABY 54
Janskerkhof	BX 55
Johannes de Bekastr.	BX 57
Kaatstr.	AX 60
Kleinesingel	BX 61
Koekoekstr.	BX 63
Koningin Wilhelminalaan	AZ 64
Korte Jansstr.	BY 67
Korte nieuwstr.	BY 69
Kromme Nieuwegracht	BY 70
Lange Jansstr.	BX 73
Lange Smeestr.	BY 75
Ledig Erf	BZ 78
Leidseveer	AXY 79
Maliesingel	BCYZ 82
Mariaplaats	BY 84
Mecklenburglaan	CYZ 87
Moreelselaan	AY 88
Moreelsepark	AY 90
Neude	BXY 91
Nicolaasstr.	BZ 93
Oudkerkhof	BY 97
Pausdam	BY 100
Pieterskerkhof	BY 103
Potterstr.	BX 106
Predikherenkerkhof	BX 108
Prins Hendriklaan	CY 110
Servetstr.	BY 115
van Sijpesteijnkade	AY 117
Twijnstr.	BZ 127
Valkstr.	BX 129
Venuslaan	BCZ 130
Vismarkt	BY 133
Voetlusstr.	BY 135
Westplein	AY 141
Willem van Noortstr.	BX 142
Wittevrouwenstr.	BX 144
Wolvenplein	BX 145
Zuilenstr.	BY 148

XXX **Jean d'Hubert**, Vleutenseweg 228, ⊠ 3532 HP, ℘ (0 30) 294 59 52, Fax (0 30) 296 48 35 – ▤. 𝖠𝖤 ⓞ 𝖤 𝖵𝖨𝖲𝖠　　　　　　　　　　　　　　　　　　　　FU d
fermé sam., dim., jours fériés et dern. sem. juil.-2 prem. sem. août – **Repas** 55/90.

XXX **Wilhelminapark**, Wilhelminapark 65, ⊠ 3581 NP, ℘ (0 30) 251 06 93, Fax (0 30) 254 07 64, ≤, 斎, « Pavillon au milieu d'un parc centenaire » – 𝖠𝖤 ⓞ 𝖤 𝖵𝖨𝖲𝖠　CY f
fermé sam. midi, dim., jours fériés, dern. sem. juil.-prem. sem. août et 24 déc.-1er janv. –
Repas Lunch 65 – 85.

XX **Juliana**, Amsterdamsestraatweg 464, ⊠ 3553 EL, ℘ (0 30) 244 00 32, Fax (0 30) 244 55 45, 斎, Cuisine asiatique – ▤ ⓟ. 𝖠𝖤 ⓞ 𝖤 𝖵𝖨𝖲𝖠. ⋘　　　　　　　FU g
Repas carte 45 à 83.

XX **het Grachtenhuys**, Nieuwegracht 33, ⊠ 3512 LD, ℘ (0 30) 231 74 94, Fax (0 30) 236 70 25 – ▤. 𝖠𝖤 ⓞ 𝖤 𝖵𝖨𝖲𝖠　　　　　　　　　　　　　　　　　　　　BY u
fermé lundi – **Repas** (dîner seult) 58/85.

XX **Bistro Chez Jacqueline**, Korte Koestraat 4, ⊠ 3511 RP, ℘ (0 30) 231 10 89, Fax (0 30) 232 18 55 – 𝖠𝖤 ⓞ 𝖤 𝖵𝖨𝖲𝖠　　　　　　　　　　　　　　　　　　AX n
fermé dim. et lundi – **Repas** Lunch 40 – carte 52 à 71.

XX **Sardegna**, Massegast 1a, ⊠ 3511 AL, ℘ (0 30) 231 15 90, Fax (0 30) 231 15 90, 斎, Cuisine italienne – 𝖤. ⋘　　　　　　　　　　　　　　　　　　　　BY m
fermé dim., 3 dern. sem. juil. et 2 dern. sem. déc. – **Repas** (dîner seult) carte 48 à 80.

X **Kaatje's**, A. van Ostadelaan 67a, ⊠ 3583 AC, ℘ (0 30) 251 11 82, Fax (0 30) 656 47 22. 𝖤　　　　　　　　　　　　　　　　　　　　　　　　　　　　　　　CZ P
fermé sam., fin juil.-mi-août et fin déc. – **Repas** (dîner seult) 53/63.

VAALS Limburg **211** Q 18 et **408** J 9 – 10 922 h.
Voir Drielandenpunt★, ≤★, de la tour Baudouin ⋇★ (Boudewijntoren) S : 1,5 km.
🛈 Maastrichterlaan 73a, ⊠ 6291 EL, ℘ (0 43) 306 29 18, Fax (0 43) 306 44 00.
Amsterdam 229 – Maastricht 27 – Aachen 4.

🏨 **Kasteel Bloemendal** ≫, Bloemendalstraat 150, ⊠ 6291 CM, ℘ (0 43) 306 66 00, Fax (0 43) 306 66 12, 斎, « Château du 18e s. sur jardin », ⋇ – ▮ ☎ ⓟ – 🔌 25 à 175. 𝖠𝖤 ⓞ 𝖤 𝖵𝖨𝖲𝖠. ⋘
Repas carte 56 à 78 – ⊑ 25 – **73 ch** 145, 3 suites – ½ P 120/140.

🏨 **Vaalsbroek** ≫, Vaalsbroek 1, ⊠ 6291 NH, ℘ (0 43) 306 49 55, Fax (0 43) 306 53 53, 斎, « Terrasse au bord de l'eau », ⋘ – ▮ 📺 ☎ ⓟ – 🔌 25 à 150. 𝖠𝖤 ⓞ 𝖤 𝖵𝖨𝖲𝖠. ⋘ rest
Repas (dîner seult sauf sam. et dim.) carte 73 à 97 – ⊑ 20 – **45 ch** 150/250, 5 suites – ½ P 160/220.

X **Ambiente**, Lindenstraat 1, ⊠ 6291 AE, ℘ (0 43) 306 59 39, 斎 – 𝖠𝖤 ⓞ 𝖤 𝖵𝖨𝖲𝖠 𝖩𝖢𝖡
fermé merc., jeudi et 2 sem. carnaval – **Repas** (dîner seult) carte env. 60.

X **Schatull**, Akenerstraat 31, ⊠ 6291 BA, ℘ (0 43) 306 17 40, 斎 – ⋘
fermé lundi, mardi et 3 sem. carnaval – **Repas** (dîner seult jusqu'à 2 h du matin) carte 70 à 89.

VAASSEN Gelderland 🅒 Epe 33 403 h. **211** P 9, **211** P 9 et **408** I 5.
Amsterdam 98 – Arnhem 36 – Apeldoorn 10 – Zwolle 33.

XX **De Leest**, Kerkweg 1, ⊠ 8171 VT, ℘ (0 578) 57 13 82, Fax (0 578) 57 13 82, 斎 – 𝖠𝖤 ⓞ 𝖤 𝖵𝖨𝖲𝖠 𝖩𝖢𝖡
fermé lundi, mardi et mi-janv.-fév. – **Repas** Lunch 45 – carte 51 à 71.

VALKENBURG Limburg 🅒 Valkenburg aan de Geul 18 151 h. **211** P 17 et **408** I 9 – Station thermale – Casino Y, Odapark 1, ⊠ 6301 GZ, ℘ (0 43) 601 55 50, Fax (0 43) 601 47 75 (transfert prévu : Cauberg).
Musée : de la mine★ (Steenkolenmijn Valkenburg) Z.
Exc. Circuit Zuid-Limburg★ ((Limbourg Méridional).
🛈 Th. Dorrenplein 5, ⊠ 6301 DV, ℘ (0 43) 601 33 64, Fax (0 43) 601 67 25.
Amsterdam 212 ① – Maastricht 15 ① – Liège 40 ③ – Aachen 26 ①.

Plan page ci-contre

🏨 **Prinses Juliana** (annexe Residentie ≫ - 3 ch et 5 suites), Broekhem 11, ⊠ 6301 HD, ℘ (0 43) 601 22 44, Fax (0 43) 601 44 05, ⋘ – ▮ 📺 ☎ ⬤ ⓟ – 🔌 50. 𝖠𝖤 ⓞ 𝖤 𝖵𝖨𝖲𝖠 𝖩𝖢𝖡
Y m
fermé 1er janv. – **Repas** voir rest **Juliana** ci-après – ⊑ 35 – **20 ch** 225/325 – ½ P 225/275.

🏨 **Gd H. Voncken**, Walramplein 1, ⊠ 6301 DC, ℘ (0 43) 601 28 41, Fax (0 43) 601 62 45 – ▮ 📺 ☎ ⓟ – 🔌 25 à 100. 𝖠𝖤 ⓞ 𝖤 𝖵𝖨𝖲𝖠 𝖩𝖢𝖡. ⋘ rest　　　　　Z s
Repas (fermé 28 déc.-4 janv. et du 22 au 24 fév.) Lunch 50 – 80/103 – **44 ch** (fermé 28 déc.-4 janv.) ⊑ 130/240, 2 suites – ½ P 135/200.

VALKENBURG

Berkelstr.	**Z**	3
Grendelpl.	**Z**	7
Grotestr.	**Z**	9
Louis van der Maessenstr.	**Y**	18
Muntstr.	**Z**	19

Plenkertstr.	**YZ**	
Theodoor Dorrenpl.	**Y**	28
Wilhelminalaan	**YZ**	

Dr. Erensstr.	**Y**	4
Emmalaan	**Y**	6
Halderstr.	**Z**	10
Hekerbeekstr.	**Y**	12
Jan Dekkerstr.	**Y**	13

Kerkstr.	**Z**	15
Kloosterweg	**Y**	16
Oranjelaan	**Y**	21
Palankastr.	**Y**	22
Poststr.	**Y**	24
Prinses Margrietlaan	**Y**	25
Sittarderweg	**Y**	27
Walrampl.	**Z**	30
Walravenstr.	**Z**	31

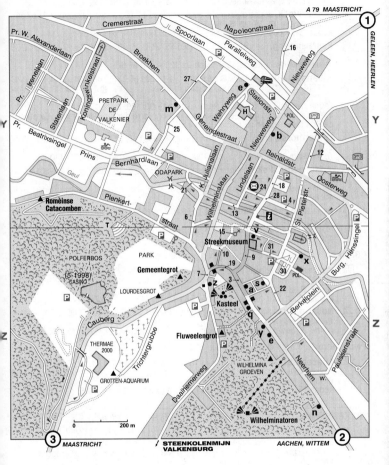

🏬 **Park H. Rooding,** Neerhem 68, ⊠ 6301 CJ, ℘ (0 43) 601 32 41, Fax (0 43) 601 32 40,
⬛, ☞ – ⬙ TV ☎ ⇔ **P** – 🔏 25 à 140. AE ① E VISA JCB. ⋘ Z n
Pâques-2 nov. – **Repas** (dîner seult jusqu'à 20 h) 70 – **92 ch** ⊇ 160/195 – ½ P 110/135.

🏨 **Tummers,** Stationstraat 21, ⊠ 6301 EZ, ℘ (0 43) 601 37 41, Fax (0 43) 601 36 47 –
⬙ TV ☎ ⇔ **P**. AE ① E VISA. ⋘ rest Y e
Repas Lunch 25 – carte env. 85 – **28 ch** ⊇ 160/300, 1 suite – ½ P 118/188.

🏨 **Riche,** Neerhem 26, ⊠ 6301 CH, ℘ (0 43) 601 29 65, Fax (0 43) 601 28 97, ☞ – ⬙ TV
⇔ ☎ **P**. AE ① E VISA JCB. ⋘ Z e
fermé 28 déc.-6 fév. – **Repas** (dîner seult) 45 – **46 ch** ⊇ 110/180 – ½ P 113/155.

🏬 **Walram,** Walramplein 37, ⊠ 6301 DC, ℘ (0 43) 601 30 47, Fax (0 43) 601 42 00, ☎,
⬛ – ⬙ TV ☎ **P**. AE ① E VISA JCB. ⋘ Z x
Repas (dîner seult jusqu'à 20 h) carte env. 50 – **77 ch** ⊇ 87/134 – ½ P 94/123.

🏨 **Atlanta,** Neerhem 20, ⊠ 6301 CH, ℘ (0 43) 601 21 93, *Fax (0 43) 601 53 29* – 📶 📺
🕿 🅿. 🝐 🝐 *VISA*. 🝐 rest   Z y
Repas (dîner pour résidents seult) – **33 ch** ⊃ 150 – ½ P 100/110.

🏨 **Gd H. Monopole,** Nieuweweg 22, ⊠ 6301 ET, ℘ (0 43) 601 35 45, *Fax (0 43)
601 47 11* – 📶 📺 🅿. 🝐   Y b
avril-oct. – **Repas** (dîner seult) carte 54 à 73 – **46 ch** ⊃ 83/130 – ½ P 73/78.

🏨 **Botterweck,** Bogaardlaan 4, ⊠ 6301 CZ, ℘ (0 43) 601 47 50, *Fax (0 43) 601 67 56* –
📶 📺 🕿 🚗 🅿. 🝐 🝐 🝐 *VISA* JCB   Z v
Repas (dîner pour résidents seult) – **22 ch** ⊃ 78/135 – ½ P 78/88.

🏨 **Kasteelsteeg,** Grendelplein 15, ⊠ 6301 BS, ℘ (0 43) 609 00 43, *Fax (0 43) 609 00 39*,
🍴 – 📺. 🝐 ch   Z z
fermé janv.-fév. – **Repas** 48 – **13 ch** ⊃ 125 – ½ P 85/93.

XXXX **Juliana** - H. Prinses Juliana, Broekhem 11, ⊠ 6301 HD, ℘ (0 43) 601 22 44, *Fax (0 43)
😊 601 44 05*, 🍴, « Terrasse et jardin fleuri » – ▤ 🅿. 🝐 🝐 🝐 *VISA* JCB.
🝐   Y m
fermé sam. midi et 1er janv. – **Repas** *Lunch 70* – 98/160, carte 120 à 135
Spéc. Langoustines marinées et sautées maison. Carré d'agneau au romarin. Cappuccino
de Brie de Meaux et de truffes (janv.-mars).

XXX **Lindenhorst,** Broekhem 130 (NO : 2 km), ⊠ 6301 HL, ℘ (0 43) 601 34 44, *Fax (0 43)
601 00 17*, 🍴 – ▤. 🝐 🝐 *VISA*   Y
fermé lundi, merc. et du 15 au 31 juil. – **Repas** (dîner seult) carte 85 à 110.

XX **'t Mergelheukske** 1er étage, Berkelstraat 13a, ⊠ 6301 CB, ℘ (0 43) 601 63 50,
🝐 *Fax (0 43) 601 63 50*, 🍴 – 🅿. 🝐 🝐 *VISA*. 🝐   Z a
fermé lundi, mardi, 2 sem. après carnaval et 2 sem. en oct. – **Repas** (dîner seult)
40/80.

X **De la Ruïne** avec ch, Neerhem 2, ⊠ 6301 CH, ℘ (0 43) 601 29 92, *Fax (0 43) 601 29 18*,
🍴 📺 🅿. 🝐 *VISA*   Z q
mars-oct. et du 2 au 23 déc. – **Repas** carte env. 50 – **7 ch** ⊃ 90/115 – ½ P
110/150.

à Berg en Terblijt *O : 5 km* 🄒 *Valkenburg aan de Geul :*

🏨 **Kasteel Geulzicht** ⌖, Vogelzangweg 2, ⊠ 6325 PN, ℘ (0 43) 604 04 32, *Fax (0 43)
604 20 11*, ⌖, 🍴, « Atmosphère de vie de château début du siècle », 🝐 – 📶 📺 🕿
🅿. 🝐 🝐 *VISA*. 🝐 rest
Repas (dîner pour résidents seult) – **9 ch** ⊃ 190/356 – ½ P 176/221.

🏨 **Holland,** Rijksweg 65, ⊠ 6325 AB, ℘ (0 43) 604 05 25, *Fax (0 43) 604 26 15* – 📶 🕿
🅿. 🝐 🝐 *VISA*. 🝐
fermé 28 déc.-15 janv. – **Repas** carte 45 à 81 – **22 ch** ⊃ 98/170 – ½ P 88/91.

à Houthem *E : 3,5 km* 🄒 *Valkenburg aan de Geul :*

🏨 **Château St. Gerlach** ⌖, Joseph Corneli Allée 1, ⊠ 6301 KK, ℘ (0 43) 608 88 88,
Fax (0 43) 604 28 83, ⌖, 🝐, 🝐 – 📶 📺 🕿 🅿 – 🝐 25 à 180. 🝐 🝐
🝐 *VISA*
Repas 95/120 – ⊃ 45 – **58 ch** 265/325, 39 suites – ½ P 295/315.

VALKENSWAARD *Noord-Brabant* 🗿🗿 M 14 *et* 🗿🗿🗿 H 7 – *31 020 h.*

🝐 *Eindhovenscheweg 300*, ⊠ *5553 VB*, ℘ (0 40) 201 27 13, *Fax (0 40) 204 40 38.*
🝐 *Bakkerstraat 8*, ⊠ *5554 EE*, ℘ (0 40) 201 51 15, *Fax (0 40) 208 36 00.*
*Amsterdam 135 – 's-Hertogenbosch 46 – Eindhoven 9 – Turnhout 41 –
Venlo 58.*

XXX **Normandie,** Leenderweg 4, ⊠ 5554 CL, ℘ (0 40) 201 88 80, *Fax (0 40) 204 75 66*, 🍴
– 🝐 🝐 🝐 *VISA*. 🝐
fermé sam. midi, dim. midi, carnaval, 27 juil.-10 août, 24 et 31 déc. et 1er janv. – **Repas**
Lunch 50 – 80/90.

VALTHE *Drenthe* 🗿🗿🗿 V 5 *et* 🗿🗿🗿 L 3 – *voir à Odoorn.*

VASSE *Overijssel* 🄒 *Tubbergen 19 519 h.* 🗿🗿🗿 V 8 *et* 🗿🗿🗿 L 4.
Amsterdam 163 – Almelo 15 – Oldenzaal 16 – Zwolle 62.

🏨 **Tante Sien,** Denekamperweg 210, ⊠ 7661 RM, ℘ (0 541) 68 02 08, *Fax (0 541)
68 01 22*, 🍴, 🝐 – 🕿 🅿 – 🝐 30 à 200. 🝐
16 ch.

VEENDAM Groningen **210** V 4 et **408** L 2 – 28 540 h.

🎱 Ontspanningslaan 1, 𝒫 (0 598) 62 70 06.
Amsterdam 213 – Assen 33 – Groningen 29.

🏨 **Parkzicht,** Winkler Prinsstraat 3, ⌧ 9641 AD, 𝒫 (0 598) 62 64 64, Fax (0 598) 61 90 37,
🏛 – 📱 📺 ☎ 🅿 – 🔬 25 à 500. 🅰🅴 🅴 𝗩𝗜𝗦𝗔
Repas Lunch 18 – carte 45 à 63 – **50 ch** ⌑ 105/150 – ½ P 100/120.

à Wildervank S : 7 km 🅲 Veendam :

🏨 **de Veenkoloniën,** K.J. de Vriezestraat 1, ⌧ 9648 HA, 𝒫 (0 598) 61 84 80, Fax (0 598)
61 96 58, 🛁, 🌿 – 📺 ☎ 🅿 🅰🅴 🅴 𝗩𝗜𝗦𝗔 🅹🅲🅱
fermé 31 déc. et 1er janv. – **Repas** carte env. 50 – **19 ch** ⌑ 70/130.

VEENENDAAL Utrecht **211** N 10 et **408** H 5 – 55 325 h.

🛈 Kerkewijk 10, ⌧ 3901 EG, 𝒫 (0 318) 52 98 00, Fax (0 318) 55 31 33.
Amsterdam 74 – Arnhem 33 – Utrecht 36.

XXX **De Vendel,** Vendelseweg 69, ⌧ 3905 LC, 𝒫 (0 318) 52 55 06, Fax (0 318) 52 25 02,
🏡, Ouvert jusqu'à 23 h – 🅿 🅰🅴 🅾 🅴 𝗩𝗜𝗦𝗔
fermé dim. – **Repas** Lunch 58 – carte env. 80.

VEERE Zeeland **211** B 13 et **408** C 7 – 5 089 h.

Voir Maisons écossaises★ (Schotse Huizen) **A** – Ancien hôtel de ville★ (Oude stadhuis).
🛈 Oudestraat 28, ⌧ 4351 AV, 𝒫 (0 118) 50 13 65.
Amsterdam 181 ② – Middelburg 7 ① – Zierikzee 38 ②.

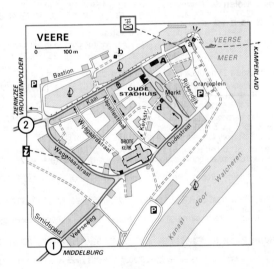

XX **De Campveerse Toren** avec ch et annexe, Kaai 2, ⌧ 4351 AA, 𝒫 (0 118) 50 12 91,
Fax (0 118) 50 16 95, ≼, 🏡, « Bastion du 15e s. » – ☎. 🅰🅴 🅾 🅴 𝗩𝗜𝗦𝗔. 🎿 ch **a**
fermé lundis et mardis non fériés de nov. à mars – **Repas** Lunch 55 – 60/110 – **14 ch**
⌑ 125/225 – ½ P 120/170.

XX **d'Ouwe Werf,** Bastion 2, ⌧ 4351 BG, 𝒫 (0 118) 50 14 93, Fax (0 118) 50 16 28, 🏡,
🍴 « Terrasse et jardin avec ≼ port de plaisance » – ▤ 🅿 🅰🅴 🅾 🅴 𝗩𝗜𝗦𝗔 **b**
fermé dim. de nov. à fév., lundi, 11 janv.-18 fév. et prem. sem. nov. – **Repas** 45/74.

XX **'t Waepen van Veere** avec ch, Markt 23, ⌧ 4351 AG, 𝒫 (0 118) 50 12 31, Fax (0 118)
50 60 09 – 📺 ☎ 🅿 🅰🅴 🅾 🅴 𝗩𝗜𝗦𝗔 **d**
fermé 31 déc.-15 fév. et lundi et mardi du 7 nov. au 28 mars – **Repas** Lunch 50 – 54/66
– **10 ch** ⌑ 110/145 – ½ P 105/113.

X **In den Struyskelder,** Kaai 25, ⌧ 4351 AA, 𝒫 (0 118) 50 13 92, Fax (0 118) 50 19 83,
🍴 🏡, Taverne-rest. « Dans une cave » – 🅰🅴 🅴 𝗩𝗜𝗦𝗔 **A**
avril-oct. – **Repas** 45.

VEGHEL Noord-Brabant 🔢 N 13 et 🔢 H 7 – 34 596 h.

Amsterdam 104 – Eindhoven 25 – Nijmegen 39 – 's-Hertogenbosch 21.

🏨 **Parkhotel** Ⓜ, Stadhuisplein 3, ✉ 5461 KN, 𝄘 (0 413) 35 10 15, Fax (0 413) 35 15 36,
�_____ ☎ Ⓟ – 🔬 25 à 300. 🖭 ⓞ 🖻 𝗩𝗜𝗦𝗔, 🦅 rest
Repas (fermé 28 déc.-mi-janv.) Lunch 35 – carte 50 à 79 – ⌑ 20 – **36 ch**
175/182.

VELDHOVEN Noord-Brabant 🔢 M 14 et 🔢 H 7 – voir à Eindhoven.

VELP Gelderland 🔢 P 10 et 🔢 I 6 – voir à Arnhem.

VELSEN Noord-Holland 🔢 I 8 et 🔢 E 4 – voir à IJmuiden.

VENLO Limburg 🔢 R 14 et 🔢 J 7 – 64 781 h.

Voir Mobilier★ de l'église St-Martin (St. Martinuskerk) Y.

🏌 à Geysteren par ⑦ : 30 km, Het Spekt 2, ✉ 5862 AZ, 𝄘 (0 478) 53 25 92, Fax (0 478)
53 29 63.

🛈 Koninginneplein 2, ✉ 5911 KK, 𝄘 (0 77) 354 38 00, Fax (0 77) 354 06 33.

Amsterdam 181 ⑥ – Maastricht 73 ④ – Eindhoven 51 ⑥ – Nijmegen 65 ⑧.

Plan page ci-contre

🏨 **De Bovenste Molen** 🦢, Bovenste Molenweg 12, ✉ 5912 TV, 𝄘 (0 77) 359 14 14,
Fax (0 77) 354 82 57, 🌳, « Terrasse et étang », 🛋, 🏊, 🐎, 🦅 – 🔋 🦅 📺 ☎ Ⓟ –
🔬 30 à 80. 🖭 ⓞ 🖻 𝗩𝗜𝗦𝗔, 🦅 rest   X v
Repas Lunch 68 – 85 – ⌑ 28 – **76 ch** 210/290, 7 suites – ½ P 185/225.

🏨 **Motel Venlo**, Nijmeegseweg 90 (N : 4 km près A 67), ✉ 5916 PT, 𝄘 (0 77) 354 41 41,
Fax (0 77) 354 31 33, 🌳 – 🔋 🦅, ▤ rest, 📺 ☎ Ⓟ – 🔬 25 à 400. 🖭 ⓞ
🖻 𝗩𝗜𝗦𝗔   V s
Repas (ouvert jusqu'à 23 h 30) carte 45 à 67 – **88 ch** ⌑ 103/130.

🏨 **Wilhelmina**, Kaldenkerkerweg 1, ✉ 5913 AB, 𝄘 (0 77) 351 62 51, Fax (0 77) 351 22 52
– 🔋, ▤ rest, 📺 ☎ Ⓟ – 🔬 25 à 150. 🖭 ⓞ 🖻 𝗩𝗜𝗦𝗔, 🦅   Z a
Repas Lunch 48 – carte env. 75 – **40 ch** ⌑ 95/125 – ½ P 88/115.

🏨 **Campanile**, Noorderpoort 5, ✉ 5916 PJ, 𝄘 (0 77) 351 05 30, Fax (0 77) 354 80 57, 🌳
🌑 – 🦅 📺 ☎ & Ⓟ – 🔬 30. 🖭 ⓞ 🖻 𝗩𝗜𝗦𝗔 𝗝𝗖𝗕   V d
Repas (avec buffet) Lunch 25 – 45 – **48 ch** ⌑ 94/107 – ½ P 76/88.

🍴🍴🍴 **Valuas** avec ch, St. Urbanusweg 9, ✉ 5914 CA, 𝄘 (0 77) 354 11 41, Fax (0 77)
354 70 22, ≤, « Terrasse au bord de la Meuse (Maas) » – 🔋 🔲 ☎ Ⓟ – 🔬 25 à 125.
🖭 ⓞ 🖻 𝗩𝗜𝗦𝗔, 🦅   V r
fermé 19 juil.-10 août – **Repas** (fermé sam. midi et dim.) Lunch 58 – 75/93 – **17 ch**
⌑ 125/175 – ½ P 155.

🍴🍴🍴 **La Mangerie**, Nieuwstraat 58, ✉ 5911 JV, 𝄘 (0 77) 351 79 93, Fax (0 77) 351 72 61
– Ⓟ. 🖭 ⓞ 🖻 𝗩𝗜𝗦𝗔, 🦅   Z b
fermé dim., lundi, 1 sem. carnaval et 11 août-1er sept. – **Repas** Lunch 55 –
58/85.

🍴🍴 **Chez Philippe**, Parade 61, ✉ 5911 CB, 𝄘 (0 77) 354 89 01, Fax (0 77) 352 31 77 –
🖭 ⓞ 🖻 𝗩𝗜𝗦𝗔   Z c
fermé dim., lundi, 20 fév.-2 mars et 28 juil.-20 août – **Repas** Lunch 40 – carte env. 75.

à Blerick Ⓒ Venlo :

🍴🍴 **Domaine de Provence**, Venrayseweg 16, ✉ 5921 KJ, 𝄘 (0 77) 382 68 24, Fax (0 77)
382 19 77 – Ⓟ. 🖭 ⓞ 🖻 𝗩𝗜𝗦𝗔   X h
fermé dim., mardi soir et 24 août-8 sept. – **Repas** Lunch 50 – carte 57 à 85.

à Tegelen par ④ : 5 km – 19 485 h.

🏨 **Château Holtmühle** 🦢, Kasteellaan 10 (SE : 1,5 km), ✉ 5932 AG, 𝄘 (0 77) 373 88 00,
Fax (0 77) 374 05 00, ≤, « Demeure du 14e s. réaménagée, douves et jardin anglais », 🛋,
🌑, 🦅 – 🔋 📺 ☎ Ⓟ – 🔬 25 à 120. 🖭 ⓞ 🖻 𝗩𝗜𝗦𝗔 𝗝𝗖𝗕
Repas voir rest **Die Alde Heerlickheijt** ci-après – ⌑ 28 – **65 ch** 225/375, 1 suite –
½ P 198/365.

🍴🍴🍴 **Die Alde Heerlickheijt** - H. Château Holtmühle, Kasteellaan 10 (SE : 1,5 km),
✉ 5932 AG, 𝄘 (0 77) 373 88 00, Fax (0 77) 374 05 00, 🌳, « Anciennes caves voûtées »
– Ⓟ. 🖭 ⓞ 🖻 𝗩𝗜𝗦𝗔 𝗝𝗖𝗕
Repas Lunch 63 – carte 86 à 120.

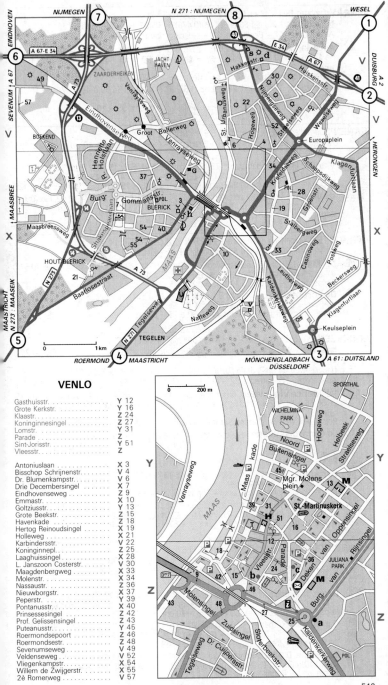

VENLO

Gasthuisstr.	Y	12
Grote Kerkstr.	Z	24
Klaasstr.	Z	27
Koninginnesingel	Z	27
Lomstr.	Y	31
Parade	Z	
Sint-Jorisstr.	Y	51
Vleesstr.	Z	

Antoniuslaan	X	3
Bisschop Schrijnenstr.	V	4
Dr. Blumenkampstr.	X	6
Drie Decembersingel	X	7
Eindhovenseweg	Z	9
Emmastr.	X	10
Goltziusstr.	Z	13
Grote Beekstr.	Z	15
Havenkade	X	18
Hertog Reinoudsingel	X	19
Holleweg	X	21
Karbindersstr.	V	22
Koninginnepl.	Z	25
Laaghuissingel	X	28
L. Janszoon Costerstr.	X	30
Maagdenbergweg	X	33
Molenstr.	Z	34
Nassaustr.	Z	36
Nieuwborgstr.	Y	37
Peperstr.	Y	39
Pontanusstr.	Z	40
Prinsessesingel	Z	42
Prof. Gelissensingel	Z	43
Puteanusstr.	Y	45
Roermondsepoort	Z	46
Roermondsestr.	Z	48
Sevenumseweg	V	49
Veldenseweg	V	52
Vliegenkampstr.	X	54
Willem de Zwijgerstr.	X	55
2è Romerweg	V	57

519

VENRAY Limburg 200 P 13 et 400 I 7 − *36 430 h.*
- 🏛 Grote Markt 23, ✉ 5801 BL, 𝒫 (0 478) 51 05 05, Fax (0 478) 51 27 36.
  Amsterdam 157 − Eindhoven 42 − 's-Hertogenbosch 67 − Nijmegen 47.

🏠 **Asteria,** Maasheseweg 80a (NE : 2 km près A 73 sortie 8), ✉ 5804 AD, 𝒫 (0 478) 51 14 66, Fax (0 478) 51 23 00, 😤 − 🛗, ▤ rest, 📺 ☎ 🅟 − 🄐 25 à 450. 🄰🄴 ① 🄴 🎴
Repas carte 54 à 80 − **67 ch** ⇄ 115/135 − ½ P 90/128.

🏠 **de Zwaan,** Grote Markt 2a, ✉ 5801 BL, 𝒫 (0 478) 51 34 00, Fax (0 478) 51 35 33 −
📺 ☎ 🄰🄴 ① 🄴 🎴, 🕸 ch
Repas *(fermé dim. et jours fériés)* Lunch 35 − carte env. 55 − **10 ch** ⇄ 115/165.

VIANEN Zuid-Holland 200 K 11 et 400 G 6 − *19 303 h.*
*Amsterdam 48 − Den Haag 66 − Breda 56 − 's-Hertogenbosch 40 − Rotterdam 59 −
Utrecht 15.*

🏠 **Vianen,** Prins Bernhardstraat 75 (O : 1 km sur A 2), ✉ 4132 XE, 𝒫 (0 347) 32 59 59,
Fax (0 347) 32 59 60, 😤 − ▤ rest, 📺 ☎ 🅟 − 🄐 25 à 800. 🄰🄴 ① 🄴 🎴 🎴
Repas *(ouvert jusqu'à minuit)* carte env. 45 − ⇄ 18 − **158 ch** 115/130 − ½ P 95/128.

🍴 **de Bruiloft** 1er étage, Korte Kerkstraat 27, ✉ 4132 BJ, 𝒫 (0 347) 37 07 02, Fax (0 347) 37 04 10, 😤 − 🄰🄴 ① 🄴 🎴
Repas Lunch 35 − carte env. 60.

VIERHOUTEN Gelderland ⓒ Nunspeet *25 957 h.* 200 O 9 et 400 I 4.
Amsterdam 88 − Arnhem 53 − Apeldoorn 27 − Zwolle 34.

🏠 **De Mallejan** 🐾, Nunspeterweg 70, ✉ 8076 PD, 𝒫 (0 577) 41 12 41, Fax (0 577) 41 16 29, 😤, ⇆s, 🕸 − 🛗 📺 ☎ 🅟 − 🄐 25 à 100. 🄰🄴 ① 🄴 🎴
Repas 43/75 − **41 ch** ⇄ 120/195 − ½ P 135.

🏠 **De Foreesten,** Gortelseweg 8, ✉ 8076 PS, 𝒫 (0 577) 41 13 23, Fax (0 577) 41 17 03,
😤, 🐎 − 🛗 📺 ☎ 🅟 − 🄐 25 à 50. 🄰🄴 ① 🄴 🎴 🕸
fermé fin déc.-6 janv. − **Repas** carte 50 à 73 − **37 ch** ⇄ 130/145 − ½ P 185/205.

VINKEVEEN Utrecht ⓒ De Ronde Venen *33 591 h.* 200 J 9 et 400 F 5.
⛳ à Wilnis SO : 4 km, Bovendijk 16a, ✉ 3648 NM, 𝒫 (0 297) 28 11 43, Fax (0 297) 27 34 35.
🏛 Herenweg 111, ✉ 3645 DJ, 𝒫 (0 297) 26 46 00, Fax (0 297) 26 17 61.
Amsterdam 21 − Utrecht 22 − Den Haag 61 − Haarlem 32.

🏠 **Résidence Vinkeveen,** Groenlandsekade 1 (E : 3 km près A 2), ✉ 3645 BA, 𝒫 (0 294) 29 30 66, Fax (0 294) 29 31 01, ≤, ⇆s, 🎴, 🛝 − 📺 ☎ 🅟 − 🄐 25 à 120. 🄰🄴 ① 🄴 🎴
Repas voir rest **Le Canard Sauvage** ci-après − ⇄ 35 − **59 ch** 185/295.

🍴🍴🍴 **Le Canard Sauvage** - H. Résidence Vinkeveen, Groenlandsekade 1 (E : 3 km près A 2),
✉ 3645 BA, 𝒫 (0 294) 29 30 66, Fax (0 294) 29 31 01, ≤, 😤, 🛝 − ▤ 🅟 🄰🄴 ① 🄴 🎴
🎴 🕸
Repas Lunch 65 − carte 69 à 106.

🍴🍴 **Buitenlust,** Herenweg 75, ✉ 3645 DG, 𝒫 (0 297) 26 13 60, 😤, Ouvert jusqu'à 23 h,
« Terrasse » − 🄰🄴 🄴 🎴
fermé lundi et prem. sem. janv. − **Repas** Lunch 50 − 65.

🍴🍴 **De Lokeend** avec ch, Groenlandsekade 61 (E : 3 km près A 2), ✉ 3645 BB, 𝒫 (0 294) 29 15 44, Fax (0 294) 29 30 01, 😤, 🛝 − 📺 ☎ 🅟 🄰🄴 ① 🄴 🎴 🎴 🕸 rest
fermé 31 déc.-15 janv. − **Repas** Lunch 69 − 85 − ⇄ 20 − **7 ch** 130/150.

VLAARDINGEN Zuid-Holland 200 G 11 et 400 E 6 − 🄢 S − *74 271 h.*
⛳ Watersportweg 100, ✉ 3138 HD, 𝒫 (0 10) 249 55 55, Fax (0 10) 249 55 79.
🏛 Markt 12, ✉ 3131 CR, 𝒫 (0 10) 434 66 66, Fax (0 10) 435 89 97.
Amsterdam 78 − Den Haag 28 − Rotterdam 12.

🏠 **Delta,** Maasboulevard 15, ✉ 3133 AK, 𝒫 (0 10) 434 54 77, Fax (0 10) 434 95 25,
≤ Meuse (Maas), 😤, 🛝 − 🛗 😤 📺 ☎ 🅟 − 🄐 25 à 150. 🄰🄴 ① 🄴 🎴 🎴
Repas *Nautique* Lunch 53 - 50 − ⇄ 25 − **78 ch** 115/295 − ½ P 300.

🏠 **Campanile,** Kethelweg 220 (près A 20, sortie ⑩), ✉ 3135 GP, 𝒫 (0 10) 470 03 22,
Fax (0 10) 471 34 30, 😤 − 😤 📺 ☎ 🅟 − 🄐 30. 🄰🄴 ① 🄴 🎴
Repas *(avec buffet)* Lunch 15 − 45 − ⇄ 13 − **48 ch** 102.

🍴🍴 **Taveerne D'Ouwe Haven,** Westhavenkade 10, ✉ 3131 AB, 𝒫 (0 10) 435 30 00,
Fax (0 10) 460 10 50, Ouvert jusqu'à 23 h, 🛝 − ▤. 🄰🄴 ① 🄴 🎴 🎴
fermé lundi − **Repas** Lunch 53 − 68.

VLEUTEN Utrecht 🄲 Vleuten-De Meern 16 805 h. **211** K 10 et **408** G 5.

🛏 NO : 2 km, Parkwee 5, ⊠ 3451 RH, 𝒫 (0 30) 677 28 60, Fax (0 30) 677 39 03.
Amsterdam 32 – Den Haag 63 – Rotterdam 49 – Utrecht 9.

※※ **'t Claeverblat,** Schoolstraat 15, ⊠ 3451 AA, 𝒫 (0 30) 677 47 70, Fax (0 30) 677 47 24,
🏠 – ▤, 🄴 *VISA*. 🕸
fermé lundi, mardi, Pâques, Pentecôte, mi-juil.-mi-août et 21 déc.-7 janv. – **Repas** (dîner
seult) 50/60.

VLIELAND (Ile de) Friesland **210** J 3 et **408** F 2 – *voir à Waddeneilanden.*

VLISSINGEN Zeeland **211** B 14 et **408** B 7 – 44 397 h.

⛴ vers Breskens : Prov. Stoombootdiensten Zeeland, Prins Hendrikweg 10 𝒫 (0 118)
46 59 05. Durée de la traversée : 20 min. Prix passager : gratuit (en hiver) et 1,00 Fl (en
été) ; voiture : 11,00 Fl (en hiver) et 16,00 Fl (en été).

🅑 Nieuwendijk 15, ⊠ 4381 BV, 𝒫 (0 118) 41 23 45.
Amsterdam 205 – Middelburg 6 – Brugge (bac) 43 – Knokke-Heist (bac) 32.

🏨 **Arion,** Boulevard Bankert 266, ⊠ 4382 AC, 𝒫 (0 118) 41 05 02, Fax (0 118) 41 63 62,
≤, 🏠, 🚭 – 🛗, ▤ rest, 📺 ☎ 🕭 ❷ – 🕌 25 à 400. 🄰🄴 ① 🄴 *VISA* *JCB*. 🕸
Repas carte 68 à 95 – **64 ch** � 210 – ½ P 245.

🏠 **De Leugenaar,** Boulevard Bankert 132, ⊠ 4382 AC, 𝒫 (0 118) 41 25 00, Fax (0 118)
🕸 41 25 58 – 🛗 📺 ☎. 🄴 *VISA*. 🕸 ch
fermé déc.-4 janv. – **Repas** (Taverne-rest) *(fermé après 20 h 30)* 45 – **15 ch** ⊑ 100/180
– ½ P 115/125.

※※ **De Bourgondiër,** Boulevard Bankert 280, ⊠ 4382 AC, 𝒫 (0 118) 41 38 91, Fax (0 118)
41 61 85, ≤, 🏠 – 🄰🄴 ① 🄴 *VISA*
Repas 68.

※※ **Valentijn,** Nieuwendijk 14, ⊠ 4381 BX, 𝒫 (0 118) 41 64 50, 🏠, « Terrasse avec ≤
port de plaisance » – 🄰🄴 ① 🄴 *VISA* *JCB*
fermé fin déc.-mi-janv. et lundi sauf en juil.-août – **Repas** 80/90.

※※ **Solskin,** Boulevard Bankert 58, ⊠ 4382 AC, 𝒫 (0 118) 41 73 50, Fax (0 118) 44 00 72,
≤ – 🄰🄴 🄴 *VISA* *JCB*
fermé 2 sem. en janv. et lundi d'oct. à mars – **Repas** carte 49 à 76.

※ **De Gevangentoren,** 1er étage, Boulevard de Ruyter 1a, ⊠ 4381 KA, 𝒫 (0 118)
🕸 41 70 76, Fax (0 118) 41 99 21, « Dans une tour du 15e s. » – 🄰🄴 ① 🄴 *VISA*
Repas 45/65.

à Koudekerke NO : 3 km 🄲 Valkenisse 6 168 h :

🏨 **Westduin,** 🏊, Westduin 1 (Dishoek), ⊠ 4371 PE, 𝒫 (0 118) 55 25 10, Fax (0 118)
🕸 55 27 76, 🎣, 🚭, 🄿, 🕸 – 🛗 📺 ☎ ❷ – 🕌 25 à 80. 🄰🄴 ① 🄴 *VISA*. 🕸
Repas *(fermé sam. midi et dim. midi)* Lunch 45 – carte 55 à 75 – **90 ch** ⊑ 198 – ½ P 115/135.

VLODROP Limburg **211** Q 16 et **408** J 8 – *voir à Roermond.*

VLIJMEN Noord-Brabant **211** L 12 et **408** G 6 – 16 515 h.
Amsterdam 94 – 's-Hertogenbosch 8 – Breda 40.

🏨 **Prinsen,** 🏊, Julianastraat 21, ⊠ 5251 EC, 𝒫 (0 73) 511 91 31, Fax (0 73) 511 79 75,
🏠, « Terrasse et jardin » – 📺 ☎ ❷ – 🕌 25 à 200. 🄰🄴 🄴 *VISA* *JCB*. 🕸
Repas carte 52 à 79 – ⊑ 15 – **29 ch** 103/130 – ½ P 104/133.

VOLENDAM Noord-Holland 🄲 Edam-Volendam 26 255 h. **210** K 8 et **408** G 4.

Voir Costume traditionnel★.

🅑 Zeestraat 37, ⊠ 1131 ZD, 𝒫 (0 299) 36 37 47, Fax (0 299) 36 84 84.
Amsterdam 21 – Alkmaar 33 – Leeuwarden 121.

🏨 **Motel Katwoude,** Wagenweg 1 (O : 3 km), ⊠ 1145 PW, 𝒫 (0 299) 36 56 56,
🕸 Fax (0 299) 36 83 19, 🏠, 🚭, 🄿, 🕸 – 🛗 📺 ☎ – 🕌 40 à 250. 🄰🄴 ① 🄴 *VISA*
Repas (ouvert jusqu'à 23 h) Lunch 28 – 33/55 – ⊑ 15 – **86 ch** 91/103.

🏠 **Spaander,** Haven 15, ⊠ 1131 EP, 𝒫 (0 299) 36 35 95, Fax (0 299) 36 96 15,
« Collection de tableaux », 🎣, 🄿 – 🛗, ▤ rest, 📺 ☎ ❷ – 🕌 25 à 70. 🄰🄴 ① 🄴
VISA *JCB*
Repas carte env. 60 – **80 ch** ⊑ 100/210 – ½ P 100/145.

✗ **Van Den Hogen** avec ch, Haven 106, ✉ 1131 EV, ℘ (0 299) 36 37 75, *Fax (0 299)*
☎ *36 94 98* – ☰ rest, 📺 🎿 ⊙ 🄴 *VISA* JCB. ℀ ch
Repas 45/70 – **5 ch** ☐ 90/130.

✗ **Van Diepen** arrière-salle, Haven 35, ✉ 1131 EP, ℘ (0 299) 36 37 05, *Fax (0 299)*
36 45 29, ≼, 🍽 – **🄿**. 🎿 ⊙ 🄴 *VISA* JCB. ℀
Repas carte 61 à 80.

VOLLENHOVE *Overijssel* 🅒 *Brederwiede 12 102 h.* **211** P 6 *et* **408** I 3.
Amsterdam 103 – Zwolle 26 – Emmeloord 14.

✗ **Seidel,** Kerkplein 3, ✉ 8325 BN, ℘ (0 527) 24 12 62, 🍽, « Dans l'ancien hôtel de ville
du 17ᵉ s. » – ⊙ 🄴 *VISA*
fermé dim. midi, lundi et fév. – **Repas** *Lunch* 18 – carte 64 à 103.

VOORBURG *Zuid-Holland* **211** G 10 *et* **408** E 5 – *voir à Den Haag, environs.*

VOORSCHOTEN *Zuid-Holland* **211** G 10 *et* **408** E 5 – *voir à Leiden.*

VOORST *Gelderland* **211** Q 9 *et* **408** J 5 – *23 777 h.*
Amsterdam 102 – Arnhem 38 – Apeldoorn 14 – Deventer 12 – Enschede 70.

✗✗ **De Middelburg,** Zandwal 1 (Domaine Bussloo, N : 4,5 km), ✉ 7383 RP, ℘ (0 571)
26 19 00, *Fax (0 571) 26 19 38*, 🍽, « Ferme du 19ᵉ s. » – **🄿**. 🎿 ⊙ 🄴 *VISA*
JCB. ℀
fermé mardi et 27 déc.-2 janv. – **Repas** (en hiver dîner seult) 50/55.

VORDEN *Gelderland* **211** R 10 *et* **408** J 5 – *8 426 h.*
🚉 *à Hengelo S : 6 km, Vierblokkenweg 1,* ✉ *7255 MZ,* ℘ *(0 575) 46 75 33, Fax (0 575)*
46 75 62.
🄱 *Kerkstraat 6,* ✉ *7251 BC,* ℘ *(0 575) 55 32 22, Fax (0 575) 55 22 76.*
Amsterdam 117 – Arnhem 41 – Apeldoorn 31 – Enschede 51.

🏠 **Bakker** (annexe), Dorpsstraat 24, ✉ 7251 BB, ℘ (0 575) 55 13 12, 🍽, 🚗 – ☰ rest,
📺 ☎ **🄿** – 🎿 25 à 200. 🎿 🄴 *VISA* JCB
Repas *Lunch* 30 – carte env. 65 – **12 ch** ☐ 95/155 – ½ P 123.

🏠 **Bloemendaal,** Stationsweg 24, ✉ 7251 EM, ℘ (0 575) 55 12 27, *Fax (0 575) 55 38 55*,
☎, 🚗 – 📺 ☎. 🄴 *VISA*. ℀
Repas (dîner pour résidents seult) – **13 ch** ☐ 125 – ½ P 90.

VREELAND *Utrecht* 🅒 *Loenen 8 390 h.* **211** K 9 *et* **408** G 5.
Amsterdam 21 – Utrecht 22 – Hilversum 11.

✗✗✗ **De Nederlanden** (de Wit) ⬟ avec ch, Duinkerken 3, ✉ 3633 EM, ℘ (0 294) 23 23 26,
🎄 *Fax (0 294) 23 14 07*, ≼, 🍽, « Au bord d'une rivière à côté d'un pont-levis typique »,
🎿 – 📺 ☎ **🄿** – 🎿 30. 🎿 ⊙ 🄴 *VISA*. ℀
fermé dim., 12 juil.-3 août et 24 déc.-5 janv. – **Repas** *Lunch* 73 – 105, carte 85 à 110 –
7 ch ☐ 285/385
Spéc. Soupe d'endives au roquefort et noix râpées. Parfait de foie gras d'oie et volaille
de Bresse confite. Rouget-barbet, jus d'échalotes fumées et rouille au jus de
carottes.

VUGHT *Noord-Brabant* **211** L 13 *et* **408** G 7 – *voir à 's-Hertogenbosch.*

VIJFHUIZEN *Noord-Holland* 🅒 *Haarlemmermeer 106 095 h.* **210** I 8, **211** I 8 *et* **408** F 4.
🚉 *Spieringweg,* ✉ *2141 EV,* ℘ *(0 23) 558 31 24, Fax (0 23) 558 35 15.*
Amsterdam 22 – Haarlem 5.

✗✗✗ **De Ouwe Meerpaal,** Vijfhuizerdijk 3, ✉ 2141 BA, ℘ (0 23) 558 12 89, *Fax (0 23)*
558 36 92, 🍽, 🎿 – **🄿**. 🎿 ⊙ 🄴 *VISA* JCB
fermé lundi et 27 déc.-5 janv. – **Repas** *Lunch* 53 – carte 77 à 98.

De WAAL *Noord-Holland* **210** I 4 *et* **408** F 2 – *voir à Waddeneilanden (Texel).*

WAALRE *Noord-Brabant* 🔟🔟🔟 M 14 et 🔟🔟🔟 H 7 – *15 831 h.*
Amsterdam 128 – Eindhoven 7 – Turnhout 47 – Venlo 56.

XXX **De Treeswijkhoeve,** Valkenswaardseweg 14 (sur N 69), ⊠ 5582 VB, ℰ (0 40)
221 55 93, Fax *(0 40) 221 75 32,* �´, « *Terrasse et jardin* » – 🅿. 🆎 🅴 *VISA*
*fermé sam. midi, dim. midi, lundi, 10 avril, 2 juin, 27 juil.-11 août, 24 déc. et 27 déc.-prem.
sem. janv.* – **Repas** *Lunch 55* – 60/88.

WAALWIJK *Noord-Brabant* 🔟🔟🔟 K 12 et 🔟🔟🔟 G 6 – *29 725 h.*
🅱 *Grotestraat 271,* ⊠ *5141 JT,* ℰ *(0 416) 33 22 28, Fax (0 416) 35 13 13.*
Amsterdam 100 – 's-Hertogenbosch 18 – Breda 30 – Tilburg 17.

🏠🏠 **Waalwijk,** Burg. van der Klokkenlaan 55, ⊠ 5141 EG, ℰ (0 416) 33 60 45, Fax *(0 416)*
🚗 33 59 68, �´ – 🛗 📺 ☎ 🅿 – 🔬 25 à 300. 🆎 ⓪ 🅴 *VISA* *JCB*. 🛇
Repas *Lunch 25* – 45 – **62 ch** ⊇ 140/180 – ½ P 175.

🏠 **De Heibloem,** St-Antoniusstraat 5, ⊠ 5144 AA, ℰ (0 416) 33 31 61, Fax *(0 416)*
33 60 20 – 📺 ☎ 🅿 – 🔬 25 à 120. 🆎 ⓪ 🅴 *VISA*
Repas (résidents seult) – **15 ch** ⊇ 60/120 – ½ P 85/100.

XX **De Pepermolen,** Olympiaweg 8, ⊠ 5143 NA, ℰ (0 416) 33 93 08, Fax *(0 416)*
34 34 00, �´ – 🞿 📠 🅿 – 🔬 25 à 200. 🆎 ⓪ 🅴 *VISA*
fermé merc. – **Repas** *Lunch 40* – 60.

WADDENEILANDEN (ILES DES WADDEN) ★★ *Friesland - Noord-Holland* 🔟🔟🔟 I 4 à R 5 et 🔟🔟🔟
F 2 à J 1 *G. Hollande.*
La plupart des hôteliers ne louent qu'à partir de 2 nuitées.
De meeste hotelhouders verhuren maar vanaf 2 overnachtingen.

AMELAND *Friesland* 🔟🔟🔟 O 2 - P 2 et 🔟🔟🔟 I 1 – *3 413 h.*
🛳 *vers Holwerd : Wagenborg Passagiersdiensten B.V., Reeweg 4 à Nes* ℰ *(0 519)
54 61 11. Durée de la traversée : 45 min. Prix AR : 16,20 Fl (en hiver) et 19,25 Fl (en été),
voiture 109,00 Fl (en hiver) et 131,00 Fl (en été).*
Amsterdam (bac) 169 – Leeuwarden (bac) 30 – Dokkum (bac) 14.

Nes
🅱 *Rixt van Doniaweg 2,* ⊠ *9163 GR,* ℰ *(0 519) 54 20 20, Fax (0 519) 54 29 32.*

🏠 **Hofker** sans rest, Johannes Hofkerweg 1, ⊠ 9163 GW, ℰ (0 519) 54 20 02, Fax *(0 519)*
54 28 65, 😓, 🏊, 🛇 – 🛗 📺 ☎ 🅿 – 🔬 25 à 50. 🛇
40 ch ⊇ 165.

🏠 **Ameland,** Strandweg 48 (N : 1 km), ⊠ 9163 GN, ℰ (0 519) 54 21 50, Fax *(0 519)*
54 31 06 – 📺 ☎ 🅿 🛇
mars-oct. – **Repas** (dîner pour résidents seult) – **21 ch** ⊇ 95/145 – ½ P 88/90.

🏠 **Töben** sans rest, Strandweg 11, ⊠ 9163 GK, ℰ (0 519) 54 21 63, Fax *(0 519) 54 27 71*
– 📺 ☎ 🅿. 🛇
14 ch ⊇ 100/145.

X **De Klimop,** Johannes Hofkerweg 2, ⊠ 9163 GW, ℰ (0 519) 54 22 96, �´, « *Taverne
rustique* » – 🅿. 🆎 ⓪ 🅴 *VISA*
fermé mardi et janv. – **Repas** carte 45 à 65.

Ballum
🏠🏠 **Nobel** 😓, Gerrit Kosterweg 16, ⊠ 9162 EN, ℰ (0 519) 55 41 57, Fax *(0 519) 55 45 15,*
�´, « *Dans un village à architecture typique locale 18e s.* » – 📺 ☎ 🅿 – 🔬 25. 🆎 ⓪
🅴 *VISA*. 🛇
Repas carte 45 à 69 – **17 ch** ⊇ 93/146 – ½ P 96/103.

Buren
X **De Klok** avec ch, Hoofdweg 11, ⊠ 9164 KL, ℰ (0 519) 54 21 81, Fax *(0 519) 54 24 97,*
🏋️, 😓 – 📺 🅿. 🆎 🅴 *VISA*. 🛇 rest
Repas *Lunch 19* – carte env. 55 – **15 ch** ⊇ 53/138 – ½ P 68/93.

Hollum
🅱 *Oosterhiemweg,* ⊠ *9160 AA,* ℰ *(0 519) 55 46 46, Fax (0 519) 55 48 09.*

🏠🏠 **d'Amelander Kaap,** Oosterhiemweg 1, ⊠ 9161 CZ, ℰ (0 519) 55 46 46, Fax *(0 519)*
55 48 09, 😓, 🏊, 🌾, 🛇 – 🛗 📺 ☎ 🅿 – 🔬 40 à 250. 🆎 ⓪ 🅴 *VISA*. 🛇
Repas *Lunch 23* – carte 47 à 63 – **40 ch** ⊇ 115/170 – ½ P 120/130.

SCHIERMONNIKOOG Friesland █2█0█ R 2 et █4█0█8█ J 1 – 972 h.

Voir Het Rif★, ≤★.

⟸ vers Lauwersoog : Wagenborg Passagiersdiensten B.V., Zeedijk 9 à Lauwersoog ℰ (0 519) 34 90 50. Durée de la traversée : 45 min. Prix AR : 16,70 Fl (en hiver) et 19,75 Fl (en été), bicyclette : 7,60 Fl (en hiver) et 9,15 Fl (en été).
Amsterdam (bac) 181 – Leeuwarden (bac) 42 – Groningen (bac) 42.

Schiermonnikoog

🖪 Reeweg 5, ⊠ 9166 PW, ℰ (0 519) 53 12 33, Fax (0 519) 53 13 25.

Duinzicht ⑤, Badweg 17, ⊠ 9166 ND, ℰ (0 519) 53 12 18, Fax (0 519) 53 14 25, ☎ – 🆃🆅 ☎ – ⚔ 30. ✵ ch
Repas Lunch 26 – carte 45 à 62 – **32 ch** � 78/166 – ½ P 94/99.

Van der Werff, Reeweg 2, ⊠ 9166 PX, ℰ (0 519) 53 12 03, Fax (0 519) 53 17 48, « Évocation de l'histoire touristique locale », ✵ – 🛉 ☎ – ⚔ 25. ⓞ 🗲 𝑉𝐼𝑆𝐴. ✵ rest
Repas Lunch 30 – carte 45 à 65 – **56 ch** ⊐ 83/165 – ½ P 110/120.

Zonneweelde, Langestreek 94, ⊠ 9166 LG, ℰ (0 519) 53 11 33, Fax (0 519) 53 11 99, ⇔ – ☎. 🗲 𝑉𝐼𝑆𝐴. ✵
avril-sept. – **Repas** (résidents seult) – **22 ch** ⊐ 63/95 – ½ P 68/83.

TERSCHELLING Friesland █2█0█ L 2 - M 2 et █4█0█8█ G 1 - H 1 – 4 708 h.

Voir Site★ – De Boschplaat★ (réserve d'oiseaux).

⟸ vers Harlingen : Rederij Doeksen, Willem Barentszkade 21 à West-Terschelling ℰ (0 562) 44 21 41, Fax (0 562) 44 32 41. Durée de la traversée : 1 h 45. Prix AR : 35,25 Fl, voiture : 21,50 Fl par 0,50 m de longueur. Il existe aussi un service rapide (pour passagers uniquement). Durée de la traversée : 45 min.
Amsterdam (bac) 115 – Leeuwarden (bac) 28 – (distances de West-Terschelling).

West-Terschelling (West-Skylge).

🖪 Willem Barentszkade 19a, ⊠ 8881 EC, ℰ (0 562) 44 30 00, Fax (0 562) 44 28 75.

Schylge, Burg. van Heusdenweg 37, ⊠ 8881 ED, ℰ (0 562) 44 21 11, Fax (0 562) 44 28 00, ≤, ☎, « Dominant la Waddenzee et le port de plaisance », ⇔, 🖽 – 🛉 🆃🆅 ☎ ♿ ⟸ – ⚔ 25 à 200. 🝢 ⓞ 🗲 𝑉𝐼𝑆𝐴. ✵
Repas Lunch 38 – carte 60 à 83 – **96 ch** ⊐ 149/278, 1 suite – ½ P 149/179.

Nap, Torenstraat 55, ⊠ 8881 BH, ℰ (0 562) 44 32 10, Fax (0 562) 44 32 10, ☎ – 🆃🆅 ☎. 🝢 ⓞ 🗲 𝑉𝐼𝑆𝐴 𝐽𝐶𝐵
Repas carte 48 à 77 – **33 ch** ⊐ 120/196 – ½ P 110/130.

Oepkes, De Ruyterstraat 3, ⊠ 8881 AM, ℰ (0 562) 44 20 05, Fax (0 562) 44 33 45 – ♿ – ⚔ 40. 🝢 ⓞ 🗲 𝑉𝐼𝑆𝐴
Repas 45 – **20 ch** (fermé 7 janv.-22 fév.) ⊐ 95/170 – ½ P 95/115.

De Brandaris, Boomstraat 3, ⊠ 8881 BS, ℰ (0 562) 44 25 54, Fax (0 562) 44 35 66, ☎, Taverne-rest – ▤. 🝢 ⓞ 🗲 𝑉𝐼𝑆𝐴
fermé 10 janv.-1er mars et mardi d'oct. à avril – **Repas** 38.

Kaart

De Horper Wielen ⑤, Kaart 4, ⊠ 8883 HD, ℰ (0 562) 44 82 00, Fax (0 562) 44 82 45, ☷ – ♿
fermé nov.-20 déc. – **Repas** (dîner pour résidents seult) – **12 ch** ⊐ 68/140 – ½ P 88/95.

Midsland (Midslân).

Claes Compaen ⑤, sans rest, Heereweg 36 (Midsland-Noord), ⊠ 8891 HT, ℰ (0 562) 44 80 10, Fax (0 562) 44 94 49, ⇔, ☷ – 🆃🆅 ☎ ♿. ✵
7 ch ⊐ 137, 1 suite.

Lies

De Walvisvaarder, Lies 23, ⊠ 8895 KP, ℰ (0 562) 44 90 00, Fax (0 562) 44 86 77, ⇔, ☷ – 🆃🆅 ☎ ♿. ✵
Pâques-nov. – **Repas** (résidents seult) – **70 ch** ⊐ 50/180.

Hoorn (Hoarne).

De Millem, Dorpsstraat 58, ⊠ 8896 JG, ℰ (0 562) 44 84 24, « Ancienne ferme régionale » – ♿. 🗲 𝑉𝐼𝑆𝐴
avril-oct. et week-end ; fermé mardi et janv.-fév. – **Repas** Lunch 26 – carte 49 à 61.

Oosterend (Aasterein).

✗ **De Grië,** Hoofdstraat 43, ⊠ 8897 HX, ☎ (0 562) 44 84 99, *Fax (0 562) 44 83 22,* ☂
🈂 – 🄿. 🄰🄴 ➊ 🄴 *VISA*
28 mars-4 janv. ; fermé mardi – **Repas** (dîner seult) carte env. 75
Spéc. Terrine de veau, porc et agneau à la moutarde. Petite soupe de gambas et homard
sauté à l'ail. Bière de cerises aux fruits d'été et crème de noix.

TEXEL *Noord-Holland* 🄸🄸🄾 I 4 - J 4 et 🄸🄾🄱 F 2 – *13 132 h.*

Voir *Site★★ – Réserves d'oiseaux★ – De Slufter* ⩽★.

🚢 vers Den Helder : Rederij Teso, Pontweg 1 à Den Hoorn ☎ (0 222) 36 96 00,
*Fax (0 222) 36 96 59. Durée de la traversée : 20 min. Prix AR : 8,25 Fl (en hiver) et 10,00 Fl
(en été), voiture 40,50 Fl (en hiver) et 48,50 Fl (en été).*
Amsterdam (bac) 85 – Haarlem (bac) 78 – Leeuwarden (bac) 96 – (distances de Den Burg).

Den Burg

🄱 *Emmalaan 66,* ⊠ *1791 AV,* ☎ *(0 222) 31 47 41, Fax (0 222) 31 00 54.*

🏛 **De Smulpot,** Binnenburg 5, ⊠ 1791 CG, ☎ (0 222) 31 27 56, *Fax (0 222) 31 27 56 –*
🄣🅅 ☎. 🄰🄴 ➊ 🄴 *VISA*, ⋘ ch
Repas carte env. 60 – **7 ch** � 100/175 – ½ P 135.

✗✗ **Het Vierspan,** Gravenstraat 3, ⊠ 1791 CJ, ☎ (0 222) 31 31 76 – 🄰🄴 🄴 *VISA*
fermé merc. – **Repas** (dîner seult) 55.

✗ **Bij Jef,** Gravenstraat 16, ⊠ 1791 CK, ☎ (0 222) 31 52 62, *Fax (0 222) 31 55 98,* ☂
– 🄰🄴 ➊ 🄴 *VISA*
fermé mardi et mi-janv.-prem. sem. fév. – **Repas** (dîner seult) carte env. 65.

De Cocksdorp

🄵🄿 *Roggeslootweg 3,* ⊠ *1795 JX,* ☎ *(0 222) 31 65 39.*

🏛 **Molenbos** Ⓜ ⍂, Postweg 224, ⊠ 1795 JT, ☎ (0 222) 31 64 76, *Fax (0 222) 31 63 77,*
⩽, « En bordure d'une réserve naturelle » – 🄣🅅 ☎ ₺. 🄿. 🄰🄴 ➊ 🄴 *VISA*
fermé 2 nov.-17 déc. et début janv.-début mars – **Repas** (dîner seult jusqu'à 20 h 30) carte
48 à 91 – **27 ch** ⊆ 103/200 – ½ P 110/135.

🏠 **Nieuw Breda,** Postweg 134 (SO : 4 km), ⊠ 1795 JS, ☎ (0 222) 31 12 37, *Fax (0 222)
31 16 01,* 🖘, 🄻, ⍋ – 🄣🅅 ☎ 🄿 – 🄿 25. 🄰🄴 🄴 *VISA*. ⍋
fermé 25 et 26 déc. – **Repas** (résidents seult) – **20 ch** ⊆ 126/136 – ½ P 94/104.

Den Hoorn

✗✗ **Het Kompas,** Herenstraat 7, ⊠ 1797 AE, ☎ (0 222) 31 93 60, *Fax (0 222) 31 93 56*
– 🄰🄴 ➊ 🄴 *VISA*. ⍋
fermé mi-janv.-mi-fév. et mardi en hiver – **Repas** (dîner seult) carte env. 60.

De Koog

🏨 **Opduin** Ⓜ ⍂, Ruyslaan 22, ⊠ 1796 AD, ☎ (0 222) 31 74 45, *Fax (0 222) 31 77 77,*
« En bordure des dunes », 🖘, 🄻, ⍋ – |🛗| 🔄 🄣🅅 ☎ 🄿 – 🄿 25 à 120. 🄰🄴 ➊ 🄴 *VISA*.
⍋ rest
fermé 7 janv.-15 mars – **Repas** *(fermé après 20 h 30)* Lunch 38 – carte 53 à 94 – **100 ch**
⊆ 165/418, 3 suites – ½ P 194/265.

🏛 **Boschrand,** Bosrandweg 225, ⊠ 1796 NA, ☎ (0 222) 31 72 81, *Fax (0 222) 31 74 59,*
🖘 – |🛗| 🄣🅅 ☎ 🄿. ⍋ rest
fermé déc.-janv. – **Repas** (dîner pour résidents seult) – **51 ch** ⊆ 135/199 – ½ P 85/100.

🏠 **Zeerust,** Boodtlaan 5, ⊠ 1796 BD, ☎ (0 222) 31 72 61, *Fax (0 222) 31 78 39* – 🄣🅅 ☎
🄿. 🄴. ⍋
15 fév.-15 nov. – **Repas** (dîner pour résidents seult) – **16 ch** ⊆ 120 – ½ P 83/85.

🏠 **Alpha,** Boodtlaan 84, ⊠ 1796 BG, ☎ (0 222) 31 76 77, *Fax (0 222) 31 72 75* – 🄣🅅 ☎
🄿. 🄰🄴 🄴. ⍋
fermé 9 nov.-15 déc. et 15 janv.-15 fév. – **Repas** (dîner pour résidents seult) – **12 ch**
⊆ 80/124 – ½ P 85/87.

Oosterend

✗✗ **Rôtiss.'t Kerckeplein,** Oesterstraat 6, ⊠ 1794 AR, ☎ (0 222) 31 89 50, *Fax (0 222)
32 90 32* – 🄿. 🄰🄴 ➊ 🄴 *VISA*
fermé merc. et 15 janv.-15 fév. – **Repas** (de nov. à Pâques dîner seult) 60/65.

Oudeschild

✗ **'t Pakhuus,** Haven 8, ⊠ 1792 AE, ☎ (0 222) 31 35 81, *Fax (0 222) 31 04 04,* ⩽, Produits
de la mer, « Ancien entrepôt » – 🄰🄴 🄴 *VISA* 🄹🄲🄱
fermé 24 nov.-11 déc. – **Repas** carte 57 à 81.

De Waal

🏠 **Rebecca,** Hogereind 39, ✉ 1793 AE, ☎ (0 222) 31 27 45, Fax (0 222) 31 58 47, 🚗 –
☎ 🅿 E. ✖ rest
fermé 7 nov.-27 déc. – **Repas** (dîner pour résidents seult) – **20 ch** ☲ 91/152 –
½ P 80/100.

🏠 **De Weal,** Hogereind 28, ✉ 1793 AH, ☎ (0 222) 31 32 82, Fax (0 222) 31 58 37 – 📺 🅿 ✖
Repas (dîner pour résidents seult) – **18 ch** ☲ 75/150 – ½ P 68/85.

VLIELAND Friesland 🅿🔟🔟 J 3 - K 3 et 🔟🔟🔟 F 2 - G 2 – 1 142 h.

⛴ vers Harlingen : Rederij Doeksen, Willem Barentszkade 21 à West-Terschelling ☎ (0 562)
44 21 41, Fax (0 562) 44 32 41. Durée de la traversée : 1 h 45. Prix AR : 35,25 Fl, bicyclette :
17,05 Fl. Il existe aussi un service rapide. Durée de la traversée : 45 min.
🛈 Havenweg 10, ✉ 8899 BB, ☎ (0 562) 45 11 11, Fax (0 562) 45 13 61.
Amsterdam (bac) 115 – Leeuwarden (bac) 28.

Oost-Vlieland

Voir Phare (Vuurtoren) ⇐★.

🏰 **Strandhotel Seeduyn** ⚲ avec appartements, Badweg 3 (N : 2 km), ✉ 8899 BV,
☎ (0 562) 45 15 60, Fax (0 562) 45 11 15, ⇐, « Dominant dunes et mer », ⛱, 🔲, ✖,
🏓 – 📳 📺 ☎ 🕭 – 🔬 25 à 240. 🝙 ⓞ E 🆅🆂🅰. ✖
Repas carte 45 à 83 – **95 ch** ☲ 139/318 – ½ P 139/189.

🏨 **De Wadden,** Dorpsstraat 61, ✉ 8899 AD, ☎ (0 562) 45 12 98, Fax (0 562) 45 19 55,
« Aménagement cossu », 🚗 – 📺 ☎ ⓞ E 🆅🆂🅰. ✖
avril-6 janv. – **Repas** 45/98 – **19 ch** ☲ 98/199 – ½ P 105/133.

🏨 **Bruin,** Dorpsstraat 88, ✉ 8899 AL, ☎ (0 562) 45 13 01, Fax (0 562) 45 12 27 – 📺 ☎.
🝙 ⓞ E 🆅🆂🅰. ✖ rest
Repas Lunch 20 – carte env. 55 – **31 ch** ☲ 115/170 – ½ P 110/125.

🏠 **Zeezicht,** Havenweg 1, ✉ 8899 BB, ☎ (0 562) 45 13 24, Fax (0 562) 45 11 99, ⇐, 🛖
– 📺 ☎. ✖ rest
25 mars-oct. et 19 déc.-3 janv. – **Repas** carte env. 50 – **18 ch** ☲ 198/220 – ½ P 110/135.

WADDINXVEEN Zuid-Holland 🅿🔟🔟 H 10 et 🔟🔟🔟 E 5 – 25 876 h.
Amsterdam 46 – Den Haag 29 – Rotterdam 24 – Utrecht 37.

✕✕ **Bibelot,** Limaweg 54, ✉ 2743 CD, ☎ (0 182) 61 66 95, Fax (0 182) 63 09 55, 🛖 – ▤
🅿. 🝙 ⓞ E 🆅🆂🅰 🅹🅲🅱
fermé lundi – **Repas** 58/70.

✕✕ **'t Baarsje,** Zwarteweg 6 (E : 2 km, direction Reeuwijk), ✉ 2741 LC, ☎ (0 182) 39 44 60,
Fax (0 182) 39 27 47, 🛖 – ▤ 🅿. 🝙 ⓞ E 🆅🆂🅰 🅹🅲🅱
fermé mardi, merc., dern. sem. juil.-2 prem. sem. août et dern. sem. déc.-prem. sem. janv.
– **Repas** 55/98.

WAGENINGEN Gelderland 🅿🔟🔟 N 11 et 🔟🔟🔟 I 6 – 32 780 h.
🛈 Stadsbrink 1a, ✉ 6707 AA, ☎ (0 317) 41 07 77, Fax (0 317) 42 31 86.
Amsterdam 85 – Arnhem 19 – Utrecht 47.

🏨 **Nol in't Bosch** ⚲, Hartenseweg 60 (NE : 2 km), ✉ 6704 PA, ☎ (0 317) 31 91 01,
Fax (0 317) 31 36 11, 🛖, « Dans les bois », 🚗, ✖ – 📳 📺 ☎ 🅿 – 🔬 25 à 150. 🝙
ⓞ E 🆅🆂🅰. ✖ rest
Repas carte 51 à 71 – **33 ch** ☲ 115/190 – ½ P 113/158.

✕ **'t Gesprek,** Grintweg 247, ✉ 6704 AN, ☎ (0 317) 42 37 01, Fax (0 317) 41 74 14, 🛖
– ▤ 🅿. 🝙 ⓞ E 🆅🆂🅰 – fermé sam. midi et dim. midi – **Repas** Lunch 25 – carte env. 50.

WAHLWILLER Limburg 🅿🔟🔟 P 2 – voir à Wittem.

WANNEPERVEEN Overijssel 🅿🔟🔟 Q 6 et 🔟🔟🔟 J 3 – voir à Giethoorn.

WANSSUM Limburg 🄲 Meerlo-Wanssum 7 284 h. 🅿🔟🔟 Q 13 et 🔟🔟🔟 J 7.
Amsterdam 159 – Eindhoven 51 – Maastricht 104 – Nijmegen 48.

🏠 **Verstraelen,** Geysterseweg 7, ✉ 5861 BK, ☎ (0 478) 53 25 41, Fax (0 478) 53 26 48
– 📺 ☎ 🅿 – 🔬 60. 🝙 ⓞ E 🆅🆂🅰 ✖
fermé 20 déc.-10 janv. – **Repas** (fermé dim.) Lunch 30 – 45/73 – **15 ch** ☲ 105/135.

✕✕✕ **De Kooy,** De Kooy 15, ✉ 5861 EH, ☎ (0 478) 53 12 27, Fax (0 478) 53 26 30, 🛖,
« Terrasse et bord de la Meuse (Maas) » – 🅿. 🝙 ⓞ E 🆅🆂🅰
fermé lundi, mardi et 3 sem. carnaval – **Repas** Lunch 58 – 68/80.

à Geysteren NE : 3 km Ⓒ Meerlo-Wanssum :

Ⓧ **De Boogaard,** Wanssumseweg 1, ✉ 5862 AA, ℰ (0 478) 53 24 30, Fax (0 478)
ⓢ 53 28 76, 斧, « Ancienne ferme typique avec cour fleurie » – Ⓟ. Ⓔ 𝘝𝘐𝘚𝘈
fermé lundi, mardi et 28 juil.-18 août – **Repas** 45/80.

WARKUM Friesland – voir Workum.

WARMOND Zuid-Holland 𝟮𝟭𝟭 H 9 et 𝟰𝟬𝟴 E 5 – 5 230 h.
🇫₉ Veerpolder, ✉ 2360 AA, ℰ (0 71) 305 88 10.
🅱 Dorpsstraat 114a, ✉ 2361 BN, ℰ (0 71) 301 06 31, Fax (0 71) 301 26 99.
Amsterdam 39 – Den Haag 20 – Haarlem 25.

ⅩⅩ **De Stad Rome,** De Baan 4, ✉ 2361 GH, ℰ (0 71) 301 01 44, Fax (0 71) 301 25 17, 斧,
Grillades – Ⓟ. ⒶⒺ ⓞ Ⓔ 𝘝𝘐𝘚𝘈
fermé lundi et 3 sem. en août – **Repas** (dîner seult) carte 52 à 72.

WARTENA (WARTEN) Friesland Ⓒ Boarnsterhim 17 924 h. 𝟮𝟭𝟬 P 4 et 𝟰𝟬𝟴 I 2.
Amsterdam 157 – Groningen 52 – Leeuwarden 9.

ⅩⅩ **de Brigantijn** avec ch, Hoofdstraat 31, ✉ 9003 LC, ℰ (0 58) 255 13 44, Fax (0 58)
255 29 70, 斧, « Terrasse au bord de l'eau », Ⓛ – Ⓣⓥ ☎ Ⓟ. ⓞ Ⓔ 𝘝𝘐𝘚𝘈
Repas carte env. 60 – **6 ch** ⌿ 75/125 – ½ P 108.

WASSENAAR Zuid-Holland 𝟮𝟭𝟭 G 10 et 𝟰𝟬𝟴 D 5 – voir à Den Haag, environs.

WEERT Limburg 𝟮𝟭𝟭 O 15 et 𝟰𝟬𝟴 I 8 – 42 023 h.
🇫₈ Laurabosweg 8, ✉ 6006 VR, ℰ (0 495) 51 84 38, Fax (0 495) 51 87 09.
🅱 Waag, Langpoort 5b, ✉ 6001 CL, ℰ (0 495) 53 68 00, Fax (0 495) 54 14 94.
Amsterdam 156 – Maastricht 57 – Eindhoven 28 – Roermond 21.

🏨 **Golden Tulip,** Driesveldlaan 99, ✉ 6001 KC, ℰ (0 495) 53 96 55, Fax (0 495) 54 08 07
– |💈| Ⓣⓥ ☎ & ⇔ – 🔏 25 à 300. ⒶⒺ ⓞ Ⓔ 𝘝𝘐𝘚𝘈 ⒿⒸⒷ. ⅏ rest
Repas (fermé sam. midi et dim. midi) Lunch 30 – carte env. 55 – **60 ch** ⌿ 165/195 –
½ P 200/230.

🏠 **De Brookhut,** Heugterbroekdijk 2 (N : 3 km à Laar), ✉ 6003 RB, ℰ (0 495) 53 13 91,
Fax (0 495) 54 33 05, 斧 – Ⓣⓥ ☎ Ⓟ – 🔏 30. ⒶⒺ ⓞ Ⓔ 𝘝𝘐𝘚𝘈. ⅏ rest
Repas Lunch 35 – carte 53 à 81 – **8 ch** ⌿ 110/140 – ½ P 105/145.

ⅩⅩⅩ **l'Auberge** (Mertens) avec ch, Wilhelminasingel 80, ✉ 6001 GV, ℰ (0 495) 53 10 57,
ⓢⓢ Fax (0 495) 54 45 96, 斧, « Terrasse » – |💈| Ⓣⓥ ☎ ⇔ – 🔏 25. ⒶⒺ Ⓔ 𝘝𝘐𝘚𝘈. ⅏
Repas (fermé sam. midi et dim. et lundis non fériés) Lunch 75 – 100/165, carte env. 135
– **14 ch** (fermé dim. et lundis non fériés) ⌿ 158/233 – ½ P 197/230
Spéc. Gateau de crêpes persillées aux champignons des bois et foie d'oie. Viennoise de
turbot à la mousseline de langoustines au homard. Lièvre de la région à la Royale (oct.-janv.).

WEESP Noord-Holland 𝟮𝟭𝟬 K 9, 𝟮𝟭𝟭 K 9 et 𝟰𝟬𝟴 G 5 – 18 073 h.
Amsterdam 21 – Hilversum 15 – Utrecht 35.

Ⓧ **De Tapperij,** Achterstraat 8, ✉ 1381 AV, ℰ (0 294) 41 49 71, Fax (0 294) 41 71 13,
ⓢ 斧, « Ancienne brasserie » – ⒶⒺ Ⓔ 𝘝𝘐𝘚𝘈. ⅏
fermé 25 déc.-4 janv. – **Repas** 40/63.

WELL Limburg Ⓒ Bergen 13 243 h. 𝟮𝟭𝟭 Q 13 et 𝟰𝟬𝟴 J 7.
Amsterdam 156 – Maastricht 99 – Eindhoven 50 – Nijmegen 42 – Venlo 24.

ⅩⅩ **Het Ankertje,** Grotestraat 38, ✉ 5855 AN, ℰ (0 478) 50 12 34, Fax (0 478) 50 27 65,
斧, « Jardin d'hiver » – 🍴. ⒶⒺ ⓞ Ⓔ 𝘝𝘐𝘚𝘈
fermé lundi, 2 sem. carnaval et dern. sem. août – **Repas** Lunch 48 – 50/85.

Ⓧ **De Vossenheuvel,** Vossenheuvel 4 (NO : 3,5 km, dans les bois), ✉ 5855 EE, ℰ (0 478)
50 18 89, Fax (0 478) 50 27 13, 斧, « Jardin d'hiver » – Ⓟ. ⒶⒺ Ⓔ 𝘝𝘐𝘚𝘈
fermé 2 sem. en janv. et lundi de sept. à avril – **Repas** Lunch 40 – carte 56 à 80.

WELLERLOOI Limburg Ⓒ Bergen 13 243 h. 𝟮𝟭𝟭 Q 13 et 𝟰𝟬𝟴 J 7.
Amsterdam 160 – Maastricht 95 – Eindhoven 46 – Venlo 20.

ⅩⅩⅩ **Host. de Hamert** ⑤ avec ch, Hamert 2 (rte Nijmegen-Venlo), ✉ 5856 CL,
ℰ (0 77) 473 12 60, Fax (0 77) 473 25 03, « Au bord de l'eau, ≤ trafic fluvial (Meuse-Maas)
et campagne », 🌳 – 🍴 ch, Ⓣⓥ ☎ ⇔ Ⓟ – 🔏 35. ⒶⒺ ⓞ Ⓔ 𝘝𝘐𝘚𝘈. ⅏
fermé 28 déc.-8 janv. et mardi et merc. de nov. à mars – **Repas** Lunch 73 – 103/115 – **10 ch**
⌿ 185/260 – ½ P 200/225.

WELTEN *Limburg* 211 P 17 – *voir à Heerlen.*

WERKENDAM *Noord-Brabant* 211 J 13 et 408 F 6 – *19 249 h.*
Amsterdam 76 – 's-Hertogenbosch 43 – Breda 35 – Rotterdam 46 – Utrecht 43.

XX **De Brabantse Biesbosch,** Spieringsluis 6 (SO : 10 km, près Kop van 't Land), ✉ 4251 MR, ☎ (0 183) 50 42 48, *Fax (0 183) 50 56 73,* – P. AE ⓓ E VISA
fermé lundi – **Repas** carte 45 à 61.

WESTKAPELLE *Zeeland* 211 A 13 et 408 B 7 – *2 731 h.*
Amsterdam 219 – Middelburg 18.

Zuiderduin , De Bucksweg 2 (S : 3 km), ✉ 4361 SM, ☎ (0 118) 56 18 10, *Fax (0 118) 56 22 61,* « En bordure des dunes », , , , – TV ☎ P – 25 à 240. AE ⓓ E VISA.
Repas carte env. 50 – **67 ch** ☐ 130/370 – ½ P 145/230.

X **Badmotel,** Grindweg 2, ✉ 4361 JG, ☎ (0 118) 57 13 58, *Fax (0 118) 57 13 59,* ≤, , « Pavillon au bord de l'eau » – P
Pâques-oct. ; fermé lundi et mardi – **Repas** (dîner seult) carte env. 60.

WEST-TERSCHELLING (WEST-SKYLGE) *Friesland* 210 L 2 et 408 G 1 – *voir à Waddeneilanden (Terschelling).*

WIERDEN *Overijssel* 210 T 8 et 408 K 4 – *22 784 h.*
Amsterdam 142 – Almelo 7 – Apeldoorn 54 – Enschede 33 – Zwolle 43.

X **De Oude Brink,** Marktstraat 18, ✉ 7642 AL, ☎ (0 546) 57 12 89, *Fax (0 546) 57 12 89,* Taverne-rest – AE ⓓ E VISA JCB.
fermé du 10 au 24 juil., 30 déc.-9 janv. et lundi – **Repas** Lunch 30 – 45/74.

WILDERVANK *Groningen* 210 V 4 et 408 L 2 – *voir à Veendam.*

WILHELMINADORP *Zeeland* C *Goes 33 998 h.* 211 D 13 et 408 C 7.
Amsterdam 163 – Goes 4 – Middelburg 27.

XX **Katseveer,** Katseveerweg 2 (NO : 2,5 km près barrage), ✉ 4475 PB, ☎ (0 113) 22 79 55, *Fax (0 113) 23 20 47,* ≤ digue et plages, , – P. AE ⓓ E VISA
fermé lundi et 3 prem. sem. janv. – **Repas** Lunch 53 – carte 74 à 95.

WILLEMSTAD *Noord-Brabant* 211 G 12 et 408 E 6 – *3 485 h.*
Amsterdam 117 – 's-Hertogenbosch 97 – Bergen op Zoom 29 – Breda 45 – Rotterdam 38.

XX **Het Wapen van Willemstad** avec ch, Benedenkade 12, ✉ 4797 AV, ☎ (0 168) 47 34 50, *Fax (0 168) 47 37 05,* – TV ☎ – 25 à 60. AE ⓓ E VISA.
fermé 29 déc.-1er janv. – **Repas** Lunch 30 – carte 78 à 108 – **6 ch** ☐ 115/150 – ½ P 165.

WINSCHOTEN *Groningen* 210 W 4 et 408 M 2 – *18 636 h.*
Stationsweg 21a, ✉ 9671 AL, ☎ (0 597) 41 22 55.
Amsterdam 230 – Groningen 36 – Assen 49.

Royal York, Stationsweg 21, ✉ 9671 AL, ☎ (0 597) 41 43 00, *Fax (0 597) 42 32 24* – TV ☎ P – 25 à 60. AE ⓓ E VISA
Repas (grillades) Lunch 20 – carte env. 50 – **40 ch** ☐ 98/125 – ½ P 80/110.

X **In den Stallen** avec ch, Oostereinde 10 (NE : 3 km, près A 7), ✉ 9672 TC, ☎ (0 597) 41 40 73, *Fax (0 597) 42 26 53,* – TV ☎ P. AE ⓓ E VISA. ch
fermé 31 déc. et 1er janv. – **Repas** Lunch 28 – 45 – **10 ch** ☐ 115/140.

WINTERSWIJK *Gelderland* 211 U 11 et 408 L 6 – *28 192 h.*
Vredenseweg 150, ✉ 7105 AE, ☎ (0 543) 56 25 25.
Markt 17a, ✉ 7101 DA, ☎ (0 543) 51 23 02, Fax (0 543) 52 40 81.
Amsterdam 152 – Arnhem 67 – Apeldoorn 66 – Enschede 43.

De Frerikshof, Frerikshof 2 (NO : 2 km), ✉ 7103 CA, ☎ (0 543) 51 77 55, *Fax (0 543) 52 20 35,* , , – TV ☎ P – 25 à 200. AE ⓓ E VISA JCB. rest
Repas 43/85 – ☐ 20 – **64 ch** 145/195, 2 suites – ½ P 130.

🏠 **Stad Munster,** Markt 11, ⊠ 7101 DA, ℰ (0 543) 51 21 21, Fax (0 543) 52 24 15, 🛋
– 🔟 📺 ☎ 🅿 ᴀᴇ ⓞ ᴇ 𝘝𝘐𝘚𝘈 ❀
fermé 31 déc.-20 janv. – **Repas** *(fermé dim. soir du 20 janv. au 20 mars et dim. midi)* 53/73
– ☲ 18 – **20 ch** 70/160 – ½ P 110/160.

🍴 **De Beukenhorst,** Markt 27, ⊠ 7101 DA, ℰ (0 543) 52 28 94, Fax (0 543) 51 35 95,
🛋 – ᴀᴇ ᴇ 𝘝𝘐𝘚𝘈 ❀
fermé du 3 au 18 août, 29 déc.-8 janv. et mardi – **Repas** Lunch 55 – carte 60 à 90.

WITTEM Limburg 211 P 18 et 408 L 6 – 7807 h.

🏌 *à Mechelen S : 2 km, Dalbissenweg 22,* ⊠ 6281 NC, ℰ (0 43) 455 13 97, Fax (0 43)
455 15 76.
Amsterdam 225 – *Maastricht 19* – *Aachen 13.*

🏠 **In den Roden Leeuw van Limburg,** Wittemer Allee 28, ⊠ 6286 AB, ℰ (0 43)
🐚 450 12 74, Fax (0 43) 450 23 62, 🛋 – 📺 ☎ 🅿 ᴀᴇ ⓞ ᴇ 𝘝𝘐𝘚𝘈 🇯🇨🇧 ❀ ch
fermé du 20 au 27 fév. – **Repas** *(fermé lundi et après 20 h)* 45 – **10 ch** ☲ 48/120 –
½ P 78/90.

🍴🍴🍴 **Kasteel Wittem** ⌷ avec ch, Wittemer Allee 3, ⊠ 6286 AA, ℰ (0 43) 450 12 08,
Fax (0 43) 450 12 60, ≼, 🛋, « Château du 15ᵉ s. avec parc », 🌳 – 📺 ☎ 🅿 – 🕍 30.
ᴀᴇ ⓞ ᴇ 𝘝𝘐𝘚𝘈 🇯🇨🇧 ❀
Repas (dîner seult sauf les vend., sam. et dim.) Lunch 70 – 98/135 – ☲ 35 – **12 ch** 180/295
– ½ P 225/258.

à Wahlwiller E : 1,5 km Ⓒ Wittem :

🍴🍴🍴 **Der Bloasbalg** (Waghemans), Botterweck 3, ⊠ 6286 DA, ℰ (0 43) 451 13 64,
🌼 Fax (0 43) 451 25 15, 🛋, « Cadre champêtre » – 🗐 🅿 ᴀᴇ ⓞ ᴇ 𝘝𝘐𝘚𝘈
fermé merc. de sept. à mai, mardi, sam. midi, 2 sem. carnaval et 24 déc. – **Repas**
Lunch 70 – 98/130, carte 95 à 118
Spéc. Combinaison de joue et langue de veau, pâté de foie gras et chanterelles.
Cabillaud poêlé, sauce aux tomates et à la lavande. Homard entier au four, sauce au
basilic.

🍴🍴🍴 **'t Klauwes,** Oude Baan 1, ⊠ 6286 BD, ℰ (0 43) 451 15 48, Fax (0 43) 451 22 55, 🛋,
« Ferme du 18ᵉ s. » – 🅿. ᴀᴇ ⓞ ᴇ 𝘝𝘐𝘚𝘈
fermé lundi, sam. midi, dern. sem. août et prem. sem. janv. – **Repas** 60.

WOERDEN Utrecht 211 J 10 et 408 F 5 – 36606 h.

🚉 *Molenstraat 40,* ⊠ 3441 BA, ℰ (0 348) 41 44 74, Fax (0 348) 41 78 43.
Amsterdam 52 – *Den Haag 46* – *Rotterdam 41* – *Utrecht 19.*

🏠 **Tulip Inn** sans rest, Utrechtsestraatweg 25, ⊠ 3445 AL, ℰ (0 348) 41 25 15,
Fax (0 348) 42 18 53 – 📺 ☎ 🅿 ᴀᴇ ⓞ ᴇ 𝘝𝘐𝘚𝘈 🇯🇨🇧 ❀
60 ch ☲ 155/195.

WOLDENDORP Groningen 210 W 3 et 408 M 2 – voir à Delfzijl.

WOLFHEZE Gelderland Ⓒ Renkum 32453 h. 211 O 10 et 408 I 5.
Amsterdam 93 – *Arnhem 10* – *Amersfoort 41* – *Utrecht 57.*

🏛 **De Buunderkamp** ⌷, Buunderkamp 8, ⊠ 6874 NC, ℰ (0 26) 482 11 66, Fax (0 26)
482 18 98, 🛋, « Dans les bois », ≋, 🔲, 🌳, 🍴 – 🔟, 🗐 rest, 📺 ☎ 🛏 🅿 – 🕍 25
à 120. ᴀᴇ ⓞ ᴇ 𝘝𝘐𝘚𝘈 ❀ rest
fermé 30 déc.-2 janv. – **Repas** Lunch 50 – carte 83 à 100 – ☲ 33 – **69 ch** 225/275, 25 suites.

🏛 **Wolfheze** ⌷, Wolfhezerweg 17, ⊠ 6874 AA, ℰ (0 26) 333 78 52, Fax (0 26)
333 62 11, 🛋, « Environnement boisé avec 🍴 », ≋, 🔲, 🍴 – 🔟, 🗐 rest, 📺 ☎ 🅿
– 🕍 25 à 120. ᴀᴇ ⓞ ᴇ 𝘝𝘐𝘚𝘈 ❀ rest
Repas *Bistro de Foresterie* (ouvert jusqu'à 23 h) *(fermé lundi et mardi)* Lunch 45 - 50/95
– ☲ 30 – **68 ch** 220/315, 2 suites – ½ P 175/225.

WOLPHAARTSDIJK Zeeland Ⓒ Goes 33998 h. 211 C 13 et 408 C 7.
Amsterdam 186 – *Middelburg 26* – *Goes 6.*

🍴🍴 **'t Veerhuis,** Wolphaartsdijkseveer 1 (N : 2 km au bord du lac), ⊠ 4471 ND, ℰ (0 113)
58 13 26, Fax (0 113) 58 10 92, ≼ – 🅿. ᴀᴇ ⓞ ᴇ 𝘝𝘐𝘚𝘈
fermé jeudi sauf en juil.-août, lundi et 15 déc.-15 janv. – **Repas** Lunch 58 –
88/98.

WORKUM (WARKUM) *Friesland* © *Nijefurd 10 415 h.* 210 M 5 et 408 H 3.

Env. *SO : 6 km à Hindeloopen : Musée★ (Hidde Nijland Stichting).*

🛈 *Noard 5,* ✉ *8711 AA,* 𝒫 *(0 515) 54 13 00, Fax (0 515) 54 36 05.*

Amsterdam 124 – Leeuwarden 41 – Bolsward 12 – Zwolle 83.

XX **De Waegh,** Merk 18, ✉ 8711 CL, 𝒫 (0 515) 54 19 00, Fax (0 515) 54 25 95, « Auberge rustique » – ⚟ ⓪ 🇪 𝑽𝑰𝑺𝑨 𝗃𝖼𝖻
fermé lundi et fév. – **Repas** *Lunch* 25 – 50.

WOUBRUGGE *Zuid-Holland* © *Jacobswoude 10 808 h.* 211 H 10 et 408 E 5.

Amsterdam 36 – Den Haag 31 – Rotterdam 44 – Utrecht 43.

XX **Het Oude Raedthuys,** Raadhuisstraat 2, ✉ 2481 BE, 𝒫 (0 172) 51 81 03, Fax (0 172) 51 95 14, <, 🍴 – 🄿. ⚟ ⓪ 🇪 𝑽𝑰𝑺𝑨. ⌘
fermé lundi et mardi – **Repas** *carte* 57 à 78.

WOUDRICHEM *Noord-Brabant* 211 K 12 et 408 H 5 – *13 838 h.*

Amsterdam 79 – Breda 40 – 's-Hertogenbosch 32 – Rotterdam 48 – Utrecht 46.

X **De Gevangenpoort,** Kerkstraat 3, ✉ 4285 BA, 𝒫 (0 183) 30 20 34, « Tour du 16e s. »
– 🍽. ⚟ ⓪ 🇪 𝑽𝑰𝑺𝑨 𝗃𝖼𝖻
fermé lundi – **Repas** *Lunch* 47 – 64/73.

WOUW *Noord-Brabant* 211 G 12 et 408 E 7 – *8 489 h.*

Amsterdam 130 – Antwerpen 60 – Breda 32 – Rotterdam 53.

XX **Mijn Keuken,** Markt 1, ✉ 4724 BK, 𝒫 (0 165) 30 22 08, Fax (0 165) 30 32 95, 🍴 –
⚟ ⓪ 🇪 𝑽𝑰𝑺𝑨
fermé lundi, mardi, 3 sem. en juil. et fin déc.-début janv. – **Repas** 65/90.

WIJCHEN *Gelderland* 211 O 12 et 408 I 6 – *36 571 h.*

🛈 *Weg door de Berendonck 40,* ✉ *6603 LP,* 𝒫 *(0 24) 641 98 38, Fax (0 24) 641 12 54.*

Amsterdam 122 – Arnhem 30 – 's-Hertogenbosch 38 – Nijmegen 10.

XX **'t Wichlant,** Kasteellaan 16, ✉ 6602 DE, 𝒫 (0 24) 642 01 01, Fax (0 24) 645 13 38, 🍴,
« Patio fleuri » – ⚟ 🇪 𝑽𝑰𝑺𝑨. ⌘
fermé sam. midi, dim. midi et lundi – **Repas** *Lunch* 35 – 40/68.

De WIJK *Drenthe* 210 R 6 et 408 J 3 – *voir à Meppel.*

WIJK AAN ZEE *Noord-Holland* © *Beverwijk 35 637 h.* 210 H 8 et 408 E 4.

Amsterdam 31 – Alkmaar 27 – Haarlem 18.

🏠 **de Klughte** sans rest, Van Ogtropweg 2, ✉ 1949 BA, 𝒫 (0 251) 37 43 04, Fax (0 251) 37 52 24, « Villa début du siècle et bordure des dunes », 🌳 – 📺 ☎ 🄿. ⌘
fermé 24 déc.-4 janv. – **17 ch** ⊊ 155.

🏠 **Noordzee,** Julianaweg 27, ✉ 1949 AM, 𝒫 (0 251) 37 42 04 – 📺 ☎. ⚟ ⓪ 🇪 𝑽𝑰𝑺𝑨.
⌘ rest
Repas (dîner pour résidents seult) – **43 ch** ⊊ 65/125 – ½ P 80.

X **Le Cygne,** De Zwaanstraat 8, ✉ 1949 BC, 𝒫 (0 251) 37 41 32, Fax (0 251) 37 41 32,
🍴 – ⚟ ⓪ 🇪 𝑽𝑰𝑺𝑨 𝗃𝖼𝖻
fermé mardi – **Repas** (dîner seult) 50.

WIJK BIJ DUURSTEDE *Utrecht* 211 M 11 et 408 H 6 – *21 942 h.*

🛈 *Markt 24,* ✉ *3961 BC,* 𝒫 *(0 343) 57 59 95, Fax (0 343) 57 42 55.*

Amsterdam 62 – Utrecht 24 – Arnhem 54 – 's-Hertogenbosch 48.

XX **De Oude Lantaarn** (avec ch en annexe), Markt 2, ✉ 3961 BC, 𝒫 (0 343) 57 13 72,
Fax (0 343) 57 37 96 – 📺 ☎. ⚟ ⓪ 🇪 𝑽𝑰𝑺𝑨 𝗃𝖼𝖻
Repas (dîner seult) (fermé dim., lundi, sem. carnaval, dern. sem. juil. et Noël) Lunch 40 – carte
env. 70 – **18 ch** (fermé Noël) ⊊ 125/145, 2 suites – ½ P 135.

X **Rubenshuis,** Peperstraat 16, ✉ 3961 AS, 𝒫 (0 343) 57 69 90, Fax (0 343) 57 81 53
– 🍽. ⚟ ⓪ 🇪 𝑽𝑰𝑺𝑨
fermé lundi, fin juil.-début août et fin déc.-début janv. – **Repas** (dîner seult)
53/63.

YERSEKE Zeeland 🆑 Reimerswaal 20 417 h. 🔢 I 14 et 🔢 D 7.

🚊 Kerkplein 1, ✉ 4401 ED, ☏ (0 113) 57 18 64, Fax (0 113) 57 43 74.

Amsterdam 173 – Middelburg 35 – Bergen op Zoom 35 – Goes 14.

※※※ **Nolet-Het Reymerswale,** 1er étage, Burg. Sinkelaan 5, ✉ 4401 AL, ☏ (0 113) 57 16 42, Fax (0 113) 57 25 05, Produits de la mer et huîtres, « Aquarium avec faune de la mer du Nord » – 🝐 🅾 🗗 𝘝𝘐𝘚𝘈
fermé mardis et merc. non fériés, fév. et du 2 au 19 juin – **Repas** Lunch 70 – 105 (2 pers. min.)/125, carte env. 105
Spéc. Homard grillé régional (15 avril-oct.). Bar étuvé et fumé, sauce au basilic (mai-sept.). Huîtres pochées au Champagne et caviar (sept.-mai).

Ⴟ **Oesterbeurs,** Wijngaardstraat 2, ✉ 4401 CS, ☏ (0 113) 57 22 11, Fax (0 113) 57 16 15, Produits de la mer – 🗗 𝘝𝘐𝘚𝘈
fermé 2 prem. sem. juin, 2 dern. sem. juil. et vend. midi, sam. midi et dim. midi d'oct. à mai – **Repas** 45/59.

Ⴟ **Nolet,** Lepelstraat 7, ✉ 4401 EB, ☏ (0 113) 57 13 09, Fax (0 113) 57 43 48, Produits de la mer et huîtres – 🝐 🗗 𝘝𝘐𝘚𝘈
fermé lundi et juin – **Repas** carte 57 à 92.

Ⴟ **Nolet's Vistro,** Burg. Sinkelaan 6, ✉ 4401 AL, ☏ (0 113) 57 21 01, Fax (0 113) 57 25 05, 🌸, Produits de la mer – 🍽. ⁓
fermé du 4 au 20 mai, janv. et lundi sauf en juil.-août – Repas 55.

IJMUIDEN Noord-Holland 🆑 Velsen 65 509 h. 🔢 H 8 et 🔢 E 4.

Voir Écluses★.

📷 à Velsen-Zuid, Het Hoge Land 2, ✉ 1981 LT, Recreatieoord Spaarnwoude ☏ (0 23) 538 27 08, Fax (0 23) 538 72 74.

🚢 vers Newcastle (28 mars-29 oct.) : Scandinavian Seaways, Felison Terminal, Sluisplein 33 ☏ (0 255) 53 45 46, Fax (0 255) 53 53 49.

🚊 Plein 1945 nr 105, ✉ 1971 GC, ☏ (0 255) 51 56 11, Fax (0 255) 51 56 11.

Amsterdam 29 – Alkmaar 26 – Haarlem 14.

🏠 **Augusta,** Oranjestraat 98 (direction Sluizen), ✉ 1975 DD, ☏ (0 255) 51 42 17, Fax (0 255) 53 47 03, « Maison début du siècle » – 📺 ☎ – 🔬 25 à 100. 🝐 🗗 𝘝𝘐𝘚𝘈 𝖩𝖢𝖡. ⁓
Repas (fermé 22 déc.-7 janv.) Lunch 40 – 55 – **25 ch** ⊇ 95/160.

※※ **Imko's** 3e étage, Halkade 9c (port de pêche), ✉ 1976 DC, ☏ (0 255) 51 75 26, Fax (0 255) 51 92 64, ≼, 🌸, Produits de la mer – 🝐 🅾 🗗 𝘝𝘐𝘚𝘈
Repas Lunch 55 – 60/94.

à Velsen-Zuid sortie IJmuiden sur A 9 🆑 Velsen :

※※ **Het Roode Hert,** Zuiderdorpstraat 15, ✉ 1981 BG, ☏ (0 255) 51 57 97, 🌸, « Auberge du 17e s. » – 🍽. 🝐 🅾 🗗 𝘝𝘐𝘚𝘈 ⁓
fermé lundi – **Repas** Lunch 58 – carte 81 à 108.

Ⴟ **Beeckestijn,** Rijksweg 136, ✉ 1981 LD, ☏ (0 255) 51 44 69, Fax (0 255) 51 12 66, ≼, 🌸, « Dans les dépendances d'une résidence du 18e s., parc » – 🅿 – 🔬 80. 🝐 🅾 🗗 𝘝𝘐𝘚𝘈
fermé lundi et mardi – **Repas** carte env. 70.

IJSSELSTEIN Utrecht 🔢 K 10 et 🔢 G 5 – 23 256 h.

Amsterdam 47 – Utrecht 14 – Breda 61 – 's-Hertogenbosch 45 – Rotterdam 60.

🏠 **Epping,** Utrechtsestraat 44, ✉ 3401 CW, ☏ (0 30) 688 31 14, Fax (0 30) 687 01 04 – 📺 ☎ – 🔬 30. 🝐 🅾 🗗 𝘝𝘐𝘚𝘈 𝖩𝖢𝖡
fermé 25 et 26 déc. et 1er janv. – **Repas** (fermé dim.) carte env. 50 – **35 ch** ⊇ 130 – ½ P 90/123.

※※※ **Les Arcades,** Weidstraat 1, ✉ 3401 DL, ☏ (0 30) 688 39 01, Fax (0 30) 687 15 74, « Cave voûtée du 16e s. » – 🝐 🅾 🗗 𝘝𝘐𝘚𝘈 𝖩𝖢𝖡
fermé sam. midi, dim. et dern. sem. juil.-2 prem. sem. août – **Repas** 58/78.

IJZENDIJKE Zeeland 🆑 Oostburg 17 780 h. 🔢 B 15 et 🔢 B 8.

Amsterdam (bac) 218 – Middelburg (bac) 21 – Brugge 40 – Terneuzen 19.

※※ **Hof van Koophandel,** Markt 23, ✉ 4515 BB, ☏ (0 117) 30 12 34, Fax (0 117) 30 21 27 – 🍽. 🝐 🅾 🗗 𝘝𝘐𝘚𝘈
fermé lundi – **Repas** Lunch 35 – 45/75.

ZAANDAM Noord-Holland [C] Zaanstad 133 817 h. [210] I 8 et [408] F 4 - ② N.

Voir *La région du Zaan★ (Zaanstreek) - La redoute Zanoise★ (De Zaanse Schans)*.

[r₆] à Wijdewormer (Wormerland) N : 5 km, Zuiderweg 68, ⊠ 1456 NH, ℘ (0 299) 47 91 23.

🛈 Gedempte Gracht 76, ⊠ 1506 CJ, ℘ (0 75) 616 22 21, Fax (0 75) 670 53 81.

Amsterdam 16 - Alkmaar 28 - Haarlem 27.

🏨 **Inntel**, Provincialeweg 15, ⊠ 1506 MA, ℘ (0 75) 631 17 11, Fax (0 75) 670 13 79 – 📳
🖙 ⇔⇔, ≡ rest, 📺 ☎ ⅖ ❷ – 🔬 25 à 175. 🖭 ⓞ 🖪 *VISA*
Repas 45 – � 20 – **71 ch** 140/175 – ½ P 200.

🏛 **Bastion**, Wibautstraat 278, ⊠ 1505 HR, ℘ (0 75) 670 63 31, Fax (0 75) 670 12 81 –
🖙 📺 ☎ ❷ 🖭 ⓞ 🖪 *VISA*
Repas (grillades, ouvert jusqu'à 23 h) 45 – **40 ch** ⊒ 130/145.

🗙🗙🗙🗙 **De Hoop Op d'Swarte Walvis**, Kalverringdijk 15 (Zaanse Schans), ⊠ 1509 BT, ℘ (0 75)
616 56 29, Fax (0 75) 616 24 76, ≤, �, « Maison du 18e s. dans un village musée », 🔲 – ≡
❷ 🖭 ⓞ 🖪 *VISA* 🇯🇨🇧 – fermé sam. midi de janv. à mars et dim. – **Repas** Lunch 70 – 98/115.

à Zaandijk NO : 5 km [C] Zaanstad :

🏨 **De Saense Schans**, Lagedijk 32, ⊠ 1544 BG, ℘ (0 75) 621 19 11, Fax (0 75)
621 85 61, ≤, �, « Au bord de la rivière De Zaan » – ≡ ch, 📺 ☎ ❷ 🖭 ⓞ 🖪 *VISA* 🇯🇨🇧 –
fermé 23 déc.-4 janv. – **Repas** (fermé sam.) Lunch 75 – 90/115 – ⊒ 40 – **15 ch** 250/300
– ½ P 258/283.

🗙 **'t Heerenhuis**, Zuiderweg 74 (Wijdewormer), ⊠ 1456 NH, ℘ (0 75) 616 21 02, � –
❷ 🖪 *VISA* 🇯🇨🇧 🌤
Repas Lunch 45 – carte env. 60.

ZAANDIJK Noord-Holland [210] I 8 et [408] F 4 - ② N – voir à Zaandam.

ZALTBOMMEL Gelderland [211] L 12 et [408] G 6 – 10 804 h.

🛈 Markt 15, ⊠ 5301 AL, ℘ (0 418) 51 81 77.

Amsterdam 73 - Arnhem 64 - 's-Hertogenbosch 15 - Utrecht 40.

🗙🗙 **La Provence**, Gamersestraat 81, ⊠ 5301 AR, ℘ (0 418) 51 40 70, Fax (0 418)
54 10 71, � – ❷. 🖭 ⓞ 🖪 *VISA*
fermé dim., lundi et fin déc. – **Repas** Lunch 50 – carte 68 à 98.

ZANDVOORT Noord-Holland [210] H 8, [211] H 8 et [408] E 4 – 15 466 h. – Station balnéaire★ –
Casino AX, Badhuisplein 7, ⊠ 2042 JB, ℘ (0 23) 571 80 44, Fax (0 23) 571 62 26.

[r₆] (3 parcours) par ②, Kennemerweg 78, ⊠ 2042 XT, ℘ (0 23) 571 28 36, Fax (0 23)
571 95 20. – 🛈 Schoolplein 1, ⊠ 2042 VD, ℘ (0 23) 571 79 47, Fax (0 23) 571 70 03.

Amsterdam 30 ① – Den Haag 49 ② – Haarlem 11 ①.

Plan page ci-contre

🏨 **Gran Dorado**, Trompstraat 2, ⊠ 2041 JB, ℘ (0 23) 572 00 00, Fax (0 23) 573 09 12,
≤, ⇔⇔, 🔲, 🗙 – 📳 ⇔⇔ 📺 ☎ ❷ – 🔬 25 à 1000. 🖭 ⓞ 🖪 *VISA* 🌤   BX d
Repas (dîner seult) carte env. 55 – **118 ch** ⊒ 175/240 – ½ P 208/273.

🏨 **Golden Tulip**, Burg. van Alphenstraat 63, ⊠ 2041 KG, ℘ (0 23) 571 32 34, Fax (0 23)
571 90 94, ≤, ⇔⇔ – 📳 📺 ☎ ❷ – 🔬 25 à 250. 🖭 ⓞ 🖪 *VISA* 🇯🇨🇧. 🌤 rest
Repas Lunch 38 – 50 – ⊒ 23 – **197 ch** 270, 14 suites – ½ P 185/210.   BX a

🏨 **Palace**, Burg. van Fenemaplein 2, ⊠ 2042 TA, ℘ (0 23) 571 29 11, Fax (0 23) 572 01 31,
≤ – 📳 📺 ☎ ❷ – 🔬 140. 🖭 🖪 *VISA*. 🌤 rest   BX b
Repas (Taverne-rest) carte 48 à 67 – **53 ch** ⊒ 100/220, 10 suites – ½ P 110/140.

🏛 **Triton**, Zuiderstraat 3, ⊠ 2042 GA, ℘ (0 23) 571 91 05, Fax (0 23) 571 86 13 – 📺 ☎
❷ – 🔬 60. 🖭 ⓞ 🖪 *VISA*. 🌤 rest   AX h
fermé du 3 au 31 janv. – **Repas** (résidents seult) – **22 ch** ⊒ 113/155.

🏛 **Hoogland** sans rest, Westerparkstraat 5, ⊠ 2042 AV, ℘ (0 23) 571 55 41, Fax (0 23)
571 42 00 – 📺 ☎. 🖭 ⓞ 🖪 *VISA* 🇯🇨🇧. 🌤   AX b
27 ch ⊒ 85/190.

🏛 **Zuiderbad**, bd Paulus Loot 5, ⊠ 2042 AD, ℘ (0 23) 571 26 13, Fax (0 23) 571 31 90,
≤, � – 📺 ☎ ❷. 🖭 🖪 *VISA*   BY e
fermé fév.-15 mars et 5 nov.-27 déc. – **Repas** (Taverne-rest, dîner seult jusqu'à 20 h) 45
– **26 ch** ⊒ 145/190 – ½ P 95/125.

🏛 **Amare** sans rest, Hogeweg 70, ⊠ 2042 GJ, ℘ (0 23) 571 22 02, Fax (0 23) 571 43 74
– 📺 ☎. 🖭 ⓞ 🖪 *VISA*   AX p
16 ch ⊒ 135.

🗙 **Schut**, Kerkstraat 21, ⊠ 2042 JD, ℘ (0 23) 571 21 21, Fax (0 23) 571 21 21, �, Produits de la mer – 🖭 ⓞ 🖪 *VISA*. 🌤   AX c
Repas carte 65 à 110.

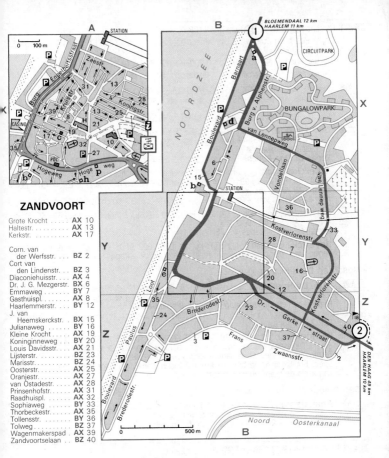

ZANDVOORT

Grote Krocht	**AX**	10
Haltestr.	**AX**	13
Kerkstr.	**AX**	17
Corn. van		
der Werfstr.	**BZ**	2
Cort van		
den Lindenstr.	**BZ**	3
Diaconiehuisstr.	**AX**	4
Dr. J. G. Mezgerstr.	**BX**	6
Emmaweg	**BY**	7
Gasthuispl.	**AX**	8
Haarlemmerstr.	**BY**	12
J. van		
Heemskerckstr.	**BX**	15
Julianaweg	**BY**	16
Kleine Krocht	**AX**	19
Koninginneweg	**BY**	20
Louis Davidsstr.	**AX**	21
Lijsterstr.	**BZ**	23
Maristr.	**BZ**	24
Oosterstr.	**AX**	25
Oranjestr.	**AX**	27
van Ostadestr.	**AX**	28
Prinsenhofstr.	**AX**	31
Raadhuispl.	**AX**	32
Sophiaweg	**BY**	33
Thorbeckestr.	**AX**	35
Tollensstr.	**BY**	36
Tolweg	**BZ**	37
Wagenmakerspad	**AX**	39
Zandvoortselaan	**BZ**	40

à Bentveld par ② : 3 km Ⓒ Zandvoort :

XX **Klein Bentveld,** Zandvoortselaan 363, ⊠ 2116 EN, ☎ (0 23) 524 00 29, Fax (0 23) 524 07 63, 🏤 – ⒫. ﷽ 🄴 𝑉𝐼𝑆𝐴 ⒿⒸⒷ
Repas (diner seult) carte env. 65.

ZEDDAM Gelderland Ⓒ Bergh 18 016 h. 🔢 R 11 et 🔢 J 6.
🅱 Kilderseweg 1, ⊠ 7038 BW, ☎ (0 314) 65 14 86, Fax (0 314) 65 14 86.
Amsterdam 129 – Arnhem 29 – Doetinchem 8 – Emmerich 8.

🏛 **Montferland** ⤓, Montferland 1, ⊠ 7038 EB, ☎ (0 314) 65 14 44, Fax (0 314) 65 26 75, 🏤, « Dans les bois », 🌳 – 🄣 ☎ ⒫ – 🔏 25 à 60. ﷽ ⓞ 🄴 𝑉𝐼𝑆𝐴 ⒿⒸⒷ. ⤫
fermé 27 déc.-16 janv. – **Repas** carte env. 85 – ☷ 20 – **8 ch** 150/210 – ½ P 170/230.

à Braamt N : 3 km Ⓒ Bergh :

🏠 **Host. Hettenheuvel,** Hooglandseweg 6, ⊠ 7047 CN, ☎ (0 314) 65 14 52, Fax (0 314) 65 12 65, 🏤, 🌳 – 🄣 ☎ ⒫ ﷽ ⓞ 🄴 𝑉𝐼𝑆𝐴 ⒿⒸⒷ. ⤫ rest
fermé du 2 au 26 fév. – **Repas** Lunch 53 – carte env. 70 – **8 ch** ☷ 98/155 – ½ P 95/117.

ZEEGSE Drenthe Ⓒ Vries 9 764 h. 🔢 T 4 et 🔢 K 2.
Amsterdam 203 – Assen 16 – Groningen 21.

🏛 **Drenthe** ⤓, Schipborgerweg 8, ⊠ 9483 TL, ☎ (0 592) 54 39 00, Fax (0 592) 54 39 19, 🏤, « Environnement boisé », 🛋s, 🔲, ⤫ – 🛗 🄣 ☎ 🕭 ⒫ – 🔏 25 à 250. ﷽ ⓞ 🄴
𝑉𝐼𝑆𝐴
fermé 29 déc.-2 janv. – **Repas** carte 45 à 73 – **51 ch** ☷ 175/215, 2 suites – ½ P 125/135.

ZEIST Utrecht 🔲🔲🔲 L 10 et 🔳🔳🔳 G 5 – 59 188 h.

    🛏️ à Bosch en Duin N : 2 km, Amersfoortseweg 1, ✉ 3735 LJ, ℰ (0 30) 695 52 23, Fax (0 30) 696 37 69.

    🅱 Het Rond 1, ✉ 3701 HS, ℰ 0 900-109 10 13, Fax (0 30) 692 00 17.

    Amsterdam 55 – Utrecht 10 – Amersfoort 17 – Apeldoorn 66 – Arnhem 50.

🏨 **Figi** Ⓜ, Het Rond 2, ✉ 3701 HS, ℰ (0 30) 692 74 00, Fax (0 30) 692 74 68, « Collection de vitraux Art Déco de 1925 » – 📳 ✨, 🍴 rest, 📺 ☎ ⟵, – 🏥 25 à 500. 🅰🅴 ① 🅴 𝘝𝘐𝘚𝘈. ✳ ch
    Repas 58/93 – 🍴 28 – **96 ch** 265/335, 3 suites.

🏨 **Oud London,** Woudenbergseweg 52 (E : 3 km sur N 224), ✉ 3707 HX, ℰ (0 343) 49 12 45, Fax (0 343) 49 12 44, 😊, ⇐, 🔲, 🍴 – 📳, 🍴 rest, 📺 ☎ & 🅿 – 🏥 25 à 200. 🅰🅴 ① 🅴 𝘝𝘐𝘚𝘈. ✳
    Repas *La Fine Bouche* Lunch 50 - carte 65 à 84 – 🍴 24 – **67 ch** 193/243.

🏨 **'t Kerckebosch** 🦢, Arnhemse Bovenweg 31 (SE : 1,5 km), ✉ 3708 AA, ℰ (0 30) 691 47 34, Fax (0 30) 691 31 14, 😊, « Demeure ancienne », 🍴 – 📳 📺 ☎ 🅿 – 🏥 25 à 135. 🅰🅴 ① 🅴 𝘝𝘐𝘚𝘈 𝗝𝗖𝗕. ✳ rest
    fermé 27 déc.-4 janv. – **Repas** Lunch 55 – 68/78 – 🍴 28 – **30 ch** 220/275 – ½ P 165/270.

🍴 **Hermitage,** Het Rond 7, ✉ 3701 HS, ℰ (0 30) 693 31 59, Fax (0 30) 693 39 79, 😊 ⇐ – 🅿 – 🏥 25 à 45. 🅰🅴 🅴 𝘝𝘐𝘚𝘈
    fermé 1er janv. – **Repas** 45/75.

🍴 **Beyerick,** Jagerlaan 1, ✉ 3701 XG, ℰ (0 30) 692 34 05 – 🍴. 🅰🅴 ① 🅴 𝘝𝘐𝘚𝘈 𝗝𝗖𝗕
    fermé lundi, mardi, prem. sem. fév. et 3 sem. en juil. – **Repas** (dîner seult) carte env. 70.

à Bosch en Duin N : 2 km 🅒 Zeist :

🏨 **Aub. De Hoefslag** 🦢, Vossenlaan 28, ✉ 3735 KN, ℰ (0 30) 225 10 51, Fax (0 30) 228 58 21, « Environnement boisé », 🌿 – 📳, 🍴 ch, 📺 ☎ & 🅿 – 🏥 25. 🅰🅴 ① 🅴 𝘝𝘐𝘚𝘈
    Repas voir rest *De Hoefslag* ci-après – *Bistro De Ruif* (dîner seult) (fermé 25, 26 et 31 déc. et 1er janv.) 45 – 🍴 28 – **34 ch** (fermé 31 déc. et 1er janv.) 240/525, 4 suites – ½ P 245/388.

🍴🍴🍴🍴 **De Hoefslag,** Vossenlaan 28, ✉ 3735 KN, ℰ (0 30) 225 10 51, Fax (0 30) 228 58 21, 😊, « Terrasse dans un environnement boisé » – 🅿. 🅰🅴 ① 🅴 𝘝𝘐𝘚𝘈
    fermé dim., 31 déc. et 1er janv. – **Repas** Lunch 70 – 98, carte 125 à 145
    Spéc. Bouillabaisse de homard à notre façon. Canard sauvage à la sauge (août-déc.). Carpaccio de bœuf au foie gras de canard.

à Den Dolder N : 7 km 🅒 Zeist :

🍴🍴 **Anak Dèpok,** Dolderseweg 85, ✉ 3734 BD, ℰ (0 30) 229 29 15, Fax (0 30) 228 11 15, Cuisine indonésienne – 🍴. 🅰🅴 ① 🅴 𝘝𝘐𝘚𝘈. ✳
    fermé mardi – **Repas** (dîner seult) carte 55 à 85.

ZELHEM Gelderland 🔲🔲🔲 S 10 et 🔳🔳🔳 K 5 – 11 228 h.
    Amsterdam 139 – Arnhem 39 – Enschede 52.

🍴🍴 **'t Wolfersveen,** Ruurloseweg 38 (NE : 4 km), ✉ 7021 HC, ℰ (0 314) 62 13 75, Fax (0 314) 62 35 06, 😊 – 🅿. 🅰🅴 ① 🅴 𝘝𝘐𝘚𝘈
    fermé lundi, sam. midi et 31 déc.-7 janv. – **Repas** 38/83.

ZEVENAAR Gelderland 🔲🔲🔲 Q 11 et 🔳🔳🔳 J 6 – 26 976 h.
    Amsterdam 114 – Arnhem 15 – Emmerich 21.

🏨 **Campanile,** Hunneveldweg 2a (près A 12), ✉ 6903 ZM, ℰ (0 316) 52 81 11, Fax (0 316) 33 12 32, 😊 – ✨ 📺 ☎ 🅿 – 🏥 35. 🅰🅴 ① 🅴 𝘝𝘐𝘚𝘈 𝗝𝗖𝗕
    fermé 24 déc. soir et 31 déc.-1er janv. – **Repas** (avec buffet) 45 – 🍴 13 – **52 ch** 75/96 – ½ P 128/145.

ZEVENBERGEN Noord-Brabant 🔲🔲🔲 H 13 et 🔳🔳🔳 E 7 – 16 193 h.
    Amsterdam 111 – Bergen op Zoom 30 – Breda 17 – Rotterdam 43.

🍴🍴 **De 7 Bergsche Hoeve,** Schansdijk 3, ✉ 4761 RH, ℰ (0 168) 32 41 66, Fax (0 168) 32 38 72, 😊, « Ancienne ferme » – 🅿. 🅰🅴 ① 🅴 𝘝𝘐𝘚𝘈 𝗝𝗖𝗕
    fermé lundi – **Repas** 59/118.

🍴🍴 **La Sirène,** Noordhaven 68, ✉ 4761 DB, ℰ (0 168) 32 88 44, Fax (0 168) 32 44 22 – 🅰🅴 ① 🅴 𝘝𝘐𝘚𝘈
    fermé du 21 au 26 fév., 27 juil.-21 août, 27 déc.-8 janv., lundi et mardi – **Repas** Lunch 38 – 75/93.

ZEVENBERGSCHEN HOEK Noord-Brabant 🄲 Zevenbergen 16 193 h. 𝟚𝟙𝟙 I 12 et 𝟜𝟘𝟠 F 6.
Amsterdam 105 – 's-Hertogenbosch 69 – Breda 17 – Rotterdam 36.

    Brabant, Oude Moerdijkseweg 20 (NO : 1 km près A 16), ⊠ 4765 SN, ℘ (0 168)
45 24 50, Fax (0 168) 45 29 15, Taverne-rest. – ▤ **ₚ** ⚑ ⅇ 𝘝𝘐𝘚𝘈 ✸
    Repas Lunch 15 – 45.

ZIERIKZEE Zeeland 𝟚𝟙𝟙 D 13 et 𝟜𝟘𝟠 C 7 – 10 150 h.

    Voir Noordhavenpoort★ Z B.

    Env. Pont de Zélande★ (Zeelandbrug) par ③.

    🄳 Havenpark 29, ⊠ 4301 JG, ℘ (0 111) 41 24 50.

    Amsterdam 149 ② – Middelburg 44 ③ – Breda 81 ② – Rotterdam 66 ②.

ZIERIKZEE

Appelmarkt	Z	2
Dam	Z	5
Meelstr.	Z	
Melkmarkt	Z	28
Poststr.	Z	
Basterstr.	Z	3
Fonteine	Z	7
Hoofdpoortstr.	Z	12
Julianastr.	Z	14
Karsteil	Z	16
Kerkhof N.Z.	Z	17
Kerkhof Z.Z.	Z	18
Klokstr.	Z	20
Korte Nobelstr.	Y	22
Lange Nobelstr.	Z	25
Lange St. Janstr.	Z	26
Minderbroederstr.	Z	30
Oude Haven	Z	32
P.D. de Vosstr.	Y	34
Ravestr.	Z	36
Schuitaven	Z	38
Schuurbeque Boeyestr.	Y	39
Verrenieuwstr.	Y	42
Watermolen	Y	44
Wevershoek	Z	45
Zevengetijstr.	Y	48
Zuidwellestr.	Y	50

*Les plans de villes
sont orientés
le Nord en haut.*

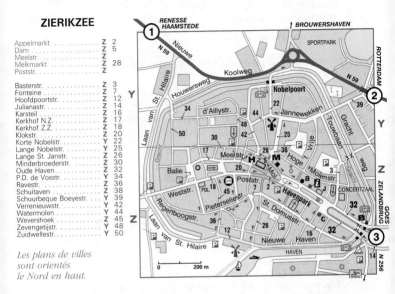

    Mondragon sans rest, Havenpark 21, ⊠ 4301 JG, ℘ (0 111) 41 30 51, Fax (0 111)
41 59 97, ☞ – 🆃🆅 ☎. ⚑ ⓞ ⅇ 𝘝𝘐𝘚𝘈 🇯🇨🇧
    Z a
fermé 7 déc.-10 janv. – **8 ch** ⯑ 110/195.

    De Drie Morianen, Kraanplein 12, ⊠ 4301 CH, ℘ (0 111) 41 29 31, Fax (0 111)
41 79 36, 佘 – ▤. ⚑ ⓞ ⅇ 𝘝𝘐𝘚𝘈 🇯🇨🇧
    Z c
fermé mardi d'oct. à mars – **Repas** carte env. 65.

à Schuddebeurs N : 4 km 🄲 Brouwershaven 3 891 h :

    Host. Schuddebeurs ⌂, Donkereweg 35, ⊠ 4317 NL, ℘ (0 111) 41 56 51,
Fax (0 111) 41 31 03, 佘, « Auberge campagnarde », ☞ – 📳 🆃🆅 ☎ **ₚ** – 🔏 25 à 40.
⚑ ⓞ ⅇ 𝘝𝘐𝘚𝘈
fermé 20 déc.-15 janv. – **Repas** Lunch 55 – 78/125 – **21 ch** ⯑ 165/220, 3 suites –
½ P 185/305.

ZOETERMEER Zuid-Holland 𝟚𝟙𝟙 G 10 et 𝟜𝟘𝟠 E 5 – 106 581 h.

    🄸🄱 Heuvelweg 3, ⊠ 2716 DZ, ℘ (0 79) 351 35 36, Fax (0 79) 352 13 13.

    🄳 Zuidwaarts 7, ⊠ 2711 HM, ℘ (0 79) 341 55 51, Fax (0 79) 341 53 81.

    Amsterdam 44 – Den Haag 14 – Rotterdam 25.

    Golden Tulip 🄼, Danny Kayelaan 20 (près A 12, wijk 19), ⊠ 2719 EH, ℘ (0 79)
361 02 02, Fax (0 79) 361 63 49 – 📳 ✸ 🆃🆅 ☎ ⚑ 🔄 – 🔏 25 à 250. ⚑ ⓞ ⅇ 𝘝𝘐𝘚𝘈 🇯🇨🇧
    Repas Lunch 39 – 50 – ⯑ 23 – **108 ch** 195/255 – ½ P 115/220.

    Zoetermeer, Boerhaavelaan 20 (près A 12, wijk 13), ⊠ 2713 HB, ℘ (0 79) 321 92 28,
Fax (0 79) 321 15 01, 佘 – 📳 ✸ 🆃🆅 ☎ **ₚ** – 🔏 30 à 200. ⚑ ⓞ ⅇ 𝘝𝘐𝘚𝘈 🇯🇨🇧 ✸ rest
    Repas (fermé sam. et dim.) 45 – **60 ch** ⯑ 155/185 – ½ P 183.

XX **Ma Cuisine,** Stationsstraat 39 (wijk 12), ⊠ 2712 HB, *℘ (0 79) 316 61 62, Fax (0 79)* 316 63 78, 🍽 – 🗏 **🅿. 🖭 ⓞ 🗲 𝘝𝘐𝘚𝘈**
fermé lundi – **Repas** *Lunch 50 –* carte env. 75.

X **De Herbergier,** Petuniatuin 45 (dans centre commercial Seghwaert, wijk 24), ⊠ 2724 NB, *℘ (0 79) 341 25 66, Fax (0 79) 342 30 14 –* 🗏 **🖭 ⓞ 🗲 𝘝𝘐𝘚𝘈**
Repas (dîner seult) 50.

X **De Sniep,** Broekwegschouw 211 (wijk 26), ⊠ 2726 LC, *℘ (0 79) 341 24 81, Fax (0 79)* 342 04 21, 🍽 – 🗏 **🅿. 🖭 ⓞ 🗲 𝘝𝘐𝘚𝘈 𝙅𝘾𝘽**
fermé sam. midi, dim. midi et lundi soir – **Repas** *Lunch 38 –* 45/83.

ZOETERWOUDE-RIJNDIJK *Zuid-Holland* 🄲 *Zoeterwoude 8 542 h.* 𝟤𝟣𝟣 H 10 et 𝟦𝟢𝟪 E 5.
Amsterdam 42 – Den Haag 22 – Leiden 3.

X **Meerbourgh,** Hoge Rijndijk 123 (NE : 4 km sur N 11), ⊠ 2382 AD, *℘ (0 71) 589 56 16,*
🚌 *Fax (0 71) 589 54 83,* 🍽 – 🗏 **🅿. 🖭 ⓞ 🗲 𝘝𝘐𝘚𝘈 𝙅𝘾𝘽**
fermé lundi – **Repas** *Lunch 50 –* 43/63.

ZOUTELANDE *Zeeland* 🄲 *Valkenisse 6 168 h.* 𝟤𝟣𝟣 A 14 et 𝟦𝟢𝟪 B 7.
🛈 *Bosweg 2,* ⊠ 4374 EM, *℘ (0 118) 56 13 64.*
Amsterdam 213 – Middelburg 12 – Vlissingen 13.

🏨 **De Distel,** Westkapelseweg 1, ⊠ 4374 BA, *℘ (0 118) 56 20 40, Fax (0 118) 56 12 22,*
🚌 🍽, ⊆ₛ, ⊥ – 📶 🖭 ☎. 🖭 ⓞ 🗲 𝘝𝘐𝘚𝘈 𝙅𝘾𝘽
mars-oct. et week-end – **Repas** 43 – **31 ch** ⊇ 130/188 – ½ P 105/115.

🏨 **Willebrord,** Smidsstraat 17, ⊠ 4374 AT, *℘ (0 118) 56 12 15, Fax (0 118) 56 26 86,* 🍽
🚌 – 🖭 ☎ 🅿. 🗲 𝘝𝘐𝘚𝘈. 🛇
fermé janv. – **Repas** *Lunch 25 –* 45/53 – **21 ch** ⊇ 138 – ½ P 90/99.

ZUIDBROEK *Groningen* 🄲 *Menterwolde 12 146 h.* 𝟤𝟣𝟢 V 3 et 𝟦𝟢𝟪 L 2.
Amsterdam 200 – Assen 39 – Groningen 24.

🏨 **Zuidbroek,** Burg. Omtzwaeg 2, ⊠ 9636 EM, *℘ (0 598) 45 37 87, Fax (0 598) 45 38 31,*
🍽, ⊡, ⚜ – 🖭 ☎ 🅿 – 🔏 25 à 650. 🖭 ⓞ 🗲 𝘝𝘐𝘚𝘈
Repas (ouvert jusqu'à minuit) carte 45 à 63 – **72 ch** ⊇ 115/125 – ½ P 153.

ZUIDDORPE *Zeeland* 𝟤𝟣𝟣 D 15 et 𝟦𝟢𝟪 C 8 – *voir à Axel.*

ZUIDLAREN *Drenthe* 𝟤𝟣𝟢 U 4 et 𝟦𝟢𝟪 L 2 – *11 170 h.*
Env. *Eexterhalte : Hunebed★ (dolmen) SE : 13 km.*
🛈ᵢ₈ *à Glimmen (Haren) NO : 8 km, Pollselaan 5,* ⊠ 9756 GJ, *℘ (0 50) 406 20 04, Fax (0 50)* 406 19 22.
🛈 *Stationsweg 69,* ⊠ 9471 GL, *℘ (0 50) 409 23 33.*
Amsterdam 207 – Assen 18 – Emmen 42 – Groningen 19.

🏨 **Tulip Inn Brinkhotel,** Brink O.Z. 6, ⊠ 9471 AE, *℘ (0 50) 409 12 61, Fax (0 50)* 409 60 11, ⊆ₛ – 📶 🖭 ☎. ⚜ 🅿 – 🔏 30 à 150. 🖭 ⓞ 🗲 𝘝𝘐𝘚𝘈 𝙅𝘾𝘽
Repas *Lunch 27 –* 50 – **54 ch** ⊇ 130/195 – ½ P 121/143.

XXX **De Vlindertuin,** Stationsweg 41, ⊠ 9471 GK, *℘ (0 50) 409 45 31, Fax (0 50)* 409 01 71, 🍽, « *Ferme du 19ᵉ s.* » – 🗏 **🅿. 🖭 ⓞ 🗲 𝘝𝘐𝘚𝘈 𝙅𝘾𝘽**
fermé dim. et 27 juil.-9 août – **Repas** (dîner seult) 65/98.

XX **Ni Hao Buitenpaviljoen,** Hondsrugstraat 14, ⊠ 9471 GE, *℘ (0 50) 409 67 93,* *Fax (0 50) 409 67 81,* 🍽, Cuisine japonaise, teppan-yaki et sushi-bar – 🗏 **🖭 ⓞ 🗲 𝘝𝘐𝘚𝘈.** 🛇
Repas (dîner seult jusqu'à 23 h) 55/125.

ZUIDOOSTBEEMSTER *Noord-Holland* 𝟤𝟣𝟢 J 7 – *voir à Purmerend.*

ZUIDWOLDE *Drenthe* 𝟤𝟣𝟢 S 6 et 𝟦𝟢𝟪 K 3 – *10 069 h.*
Amsterdam 157 – Assen 38 – Emmen 38 – Zwolle 36.

XXX **In de Groene Lantaarn,** Hoogeveenseweg 17 (N : 2 km), ⊠ 7921 PC, *℘ (0 528)* 37 29 38, *Fax (0 528) 37 20 47,* 🍽, Ouvert jusqu'à 23 h, « *Ferme du 18ᵉ s., jardin fleuri* » – 🅿. ⓞ 🗲 𝘝𝘐𝘚𝘈 𝙅𝘾𝘽
fermé mardi – **Repas** 58/68.

ZUTPHEN Gelderland **211** R 10 et **408** J 5 – 32 636 h.

Voir La vieille ville★ – Bibliothèque★ (Librije) et lustre★ dans l'église Ste-Walburge (St. Walburgskerk) – Drogenapstoren★ – Martinetsingel ≤★.

🛈 Wijnhuis, Groenmarkt 40, ⊠ 7201 HZ, 𝒫 (0 575) 51 93 55, Fax (0 575) 51 79 28.
Amsterdam 112 – Arnhem 30 – Apeldoorn 21 – Enschede 58 – Zwolle 53.

🏠 **Inntel**, De Stoven 37 (SE : 2 km sur N 348), ⊠ 7206 AZ, 𝒫 (0 575) 52 55 55, Fax (0 575)
52 96 76, 畲, ⓢ, ⌷, ※ – ⒤ ⥂, 🖩 rest, 𝖳𝗏 ☎ 🅿 – 🔏 25 à 200. 🖭 ① 🗲 𝘝𝘐𝘚𝘈 𝐉𝐂𝐁.
※ rest
Repas (fermé dim. midi) Lunch 20 – 45 – **67 ch** ⊇ 168/185 – ½ P 197/207.

🏠 **Museumhotel**, 's Gravenhof 6, ⊠ 7201 DN, 𝒫 (0 575) 54 61 11, Fax (0 575) 54 59 99,
« Demeure du 17ᵉ s. » – ⒤ 𝖳𝗏 ☎ ⅋ – 🔏 35. 🖭 ① 🗲 𝘝𝘐𝘚𝘈. ※ rest
Repas (fermé dim.) (dîner seult) 50/55 – **65 ch** ⊇ 140/160.

🍴 **Galantijn**, Stationsstraat 9, ⊠ 7201 MC, 𝒫 (0 575) 51 72 86 – 🖭 ① 🗲 𝘝𝘐𝘚𝘈
fermé dim. et lundi – **Repas** Lunch 53 – 94.

🍴 **Jan van de Krent**, Burg. Dijckmeesterweg 27b, ⊠ 7201 AJ, 𝒫 (0 575) 54 30 98,
Fax (0 575) 54 17 76, Produits de la mer – 🖩 🅿. 🖭 ① 🗲 𝘝𝘐𝘚𝘈
fermé sam. midi, dim. midi, lundi midi, mardi, dern. sem. juil.-prem. sem. août et fin déc.-
début janv. – **Repas** 43/58.

🍴 **André**, IJsselkade 22, ⊠ 7201 HD, 𝒫 (0 575) 51 44 36, Fax (0 575) 54 38 96 – 🖭 ①
🗲 𝘝𝘐𝘚𝘈
fermé sam., dim. et 26 juil.-19 août – **Repas** Lunch 38 – 43/70.

ZWARTSLUIS Overijssel **210** Q 7 et **408** J 4 – 4 409 h.
Amsterdam 123 – Zwolle 16 – Meppel 12.

🏠 **Zwartewater**, De Vlakte 20, ⊠ 8064 PC, 𝒫 (0 38) 386 64 44, Fax (0 38) 386 62 75,
≤, 畲, « Terrasse au bord de l'eau », ⓢ, ⌷, ※, ⛁ – 🖩 rest, 𝖳𝗏 ☎ ⅋ 🅿 – 🔏 25
à 350. 🖭 ① 🗲 𝘝𝘐𝘚𝘈
Repas Lunch 20 – carte 45 à 60 – **51 ch** ⊇ 95/190 – ½ P 97/105.

🏠 **Roskam**, Stationsweg 1, ⊠ 8064 DD, 𝒫 (0 38) 386 70 70, Fax (0 38) 386 63 93, 畲
– 𝖳𝗏 ☎ 🅿. 🖭 ① 🗲 𝘝𝘐𝘚𝘈 𝐉𝐂𝐁. ※
Repas (fermé dim.) 58 – **10 ch** ⊇ 80/120 – ½ P 90/110.

ZWEELOO Drenthe **210** U 6 et **408** L 3 – 3 005 h.

🏠 à Aalden SO : 2 km, Gebbeveenweg 1, ⊠ 7854 TD, 𝒫 (0 591) 37 17 84, Fax (0 591)
37 24 22.
Amsterdam 184 – Assen 34 – Emmen 13 – Groningen 60.

🍴 **Idylle** (Zwiep), Kruisstraat 21, ⊠ 7851 AE, 𝒫 (0 591) 37 18 57, Fax (0 591) 37 24 04,
💠 畲, « Ancienne ferme typique avec jardin » – 🅿. 🖭 ① 🗲 𝘝𝘐𝘚𝘈
fermé lundis non fériés, 23 fév.-9 mars et 24 août-7 sept. – **Repas** Lunch 53 – 99 bc, carte
80 à 105
Spéc. Raie meunière et foies de volaille au vinaigre de Sherry. Langoustines et foie de
canard au gros sel. Selle d'agneau régional au chou pointu et sauce aux herbes (mai-août).

ZWOLLE 🅿 Overijssel **210** Q 7 et **408** J 4 – 100 835 h.

Voir Hôtel de ville (Stadhuis) sculptures★ du plafond dans la salle des Échevins (Schepenzaal) BYZ **H**.

Musée : Stedelijk Museum Zwolle★ BY **M**.

🏌 Zalnéweg 75, ⊠ 8026 PZ, 𝒫 (0 38) 453 42 70 - 1g à Hattem par ④ : 7 km, Veenwal
11, ⊠ 8051 AS, 𝒫 (0 38) 444 19 09.
🛈 Grote Kerkplein 14, ⊠ 8011 PK, 𝒫 0 6-91 12 23 75, Fax (0 38) 422 26 79.
Amsterdam 111 ④ – Apeldoorn 44 ④ – Enschede 73 ② – Groningen 102 ① – Leeuwarden 94 ①.

Plan page suivante

🏠 **Wientjes**, Stationsweg 7, ⊠ 8011 CZ, 𝒫 (0 38) 425 42 54, Fax (0 38) 425 42 60 – ⒤
⥂ 𝖳𝗏 ☎ ⅋ 🅿 – 🔏 25 à 200. 🖭 ① 🗲 𝘝𝘐𝘚𝘈 𝐉𝐂𝐁. ※   BZ **s**
fermé 27 déc.-2 janv. – **Repas** *Bon Aparte* (fermé dim.) Lunch 50 - carte 79 à 93 – ⊇ 28
– **57 ch** 128/250 – ½ P 150.

🏠 **Postiljon**, Hertsenbergweg 1 (SO : 2 km), ⊠ 8041 BA, 𝒫 (0 38) 421 60 31, Fax (0 38)
422 30 69 – ⒤ ⥂, 🖩 rest, 𝖳𝗏 ☎ 🅿 – 🔏 25 à 450. 🖭 ① 🗲 𝘝𝘐𝘚𝘈. ※   AX **a**
Repas (buffets) – ⊇ 18 – **72 ch** 138/180.

🏠 **Fidder** sans rest, Koningin Wilhelminastraat 6, ⊠ 8019 AM, 𝒫 (0 38) 421 83 95,
Fax (0 38) 423 02 98, ☞ – 𝖳𝗏 ☎. 🖭 ① 🗲 𝘝𝘐𝘚𝘈 𝐉𝐂𝐁. ※   AX **b**
25 ch ⊇ 120/255.

ZWOLLE

Diezerstr.	**CY**
Grote Kerkplein	**BY** 12
Luttekestr.	**BY** 19
Roggenstr.	**BY** 30
Sassenstr.	**BYZ** 31
Achter de Broeren	**BCY** 3
Assendorperlure	**AX** 4
Bagijnesingel	**CY** 6
Bisschop Willebrandlaan	**AX** 7
Buitenkant	**AX** 8
Deventerstraatweg	**AX** 9
Diezerpoortenplas	**CY** 10
Hanekamp	**AX** 13
Harm Smeengekade	**BZ** 15
Ittersumallee	**AX** 16
Kamperstr.	**BY** 18
Meppelerstraatweg	**AX** 21
Middelweg	**AX** 22
Nieuwe Markt	**CYZ** 24
Oude Vismarkt	**BY** 25
Potgietersingel	**BZ** 27
Rhijnvis Feithlaan	**AX** 28
Spoolderbergweg	**AX** 33
Ter Pelkwijkstr.	**CY** 34
Thomas a Kempisstr.	**CY** 36
Veerallee	**AX** 37
Voorsterweg	**AX** 38
Voorstr.	**BY** 39
van Wevelinkhovenstr.	**CY** 40
Wipstrikkerallee	**AX** 42
Zuidbroek	**AX** 43

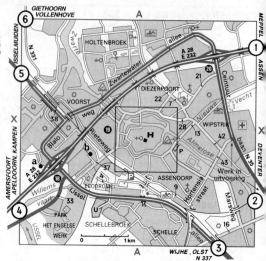

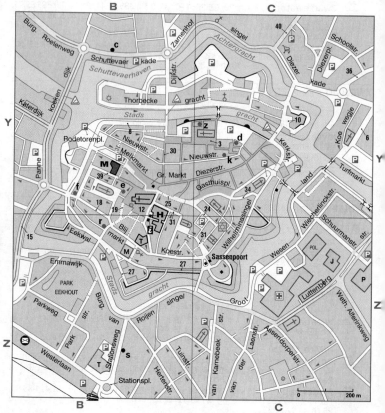

Campanile, Schuttevaerkade 40, ✉ 8021 DB, ✆ (0 38) 455 04 44, *Fax (0 38) 455 07 50*, – ✈ TV ☎ ♿ P – 25 à 120. AE ⓓ E VISA JCB BY c
Repas (avec buffet) *Lunch 15* – 45 – 13 – **69 ch** 110 – ½ P 150.

De Handschoen, Nieuwe Deventerweg 103 (par ③ : 3,5 km), ✉ 8014 AE, ✆ (0 38) 465 04 37, *Fax (0 38) 466 12 72*, , « Ferme du 18e s. » – P. AE ⓓ E VISA
fermé sam. midi, dim. et 2 prem. sem. vacances bâtiment – **Repas** 55/80.

De Librije (Boer), Broerenkerkplein 13, ✉ 8011 TW, ✆ (0 38) 421 20 83, *Fax (0 38) 423 23 29*, « Partie d'un ancien cloître » – AE ⓓ E VISA CY z
fermé sam. midi, dim. et lundi – **Repas** *Lunch 60* – 80/98, carte 90 à 120
Spéc. Tartare de boeuf à la mayonnaise de ciboulette (sept.-mai). Sandre laqué au sirop de pommes, sauce au Riesling (mai-janv.). Soufflé au limon et crème au gingembre.

Tiën, Eiland 42, ✉ 8011 XR, ✆ (0 38) 421 35 75, *Fax (0 38) 423 17 56*, Avec cuisine asiatique – AE ⓓ E VISA CY d
fermé lundi et prem. sem. janv. – **Repas** 50.

Sainte Barbara, Ossenmarkt 7, ✉ 8011 MR, ✆ (0 38) 421 19 48, *Fax (0 38) 421 11 28*, , Ouvert jusqu'à 23 h – . AE ⓓ E VISA JCB BY e
fermé 31 déc.-1er janv. – **Repas** 55/85.

't Pestengasthuys, Weversgildeplein 1, ✉ 8011 XN, ✆ (0 38) 423 39 86, *Fax (0 38) 423 26 56*, , « Maison historique du 15e s. » – AE ⓓ E VISA CY k
fermé lundi et 29 déc.-5 janv. – **Repas** *Lunch 40* – 55.

Poppe, Luttekestraat 66, ✉ 8011 LS, ✆ (0 38) 421 30 50, *Fax (0 38) 421 60 74*, « Ancienne forge » – . AE ⓓ E VISA BZ r
fermé lundi – **Repas** *Lunch 40* – 48/57.

Pampus, Kamperstraat 40, ✉ 8011 LM, ✆ (0 38) 421 30 97, – E BY f
fermé lundi et prem. sem. janv. – **Repas** (dîner seult) 43.

ZWIJNDRECHT *Zuid-Holland* 211 H 12 et 408 E 6 – *voir à Dordrecht.*

Principales marques automobiles
Belangrijkste auto-importeurs
Wichtigsten Automarken
Main car manufacturers

Belgique
België
Belgien

Audi –
Porsche –
Volkswagen
S.A. D'Ieteren N.V.
Rue du Mail, 50
Maliestraat, 50
1050 Bruxelles – Brussel
Tél. : 02/536 51 11

B.M.W.
S.A. B.M.W. Belgium N.V.
Lodderstraat, 16
2880 Bornem
Tél. : 03/890 97 11

Chrysler
S.A. Chrysler Import
Belgium N.V.
Parc Industriel, 17
1440 Wauthier-Braine
Tél. : 02/366 03 70

Citroën
S.B.A. Citroën
Place de l'Yser, 7
Ijzerplein, 7
1000 Bruxelles – Brussel
Tél. : 02/206 06 11

Daewoo
Daewoo Motor Belgium N.V.
Battelsesteenweg 455 B
2800 Mechelen
Tél. : 015/28 06 11

Daihatsu
S.A. Daihatsu Belgium N.V.
Kipdorp, 57
2000 Antwerpen
Tél. : 03/206 02 02

Ferrari
Garage Francorchamps
Lozenberg, 13
1932 Sint Stevens Woluwe
Tél. : 02/725 67 60

Fiat –
Lancia –
Alfaromeo
S.A. Fiat Belgio N.V.
Bd des Invalides, 210-220
Invalidenlaan, 210-220
1160 Bruxelles – Brussel
Tél. : 02/674 45 11

Ford
Ford Motor CY
Groenenborgerlaan 16
2610 Wilrijk
Tél. : 03/821 20 00

Honda
S.A. Honda Belgium N.V.
Wijngaardveld, 1
9300 Aalst
Tél. : 053/72 51 11

Hyundai
S.A. Korean Motor CY N.V.
Pierstraat, 231
2550 Kontich
Tél. : 03/450 06 11

Jaguar
Jaguar Belgium
Sint Bernardsesteenweg, 534
2660 Antwerpen
Tél. : 03/830 18 80

Kia
N.V. Kia Belgium
Seoelstraat 2-4
2321 Meer-Hoogstraten
Tél. : 03/315 09 19

Lada
S.A. Scaldia-Volga N.V.
Woluwélaan 156-158
1831 Diegem
Tél. : 02/715 08 00

Mazda –
Saab
Beherman Auto
Industrieweg, 3
2880 Bornem
Tél. : 03/890 91 11

Mercedes Benz
S.A. Mercedes-Benz Belgium
N.V.
Avenue du Péage, 68
Tollaan, 68
1200 Bruxelles – Brussel
Tél. : 02/724 12 11

Mitsubishi *Moorkens Car Division*
Pierstraat, 229
2550 Kontich
Tél. : 03/450 02 11

Nissan *S.A. Nissan Belgium N.V.*
Boomsesteenweg, 42
2630 Aartselaar
Tél. : 03/870 32 11

Opel *Opel Belgium N.V.*
Marketing Division
Prins Boudewijnlaan 30
2550 Kontich
Tél. : 03/450 63 11

Peugeot *S.A. Peugeot Talbot*
Belgique N.V.
Rue de l'Industrie, 22
1400 Nivelles
Tél. : 067/88 02 11

Renault *S.A. Renault Belgique*
Luxembourg N.V.
Avenue W.A. Mozart, 20
W.A.Mozartlaan, 20
1620 Drogenbos
Tél. : 02/334 76 11

Rover *S.A. Rover Belgium N.V.*
Lozenberg, 11
1932 Sint Stevens Woluwe
Tél. : 02/723 99 11

Saab *Beherman European*
Distribution
Industrieweg 3
2680 Bornem
Tél. : 03/890 91 11

Seat *S.A. Iberauto N.V.*
Boulevard Industriel, 51
Industrielaan, 51
1070 Bruxelles – Brussel
Tél. : 02/521 40 11

Skoda *S.A. Eskadif N.V.*
Avenue A. Giraud 29-35
A. Giraudlaan 29-35
1030 Bruxelles – Brussel
Tél. : 02/215 92 20

Ssangyong *S.A. Ssangyong Motor Belux*
N.V.
Woluwélaan 156-158
1831 Diegem
Tél. : 02/715 08 50

Subaru *S.A. Subaru Benelux N.V.*
Mechelsesteenweg, 588 d
1800 Vilvoorde
Tél. : 02/254 75 11

Suzuki *S.A. Suzuki Belgium N.V.*
Satenrozen, 2
2550 Kontich
Tél. : 03/450 04 11

Toyota *S.A. Toyota Belgium N.V.*
Rue Colonel Bourg, 115
Kolonel Bourgstraat, 115
1140 Bruxelles – Brussel
Tél. : 02/730 72 11

Volvo *Volvo Cars Belgium*
Chaussée de Zellik, 30
Zelliksesteenweg, 30
1082 Bruxelles – Brussel
Tél. : 02/464 12 11

Grand-Duché de Luxembourg

Alfa-Romeo Garage Jean Zahles
Rue de Longuy 36
Helfent-Bertrange
Tél. : 45 04 13

BMW Garage Arnold Kontz
Rte de Thionville 184
Luxembourg
Tél. : 49 19 41

Citroën Etoile Garage SARL
Rue Robert Stumper 3
Luxembourg
Tél. : 40 22 66

Chrysler Garage Norbert Bestgen SA
Rue de Longuy 8 a
Helfent-Bertrange
Tél. : 45 25 26

Daihatsu Multi-cars Jastrow
Rte d'Arlon 23-25
Strassen
Tél. : 45 39 39

Ferrari Garage Winandy Frères
Rue de Kaltgesbruck
Luxembourg
Tél. : 43 63 63

Fiat New Car Marketing
Rte d'Arlon 113
Mamer
Tél. : 31 89 91

Ford Euro Motor S.E.C.S.
Plt du Kirchberg
Luxembourg
Tél. : 43 30 30

G. M. Muller Jean SARL
Rte d'Esch 70
Luxembourg
Tél. : 44 64 61-1

Honda Garage Puraye Vic
Rte de Thionville 185
Luxembourg
Tél. : 49 57 25

Hyundai Car Center SARL
Rue du Commerce 2-4
Foetz
Tél. : 57 26 85

Jaguar Gd Garage de la Petrusse
SA
Rue des Jardiniers 13-15
Luxembourg
Tél. : 22 66 4

Kia Multi-cars Jastrow
Rte d'Arlon 23-25
Strassen
Tél. : 45 39 39

Lada Multi-cars Jastrow
Rte d'Arlon 23-25
Strassen
Tél. : 45 39 39

Lancia Garage Intini
Rte de Longuy 8b
Bertrange
Tél. : 45 00 47

Land Rover Garage Nuss & Pleimling
Rte d'Esch 294
Luxembourg
Tél. : 48 71 01

Maserati Garage Franco Bertoli
Rue de Luxembourg 87
Bereldange
Tél. : 33 08 13

Mazda Garage Léon Pirsch SARL
Rte d'Esch 164
Luxembourg
Tél. : 48 26 32

Mercedes-Benz Garage Meris & Cie
Rue de Bouillon 45
Luxembourg
Tél. : 44 21 21

Mitsubishi Garage Butroni
Rue de Soleuvre 170 a
Differdange
Tél. : 58 94 28

Nissan Garage Paul Lentz
Rte d'Arlon 257
Luxembourg
Tél. 44 45 45

Peugeot-Talbot Garage Rodenbourg
Rue d'Arlon 54
Strassen
Tél. : 45 20 11-1

Renault Garage Renault SA
Rue Robert Stumper 2
Luxembourg
Tél. : 40 30 40-1

Rover Garage Norbert Bestgen S.A.
Rue de Longuy 8 a
Helfent-Bertrange
Tél. : 45 25 26

Saab Garage Roberty Grun
Rte d'Arlon 242
Strassen
Tél. : 31 92 57

Subaru *Garage Subaru Luxbg. S.A.*
Rte d'Arlon 1
Strassen
Tél. : 45 75 36

Toyota *NS Gd Garage de*
Luxembourg
Rte d'Arlon 293
Luxembourg
Tél. : 44 60 60

V.A.G. *Garage M. Losch*
S.E.C.S.
Rue de Thionville 88
Luxembourg
Tél. : 48 81 21

Volvo *Scancar Luxbg. S.A.*
Rue des Peupliers 18
Luxembourg-Hamm
Tél. : 43 96 96

Nederland
Pays-Bas

BMW   *BMW Nederland B.V.*
Einsteinlaan 5
2289 CC Rijswijk
Tél. : 070/395 62 22

Citroën   *Citroën Nederland B.V.*
Stadionplein 26-30
1076 CM Amsterdam
Tél. : 020/570 19 11

Chrysler   *Chrysler Holland Import B.V.*
Lange Dreef 12
4131 NH Vianen
Tél. 0347/36 34 00

Daewoo   *Daewoo Motor Benelux B.V.*
Jupiterstraat 210
2132 HJ Hoofddorp
Tél. : 023/563 17 12

Daihatsu   *Daihatsu Holland B.V.*
Witboom 2
4131 PL Vianen ZH
Tél. : 0347/37 05 05

Ferrari   *Kroymans B.V.*
Soestdijkerstr. wg. 64
1213 XE Hilversum
Tél. : 035/685 51 51

Fiat-
Lancia   *Hullenbergweg 1-3*
1101 BW Amsterdam
Alfa-Romeo   *Tél. : 020/652 07 00*

Ford   *Ford Nederland B.V.*
Amsteldijk 217
1079 LK Amsterdam
Tél. : 020/540 99 11

Honda   *Honda Nederland B.V.*
Nikkelstraat 17
2984 AM Ridderkerk
Tél. : 0180/45 73 33

Hyundai   *Greenib Car B.V.*
H. v. Doorneweg 14
2171 KZ Sassenheim
Tél. : 0252/21 33 94

Kia   *Kia Motors*
Marconiweg 2
4131 PD Vianen
Tél. : 0347/37 44 54

Lada   *Gremi Auto-Import B.V.*
Bornholmstraat 20
9723 AX Groningen
Tél. : 050/368 38 88

Mazda   *Autopalace De Binckhorst B.V.*
Binckhorstlaan 312-334
2516 BL Den Haag
Tél. : 070/348 94 00

Mercedes   *Mercedes-Benz Nederland B.V.*
Reactorweg 25
3542 AD Utrecht
Tél. : 030/247 19 11

Mitsubishi   *MMC Auto Nederland B.V.*
Warmonderweg 12
2171 AH Sassenheim
Tél. : 0252/26 61 11

Nissan   *Nissan Motor Nederland B.V.*
Vennestraat 13
2161 LE Lisse
Tél. : 0252/43 01 11

Opel   *Opel Nederland B.V.*
Baanhoek 188
3361 GN Sliedrecht
Tél. : 078/642 21 00

Peugeot-
Talbot   *Peugeot-Talbot Nederland N.V.*
Uraniumweg 25
3542 AK Utrecht
Tél. : 030/247 54 75

Rover   *Rover Nederland B.V.*
Sportlaan 1
4131 NN Vianen ZH
Tél. : 0347/36 66 00

Renault   *Renault Nederland N.V.*
Wibautstraat 224
1097 DN Amsterdam
Tél. : 020/561 91 91

Saab   *A.I.M. B.V.*
Jr. D.S. Tuynmanweg 7
4131 PN Vianen
Tél. : 0347/37 26 04

Seat   *Seat Importeur Pon Car B.V.*
Klepelhoek 2
3833 GZ Leusden
Tél. : 033/495 15 50

Ssangyong   *Kroymans Automobiel Divisie B.V.*
Meidoornkade 18
3992 AE Houten
Tél. : 030/637 90 31

Suzuki   *Nimag B.V. – Reedijk 9*
3274 KE Heinenoord
Tél. : 0186/60 79 11

Toyota   *Louwman & Parqui*
Steurweg 8
4941 VR Raamsdonksveer
Tél. : 0162/58 59 00

VW –
Audi   *Pon's Automobielhandel*
Zuiderinslag 2
3833 BP Leusden
Tél. : 033/494 99 44

Volvo   *Volvo Nederland B.V.*
Stationsweg 2
4153 RD Beesd
Tél. : 0345/68 88 88

Jours fériés en 1998
Feestdagen in 1998
Feiertage im Jahre 1998
Bank Holidays in 1998

Belgique – België – Belgien

1er janvier	*Jour de l'An*
12 avril	*Pâques*
13 avril	*lundi de Pâques*
1er mai	*Fête du Travail*
21 mai	*Ascension*
31 mai	*Pentecôte*
1er juin	*lundi de Pentecôte*
21 juillet	*Fête Nationale*
15 août	*Assomption*
1er novembre	*Toussaint*
11 novembre	*Fête de l'Armistice*
25 décembre	*Noël*

Grand-Duché de Luxembourg

1er janvier	*Jour de l'An*
23 février	*lundi de Carnaval*
12 avril	*Pâques*
13 avril	*lundi de Pâques*
1er mai	*Fête du Travail*
21 mai	*Ascension*
31 mai	*Pentecôte*
1er juin	*lundi de Pentecôte*
23 juin	*Fête Nationale*
15 août	*Assomption*
1er novembre	*Toussaint*
25 décembre	*Noël*
26 décembre	*Saint-Étienne*

Nederland – Pays-Bas

1er janvier	*Jour de l'An*
12 avril	*Pâques*
13 avril	*lundi de Pâques*
30 avril	*Jour de la Reine*
5 mai	*Jour de la Libération*
21 mai	*Ascension*
31 mai	*Pentecôte*
1er juin	*lundi de Pentecôte*
25 décembre	*Noël*
26 décembre	*2e jour de Noël*

Indicatifs Téléphoniques Internationaux

Internationale landnummers

de/van/ von/from → vers/naar nach/to	(A)	(B)	(CH)	(CZ)	(D)	(DK)	(E)	(FIN)	(F)	(GB)	(GR)
A Austria		0032	0041	00420	0049	0045	0034	00358	0033	0044	0030
B Belgium	0043		0041	00420	0049	0045	0034	00358	0033	0044	0030
CH Switzerland	0043	0032		00420	0049	0045	0034	00358	0033	0044	0030
CZ Czech Republic	0043	0032	0041		0049	0045	0034	00358	0033	0044	0030
D Germany	0043	0032	0041	00420		0045	0034	00358	0033	0044	0030
DK Denmark	0043	0032	0041	00420	0049		0034	00358	0033	0044	0030
E Spain	0743	0732	0741	07420	0749	0745		07358	0733	0744	0730
FIN Finland	0043	0032	0041	00420	0049	0045	0034		0033	0044	0030
F France	0043	0032	0041	00420	0049	0045	0034	00358		0044	0030
GB United Kingdom	0043	0032	0041	00420	0049	0045	0034	00358	0033	044	0030
GR Greece	0043	0032	0041	00420	0049	0045	0034	00358	0033	0044	
H Hungary	0043	0032	0041	00420	0049	0045	0034	00358	0033	0044	0030
I Italy	0043	0032	0041	00420	0049	0045	0034	00358	0033	0044	0030
IRL Ireland	0043	0032	0041	00420	0049	0045	0034	00358	0033	0044	0030
J Japan	00143	00132	00141	001420	0149	00145	00134	001358	00133	00130	0030
L Luxembourg	0043	0032	0041	00420	05	0045	0034	00358	0033	0044	0030
N Norway	0043	0032	0041	00420	0049	0045	0034	00358	0033	0044	0030
NL Netherlands	0043	0032	0041	00420	0049	0045	0034	00358	0033	0044	0030
PL Poland	0043	0032	0041	00420	0049	0045	0034	00358	0033	0044	0030
P Portugal	0043	0032	0041	00420	0049	0045	0034	00358	0033	0044	0030
RUS Russia	81043	81032	81041	6420	81049	81045	*	009358	81033	81044	*
S Sweden	0043	0032	0041	00420	0049	0045	00934	00358	0033	0044	0030
USA	1143	01132	01141	011420	01149	01145	01134	01358	01133	01144	01130

* Pas de sélection automatique   ** Geen automatische selektie*

Important : Pour les communications d'un pays étranger vers la Belgique ou les Pays-Bas, le zéro (0) initial de l'indicatif interurbain n'est pas à composer.
En Belgique et aux Pays-Bas on n'utilise pas le préfixe dans la zone.

Belangrijk : Om vanuit het buitenland naar België of Nederland te telefoneren, het kengetal zonder de eerste 0 draaien of intoetsen. In België en Nederland moet men binnen eenzelfde zone geen kengetal draaien of intoetsen.

H	I	IRL	J	L	N	NL	PL	P	RUS	S	USA	
0036	0039	00353	0081	00352	0047	0031	0048	00351	007	0046	001	Austria A
0036	0039	00353	0081	00352	0047	0031	0048	00351	007	0046	001	Belgium B
0036	0039	00353	0081	00352	0047	0031	0048	00351	007	0046	001	Switzerland CH
0036	0039	00353	0081	00352	0047	0031	0048	00351	007	0046	001	Czech CZ Republic
0036	0039	00353	0081	00352	0047	0031	0048	00351	007	0046	001	Germany D
0036	0039	00353	0081	00352	0047	0031	0048	00351	007	0046	001	Denmark DK
0736	0739	07353	0781	07352	0747	0731	0748	07351	077	0746	071	Spain E
0036	0039	00353	0081	00352	0047	0031	0048	00351	9907	0046	001	Finland FIN
0036	0039	00353	0081	00352	0047	0031	0048	00351	007	0046	001	France F
0036	0039	00353	0081	00352	0047	0031	0048	00351	007	0046	001	United GB Kingdom
0036	0039	00353	0081	00352	0047	0031	0048	00351	007	0046	001	Greece GR
	0039	00353	0081	00352	0047	0031	0048	00351	007	0046	001	Hungary H
0036		00353	0081	00352	0047	0031	0048	00351	*	0046	001	Italy I
0036	0039		0081	00352	0047	0031	0048	00351	007	0046	001	Ireland IRL
00136	00139	001353		01352	00147	00131	00148	01351	*	01146	0011	Japan J
0036	0039	00353	0081		0047	0031	0048	00351	007	0046	001	Luxembourg L
0036	0039	00353	0081	00352		0031	0048	00351	007	0046	001	Norway N
0036	0039	00353	0081	00352	0047		0048	00351	007	0046	001	Netherlands NL
0036	0039	00353	0081	00352	0047	0031		00351	007	0046	001	Poland PL
0036	0039	00353	0081	00352	0047	0031	0048		007	0046	001	Portugal P
636	*	*	*	*	*	81031	648	*		*	*	Russia RUS
0036	0039	00353	00981	00352	0047	0031	0048	00935	097		0091	Sweden S
01136	01139	011353	01181	011352	01147	01131	01148	011351	*	01146		USA

* *Automatische Vorwahl nicht möglich*   * *Direct dialling not possible*

Wichtig: Bei Auslandsgesprächen von und nach Belgien oder die Niederlande darf die voranstehende Null (0) der Ortsnetzkennzahl nicht gewählt werden.
In Belgien und in den Niederlanden benötigt man keine Vorwahl innerhalb einer Zone.
Note: When making an international call to Belgium or the Netherlands do not dial the first « 0 » of the city codes.
The dialling code is not required for local calls in Belgium and the Netherlands.

Distances

Quelques précisions

*Au texte de chaque localité vous trouverez la distance de sa capitale
d'état et des villes environnantes. Les distances intervilles du tableau
les complètent.
La distance d'une localité à une autre n'est pas toujours répétée
en sens inverse : voyez au texte de l'une ou de l'autre.
Utilisez aussi les distances portées en bordure des plans.
Les distances sont comptées à partir du centre-ville et par la route
la plus pratique, c'est-à-dire celle qui offre les meilleures conditions
de roulage, mais qui n'est pas nécessairement la plus courte.*

Afstanden

Toelichting

*In de tekst bij elke plaats vindt U de afstand tot de hoofdstad
en tot de grotere steden in de omgeving. De afstandstabel dient
ter aanvulling.
De afstand tussen twee plaatsen staat niet altijd onder beide
plaatsen vermeld ; zie dan bij zowel de ene als de andere plaats.
Maak ook gebruik van de aangegeven afstanden rondom
de plattegronden.
De afstanden zijn berekend vanaf het stadscentrum en via
de gunstigste (niet altijd de kortste) route.*

Entfernungen

Einige Erklärungen

*Die Entfernungen zur Landeshauptstadt und zu den nächstgrößeren
Städten in der Umgebung finden Sie in jedem Ortstext.
Die Kilometerangaben der Tabelle ergänzen somit die Angaben
des Ortstextes.
Da die Entfernung von einer Stadt zu einer anderen nicht immer
unter beiden Städten zugleich aufgeführt ist, sehen Sie bitte unter
beiden entsprechenden Ortstexten nach. Eine weitere Hilfe sind auch
die am Rande der Stadtpläne erwähnten Kilometerangaben.
Die Entfernungen gelten ab Stadtmitte unter Berücksichtigung
der güngstigsten (nicht immer kürzesten) Strecke.*

Distances

Commentary

*Each entry indicates how far the town or locality is from the capital
and other nearby towns. The distances in the table complete those
given under individual town headings for calculating total
distances.
To avoid excessive repetition some distances have only been quoted
once. You may, therefore, have to look under both town headings.
Note also that some distances appear in the margins of the town
plans.
Distances are calculated from town centres and along the best roads
from a motoring point of view – not necessarily the shortest.*

Distances entre principales villes

Afstanden tussen de belangrijkste steden

Entfernungen zwischen den größeren Städten

Distances between major towns

> **147 km** · Gent – Rotterdam

Distances (km) between the following towns (triangular distance chart):

Amsterdam · Antwerpen · Apeldoorn · Arlon · Arnhem · Bastogne · Breda · Brugge · Bruxelles/Brussel · Charleroi · 's-Gravenhage · Dinant · Eindhoven · Enschede · Gent · Groningen · Haarlem · Hasselt · 's-Hertogenbosch · Kortrijk · Leeuwarden · Liège · Luxembourg · Maastricht · Mechelen · Middelburg · Mons · Namur · Nijmegen · Oostende · Rotterdam · Tilburg · Tournai · Turnhout · Utrecht · Zwolle

Distance chart (each line gives the distances from the named town to the towns listed above it, beginning with Amsterdam):

```
Antwerpen          158
Apeldoorn           92 189
Arlon              370 228 351
Arnhem             101 162  40 312
Bastogne           329 187 310  40 272
Breda              102  54 133 284 116 230
Brugge             264 106 294 296 268 255 160
Bruxelles/Brussel  211  51 241 188 215 146 107  98
Charleroi          270 110 300 125 274  82 193 204  64
's-Gravenhage       60 127 136 357 132 304  97 154 125 183
Dinant             297 137 327  99 276  64 180 193  95  36 266
Eindhoven          124  87  98 276  82 233  52 152  92 120 110 147
Enschede           164 300  74 371  99 363 177 309 217 293 169 282 139
Gent               217  59 330 213 221 343 113  47  58  92  95 121 201 411
Groningen          182 313 140 383 109 331 234 360 330 293 172 359 261  63 199
Haarlem             20 172 109 381  77 343 116 254 225 203  30 307 157 141 178 202
Hasselt            188  77 162 130 101 130 183 225  81 116 183  87  60 223 270 141 178
's-Hertogenbosch   256 100  66 240  47 240  52 183 100 183 204 121  30 172 334 199  99 128
Kortrijk           138  98 285 187 229 143 197  30  95  52  95 116 203 402  63 293 210 127 210
Leeuwarden         244 285 119 481 164 440 216 381 338 395 153 424 283  67 201  86  43 217 106 389
Liège              382 110 225 128 198  87 276 322  95  92 204  73  97  86 339 307 155  46  79 355 493
Luxembourg         216 198 198  31 159  73 166 216 216 208 217 123 283 305 201 166 203 170 141 327 307 402
Maastricht         185  87 207 233 166 179 102 161 112 133 204  87  67 190 199 162 203  70 146 312 312 142 159
Mechelen           276  25 216 324 189 306 171 112  30  47 154  98  98 373 417 166 130 170 241 389 389  70 130 128
Middelburg         263 116 279 148 225 133 158  69  62  40 115 121 118 316 146 289 142 276 168  60  46 276 307 128  60
Mons               143 103 207 171 242 198 246  62  40 231 263 131 201 316 149 130 202 141 183 140  55 187 204 116 143  68
Namur              280 122 311 313 284 272 249 195 209  27 222 212 378  65 435 294  82 202 222 249 215 340 357 234 202 149 119
Oostende            75 100 128 330 116  99  52  32 116  90  81  98 199 249 32 125  90  81  67 190 238 183 307 181 168 124  99 204
Rotterdam           40  74 124  94 219 168  91  83  99 212  43  60 188 260 103 166 162 125 172 238 161 210 238 130 131  98 186 213  74
Tilburg            124 120  68 295  61 219 220  74 129  55 168 214 139 276 102 162 168  51 202 161 222 236 348 182 148 210 237 168 246  77
Turnhout           115 213 388  72 347 157 308 265 323 160 352  73 271 102 228 132 311  95 262 401 235 237 317 326 257 132 235  90 335 152 317 185
Utrecht             40 124  67 335  68 295  88 170 119 204 77 139 188 196 170 183 246 210 168 237 161 228 348 210 196 185 228 204 170 238  77 102 327
Zwolle             115 213  72 388  41 347 157 265 185 317  91 271 102 228 235 132 152  90 132 262 95  91 401 237 257 317 326 235 152 317 185 160 352 235  91
```

549

	Amsterdam	Antwerpen	Bruxelles/Brussel	Luxembourg	Rotterdam	
1552	1405	1364	1152	1507	**Barcelona**
698	582	542	329	684	**Basel**
668	725	776	765	704	**Berlin**
793	678	638	425	780	**Bern**
683	525	519	734	626	**Birmingham**
1085	927	892	927	1028	**Bordeaux**
2036	1920	1880	1667	2022	**Brindisi**
1548	1390	1355	1390	1491	**Burgos**
756	598	585	720	699	**Cherbourg**
926	768	733	596	869	**Clermont-Ferrand**
446	398	401	237	446	**Frankfurt am Main**
909	762	721	509	863	**Genève**
1156	998	992	1207	1099	**Glasgow**
467	560	585	624	503	**Hamburg**
386	443	493	490	421	**Hannover**
780	873	898	937	816	**København**
284	126	120	309	227	**Lille**
2269	2110	2076	2111	2212	**Lisboa**
479	321	315	530	422	**London**
921	773	733	521	875	**Lyon**
1779	1621	1586	1621	1722	**Madrid**
2304	2146	2111	2107	2247	**Málaga**
1231	1084	1044	831	1186	**Marseille**
1040	925	884	672	1026	**Milano**
834	771	729	514	820	**München**
888	730	695	730	831	**Nantes**
1806	1691	1650	1438	1792	**Napoli**
1048	1141	1166	1206	1084	**Oslo**
1813	1698	1657	1445	1799	**Palermo**
502	344	309	354	445	**Paris**
2076	1918	1883	1918	2019	**Porto**
855	886	890	723	871	**Praha**
1607	1492	1451	1239	1593	**Roma**
1326	1168	1133	1168	1269	**San Sebastián**
1387	1480	1505	1544	1423	**Stockholm**
601	472	432	219	574	**Strasbourg**
1102	987	946	734	1088	**Torino**
1201	1043	1008	1053	1144	**Toulouse**
1898	1751	1711	1498	1853	**Valencia**
1241	1177	1137	924	1279	**Venezia**
1151	1103	1107	928	1152	**Wien**
1347	1300	1303	1087	1348	**Zagreb**

Bruxelles/Brussel - Madrid

1586 km

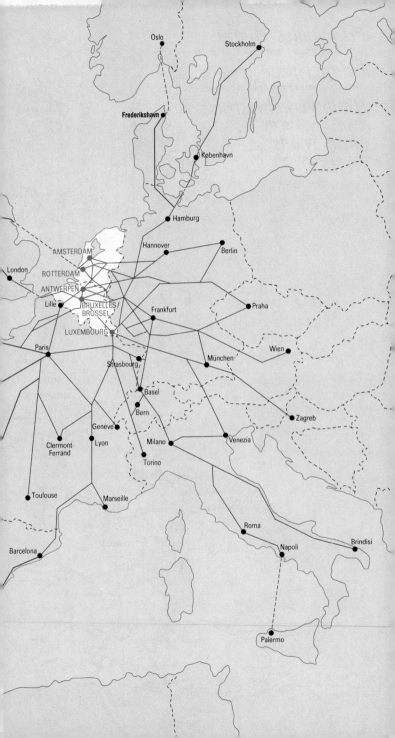

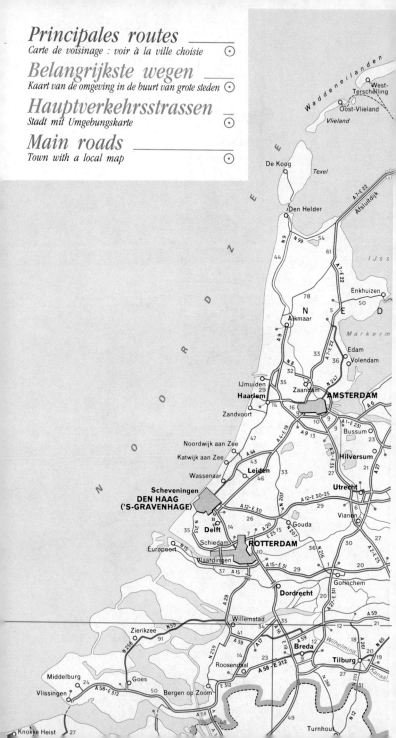

Principales routes _____
Carte de voisinage : voir à la ville choisie ⊙

Belangrijkste wegen _____
Kaart van de omgeving in de buurt van grote steden ⊙

Hauptverkehrsstrassen _____
Stadt mit Umgebungskarte ⊙

Main roads _____
Town with a local map ⊙

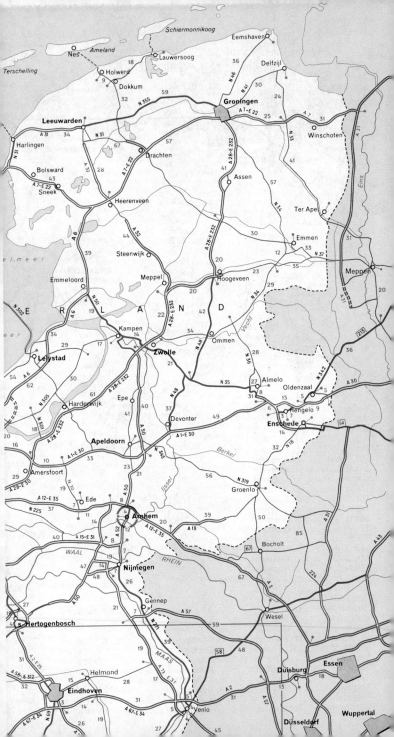

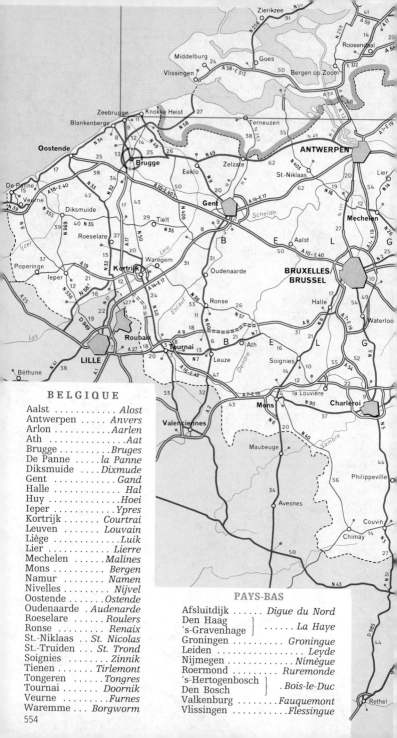

BELGIQUE

Aalst	*Alost*
Antwerpen	*Anvers*
Arlon	*Aarlen*
Ath	*Aat*
Brugge	*Bruges*
De Panne	*la Panne*
Diksmuide	*Dixmude*
Gent	*Gand*
Halle	*Hal*
Huy	*Hoei*
Ieper	*Ypres*
Kortrijk	*Courtrai*
Leuven	*Louvain*
Liège	*Luik*
Lier	*Lierre*
Mechelen	*Malines*
Mons	*Bergen*
Namur	*Namen*
Nivelles	*Nijvel*
Oostende	*Ostende*
Oudenaarde	*Audenarde*
Roeselare	*Roulers*
Ronse	*Renaix*
St.-Niklaas	*St. Nicolas*
St.-Truiden	*St. Trond*
Soignies	*Zinnik*
Tienen	*Tirlemont*
Tongeren	*Tongres*
Tournai	*Doornik*
Veurne	*Furnes*
Waremme	*Borgworm*

PAYS-BAS

Afsluitdijk	*Digue du Nord*
Den Haag	
's-Gravenhage	*La Haye*
Groningen	*Groningue*
Leiden	*Leyde*
Nijmegen	*Nimègue*
Roermond	*Ruremonde*
's-Hertogenbosch	
Den Bosch	*Bois-le-Duc*
Valkenburg	*Fauquemont*
Vlissingen	*Flessingue*

554

Lexique

Woordenlijst

Lexikon

Lexicon

NOURRITURE et BOISSONS	SPIJZEN en DRANKEN	SPEISEN und GETRÄNKE	FOOD and DRINKS
agneau	lamsvlees	Lamm	lamb
aiglefin	schelvis	Schellfisch	haddock
ail	knoflook	Knoblauch	garlic
amandes	amandelen	Mandeln	almonds
ananas	ananas	Ananas	pineapple
anchois	ansjovis	Anchovis	anchovies
anguille (à l'étuvée)	paling (gestoofd)	Aal (gedünstet)	eel (stewed)
anguille fumée	gerookte paling	Räucheraal	smoked eel
artichaut	artisjok	Artischocke	artichoke
asperges	asperges	Spargel	asparagus
bécasse	houtsnip	Waldschnepfe	woodcock
betterave	biet	rote Rübe	beetroot
beurre	boter	Butter	butter
bière	bier	Bier	beer
bifteck	biefstuk	Beefsteak	beefsteak
biscotte	beschuit	Zwieback	rusk
bouillon	heldere soep	Fleischbrühe	clear soup
brochette	spies	kleiner Bratspieß	on a skewer
café au lait	koffie met melk	Milchkaffee	coffee and milk
café crème	koffie met room	Kaffee mit Sahne	coffee and cream
canard	eend	Ente	duck
câpres	kappers	Kapern	capers
carottes	wortelen	Karotten	carrots
carpe	karper	Karpfen	carp
carrelet	schol	Scholle	plaice
céleri	selderij	Sellerie	celery
cerf	hert	Hirsch	deer
cerises	kersen	Kirschen	cherries
champignons	champignons	Pilze	mushrooms
charcuterie	vleeswaren	Aufschnitt	pork-butchers' meats
chevreuil	ree	Reh	venison
chicorée, endive, chicon	witlof	Endivie	endive
chou	kool	Kraut, Kohl	cabbage
choucroute	zuurkool	Sauerkraut	sauerkraut
chou-fleur	bloemkool	Blumenkohl	cauliflower
choux de Bruxelles	spruitjes	Rosenkohl	Brussels sprouts
citron	citroen	Zitrone	lemon
concombre	komkommer	Gurke	cucumber
confiture	jam	Konfitüre	jam
coquillages	schelpdieren	Schalentiere	shell-fish
côte de porc	varkenskotelet	Schweinekotelett	pork chop
côte de veau	kalfsrib	Kalbskotelett	veal chop
côtelette	kotelet	Kotelett	chop, cutlet

crème	room	Sahne	cream
crème fouettée	slagroom	Schlagsahne	whipped cream
crevettes	garnalen	Garnelen	shrimps
croûtons	croûtons	geröstetes Brot	croûtons
crudités	rauwkost	Rohkost	raw vegetables
cuissot	...bout	...keule	haunch (of venison)
dattes	dadels	Datteln	dates
daurade	goudbrasem	Goldbrassen	dory
dinde	kalkoen	Truthenne	turkey
eau minérale	mineraalwater	Mineralwasser	mineral water
en daube, en sauce	gestoofd, met saus	geschmort, mit Sauce	stewed, with sauce
entrecôte	tussenrib	Rumpsteak	rib steak
épinards	spinazie	Spinat	spinach
escalope panée	wienerschnitzel	Wiener Schnitzel	escalope in breadcrumbs
escargots	slakken	Schnecken	snails
faisan	fazant	Fasan	pheasant
farci	gevuld	gefüllt	stuffed
fèves	bonen	dicke Bohnen	broad beans
filet de bœuf	ossehaas	Filetsteak	fillet of beef
filet de porc	varkenshaasje	Schweinefilet	fillet of pork
foie de veau	kalfslever	Kalbsleber	calf's liver
fraises	aardbeien	Erdbeeren	strawberries
frit	gebakken	gebraten (Pfanne)	fried
fromage	kaas	Käse	cheese
fumé	gerookt	geräuchert	smoked
gâteau	gebak	Kuchen	cake
genièvre	jenever	Wacholderschnaps	juniper, gin
gigot	lamsbout	Lammkeule	leg of mutton
gingembre	gember	Ingwer	ginger
glace	ijs	Speiseeis	ice-cream
grillé	geroosterd	gegrillt	grilled
groseilles	aalbessen	Johannisbeeren	currants
hachis	gehakt	gehackt	chopped
hareng (frais)	haring (nieuwe)	Hering (grün)	herring (fresh)
haricots blancs	witte bonen	weisse Bohnen	haricot beans
haricots verts	sperziebonen	grüne Bohnen	French beans
homard	kreeft	Hummer	lobster
huile	olie	Öl	olive oil
huîtres	oesters	Austern	oysters
jambon	ham	Schinken	ham
(cru ou cuit)	(rauwe of gekookte)	(roh oder gekocht)	(raw or cooked)
jus de fruit	vruchtensap	Fruchtsaft	fruit juice
lait	melk	Milch	milk
laitue	kropsla	Kopfsalat	lettuce
langouste	pantserkreeft – langoest	Languste	spiny lobster
langoustines	doornkreeften	Langustinen	crayfish
langue	tong	Zunge	tongue
lapin	konijn	Kaninchen	hare, rabbit
lièvre	haas	Hase	hare
mandarines	mandarijnen	Mandarinen	tangerines
maquereau	makreel	Makrele	mackerel
merlan, colin	wijting, koolvis	Weissling, Kohlfisch	whiting, coal fish
miel	honing	Honig	honey
morue fraîche, cabillaud	kabeljauw	Kabeljau, Dorsch	cod
morue séchée	stokvis	Stockfisch	dried cod
moules	mosselen	Muscheln	mussels
moutarde	mosterd	Senf	mustard
noisettes	hazelnoten	Haselnüsse	hazelnuts
noix	noten	Nüsse	walnuts

oie	gans	Gans	goose
oignons	uien	Zwiebeln	onions
œuf à la coque	zacht gekookt ei	weiches Ei	soft-boiled egg
œuf à la russe	Russisch ei	Russisches Ei	Russian egg
œuf dur	hard gekookt ei	hartes Ei	hard-boiled egg
oranges	sinaasappels	Orangen	oranges
pain	brood	Brot	bread
pâté de foie gras	ganzeleverpastei	Gänseleberpastete	goose liver pâté
pâté en croûte	pastei in korstdeeg	Pastete	meat pie
pâtisseries	banketgebak	Feingebäck, Süßigkeiten	pastries
pêches	perziken	Pfirsiche	peaches
perdrix, perdreau	patrijs	Rebhuhn	partridge
petits pois	doperwten	junge Erbsen	green peas
pigeon	duif	Taube	pigeon
pintade	parelhoen	Perlhuhn	guinea-hen
pistaches	pistache-nootjes	Pistazie	pistachio
poireau	prei	Lauch	leek
poires	peren	Birnen	pears
poivre	peper	Pfeffer	pepper
pommes	appels	Äpfel	apples
pommes de terre	aardappelen	Kartoffeln	potatoes
(sautées)	(gebakken)	(gebraten)	(fried)
pot-au-feu	stoofpot	Rindfleischsuppe	boiled beef
poulet	kip	Hühnchen	chicken
primeurs	jonge groenten	Frühgemüse	early vegetables
prunes	pruimen	Pflaumen	plums
raie	rog	Rochen	skate, ray-fish
raisin	druiven	Traube	grapes
raisins secs	rozijnen	Rosinen	raisins
ris de veau	kalfszwezerik	Kalbsbries	sweetbreads
riz	rijst	Reis	rice
rognons	nieren	Nieren	kidneys
rôti (au four)	gebraden (in oven)	gebraten (Backofen)	roasted (in oven)
rouget	knorhaan, rode poon	Barbe, Rötling	red mullet
saignant	kort gebakken	englisch gebraten	rare
salade	sla	Salat	green salad
saucisse	saucijs	Würstchen	sausage
saucisson	worst	Wurst	salami sausage
saumon	zalm	Lachs	salmon
sel	zout	Salz	salt
sole	tong (vis)	Seezunge	sole
sucre	suiker	Zucker	sugar
tarte	taart	Torte	tart
thé	thee	Tee	tea
thon	tonijn	Thunfisch	tunny-fish
truffe	truffel	Trüffel	truffle
truite	forel	Forelle	trout
turbot	tarbot	Steinbutt	turbot
vinaigre	azijn	Essig	vinegar
vin blanc sec	droge witte wijn	herber Weisswein	dry white wine
vin rouge, rosé	rode wijn, rosé wijn	Rotwein, Rosé	red wine, rosé

MOTS USUELS	GEBRUIKELIJKE WOORDEN	ALLGEMEINER WORTSCHATZ	COMMON WORDS
acheter	kopen	kaufen	to buy
aéroport	vliegveld	Flughafen	airport
affluent	zijrivier	Nebenfluß	tributary
allumettes	lucifers	Zündhölzer	matches
à louer	te huur	zu vermieten	for hire
ancien, antique	oud	alt, ehemalig	old
annexe	bijgebouw	Nebengebäude	annex
antigel	anti-vries	Frostschutzmittel	antifreeze
août	augustus	August	August
archipel	archipel	Inselgruppe	archipelago
assistance	hulp	Hilfe	assistance
aujourd'hui	vandaag	heute	today
autodrome	autorenbaan	Autorennbahn	car racetrack
automne	herfst	Herbst	autumn
avion	vliegtuig	Flugzeug	plane
avril	april	April	April
bac	veerboot	Fähre	ferry
bagages	bagage	Gepäck	luggage
baie	baai	Bucht	bay
barque, canot	boot, roeiboot	Ruderboot	rowing boat
bateau à vapeur	stoomboot	Dampfer	steamer
bateau d'excursions	rondvaartboot	Ausflugsdampfer	pleasure boat
beau	mooi	schön	fine, lovely
bicyclette	fiets	Fahrrad	bicycle
bien, bon	goed	gut	good, well
billet d'entrée	toegangsbewijs	Eintrittskarte	admission ticket
blanchisserie	wasserij	Wäscherei	laundry
boulevard, avenue	laan	Boulevard, breite Strasse	boulevard, avenue
bouteille	fles	Flasche	bottle
boutique	winkel	Laden	shop
brasserie	café	Gastwirtschaft	pub
bureau de police	politiebureau	Polizeiwache	police station
bureau de tabac	sigarenwinkel	Tabakladen	tobacconist
bureau de voyages	reisbureau	Reisebüro	travel bureau
caisse	kas	Kasse	cash desk
campagne	platteland	Land	country
carte postale	briefkaart	Postkarte	postcard
casino	Kursaal, casino	Kurhaus	casino
chaire	preekstoel	Kanzel	pulpit
change	wisselkantoor	Geldwechsel	exchange
chapelle	kapel	Kapelle	chapel
chasseur	piccolo	Hotelbote	pageboy
château	kasteel	Burg, Schloß	castle
château d'eau	watertoren	Wasserturm	water tower
chœur	koor	Chor	choir
cimetière	begraafplaats	Friedhof	cemetery
cinéma	bioscoop	Kino	cinema
circuit	rondrit	Rundfahrt	round tour
clé	sleutel	Schlüssel	key
coiffeur	kapper	Friseur	hairdresser, barber
collection	verzameling	Sammlung	collection
collégiale	collegiale kerk	Stiftskirche	collegiate church
combien ?	hoeveel ?	wieviel ?	how much ?
commissariat	hoofdbureau van politie	Polizeirevier	police headquarters
côte	kust	Küste	coast
cour	binnenplaats	Hof	courtyard
couverture	deken	Decke	blanket
crevaison	lekke band	Reifenpanne	puncture
décembre	december	Dezember	December

559

défense de fumer	verboden te roken	Rauchen verboten	no smoking
défense d'entrer	verboden toegang	Zutritt verboten	no admittance
déjeuner, dîner	lunch, diner	Mittag-, Abendessen	lunch, dinner
demain	morgen	morgen	tomorrow
demander	vragen	bitten, fragen	to ask for
dentiste	tandarts	Zahnarzt	dentist
départ	vertrek	Abfahrt	departure
dimanche	zondag	Sonntag	Sunday
docteur	dokter	Arzt	doctor
édifice	gebouw	Bauwerk	building
église	kerk	Kirche	church
en construction	in aanbouw	im Bau	under construction
en cours d'aménagement	wordt verbouwd	im Umbau	in course of rearrangement
en plein air	in de openlucht	im Freien	outside
enveloppes	enveloppen	Briefumschläge	envelopes
environ... km	ongeveer... km	etwa... km	approx... km
environs	omgeving	Umgebung	surroundings
étage	verdieping	Stock, Etage	floor
été	zomer	Sommer	summer
exclus, non compris	niet inbegrepen	nicht inbegriffen	excluded
excursion	uitstapje	Ausflug	excursion
exposition	tentoonstelling	Ausstellung	exhibition
façade	gevel	Fassade	façade
février	februari	Februar	February
flèche	spits	Spitze	spire
fleurs	bloemen	Blumen	flowers
fleuve	stroom	Fluß	river
foire	jaarbeurs	Messe, Markt	...show, exhibition
fontaine	fontein	Brunnen	fountain
fonts baptismaux	doopvont	Taufbecken	font
forêt, bois	woud, bos	Wald, Wäldchen	forest, wood
forteresse	vesting	Festung	fortress
fouilles	opgravingen	Ausgrabungen	excavations
fresques	fresco's	Fresken	frescoes
garçon ! serveuse !	ober ! juffrouw !	Ober ! Fräulein !	waiter ! waitress !
gare	station	Bahnhof	station
gorge	bergengte, kloof	Schlucht	gorge
graissage, lavage	doorsmeren, wassen	Abschmieren, Waschen	greasing, car wash
grand magasin	warenhuis	Kaufhaus	department store
grand'place	grote markt	Hauptplatz	main square
grotte	grot	Höhle	cave
hameau	gehucht	Weiler	hamlet
hebdomadaire	wekelijks	wöchentlich	weekly
hier	gisteren	gestern	yesterday
hiver	winter	Winter	winter
hôpital	ziekenhuis	Krankenhaus	hospital
horloge	klok	Uhr	clock
hôtel de ville	stadhuis	Rathaus	town hall
île	eiland	Insel	island
janvier	januari	Januar	January
jardin, parc	tuin, park	Garten, Park	garden, park
jardin botanique	botanische tuin	botanischer Garten	botanical garden
jeudi	donderdag	Donnerstag	Thursday
jeux	spelen	Spiele	games
jour férié	feestdag	Feiertag	holiday
journal	krant	Zeitung	newspaper
juillet	juli	Juli	July
juin	juni	Juni	June
lac	meer	See	lake
librairie	boekhandel	Buchhandlung	bookshop, news agent

lit	bed	Bett	bed
lit d'enfant	kinderbed	Kinderbett	child's bed
lundi	maandag	Montag	Monday
mai	mei	Mai	May
maison	huis	Haus	house
manoir	landhuis, ridderhofstede	Herrensitz	manor house
mardi	dinsdag	Dienstag	Tuesday
mars	maart	März	March
mauvais	slecht	schlecht	bad
médiéval	middeleeuws	mittelalterlich	mediaeval
mer	zee	Meer	sea
mercredi	woensdag	Mittwoch	Wednesday
môle, quai	havenhoofd, kade	Mole, Kai	mole, quay
monastère	klooster	Kloster	monastery
montée	helling	Steigung	hill
moulin	molen	Mühle	windmill
navire	schip	Schiff	ship
nef	schip v. e. kerk	Kirchenschiff	nave
Noël	Kerstmis	Weihnachten	Christmas
note, addition	rekening	Rechnung	bill, check
novembre	november	November	November
octobre	oktober	Oktober	October
œuvre d'art	kunstwerk	Kunstwerk	work of art
office de tourisme	dienst voor toerisme, V.V.V.	Verkehrsverein	tourist information centre
ombragé	schaduwrijk	schattig	shady
oreiller	hoofdkussen	Kopfkissen	pillow
palais de justice	gerechtshof	Gerichtsgebäude	Law Courts
palais royal	koninklijk paleis	Königsschloß	royal palace
panne	pech	Panne	breakdown
papier à lettres	briefpapier	Briefpapier	writing paper
Pâques	Pasen	Ostern	Easter
parc d'attractions	pretpark	Vergnügungspark	amusement park
patron	eigenaar	Besitzer	owner
pavement	bevloering	Ornament-Fußboden	ornamental paving
payer	betalen	bezahlen	to pay
peintures, tableaux	schilderijen	Malereien, Gemälde	paintings
petit déjeuner	ontbijt	Frühstück	breakfast
phare	vuurtoren	Leuchtturm	lighthouse
pharmacien	apotheker	Apotheker	chemist
piétons	voetgangers	Fußgänger	pedestrians
pinacothèque	schilderijengalerij	Gemäldegalerie	picture gallery
pittoresque	schilderachtig	malerisch	picturesque
place du marché	marktplein	Marktplatz	market place
place publique	plein	Platz	square
plafond	zoldering	Zimmerdecke	ceiling
plage	strand	Strand	beach
plaine verdoyante, pré	weide	grüne Ebene, Wiese	green open country, meadow
pont	brug	Brücke	bridge
port	haven	Hafen	harbour
porteur	kruier	Gepäckträger	porter
poste restante	poste restante	postlagernd	poste restante
potager	groententuin, moestuin	Gemüsegarten	kitchen garden
pourboire	drinkgeld, fooi	Trinkgeld	tip
prêtre	priester	Geistlicher	priest
printemps	lente	Frühling	spring (season)
promenade	wandeling	Spaziergang, Promenade	walk, promenade
proximité	nabijheid	Nähe	proximity
quotidien	dagelijks	täglich	daily

recommandé	aangetekend	Einschreiben	registered
régime	dieet	Diät	diet
remorquer	wegslepen	abschleppen	to tow
renseignements	inlichtingen	Auskünfte	information
réparer	repareren	reparieren	to repair
repas	maaltijd	Mahlzeit	meal
repassage	strijkerij	Büglerei	pressing, ironing
retable	altaarstuk	Altaraufsatz	altarpiece, retable
roches, rochers	rotsen	Felsen	rocks
rôtisserie	rôtisserie	Rotisserie	grilled meat restaurant
rive, bord	kant, oever	Ufer	shore
rivière	rivier	Fluß	river
rue	straat	Straße	street
rustique	landelijk	ländlich	rustic
salle à manger	eetzaal	Speisesaal	dining room
salle de bain	badkamer	Badezimmer	bathroom
samedi	zaterdag	Samstag	Saturday
sanctuaire, mémorial	heiligdom, gedenkteken	Heiligtum, Gedenkstätte	shrine, memorial
sculptures	beeldhouwkunst	Schnitzwerk	carvings
sculptures sur bois	houtsnijwerk	Holzschnitzereien	wood carvings
septembre	september	September	September
service compris	inclusief bediening	Bedienung inbegriffen	service included
site, paysage	landschap	Landschaft	site, landscape
soir	avond	Abend	evening
sortie de secours	nooduitgang	Notausgang	emergency exit
source	bron	Quelle	source, stream
stalles	koorbanken	Chorgestühl	choirstalls
sur demande	op verzoek	auf Verlangen	on request
tapisseries	wandtapijten	Wandteppiche	tapestries
timbre-poste	postzegel	Briefmarke	stamp
toiles originales	originele doeken	Originalgemälde	original paintings
tombeau	grafsteen	Grabmal	tomb
tour	toren	Turm	tower
train	trein	Zug	train
tramway	tram	Straßenbahn	tram
transept	dwarsschip	Querschiff	transept
trésor	schat	Schatz	treasure, treasury
vedette	motorboot	Motorboot	motorboat
vendredi	vrijdag	Freitag	Friday
verre	glas	Glas	glass
verrière, vitrail	glazen dak ; glas-in-loodraam	Kirchenfenster	stained glass window
vignes, vignobles	wijnranken, wijngaarden	Reben, Weinberg	vines, vineyard
village	dorp	Dorf	village
voûte	gewelf	Gewölbe, Wölbung	arch

SUR LA ROUTE	OP DE WEG	AUF DER STRASSE	ON THE ROAD
accès	toegang	Zugang	access to...
à droite	rechts	nach rechts	to the right
à gauche	links	nach links	to the left
à la sortie de...	aan de uitgang van...	am Ausgang von...	on the way out from...
arrêt de tram	tramhalte	Haltestelle	tram stop
attention ! danger !	let op ! gevaar !	Achtung ! Gefahr !	caution ! danger !
autoroute	autosnelweg	Autobahn	motorway
bas-côté non stabilisé	zachte berm	nicht befestigter Seitenstreifen	soft shoulder

bifurcation	tweesprong	Gabelung	road fork
brouillard	mist	Nebel	fog
cédez le passage	voorrang geven	Vorfahrt beachten	give way
chaussée déformée	slecht wegdek	schlechte Wegstrecke	road subsidence
chaussée glissante	gladde weg	Rutschgefahr	slippery road
chemin privé	eigen weg	Privatweg	private road
danger !	gevaar !	Gefahr !	danger !
défense de doubler	inhaalverbod	Überholen verboten	no overtaking
dégâts causés par le gel	door vorst veroorzaakte schade	Frostschäden	road damage due to frost
descente	afdaling	Gefälle	steep hill
descente dangereuse	gevaarlijke afdaling	gefährliches Gefälle	dangerous hill
digue	dijk	Damm	dike
douane	douane, tol	Zoll	customs
en dessous	lager dan, onder	unter	below
entrée	ingang	Eingang	entrance
fermé	gesloten	geschlossen	closed
frontière	grens	Grenze	frontier
gravillons	steenslag	Rollsplitt	gravel
impasse	doodlopende weg	Sackgasse	no through road
interdit	verboden	verboten	prohibited
localité	plaats	Stadt	town
neige	sneeuw	Schnee	snow
ouvert	geopend	offen	open
passage à niveau non gardé	onbewaakte overweg	unbewachter Bahnübergang	unattended level crossing
péage	tol	Mautgebühr	toll
pont étroit	smalle brug	enge Brücke	narrow bridge
poste de secours	hulppost	Unfall-Hilfsposten	first aid station
raccordement	verbindingsweg	Zufahrtsstraße	access road
réservé aux piétons	alleen voor voetgangers	nur für Fußgänger	pedestrians only
roulez prudemment	voorzichtig rijden	vorsichtig fahren	drive carefully
route barrée	afgesloten rijweg	gesperrte Straße	road closed
route mauvaise sur 1 km	weg in slechte staat over 1 km	schlechte Wegstrecke auf 1 km	bad road for 1 km
route nationale	rijksweg	Staatsstraße	State road
route, rue en mauvais état	weg, straat met slecht wegdek	Weg, Straße in schlechtem Zustand	road, street in bad condition
rue de traversée	doorgaand verkeer	Durchgangsverkehr	through traffic
sortie	uitgang	Ausgang	exit
sortie de camions	uitrit vrachtwagens	Lkw-Ausfahrt	truck exit
station d'essence	benzinestation	Tankstelle	petrol station
stationnement interdit	parkeren verboden	Parkverbot	no parking
travaux en cours	werk in uitvoering	Straßenbauarbeiten	road works
traversée de piste cyclable	overstekende wielrijders	Radweg kreuzt	cycle track crossing
virage dangereux	gevaarlijke bocht	gefährliche Kurve	dangerous bend

Notes
Notities
Notizen

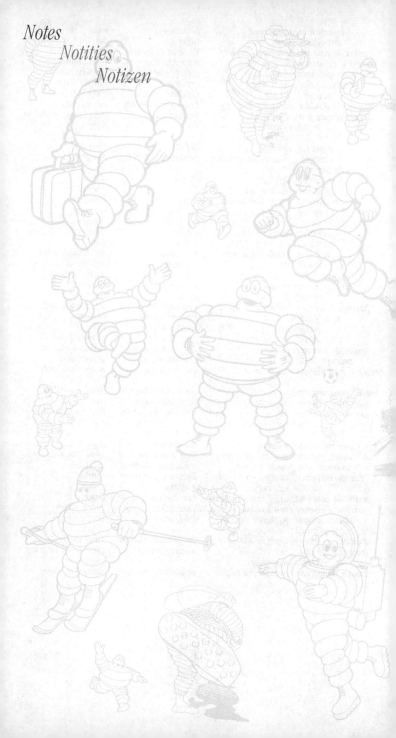

Manufacture française des pneumatiques Michelin
Société en commandite par actions au capital de 2 000 000 000 de francs
Place des Carmes-Déchaux – 63 Clermont-Ferrand (France)
R.C.S. Clermont-Fd B 855 200 507

Michelin et Cie, propriétaires-éditeurs, 1998
Dépôt légal 2-98 – ISBN 2-06-060089-8

Printed in the EU : 12-97
Photocomposition : MAURY Imprimeur S.A., Malesherbes
Impression : CASTERMAN, Tournai – KAPP, LAHURE, JOMBART, Evreux
Reliure : A.G.M., Forges-les-Eaux

Illustrations : Cécile Imbert/MICHELIN p. 4 à 13, 16 à 25, 28 à 37, 40 à 49
Narratif Systèmes/Genclo p. 56 (bas), 57, 58, 59
Rodolphe Corbel p. 78, 108, 122, 166, 186, 230, 256, 326, 350,
418, 488
Nathalie Benavides/MICHELIN p. 558

GUIDES VERTS
TOURISTIQUES

TOURISTIC
GREEN GUIDES

TOERISTISCHE
GROENE
GIDSEN

BELGIQUE-LUXEMBOURG
PAYS-BAS